Wim Reinaldo

23 jan 1989

Kinderen van de Arbat

Van Annet

Vertaald door Aai Prins, Gerard Rasch,
Frans Stapert en Maya de Vries

Anatoli Rybakov

Kinderen van de Arbat

1988 Uitgeverij Bert Bakker
Amsterdam

© 1987 Anatoli Rybakov
© 1988 Nederlandse vertaling Aai Prins,
Gerard Rasch, Frans Stapert en Maya de Vries
Oorspronkelijke titel *Deti Arbata*
Omslagontwerp Gerard Hadders HW
Typografie Rudo Hartman
Schilderij omslag Kouzma Petrov-Vodkine,
Het bad van het rode paard, 1912
ISBN 90 351 0629 6

Eerste druk oktober 1988
Derde druk november 1988

I

1 Het grootste huis aan de Arbat stond tussen de Nikolski- en de Denezjnystraat, die nu Plotnikov- en Vesninstraat heten, drie blokken van zeven verdiepingen vlak achter elkaar. De gevel van het eerste was bekleed met wit geglazuurde tegels. Er hingen bordjes: AJOUR-ZOMEN, STOTTERTHERAPIE, VENERISCHE ZIEKTES EN URINEKWALEN... Lage, boogvormige poortjes waarvan de hoeken met plaatijzer waren beslagen, verbonden de twee diepe, donkere binnenplaatsten met elkaar.

Sasja Pankratov kwam naar buiten en ging linksaf in de richting van het Smolenskplein. Bij ARS ARBAT, de bioscoop, wandelden de meisjes van de Arbat, van de Dorogomilovskaja en van de Pljoesjtsjicha al twee aan twee, de kraag nonchalant omhoog, de lippen geverfd, de wimpers gekruld, een afwachtende blik in de ogen en een kleurig sjaaltje om de hals: de najaarselegance van de Arbat. De voorstelling was afgelopen, het publiek werd over de binnenplaats naar buiten gelaten, de menigte perste zich door de smalle poort naar de straat, waar zich bovendien een vrolijke bende jongelui verdrong, de eeuwige heersers van dit soort plaatsen.

De Arbat had zijn dag er bijna op zitten. Over de weg, waarvan de rijbaan was geasfalteerd terwijl tussen de tramrails nog keien lagen, rolden de eerste Sovjetautomobielen Gaz en Amo, die de oude huurrijtuigen inhaalden. Uit de remise kwamen trams te voorschijn, nu eens met een, dan weer met twee bijwagens, een hopeloze poging aan de vervoersbehoefte van de grote stad te voldoen. Onder de grond werd de eerste metrolijn al aangelegd, op het Smolenskplein torende een houten stellage uit boven een schacht.

Op Devitsje Pole, bij de club van de rubberfabriek, werd Sasja al opgewacht door Katja, een meisje van de steppe met uitstekende jukbeenderen en grijze ogen; ze had een dikke boerenwollen trui aan. De lucht van wijn kwam hem tegemoet.

'Wij zijn wijn wezen drinken met de meisjes. Vier jij geen feest?'

'Wat voor feest?'

'Wat voor... Maria-Bescherming.'

'Eh...'

'Helemaal geen "eh"!'

Waar gaan we naar toe?'

'Waar naartoe? Naar een vriendin.'

'Moet ik iets meenemen?'

'Eten hebben zij. Koop maar wodka.'

Langs de oude arbeidersbarakken van de Bolsjoj Savinskistraat, vanwaar dronken stemmen, vals gezang, de klanken van een trekharmonica en een grammofoon waren te horen, vervolgens over een smal pad tussen de houten fabrieksheiningen, daalden ze af naar de kade. Links zagen ze de grote ramen van de Sverdlov- en Liversfabrieken, rechts de Moskva, voor hen de muren van het Novodevitsji klooster en het metalen vlechtwerk van de brug van de Ringspoorlijn met daarachter moerassen en weiden, Kotsjki en Loezjniki...

'Waar breng je me naar toe?' vroeg Sasja.

'Waar naartoe... kom, een bedelaar is geen dorp te ver!'

Hij sloeg een arm om haar heen, maar ze probeerde hem weg te duwen.

'Een beetje geduld.'

Sasja omklemde haar schouder nog krachtiger.

'Niet zo opstandig.'

Het huis, zonder stucwerk, drie verdiepingen, stond afgezonderd. Ze liepen door een lange, spaarzaam verlichte gang met aan beide kanten ontelbare deuren. Voor de laatste deur zei Katja:

'Maroesja heeft een vriend... Stel geen vragen.'

Op een sofa lag een man met het gezicht naar de muur te slapen, bij het raam zaten een jongetje en een meisje, elk van een jaar of tien, elf, ze keken naar de deur en begroetten Katja. Bij een keukentafel naast de wasbak in de hoek van de kamer was een kleine vrouw in de weer, veel ouder dan Katja, met een prettig en vriendelijk gezicht. Dat was Maroesja dus.

'En wij maar wachten, we dachten dat jullie niet meer kwamen,' zei ze, terwijl ze haar handen afdroogde en haar schort afdeed, 'dat jullie aan de boemel waren... Opstaan, Vasili Petrovitsj, we hebben bezoek.'

De magere man kwam met een norse blik overeind, streek zijn dunne haar glad, wreef met zijn hand over zijn gezicht om de slaap te verjagen. De kraag van zijn overhemd was gekreukeld, de knoop van zijn das afgezakt.

'De pasteien zijn wat droog geworden.' Maroesja haalde de doek van de roggemeelpasteien die op tafel stonden. 'Deze is met soja, die met aardappel en die daar met kool. Toma, geef de borden eens.'

Het meisje zette de borden op tafel. Katja deed haar jasje uit, pakte messen en vorken uit het buffet en begon meteen de tafel te dekken, ze wist alles te vinden, ze was hier blijkbaar niet voor het eerst.

'Ruim die rommel op,' commandeerde ze Maroesja.

'We waren na het eten in slaap gevallen,' verontschuldigde ze zich, terwijl ze de kleren pakte die over de stoelen hingen, 'en de kinderen hebben zitten knippen. Raap het papier op, Vitja.'

Over de vloer kruipend zocht het jongetje de snippers bij elkaar.

Vasili Petrovitsj waste zijn gezicht onder de kraan en trok zijn das recht.

Maroesja sneed voor de kinderen een stukje van elke pastei af en zette het op de vensterbank.

'Tast toe!'

Vasili Petrovitsj schonk in.

'Op het feest!'

'We zien elkaar onder tafel!' Katja keek iedereen aan, behalve Sasja. Voor het eerst had ze hem meegenomen naar haar kennissen, ze dronk hier wodka, terwijl ze met hem altijd rode wijn dronk.

'Een mooie zwartoog heb je aan de haak geslagen,' zei Maroesja vrolijk met een knikje in Sasja's richting.

'Een zwartoog en krullebol,' grinnikte Katja.

'Jong een krullekop, oud een kale top,' verklaarde Vasili Petrovitsj en pakte de fles nog eens. Nu vond Sasja hem niet meer nors kijken, uit zijn spraakzaamheid sprak de wens de kennismaking te verstevigen. En Maroesja bezag hen vertederd en begrijpend.

Sasja voelde zich prettig onder Maroesja's beschermende blik, dit huis aan de rand van de stad, het gezang met harmonicabegeleiding in de kamer ernaast bevielen hem.

'Waarom neem je niet meer?' vroeg Maroesja.

'Ik eet. Het is heerlijk, dank je.'

'Ik maak ze zelf veel lekkerder, als er maar iets te krijgen is, maar zelfs gist is er niet. Maar toch bedankt. Vasili Petrovitsj heeft ze meegebracht.'

Vasili Petrovitsj zei iets ernstigs over het gisttekort.

De kinderen vroegen om meer pastei.

Maroesja sneed voor elk een stuk af.

'Denken jullie soms dat het allemaal voor jullie is? De pret is voorbij. Ga je wassen!'

Ze pakte hun beddegoed en bracht het naar de buurvrouw.

De kinderen gingen daar slapen. Vervolgens maakte ook Vasili Petrovitsj zich klaar om weg te gaan. Maroesja zou hem wegbrengen. Toen ze ging zei ze tegen Katja:

'In de kast liggen schone lakens.'

'Wat moet ze met hem?' vroeg Sasja, toen de deur achter Maroesja dicht was.

'Haar man is op de vlucht voor de alimentatie, vind die maar eens, maar ze wil wel leven.'

'Waar de kinderen bij zijn?'

'Moeten ze dan honger lijden?'

'Het is een oude man.'

'Zij is ook niet jong meer.'

'Waarom trouwt ze dan niet?'

Ze keek hem ongelovig aan.

'Waarom trouw jij niet met mij?'

9

'Wil je dat dan?'

'Wil, wil… kom, laten we gaan slapen.'

Dit was ongewoon. Elke keer had hij moeite moeten doen om haar te krijgen, alsof ze elkaar voor het eerst zagen, terwijl ze vandaag het bed uit zichzelf opmaakte en zich meteen uitkleedde.

'Doe het licht uit,' zei ze alleen.

Ze streek met haar vingers door zijn haar…

'Je bent sterk, de meiden zullen wel gek op je zijn, alleen onvoorzichtig,' ze boog zich over hem heen, keek hem in de ogen, 'ik krijg nog een kleine zwartoog van je, ben je daar niet bang voor?'

Vroeg of laat moest dit ervan komen. Maar wat zou het, dan liet ze een abortus doen, ze konden geen van beiden een kind gebruiken.

'Ben je zwanger?'

Ze stopte haar hoofd onder zijn oksel, drukte zich tegen hem aan, alsof ze zich tegen alle ongeluk en tegenslag in het leven wilde beschermen.

Wat wist hij van haar? Waar woonde ze? Bij een tante? In een arbeiderstehuis? Huurde ze ergens een optrekje? Een abortus! Wat zou ze thuis zeggen, wat moest er op haar ziekenbriefje staan? En als het nu al te laat was? Waar moest ze dan met het kind naar toe?

'Als het is gebeurd, beval dan maar, dan trouwen we.'

Zonder haar hoofd op te tillen vroeg ze:

'En hoe noemen we de kleine?'

'Daar komen we wel uit, tijd genoeg.'

Ze lachte weer, schoof bij hem vandaan.

'Jij gaat net zo min met mij trouwen als ik met jou. Hoe oud ben je? Tweeëntwintig? Zelfs dan ben ik ouder dan jij. Jij hebt geleerd en ik? Lagere school… Ik ga wel trouwen, alleen niet met jou.'

'Met wie dan? Interessant.'

'Interessant… Met een man, uit ons dorp.'

'Waar is hij dan?'

'Waar, waar… In de Oeral, hij komt me halen.'

'Wat doet hij?'

'Wat hij doet? Hij is monteur.'

'Ken je hem al lang?'

'Ik zei toch dat hij uit ons dorp komt.'

'Waarom is hij niet eerder met je getrouwd?'

'Vallen zijn wilde haren uit, stapt hij in de huwelijksschuit.'

'En die zijn nu uitgevallen?'

'Hij is nu dertig. Hij heeft al wat dames gehad moet je weten…'

'Hou je van hem?'

'Ja… ik hou van hem.'

'Maar waarom ga je dan met mij om?'

'Waarom, waarom... Ik wil ook leven. Wat een verhoor, je lijkt de politie wel, hou op!'

'Wanneer komt hij?'

'Morgen.'

'En wij zien elkaar niet meer?'

'Ja ja...'

'Maar je bent toch zwanger?'

'Wie heeft dat gezegd?'

'Dat heb jij gezegd.'

'Ik heb niks gezegd. Dat heb jij verzonnen.'

Er werd zachtjes geklopt. Katja maakte open voor Maroesja en ging weer liggen. 'Ik heb hem weggebracht,' zei Maroesja en deed het licht aan, 'willen jullie thee?'

Sasja reikte naar zijn broek.

'Wat nou?' zei Maroesja. 'Stoor je niet aan mij.'

'Hij geneert zich,' lachte Katja, 'hij schaamt zich dat hij met mij de hort op is. Hij wil trouwen.'

'Jong trouwen, jong rouwen,' zei Maroesja.

Sasja schonk het laatste bodempje wodka in een glas, nam nog een hap van de pastei. Al met al moest hij Katja er dankbaar voor zijn dat alles zo goed was afgelopen. Die monteur was vast geen verzinsel, maar om hem ging het in feite niet. Waar het om ging was dat zij hem weer plaagde en dat hij, stommeling die hij was, het zich had aangetrokken. Sasja stond op.

'Waar ga je naar toe?' vroeg Katja.

'Naar huis.'

'Wat nou, echt?' zei Maroesja bezorgd, 'blijf gerust slapen, dan ga je morgen. Ik slaap bij de buren, je bent niemand tot last.'

'Ik moet weg.'

Katja's gezicht betrok.

'Weet je de weg terug?'

'Ik verdwaal niet.'

Ze trok hem naar zich toe.

'Blijf.'

'Ik ga. Het beste.'

Toch was ze een aardig meisje! Natuurlijk was het jammer. En als ze niet zou bellen zouden ze elkaar niet meer zien. Hij wist haar adres niet, ze wilde het niet geven: dan wordt tante kwaad, ze zei zelfs niet op welke fabriek ze werkte: dan ga je maar bij de poort rondhangen.

Vroeger belde ze hem af en toe uit een cel, ze gingen naar de bioscoop of het park en daarna liepen ze een stuk het Neskoetsjni Park in. Het zeildoek van de ligstoelen lichtte wit op in het maanlicht, dan wilde Katja meestal omkeren. Hoe verzin je het... word je nu ook lastig?..., maar dan drukte ze zich tegen hem aan, haar lippen waren droog, ruw door weer en wind, haar doorwerkte handen streken door zijn haar.

'De eerste keer hield ik je voor een zigeuner. Bij ons dorp was een zigeunerkamp, die waren net zo donker, maar jij hebt een gladdere huid.'

Van de zomer was ze een keer bij hem geweest, toen zijn moeder bij haar zuster in de datsja logeerde, haar ogen stonden boos, ze had zich gegeneerd voor de vrouwen die bij de ingang zaten. 'Ze zaten me toch aan te staren. Ik kom hier van m'n leven niet meer.'

Als ze gebeld had, zweeg ze meestal, hing dan op, belde weer...

'Ben jij het, Katja?'

'Ja, ik...'

'Waarom zei je net niets?'

'Ik belde niet eens...'

'Zullen we ergens afspreken?'

'Waar wil je nou weer afspreken?'

'Bij het park?'

'Hoe verzin je het... Kom naar Devitsje Pole.'

'Zes uur, zeven uur?'

'Zes uur haal ik wel...'

Aan dit alles dacht Sasja nu hij op een telefoontje van haar wachtte. De volgende dag wilde hij zo gauw mogelijk van het instituut naar huis gaan: stel dat ze belde. Maar hij moest blijven om een muurkrant voor de oktoberfeesten te maken. En daarna moest hij naar de zitting van het partijbureau.

Bij de deur was geen plaats meer vrij. Sasja wrong zich tussen de tegen elkaar geschoven rijen stoelen door, stootte de opeengepakt zittende mensen aan, zodat Baulin, de secretaris van het partijbureau, hem een boze blik toewierp. Baulin was een potige blonde kerel met een rond en grof gezicht dat koppigheid uitdrukte; zijn brede borst stak vooruit onder zijn lichtblauwe satijnen blouse die op zijn korte hals met twee witte knoopjes was dichtgeknoopt. Nadat hij had toegekeken hoe Sasja in een hoek plaatsnam richtte hij zich weer tot Krivoroetsjko.

'Door u, Krivoroetsjko, is de bouw van het studentenhuis mislukt. Voor de objectieve oorzaken interesseert niemand zich. De fondsen werden overgeheveld naar de stootprojecten in de bouw? U bent niet verantwoordelijk voor de Magnitostroj, maar voor het instituut! Waarom hebt u ons niet gewaarschuwd dat de termijnen niet haalbaar waren? Ach, ze waren wel haalbaar? Maar waarom zijn ze dan niet gehaald? U bent al twintig jaar partijlid? Voor uw verdiensten in het verleden buigen we in het stof, maar voor uw fouten krijgt u ervan langs.'

Baulins toon verbaasde Sasja. Voor onderdirecteur Krivoroetsjko waren de studenten een beetje bang. Op het instituut werd over zijn heldhaftige oorlogsverleden gesproken: hij liep nog altijd rond in een uniformjasje, rijbroek en laarzen. Deze ineengedoken man met zijn lange en trieste neus en wallen onder de ogen ging nooit met iemand een gesprek aan, zelfs een groet beantwoordde hij alleen met een hoofdknikje.

Krivoroetsjko steunde met zijn hand op de leuning van een stoel. Sasja zag hoe zijn vingers beefden. De zwakheid van deze altijd zo strenge man wekte zijn medelijden. Het bouwmateriaal was inderdaad niet geleverd. Maar voor het ogenblik wilde niemand daaraan denken. Alleen Janson, de decaan van Sasja's faculteit, een onverstoorbare Let, wendde zich tot Glinskaja, de directrice van het instituut, en zei verzoenend:

'Misschien moeten we hem nog een nieuwe termijn geven?'

'Waarvoor?' vroeg Baulin op onheilspellend vriendelijke toon.

Glinskaja zweeg. Zij zat erbij met het gezicht van iemand die een haar onwaardige plaatsvervanger is toebedeeld. Lozgatsjov, een assistent met een indrukwekkend postuur, stond op en hief theatraal de handen ten hemel.

'Hadden ze de schoppen ook al weggestuurd? Hebben de studenten met hun blote handen in de bevroren grond moeten wroeten? Daar zit de Komsomolleider, laat hij maar vertellen hoe ze zonder schoppen hebben gewerkt.'

Baulin keek nieuwsgierig naar Sasja. Sasja stond op.

'We hebben niet zonder schoppen gewerkt. Een keer was het magazijn op slot. Wat later kwam de magazijnmeester terug en gaf ons schoppen.'

'Moesten jullie lang wachten?' vroeg Krivoroetsjko zonder op te kijken.

'Een minuut of tien.'

Lozgatsjov, die Sasja zonder succes tot getuige had genomen, schudde verwijtend het hoofd, alsof niet hij, maar Sasja een fout had begaan.

'Waren er genoeg?' grijnsde Baulin.

'Ja.'

'Hoe lang hebben jullie gewerkt en hoe lang niets gedaan?'

'Er was toch geen bouwmateriaal.'

'Hoe weet je dat?'

'Dat weet iedereen.'

'Je hangt ten onrechte de advocaat uit, Pankratov!' zei Baulin streng, 'dat is ongepast!'

De leden van het bureau probeerden niet naar Krivoroetsjko te kijken, toen ze voor zijn royement stemden. Alleen Janson onthield zich.

Nog meer ineengedoken dan eerst verliet Krivoroetsjko het lokaal.

'Er is een verklaring van docent Azizjan binnengekomen,' deelde Baulin mee en keek Sasja aan alsof hij wilde vragen: wat heb je nú te zeggen, Pankra-tov?!

Azizjan onderwees in Sasja's groep de beginselen van de socialistische boekhouding. Hij had het echter nooit over boekhouden en zelfs niet over de beginselen, maar over diegenen die deze beginselen verdraaiden. Sasja had ronduit gezegd, dat het geen kwaad kon hen een idee van boekhouden als zodanig te geven. Toen had Azizjan, die achterbakse krullekop, alleen gela-chen. Maar nu beschuldigde hij Sasja ervan dat hij tegen de marxistische grondslag van de wetenschap van het boekhouden was.

'Is dat zo?' vroeg Baulin terwijl hij Sasja met zijn kille blauwe ogen aankeek.

'Ik heb nooit gezegd dat de theorie overbodig is. Ik heb alleen gezegd dat ons geen boekhoudkundige kennis werd bijgebracht.'

'Het partijgebonden karakter van de wetenschap interesseert je niet?'

'Jawel, maar concrete kennis ook.'

'Is er verschil tussen het ideologische en het concrete?'

Opnieuw stond Lozgatsjov op.

'Zeg, kameraden... Als er al openlijk verkondigd wordt dat de wetenschap apolitiek is... En bovendien: Pankratov heeft het partijbureau zijn persoonlij-ke mening over Krivoroetsjko proberen op te dringen, de rol van vertegen-woordiger van alle studenten willen spelen. Maar wie staat u hier eigenlijk te vertegenwoordigen, Pankratov?'

Janson zat met een somber gezicht met zijn dikke vingers op zijn volgeprop-te tas te trommelen.

Glinskaja draaide zich om naar Baulin.

'Zullen we deze zaak niet aan de Komsomol overlaten?'

In haar stem klonk de vermoeidheid van een dignitaris door: de kwestie was ondergeschikt, de student een onbeduidende persoon. Lozgatsjov wierp een blik op Baulin, wie dit voorstel toch niet gelegen kon komen.

'Het partijbureau mag zich niet onttrekken aan...'

Dit onvoorzichtige woord was beslissend.

'Niemand onttrekt zich ergens aan,' zei Baulin nors, 'maar zo is de procedu-re.'

'Laat de Komsomol hierover oordelen. We zullen zien hoe het met zijn politieke rijpheid is gesteld.'

Aan de kapstok hing een bruine leren jas... Oom Mark!

'Aan de boemel?'

Sasja kuste Mark op zijn gladgeschoren wang. Mark rook naar goede pijp-tabak, milde eau-de-cologne, 'een prettige vrijgezellelucht', zoals moeder altijd zei. Mark zag er oud uit voor zijn vijfenderig jaar: een dikkig, vrolijk, kalend oompje. Alleen de felle ogen achter de gelige brilleglazen verrieden de ijzeren wil van deze man, een van de kopstukken van de industrie, zelf bijna net zo legendarisch als zijn gigantisch bouwproject in het oosten, het nieuwe centrum van de metaalindustrie van de Sovjetunie, onbereikbaar voor de luchtmacht van de vijand, het strategische achterland van de proletarische grootmacht.

'Ik had je niet meer verwacht, die blijft ergens slapen…, dacht ik.'

'Sasja slaapt altijd thuis,' zei moeder.

Op tafel stonden port, Ljoebitelskaja worst, sprotjes en Turkse cake, de lekkernijen die Mark altijd meebracht. En ook moeders traditionele pastei, die ze in haar Tsjoedo-oven had gebakken. Mark had zijn bezoek blijkbaar aangekondigd.

'Blijf je lang?' vroeg Sasja.

'Ik ben vandaag gekomen, morgen ga ik weer weg.'

'Hij moet bij Stalin komen,' zei moeder.

Ze was trots op haar broer, trots op haar zoon, en meer om trots op te zijn had ze niet, ze was een eenzame, door haar man verlaten vrouw, klein en stevig, met een nog altijd knap, bleek gezicht en dik, grijs krullend haar.

Mark strekte zijn hand uit naar een pak dat op de sofa lag.

'Maak maar open.'

Sofja Aleksandrovna probeerde de knoop los te maken.

'Laat mij het doen!'

Sasja sneed het paktouw met een mes door. Voor zijn zuster had Mark een lap stof voor een jas en een zachte hoofddoek meegebracht. Voor Sasja een pak van donkerblauwe boston. Het enigszins gekreukte jasje zat prima.

'Als gegoten,' zei Sofja Aleksandrovna goedkeurend, 'dank je wel Mark, hij had niets meer om aan te trekken.'

Tevreden bekeek Sasja zichzelf in de spiegel. Mark gaf altijd precies cadeau wat hij nodig had. Toen hij nog klein was, had hij hem een keer mee naar de schoenmaker genomen en een paar hoge chroomleren laarzen voor hem laten maken zoals niemand op school of op de binnenplaats had. Hij was heel trots op die laarzen geweest en hun lucht en ook de scherpe lucht van leer en pek in de schoenmakerswerkplaats waren hem altijd bijgebleven.

's Avonds werd Mark enige malen bij de telefoon geroepen. Met lage, gebiedende stem gaf hij bevelen over fondsen, limieten en transporten, kondigde aan dat hij op de Arbat zou overnachten en bestelde een wagen voor acht uur 's morgens. Terug in de kamer keek hij tersluiks naar de fles.

'Aha!'

'Drink, makker, zolang je nog kunt, overspoel het verdriet van het leven,' zette Sasja in. Dit was Marks favoriete lied, lang geleden, als jongetje nog, had hij het van hem gehoord.

'Stil maar, stil maar, vannacht is alles om het even', viel Mark in, 'zo hè?'

'Precies!' Sasja zong verder:

> *Morgen houdt om deze tijd*
> *Misschien de Tsjeka bij ons halt.*
> *En wordt ook om deze tijd*
> *Koltsjak door ons neergeknald…*

Zijn stem en gehoor had hij van zijn moeder; zij was zelfs ooit voor de radio gevraagd, maar vader had het niet goed gevonden.

> *Morgen kloppen om deze tijd*
> *Misschien kameraden bij ons aan*
> *En komen wij ook om deze tijd*
> *Voor het vuurpeloton te staan.*

'Een mooi lied,' zei Mark.

'Jullie zingen het alleen zo lelijk', merkte Sofja Aleksandrovna op, 'het lijkt wel het blindenkoor.'

'Het blindenduet,' lachte Mark.

Hij zou op de bank slapen, Sasja kreeg het kermisbed van zeildoek.

Mark ontdeed zich van zijn colbertje, bretels en overhemd en begaf zich in zijn hemd dat langs de hals en mouwen met een blauwe band van bloemen was afgezet, naar de badkamer.

In afwachting van hem ging Sasja liggen, zijn handen in de nek gevouwen…

Na de zitting had Janson hem de trap afrennend een schouderklopje gegeven. Dit enige goede en opmonterende gebaar had de leegte die Sasja voelde alleen maar onderstreept. De anderen deden alsof ze haast hadden, de een moest naar huis, de ander naar de kantine. Op weg naar de tramhalte werd hij op de modderige straat van de rommelige voorstad ingehaald door een zwarte personenwagen. Glinskaja zat voorin, het hoofd omgedraaid zei ze iets tegen de passagiers achterin. En dat zij met elkaar praatten en hem voorbijschoten zonder hem op te merken of aan hem te denken, had hem weer zo'n gevoel van leegte gegeven, van ten onrechte verstoten te zijn.

Sasja kende Glinskaja nog van school, hij had haar wel eens op vergaderingen van het oudercomité gezien. Haar zoon Jan, een zwaarmoedige, weinig spraakzame jongen, die zich alleen voor bergbeklimmen interesseerde, had bij hem in de klas gezeten. Ze was getrouwd met een functionaris van de Komintern, haar Poolse accent gaf haar categorische uitspraken iets onnatuurlijks. Toch had hij niet gedacht dat Glinskaja op de vergadering haar mond zou houden, voor de studentenhuizen was zij net zo goed verantwoordelijk als Krivoroetsjko. Maar ze had gezwegen.

Fris gewassen kwam Mark terug, haalde zijn eau-de-cologne uit zijn toilettas, deed er wat van op zijn gezicht, ging op de bank liggen, zocht een comfortabele houding, zette zijn bril af en zocht met bijziende ogen een plek om hem neer te leggen.

Een tijdje lagen ze zwijgend, toen vroeg Sasja:

'Waarom laat Stalin je komen?'

'Stalin laat me niet komen, ik ben ontboden om zijn instructies in ontvangst te nemen.'

'Hij schijnt klein van stuk te zijn.'

'Hij is net als jij en ik.'

'Maar als hij spreekt lijkt hij groot.'

'Ja.'

'Toen hij vijftig werd,' zei Sasja, 'reageerde hij op zo'n rare manier op de felicitaties. Iets in de geest van: de partij heeft me geschapen naar haar beeld en gelijkenis...'

'Hij bedoelde dat de gelukwensen naar de partij moesten uitgaan, en niet naar hem persoonlijk.'

'Is het waar, dat Lenin heeft geschreven dat Stalin grof en niet loyaal is?'

'Hoe weet je dat?'

'Doet er niet toe... gewoon. Dat is toch zo?!'

'Dat zijn zuiver persoonlijke eigenschappen,' zei Mark, 'die zijn niet het belangrijkst, het gaat om de politieke lijn.'

'Kun je daar dan onderscheid tussen maken?' wierp Sasja tegen, die opeens aan Baulin en Lozgatsjov moest denken.

'Twijfel je eraan?'

'Daar heb ik nooit zo over nagedacht. Ik ben toch ook voor Stalin. Maar graag met wat minder loftrompetten. Daar krijg ik oorpijn van.'

'Wat onbegrijpelijk is, is nog niet onjuist,' antwoordde Mark. 'Vertrouw op de partij en haar wijsheid. Er zijn barre tijden op komst.'

Sasja grinnikte.

'Dat heb ik vandaag aan den lijve ondervonden.'

Hij vertelde van de zitting van het partijbureau.

'Boekhouden? Kan dat een principiële zaak zijn waarvoor...'

'Ach, weet je! Een principiële kwestie kun je altijd verwachten.'

'Ruzie maken op een vergadering getuigt niet van tact.'

'Ze beschuldigen me niet van tactloosheid maar ze zeggen dat ik apolitiek ben. En ze eisen dat ik dat erken, snap je?'

'Als je je vergist hebt, kun je dat best erkennen.'

'Nou, dan kunnen ze lang wachten. Wat erkennen? Dat is verlakkerij!'

'Is Glinskaja nog steeds jullie directrice?'

'Ja.'

'Was zij ook op de vergadering?'

'Ja.'

2 Mark Aleksandrovitsj gaf de chauffeur opdracht vooruit te rijden en ging zelf lopen.

Het was een doorschijnende herfstmorgen, verfrissend koel. Ambtenaren haastten zich naar hun werk; voor een bakkerij stond een luidruchtige rij vrouwen, voor een sigarettenkiosk een zwijgende rij mannen.

Sonja was altijd de lievelingszus van Mark Aleksandrovitsj geweest, hij hield van haar en had medelijden met haar, hulpeloos als ze was nu haar man haar had verlaten. Ook van Sasja hield hij. Waarom maakten ze het die jongen moeilijk? Hij was toch eerlijk geweest? En nu probeerden ze hem te breken en te dwingen spijt te hebben van iets dat hij niet had gedaan. En daartoe had hij hem zelf ook willen overhalen.

Mark Aleksandrovitsj stak het Arbatplein over en sloeg de Vozdvizjenka in, waar het onverwacht stil en leeg was na de drukke Arbat. Er stond alleen een grote menigte te wachten tot de Staatswinkel voor Militair Personeel openging, een wat kleinere groep verdrong zich voor het kantoor van Kalinin. Mark Aleksandrovitsj stapte in de auto die hem daar opwachtte en reed via de Mochovajastraat en de Ochotnybaan, over het Teatralnaja- en Lubjanskaja-plein naar het Noginplein, naar de voormalige Handelskamer, een enorm grijs gebouw van vier verdiepingen met lange gangen en ontelbare kamers, waar het Volkscommissariaat voor Zware Industrie was gevestigd.

Duizenden mensen kwamen uit alle hoeken van het land naar dit gebouw, hier werd alles besloten, gepland en goedgekeurd. Zoals altijd begon Mark Aleksandrovitsj zijn ronde in het Volkscommissariaat niet bij de chefs van de directoraten, maar bij de afdelingen en sectoren zelf. Daar werd het op prijs gesteld dat Rjazanov, die de leiding had over de grootste fabriek van de wereld en de gunsteling van Ordzjonikidze was, allereerst op de gewone werknemers afstapte: hij hield rekening met hen, begreep hun macht, de macht van het apparaat. En ze waren betrokken bij zijn problemen, probeerden deze in overeenstemming met de belangen van de fabriek op te lossen, het pronkstuk en de trots van het vijfjarenplan. Ze deden kortom alles precies zoals Mark Aleksandrovitsj het wilde.

Nadat hij alle afdelingen langs was geweest ging hij naar de eerste verdieping, liep enkele gangen door, beklom nog een trap, daalde langs een andere weer af en bevond zich toen in een rustige, stille vleugel van het gebouw, waar de kamers van de volkscommissaris en de onder-volkscommissarissen waren. In de met tapijten gestoffeerde ontvangkamer zaten achter bureaus met telefoons de secretaresses. Ze kenden Rjazanov en onaangekondigd betrad hij de kamer van Boedjagin.

Boedjagin, lid van het Centraal Comité van de partij, een kennis van Stalin uit zijn tijd als balling, was een paar maanden geleden uit het buitenland teruggeroepen. De voormalige ambassadeur in de grootste Europese mogendheid was benoemd tot onder-volkscommissaris. Men zei dat Boedjagin niet toevallig uit zijn diplomatieke functie was ontheven, dat men ontevreden over hem was. Maar van Boedjagins magere gezicht met de zwarte snor, grijze ogen en borstelige wenkbrauwen, viel niets af te lezen. Intellectuelen van arbeiderskomaf als hij, die de jas van oorlogscommissaris hadden ingeruild voor het ambassadeursjacquet, het leren jack van de regionale Tsjeka-officier voor het pak van de fabrieksdirecteur, belichaamden voor Mark Aleksandrovitsj altijd de dreigende uitstraling van de Revolutie, de allesverpletterende kracht van de Dictatuur van het Proletariaat.

Ze spraken over de vierde hoogoven. Deze hoogoven moest worden aangeblazen voor het Zeventiende Partijcongres over vijf maanden, en niet over acht maanden, zoals in het plan was voorzien. Zowel Mark Aleksandrovitsj als Boedjagin begreep dat zo het economisch nut werd opgeofferd aan de politieke noodzaak. Maar dat was de wil van Stalin.

Toen ze alles besproken hadden vroeg Mark Aleksandrovitsj:

'Kent u mijn neef Sasja Pankratov? Hij heeft bij uw dochter op school gezeten.'

'Ja.' Boedjagins gezicht werd weer ondoorgrondelijk.

'Het is een onnozel geval...'

Mark Aleksandrovitsj vertelde Boedjagin waar het om ging.

'Sasja is een oprechte jongen,' zei Boedjagin.

'Apolitiek boekhouden, stel je voor! Glinskaja is daar directrice, u kent haar beter dan ik. Wilt u eens met haar praten, als het niet te veel moeite is? Het is zonde van die jongen, ze maken hem het leven zuur. Ik kan naar Tsjernjak gaan, maar ik wil het niet in het rayoncomité ter sprake brengen.'

'Tsjernjak is geen secretaris meer,' zei Boedjagin.

'Wat?'

'Jazeker...'

'Waar moet dat toch heen!'

Boedjagin haalde zijn schouders op.

'Het congres is in januari...' Zonder pauze vervolgde hij: 'Een prima jongen, Sasja! Hij komt geregeld bij ons. Vreemd dat hij me niets heeft gezegd.'

'Hij is niet van het slag dat om hulp vraagt.'

'Is Glinskaja wel in de positie om iets te doen?' zei Boedjagin twijfelend.

'Ik weet het niet, maar ik lever hem niet aan de wilde beesten uit. Ze moeten met hun handen van die kinderen afblijven, hun leven begint net.'

'Je neef is niet de enige die zoiets overkomt,' zei Boedjagin.

Mark Aleksandrovitsj ging een verdieping lager naar de kapper om zich te laten knippen en ook scheren, wat hij hier nog nooit had laten doen. Hij kreeg meteen spijt: de scherpe geur van de eau de cologne, waarmee de kapper hem besprenkelde, stond hem tegen. Steeds denkend aan die nare, opdringerige en vreemde parfumlucht ging Mark Aleksandrovitsj de kantine voor leden van het college van bestuur binnen.

De kantinejuffrouw draaide zich naar hem om.

'Kameraad Rjazanov, of u bij kameraad Semoesjkin komt.'

Hij begaf zich naar boven. Anatoli Semoesjkin, de secretaris van Ordzjoni-kidze, groette hem kortaf, duidelijk ontevreden dat Mark Aleksandrovitsj er niet was toen hij hem nodig had. Semoesjkin sprak iedereen met jij en jou aan, erkende niemand als zijn meerdere, Sergo uitgezonderd, en werd niet minder gevreesd dan Sergo zelf. In de burgeroorlog was hij zijn adjudant geweest, vanaf '21 zijn secretaris, eerst in de Kaukasus, daarna bij de Centrale Controle Commissie van de Arbeiders- en Boereninspectie en nu hier in het Volkscommissariaat.

Met een onnavolgbaar gewichtige en nog altijd ontevreden uitdrukking op zijn gezicht draaide Semoesjkin een nummer...

'Kameraad Rjazanov is bij de telefoon...'

Hij gaf de hoorn aan Mark Aleksandrovitsj.

Om vier uur werd hij in het Kremlin verwacht...

Mark Aleksandrovitsj had al een vermoeden dat hij hiervoor naar boven was geroepen, maar omdat zijn kaartje voor de terugreis hem al was overhandigd, verkeerde hij in de veronderstelling dat de ontmoeting was afgezegd. En nu zou hij binnen drie kwartier bij Stalin zijn.

Via een ander toestel kwam Semoesjkin in verbinding met de chemische fabriek BOBRIN. Daar werd hem verteld dat Grigori Konstantinovitsj naar de bouw was vertrokken. Semoesjkin bleef echter telefoneren en hield Mark Aleksandrovitsj op, menend dat hij beter te laat bij Stalin kon komen dan er zonder instructies van Ordzjonikidze heen te gaan. Mark Aleksandrovitsj dacht er anders over. Semoesjkin verkéérde alleen op het hoogste niveau, híj was een van degenen die op dit niveau handelde. En hij mocht zich niet door Semoesjkins dienstklopperij van de wijs laten brengen.

Hij voelde zich rustig en zeker van zichzelf. Het enige dat hem hinderde was die vreemde kapperslucht. Het was niet verstandig om zo opgedoft in het Kremlin voor Stalin te verschijnen. Hij ging opnieuw naar de kapper, waste zijn haar en gezicht. De kapper, die een klant in zijn stoel alleen had gelaten, stond voor hem met een handdoek in zijn handen. De welgemutste Aleksandrovitsj, die een half uur geleden nog grapjes met hem had zitten maken over kalende mannen, was verdwenen. Zijn strenge gezicht leek, vooral nu hij zijn bril had afgezet, onverbiddelijk.

Bij de Troitski-poort stak Mark Aleksandrovitsj zijn partijkaart door het loket. Het loket werd dichtgeklapt, ging weer open en Mark Aleksandrovitsj werd door het glas even het silhouet van een militair gewaar, die hij pas goed kon zien toen deze zich naar hem toe boog.

'Heeft u een wapen bij u?'

'Nee.'

'Wat zit er in die aktentas?'

Mark Aleksandrovitsj bracht zijn aktentas omhoog, maakte hem open. De wacht gaf hem zijn partijkaart terug, met daarin een pasje.

Bij de speciale toegangspoort stonden twee gewapende soldaten. Nadat hij zijn foto op de partijkaart had bestudeerd, liet de schildwacht zijn blik met ambtelijke nauwgezetheid over het gezicht van Mark Aleksandrovitsj glijden. Mark Aleksandrovitsj hing zijn jas op in een kleine garderobe en begaf zich naar de tweede verdieping. Voor een deur controleerde een man in burger zijn papieren nog een keer.

In een grote werkkamer zat Poskrebysjev. Mark Aleksandrovitsj zag hem voor het eerst en het viel hem op hoe grof en onaangenaam zijn gezicht was. Rjazanov noemde zijn naam.

Poskrebysjev bracht hem naar een volgende kamer, de ontvangkamer, wees op een bank en ging zelf het kabinet binnen, de deur stevig achter zich sluitend. Daarop kwam hij terug.

'Kameraad Stalin verwacht u.'

Stalins kamer was ruim en langwerpig. Aan de linkerwand hing een enorme kaart van de Sovjetunie. Rechts, tussen de ramen, waren boekenkasten geplaatst, op een standaard in de dichtstbijzijnde hoek stond een grote wereldbol, in de verste hoek een bureau met daarachter een leunstoel. In het midden van de kamer stond een lange, met groen laken overtrokken tafel met stoelen.

Stalin had door zijn kamer lopen ijsberen en was blijven staan toen de deur openging. Hij droeg een militair jak van kakikleurige, bijna bruine stof en een broek van dezelfde stof die hij in zijn laarzen had gestopt. Hij was kleiner dan gemiddeld en stevig gebouwd, had een pokdalig gezicht met enigszins Mongoolse ogen en dicht, al grijzend haar boven een laag voorhoofd. Stalin deed enkele lichte, verende passen in de richting van Mark Aleksandrovitsj en stak hem de hand toe, eenvoudig en correct, maar zich tegelijk bewust van het gewicht van deze handdruk. Vervolgens schoof hij twee stoelen bij de tafel weg. Ze gingen zitten. Mark Aleksandrovitsj zag Stalins ogen van heel dichtbij, lichtbruin waren ze, levendig, ze leken zelfs vrolijk.

Mark Aleksandrovitsj begon zijn verslag met een algemene beschrijving van de bouw. Stalin onderbrak hem meteen:

'Verspilt u geen tijd, kameraad Rjazanov. Het Centraal Comité en zijn secretaris weten waar en waarom er gebouwd wordt.'

Hij sprak met een zwaar Georgisch accent. Mark Aleksandrovitsj kon zich ervan overtuigen dat hij goed geïnformeerd was over de gang van zaken.

'Lopen er komsomolleden weg?'

'Ja.'

'Die hebben we dus gemobiliseerd om weg te lopen! Hoeveel zijn ervan-door?'

'Tweeëntachtig man.'

Stalins blik was doordringend, vorsend...

'Laat me de lijst zien!'

Mark Aleksandrovitsj haalde de tabellen met het arbeidsverloop uit zijn aktentas, wees de betreffende kolom aan.

'Waarom stelt u zichzelf in zo'n kwaad daglicht, kameraad Rjazanov?! Als er bij elkaar maar tweeëntachtig man van een fabriek weglopen, dan mag de directeur zich al een hele held voelen.'

Hij glimlachte. Rond zijn ogen tekende zich een net van scherpe rimpeltjes af.

Mark Aleksandrovitsj beklaagde zich over de fabriek die de machines lever-de. Stalin vroeg naar de directeur van die fabriek. Toen hij de naam hoorde, zei hij:

'Die man is onbekwaam, hij verknoeit alles.'

Zijn ogen werden plots gelig, in die tijgerachtige, starende blik flikkerde woede jegens een man die Mark Aleksandrovitsj kende als een goed werker die met moeilijke omstandigheden had te kampen.

Rjazanov was nu toe aan het meest precaire probleem: de bouw van de nieuwe martinovens.

'Kunt u ze binnen een jaar bouwen?'

'Nee, kameraad Stalin.'

'Waarom niet?'

'Ik doe niet aan technische waaghalzerij.'

En meteen schrok hij van wat hij zei. Stalin keek hem doordringend aan. Weer die gele, starende blik, een wenkbrauw stond bijna helemaal overeind. Langzaam, de woorden rekkend, sprak hij:

'Dus het cc doet aan technische waaghalzerij?'

'Ik druk me niet goed uit, neemt u mij niet kwalijk. Wat ik bedoel is het volgende...'

Mark Aleksandrovitsj legde uitvoerig en overtuigend uit waarom het niet mogelijk was de tweede serie martinovens het volgende jaar op te leveren. Stalin luisterde aandachtig, zijn linkervuist, waarin hij zijn pijp hield ge-klemd, drukte hij tegen de borst, het was net of hij die arm niet goed kon strekken.

'Een eerlijk antwoord. We hebben geen communisten nodig die zo maar wat beloven. We hebben mensen nodig die de waarheid spreken.'

Stalin zei dit zonder te glimlachen, met grote nadruk: deze woorden waren voor het hele land bestemd. Mark Aleksandrovitsj wilde doorgaan met zijn verslag, maar Stalin tikte hem tegen zijn elleboog.

'Ik heb naar u geluisterd, nu moet u naar mij luisteren.'

Hij begon te spreken over de metaalproduktie, over het Oosten, over het tweede vijfjarenplan, over de verdediging van het land. Hij sprak langzaam, precies, met een zachte, enigszins doffe stem, duidelijk, alsof hij ze aan een typiste dicteerde. Hij had het over dingen die algemeen bekend waren, maar die uit zijn mond nieuw en bijzonder gewichtig leken. Maar over de vierde hoogoven repte hij met geen woord, alsof hij Mark Aleksandrovitsj niet tot tegenwerpingen wilde dwingen die hij niet zou aanvaarden, en Rjazanov alleen maar konden schaden.

'Wanneer vertrekt u?' vroeg Stalin terwijl hij opstond.

'Vandaag.' Mark Aleksandrovitsj stond eveneens op.

'Stel het twee dagen uit als het kan. Ik denk dat de kameraden van het Politbureau u graag op de komende vergadering zullen horen.'

Het gevoel van spanning en onbehagen dat Mark Aleksandrovitsj tijdens het gesprek met Stalin had gehad was verdwenen, maar het besef even deelgenoot te zijn geweest van iets groots bleef. Dit bouwproject dat zijn weerga niet had en dat hij leidde, vereiste een ijzeren wilskracht die hij niet zou kunnen laten gelden als hij niet de ijzeren wil van Stalin achter zich had geweten. En deze was onverbiddelijk. Hoe kon het anders?! Historische omwentelingen bereik je niet met barmhartigheid.

Op het Volkscommissariaat wist men van het gesprek van Mark Aleksandrovitsj met Stalin en alle daarvoor aangewezen personen waren al bezig met de ontwerpresolutie voor het Politbureau. Ieder die nodig kon zijn bleef die avond en nacht: de medewerkers van het Directoraat, de typistes, de dienstdoende kantinejuffrouw. De leden van het college van bestuur, die hun paraaf op de ontwerpresolutie moesten plaatsen, zouden bij het eerste telefoontje direct op het Volkscommissariaat verschijnen, zodat de stukken 's morgens per ijlbode bij het CC afgeleverd konden worden.

Niemand vroeg Mark Aleksandrovitsj wat Stalin had gezegd. Bij het navertellen zou hij iets kunnen verdraaien. Stalin zou het volk zelf zeggen wat hij nodig achtte. Mark Aleksandrovitsj somde de termijnen en de bouwobjecten op—dat was ook de wil van Stalin.

Het belangrijkste was dat de termijn voor de voltooiing van de tweede serie martinovens een jaar was uitgesteld. Dit beloofde een nieuwe, realistische benadering van het nieuw op te stellen vijfjarenplan: metaal was de basis van alles.

Boedjagin werkte eveneens aan de ontwerpresolutie, vertrok toen en kwam 's morgens om acht uur terug om zwijgend zijn paraaf op het document te zetten.

Zijn vriendschap met Mark Aleksandrovitsj gaf hem het recht naar zijn gesprek met Stalin te vragen. Boedjagin deed dit niet. Mark Aleksandrovitsj bespeurde een zekere oppositie tegen Stalin bij hem. Maar hij sloot uit dat het om politieke oppositie ging. Het was eerder iets persoonlijks, zoals wel meer voorkomt tussen oude vrienden wanneer de vriendschap is bekoeld. Misschien was hij gegriefd omdat hij uit het buitenland was teruggeroepen en dan wel op een hoge, maar toch tweederangspost was benoemd, die wellicht de eerste stap naar een nog lagere positie betekende.

Ordzjonikidze was aangekomen. Bij hem voelde Mark Aleksandrovitsj zich pas echt op zijn gemak. Orzjonikidze kon vreselijk driftig worden, zijn woede leek verschrikkelijk, maar iedereen wist dat hij zeer menselijk en niet rancuneus was. Aan hem dankte Mark Aleksandrovitsj zijn promotie, Sergo had hem toen hij nog directeur was van een kleine fabriek in het zuiden voorgesteld voor zijn huidige toppositie en hem zo tot eerste metaalspecialist van het land gemaakt. Sergo wist de juiste mensen te vinden, stond achter ze en liet ze werken.

Hij zat achter een enorm bureau, een vermoeide man, met een brede adelaarsneus in een vlezig gezicht, een grijzende haardos en een volle, onregelmatige hangsnor. Het bovenste knoopje van zijn kiel was los, daaronder was een lila hemd zichtbaar, de boord lag losjes om zijn dikke nek. De vensters van zijn werkkamer keken uit op een smalle steeg met een klein oud kerkje, zoals er veel in de oude Moskouse koopmanswijk waren die omgeven wordt door de Jauza, Soljanka en Moskva. Met dit kerkje moest wel iets bijzonders zijn, als men het daar had laten staan en niet van de aardbodem had weggevaagd.

'Goed gedaan!'

Dit compliment sloeg zowel op de ontwerpresolutie voor het Politbureau, als op het feit dat Mark Aleksandrovitsj bij Stalin het hoofd koel had gehouden en een goede indruk had gemaakt. Het betrof ook hemzelf, omdat hij de juiste man had uitgekozen en in het algemeen de kunst verstond mensen uit te zoeken op wie hij zich in moeilijke en verantwoordelijke situaties kon verlaten.

'Vertel op!'

Mark Aleksandrovitsj deed verslag van het gesprek. Ordzjonikidze luisterde ingespannen, alsof hij de diepere betekenis van elk woord van Stalin tot zich door wilde laten dringen.

De ontmoeting met Stalin kwam Mark Aleksandrovitsj met het verstrijken van de tijd steeds ontzagwekkender voor. Zo'n ontmoeting had je maar één keer in je leven. Het belangrijkste was het vreugdevolle gevoel begrepen te worden door deze grote man wiens genie de tijd verlichtte.

'Ik doe niet aan technische waaghalzerij… Zei je dat zo?' vroeg Ordzjonikidze lachend.

'Ja.'

'Dus het CC doet aan technische waaghalzerij?' vroeg Ordzjonikidze weer
met een lach.

'Dat vroeg hij.'

Ordzjonikidze keek hem veelbetekenend aan met zijn grote bruine uitpuilende ogen.

'Om tien uur ben je bij het CC. Je spreekbeurt duurt vijf minuten, meer krijg
je niet, dus let daarop. Ga niet agiteren voor het Sovjetregiem, zeg concreet
wat je te vertellen hebt. Beantwoord vragen, maar ga niet in op interrupties.
Maak je niet zenuwachtig, ik sta achter je!'

In de wachtkamer voor de sprekers stond een tafel met daarop een grote
snorrende samowar, schijfjes citroen, broodjes en mineraalwater. Er waren
geen kantinejuffrouwen of kelners. Langs de muren en bij de ramen stonden
tafeltjes waaraan men zich kon voorbereiden.

Hier wachtten secretarissen van districtscomités, volkscommissarissen en
onder-volkscommissarissen, chefs van directoraten, enkele militairen en een
grote groep Kaukasiërs op hun beurt.

Een wat oudere vrouwelijke functionaris kondigde aan: 'Kameraad die en
die, naar de vergadering alstublieft…'

Wanneer een aantal mensen tegelijk op moest, zei ze: 'De kameraden uit
dat en dat district', of 'de kameraden van dat en dat volkscommissariaat…'

Mark Aleksandrovitsj werd bij zijn achternaam opgeroepen.

Door een vertrek waar secretarissen werkten kwam hij in de vergaderzaal,
hij zag enige rijen gemakkelijke stoelen en de mensen die erin zaten. Achter
de voorzitterstafel stond Molotov. Rechts van hem verhief zich het spreekgestoelte, aan de linkerkant, iets naar achteren zat de referent, en nog meer
naar links de stenografistes.

'Kameraad, deze kant op alstublieft!'

Molotov wees op het spreekgestoelte. Aan de binnenkant lichtte een bordje
op: 'De spreker heeft vijf minuten'. Tegenover het spreekgestoelte, boven de
deur, hing een klok, zwart met gouden wijzers, lijkend op die van het Kremlin.

Stalin zat op de derde rij. Links van hem waren de stoelen tot het einde van
de rij onbezet, zodat hij er makkelijk uit kon. Mark Aleksandrovitsj had van
zijn gewoonte gehoord om heen en weer te lopen. Maar net als twee dagen
geleden stond hij niet op en liep niet heen en weer.

In het kort besprak Mark Aleksandrovitsj de ontwerpresolutie. Hij stak een bondig, haast technisch betoog af dat overtuigend overkwam op mensen die gewend waren aan het politieke jargon. Hij onderstreepte de vervroegde inbedrijfneming van de vierde hoogoven en maakte slechts terloops melding van de vertraging bij de bouw van de tweede serie martinovens. Dat laatste was belangrijker dan het eerste. Maar het kwam er vandaag op aan dat juist dat wat Mark Aleksandrovitsj belangrijk vond onderstreept werd.

'Vragen?' vroeg Molotov.

Iemand merkte op dat waar in het onderwerp gesproken werd over de levering van hout, een paraaf van het Volkscommissariaat voor Houtindustrie ontbrak.

Mark Aleksandrovitsj kreeg geen tijd om te antwoorden. Er viel opeens een stilte en in deze stilte hoorde Mark Aleksandrovitsj de stem van Stalin.

'Laat kameraad Rjazanov naar de fabriek gaan en metaal produceren. Het zou verkeerd zijn kameraad Rjazanov vanwege een paar papiertjes op te houden…'

Hij sprak niet alleen heel zacht, maar had ook het hoofd afgewend, zodat iedereen zich moest inspannen om hem te verstaan.

'Ik denk dat we die parafen ook zonder kameraad Rjazanov kunnen krijgen. Het ontwerp is goed doordacht, zonder overdreven eisen en het ligt in onze macht kameraad Rjazanov te helpen met de uitvoering van de opdracht van de partij.'

Even onverwacht als hij was begonnen hield hij op.

Verder stelde niemand vragen.

3 Voor de revolutie was het huis aan de Arbat respectabel geweest, nu was het overbevolkt, de woonruimte per persoon was verkleind. Een enkeling had zich echter hieraan weten te onttrekken, dat was dan een kleine overwinning van de burger op de nieuwe orde. Tot de overwinnaars behoorde ook kleermaker Sjarok.

Hulpje in een modeatelier, coupeur, meester-kleermaker en ten slotte echtgenoot van de enige dochter van de baas—zo had Sjaroks loopbaan eruit moeten zien. De bekroning was door de revolutie verhinderd: de erfenis waarop hij wachtte, het atelier, werd genationaliseerd. Sjarok ging in een confectiefabriek werken en verdiende er thuis bij. Maar alleen met een solide aanbeveling—een voorzorgsmaatregel van iemand die besloten had nooit de belastinginspecteur te ontmoeten—kon je bij hem terecht.

De kleermaker zag er nog goed uit: rijzig, niet te dik, een mooi oud wordende man met de eerbiedwekkende manieren van de eigenaar van een damesconfectiezaak. Zes avonden per week stond hij achter de tafel met een centimeter om zijn nek, tekende met een krijtje patroonlijnen op de stof, knipte, naaide en streek de naden met een strijkijzer glad. Hij verdiende goed. De zondagen bracht hij op de renbaan door, gokken was zijn grote hartstocht.

Misschien zou de oude Sjarok zich met zijn leven hebben verzoend, als hij niet eeuwig bang was geweest voor het huisbestuur, voor de buren, voor allerlei onverwachte gebeurtenissen, zoals de veroordeling van zijn oudste zoon Vladimir tot acht jaar werkkamp wegens het beroven van een juwelierszaak. Vroeger had hij ook al niet veel vertrouwen gehad in dat ongedurige mormel dat op zijn moeder en bijgevolg op een aap leek. Maar hij had er genoegen mee genomen, dat Vladimir de koksschool in restaurant PRAGA had afgemaakt en thuis zijn salaris inbracht. Natuurlijk was een kok tegenwoordig niet meer wat het geweest was, wat voor restaurants had je tegenwoordig nog? Voor de fysiek zwakke Vladimir die niet goed kon leren was het echter de juiste keus. Omdat hij zelf alleen leefde voor het gokken, hechtte de oude er geen waarde aan dat Vladimir om geld kaartte. Maar beroving? Daarop stond niet alleen volgens de Sovjetwet maar ook volgens elke andere wet gevangenisstraf.

Sjaroks jongste zoon, Joera, een terughoudende, stipte jongeman, slim en voorzichtig, had—opgegroeid op een binnenplaats van de Arbat in de buurt van de Smolenskmarkt en de Prototsjnystraat, kweekplaatsen van zakkenrollers en zwervers—zo zijn vermoedens over de dievenpraktijken van zijn broer maar hield thuis zijn mond, omdat hij zich liever onderwierp aan de wetten van de straat dan aan die van de samenleving waarvan hij deel uitmaakte. Hij was als kind opgegroeid met het besef dat de revolutie hem te kort deed, al wist hij niet precies hoe. Hij had er geen idee van hoe hij onder een ander bewind zou leven, maar hij twijfelde er niet aan dat hij dan beter zou leven. Het gehate woord *kameraad*, dat bij hem thuis de gangbare betiteling van de nieuwe heren van het leven was, paste hij ook toe op leden van de Komsomol op school. Die verwaande activisten verbeeldden zich dat de wereld van hen was. Wanneer Sasja Pankratov, toen secretaris van de komsomolcel op school, het podium beklom en begon te *hakken* voelde Joera zich hulpeloos.

Hij haatte politiek, het enige acceptabele beroep leek hem dat van ingenieur, omdat dat een zekere zelfstandigheid bood. Een voorval dat te maken had met de arrestatie van zijn broer veranderde zijn toekomstplannen. De oude Sjarok was op zoek naar een verdediger, raadpleegde zijn klanten en vond uiteindelijk een advocaat, die zich voor vijfhonderd roebel bereid verklaarde het proces te voeren. Een enorm bedrag dat Sjarok niet zonder getuigen durfde te overhandigen, daarom nam hij Joera mee. De advocaat telde het geld niet na, opende een lade van zijn bureau en gooide de stapel biljetten er achteloos in. Daarmee was het consult ook ten einde, maar Joera had tijd genoeg gehad om de schilderijen in de vergulde lijsten en de gouden ruggen van de boeken achter het glas van de kasten te bekijken. Zo'n inrichting had hij nog nooit gezien.

Buiten slaakte de oude Sjarok vol afgunst een zucht:

'Sommige mensen léven...'

De advocaat maakte echter nog meer indruk op Joera tijdens het proces. Dat kleine mannetje met zijn verfomfaaide gezicht en gesoigneerde baardje deed met de strenge proletarische rechtbank wat hij wilde. In de ogen van de jonge Sjarok althans. De advocaat smeet met wetsartikelen, gebruikte trucs en listen, liet nieuwe getuigen oproepen, eiste aanvullende expertise en voerde bijtende twistgesprekken met de rechter en de officier van justitie. De sombere rechter en de onverbiddelijke officier hadden de wet in de hand maar waren er zelf bang voor, een ontdekking die beslissend was voor de toekomstplannen van de jonge Sjarok. De weg naar de advocatuur was de hogeschool en de weg naar de hogeschool ging via de Komsomol en de fabriek.

Zo werd Joera Sjarok in de negende klas lid van de Komsomol. Hij was een arbeiderszoon en dat werd hoog gewaardeerd op een school waar de kinderen van de Arbat-intelligentsia naar toe gingen; hij stelde zich onafhankelijk op, de meisjes vonden hem mysterieus. Vooral bij intelligente, serieuze en actieve meisjes viel hij in de smaak. Ze dachten dat zij hem opvoedden, zijn persoonlijkheid vormden. Voor hen, zuiver en argeloos als ze waren, was deze jongen zeer aantrekkelijk: hij was knap van uiterlijk en welgemanierd.

Vervolgens verwierf Sjarok op de fabriek datgene wat hem tot dan toe ontbroken had: zelfvertrouwen. Arbeider was hij! Zijn blauwe, altijd smetteloze werkkleding stond hem goed. Hij kreeg dat grove over zich dat doorging voor beginselvastheid, die minachting voor de *erg* intellectuelen die als arbeiderseenvoud werd opgevat. Op school bescheiden en zwijgzaam, voerde hij hier op vergaderingen vaak het woord, logisch genoeg menend dat vaardigheid in het spreken in het openbaar een toekomstig advocaat van pas zou komen.

Op het instituut was er niets waardoor Sjarok zich onderscheidde maar hij nam gewetensvol deel aan het sociale leven. Hij wilde ook helemaal niet opvallen. De kranten stonden vol met artikelen over schadelijke elementen, saboteurs, deviationisten. 'Ontmaskeren! Meedogenloos straffen! Schoelje! Vernietigen! Afmaken! Uitroeien! Verdelgen! Van de aardbodem wegvagen!' Bij het lezen van deze woorden en frasen, kort en onverbiddelijk als geweerschoten, werd Sjarok bang. Hij begreep alles goed en oordeelde nuchter. Na het instituut zouden ze hem de provincie in sturen, naar een rayon, een volksrechtbank of het openbaar ministerie. Hij zou er met geen woord van durven reppen dat hij advocaat wilde worden. 'Je drukt je, Sjarok!' zouden ze tegen hem zeggen. Zou hij het doel, dat hij zo hardnekkig nastreefde, moeten opgeven?

Vader naaide een pak voor Joera. Een 'charleston' naar de laatste mode: lange, wijde broekspijpen en een kort, nauw om de heupen sluitend jasje met brede schouders en een gewatteerd borststuk. De blauwogige Joera zag er zo buitengewoon presentabel uit. De stof was gekocht bij het Handelssyndicaat op de Tverskaja.

'In de winkel op de Arbat wemelt het van de mensen uit de buurt, hun bek zal openvallen van nijd,' zei vader, '"de Sjaroks hebben goud verstopt, maar zijn zo gierig als het graf", zullen ze zeggen.'

Hoe jammer de oude het ook vond van de gouden armband en de gouden manchetknopen, hij begreep dat, als je in Moskou een goede plek wilde veroveren, je er fatsoenlijk uit moest zien; god zij dank was het afgelopen met de leren jacks en de boerenhemden. Bij al zijn egoïstische onverschilligheid tegenover zijn gezin en zijn kinderen koesterde hij alleen voor de jongste Sjarok zoiets als vaderlijke gevoelens, in hem zag hij zichzelf toen hij jong was. En hij was er zeer bij gebaat dat Joera in Moskou bleef. Het huisbestuur zat toch al te azen op zijn tweede kamer die ze hem zouden afpakken zodra Joera zich zou laten uitschrijven.

'Relaties, je moet relaties zoeken,' beleerde hij Joera. Maar noch op de fabriek, noch op het instituut maakte Joera vrienden. Hij mocht geen vrienden mee naar huis nemen. Hun familieleden waren arm en werden louter als last beschouwd, ze gingen er zelf nooit heen, en kregen ook nooit bezoek van hen. Vader Sjarok bracht zijn vrije tijd door bij de paardenrennen en moeder in de kerk. Met Pasen kregen de kinderen een stuk paasbrood en op vasten-avond pannekoeken; dat waren dan hun feestdagen. De oude Sjarok geloof-de niet in God, hij kon Hem niet vergeven dat hij was geruïneerd. Het Sov-jetregiem vergaf hij dat nog minder, op Een Mei en Zeven November werkte hij als op gewone werkdagen.

Joera's banden met zijn schoolkameraden bleken het duurzaamst. Drie van zijn klasgenoten woonden in hetzelfde huis als hij. Sasja Pankratov, de secre-taris van de komsomolcel op school, Maksim Kostin die door zijn vrienden Maks werd genoemd en wiens moeder liftbediende was, en Nina Ivanova, een medelijdend komsomolmeisje, dat Sjarok had proberen op te voeden en te vormen. Samen met Lena Boedjagina, de dochter van de bekende diplo-maat, vormden zij op school een hechte groep activisten. Ze kwamen bij Lena bij elkaar, in het Vijfde Huis van de Sovjets. Boedjagin woonde in het buiten-land, de jongelui konden over de woning beschikken. Joera verscheen daar met het vage besef dat zulke relaties hem van pas kwamen. Vandaag was dat vage besef in reële hoop veranderd. Boedjagin, die uit het buitenland was teruggeroepen en benoemd was tot onder-volkscommissaris voor zware in-dustrie, kon hem helpen.

Van de Vozdvizjenka sloeg Joera de Granovskistraat in. Hier, in het Vijfde

Huis van de Sovjets, een met graniet bekleed gebouw, woonden *zij*. In een tuintje, achter een hek met scherpe punten speelden *hun* kinderen. Met een uitgestreken gezicht wachtte Joera beneden terwijl de oude portier naar de woning van de Boedjagins belde. Daarna begaf hij zich naar de tweede verdieping en drukte op het knopje van de bel.

Lena deed open en lachte als altijd verlegen naar hem. Omdat ze zo lang was hield ze haar hoofd met het zwarte haar in een dikke wrong een beetje scheef. In haar prachtige, doffe, langwerpige gezicht leek de helderrode mond met de enigszins uitstulpende lippen net iets te groot. Lenka heeft een Levantijns profiel, had Nina een keer gezegd. Wat Levantijns was wist Joera niet, maar dat Lena Boedjagin het mooiste meisje op school was des te beter.

Familiair, een beetje ruw alsof hij een oude kameraad van haar was trok Joera haar naar zich toe. Ze verzette zich niet.

'Zijn de jongens er al?'

'Nee, nog niet.'

'Is Ivan Grigorjevitsj thuis?'

Door de gang, die naar verse boenwas rook, bracht ze hem naar de kamer van haar vader.

'Papa, Joera wil je spreken.'

Terwijl ze Sjarok naar binnen liet gaan glimlachte ze hem gelukkig en vol overgave toe.

Het kleine kamertje was halfdonker omdat de vooruitspringende buitenmuur het raam voor de helft afschermde. Op tafel, de etagère, de stoelen en de grond lagen Russische en buitenlandse boeken, kranten, tijdschriften en prospectussen. Boven de sofa hing een kaart van beide halfronden die bezaaid was met de stippellijnen van de scheepvaartverbindingen.

Joera zag een zwart getal van drie cijfers op een bulletin, dat Boedjagin dichtsloeg en terzijde legde: een geheim document dat alleen aan leden van het Centraal Comité en de Centrale Controlecommissie werd gestuurd. Ook merkte hij een buitenlandse parkerpen op, Trojka-sigaretten, rubberlaarzen en een colbertje van bijzondere snit zoals de beroemde Entin voor topdiplomaten naaide.

'Ik luister,' zei Boedjagin op kalme en zakelijke toon: hij was gewend verzoeken aan te horen. In zijn magere gezicht met een zwarte snor leken de ogen onder de zware wenkbrauwen nog dieper te liggen dan bij Lena.

'Binnenkort ben ik klaar met mijn rechtenstudie, Ivan Grigorjevitsj. Maar mijn broer zit...'

Hij hoorde de bel op de gang en het geluid van de deur die werd geopend.

'Tot het rechtswezen word ik niet toegelaten,' ging Sjarok verder, 'alleen werken in de economisch-juridische sfeer blijft over. Het liefst zou ik voor een onderneming werken. Vóór mijn studie heb ik op de Froenze-fabriek gewerkt. Ik ken er de mensen en het produktieproces.'

Boedjagin nam Joera met een afwezige blik op. Overtuigd van zijn recht aan anderen leiding te geven. Wat betekenden Joera en mensen als hij voor hem? Zij waren gewend de massa's te besturen, over het lot van de massa's te beslissen.

'Ga naar Egert toe. Ik zal het hem zeggen.'

'Dank u wel, Ivan Grigorjevitsj.'

'Waarvoor zit je broer?'

'Een strafzaak. Een jongen nog, hij was in slecht gezelschap gekomen...'

'Het oude rechtswezen is verdwenen,' zei Boedjagin, 'en het nieuwe is nog weinig vakkundig. We hebben geschoolde mensen nodig.'

'Dat begrijp ik, Ivan Grigorjevitsj,' stemde Sjarok gretig in, 'maar dat hangt toch niet van mij af. Het rechtswezen, en dan mijn broer...'

'Egert, ga naar Egert toe,' herhaalde Boedjagin, 'ik zal hem bellen. Je wilt dus juridisch adviseur worden?'

Juridisch *adviseur*—zó zei hij het. Er schoot een steek door zijn hart.

En toch, hij had zijn doel bereikt. Het resultaat was het enige dat telde. Zo deed je dat! Voor de één was alles moeilijk, voor de ander ging het vanzelf. Vroeger was alles makkelijk voor iemand met geld, nu voor iemand met macht.

Het was afgelopen met het instituut en zijn naar zuurkool stinkende kantine, met de gehate communistische zaterdagen, met de saaie vergaderingen, met dat eeuwige afkraken van anderen en de angst iets verkeerds te zeggen. Hij was zelfs nooit in zijn nieuwe pak op het instituut verschenen, hij wilde niet opvallen tussen de studenten die bij het vakbondscomité moesten bedelen om een toewijzing voor een groflakense broek.

Zij zouden er natuurlijk over vergaderen, woorden uitspreken. Joera zag hun vijandige gezichten, de zwaarmoedige onbewogenheid van de leiding al voor zich. Je drukt je, Sjarok, je bent een deserteur... Maar hij zou ze rustig glimlachend aanhoren. Wat was er eigenlijk aan de hand? Vanwaar die drukte? Hij keerde terug naar het collectief dat hem had voortgebracht. Vroeger werkten daar zevenhonderd mensen, nu vijfduizend. De eersteling van het vijfjarenplan! Daar werken was voor elke jonge specialist een eer. Had hij die aanstelling zelf voor elkaar gebokst? Hoezo zelf? Hij had de fabriek gewoon nooit de rug toegekeerd. En toen ze hem hadden gevraagd of hij na het instituut wilde terugkeren had hij met 'ja' geantwoord. Wat had hij anders moeten zeggen? Hij was trots op de belangstelling voor zijn lot, het lot van een gewoon Sovjetburger.

Zo zou hij het ze onder de neus wrijven, en dan zouden zij zoete broodjes gaan bakken. Ze zouden hem zelfs op de schouder kloppen: 'Zet 'm op, Sjarok, doe je best!'

Hij voelde zijn kracht, zijn superioriteit, zowel ten opzichte van die lui op het instituut als ten opzichte van hen hier in het Vijfde Huis van de Sovjets. Deze op macht beluste intellectuelen hadden hem altijd neerbuigend behandeld. Had Sasja Pankratov zich met zo'n verzoek tot Boedjagin gewend, dan had hij hem afgewezen, de partij bepaalt waar je zult werken! Maar iemand die je niet respecteert kun je een kluif toewerpen. Ook deze jongelui, zijn schoolkameraden, die in de ruime eetkamer zaten, hadden nooit respect voor hem gehad. En nu verachtten ze hem omdat hij bij Ivan Grigorjevitsj om hulp had aangeklopt. Ze dachten maar wat ze wilden. Misschien had hij Boedjagin als een oudere kameraad om raad gevraagd. Als een *oudere kameraad*, precies! Ze zouden er trouwens niet naar vragen, tactvol als ze waren.

'Hallo!' zei Sjarok.

'Hallo!' antwoordde Maksim Kostin voor iedereen.

In zijn pas gestreken uniformhemd, de laarzen blinkend gepoetst en het blonde haar met zorg gekamd, straalde de breedgeschouderde, blozende Maksim zoals het een jonge cadet die een hele dag verlof heeft gekregen betaamt.

Naast hem op de bank zat Nina Ivanova, haar half uitgetrokken schoenen met haar voeten platdrukkend. 'Die tut had ze ook een maat groter moeten kopen,' dacht Sjarok. Nina kon zich niet leuk aankleden en droeg altijd, feest of geen feest, het zelfde jakje. Ook van haar kapsel wist ze niets te maken, ze moest eens een pony proberen in plaats van het haar in lokken naar achteren te kammen.

Hij klopte Vadim Marasjevitsj op de schouder. Tegenover deze onschadelijke snoever, het zoontje van een bekende Moskouse arts, gedroeg Joera zich vredelievend. Vadim, dik en slap, met volle lippen en boven zijn kleine doffe oogjes korte, ruige wenkbrauwen als van een lynx, zat achterover geleund in een stoel over Wells te oreren.

De kleine Vladlen Boedjagin maakte zijn huiswerk, zijn schriften lagen her en der op tafel, zijn opgetrokken benen staken in lange bruine kniekousen. Lena volgde verstrooid de bewegingen van de pen, waarmee haar broertje zijn scheve letters schreef, ze glimlachte naar Joera en knikte 'ga zitten...'

Dit nu was hun *gezelschap*. Alleen Sasja Pankratov ontbrak.

'Wells voorspelt oorlogen, epidemieën, het verval van de Verenigde Staten,' zei Vadim, 'daarna komen de geleerden en de vliegeniers aan de macht.'

'De geschiedenis van de mensheid is geen science-fiction,' sprak Nina hem tegen, 'de klassen grijpen de macht.'

'Ongetwijfeld,' stemde Vadim minzaam in, 'maar de gedachtengang is interessant: geleerden en vliegeniers als de spil waarom de toekomstige macht draait, de technocratie die de ruimte zal bedwingen.'

'Vrienden,' zei Maksim, 'Duitsland gaat zich bewapenen, iedereen gaat zich bewapenen.'

'Hitler houdt niet lang stand,' sprak Nina tegen, 'de sociaaldemocraten kregen acht miljoen stemmen en de communisten vijf miljoen.'

'Maar ze konden Thälmann niet verbergen,' mengde Joera zich in het gesprek, waarmee hij bedoelde dat vijf miljoen mensen die niet in staat waren één man te redden niets waard waren.

Maar het kwam bij niemand ook maar even op een verborgen betekenis van zijn woorden te zoeken. Ze waren zelf te gelovig om het geloof van een kameraad in twijfel te trekken. Ze konden kibbelen, ruzie maken, maar waren rotsvast overtuigd van hetgeen de zin van hun leven uitmaakte: van het marxisme als de ideologie van hun klasse, van de wereldrevolutie als het einddoel van hun strijd en van de Sovjetstaat als het onwankelbare bastion van het internationale proletariaat.

'Ze hebben het samenzweren verleerd,' zei Maksim.

'Dimitrov zal dat land uitschudden als een pereboom,' ging Vadim Marasevitsj hierop in, 'dat wordt een schitterend schouwspel, het proces van de eeuw!'

Hij sprak over het proces tegen Dimitrov, over de mogelijkheid van een oorlog, dat wil zeggen, over de symptomen daarvan, begrijpelijk voor hem, maar niet voor de anderen. Maar hier kenden ze Vadim en lieten hem niet doordraven. Een nieuw bloedbad? De mensheid was de wereldoorlog, die tien miljoen levens had gekost, nog niet vergeten. Een aanval op de Sovjetunie? Zou de internationale arbeidersklasse dat werkelijk toelaten? En Rusland was ook veranderd. De Magnitostroj en Koeznetsk produceerden gietijzer, in Stalingrad, Tsjeljabin en Charkov waren tractorfabrieken in bedrijf genomen, in Gorki en Moskou autofabrieken. En in de fabrieken FREZER, KALIBER, en KOGELLAGER stonden de eerste moderne blokwalsen van Sovjetmakelij.

Hun hart liep over van trots. Dit was hun land, de stootbrigade van het wereldproletariaat, het bolwerk van de naderende wereldrevolutie. Zeker, alles was op de bon en ze moesten zich van alles ontzeggen, maar ze bouwden dan ook een nieuwe wereld. Voor mensen die honger leden was de aanblik van de uitpuilende etalages van de Handelssyndicaten weerzinwekkend. Maar voor het goud dat daar binnenkwam werden die fabrieken gebouwd die borg stonden voor hun toekomstige overvloed.

Zo verliepen hun gesprekken altijd. En alles was hier net als altijd. De geboende vloeren, de lange tafel onder de laaghangende lampekap en de marmelade op tafel: de rust van de gerieflijke woning van een dignitaris. Bij het inschenken van de thee zou Asjchen Stepanovna vragen 'Maksim, jij met citroen?' en als altijd zou Sjarok vinden dat de Russische naam Maksim uit de mond van deze Armeense geaffecteerd klonk.

Maar toch: wat hadden zij, voor wie geen deur gesloten was, bereikt? Nina was onderwijzeres, Lena vertaalster Engels op de technische bibliotheek en Maksim kwam binnenkort van de Militaire Academie, waarna hij in het leger zou moeten zwoegen. Ze waren naïef en dat was hun noodlottige zwakheid. Zo waren Joera's gedachten. Maar hij vroeg:

'Jongens, waar blijft Sasja?'

'Hij komt niet,' antwoordde Maksim.

In zijn korte antwoord proefde Sjarok de irritante terughoudendheid van komsomolactivisten die iets wisten wat anderen niet mochten weten.

'Is er iets gebeurd?'

Lena zei dat Sasja moeilijkheden had en dat haar vader Glinskaja had gebeld.

Die onbuigzame Sasja! Die is goed! Joera raakte in een goed humeur. Toen hij, Sjarok, tot de Komsomol werd toegelaten had Sasja kortweg gezegd: 'Ik vertrouw hem niet' en zich van stemming onthouden. Op de fabriek kreeg Sjarok een plaats als leerling-frezer, terwijl Sasja werd ingedeeld bij het spoedlossen van wagons en een jaar lang bij de sjouwers was blijven hangen: het land heeft ook sjouwers nodig, zie je. Hij wilde geschiedenis studeren, maar hij ging naar de technische hogeschool: het land heeft ingenieurs nodig. Hij was uit hetzelfde hout gesneden als Boedjagin die niet voor niets zo dol op hem was. Maar wat was er dan aan de hand? Als het iets onbelangrijks was zou Boedjagin zich er niet mee bemoeien.

'Op ons instituut,' zei Joera, 'heeft een jongen op een vergadering gezegd: "Wat moet ik nou met een vrouw? Een spijker in je stoel..."'

'Dat had hij bij Mendel Marantz gelezen,' merkte Vadim Marasejevitsj op.

'...En het was op een vergadering ter gelegenheid van de Internationale Vrouwendag. Hij werd van het instituut gestuurd, en uit de Komsomol en de vakbond gezet.'

'Die opmerking was ongepast,' zei Nina Ivanova.

'Als je iedereen uitsluit, wie blijft er dan nog over?' zei Maksim ernstig.

'Als uitsluiten regel wordt, is het geen uitsluiten meer,' zei Vadim gevat.

Lena Boedjagina was als kind van politieke emigranten in het buitenland geboren. Na de revolutie was ze daar met haar vader die diplomaat was blijven wonen en daarom sprak ze bij haar terugkeer naar Rusland slecht Russisch. Maar ze wilde niet opvallen tussen haar vrienden en leed onder alles wat haar uitzonderingspositie nog meer onderstreepte. Ze was sentimenteel ten aanzien van alles wat volgens haar echt volks, echt Russisch was.

Joera Sjarok, een gewone Moskouse arbeidersjongen, onafhankelijk, ambitieus en mysterieus, had meteen haar aandacht getrokken. Ze hielp Nina Ivanova hem op te voeden, al wist ze dat ze dit niet uitsluitend in het belang van de gemeenschap deed. Joera had dat ook door. Op school werd echter op de liefde neergekeken als iets dat een echt Komsomollid onwaardig was. Zij, de kinderen van de revolutie, waren oprecht van mening dat aandacht schenken aan het persoonlijke verraad van het maatschappelijke inhield.

Na school ondernam Joera geen beslissende stappen die hen dichter bij elkaar brachten, en hield hun betrekkingen heel handig binnen de grenzen die eens waren vastgelegd: soms belde hij haar op, vroeg haar mee naar de film of uit eten, of ging bij haar langs wanneer de hele groep bij haar samenkwam. Toen hij Lena op de gang omhelsde had hij die grenzen overschreden. Plotseling, brutaal, maar met de beslistheid die in zulke karakters domineert.

Enkele dagen wachtte ze op zijn telefoontje en toen dit uitbleef belde ze zelf, zo maar, zoals ze elkaar gewoonlijk belden. Haar stem klonk vlak, ze deed haar best om geen letter in te slikken en dacht na over alle klemtonen. Ze sprak langzaam en zelfs door de telefoon was te merken dat ze verlegen glimlachte. Maar Joera had op haar telefoontje gewacht.

'Ik wilde je net bellen. Ik heb twee kaartjes voor de zesde. Dan is er bal in de Bedrijfsclub. Ga je mee?'

'Natuurlijk.'

Aan het begin van de avond haalde hij haar op. Ze verscheen in een lange blauwgroene avondjurk met een korte sleep. In haar zwarte gladde haar glinsterde een parelkettinkje, ze rook naar exotische parfum. Dit was een vrouw uit een heel andere wereld, adembenemend mooi en opvallend. Alleen haar glimlach was even verlegen als altijd, alsof ze Joera wilde vragen of ze hem beviel en of hij begreep dat ze zich voor hem zo mooi had gemaakt.

Lena opende de deur naar de eetkamer.

'Ga je om tien uur naar bed, Vladik.'

'Ja hoor,' antwoordde Vladik die bij de vensterbank zat te knutselen.

Terwijl hij haar in haar jas hielp vroeg Joera:

'Waar zijn je ouders?'

'Papa is in Kramatorsk, mama in Rjazan.'

'Met de feestdagen?'

'Papa gaat op feestdagen altijd fabrieken langs en mama heeft haar spreekbeurten.'

Terwijl ze haar lange jurk onder haar jas schikte zei ze glimlachend:

'Dit is wel ongemakkelijk.'

Ze hadden geluk. Er kwam net een auto van de binnenplaats die bestuurd werd door iemand die Lena kende en hen naar de Mjasnitskaja bracht. De chauffeur, een wat oudere man, gewichtig, van het soort dat hoge omes rijdt was beleefd tegen Lena, terwijl hij Joera negeerde. Maar Joera stond er niet lang bij stil, hij dacht eraan dat Lena alleen thuis was en dat ze na het bal naar haar toe konden gaan. Ze zat naast hem op de zachte bank, haar nabijheid wond hem op, maar nog opwindender en beangstigender was de gedachte dat juist vandaag alles kon gebeuren.

Hij had al vrouwen gekend, maar dat was iets heel anders geweest: de dienstbode van de buren, een sletje van de binnenplaats, de meisjes van het dorp waar hij met zijn vader heen ging. Met hen was het simpel, zij waren voor zichzelf verantwoordelijk, maar nu zou hij voor alles verantwoordelijk zijn en met Boedjagin moest je uitkijken. Een ander zou in zijn plaats misschien trouwen, maar iets maakte Joera bang, dit was te hoog gegrepen. Was Lena wel de vrouw die hij zocht? Haar familie, die hem vreemd en vijandig was, kon hij zich niet voorstellen naast de zijne. Hij moest geduld hebben. Hij had de hoop om advocaat te worden en daarmee een vrij man niet verloren. Als hij met Lena trouwde, bond hij zich aan hén.

Ze stopten bij de Bedrijfsclub. Joera wist niet hoe hij het portier van de auto moest openen, draaide aan de ene knop na de andere, maar het portier bleef dicht. Toen boog Lena zich over hem heen, draaide aan de goede en zei met een milde glimlach:

'Deze deuren zijn heel moeilijk open te krijgen.'

Haar poging zijn onhandigheid goed te maken was Sjarok tegen het zere been, Lena benadrukte dat hij nooit in zulke auto's reed. Maar hij wist zich opnieuw te beheersen. Hij wierp de chauffeur een koele blik toe en ging achter Lena de Bedrijfsclub binnen. Hij zou doen wat hij wilde, leven zoals 't hem beviel, en op dit moment beviel Lena hem. Hij zat naast haar en ving de op hen gerichte blikken op; hij was gewend dat vrouwen naar hem keken, maar vandaag waren hun blikken anders, ongewoon: nieuwsgierig naar de man die zich in de belangstelling van de opmerkelijkste vrouw hier kon verheugen.

Roeslanova zong, Chetkin las verhalen van Zosjtsjenko voor. Daarna begon het dansen. Lena liet zich leiden, misschien niet met hetzelfde gemak als de meisjes in de danslokalen, maar ze lachte om haar eigen onhandigheid en drukte zich vol vertrouwen tegen hem aan.

Toen ze weg was om haar kapsel in orde te brengen stond Joera bij een pilaar en nam de hier verzamelde mensen op: de groten van de industrie, wetenschappelijk medewerkers en de top van Moskou's technische intelligentsia, zij die op de volkscommissariaten werkten, omgingen met directeuren, hoge salarissen en bonussen ontvingen, inkopen konden doen in speciale winkels en voordelige dienstreizen maakten. Joera wist heel goed hoe snel de gelukkigen die na het instituut bij de hogere instellingen terechtkwamen promotie maakten en hoe diegenen die bij de produktie werden ingezet zich moesten afbeulen.

Wat zou hij op de fabriek bereiken? Hij zou de volksrechtbanken aflopen en onbeduidende zaken over ontslagen en arbeidsverzuim behandelen, procederen over de slechte kwaliteit van canvaswerkhandschoenen. De juridische afdeling van een volkscommissariaat, een comité of een trust was iets anders. Dat waren belangrijke zaken, hoge instanties, de hooggerechtshoven van de Unie en van de republieken. Dat kon hem ook van pas komen als hij advocaat werd. Maar dat kwam allemaal later. Het belangrijkste was onder de algemene functietoewijzing uit te komen, daar zou alles eenvoudiger zijn. De wijzers van de klok wezen elf uur. Joera wilde terug bij Lena zijn voordat de portier de poort op slot deed.

'Ben je nog niet moe?' vroeg hij.

'Laten we nog even blijven,' vroeg Lena glimlachend.

Het was al één uur toen ze de club verlieten. Het motregende, aangenaam en verfrissend na de bedompte zaal. Over het glas van de straatlantaarns sijpelden straaltjes water. Er was niemand op straat. Alleen in het gebouw van de OGPOE op het Ljoebjanskajaplein brandde licht.

Ze kwamen bij haar huis.

'Ga je nog even mee naar binnen?'

Het verbijsterde Joera dat ze dit zo makkelijk zei.

Hij ging zwijgend achter haar aan. Dezelfde oude portier opende de deur voor hen. Hij vroeg niet waarom er nog zo laat een vreemde mee naar boven ging. Gedrild, hij mocht zich nergens over verbazen.

Lena deed het licht in de gang aan, opende de deur van de eetkamer op een kier.

'Hij slaapt… Ga in papa's kamer zitten, ik trek even iets anders aan.'

Ze deed het grote licht in de werkkamer aan, glimlachte nog een keer naar Joera en liet hem alleen.

Sjarok bekeek een stapeltje boeken: een deeltje Lenin met reepjes papier tussen de bladzijden, boeken over de metallurgie, 'Peter de Grote' van Aleksej Tolstoj. Nergens officiële papieren, geheime bulletins of verboden boeken die alleen zij mochten lezen, noch het wapen dat ze allemaal hadden. Joera was er zeker van dat het een Browning was, die kon gemakkelijk in je achterzak. Een hevig verlangen om iets te zien wat verboden, ontoegankelijk was, het geheim van de macht even aan te raken, maakte zich van hem meester.

Lena kon elk moment binnenkomen, hij moest snel zijn. Hij trok aan de middelste bureaula, op slot, hij rommelde aan de zijladen maar deze wilden ook niet open. Hij zat nog maar net achterovergeleund in de leunstoel, toen Lena binnenkwam, in een wit jasje en blauwe rok, zoals hij gewend was haar te zien.

'Zal ik koffie zetten?'

Ze raakte hem in het voorbijgaan glimlachend aan, en toen zij over tafel gebogen de koffie inschonk zag hij haar borsten. Hij was nog nooit met Lena 's nachts alleen geweest, had nog nooit zulke koffie en zulke likeur gedronken.

'Wil je nog?'

'Nee, ik heb genoeg gehad.'

Hij ging op de bank zitten.

'Kom eens bij me zitten...'

Met het kopje in de hand ging zij ook op de bank zitten. Hij nam het kopje uit haar hand en zette het op tafel. Verbaasd glimlachend keek ze hem aan. Daarop keek hij haar recht in haar verschrikte ogen en trok haar met de ongegeneerdheid van een straatjongen naar zich toe.

4 Op zeven november wachtte Sasja op de hoek van de Tverskajastraat en de Bolsjaja Groezinskajastraat op de colonne van zijn instituut.

De demonstranten kwamen langzaam vooruit. Boven de gelederen schommelden vaandels, spandoeken, portretten... Stalin... Stalin... Stalin... Bejaarde mannen bliezen zorgelijk op trompetten, uit de rijen klonk vals gezang en op het asfalt werd gedanst en gehost. Luidsprekers verspreidden de klanken en het kabaal van het Rode Plein, de stemmen van radioverslaggevers, de verwelkoming vanaf het Mausoleum en het geestdriftig gejoel van de demonstranten die over het plein liepen.

De colonne van het instituut verscheen om een uur of twee en kwam meteen tot stilstand. De rijen raakten door elkaar. Zich een weg banend door de menigte liep Sasja op zijn groep af. Direct voelde hij waakzame, nieuwsgierige blikken op zich gevestigd: zo kijkt men naar iemand die in moeilijkheden zit. Dit was niet vanwege de vergadering van het bureau. Dit was iets anders.

Maar niemand zei iets tegen Sasja en hij vroeg zelf ook niets. Alleen zijn vriend Roenotsjkin wilde hem blijkbaar iets vertellen, maar hij kon niet weg van het spandoek dat hij droeg.

'Opstellen! Opstellen!' schreeuwden de ordebewaarders.

De rijen waren al ingedeeld, Sasja kwam aan het eind van de colonne terecht, waar studenten uit de andere jaren liepen. Vanaf zijn plaats zag hij het faculteitsvaandel en het spandoek, dat aan twee stokken door Roenotsjkin en nog een jongen gedragen werd. Het spandoek bolde op in de tegenwind, viel terug, het vaandel trok scheef en rechtte zich weer. De colonne zette zich in beweging.

Nog voor het Triumfalnajaplein stonden ze al weer stil. Sasja liep naar zijn groep, Roenotsjkin kwam hem tegemoet.

'Ze hebben de muurkrant weggehaald.'

De kleine Roenotsjkin was niet alleen mank, maar ook nog scheel en hield daarom tijdens het spreken zijn hoofd schuin en een beetje afgewend.

De muurkrant weggehaald? Waarom? Zoiets was nog nooit gebeurd.

'Wie heeft dat gedaan?'

'Baulin. Vanwege de epigrammen. Vulgarisatie van de ambities van de voorhoede van de studenten.'

Roenotsjkin was de redacteur. Maar het idee om epigrammen te schrijven was van Sasja, een had hij zelfs zelf geschreven, op groepsoudste Kovaljov: 'Al schrijft de mode arbeid voor, hij zal buitenbeentje wezen, agendaloze kletsmajoor, weet alles zonder lezen'. De overige drie had Roza Poloezjan geschreven. Op Borka Nesterov: 'Op zijn grafsteen zullen ze zetten: hij hield van rijst en koteletten'; op Petka Poezanov dat hij zo'n slaapkop was, en op Prichodko dat hij op rijles sjoemelde om 't langst te kunnen rijden. Het was niet geniaal, zelfs niet echt grappig, maar wel onschuldig. 'Vulgarisatie van de ambities van de voorhoede van de studenten'!

'Waarin zit hem de vulgarisatie?'

Roenotsjkin deed zijn hoofd opzij.

'In de epigrammen. Waarom epigrammen *alleen* op voorhoedestudenten? Ik zeg: *alleen* van voorhoedestudenten hebben we foto's geplaatst, de epigrammen kwamen erbij. En waarom stond er geen hoofdartikel in?'

Het idee om geen hoofdartikel te schrijven was ook van Sasja geweest. Waarom iets herhalen dat toch in de andere kranten zou komen te staan? Het moest een echt vrolijk feestnummer worden, zodat het tenminste werd gelezen en niet troosteloos in de gang kwam te hangen. De jongens waren het toen met hem eens geweest. Alleen de voorzichtige Roza Poloezjan had Sasja veelbetekenend aangekeken.

'Schrijf liever een hoofdartikel met je naam eronder.'

'Ben je bang voor Azizjan?'

Dat had hij Roza geantwoord. En dit was het resultaat. Dat gedoe vanwege Azizjan was nog niet afgelopen en nu al weer iets. Goed, we zullen de aanval afslaan!

Bij het Strastnajaplein hield de colonne opnieuw halt. Hiervandaan zouden ze in één keer doorlopen en de ordebewaarders controleerden nauwkeurig of er zich geen buitenstaanders in de gelederen bevonden. Ze stelden de colonne in gelijke, dichte rijen op, zodat ze het laatste stuk naar het Rode Plein zonder oponthoud in vlot tempo konden afleggen.

Baulin en Lozgatsjov voegden zich bij de groep. Lozgatsjov had als leider van de colonne van het instituut een rode band om zijn mouw.

'Pankratov.' Baulin keek Sasja streng aan. 'Vind je het niet nodig om op de demonstratie te verschijnen?'

Dit was onterecht. Degenen die in de stad woonden sloten zich altijd onderweg bij de colonne aan. Baulin kon nooit weten wie van die duizend studenten eerst naar het instituut waren gegaan en wie er onderweg bij waren gekomen. Maar hij had gehoord dat Sasja er was, vond dat interessant en stapte op hem af om hem publiekelijk op zijn fout te wijzen. Dat was onrechtvaardig en te meer vernederend, daar Baulin er zeker van was dat Sasja hem hier, waar iedereen bij was, niet zou durven tegenspreken.

Maar waarom zou hij dat niet durven?

'Ik ben op de demonstratie, ik geloof dat u me ziet. Dit is geen hal-lu-ci-na-tie,' antwoordde Sasja op de bedriegelijk beleefde toon die de slimme jongetjes van de Arbat aanslaan als ze ruzie zoeken.

'Pas op dat je niet te ver gaat,' zei Baulin alleen.

En hij liep verder zonder Sasja's reactie af te wachten.

De stoet marcheerde in twee stromen om het Historisch Museum heen en kwam op het Rode Plein weer samen, ze rukten op terwijl ze de pas versnelden, over het plein renden ze bijna, de colonnes werden door de gesloten gelederen soldaten van het Rode Leger van elkaar gescheiden.

De colonne van Sasja liep vlak langs het Mausoleum. Op de tribunes stonden mensen, militaire attaché's in operette-uniformen, maar niemand keek naar hen, alle blikken waren op het Mausoleum gericht, iedereen dacht maar aan één ding: is Stalin er, zullen we hem zien?

En ze zagen hem. Het was net of de figuur met de zwarte snor zijn ontelbare portretten en standbeelden had verlaten. Hij stond onbeweeglijk, de pet ver over het voorhoofd getrokken.

Het gejoel nam toe. Stalin! Stalin! Net als de anderen kon Sasja onder het lopen zijn ogen niet van hem afhouden en ook hij schreeuwde: Stalin! Stalin! Toen ze al voorbij de tribunes waren, bleven de mensen achterom kijken, maar de soldaten van het Rode Leger joegen hen op—niet treuzelen! Doorlopen! Doorlopen!

Bij de kathedraal van Vasili Blazjenny raakten de rijen door elkaar, de ordeloze menigte daalde af naar de Moskva, beklom de brug en overstroomde de kades. De trommels, trompetten, vaandels, posters en spandoeken werden in vrachtwagens geladen. Iedereen wilde gauw naar huis, hongerig en moe haastte men zich naar de Kamennybrug, de Pretsjistenski-poort, de trams.

Het gejuich op het Rode Plein kwam op dit moment tot een hoogtepunt en bereikte als een rollende donderslag de kade: Stalin had zijn hand als groet aan de demonstranten opgeheven.

Na de festiviteiten werd er een spoedzitting van het partijbureau met het kader belegd. Er werd vergaderd in de kleine aula. Lozgatsjov stond op het podium en bladerde in zijn papieren.

'Op onze faculteit,' zei hij, 'hebben zich twee partijvijandige acties voorgedaan. De eerste was de uitval van Pankratov tegen het marxisme in het boekhouden, de tweede het publiceren van een muurkrant door diezelfde Pankratov. De handlangers van Pankratov waren de komsomolleden Roenotsjkin, Poloezjan, Kovaljov en Pozdnjakova. Communisten noch komsomolleden van de groep hebben zich tegen hen verzet. Dit getuigt van een verslapping van de politieke waakzaamheid.

In het feestnummer van de krant,' vervolgde Lozgatsjov, 'ontbreekt een hoofdartikel over de zestiende verjaardag van de Oktoberrevolutie, wordt de naam van kameraad Stalin niet één keer genoemd en zijn portretten van voorhoedestudenten van boosaardige, lasterlijke versjes voorzien. Hier volgt er een die tussen twee haakjes door Pankratov zelf is geschreven: "Al schrijft de mode arbeid voor, hij zal buitenbeentje wezen, agendaloze kletsmajoor, weet alles zonder lezen". Wat betekent dat "Al schrijft de mode arbeid voor"?' Lozgatsjov liet zijn strenge blik door de zaal dwalen. 'Bij ons is "arbeid in de mode"? Door de arbeid van onze mensen wordt het fundament voor het socialisme gelegd, bij ons is arbeid een zaak van eer. Voor Pankratov is het echter alleen een modeverschijnsel. Zoiets kan alleen maar geschreven zijn door een stoker die erop uit is onze mensen te belasteren. Toch hebben op de vorige zitting van het partijbureau enige lieden geprobeerd Pankratov vrij te pleiten, ze beweerden dat zijn aanval op het college van Azizjan en zijn verdediging van Krivoroetsjo toevallig waren.'

'Wat voor "lieden"?' vroeg Baulin, al wist hij net zo goed als ieder ander om wie het ging.

'Ik bedoel de decaan van de faculteit, Janson. Ik vind dat hij zijn verantwoordelijkheid hiervoor niet mag afwijzen.'

'Dat zal niet gebeuren,' beloofde Baulin.

'Kameraad Janson,' vervolgde Lozgatsjov, 'heeft op de faculteit de sfeer van gemakzuchtigheid en zorgeloosheid geschapen die Pankratovs politieke sabotage mogelijk maakte.'

'Schande!' riep Karjov, een vriendelijk ogende vierdejaars die op het hele instituut als een demagoog en strooplikker bekend stond.

'Het partijbureau van het instituut is doortastend tegen de aanval van Pankratov opgetreden en heeft de muurkrant verwijderd,' besloot Lozgatsjov, 'dit bewijst dat onze partijorganisatie als geheel gezond is. Onze vaste en onherroepelijke besluit zal dit eens te meer bevestigen.'

Hij pakte zijn blaadjes en verliet het podium.

'Is de redacteur aanwezig?' vroeg Baulin.

Iedereen draaide zich om om Roenotsjkin te zoeken. De kleine, schele Roenotsjkin beklom het podium.

'Vertel eens, Roenotsjkin, hoe u het zover heeft kunnen laten komen,' sprak Baulin met zijn gebruikelijke onheilspellende vriendelijkheid.

'We vonden het niet nodig het hoofdartikel van de universiteitskrant te herhalen.'

'Wat heeft de universiteitskrant er mee te maken,' zei Baulin nors, 'toen jullie je krant schreven was die nog niet verschenen.'

'Maar wel daarna.'

'En jullie wisten al wat voor hoofdartikel erin zou staan?'

'Natuurlijk wisten we dat.'

In de zaal werd gelachen.

'Hang niet de paljas uit,' zei Baulin boos, 'wie verbood het schrijven van het hoofdartikel? Pankratov?'

'Dat weet ik niet meer.'

'U weet het niet meer... U vond het niet vreemd?'

Roenotsjkin haalde slechts zijn schouders op.

'Vond u Pankratovs voorstel om epigrammen te schrijven niet vreemd?'

'Die hebben we vroeger ook geschreven.'

'U begrijpt uw fout?'

'Als ik net zo redeneer als kameraad Lozgatsjov, dan wel.'

'En hoe redeneert u zelf?'

Roenotsjkin zweeg.

'Hij hangt de paljas uit!' Dat was Karjov weer.

Baulin keek op zijn papiertje.

'Is Pozdnjakova aanwezig?'

De knappe Pozdnjakova betrad glimlachend het podium.

'Wat zal ik zeggen? Sasja Pankratov besloot om geen hoofdartikel te schrijven en omdat hij onze komsomolaanvoerder is moesten we hem gehoorzamen.'

'En als hij u had gezegd van de vierde verdieping te springen?'

'Ik ben niet zo'n springster,' antwoordde Nadja, 'en ik dacht...'

'U dacht helemaal niets,' onderbrak Baulin haar, 'of vindt u het soms leuk als de voorhoede van de onderwijsinstelling zo belachelijk wordt gemaakt?'

'Nee.'

'Waarom heeft u niet geprotesteerd?'

'Ze hadden toch niet naar me geluisterd.'

'En waarom bent u niet naar het partijcomité gegaan?'

'Ik...' Pozdnjakova bracht een zakdoek naar haar ogen. 'Ik...'

'Goed, gaat u zitten!' Baulin keek weer op zijn papiertje. 'Poloezjan!'

'Luister niet naar hen, laat Pankratov antwoorden!' werd er in de zaal geroepen.

'Pankratov komt ook aan de beurt. Poloezjan, gaat uw gang!'

'Ik beschouw het gebeurde als een grote fout,' begon Roza.

'Fouten heb je in verschillende soorten!'

'Ik beschouw het als een politieke fout.'

'Dat had u meteen moeten zeggen en niet pas nu u aan de tand wordt gevoeld.'

'Ik beschouw het als een grove politieke fout. Ik wil er alleen op wijzen dat ik heb voorgesteld wel een hoofdartikel te schrijven.'

'Denkt u zich daarmee te rechtvaardigen? U waste uw handen in onschuld, u wilde geen risico lopen, maar dat die vuiligheid aan de muur zou komen te hangen, daar zat u niet over in? U heeft zelf epigrammen geschreven?'

'Ja.'

'Op wie?'

'Op Nesterov, Poezanov en Prichodko.'

'De een is een vreetzak, de ander een slaapkop en de derde een boef. En zo dacht u de voorhoedestudenten in het zonnetje te zetten?'

'Dat is mijn fout,' fluisterde Roza.

'Ga zitten!... Kovaljov!'

Met een bleek gezicht kwam Kovaljov naar voren.

'Ik moet eerlijk bekennen dat mij de politieke kern van deze zaak nog niet helemaal duidelijk was toen ik hierheen ging. Het leek me een flauw grapje, ongepast, maar niettemin een grapje. Nu begrijp ik dat wij allemaal werktuigen in de handen van Pankratov zijn geweest. Ik heb weliswaar op een hoofdartikel aangedrongen, maar toen we het over de epigrammen hadden heb ik mijn mond gehouden: een epigram ging over mijzelf en ik dacht dat als ik er iets van zou zeggen, de anderen zouden denken dat ik geen kritiek kon hebben.'

'Je schaamde je?' Baulin grinnikte.

'Ja.'

'Kovaljov is direct naar het bureau gekomen en heeft eerlijk verteld hoe het allemaal is gegaan,' merkte Lozgatsjov op.

'Hij had beter kunnen komen voor de krant werd opgehangen,' zei Baulin.

Siverski, de docent topografie, stond op. Sasja had absoluut niet vermoed dat hij partijlid was. De zwijgzame man met zijn militaire uiterlijk, de blauwe rijbroek en de lange, witte Kaukasische blouse, leek hem een voormalig officier van het tsaristische leger.

'Kovaljov! U schaamde zich om te protesteren tegen een epigram dat over u ging?'

'Ja.'

'Waarom heeft u niet geprotesteerd tegen de epigrammen over de anderen?'

'Een demagogische vraag!!' Dat was de stem van Karjov.

'Hij sticht verwarring!' riep iemand anders.

Baulin maakte een weids gebaar in de richting van de zaal.

'U hoort wat de vergadering van uw vraag vindt, kameraad Siverski?'

'Ik wilde de jonge Kovaljov duidelijk maken dat hij zo geen goede start in het leven maakt,' zei Siverski rustig en ging zitten.

'U kunt spreken in de discussie,' antwoordde Baulin, 'maar laten we nu de organisator van het geheel aanhoren. Pankratov, gaat uw gang!'

Sasja zat op de achterste rij tussen studenten van andere faculteiten, hij had geluisterd en nagedacht over wat hij moest zeggen. Ze verwachtten dat hij zijn fouten zou toegeven, wilden horen hoe hij berouw zou tonen en waarmee hij zich dacht te rechtvaardigen. Had hij nu spijt van het gebeurde? Ja, hij had er spijt van. Hij had tegen Azizjan zijn mond kunnen houden, hij had dezelf-de krant als altijd kunnen maken. Dan was deze geschiedenis, die zo onver-wacht en absurd zijn leven en dat van zijn kameraden was binnengedrongen, er niet geweest. En toch moest hij standhouden, de jongens verdedigen en de anderen dwingen naar hem te luisteren. Hier zaten niet alleen Baulin, Loz-gatsjov en Karjov, hier waren ook Janson, Siverski, zijn vrienden, zij sympa-thiseerden met hem.

De zaal werd stil. Degenen die naar buiten waren gegaan om te roken, kwamen terug. Velen stonden op van hun plaatsen om beter te kunnen zien.

'Tegen mij zijn zware beschuldigingen geuit,' begon Sasja, 'kameraad Loz-gatsjov heeft termen in de mond genomen als politieke sabotage, partijvijan-dig gedrag, kwaadsprekerij...'

'En terecht!' riep iemand. Het was waarschijnlijk Karjov, maar Sasja had besloten geen aandacht te schenken aan geschreeuw uit de zaal.

Baulin tikte met zijn potlood op tafel.

'Docent Azizjan is er in zijn colleges niet in geslaagd theorie en praktijk te verbinden en heeft ons daardoor de kennis van een belangrijk deel van de leerstof onthouden,' vervolgde Sasja.

Azizjan sprong op, maar Baulin hield hem met een handbeweging tegen.

'Over de muurkrant. Als komsomolaanvoerder draag ik in de eerste plaats de volle verantwoording voor het nummer.'

'Hoe edelmoedig!' weerklonk uit de zaal. 'Poseur!'

'Ik heb gezegd dat het hoofdartikel achterwege kon blijven, ik heb ook voor-gesteld de epigrammen te plaatsen en heb er een geschreven. De redact(ele-den konden het als een richtlijn beschouwen.'

'Een richtlijn? Van wie heeft u die gekregen?' vroeg Baulin terwijl hij Sasja strak aankeek.

Eerst begreep Sasja de vraag niet. Maar toen het tot hem doordrong ant-woordde hij:

'U heeft het recht mij van alles te vragen, maar u mag mij niet beledigen. Ik ben nog niet geroyeerd.'

'Dat komt nog, wees maar niet bang,' riep iemand. Dat moest Karjov zijn.

'Verder. Het hoofdartikel hebben we niet geschreven, omdat we niet iets wilden herhalen dat in de universiteitskrant en in het faculteitsbulletin zou komen te staan. Ze hebben daar beter opgeleide journalisten…'

'Naar je epigram te oordelen, ben je zelfs een dichter,' zei Baulin spottend.

'Pruldichter!' werd er in de zaal geroepen.

'Ik heb een fout gemaakt,' ging Sasja verder, 'het hoofdartikel hadden we moeten schrijven. Nu de epigrammen. Er staat niets verwerpelijks in. De fout is dat we ze onder foto's van voorhoedestudenten hebben geplaatst. Daardoor is de betekenis verdraaid.'

'Waarom hebben jullie ze geplaatst?'

'We dachten de studenten op de feestdag wat op te vrolijken.'

'Nou, vrolijk werd het, ik kan niet anders zeggen,' stemde Baulin in.

Iedereen begon te lachen.

'Maar,' vervolgde Sasja, 'de beschuldiging van politieke sabotage wijs ik categorisch van de hand.'

'Vertel eens, Pankratov, heeft u niemand om steun verzocht?' vroeg Baulin.

'Nee.'

Baulin keek naar Glinskaja en vervolgens naar Sasja.

'Ook niet onder-volkscommissaris Boedjagin?'

'Nee.'

'Waarom heeft hij dan bij de directie van het instituut een goed woordje voor u gedaan?'

Sasja wilde Mark niet noemen, maar er zat niets anders op.

'Ik heb het aan Rjazanov, mijn oom, verteld, en hij blijkbaar aan Boedjagin.

'Blijkbaar…' herhaalde Baulin spottend. Maar Rjazanov zit toch in het oosten?'

'Hij is in Moskou.'

'Rjazanov is toevallig in Moskou, u heeft het hem toevallig verteld, hij vertelde het toevallig aan Boedjagin, en Boedjagin heeft toevallig Glinskaja gebeld… Zijn dat niet wat veel toevalligheden, Pankratov? Zou het niet eerlijker zijn ronduit te zeggen: ja, ik heb zijwegen bewandeld?'

'Ik heb uitgelegd hoe het in werkelijkheid was.'

'Hij probeert zich eruit te draaien! Onoprecht! Onfatsoenlijk.'

Bij Karjov hadden zich nog een paar schreeuwlelijken gevoegd.

'U heeft verder niets te zeggen?'

'Ik heb alles gezegd.'

'Gaat u zitten.'

Sasja stapte van het podium.

'Wie wil iets zeggen?' vroeg Baulin.

'Janson! Janson! Laat Janson iets zeggen!'

Janson betrad met een boos gezicht het podium.

'Kameraden, de kwestie die we hier bespreken is van groot belang.'
'Dat weten we zonder jou ook wel!' werd er geroepen.
'Maar we moeten objectieve resultaten scheiden van subjectieve drijfveren.'
'Dat is hetzelfde!'
'Geen gefilosofeer!'
'Nee, dat is niet hetzelfde. Maar staat u me toe mijn gedachten helemaal aan u voor te leggen...'
'Nee, 't is genoeg geweest!'
Siverski verhief zich nogmaals.
'Kameraad Baulin, roept u deze onruststokers tot de orde! Onder zulke omstandigheden kunnen we onmogelijk werken.'
Baulin deed net of hij deze opmerking niet had gehoord.
'Pankratov heeft zich apolitiek en derhalve kleinburgerlijk opgesteld.' Janson ging koppig door.
'Dat is zacht uitgedrukt!' riep Karjov.
Janson fronste de wenkbrauwen. 'Rustig kameraden. Luistert naar me...'
'Niks luisteren.'
'Als we de daden van Pankratov als sabotage en als partijvijandig willen beschouwen, dan moet er bij hem iets als voorbedachte rade te vinden zijn. Alleen als er sprake is van opzet...'
'Draai er niet omheen!'
'Vertel over jezelf, over je eigen rol!'
'Welnu. Wilde Pankratov de partij schade toebrengen? Ik denk dat er geen bewuste opzet in het spel was.'
'Opportunist! Je probeert de zaak te verdoezelen.'
'Kameraad Janson, men vraagt u iets te zeggen over uw eigen rol in het gebeurde,' zei Baulin.
'Ik heb er helemaal geen rol in gespeeld. Ik heb die krant niet gemaakt noch er mijn goedkeuring aan gegeven. Docent Azizjan heeft zich niet tot mij, maar tot u gewend.'
'En waarom heeft u de krant niet weggehaald?' vroeg Baulin.
'U zag hem waarschijnlijk het eerst.'
'En waarom zag u hem niet eerder? U zit er toch dichterbij?'
Janson haalde zijn schouders op.
'Als u dat belangrijk vindt...'
'Genoeg! Het is mooi geweest!'
Janson bleef nog even staan, haalde nogmaals zijn schouders op en ging naar zijn plaats.
Baulin kwam niet naar het podium, hij sprak vanachter de voorzitterstafel. Hij hing alleen zijn jasje over de leuning van zijn stoel, en stond in zijn hemdsmouwen. Glimlach en spot waren nu verdwenen, hij hamerde er op

los in frasen die geen tegenspraak duldden:

'Pankratov rekende erop ongestraft te blijven. Hij rekende op zijn hooggeplaatste beschermheren. Hij was er zeker van dat onze partijorganisatie bij het horen van hun namen zou terugkrabbelen. Maar een partijorganisatie stelt het belang van de partij, de zuiverheid van de partijlijn boven welke naam, welke autoriteit ook...'

Hij stopte even in afwachting van applaus. Op twee, drie plaatsen klonken aarzelende klapjes en Baulin sprak verder, alsof hij niet wilde dat er voor hem werd geklapt:

'Een schande als men komsomolleden als Roenotsjkin, Pozdnjakova, Poloezjan en Kovaljov ziet. En dat zijn dan op een haar na ingenieurs, sovjetspecialisten. Kijk eens wat voor tandeloze, politiek weerloze mensen kameraad Janson heeft opgevoed. Daarom worden zij ook zo makkelijk een speelbal in handen van de klassevijand. Daarvan beschuldigen wij Janson. U, Janson, heeft de voedingsbodem geschapen waar de Pankratovs kunnen gedijen... Zelfs hier probeert u hem in bescherming te nemen. En dat vinden wij alarmerend.'

5 Joera eiste dat Lena hun verhouding geheim hield. Hij hield van haar en zij van hem, dat was genoeg. Daarom meed hij haar ouders, haar huis en haar kennissen. Lena schikte zich, bang zijn eigenliefde te kwetsen.

Zijn vader had hem verboden meisjes mee naar huis te nemen, maar een dochter van een volkscommissaris, dat was niet niks. Zo'n vriendin had Joera nog nooit gehad. Zijn ouders deden koel tegen haar: Joera had een vriendinnetje, best, ze waren tenslotte jong. Als ze bij elkaar pasten trouwden ze, en anders gingen ze weer uit elkaar. Wat dat betreft gingen ze met hun tijd mee. Maar als ze zouden trouwen, zou zij respect moeten hebben voor haar schoonouders: ook al was ze de dochter van een volkscommissaris, mocht ze hen wel dankbaar zijn; met zo een die al voor het huwelijk naar bed gaat trouwden mannen liever niet.

Maar Lena vatte die gereserveerdheid op als een uiting van waardigheid. De ouders van Joera vond ze ook buitengewoon. Zijn vader, een knappe, presentabele handwerksman, en zijn moeder, een godvruchtige oude vrouw, vertegenwoordigden met hun patriarchale leefwijze een volslagen andere wereld, volks, eenvoudig, echt.

Soms spraken ze over de brieven van Vladimir uit Belomorkanal, brieven van een gestrafte crimineel, met 'lieve vader en moeder' en 'dierbare broer', met sentimentele gevangenispoëzie over het ellendige jongenslot en de droom 'vrij rond te vliegen als een vogeltje'. Joera keek dan bedenkelijk, hij geneerde zich kennelijk voor Lena, maar de sombere aandacht van de vader, de trieste bezorgdheid van de moeder, de volharding waarmee Joera deze complicatie van zijn leven verdroeg, vertederden haar.

Ze vond alles even mooi: de simpele kost, de manier waarop de vader het krijt van zijn handen veegde en de draadjes van zijn jasje streek en aan tafel kwam met de ernst van een hardwerkend man voor wie de maaltijd in familie-kring de beloning voor zijn zware arbeid was. Ze vond het prachtig dat de moeder juist hem eerst opschepte, hij was kostwinner, Joera als tweede, want hij was een man en werkte ook, en Lena als derde, omdat ze gast was; wat er dan nog overbleef was voor haarzelf, voor de moeder, die in de keuken stond en altijd genoeg te eten had. Deze familie, hecht en eensgezind, leek niet op haar familie, waar iedereen zijn eigen leven leidde en men elkaar soms we-kenlang niet zag.

Soms ging ze met Joera naar METROPOL of naar GRAND HOTEL om naar Skomorovski of naar Tsfasman te luisteren. Lena stond erop evenveel geld uit te geven als hij; ze werkte, verdiende, het was niet kameraadschappelijk als hij niet accepteerde dat zij ook haar deel bijdroeg. Joera stemde bereid-willig in. Het vleide hem dat zo'n schoonheid geld uitgaf voor hem, dat de obers zo beleefd waren. Aan de andere tafeltjes zaten mooie vrouwen en goed geklede mannen, er werd jazz gespeeld, in METROPOL was het licht ge-dempt, gekleurde schijnwerpers schenen op de fontein midden in de zaal, waaromheen gedanst werd. Joera glimlachte Lena toe en kneep in haar hand; het beviel hem dat iedereen hen opmerkte.

's Nachts ging ze laat bij hem weg; als hij het goed zou vinden zou ze hele-maal niet weggaan. De poort was 's nachts op slot, ze belde dan, de slaperige conciërge, die haar elke keer argwanend opnam, kwam naar buiten, ze stopte hem een roebel toe en holde de straat op. Haar hakken tikten echoënd op het trottoir van de nachtelijke Arbat. Thuis zouden ze haar late komst weer mer-ken, alles doorhebben maar nergens naar vragen. Vader mocht Joera niet, hij sprak spottend en zelfs vol minachting over hem. Uiteindelijk was dat zijn eigen zaak. Ze was gehecht aan haar familie, maar als het moest zou ze zon-der aarzelen van huis weglopen.

Begin december moest Joera op het Volkscommissariaat van Justitie komen. Op de afdeling personeelszaken, een grote kamer met veel tafels, waaraan echter niemand zat, werd hij ontvangen door een tengere, roodharige vrouw van middelbare leeftijd met fijne, levendige gelaatstrekken. Ze stelde zich voor als Malkova, wees Joera een stoel aan de andere kant van haar tafel.

'U komt binnenkort van het instituut, kameraad Sjarok, binnenkort krijgt ieder een post aangewezen, we zouden graag nader met u kennis willen maken. Vertelt u eens iets over uzelf.'

Om niet in het rechtswezen terecht te komen moest Joera zich tegenover Malkova in een ongunstig daglicht stellen. Maar de mechanische reflex tot zelfbehoud, zijn jarenlang aangekweekte gewoonte onberispelijk te lijken, nergens zijn handen aan vuil te maken en alles te verbergen wat hem in opspraak kon brengen, werkte nog door. Joera vertelde over zichzelf zoals hij altijd deed; hij was zoon van een textielarbeider, vroeger zelf draaier geweest, een komsomollid zonder strafblad. Er was een probleem: zijn broer was wegens diefstal veroordeeld. Hij vond dat de vermelding daarvan de geloofwaardigheid van zijn verhaal alleen maar ten goede kwam.

Malkova rookte een sigaret terwijl ze aandachtig luisterde, drukte daarna de peuk op de bodem van de asbak uit en vroeg:

'Waarom heeft u als komsomollid uw broer zo verwaarloosd?'

'Ik was pas zestien toen ze hem opsloten.'

'In de revolutie commandeerden zestienjarigen hele regimenten.'

Malkova zei dit alsof ze dat zelf op die leeftijd had gedaan. Misschien was dat ook wel zo?! Ze zag eruit als een soldaat, broodmager, met een leren jack, een sigaret tussen de lippen... Wat dan nog! Moest iedereen commandant zijn? Ze zouden regimenten tekort komen! En van die vuurtoren hing het af of ze hem naar de fabriek stuurden of naar een of ander godvergeten oord! Op het instituut werd gefluisterd dat zijn hele jaar naar West- en Oost-Siberië zou worden gestuurd.

Joera glimlachte.

'Mijn broer is veel ouder dan ik, hoe kon ik hem beïnvloeden?'

Malkova keek in de papieren op tafel en vond wat ze zocht.

'Het Directoraat van de chemische industrie wil dat u bij hen als bedrijfsjurist gaat werken. Wat is de reden hiervan?'

'Vóór het instituut heb ik in een chemische fabriek gewerkt, daar hebben ze een jurist nodig. Ik heb nog contact met het bedrijf, vandaar dat ze naar mij gevraagd hebben.'

Malkova's gezicht betrok.

'Iedereen wil in Moskou blijven. Wie gaat in de provincie werken? Bij de rechtbank?'

Langzaam, elk woord wegend, zei Joera:

'Voor het werk in het rechtswezen zijn vertrouwen en een smetteloze reputatie nodig. Wanneer je broer in de gevangenis zit kan het vertrouwen ontbreken.'

'Voor het werk in het rechtswezen dient men in de eerste plaats een oprecht sovjetburger te zijn,' zei Malkova op belerende toon, 'is die geschiedenis met uw broer werkelijk een beletsel?'

'U vroeg toch zelf waarom ik mijn broer heb verwaarloosd? Bovendien denk ik dat er ook in de industrie bekwame juristen nodig zijn.'

Malkova stond op en zei:

'Ik zal uw zaak voorleggen aan de chef van het Directoraat, daarna zal de toewijzingscommissie een beslissing nemen.'

Joera stond op.

'Ik ben bereid overal te werken waar ik naar toe word gestuurd.'

'Dat zal wel moeten,' grinnikte Malkova, 'u heeft een studiebeurs gekregen, die moet worden terugbetaald.'

'Zeer zeker, ik wil in Moskou blijven,' zei Sjarok betekenisvol, 'mijn ouders wonen hier, het zijn oude, behoeftige mensen, en ik ben in wezen hun enige zoon, en dit hier,' hij wees op het papier dat op tafel lag, 'is een initiatief van de fabriek. Zij hebben een jurist nodig die de chemische industrie kent.'

'Ieder die in Moskou wil blijven heeft zwaarwegende argumenten,' zei Malkova, 'en ieder heeft zijn wensen goed onderbouwd.'

Ze zweeg een moment en voegde er toen plotseling aan toe:

'De partijorganisatie van het instituut beveelt u aan voor ander werk, ook in Moskou overigens.'

'Daar is mij niets van bekend... En waar precies?'

Ze antwoordde ontwijkend:

'Er zijn vacatures... Bij het Openbaar Ministerie bijvoorbeeld. Maar u geeft toch de voorkeur aan de fabriek?'

'Inderdaad. Daar heb ik gewerkt, ben ik opgegroeid en de fabriek heeft me verder laten leren. Ik heb heel veel aan de fabriek te danken.'

De waardigheid waarmee Joera dit zei stemde Malkova meegaander.

'Wij zullen met uw wens en met de aanvraag van het Directoraat van de chemische industrie rekening houden. De commissie zal uiteindelijk de beslissing nemen.'

En van zo'n stom mens hing zijn toekomst af! Zelf kwam ze ergens uit een of ander achterlijk dorp in de rimboe en zij zou hem, een geboren Moskoviet, God weet waarheen sturen. Vader had gelijk: 'Moskou wordt platgelopen door het platteland, je kunt als stedeling geen kant meer uit.' En dan moest ze hem nog lekker maken: 'U wordt voor werk in Moskou aanbevolen, bij het Openbaar Ministerie.' Gelogen natuurlijk... Maar misschien ook niet... Hij stond geregistreerd in Moskou, en daar hielden ze rekening mee...

Zelfs als hij echt werd aanbevolen, dan betekende dat nog niet dat hij ook werd aangenomen. 'Waarom is uw broer een crimineel?' zouden ze vragen. In een echt proletarisch arbeidersgezin horen geen criminelen! Het is dus een slecht gezin, een gezin met een rotte plek. Hadden ze echt geen andere, betrouwbare mensen, eigen volk?!

Het romantische beeld van de onafhankelijke advocaat uit zijn jongensverbeelding was met de tijd vertroebeld. Zijn stage bij de rechtbanken had de keerzijde van de medaille laten zien. Hij zag toen beroemde advocaten niet alleen in glansrollen, maar ook in hun ijdele drukte en gekrakeel, hun jagen op honoraria. Hij zag hoe ze kropen voor de secretarissen van de rechtbank, hoe ze op consulten niets begrijpende oude dametjes voor vijf roebel juridisch advies inhamerden en hij kende de prijs van hun luxueuze spreekkamers thuis, die na het vertrek van de cliënten werden omgetoverd tot eet- en slaapkamer. En toch was dat het enige wat hem aantrok.

Maar het bleef vreemd! De gedachte dat *instanties* hem zouden afwijzen was krenkend: weer werd hij geminacht. Voor hun eigen mensen hielden ze hoge posten vrij, terwijl hij, de gehoorzame uitvoerder, het vuile werk moest opknappen. In het gunstigste geval zouden ze hem een aalmoes geven, hem naar de fabriek sturen, als *juridisch adviseur* zoals Boedjagin vol verachting had gezegd.

Sjarok vertelde niemand van zijn gesprek op het volkscommissariaat. Maar zijn ongerustheid ontging Lena niet.

Ze zaten in het theater; het was eindelijk gelukt kaartjes voor 'Negra' te krijgen.

'Wat zit je dwars?'

Ze keek hem aan met haar intense, liefdevolle blik.

Hij glimlachte en keek tersluiks naar hun buren. 'Bemoei je er niet mee.'

Thuis, met haar hoofd op zijn arm vroeg ze opnieuw waarover hij zich zorgen maakte. Hij antwoordde dat er niets bijzonders was, alleen zijn terugkeer naar de fabriek ging wat moeizaam.

'Als je wilt zal ik met papa praten,' stelde Lena voor.

'Ivan Grigorjevitsj heeft alles gedaan wat hij kon.'

Ze drong niet aan, ze begreep dat vader niet meer kon doen dan hij had gedaan.

'Gisteren was Sasja bij ons, ik heb met hem te doen,' zei Lena.

'Wat is er dan?'

'Weet je dat dan niet? Ze hebben hem uit de Komsomol gezet en van het instituut gestuurd.'

Hij kwam op zijn elleboog overeind.

'Dat hoor ik voor het eerst.'

'Heb je hem dan niet gezien?'

'Al lang niet meer.'

Dat was niet waar, hij had Sasja heel kort geleden nog gezien, maar deze had niets tegen hem gezegd. En dat wilde hij Lena niet vertellen.

'Vanwege dat geval met die leraar boekhouden?'

'Ja, en ook vanwege de muurkrant.'

'Wat had hij daar dan in geschreven?'

'Een paar versjes.'

'Schrijft hij verzen?'

'Hij heeft ze geschreven of die van iemand anders geplaatst. Hij had haast, deed nogal vaag. Ik heb erg met hem te doen.'

Sasja Pankratov uitgesloten! Zo toegewijd, en toch aan de kant gezet! De keiharde, onbuigzame activist, nu was hij er ook uitgedonderd. Zelfs Boedjagin had niet kunnen helpen, noch zijn oom, Rjazanov, al was hij nog zo beroemd. Het was beangstigend. Als ze Sasja al...

Op wie kon hij, Sjarok, rekenen, als er iets gebeurde? Op zijn vader, de kleermaker? Op zijn broer, de crimineel? Hij stak dan wel niet als Sasja overal zijn neus in, maar toch... Stom dat hij van de baan bij het Openbaar Ministerie had afgezien, daar zou niemand hem iets doen, kon hij zelf wie hij maar wilde aanpakken, en bij hem draaide niemand zich er meer uit.

De volgende dag liep hij Sasja bij de poort tegen het lijf.

'Hallo!'

'Goeiedag!'

'Ik heb gehoord dat je moeilijkheden op het instituut hebt.'

'Van wie?'

'Ik sprak Lena.'

'Alles is weer goed gekomen,' zei Sasja nors.

'O ja? Mooi zo.' Sjarok verborg zijn grijns niet. 'Je hebt je snel kunnen rehabiliteren.'

'Ja, 't beste!'

6   'Alles is goed gekomen'. Sasja gaf aan iedereen hetzelfde antwoord als aan Joera, hij wilde niet dat ook maar iets van de geruchten zijn moeder zou bereiken.

Daags na de zitting van het partijbureau werd de verordening van Glinskaja opgehangen. Sasja werd als 'organisator van partijvijandige acties' van het instituut verwijderd; Roenotsjkin, Poloezjan en Pozdnjakova werden berispt, Kovaljov kreeg ook een waarschuwing.

De machine was gaan draaien, zijn documenten werden opgezocht, referenties voorbereid. Lozgatsjov, die al in plaats van Janson tot decaan was benoemd, maakte snel, bereidwillig zelfs, Sasja's examenboekje in orde, zijn volle gezicht leek te zeggen: persoonlijk heb ik niets tegen jou, het is nu eenmaal zo gelopen, maar als ze je rehabiliteren zal ik daar oprecht blij over zijn.

Sasja nam van iedereen uit zijn groep afscheid, alleen Kovaljov gaf hij geen hand.

'Met ongedierte ga ik niet om.'

Roenotsjkin beaamde dat Kovaljov inderdaad een stuk ongedierte was, en dat ze dat trouwens allemaal waren. Hij was voor niemand bang, de kleine manke Roenotsjkin.

De bel ging. De gang liep leeg. Niemand had nog iets bij Sasja te zoeken. Zijn papieren had hij gekregen, hij moest alleen nog een stempel halen en weggaan.

Krivoroetsjko werkte nog als onderdirecteur van de huishoudelijke dienst. Terwijl hij een stempel zette, zei hij zachtjes:

'De referenties voor december zijn naar het distributiekantoor gestuurd.'

'Dank u,' antwoordde Sasja. Deze formulieren werden anders later opgestuurd; Krivoroetsjko wilde er gewoon voor zorgen dat hij voedselbonnen kreeg. Hij had het ook niet kunnen doen.

Nu zou moeder tot eind december niets merken. En tegen die tijd zou hij gerehabiliteerd zijn.

Van de ene instantie naar de andere, het slopende wachten op een onderhoud, lastige verklaringen, wantrouwige gezichten, onoprechte beloftes om de zaak uit te zoeken. Niemand wilde het uitzoeken—een royement ongedaan maken betekende verantwoordelijkheid op zich nemen, wie zat daarop te wachten!

In het rayoncomité werd zijn zaak behandeld door ene Zajtseva, een jonge vrouw met een aardig gezicht. Sasja wist dat ze goed basketball speelde, al was ze niet lang. Ze hoorde Sasja aan en stelde enkele vragen die Sasja onbelangrijk voorkwamen en om de een of andere reden betrekking hadden op Krivoroetsjko. Ze raadde hem aan bij de fabriek waar hij vroeger had gewerkt een getuigschrift te gaan halen en kondigde aan dat zijn zaak op de vergadering van het partijbureau van rayoncomité en Komsomol zou worden behandeld.

Terwijl Sasja naar de fabriek reed herinnerde hij zich het vroege opstaan, de frisheid 's ochtends buiten, de mensenmassa die door de poort stroomde en de koude verlatenheid van de werkplaats in de morgen. Voor techniek had hij zich nooit geïnteresseerd, maar hij wilde in de fabriek werken, alleen al het woord 'proletariër', het gevoel dat hij deel uitmaakte van de grote revolutionaire klasse, trok hem aan. Het begin van zijn leven, poëtisch en onvergetelijk.

De eerste dag werd hij te werk gesteld bij het spoedladen van de wagons. Hij had kunnen weigeren. Joera Sjarok had bijvoorbeeld geweigerd en was als leerling-frezer naar de machinewerkplaats gestuurd. Maar Sasja was gegaan, ze vergaten hem en hij hielp ze er ook niet aan herinneren: iemand moest de wagons laden. Het leven leek toen eindeloos lang, alles lag voor hem, alles kwam nog. In zijn zeildoekse jack en handschoenen laadde en loste hij de wagons op het open opslagterrein in regen en sneeuw, hitte en vrieskou. Hij deed wat het land van hem verlangde. Hij verachtte de keurige Joera, die een plaatsje in de warme, lichte hal had veroverd.

Met de hele brigade vielen ze de kantine binnen, iedereen ging opzij voor hen—hun jaks en gewatteerde jassen waren besmeurd met verf, krijt, gips en kolengruis. Ze waren luidruchtig, vloekten. Sasja herinnerde zich de vroegere divisiecommandant Morozov, een rustige man die uit de partij was gestapt wegens onenigheid over de NEP en daarna aan de drank was geraakt. Hij herinnerde zich Averkiev, hun brigadier, die ook dronk—zijn vrouw was weggelopen—en nog een paar van dit soort aan lager wal geraakte mensen. Ze waren niet op geld uit; als je genoeg had verdiend voor een kwartlitertje wodka, was het mooi, bij stukwerk drukten ze zich, maakten ruzie met de opzichter en de voorman en probeerden lichter werk te bedingen. Ze gaven voorkeur aan aangenomen werk, maar nog beter was een 'les'; in dat geval mochten ze na het uitvoeren van een bepaalde opdracht naar huis. Dan werkten ze snel en haalden alles uit de kast, maar alleen om hem eerder te kunnen smeren. Sasja beschouwde hen niet als echte arbeiders, maar ze hadden iets ontroerends en menselijks dat hem aantrok—het had ze niet meegezeten in het leven. Wanneer ze werk kregen toegewezen, knoeiden ze, maar onderling haalden ze geen streken uit en ze schoven niets op elkaar af. En hoewel Sasja niet aan hun drinkgelagen deelnam, geen soldatenverhalen vertelde en niet met hen wedijverde in het tappen van schuine moppen, konden ze het goed met hem vinden.

Deze bijeengeraapte, bonte boevenbrigade werd gewoonlijk op gelegenheidsklusjes afgestuurd, maar soms ook bij belangrijker werk ingezet—het laden van het eindprodukt, vaten met verf, in de wagons. Het kwam voor dat er lange tijd geen lege goederentreinen verschenen en de vaten verf zich hoog opstapelden op de opslagplaats; opeens kwamen dan de wagons, de ene trein na de andere, en werden alle brigades, ook die van Averkiev, waarin Sasja werkte, bij het laden ingezet.

Een vat verf woog tachtig kilo. De vaten werden over een loopplank in de wagons gerold en neergezet: de eerste rij, daar bovenop een tweede en een derde rij. De loopplank was steil, ze moesten de vaten met een aanloop omhoog rollen, in de wagon omdraaien en dicht tegen de andere vaten aanschuiven, zodat het vastgestelde aantal erin paste. Acht uur lang, zonder je rug te rechten, cilinders van tachtig kilo elk voortduwen, daarmee een steile loopplank op en ze rechtop zetten—dat was zwaar werk. En je moest snel zijn, achter je rent een maat, hij kan niet op de steile loopplank blijven staan, hij neemt hem ook met een vaart, en als je een seconde te lang met je vat treuzelt, dan vertraag je de hele keten, verstoor je het ritme. In het begin lukte het

Sasja niet de vaten ineens op de juiste plaats te krijgen. Toen lieten ze het hem zien: je pakt de cilinder met beide handen van onderen vast, tilt hem met een ruk op en rolt hem op de rand precies naar zijn plaats. En toen ze Sasja dit eenmaal hadden gedemonstreerd hield hij niemand meer op.

Bij de verf werkten gewoonlijk twee hoofdbrigades: de eerste was een groep Tataren die alleen voor het geld helemaal uit het Oeljanovsk-district waren gekomen, de tweede bestond uit professionele Russische sjouwers die veel wilden verdienen; het laden van verf werd goed betaald.

Op een keer zei de voorman Malov bij het toewijzen van het werk:

'Averkiev, wijs een mannetje aan voor de eerste brigade, er is daar iemand ziek geworden.'

Averkiev wendde zich tot de Tataar Gajnoellin:

'Jij.'

'Ik niet,' antwoordde Gajnoellin.

'Livsjits!'

Livsjits, een joodse reus uit Odessa met een laag voorhoofd, grapte:

'Dat mag ik niet, ze eten daar geen varkensvlees.'

Toen zei Malov:

'Ik heb geen tijd voor jullie gedebatteer. Als jullie het niet eens worden, wijs ik zelf iemand aan.'

Malov, een gedemobiliseerd pelotonscommandant, was een doortastend man met het uiterlijk van een worstelaar; hij was vroeger zelf sjouwer geweest en kon zelfs de onhandelbare brigade van Averkiev aan.

'Wijs maar aan,' antwoordde Averkiev.

Malovs blik bleef op Sasja rusten.

'Pankratov, jij gaat naar de eerste brigade!'

Malov mocht Sasja niet erg. Misschien hield hij niet van sjouwers met een opleiding. Sasja gold hier als de knapste—hij had negen klassen doorlopen. En nu keek Malov Sasja half vragend, half spottend aan, hij verwachtte dat ook hij zou weigeren. Sasja zei echter:

'Goed, ik ga.'

'Jij moet je ook overal mee bemoeien,' merkte Averkiev ontevreden op.

De Tataren rolden de vaten niet, maar droegen ze op hun rug. In hoog tempo liepen ze over de vlonders en de loopplank de wagon in en zetten de vaten direct op hun plaats. Zo ging het sneller, maar het was heel ander werk, het was slopend: met een cilinder van tachtig kilo op je rug over wiebelende vlonders, steile loopplanken rennen, ze zó van je af gooien dat ze je voeten niet verpletteren, en precies op de juiste plaats staan; de hele dag dezelfde man narennen, achter wie je je dienst bent begonnen. Het lijkt of het vat elk moment van je rug kan glijden, je in zijn val zal meeslepen, je zult neerstor-ten, maar je mag geen seconde stil blijven staan, want achter je hoor je de volgende rennen, zijn zware ademhaling, je ruikt zijn zweetlucht, en als je stil blijft staan botst hij tegen je op. En je zwoegt uit alle macht, neemt de treetjes met een vaart, rent de wagon in, smijt het vat van je af, en rent weer terug, om niet bij de ervaren, sterke sjouwers achter te blijven die voor niemand genade kennen, laat staan voor een buitenstaander als jij.

De sirene voor het middageten! Sasja viel naast de stapel neer. Rode kringen dansten voor zijn ogen, een monotoon gegalm denderde door zijn hoofd.

Sasja dommelde nu eens in, werd dan weer wakker. En als hij wakker werd dacht hij alleen maar aan het moment waarop hij weer overeind moest komen, achter de gespierde roodharige Tataar die 's morgens voor hem had gelopen moest gaan staan, weer met de vaten op zijn rug over de wankele loopplank moest rennen. Hij wist dat hij het niet nog eens vier uur zou volhouden; hij zou languit op de planken vallen.

Hij kon naar het kantoor gaan, verklaren dat hij hier was gekomen om geschoold te worden en niet om vaten van tachtig kilo op zijn rug te sjouwen, dat hij als hulpkracht naar de werkplaats was gestuurd, voor de produktie. Verduiveld! Hij had zich als vrijwilliger voor een haastklus aangeboden en nu lieten ze hem bij de sjouwers in zijn sop gaar koken… Natuurlijk kon hij dat doen, maar hij wist: zodra de sirene ging zou hij zich achter de roodharige Tataar opstellen, zijn rug onder het vat zetten en het naar de wagon dragen.

De mannen kwamen terug van de kantine, dat betekende dat de pauze bijna voorbij was. Met inspanning van al zijn krachten kwam Sasja overeind, ging zitten en bewoog zijn armen, benen, hoofd. Alles deed pijn, zijn lichaam leek hem niet meer toe te behoren.

Hij werd geroepen. Hij keek op, voor hem stonden brigadier Averkiev en sjouwer Morozov, de vroegere divisiecommandant. Het was te zien dat ze tijdens het eten gedronken hadden, het opgeblazen gezicht van Averkiev was helemaal rood geworden, de blauwe ogen van Mozorov leken nog blauwer, lichter en dromeriger.

'Kauwen!' Averkiev gooide hem een homp brood en een stuk ribspek in de schoot.

'Bedankt.'

'Leg het vat over je hele rug,' zei Averkiev, 'over je hele ruggegraat, snap je? Kom op!'

Hij kromde zijn rug en gooide zijn armen naar achteren. Mozorov en Sasja legden een vat op zijn rug. Het vat rustte gelijkmatig op de hele rug.

'Kijk, jij doet het zo!'

Averkiev bewoog zijn bovenlichaam, het vat verplaatste zich naar zijn schouders en hij greep het vooraan vast.

'Jij draagt op je schouders, dat is niet goed, je moet met je ruggegraat tillen. Probeer maar!'

Sasja stond op, boog zijn rug. Averkiev en Morozov legden er een vat op.

'Waarom laat je nou je schouders zakken?' riep Averkiev.

Sasja trok zijn schouders op, het vat raakte zijn rug op alle punten, het gewicht was gelijkmatig verdeeld.

'Zo moet je ze dragen! Je klemt je vast en sjouwen!'

Sasja voelde dat hij nu stabieler stond, het vat dreigde niet meer van zijn rug te glijden. Maar het gewicht bleef op hem drukken, zijn benen weigerden dienst. Bij het terugrennen kreeg hij zijn rug niet meer recht. Hij wist niet hoe hij door de tweede helft van de werkdag was gekomen, herinnerde zich niet hoe hij zijn huis had gehaald; hij was op bed neergevallen en had tot de volgende morgen geslapen.

's Morgens zei Malov:

'Je werkt nog een paar dagen in de eerste brigade, daarna plaats ik je over.'

Twee weken werkte hij bij de verf, hij leerde goed vaten sjouwen. De Tataren raakten aan hem gewend en hij aan hen; hij schreef zelfs verzoekschriften aan de dorpssovjet over de belasting voor hen.

Naar zijn oude brigade keerde hij ook niet meer terug, hij werd naar de garage gestuurd om vrachtwagens te laden.

'Daar zul je voor chauffeur leren,' zei Malov. Het was niet duidelijk of hij Sasja een plezier wilde doen of dat hij hem kwijt wilde.

Sasja werkte in de garage, haalde zijn rijbewijs en reed in een auto. Maar nu hij de fabriek naderde, herinnerde hij zich om de een of andere reden vooral hoe hij als sjouwer had gewerkt. Dat waren de eerste en meest gedenkwaardige maanden van zijn fabrieksleven geweest.

Wie zou hij daar tegenkomen? Waarschijnlijk was er niemand meer van de oude ploeg. Of misschien wel, zolang was het niet geleden, maar vier jaar.

Het oude houten portiershuisje was gesloopt, een nieuw, groter, van steen, was op een andere plaats opgetrokken. Er was ook een nieuwe, brede stenen poort gekomen. Het nieuwe gebouw van de bedrijfsleiding stond met de voorkant naar het fabrieksterrein. Achter een hoge stenen muur verhieven zich nieuwe complexen. Het fabrieksterrein was geasfalteerd en er waren winkels, stalletjes en paviljoens verschenen. De fabriek werkte, groeide, bouwde verder. Dit was het heden, daarvoor leefde het land, daarvoor moest ook hij leven, wat er ook gebeurde!

Malov bleek nu partijsecretaris te zijn. Bepaald geen aangename verrassing! Hij leek nog steeds op een worstelaar, kalend, hij zag er niet meer zo blozend uit als op het opslagterrein, toen hij de sjouwers orders gaf, mager, vermoeid en gelig. Aan zijn grote bureau zat hij net zoals hij vroeger in de vensterbank zat, wanneer hij de werkbriefjes tekende, een beetje scheef, helemaal aan de rand. Hij herkende Sasja direct. En alsof er geen vier jaren voorbij waren en Sasja nog steeds in de fabriek werkte, vroeg hij:

'En, Pankratov... wat is er?'

Sasja legde hem zijn geval voor.

'Goed,' zei Malov, 'als ik op het partijbureau ben zal ik het zeggen...'

Ook hij maakte zich ervan af, wilde geen getuigschrift geven...

'Zajtseva vroeg me een schriftelijke referentie mee te nemen.'

'Ze moet een papiertje hebben,' bromde Malov, 'goed, doe ik. Vertel me nog even waar je gewerkt hebt, welke bijzondere opdrachten je hebt uitgevoerd.'

Hij noteerde de door Sasja opgesomde werkzaamheden, sloeg vervolgens de ogen op en vroeg spottend:

'Heb je je eindelijk in de nesten gewerkt?'

'Hoezo eindelijk?'

'Het zat erin. Goed. Vermaak je een uurtje, dan schrijf ik een getuigschrift.'

'Ik wil even door de fabriek lopen, de jongens zien...'

Het centrale gedeelte van de fabriek was hetzelfde gebleven, de nieuwe complexen werden ernaast gebouwd. De eerste, tweede, derde werkplaats, de machinewerkplaats, het ketelhuis, en daar de garage... Boven de smeerkuil stond de zwarte Ford van de directeur, bij de schaafbank zag hij Sergej Vasiljevitsj, de chauffeur. Hij herkende Sasja ook.

'Terug in de fabriek?'

'Ik moet hier iets regelen.'

Sergej Vasiljevitsj droeg een zwart leren pak, een muts van hertebont en viltlaarzen met overschoenen. Hij was een stevige, gewichtige en zelfverzekerde man, al voor de revolutie chauffeur, een vertrouweling van de directeur.

Het was verbazingwekkend hoeveel hij was vergeten en zich pas herinnerde nu hij hier was en opnieuw de werkplaatsen, de gangen zag en de geluiden van de fabriek hoorde. Toen was alles simpel en duidelijk—werken, geld vangen, opdrachten van de Komsomol uitvoeren. Hij kon zich niet herinneren dat iemand ooit een politieke zaak aan zijn broek had gekregen: hier werd geproduceerd, een fabriek gebouwd. Maar misschien was het hier nu ook anders. Hij was benieuwd wat voor getuigschrift Malov hem zou geven.

Malov had het volgende geschreven: 'Pankratov A.P. is van 1928 tot en met 1930 in de fabriek als sjouwer en vervolgens als chauffeur werkzaam geweest. Hij was plichtsgetrouw en heeft de aan hem gegeven opdrachten uitgevoerd. Hij heeft als secretaris van de cel van de Al-Russische Leninistische Komsomol van de transportwerkplaats maatschappelijke activiteiten ontplooid. Hij is nooit gestraft'.

'Ik kom op de vergadering, dan zal ik er het nodige aan toevoegen,' beloofde Malov.

7   Terug van de fabriek zag Sasja door de gaatjes van de brievenbus een blauwe envelop. Een brief van vader, zijn handschrift. Die brieven brachten nooit iets vrolijks. Vader vroeg hem een paar technische naslagwerken op te sturen. 'Ze liggen op de onderste plank van de kast, je weet wel waar ik bedoel. Ik had je niet met zoiets lastig willen vallen, maar ik kan het aan niemand anders vragen. En om er voor naar Moskou te komen... Ik zou niemand een plezier doen met mijn komst.'

Dat was vaders toon, zo sprak hij altijd. Als moeder vroeg: 'Ben je er met het eten?' antwoordde hij: 'Misschien niet' en op 'Heb je een vergadering?' zei hij: 'Nee, ik ga dansen...' Hij was een beetje doof, verstond dingen niet goed, dacht dat ze het over hem hadden, kankerde. Kankerde als hij 's morgens geen appel kreeg of voor het slapen gaan geen karnemelk. Bij het horen van zijn voetstappen op de gang verstijfde moeder al van de schrik; onderweg van zijn werk was hij bij voorbaat ontevreden met zijn woning, zijn vrouw, zijn zoon, klaar voor een opmerking, een uitbrander, een scène.

Alleen als ze jaloers was had moeder geen angst voor hem. Sasja's hart kromp ineen bij wat er dan in huis gebeurde: geschreeuw, deuren die werden dichtgesmeten, moeders kwaadaardige konijneblik, haar gehuil.

Vader woonde al zes jaar niet meer bij hen. Maar zelfs op afstand was ze nog steeds bang voor hem. Ook nu weer verscheen bij het zien van de brief de bekende, bedrukte uitdrukking van onrust en angst op haar gezicht.

'Van pappa?'

'Hij vraagt of we de handboeken sturen.'

De verschrikte blik waarmee Sofja Aleksandrova de brief aannam verdween niet van haar gezicht, voordat ze hem gelezen had.

Sasja sloeg de schrik om het hart als hij eraan dacht hoe moeder zou reageren als zij alles aan de weet kwam. En hij gedroeg zich zo, dat ze niets te weten kreeg. Hij bleef niet thuis maar deed alsof hij naar het instituut ging. Hij verdiende zijn beurs voor december met het lossen van wagons op het Kievstation. Als hij nergens naar toe kon ging hij naar Nina Ivanova.

Ze had hem de sleutel van de woning gegeven, daar zat hij dan 's morgens te lezen of te studeren. Wat later kwam Varja, Nina's jongere zus, uit school; ze droeg een donkere jas en kleine schoentjes, haar hoofddoek had ze onderweg al afgedaan en haar steile, zwarte haar hing over haar kraag. Ze ging op het bed zitten, sloeg haar benen over elkaar, tuitte haar volle lippen en blies haar pony van haar voorhoofd terwijl ze Sasja recht in de ogen keek met de blik waarmee mooie vijftienjarige meisjes jongens verlegen maken.

Een tafel met een versleten zeil deelde de kamer in tweeën: Nina's helft met boeken en schriften, die over tafel slingerden, de afgetrapte pantoffels onder het bed, en Varja's helft, met een bonte doek op haar kussen, een grammofoon in de vensterbank en een bronzen atleet met een lampje in zijn uitgestrekte, gespierde arm.

'Waarom hebben ze je van het instituut gestuurd?'

'Ik word weer aangenomen.'

'Ik zou die lui er allemaal uit gooien, bij ons op school heb je ook van dat tuig dat erop uit is je erin te luizen. Gisteren op de klassevergadering zegt Ljakin: "Ivanova schrijft spiekbriefjes op haar benen." Ik steek dus mijn benen uit en vraag: "Waar dan?"'

Ze stak haar benen uit en deed voor wat ze in de klas gedaan had.

'Dus Koezja, de wiskundeleraar, krijgt een kop als een tomaat: hou op, Ivanova! Hoezo, ik? Ljakin begon. Vorig jaar nog keet schoppen, de meisjes hun tas afpakken, en nu zit hij in de leerlingenraad. Zelf spieken en een ander verlinken; dat soort kan ik niet uitstaan.'

'Hoe maak je dan spiekbriefjes?'

'Makkelijk genoeg.' Ze tikte op haar benen met gebreide kousen. 'Ik schrijf er met inktpotlood op en zo spiek ik.'

'En zonder spieken lukt het niet?'

'Jawel, maar dat wil ik niet.'

Ze keek hem uitdagend aan, dat kleine mormel, met haar blote benen. Sasja moest lachen, maar hij probeerde ernstig te blijven; hij wist hoeveel last Varja haar zus bezorgde.

De meisjes waren zonder vader opgegroeid, later was ook hun moeder gestorven. Sasja herinnerde zich de vergadering van het partijbureau waarop ze hadden besproken hoe ze Nina konden helpen bij de opvoeding van haar zusje. Ze hadden een wezenpensioen voor elkaar gekregen, Nina werd betaald leidster bij de pioniers. Later, na school, waren ze elk hun kant opgegaan en hij herinnerde zich Varja pas weer toen hij haar met opgeschoten leeftijdsgenoten in de poort zag.

'Ben je bij de Komsomol?'

'Waarom zou ik?'

'Hang je liever in het portiek?'

'Dat vind ik leuk.'

'En je slaapt niet thuis.'

'Ha ha! Een keer ben ik 's avonds bij een vriendin in hun datsja blijven slapen, ik was bang om naar het station te gaan. Ninka zou 's nachts ook niet gegaan zijn. Ze is nog honderd keer banger dan ik. Ze moet maar met haar Maks trouwen, ze kan wel niks, maar hij heeft toch niks nodig, kunnen ze samen in de kantine gaan eten.'

'Ben je niet nog te jong voor zulke raadgevingen?'

'Laat ze zich dan met haar eigen zaken bemoeien. Ze maakt heibel en het slaat nergens op.'

'Wat wil je worden?'

In plaats van te antwoorden zong ze met een hoog kinderstemmetje:

Bloem van de geurige prairies,
Jouw lach klinkt lieflijker dan een herdersfluit...
Je ogen zijn blauw als de hemel,
Jij, dappere cowboy van de steppen.

Op de gang klonk de bel.

'Dat is Ninka', verklaarde Varja zonder op te staan, 'ze is haar sleutels weer vergeten.'

'Hoe weet je dat zij het is?'

'Ik weet hoe iedere bewoner aanbelt.'

Nina kwam binnen, zag Varja op het bed zitten in een houding die ze onbehoorlijk vond, zag haar blote benen en barstte los:

'Alleen maar jongens aan haar hoofd, nagellak, oranje lippenstift, daar weet ze alles van. Soms zit ze uren voor de spiegel haar wimpers met een keukenmes te krullen.'

'Met een mes?' verbaasde Sasja zich.

'Of ze hangt aan de telefoon en het enige dat je hoort is: crêpe georgette, fluweel, rood markieslinnen, blauwe zijde... Ik heb vijf jaar lang hetzelfde jakje gedragen en het elke dag uitgewassen en ik weet nog steeds niet van wat voor stof het gemaakt is. Maar zuslief heeft op zoek naar knopen voor haar jurk drie dagen lang de winkels afgelopen. Ze ontkent het bestaan van overschoenen en haat viltlaarzen. Ze heeft mijn schoenen gepikt, ze met dansen afgetrapt en ze tenslotte ergens in de badkamer neergegooid. Vandaag mijn schoenen, morgen jat ze mijn geld, en, omdat ik geen geld heb, gaat ze nog uit stelen.'

'Hou op!', zei Sasja. 'Maak je zelf niet bang, maak haar niet bang.'

Maar Varja werd niet bang. Ze deed alsof ze moest gapen en zette een verveeld gezicht; ze had dat allemaal al gehoord, wel honderd keer. 'Ik sta versteld van haar ongevoeligheid. Maksim lacht ze uit. Is dat soms haar zaak? Dat is gemeen, tactloos.'

'Maks kijkt altijd zo mismoedig,' merkte Sasja diplomatiek op.

Nina's gezicht betrok.

'Ik waardeer Maks, hij is een fijne, oprechte jongen. Maar waar mag ik aan denken? Ik moet eerst dat kind nog op weg helpen.'

'Geef mij alsjeblieft niet van alles de schuld', zei Varja.

'Ze moesten een muurkrant maken', vervolgde Nina. 'Ze ging naar de klas ernaast en schreef daar hun nummer woord voor woord over; ze was zelfs te lui om de namen te veranderen. Wat moet er van haar worden, wat is haar toekomst?'

Varja tastte met een voet naar haar schoenen en stond op.

Bloem van geurige prairies,
Jouw lach klinkt lieflijker dan een herdersfluit...

Sasja liep met een gerust hart naar het rayoncomité. Dat was nog eens een instantie die niet bang was beslissingen te nemen. De vergadering zou voorgezeten worden door eerste secretaris Stolper.

Sasja moest lang op de gang wachten tot hij werd binnengeroepen. Achter de deur waren stemmen en flarden van toespraken te horen, maar iedereen werd in de rede gevallen, onderbroken, tot zwijgen gebracht door een hoge, schelle stem. Verschrikt kwamen de mensen de kamer uit, renden naar de kasten om hun tas te pakken, opgejaagd door de hoge, geïrriteerde stem. Sasja vond het prachtig dat Stolper die ambtenaren achter de vodden zat. Zo zou hij ook Baulin opjagen, en alle anderen die hem, Sasja, het etiket van vijand hadden opgeplakt.

De deur werd op een kier geopend.

'Pankratov!'

Het was erg druk, de mensen zaten langs de muur en achter een lange tafel met een groen laken. Stolper, een magere man met boze, vermoeide ogen keek Sasja nors aan, knikte naar Zajtseva.

'Ga uw gang. Kort graag!'

Zajtseva las als een brave leerling het rapport van de zaak voor. Toen ze bij de epigrammen was gekomen begon iemand te lachen; ze klonken stompzinnig. Vervolgens zei Zajtseva dat deze feiten in verband met de hoofdzaak moesten worden bekeken.

Toen hoorde Sasja voor het eerst dat Krivoroetsjko voormalig lid van een oppositie was; van welke werd Sasja niet duidelijk. Zajtseva noemde het Elfde Partijcongres, de 'Arbeidersoppositie', vervolgens een collectieve brief aan het CC, die ook door Krivoroetsjko was ondertekend, maar wat voor brief vertelde Zajtseva niet. Daarna verklaarde ze, dat Krivoroetsjko destijds was geroyeerd, omdat hij de banden niet had verbroken. Wat voor banden, met wie en wanneer, zei ze ook niet, ze voegde er slechts aan toe, dat hij door de partij was gerehabiliteerd, maar pas na een reprimande. Daarna was hij nogmaals berispt omdat asociale en klassevijandige elementen de spoorwegen schade hadden toegebracht. Waar dat was en wat Krivoroetsjko daar deed zei Zajtseva evenmin. En nu was hij dus opnieuw geroyeerd, ditmaal omdat de bouw door zijn schuld was mislukt. Hoewel de lijst met royementen en berispingen in Krivoroetsjko's persoonlijke dossier was te vinden, sprak Zajtseva op een manier alsof zij hem ontmaskerd had, geschokt omdat het haar gelukt was iemand op te sporen die bij misdrijven was betrokken die zij alleen uit de schoolboeken kende.

Terwijl hij naar Zajtseva luisterde begreep Sasja dat Krivoroetsjko's zaak helemaal zo eenvoudig niet was. Zijn verleden drukte zwaar op hem. Sasja kon alleen niet begrijpen wat dat met hem persoonlijk te maken had.

Stolper nam Sasja's dossier en bladerde het door. Iedereen zweeg. Alleen het geritsel van de bladzijden, die geïrriteerd en snel werden omgeslagen was te horen.

'Wat is er bij jou allemaal aan de hand, Baulin?'

Baulin stond op en zei vinnig:

'Krivoroetsjko is door óns uit de partij gezet.'

'Hij heeft het studentenhuis niet gebouwd,' ging Stolper door, 'dit hier heeft hij gedaan.' Hij sloeg met zijn hand op een dossiermap. 'Heeft u dit wel gezien? Jullie hadden het pas door toen ze het antipartijpamflet publiceerden.'

'Ons is niets bekend over banden tussen Pankratov en Krivoroetsjko.'

'Niets bekend!' Stolper trok een scheve mond. 'Pankratov treedt op tegen het marxisme in de wetenschap, en *daarna* wordt hem nog de uitgave van de feestkrant toevertrouwd, die hij tot een antipartijblad omtovert. Pankratov verdedigt Krivoroetsjko en die decaan, hoe heet hij ook weer…'

'Janson,' souffleerde Zajtseva snel om te laten zien hoe goed zij de zaak in haar hoofd had.

'Janson houdt Pankratov de hand boven het hoofd. Het is een heel complot! Waar staat hij politiek? Legt u eens uit: waarom verdedigde juist Pankratov Krivoroetsjko?'

'Daarom is Pankratov ook van het instituut verwijderd,' zei Baulin scherp.

'Nee, niet daarom!' riep Stolper uit. 'Hij werd weggestuurd toen hij al met open vizier opereerde. Was u niet gealarmeerd, toen hij Krivoroetsjko steunde? De leden van het bureau stelden voor een beslissing te nemen, maar u, kameraad Baulin, wilde niet. Kameraad Lozgatsjov stelde dat voor. Maar u, Baulin, schortte de zaak op en gaf Pankratov de kans het antipartijpamflet te publiceren. Onder uw neus corrumpeerde Krivoroetsjko de studenten. Of denkt u soms dat Pankratov op eigen houtje de krant heeft uitgegeven en op eigen houtje tegen het marxisme in de wetenschap ageerde? Wie staat er achter hem? U wilt het niet uitzoeken! Voor wie bent u bang?'

'Wij zijn voor niemand bang,' antwoordde Baulin grof, doelend op Stolper. En Stolper begreep dit. Hij keek Baulin strak aan en zei onverwacht kalm:

'De sfeer op het instituut moet onderzocht worden.'

'Gaat uw gang,' zei Baulin.

'Wat bedoelt u met "gaat uw gang"?' Stolper werd weer fel. 'Daar hoeven wij u geen toestemming voor te vragen, kameraad Baulin. Waarom is Janson niet bij deze behandeling van de zaak?'

'Hij is ziek.'

'Ziek… En waar is de directeur van het instituut?'

Baulin haalde zijn schouders op.

'Ze is niet gekomen.'

'Fijne organisatie heeft u,' grinnikte Stolper, 'geen wonder dat ze u om de vinger winden. Dan hebben we nog kameraad Malov die zo scheutig is met positieve getuigschriften. Wist je, Malov, waar Pankratov die voor nodig had?'

De lange, brede Malov verrees van zijn plaats, een kromme worstelaar in een herenpak. Hij zat bij de muur, bijna naast Sasja, die hem nu pas opmerkte.

'Ja.'

'Heeft hij je verteld waarom hij van het instituut gestuurd was?'

'Ja.'

'Heeft hij het net zo verteld, als je het hier gehoord hebt?'

'Precies zo.'

'En daarna heb je het getuigschrift afgegeven?'

'Daarna, inderdaad.'

'Hoe moet ik mij dat voorstellen, kameraad Malov?'

'Ik heb geschreven hoe het vier jaar geleden was.'

'Zou het niet kunnen, dat hij toen de partij al bedroog?'

'Hij bedroog de partij niet, hij sleepte toen verf op zijn rug.'

'Wat voor verf?'

'Nou,' Malov wees naar de tafel, 'waar uw tafelkleed bijvoorbeeld mee geverfd is.'

'Wat bedoelt u met "*uw* tafelkleed"?' Stolper werd vuurrood.

'Dat wat op uw tafel ligt.'

'En wat volgt daaruit?'

'Een broekje, komsomollid, hij werkte bij de bouw van de fabriek. Wat had ik dan moeten schrijven? Het was zoals het was.'

'Zo was het, nu is het anders,' zei Stolper vaderlijk verzoenend, 'als Pankratov *alleen* naar jou toe gaat, kan ik daar inkomen, maar wanneer iemand de volkscommissarissen afgaat en gebruik maakt van familierelaties, dan is dat iets anders. En daar heeft u geen rekening mee gehouden, kameraad Malov.'

'Misschien heb ik dat wel niet, ik heb hem alleen op het werk gezien,' zei Malov koppig. 'En ik kan moeilijk geloven dat hij een vijand van de partij is.'

'Er zijn wel andere lieden partijvijanden geworden,' zei Stolper. 'Laten we Pankratov aanhoren...'

Sasja stond op. Hij zou geroyeerd worden, dat was duidelijk. Al dat gepraat hier was onzinnig, maar hoe meer de zaak op drift raakte, des te meer beschuldigingen er werden opgestapeld, en hij zou die vicieuze cirkel nooit kunnen doorbreken. Hij zou ze niet tot andere gedachten kunnen brengen. Die stomme versjes, het incident met Azizjan, Krivoroetsjko—dat waren de feiten. Een onstuitbare kracht was hier aan het werk. En toch moest hij zich verdedigen.

'Wat Krivoroetsjko betreft,' zei Sasja, 'ik heb op het partijbureau het geval met die schoppen al verteld.'

'Wat voor schoppen?' viel Stolper hem in de rede.

'De schoppen op de bouw, toen de magazijnmeester er niet was...'

'Draai er niet omheen!' Stolper werd razend. 'Geef antwoord: waarom heeft u Krivoroetsjko verdedigd?'

'Ik heb hem niet verdedigd. Ik heb enkel gezegd dat er werkelijk geen bouwmateriaal was.'

'Dat er dus niet alleen geen schoppen waren maar ook geen materiaal,' grinnikte Stolper, 'dat zou u gezegd hebben. Goed, gaat u verder,' voegde hij er vermoeid aan toe, benadrukkend dat het zinloos was Sasja vragen te stellen omdat hij zich eruit probeerde te draaien.

'Ik kende Krivoroetsjko niet, ik heb nooit van mijn leven met hem gepraat.'

Stolper schudde zijn hoofd, smakte met zijn lippen, maar zei niets.

'Wat de leraar boekhouden betreft: die gaf beroerd les.'

'Dus van het marxisme word je beroerd?' Stolper keek strak naar Sasja.

'Nee, maar...'

'Genoeg, Pankratov, stopt u maar!' Stolper stond op en trok zijn soldaten-hemd recht dat als bij elke burger met smalle schouders en smal bovenlichaam slecht zat. 'We hebben uw verhaal gehoord. U wilt ten overstaan van de partij de wapens niet neerleggen, ook hier probeert u ons om de tuin te leiden. U bent vrij, ingerukt!'

8 Oud en Nieuw vierden ze bij Nina Ivanova. Op de tafel prijkte een gans met kool, klaargemaakt door Varja, god weet waar ze dat had geleerd. Er moest tot de ochtend feest gevierd worden—het openbaar vervoer reed 's nachts niet. En 's morgens meteen naar het werk, één januari was een gewone werkdag.

In de enige leunstoel zat Vika Marasevitsj, de zus van Vadim, met haar benen over elkaar, trekjes nemend van haar sigaret. Van een dik, lui meisje—zo één die wanneer de anderen werken eeuwig zegt: wat moet ik doen?—was ze opgegroeid tot een lange, hooghartige blondine. Dat soort meisjes kon je op zaterdagavond aantreffen in METROPOL en zondagmiddag in NATIONAL. Vlak voor Oudjaar had ze ruzie gekregen met haar aanbidder, alleen daarom zat ze nu hier en dat liet ze merken ook met haar verveelde gezicht.

Joera Sjarok probeerde haar op te vrolijken en begon met haar te flirten in een poging zijn relatie met Lena te maskeren. Dat was een raar gezicht. Hun verhouding was al lang voor niemand een geheim meer, behalve voor Vadim Marasevitsj. Vadim had nog nooit een vriendin gehad, kon in hun verhouding niets zien van een relatie waarmee hij zelf geen ervaring had en die volgens zijn overtuiging een mens radicaal moest veranderen. Bij Lena had hij zulke veranderingen niet opgemerkt.

Vadim hield een betoog over van alles en nog wat, sprong van de vrijspraak van Dimitrov over op de opvoering van 'Dode Zielen' in het Moskouse Universiteitstheater, van de 'New Deal' van Roosevelt op de dood van Loenatsjarski in Menton. Zelfs over zaken die algemeen bekend waren kon Vadim praten alsof alleen hij 't fijne ervan wist.

Voor hij hier was gekomen had Joera Sjarok met zijn vader gedronken, hij was luidruchtig en geneerde zich niet. Iedereen ergerde zich dood aan zijn geflirt met Vika? Mooi! Des te harder zou hij achter haar aanlopen.

Varja was thuisgebleven, zogenaamd omdat ze de gans niet aan Nina kon toevertrouwen. In werkelijkheid voelde ze zich meer aangetrokken tot volwassen gezelschap dan tot haar schoolvrienden. En Maksim had gezegd dat hij een vriend mee zou nemen die de rumba kon dansen. Op dit moment draaide de jonge cadet, die de vreemde naam Serafim droeg, naarstig aan het hendeltje van de grammofoon.

Naast Serafim stond de treurige Maks. Hij had een beslissend gesprek met Nina gehad, ze had hem afgewezen, zelfs geen hoop gegeven. Ook Sasja baarde hem zorgen—hij hield van hem, had respect voor hem en keek tegen hem op.

In wat voor stemming Sasja ook was, hij kon niet wegblijven. Hij moest net zo leven als vroeger. Op Nieuwjaar zou hij Nieuwjaar vieren.

En daar zaten ze nu achter de wit gedekte tafel. Aan het hoofd van de tafel zat Nina, rechts van haar: Maksim, Sasja, Varja, Serafim, links: Vadim, Lena, Joera en Vika. Alles blonk en schitterde, het eten stond heerlijk geurend op tafel, prikkelde hun eetlust, bracht de stemming er in. Buiten vroor het, maar zij hadden het warm, de meisjes droegen file d'écosse kousen en schoenen met hoge hakken, de planeet raasde voort op haar onverbiddelijke weg, de sterren vervolgden hun eeuwige beweging, en zij luidden het nieuwe Jaar des Heren 1934 in, er was wodka, port en Riesling; zo hadden ze 1933 ingeluid, er was haring in mosterdsaus en ham uit de Commerciële Winkel; zo zouden ze 1935, '36, '37 en nog een heleboel andere jaren inluiden. Ze waren jong, konden zich dood noch ouderdom voorstellen, ze waren niet voor dood en ouderdom geboren, maar voor het leven, voor de jeugd, voor het geluk.

'We doen het oude jaar uitgeleide,' zei Vadim Marasevitsj, 'een jaar van ons leven. Niemand heeft rozen op onze weg gestrooid, zoals ze in Odessa zeggen. Maar de levensweg is geen weg die met rozen is bestrooid. De weg van het echte leven ligt bezaaid met doornen…'

De klok sloeg, allen schoven hun stoelen achteruit, stonden op en hieven het glas.

'Gelukkig Nieuwjaar, de beste wensen voor het nieuwe jaar, hoera!' brulde Vadim.

De glazen rinkelden, de borden met hapjes werden doorgegeven. Handig sneed Maks de gans aan.

'Onze meester-voorsnijder!' zei Sasja.

'Als er maar gans is…' Joera hield zijn bord op.

'Maksim, ik wil een poot.' Eindelijk zei Vika iets.

'De andere is voor mij!' Vadim hield van eten.

'De Marasevitsjen kapen alles weg!'

'Hou ze tegen!'

Vadim tikte met een mes tegen zijn bord.

'Ik hef het glas op Maks, de hoop van het Rode Leger!'

'Maks! Beste Maksimoesjko, doe ons niet tekort!'

'Kameraden, ze hebben mijn vork gejat!'

Vadim tikte weer met zijn mes tegen het bord.

'Laten we drinken op Serafim, onze enige gast en ook de hoop van het Rode Leger!'

'Jongeman, op uw gezondheid!'

'Jeugd is geen zonde, maar één grote zwijnerij!'

'Serafinus, waar is je broer Gregorius?'

Serafim bloosde, stond op en maakte een buiging, verlegen in het luidruchtige gezelschap.

Vadim bracht een toast uit op Lena, 'onze schoonheid', en op Vika 'die er ook mocht wezen'; hij wilde niemand aan het woord laten, die kletsmeier van een Vadim.

'Laten we op de school drinken!' stelde Maksim voor.

'Daar hebben we ons sentimentele nijlpaardje!' zei Joera.

Maks keek hem boos aan.

'Kom laten we drinken en klinken.'

'Ik ben voor de toast van Maksim,' bemoeide Vadim zich ermee, 'we mogen onze penaten en alma mater, onze dierbare bakermat niet vergeten.'

'Op de enige echte arbeidersschool!' riep Joera ironisch.

Snotter maar! Kwijl maar! Ze konden de pot op! Willen ze op de school toasten, hij toast op de school; het was hem om het even waarop hij dronk.

'Joera, doe niet zo flauw,' zei Nina. Zijn geflirt met Vika beviel haar niet, ze kon haar niet uitstaan, niemand had haar uitgenodigd; het was aanstootgevend dat Sjarok Lena zo kwetste.

Vadim omzeilde de gevaarlijke klip.

'Op Joera Sjarok, onze toekomstige procureur-generaal!'

'Als ze me opsluiten, doe dan een goed woordje voor me,' voegde Maks er goedmoedig aan toe.

'Maar nu,' Vadim veegde met een servet zijn lippen af, 'op de gastvrouw, op onze Nina, de ziel en het brein van ons gezelschap!'

'Ninotsjka! Ninok!'

'Dan op de beide gastvrouwen.' Sasja draaide zich om naar Varja.

Tenger, gracieus, de jongste van allemaal, hield Varja haar mond, bang iets verkeerds te zeggen. Serafim deed enige schuchtere pogingen een gesprek met haar aan te knopen. Zijn verlegenheid amuseerde Sasja, hij sprak haar zelf aan en probeerde Serafim ook in het gesprek te betrekken. Varja antwoordde gretig, draaide zich naar hem om; van dichtbij zag hij haar Maleise ogen, haar lieve gezicht.

De stoelen en tafel werden met veel rumoer opzij geschoven, iedereen ging dansen. 'Ach, ik ben betoverd door die zwarte ogen en kan ze niet vergeten,' klonk uit de grammofoon. Joera danste met Vika, Vadim met Lena, Varja met Serafim. Daarop sloten ook Maks en Nina zich bij hen aan. Toen er een andere plaat werd opgezet, zei Sasja:

'Jongens, laat mij ook even dansen.'

Hij danste met Varja, voelde haar lenige figuurtje, haar lichte tred, haar blijdschap. En hij begreep dat alles waaraan Nina zich zo ergerde, de poeder, parfum, het rondhangen met de jongens, onzin was, niets anders dan de enorme nieuwsgierigheid van een jonge vrouw, voor wie het leven net begint, die prachtige, jonge, lichte wereld, waaruit hij nu met geweld werd verdreven.

De ruzie begon overwacht. Joera en Vika waren naar de gang gegaan, Nina werd hier woedend over.

'Ik heb jullie toch gevraagd geen lawaai te maken. Ik heb bu-ren!' zei ze met een van woede rood gezicht. 'Maar nee, ze moeten zo nodig in de gang gaan staan dringen, alsof er hier geen plaats is.'

'Hou op, toe, wat geeft dat nou,' wierp Lena glimlachend tegen. Ze voelde zich opgelaten: Joera's gedrag was op zich al kwetsend genoeg.

'Maak je niet dik,' raadde Maks goedig aan.

'Je staat versteld van zo'n schaamteloosheid,' zei Nina met hetzelfde opgewonden gezicht. 'Zij gaan straks weg, maar ik moet met die mensen leven.'

'Hou op,' zei Sasja. Hij vond Joera en Vika ook onsympathiek, maar hij wilde geen scène.

Vadim probeerde er een grapje van te maken.

'Mijn zus heeft altijd moeite met het vinden van de wc.'

Iedereen kende de woedeuitbarstingen van de verstandige Nina, ze gingen net zo snel voorbij als ze begonnen. Het kritieke moment van de Nieuwjaarsmorgen was aangebroken waarop iedereen al moe was, wilde gaan slapen en om het minste of geringste boos werd.

Joera ging naast Lena zitten, legde zijn hand op haar schouder en zei onverschillig:

'Gewone ouwevrijstershysterie.'

Hij sprak deze woorden kalm en weloverwogen uit, met zijn hand op haar schouder, alsof hij hiermee wilde onderstrepen dat hun verhouding alleen hun beiden aanging. Dit flapte hij er niet zomaar uit.

'Pas op je woorden, Sjarok!' Sasja keek hem kwaad aan. Dit was het moment om met hem af te rekenen. Joera's moeder had aan zijn moeder verteld dat hij van het instituut was gestuurd, zíj had het overgebriefd. Sasja voelde dat Joera's kwade wil hier achter zat.

'We hebben allemaal gedronken...' begon Maks op verzoenende toon.

'Ik wist allang wat jij er voor een bent,' vervolgde Sasja. 'Wil je ook de anderen met die ontdekking blij maken?'

Joera verbleekte.

'Wat weet je? Zeg op!'

'Daar is het niet de plaats of tijd voor, bovendien is het niet voor iedereen interessant!'

'En waarom moet jij plaats en tijd uitkiezen? Waarom schrijf jij de regels voor? Je hebt een hoge pet op van jezelf. En daarom zit je nu in de nesten.'

'Hou je kop!' zei Maks.

'Een stoot onder de gordel,' mompelde Vadim.

'Dit gaat alleen mij aan,' antwoordde Sasja rustig, 'en zeker niet jou en je familie. Wat ik van jou vind? Je bent een kleine egoïst en een verwaande kwast. Hiermee is voor mij de discussie gesloten.'

'En jij bent een keizer zonder kleren,' antwoordde Joera, 'een generaal zonder leger. Daarmee is voor mij de discussie gesloten.' Hij stond op. 'Lena, laten we gaan.'

'Lena!' riep Sasja haar achterna.

'Wat?' Lena draaide zich om, met een lief glimlachje proberend de ruzie te sussen.

'Kon je geen groter stuk stront vinden?'

Lena kreeg een hoogrode kleur en rende de kamer uit. Joera bleef even in de deuropening staan, wierp een blik op Sasja aan en volgde haar naar buiten.

'Dat had je niet moeten zeggen...,' merkte Maks goedhartig op.

'Ik hou niet van schoften,' merkte Sasja somber op.

Maar hij voelde zich nog triester. Hij had zich niet kunnen beheersen en het Nieuwjaarsfeest bedorven.

9 Had moeder maar gehuild, dat was beter geweest. Ze verstijfde, verstomde en vroeg niet naar de bijzonderheden. Sasja was een ramp overkomen, dat was de hoofdzaak.

Haar starende blik verscheurde Sasja's hart. Avonden lang zat ze te lezen, zonder de letters te zien, mechanisch ombladerend, overdag en 's nachts dacht ze maar aan één ding: er stond geen man naast Sasja, ze had het gezin niet bij elkaar kunnen houden, hun ongelukkige leven had Sasja sinds zijn kindertijd achtervolgd.

Pavel Nikolajevitsj had geschreven dat hij zou komen, zodra hij zich vrij kon maken, over ongeveer anderhalve maand. Sofja Aleksandrova kende haar man: hij rekende erop dat in die anderhalve maand alles zonder hem weer goed kwam. 'Kan Mark dan niets doen?' had hij gevraagd. Het eeuwige verwijt aan haar familie! Ze schreef Mark. Deze antwoordde dat hij binnenkort voor het congres naar Moskou moest en hoopte alles in orde te kunnen brengen. De brieven stelden haar niet gerust, Sasja was nog net zo weerloos als daarvoor.

Sofja Aleksandrova begon lang van huis weg te blijven. Sasja zag zijn moeder, klein, gezet, grijs en eenzaam, over de binnenplaats lopen. Hij warmde zelf zijn eten op, maar soms was er niets om op te warmen: geen eten. Waar ging ze naar toe? Hij belde haar zusters af, maar daar was ze niet geweest. Liep ze de instanties af, deed ze moeite voor hem, op zoek naar invloedrijke kennissen? Maar ze had geen invloedrijke kennissen, hij kende ze toch allemaal.

'Waar ben je geweest, waar zit je toch de hele tijd?'

Zij zweeg of gaf een ontwijkend antwoord: ze was nergens geweest, had over de Arbat gelopen, op de binnenplaats gezeten.

Ook Sasja zwierf over de Arbat, door de steegjes die hij van kindsbeen af kende, langs de oude herenhuizen met hun colonnades, gebeeldhouwde ornamenten, helgroene daken en witgestucte façades. Aan de Krivoarbatstraat had de architect Melnikov op de plek waar vroeger het schoolpleintje was een huis neergezet, een vreemd, rond gebouw. Achter de sitsen gordijnen van het sousterrain van de school brandde als vanouds licht; net als vroeger woonde hier het technisch personeel.

Sasja herinnerde zich hoe hij als pioniersleider met zijn troep op kamp geweest was in Roeblevo. 'We gaan naar Roeblevo op kamp, alles staat al klaar. Zij missen ons alleen nog maar.' Hij handhaafde toen een ijzeren discipline, de pioniers waren een beetje bang voor hem. Alleen Kostja Sjabriny, de zoon van de schooltimmerman, een baldadig en ongehoorzaam jongetje, kon hij niet onder de duim houden. Na zijn zoveelste streek besloot Sasja hem naar huis te sturen.

De kokkin zei nog tegen hem:

'Stuur hem niet weg, Sasja, zijn vader vermoordt hem.'

Zou hij hem vermoorden? Niemand heeft het recht te doden. Sasja had medelijden met Kostja en de jongens smeekten of hij mocht blijven, maar als hij zijn beslissing herriep zou hij zijn eigen autoriteit ondergraven.

Ze kwamen terug van het kamp, de lessen begonnen weer. Kostja's vader zei niets tegen Sasja, slechts één keer bleef hij in de gang staan en keek hem lang en doordringend aan. Sasja zou die blik nooit vergeten. Wat was hij toen hardvochtig en dom geweest. De belangen van het collectief eisten discipline en hij had de kleine Kostja daaraan opgeofferd. Hij had gedacht dat een dergelijke straf goed voor Kostja zou zijn. Maar had hij ook bedacht hoe Kostja zijn vader onder ogen moest komen?

Uit de Plotnikovstraat sloeg hij de Mogiltsevski- en vervolgens de Mjortvy-straat in. Hier in het herenhuis tegenover de Deense ambassade was vroeger het komsomolcomité van het rayon Chamovnik gevestigd, hier was hij acht jaar geleden aangenomen. Hij droeg toen een leren jack, had een hekel aan fatjes, hechtte nergens waarde aan, behalve aan boeken, die hij na lezing aan de bibliotheek schonk, hij had zelfs geprobeerd een schoolcommune van de grond te krijgen, zijn fantasie sloeg helemaal op hol.

Waarom moest juist hem dit overkomen? Moest hij niet afgaan op de mening van de meerderheid? Maar Baulin, Lozgatsjov en Stolper, dat was nog geen meerderheid. Of zou hij Stalin schrijven? Stalin begreep dat het land specialisten nodig had, geen mislukte studenten, verachtte kletsmajoors en Azizjan was een kletsmajoor, Stalin hield niet van carrièristen en Lozgatsjov was een carrièrist, hij haatte drammers en Baulin was een drammer. Met zijn gevoel voor humor zou Stalin die onschuldige rijmpjes naar waarde weten te schatten. Maar het was onbescheiden je in een persoonlijke zaak tot Stalin te wenden.

Op weg naar huis zag Sasja een keer zijn moeder. Ze stond bij de poort alsof ze naar iemand uitkeek.

Meelopend naar de voordeur zei ze:

'Ga vast, ik maak nog een ommetje.'

'Straks bevries je nog.'

'Ik maak nog een ommetje,' herhaalde ze, en in haar ogen verscheen de koppige konijneblik die vroeger de voorbode was van nieuwe scènes en ruzie met vader.

Een andere keer zag Sasja haar op de Arbat. Ze liep langzaam langs de poort van hun huis, bleef stilstaan bij de horlogemaker, deed alsof ze de horloges in de etalage bekeek, liep terug, keek weer naar de overkant van de straat, liep door tot de apotheek, bleef staan en ging weer terug. Ze spiedde, loerde naar iemand zoals ze dat met vader had gedaan, toen ze dacht dat hij iets met hun buurvrouw, Militsa Petrovna, had. Vader was weg, de vermeende minnaressen waren weg, ze hoefde niet meer jaloers te zijn, maar er was weer iets dat haar obsedeerde en ze staarde recht voor zich uit, met dezelfde geconcentreerde, gespannen en koppige blik. Vervolgens stak ze de straat over, het hoofd gebogen als altijd en niet opzij kijkend, bang de auto's te zien die op haar afkwamen. Bestuurders remden uit alle macht, leunden uit hun cabines en scholden haar uit, terwijl zij, zonder om te kijken, zich om te draaien of haar hoofd op te tillen, zich haastte om het reddende trottoir te bereiken. Hij vroeg haar:

'Wie bespied je?'

Haar lichaam schokte, ze was bang het te zeggen, want Sasja zou het niet geloven.

'Wat verberg je voor me?'

Ze keek hem aan, de ogen wijd opengesperd van angst.

'Je wordt gevolgd.'

'Wie volgt me?' verbaasde hij zich.

'Eentje heeft een muts met losse oorlappen, de tweede is klein en draagt een jas van beverbont, de derde, een lange gemene, draagt bezoolde viltlaarzen, die drie volgen je om de beurt.'

'Gelijk hebben ze! Waarom ook met zijn allen tegelijk?' zei Sasja en schoot in de lach.

'Ik ken ze alle drie van gezicht,' ging ze verder, 'ik herken ze aan hun rug, aan hun stem. Ik stond bij de bakker in de rij, die met de viltlaarzen ging achter me staan, dat wist ik zonder om te kijken. Ik kreeg brood, ging weg, hij ook, maar zonder brood; hij stond achter me om me aan de ander aan te wijzen, zo doen ze dat. Ze hebben door dat ik hen ken en als ik omkijk verdwijnen ze in de Nikolskistraat om later uit de Denezjnystraat te komen. Dan ga ik meteen naar de Denezjnystraat en daar kom ik hem tegen, hij draait zich om, en ik weet zeker dat hij het is.'

'Wie volgen ze eigenlijk, jou of mij?' vroeg Sasja glimlachend.

'Ze houden ons huis in de gaten. Wie in- en uitgaat, wanneer jij weggaat, met wie je loopt, met wie je praat. Ik scheurde bij de slager een bon af voor vis, hij staat achter me en zegt: "U moet de vierde bon hebben." Ik keek om en hij draaide me zijn rug toe, ik herkende hem aan zijn beverjas.'

'Zei hij echt: "de vierde bon"?' vroeg Sasja die steeds vrolijker werd.

Ze knikte met het hoofd op de maat van haar woorden.

'De wijkagent van de Smolenskstraat hoort er ook bij. Ik liep een keer achter die lange, hij wees met zijn ogen iemand aan, en de agent liep op die man af en vroeg naar zijn papieren. De lange liep terug, zag me, keek me heel gemeen aan en is daarna twee dagen niet verschenen, de kleine zei dat hij van de chef op zijn kop had gekregen.'

'Tegen wie zei hij dat?'

'Tegen mij. Hij praat met me wanneer hij achter me staat, zodat alleen ik hem kan horen. Wanneer ik omkijk, draait hij zich om. Ik kijk niet meer om omdat ik hem niet in verlegenheid wil brengen, hij mag immers niet met me praten. Ik ken zijn stem goed.'

Sasja keek zijn moeder ontzet aan. Iets verschrikkelijks sloop hun leven binnen. Hij was in deze kamer opgegroeid, elk voorwerp hier was een stuk van zijn leven, alles stond op zijn plaats en zou daar blijven staan, maar hij zou er niet meer bij zijn. Hij was in een draaikolk terecht gekomen die hem naar de bodem sleurde. En het mocht niet gebeuren dat moeder werd meegesleurd, zijn lieve moeder, van wie hij meer dan wie ook hield.

'Op een keer voel ik dat hij achter me staat,' vervolge ze, 'en ik vraag zonder me om te draaien: "U gaat Sasja toch niet oppakken?" Hij zwijgt, geeft geen antwoord. Ik hield het niet uit, draaide me om; hij legde een vinger op zijn mond, deed een stap terug en verdween tussen de mensen.'

'Dat beeld je je allemaal maar in,' zei Sasja. 'Niemand volgt jou of mij, niemand moet ons hebben; stel je voor, staatsvijanden! Belachelijk! Als ze me moeten oppakken, dan hadden ze dat allang gedaan, in plaats van hun tijd te verprutsen met idioot spionnetje spelen. En vergeet niet dat ze me weer zullen toelaten. Maar nu is iedereen met het congres bezig, ze hebben geen tijd voor mij, mijn zaak wordt daarna behandeld. Zet verder alles uit je hoofd en verpest ons leven niet.'

Ze zweeg, keek voor zich uit, dook in elkaar en schudde met haar hoofd alsof ze een tic had. Wat Sasja ook zei, wat hij ook deed om haar te overtuigen, ze beweerde steeds hetzelfde: alles was precies zoals ze zei. Zo was het vandaag en gisteren en zo zou het morgen weer zijn. Ze zou de straat weer op gaan, een van de drie zien, en als de kleine dienst had zou hij weer iets tegen haar zeggen, misschien zelfs of ze Sasja zouden oppakken of niet.

Maar de kleine met de beverjas gaf opnieuw geen antwoord op haar vraag, keek haar medelijdend aan en draaide zich om. Nu verwachtte Sofja Aleksandrovna het ergste. Elk geluid alarmeerde haar, de stilte leek onheilspellend. Urenlang stond ze bij de deur te luisteren naar voetstappen op de trap of klom ze op de vensterbank om te kijken wie er over de binnenplaats liep. Op een keer zag ze een politieman en was ze gegrepen door angst en zonder iets op te vatten radeloos door de kamer op en neer gaan lopen. De agent kwam niet bij hen, hij had de buren dus uitgehoord over Sasja. Niemand kon een slecht woord over hem zeggen, maar de mensen schaden elkaar makkelijk, waarschijnlijk in de veronderstelling dat ze zo de aandacht van zichzelf afleiden.

Iedereen, het hele huis, alle bewoners wisten van Sasja's geval, iedereen was waarschijnlijk bezocht en ondervraagd. Ze zat op de binnenplaats op het bankje onder het kleine ijzeren afdakje en lette op hoe iedereen haar voorbijliep, naar haar keek en haar groette.

Er werd gebeld van het huisbestuur, Sasja moest langskomen. Hoewel ze altijd bang was voor het huisbestuur ging ze zelf. Ze moesten de referenties van Sasja's werk aanvullen. Smoesjes! Huismeester Viktor Ivanovitsj Nosov kende ze al twintig jaar, als kleine jongen had ze hem over de plaats zien rennen, ze had ook zijn moeder zaliger gekend, hij kende haar en Sasja goed genoeg. Maar nu keek hij haar nauwelijks aan en vroeg niet waarom Sasja, die student was, als sjouwer werkte, hij wist dus alles. Hij nam koeltjes afscheid. De secretaresse zei helemaal niets, ze deed alsof ze het te druk had.

Iemand belde op en vroeg naar Sergej Sergejevitsj, ze zei dat er geen Sergej Sergejevitsj bij hen woonde. Vijf minuten later werd er weer naar Sergej Sergejevitsj gevraagd maar nu was het een andere stem. Daarna werd er nog een keer opgebeld, maar niemand meldde zich, ze hoorde iemand in de hoorn ademen. Ettelijke malen werd Galja, hun buurvrouw, bij de telefoon geroepen, vroeger was er nooit zo vaak telefoon voor haar. Galja antwoordde dubbelzinnig en met veel lawaai, nadat ze had opgehangen ging ze met neergeslagen ogen snel weer naar haar kamer.

Militsa Petrovna, op wie ze ooit zo jaloers was geweest vanwege haar man maar met wie ze nu opnieuw bevriend was, bood haar diensten aan. In haar jonge jaren had Militsa invloedrijke aanbidders gehad, maar nu was er niemand meer, iedereen had genoeg van haar. Margarita Artemovna, een oude Armeense, met wie ze vaak samen op het bankje zat, een rustige, verstandige en degelijke vrouw zei dat Sasja een tijdje weg moest uit Moskou, ze stelde zelfs voor dat hij naar haar familie in Nachitsjevan zou gaan.

Sofja Aleksandrovna klampte zich aan die gedachte vast. Zelf durfde ze het niet tegen Sasja te zeggen en vroeg het daarom aan hun buurman Michail Joerjevitsj. Zo'n advies moest van een man komen.

Michail Joerjevitsj, een eenzame vrijgezel met een pince-nez, was een intelligent man, hij verzamelde boeken en gravures. Zijn kamer lag bezaaid met albums en mappen, stond vol ouderwets meubilair, altijd verzadigd van stof van folianten en lucht van verf, lijm en tekeninkt. Hij liet zijn aanwinsten gewoonlijk aan Sasja zien, hij praatte graag met hem. Vandaag had hij hem Dante's 'Hel' met illustraties van Doré laten zien. Een kolkende mensenmassa joeg door de onderwereld, mannen, vrouwen, kinderen, hoofden, armen en benen, het eeuwige vuur van de begeerten en hartstochten dat de mensheid verteerde.

Behalve op Dante had Michail Joerjevitsj de hand weten te leggen op Machiavelli's 'De Vorst', in de uitgave van Akademija.

'Dat boek ken ik,' zei Sasja, 'de beschouwingen over de macht zijn naïef, ze getuigen niet van wetenschappelijk inzicht in het wezen van de macht.'

'Best mogelijk,' antwoordde Michail Joerjevitsj ontwijkend, 'maar het is te allen tijde zinvol de geschiedenis van goede en slechte beginselen te bestuderen, goede principes mogen nooit vertrapt worden, noch in naam van het grote, noch in naam van het kleine. Neem me niet kwalijk, Sasja, dat ik me er mee bemoei, maar je moeder heeft me van je tegenspoed verteld, word alleen niet boos op haar. Weet je, een gewaarschuwd man telt voor twee. Waarom ga je niet naar je vader of naar je oom?'

'Weggaan?' zei Sasja verbaasd. 'Ik zie niet in waarom. De zaak kan zonder mij niet worden behandeld. Moeder zit zich vreselijk op te winden. Het is een doodgewone zaak, waarvan er helaas zo veel zijn. Zouden ze mij willen arresteren?! Uitgesloten. En al willen ze me arresteren, dan kunnen ze dat net zo goed bij mijn vader of bij mijn oom doen. Moet ik soms onderduiken?'

Hij schoot in de lach. Hij, Sasja Pankratov, zou zich voor zijn eigen mensen verstoppen.

'Ongetwijfeld is Sofja Aleksandrovna's angst overdreven,' stemde Michail Joerjevitsj in, 'maar in een politieke zaak is het nu eenmaal zo, dat je er bij elk beroep meer mensen en instanties bij betrekt en de zaak als een sneeuwbal groeit.'

Sasja keek Michail Joerjevitsj verwonderd aan. Deze partijloze man, die zich absoluut niet voor politiek interesseerde, sloeg de spijker op zijn kop.

'Ik geloof in de partij,' zei Sasja, 'en ik ben niet van plan voor haar op de loop te gaan.'

10 Sasja kwam 's morgens op het Oude Plein aan. In een stuk van de muur van Kitajgorod gaapten doodse gaten, onder de sneeuw lagen stapels eeuwenoude bakstenen. Sasja betrad het grote, grijze, prettige gebouw van de Centrale Controle Commissie, in de vestibule vond hij op het bord met namen het kamernummer van Solts en ging naar de eerste verdieping.

In de lange gang zat een zwijgende rij mensen langs de muur. Uit de kamer van Solts kwam een jongeman, gekleed in een pak van blauwe boston, een wit overhemd en een stropdas. In de veronderstelling dat dit een bezoeker was, en omdat hij zag dat niemand uit de rij opstond, opende Sasja de deur.

In de grote kamer stonden twee tafels, een kleine bij de deur voor de secretaris, en een grote, achter in de kamer waaraan Solts zat, een zware man met verward grijs haar, korte nek, vlezige neus en een hazelip; hij leek op de beroemde schaker Emanuel Lasker. Naast Solts stond een gezette man met een onbestemd ambtenaarsgezicht, die hem papieren ter ondertekening voorlegde.

Ziend dat Solts bezig was, nam Sasja plaats op een stoel bij de deur. Solts keek naar hem, hij was erg bijziend en zag niet precies wie er binnen was gekomen, hij wist dat niemand zonder toestemming de kamer mocht betreden en als er iemand binnen was gekomen en gaan zitten, dan had de secretaris hem binnengelaten, en waarschijnlijk niet zonder reden. De ambtenaar legde hem papieren voor. Het waren gerechtelijke uitspraken van processen van veroordeelde partijleden. Dit maakte Sasja op uit het korte commentaar van de ambtenaar die de naam van de veroordeelde, zijn staat van dienst in de partij, het artikel uit het wetboek van strafrecht en de duur van de gevangenisstraf oplas. De artikelen die hij noemde, zeiden Sasja niets. Solts ondertekende de papieren zwijgend, met een boze blik, zijn onderlip hing naar beneden, zijn gezicht stond vermoeid en ontevreden, alsof hij aan heel iets anders dacht dat nog onaangenamer was dan deze vonnissen op grond waarvan de veroordeelden uit de partij werden gezet.

Sasja begreep dat hij hier toevallig en niet op het juiste moment terecht was gekomen, dat hij niet het recht had hier te zijn, maar hij kon niet opstaan en weglopen. Als hij nu wegging, was het maar de vraag of het hem nog een keer zou lukken hier binnen te dringen, en zo ja—wanneer. Nu pas drong het tot hem door dat die mensen in de gang op een onderhoud zaten te wachten, en dat waarschijnlijk al maanden lang.

Solts barstte onverwacht los, het grijze hoofd schudde, de vingers trommelden onrustig op de tafel.

'Acht jaar voor veertig meter draad!'

'Artikel zesentwintig b.'

'Artikel, artikel... Voor veertig meter draad acht jaar!'

De ambtenaar boog zich over de papieren, bekeek ze vluchtig. Zijn gezicht werd weer onverschillig. Het materiaal was correct verwerkt. En hoe Solts ook schreeuwde, hij was niet gerechtigd het vonnis te wijzigen.

Solts wist ook dat hij het vonnis niet mocht wijzigen, de veroordeelde moest uit de partij worden gezet en hij moest dit bevestigen; het had geen zin zijn woede over een ondergeschikte uit te storten.

Zijn blik viel weer op Sasja. Die onbekende man daar bij de deur ergerde hem ook: wie was dat? Waarom zat hij hier?

Op dat moment kwam de secretaris terug, de jongeman in het blauwe bostonpak, die Sasja voor een bezoeker had gehouden. Hij was een ervaren secretaris, werkte al jaren voor Solts en hij begreep meteen wat er aan de hand was: Solts was razend over een of ander vonnis, geïrriteerd door de aanwezigheid van een vreemde in zijn kamer, en die knul was door zijn onoplettendheid binnengeglipt, toen hij naar de kantine ging om sigaretten te halen.

Met een trillende vinger in de richting van Sasja wijzend, vroeg Solts:

'Wat moet hij?'

Uit de snelle blik van de secretaris las Sasja: 'Zeg wat je te vertellen hebt, schiet op!'

Sasja stond op.

'Ik ben van het instituut gestuurd…'

'Wat voor instituut?' schreeuwde Solts. 'Hoezo instituut?! Waarom komen jullie allemaal bij mij?!'

'Van transport,' zei Sasja.

'Een kameraad van het instituut voor transport,' zei de secretaris zakelijk, 'een student, ze hebben hem van het instituut gestuurd.'

Zachtjes voegde hij eraan toe:

'Ga naar hem toe.'

'Ik ben van het instituut gestuurd vanwege de muurkrant en vanwege een conflict over de cursus boekhouden,' zei Sasja, terwijl hij op het bureau van Solts afliep.

'Welke muurkrant, welke boekhouding?! Wat bazelt u?!'

'Het werd als politieke sabotage aangemerkt.'

Solts staarde Sasja aan, het was duidelijk dat hij niet begreep wat er nu eigenlijk aan de hand was, waarom die kerel zijn kamer was binnengekomen, naar de gerechtelijke vonnissen luisterde en een verhaal ophing over boekhouden en een of andere muurkrant…

De ambtenaar glimlachte nauwelijks merkbaar en neerbuigend alsof hij vanuit de hoogte van zijn ambtelijke zelfverzekerdheid wilde zeggen: dat komt ervan als je voorbijgaat aan de vaste procedure voor de behandeling en verwerking van zaken. Juist omdat Solts die procedure niet begreep, kwamen ze bij hem en niet bij de andere instanties.

Het neerbuigend lachje ontging Solts niet. Terwijl hij nors naar Sasja keek, zei hij onverwacht rustig:

'Roept u ze allemaal op.'

Sasja kwam niet van zijn plaats.

'Wat staat u daar!' schreeuwde Solts. 'Verdwijn!'

Sasja deed een stap achteruit. De secretaris wenkte hem bij zich.

'Wie moeten we oproepen?' vroeg hij zachtjes en legde een vel papier op tafel met het stempel 'Partijcollege CCC VKP (b)'.

Pas toen begreep Sasja dat Solts iedereen dagvaardde die bij zijn zaak betrokken was. Voor het eerst in al die maanden sloeg zijn hart sneller en hij kreeg een brok in zijn keel.

De secretaris keek hem afwachtend aan.

'Baulin, de secretaris van het partijbureau,' begon Sasja.

'Zonder functies, zonder functies,' zei de secretaris haastig, terwijl hij de namen op de dagvaarding schreef.

'Glinskaja, Janson, Roenotsjkin... Mogen mijn vrienden ook?'
'Zeg op, niet treuzelen!'
'Poloezjan, Kovaljov, Pozdnjakova,' zei Sasja, hij hoorde hoe achter zijn rug
de ambtenaar namen en artikels opdreunde.
'Dat is alles?'
'Ja.'
'Voor wanneer?'
'Kan het morgen?'
'Kun je ze op tijd waarschuwen?'
'Jawel.'
'Wegwezen.'
In de deuropening draaide Sasja zich om. Solts keek hem somber aan.

'Het Partijcollege verzoekt U 17 januari a.s. te 15.00 uur bij kameraad Solts
te verschijnen.' En de namen van hen die opgeroepen werden. Alleen Sasja's
naam stond er niet op, niemand had naar zijn naam gevraagd. Dat was gek,
maar had niets te betekenen. De zaak was gewonnen. Daar twijfelde Sasja
niet aan. Solts had geen andere instanties, geen papieren, geen beschikkin-
gen nodig. Iedereen dagvaarden! Stel je voor, als hij niet die kamer was
binnengelopen en de secretaris niet gedwongen was geweest zijn fout te herstellen, dan was het niet gelukt. En dat ambtenaarsglimlachje, waardoor Solts
kwaad werd... Maar het was hem gelukt! Het was hem gelukt!
   Toch maakte iets hem bedrukt... Die zwijgende mensen op de banken
langs de muur, stil en geduldig wachtend op uitsluitsel over het lot van hun
naasten. De Dictatuur van het Proletariaat moest verdedigd worden, dat was
waar, zonder meer! Maar toch was de atmosfeer in die gang doortrokken van
menselijk leed. En die onbekende, tot acht jaar veroordeeld voor veertig
meter draad. Had Sasja in zijn zaak niet een noodlottige rol gespeeld, het
voor hem bedoelde medelijden ingepikt?
   Maar hij was jong, wilde zo graag leven, en probeerde aan zichzelf te denken, zijn tegenspoed was voorbij, en niet aan mensen die zwijgend op banken
langs trieste kantoormuren zaten.
   Glinskaja was aan het telefoneren toen Sasja, na de secretaris omzeild te
hebben, haar kamer binnenkwam. Verbaasd, daarna verschrikt keek ze hem
aan, ze herkende hem meteen, bedekte de hoorn met haar hand.
'Wat wilt u?'
Sasja legde de dagvaarding voor haar neer.
Ze las hem door, mompelde onzeker:
'Waarom ik? Ga naar Baulin.'
Ze zag er heel aandoenlijk uit.
'Uw handtekening, alstublieft.'

'Waarom, waarom? Gaat u naar het partijcomité,' mompelde Glinskaja.

'Mij is opgedragen dit aan u te overhandigen. Uw handtekening!'

Ten slotte legde ze de hoorn neer, pakte het papier.

'Ben je bij Solts geweest?' vroeg ze, hem opeens met 'je' aansprekend.

'Ja.'

Ze bekeek het formulier. Het partijcollege van de Centrale Controle Commissie bemoeide zich ermee... Natuurlijk lieten Rjazanov en Boedjagin het er niet bij zitten, dat was te verwachten. En dat aan de vooravond van het congres... Ze stelde zich voor hoe op het congres diezelfde Solts, of Jaroslavski, of wellicht Roedzoetak in hun toespraak het geval van Pankratov zouden aanhalen als voorbeeld van de harteloze houding tegenover de jonge toekomstige specialist. Ze hadden hem van het laatste jaar uitgesloten, gehoorzaamd aan de beslissing van het partijbureau. Maar ze had Baulin gewaarschuwd: er was een brief gekomen met het verbod studenten uit de hogere jaren te verwijderen. Hij had niet geluisterd, dan moest hij er maar voor opdraaien.

Ze keek glimlachend naar Sasja.

'Allemaal lagereschoolwerk. Versjes, epigrammen...'

Sasja schoof het papier naar haar toe.

'Uw handtekening, alstublieft.'

'Ik zal er zijn.'

'Weest u zo goed uw handtekening te zetten!'

Met een ontevreden gezicht tekende ze bij haar naam.

Baulin las de dagvaarding met een hatelijk glimlachje.

'Je zoekt het hoog, zul je niet vallen?'

Hij tekende met een verongelijkt gezicht, alsof Sasja hem persoonlijk had beledigd.

Janson keek Sasja vanachter zijn dikke brilleglazen aan, in zijn ogen flikkerde hoop, hij vroeg op welke etage hij moest zijn.

In zijn groep ging de dagvaarding van hand tot hand.

'Daar zullen ze blij mee zijn,' zei Roetnotsjkin verheugd, 'Kovaljov, zul je nu spijt krijgen?'

'Sasja, je bent een kraan,' zei Pozdnjakova.

De voorzichtige Roza Poloezjan vroeg zachtjes:

'Een overwinning?'

Het was duidelijk dat Solts Sasja vergeten was. Stomverbaasd zag hij acht mensen zijn kamer binnenkomen, en hij dacht dat hij een of andere vergadering belegd moest hebben. Maar in zijn agenda stond geen enkele aantekening.

Glinskaja gaf hem een hand, ze kenden elkaar; Solts herkende haar en stond onhandig hoffelijk op. Hij bleek heel klein te zijn.

'Voor de zaak van het instituut voor transport,' verklaarde de secretaris.

Dat zei Solts niets, hij wist van geen instituut voor transport en door zijn bijziendheid herkende hij Sasja niet. Met een gewoontegebaar vroeg hij niettemin iedereen plaats te nemen.

Glinskaja rolde voor Solts de muurkrant open. De krant was al die tijd opgerold geweest, en Glinskaja zette op de randen een presse-papier en een massieve glazen pennebak. Met verbijstering volgde Solts haar bewegingen.

'Dit zijn de epigrammen,' zei Glinskaja.

Solts boog zich over de krant, zijn ogen kippig dichtknijpend.

Ze zullen op zijn grafsteen zetten:
Hij hield van rijst en koteletten

Hij sloeg de ogen op, niet begrijpend waarvoor de epigrammen dienden. Toen zag hij Sasja die hem strak aankeek. Pas op dat moment herinnerde Solts zich de jongeman die gisteren in zijn kamer had gezeten. Hij las het epigram nog eens, fronste de wenkbrauwen.

'Wat is hier voor contra-revolutionairs aan?'

'Hier staan er nog een paar,' antwoordde Glinskaja.

Solts boog zich weer over het blad.

Al schrijft de mode arbeid voor
Hij zal buitenbeentje wezen
Agendaloze kletsmajoor
Weet alles zonder lezen

'Het nummer is gewijd aan de zestiende verjaardag van de Oktoberrevolutie,' zei Baulin.

Solts bekeek iedereen met een boze, kippige blik, en probeerde vast te stellen van wie die stem was. Vóór hem zaten de knappe Nadja, Sasja, de kleine ineengedoken Roenotsjkin, de bange Roza en de nerveuze Kovaljov.

'De Oktoberrevolutie heeft de epigrammen niet afgeschaft,' antwoordde hij bars.

'Ze waren onder de portretten van voorhoedestudenten geplaatst,' drong Baulin aan.

Nu zag Solts wie hem tegensprak.

'Vroeger mocht je alleen op de allerhoogste personen geen epigrammen schrijven. En zelfs dat gebeurde.'

'"De mode schrijft arbeid voor", dat is toch niet juist?' hield Baulin vol.

'Arbeid, arbeid!' zei Solts geïrriteerd. 'De bourgeois grondwetten beginnen ook met woorden over arbeid. De vraag is wat voor arbeid, en in naam waarvan. Wat staat er in dit epigram tegen arbeid?'

'Ja, ziet u…'

'Ik zie hoe u jonge levens kapot maakt!' Solts wees naar de tegenover hem zittende jongelui. 'Ik zie hoe u hen kwelt en pijnigt. Over hen heeft Lenin gezegd: "Jullie zullen in het communisme leven." Wat voor communisme biedt u hen?! U heeft hem van het instituut gegooid, waar moet hij heen? Sjouwer worden soms?'

'Hij werkt al als sjouwer,' merkte Janson op.

'Wij hebben hem laten leren, hij is immers onze toekomstige sovjetspecialist. Maar u zet hem op straat. Waarvoor? Voor epigrammen? De jeugd heeft rechten. En haar eerste recht is lachen.'

Met dezelfde onhandige hoffelijkheid wendde hij zich tot Glinskaja.

'Toen wij zo oud waren als zij lachten we ook. Ze maken nu plezier, god zij dank! Het is een goed teken als jonge mensen lachen, dat betekent dat ze vóór ons zijn. Maar u geeft ze op hun kop! Epigrammen hebben ze op elkaar geschreven… Over wie moesten ze ze anders schrijven? Over mij? Ze kennen me niet. Om wie moeten ze dan lachen?'

'De uitsluiting is door het rayoncomité bevestigd,' waarschuwde Baulin.

'Bevestigd, bevestigd!' Solts werd rood. 'Dat gaat wel snel bij jullie!'

Glinskaja, die zich hier veel zekerder voelde dan op het instituut, vroeg op verzoenende toon:

'Wat doen we?'

'Rehabiliteren!' antwoordde Solts nors en vastbesloten.

11 De jongelui gingen naar buiten.

Roenotsjkin loensde.

'Dit moet gevierd worden.'

'Daar ben ik voor,' stemde Nadja vrolijk in.

'Ik moet nog ergens heen.' Roza wilde niet mee.

'Ik geloof dat ik ook maar ga,' zei de sombere Kovaljov.

'De groeten aan Lozgatsjov,' riep Roenotsjkin hem na.

Ze hadden een paar roebel, Nadja ook.

'Laten we bij mij langs gaan ter kapitaalvermeerdering,' stelde Sasja voor.

Thuis omarmde en zoende hij zijn moeder.

'Maak kennis met mijn vrienden! We hebben gelijk gekregen… Hoera!'

Sofja Aleksandrovna barstte in snikken uit.

'Moeder toch!' zei Sasja.

Ze droogde haar tranen en glimlachte, maar haar hart was nog vol angst.

'Nina heeft gebeld.'

'We gaan haar halen.'

Nina bleek niet thuis te zijn. Op de gang stond Varja te telefoneren. Sasja legde zijn hand op de haak.

'Maak je klaar!'

'Waarvoor?' Ze keek nieuwsgierig naar de knappe Nadja.

'We gaan eten en drinken.'

Het werd snel donker, de straatlantaarns werden aangestoken. Sasja hield van de late middagdrukte in de winter, de laatste opleving van de Arbat. Alles was in orde, alles weer bij het oude. Hij liep over de Arbat als vroeger, dat was voorbij.

Op de hoek van de Afanasevstraat liepen ze Vadim tegen het lijf, hij droeg een korte rendierpels en een Jakoetenmuts met lange bonten oorlappen tot aan zijn middel.

'Noordpoolveroveraar! Kom met ons mee!'

'Je succes begieten?' raadde Vadim meteen.

'Precies.'

'Laten we naar KANATIK gaan, dat is een prima tent,' stelde Vadim voor terwijl hij naar Nadja keek.

'Nina komt hierheen.'

Langs een steile trap gingen ze de lage ARBAT-KELDER binnen, die door dikke vierkante pilaren in rechthoeken werd verdeeld; ze ontdekten een vrij tafeltje in de hoek achterin. Het rook er naar eten en gemorst bier, de goedkope luchtjes van een gelegenheid die het midden houdt tussen een restaurant en een bierkelder. De plompe lampen, die scheef aan de lage booggewelven hingen, verspreidden een mat schijnsel. Op het podium stak een contrabas in een hoes omhoog, op een stoel lag een saxofoon: de muzikanten waren er al.

Sasja reikte over de tafel het menu aan.

'Wat nemen we?'

'Wat duur,' verzuchtte Nadja.

'Eenmaal kuilvoer en een portie aardbeving,' stelde Roenotsjkin voor.

'We zijn hier niet voor een slaatje of een portie zult,' sprak Sasja tegen.

'Het enige waarvoor ze hier komen is koffie met cacaolikeur,' verklaarde Vadim met het gezicht van een ervaren restaurantganger.

Op een naburig tafeltje stond een koffiepot boven een blauw spiritusvlammetje, twee fatjes nipten aan minuscule kopjes koffie met likeur.

'Wij hebben honger,' zei Sasja, 'Varja, wat wil je eten?'

'Boeuf Stroganov.'

Ze bestelden een fles wodka voor de jongens, een fles port voor de meisjes en boeuf Stroganov voor iedereen.

'Het is voordeliger als we verschillende dingen bestellen,' merkte Vadim op.

'Daar heb je Nina ook,' zei Varja met gedempte stem, alsof ze in zichzelf praatte; ze zat met haar gezicht naar de ingang.

'Helemaal verstopt in de hoek!' zei Nina levendig terwijl ze naar hun tafeltje toekwam. 'Gefeliciteerd, Sasjenka,' ze gaf hem een zoen, 'toen ik je briefje las begreep ik het meteen. Ik heb geen moment getwijfeld,' ze keek schuin naar Varja, 'zo, ben jij er ook...'

'Ja, ik ben er ook.'

'Jammer dat Maks het niet weet,' ging Nina door, terwijl ze tussen Vadim en Roenotsjkin in ging zitten.

Het orkest barstte los met 'O, mijn citroentjes, jullie groeien op Sonja's balkonnetje...' De kelners begonnen sneller tussen de smalle poortjes door te lopen.

'Solts, dat is nog eens een kerel,' zei Roetnotsjkin.

'Alleen een vreselijke zenuwpees,' voegde Nadja er aan toe.

Op zijn biefstuk kauwend merkte Vadim op:

'Sasja is door een hel van beproevingen gegaan, maar zonder lijden...'

'Ik haat martelaren,' viel Sasja hem in de rede.

'Vrij naar Proudhon,' Vadim ging door met zijn pogingen indruk op Nadja te maken. 'Ik haat de onderdrukten nog meer dan de onderdrukkers. Maar er zijn omstandigheden... Bijvoorbeeld...'

Hij wierp een schuinse blik op het naburige tafeltje. Bij de twee fatjes was al een meisje met een knap, maar afgeleefd gezicht gaan zitten.

'Een sociaal kwaad,' zei Nina.

'Misschien een pathologisch verschijnsel,' opperde Vadim

'Geen pathologie, geen sociologie, doodgewoon prostitutie,' zei Sasja. 'Het interesseert me niet waarom ze dat beroep uitoefent, ik heb geen zin me in haar psychologie te verdiepen. Neem Nina, Varja of Nadja, hen kan ik lief-hebben, respecteren en hoogachten. De mens is een moreel wezen, daardoor verschilt hij van vee. Lijden is niet zijn levensfunctie.'

Zachtjes met het orkest meezingend zette Varja in:

'Wij hielden van jou, je was lief, eenvoudig... Iedereen ging graag met je mee.'

'Waarom houden ze zo van boevenliedjes?' vroeg Vadim. Hij gaf zelf het antwoord: 'Moerka gaat dood, het arme joch is eenzaam en verlaten en nie-mand zal weten waar zijn grafje is. De mens lijdt, daar draait alles om.'

'Maak me niet misselijk,' viel Sasja hem in de rede.

Vadim tuitte zijn lippen.

'Zeg, wat ben jij onverdraagzaam.'

'Neem me niet kwalijk,' zei Sasja, 'ik wil je niet beledigen: voor jou is het theorie, maar ik heb het aan den lijve ondervonden. Laten we liever onze financiën bundelen, wie weet is het genoeg voor nog een fles.'

Ze hadden nog genoeg voor een fles voor de jongens en voor ijs voor de meisjes.

'Niet zo haastig,' waarschuwde Vadim, 'we moeten het over de hele avond uitsmeren.'

'Varja, je moet morgen naar school,' zei Nina vermanend.

'Ik wil naar de muziek luisteren.'

'Val haar niet lastig,' zei Sasja, 'laat haar toch blijven.'

Hij wilde dat Varja het naar haar zin had. Hij was zelf ook gelukkig. Het ging er niet om dat hij ze allemaal iets had laten zien. Hij had iets veel belangrijkers weten te verdedigen, hij had het vertrouwen van de jongens gered. Meer dan ooit was hij zich er nu pijnlijk van bewust hoe weerloos de mensen waren. In zijn plaats had Roetnotsjkin er de brui aan gegeven en was vertrokken, Nadja Pozdnjakova was gaan huilen en zou zijn weggelopen, Vadim was meteen ingestort als hij bij zoiets betrokken was geraakt.

Alleen Varja hechtte geen bijzondere betekenis aan het gebeurde. Als ze haar van school stuurden, zou ze er alleen maar blij om zijn. Ze zat naast hem in een restaurant, ze vond deze kroeg een prachttent: jongelui in 'charlestons', jazz op het podium, een trompettist met bolle wangen en een drummer die bevlogen met zijn stokjes jongleerde. Het meisje van het naburige tafeltje werd al lastig gevallen door twee dronkelappen, ze trokken haar naar hun tafeltje, de fatjes waren bang en konden haar niet beschermen. Het meisje vloekte, huilde, de kelner dreigde haar te verwijderen.

'De hengsten.' Sasja kneep zijn zwarte ogen samen.

'Bemoei je er niet mee,' waarschuwde Vadim maar ging onmiddellijk opzij, hij wist dat Sasja niet meer te stuiten was.

Sasja stond op, met gekromde rug en het hoofd tussen de schouders liep hij naar het naburige tafeltje en glimlachte dreigend.

'Zullen we haar maar met rust laten?' Hij kon slaan en hard ook.

Twee dikke brutale koppen, lila hemden, de een in een bruine vilten jas, de ander in een wijde klokmantel; rapalje was het, tuig van de richel.

Die met de bruine jas duwde Sasja minachtend opzij, de ander wurmde zich tussen hen in, alsof hij hen uit elkaar wilde halen.

'Hou op jongens!'

Maar Sasja kende die truc: de vredestichter zou hem juist slaan. Sasja gaf hem een korte, venijnige stomp waarvan je dubbel klapt, naar je buik grijpt en met open mond naar lucht hapt. Sasja draaide zich om naar de ander, maar die deed een stap terug, stootte tegen een tafeltje, glaswerk rinkelde, het meisje zette een keel op en de fatjes sprongen van hun plaats... De trompettist blies met een scheel oog zijn wangen bol, de pianist draaide zich om maar zijn vingers bleven over de toetsen snellen en de drummer jongleerde met zijn stokken... 'How do you do, mister Brown... How do you do.' Het orkest speelde, alles is in orde, burgers, dans de foxtrot of de tango, drink koffie met cacaolikeur, let er maar niet op, klein misverstand—alles is al voorbij. De viltjas en de klokmantel lopen naar hun tafeltjes, de zwartoog en de schele die er zich ook mee had bemoeid gaan op hun plaats zitten; de fatjes hebben afgerekend en zijn met het meisje vertrokken, de kelner veegt net de kruimels van het kleedje van hun tafeltje... Niets aan de hand, burgers!

'Ze wachten af tot wij naar buiten gaan en dan gaan ze ons lastig vallen,' zei Vadim.

'Bangerik!' lachte Nina.

Tijdens de knokpartij was Sasja rustig geweest maar nu begon hij zenuwachtig te beven, hij probeerde er niet aan toe te geven.

'Varja, laten we gaan dansen...'

Het orkest speelde een langzame wals. 'Ramona, jij zult voor altijd van mij zijn...' Sasja en Varja schoven over het krappe dansvloertje voor het orkest, hij voelde de op hen gerichte blikken. Hij had er lak aan, ze dachten maar wat ze wilden! Die twee keken ook tersluiks naar hem, hij had lak aan ze! Hij danste de boston... Ramona, jij zult voor altijd van mij zijn. Hij danste met de mooie Varenka... Ze keek hem glimlachend aan, ze was verrukt van hem, van zijn optreden, hij had zich als een held van de straat gedragen, had het opgenomen voor een meisje dat hij daarnet nog had veroordeeld. Varja herkende hierin iets van zichzelf, hij was net als zij, hij deed alleen maar alsof hij politiek zo streng was, net zoals zij op school deed alsof ze een voorbeeldige leerling was. Ze keek, glimlachte en drukte zich tegen hem aan. Het orkest klaagde, de trompettist huilde, de stokjes van de drummer bleven in de lucht hangen en de pianist hing over de toetsen... 'Waar ik ook zwierf in de bloeiende mei, ik droomde zo mooi: jij was bij mij.'

'Je danst geweldig,' zei Sasja.

'Laten we overmorgen gaan schaatsen,' stelde Varja voor.

'Waarom juist overmorgen?'

''s Zaterdags is er muziek. Je kunt toch wel schaatsen?'

'Ik heb het wel eens gedaan.'

'Gaan we?'

'Ik weet niet eens waar mijn schaatsen zijn.'

12 'De student Pankratov in het licht van de erkenning van zijn fouten weer tot het instituut toelaten met een strenge berisping.'

Het werd geen feest. Zijn uitsluiting was voor iedereen een schok geweest, zijn rehabilitatie—voor niemand. Alleen Krivoroetsjko zei bij het ondertekenen van Sasja's nieuwe studentenkaart:

'Ik ben blij voor je.'

Vroeger zo streng, zat hij er nu verslagen bij, een eenzame man die zijn laatste dagen op kantoor uitzat.

'Hoe loopt het bij u?' vroeg Sasja.

Krivoroetsjko knikte naar een stapel mappen in de hoek.

'Ik draag mijn werk over.'

Hij haalde een stempel uit een la van zijn enorme bureau. De studenten noemden dit het scheepsdek. Ze kwamen vaak bij Krivoroetsjko, van hem hingen beurzen, een plaats in een studentenhuis, distributiebonnen en toewijzingen af.

'Tussen twee haakjes, ik ken je oom. We hebben in dezelfde partijorganisatie gezeten. Lang geleden, in '23 of zo. Hoe is het met hem?'

'Goed.'

'Doe hem de groeten als je hem ziet.'

Sasja schaamde zich voor zijn succesje, hij was er weer bovenop, maar Krivoroetsjko niet.

'Misschien zou u zich tot kameraad Solts moeten wenden.'

'In mijn zaak kan Solts niets doen. Dat hangt van iemand anders af...'

Zonder Sasja aan te kijken voegde hij hier als bij zichzelf aan toe:

'Die kok heeft nog gekruide potjes op het vuur.'

En zijn gezicht betrok. Sasja begreep welke kok hij bedoelde.

Daarop ging hij naar Lozgatsjov. Deze glimlachte alsof hij verheugd was over zijn succes.

'Ben je bij Krivoroetsjko geweest?'

Hij wist dat Sasja bij hem was geweest, maar vroeg het toch.

'Hij heeft mijn legitimatie en pasje in orde gemaakt,' antwoordde Sasja.

Baulin kwam binnen, ving Sasja's antwoord op en vroeg nors aan Lozgatsjov:

'Heeft Krivoroetsjko dan nog een stempel?'

'De nieuwe begint maandag.'

'Ze had zijn stempel wel mogen innemen.'

Lozgatsjov haalde zijn schouders op, waarmee hij wilde zeggen dat Glinskaja zich te hooggeplaatst voelde om stempels te zetten.

Nog steeds waren ze met hun eigen zaakjes en intriges bezig: toen moest het zo, maar nu hij in zijn rechten was hersteld kon het ook anders... Ook Sasja moest het anders aanpakken...

Ze praatten in zijn bijzijn spottend over Glinskaja, zonder hun vijandige gevoelens voor haar te verbergen; was een dergelijke openheid geen blijk van vertrouwen?

Dit betekende: 'En jij moet het ook anders aanpakken, Pankratov! Je spel is uit, een tweede keer wurm je je er niet uit. Solts is ver weg, en wij zijn dichtbij, sluit je bij ons aan. Je bent jong en onervaren, niet gehard, je hebt een misser gemaakt, we begrijpen dat, zoiets kan iedereen overkomen. Nu weet je wat Krivoroetsjko voor een vent is, ga hem samen met ons te lijf. Wederzijds vertrouwen ontstaat alleen als je een gemeenschappelijke vijand hebt. "Zeg me wie je vrienden zijn" is achterhaald! "Zeg me wie je vijanden zijn, dan zeg ik wie jij bent"—zo luidt de leus vandaag!'

'Heeft Krivoroetsjko zich bij je beklaagd?' vroeg Lozgatsjov.

Hij moest zich niet met hen inlaten. Niet hij, maar zij waren verslagen, zíj waren op hun gezicht gegaan, niet hij. Dat moesten ze niet vergeten.

'Waarom zou hij zich bij mij beklagen, ik ben het partijcollege niet.'

Lozgatsjov lachte goedkeurend.

'Nog altijd kameraden in tegenspoed.'

'Kameraden?' vroeg Sasja spottend. 'Ze hebben hem toch nog niet gerehabiliteerd?'

In Baulins sombere blik las hij een waarschuwing. Maar dit moedigde hem alleen maar aan. Waarschuwing waarvoor? Zouden ze hem weer uitsluiten? Daarvoor reikten hun handen niet ver genoeg. Ze hadden hun vingers gebrand maar wilden overwinnaars lijken. Niet Solts, maar de partij heeft je vergeven. En wij zijn de partij, dus wij hebben je vergeven... Nee, vrienden, jullie zijn de partij nog niet!

Lozgatsjov bekeek hem met spottende nieuwsgierigheid.

'Denk je dat ze Krivoroetsjko rehabiliteren?'

'Mij hebben ze gerehabiliteerd.'

'Bij jou is het iets anders, jij hebt een fout gemaakt, maar Krivoroetsjko is onverbeterlijk...'

'Hij is ooit voor politieke fouten uit de partij gezet en daarna ook gerehabiliteerd, dan zal voor een studentenhuis...'

'Dit is nieuw,' zei Baulin, terwijl hij zich in een stoel liet zakken en Sasja strak aankeek, 'zo heb ik je nooit horen praten.'

'U heeft me er nooit naar gevraagd, nu wel.'

'Vroeger wilde je niets met Krivoroetsjko te maken hebben,' vervolgde Baulin, '"Ik ken hem niet, ik wissel nooit een woord met hem."'

'Daar blijf ik bij: ik ken hem niet, ik wissel nooit een woord met hem.'

'O nee?' vroeg Baulin onheilspellend.

'Je hebt ongelijk, Pankratov,' zei Losgatsjov belerend, 'de partij moet haar gelederen zuiveren...'

Sasja onderbrak hem:

'Vooral van carrièristen.'

'Wie bedoel je?' vroeg Lozgatsjov nors.

'Carrièristen in het algemeen, niemand in het bijzonder.'

'Nou neem me niet kwalijk,' Lozgatsjov schudde zijn hoofd, 'de partij zuivert haar gelederen van ideologisch onbetrouwbare, politiek vijandige elementen, en jij zegt: allereerst de carrièristen wegzuiveren. Dat moet ook, ontegenzeglijk. Maar waarom die tegenstelling?'

Sasja ergerde zich aan de gladde huichelachtige stem van Lozgatsjov, zijn kille gezicht, de botte beperktheid van zijn uitgekauwde frasen.

'Misschien moeten we elkaar geen etiketjes opplakken, kameraad Lozgatsjov! U bent daar bedreven in. Ik zeg alleen: één carrièrist brengt de partij meer schade toe dan alle fouten van een oude bolsjewiek als Krivoroetsjko bij elkaar. Krivoroetsjko heeft die fouten in zijn ijver voor de partij begaan, maar een carrièrist denkt alleen maar aan zijn eigen hachje en zijn eigen positie.'

Het was even stil.

Daarop zei Baulin langzaam:

'Een zwak betoog, Pankratov.'

'Ik doe mijn best.'

Ze zouden het natuurlijk doorvertellen, zijn woorden verdraaien. Dit realiseerde Sasja zich op het moment dat hij de deur van Lozgatsjovs kamer dicht deed.

Hij was wel tegen de juiste persoon openhartig geweest! Hij was niet bang voor ze, maar 't bleef stom.

In de collegezaal ging Sasja op zijn vaste plaats zitten, zijn naam was niet eens op de lijst doorgestreept. Toch kon hij niet geloven dat het allemaal voorbij was. De hele geschiedenis met Solts leek niet echt gebeurd. Echt waren het instituut, Baulin, Lozgatsjov, de ineengedoken Krivoroetsjko…

De tram naar huis was overvol. Buiten werd het snel donker, het was een vroege, sombere winteravond. Tegenover hem zat een onooglijk boertje met een dun rossig baardje, de oorlappen van zijn muts hingen op zijn korte haveloze pelsjas. Tussen zijn grote viltlaarzen met zolen klemde hij een bundel, op de bank lag er nog een; de plompe plunjezakken, volgestouwd met harde, puntige spullen, stonden in de propvolle wagon iedereen in de weg. Onrustig om zich heen kijkend vroeg hij steeds waar hij moest uitstappen, hoewel de conductrice beloofd had hem te waarschuwen. Maar diep in zijn onderdanige blik bespeurde Sasja iets strengs, zelfs wreeds. Thuis was dit mannetje waarschijnlijk heel anders. Op de kaft van zijn schrift van de cursus weg- en waterbouw noteerde Sasja zijn gedachte over de veranderlijkheid van de mens onder verschillende omstandigheden, om thuis over te schrijven in zijn dagboek, waaraan hij nu eens begon en dan weer mee stopte, maar dat hij nu absoluut zou bijhouden.

13 's Avonds laat, juist toen Sasja naar bed wilde gaan, belde Katja plotseling.

Net als vroeger was het eerst stil, daarna de in-gesprek-toon waarop er opnieuw werd gebeld.

'Ben jij het, Katja?'

'Herkende je me niet?' Haar stem klonk uit de verte, alsof ze vanuit een telefooncel in een buitenwijk belde.

'Hoe moet ik je herkennen, als je niks zegt?'

'Niks zegt... je komt hier niet bovenuit. Hoe gaat het?'

'Goed, ik denk aan je.'

'Denk aan je... Heb je niet genoeg vriendinnetjes?'

'Die zijn er allemaal vandoor. En jij?'

'En jij... En jij... Maroesja verlangt naar je, Maroesja, weet je nog? Ze is verliefd op je; neem je zwartoog mee, zegt ze steeds.'

'Mij best. Wanneer gaan we?'

'Wanneer... Wat wil je nou, ik ben een getrouwde vrouw.'

'Ben je met die monteur getrouwd?'

'Monteur... Technicus—sleutelaar, zakkenroller—leugenaar.'

'Ben je dronken of zo?'

'Heb jij me dan getracteerd?'

'Wanneer zien we elkaar?'

'En waar dan wel? Buiten vriest het dertig graden, je hele hebben en houden bevriest.'

'Maar Maroesja verwacht ons toch?'

'Verwacht... Haar man is gekomen. Goed, kom maar naar Devitsjko!'

'En waar gaan we dan naar toe?'

'Naar waarheenhuizen...'

'Morgen dus, op Devitsjko. Uur of zes, zeven?'

'Zes uur haal ik wel...'

Daar was Katja weer, teruggekomen. En het verlangen naar haar, dat hij toen elke keer voelde, maakte zich weer van hem meester, het was ook nooit helemaal weg geweest. Toen was het september of oktober, nu januari: ze hadden elkaar in geen vier maanden gezien. Getrouwd was ze natuurlijk niet en Maroesja's man was ook niet teruggekomen; ze zouden morgen naar Maroesja gaan, daarom was ze over haar begonnen. Altijd zoveel omhaal, wat een rare meid toch!

In bed lag hij aan haar te denken en, hoe meer hij dacht, des te sterker hij naar haar verlangde. Morgen zou hij haar droge lippen zoenen en haar omhelzen; die gedachte hield hem lang uit zijn slaap.

Nadrukkelijk belgerinkel op de gang wekte hem meteen. Het was twee uur, hij had vast alleen maar gedommeld. Het gebel werd herhaald, koppig, hard.

In zijn ondergoed ging Sasja de gang op en maakte het kettinkje los.

'Wie daar?'

'Van het huisbestuur.'

Sasja herkende de stem van Vasili Petrovitsj, de conciërge, en draaide de sleutel om.

In de deur stond Vasili Petrovitsj, achter hem een onbekende jongeman met jas en hoed, en twee soldaten in uniformjassen met frambozerode galonnen. Na eerst Vasili Petrovitsj en daarna Sasja opzij geduwd te hebben ging de jongeman naar binnen, een soldaat bleef bij de deur, de tweede volgde Vasili Petrovitsj naar de keuken en bleef bij de achteruitgang staan.

'Pankratov?'

'Ja.'

'Aleksandr Pavlovitsj?'

'Ja.'

Zonder zijn waakzame blik van Sasja af te wenden overhandigde de jongeman hem een huiszoekingsbevel en een arrestatiebevel voor burger Pankratov, Aleksandr Pavlovitsj, woonachtig Arbat nummer...

Ze gingen Sasja's kamer binnen.

'Papieren!'

Uit de binnenzak van zijn jasje, dat over de leuning van een stoel hing, haalde Sasja zijn paspoort en zijn studentenlegitimatie. De jongeman bekeek ze aandachtig en legde ze op de rand van de tafel.

'Wapens?'

'Ik heb geen wapens.'

De jongeman knikte naar de deur van moeders kamer.

'Wie is daar?'

'Dat is moeders kamer.'

'Maak haar wakker.'

Sasja trok zijn broek aan, hij stopte zijn hemd erin en deed zijn sokken en pantoffels aan. De gevolmachtigde bleef met zijn jas aan en zijn muts op staan wachten tot Sasja was aangekleed. Sasja stond op en opende de deur van moeders kamer, voorzichtig, om haar niet meteen te wekken, haar niet te laten schrikken.

Moeder zat rechtop in bed, voorovergebogen, het witte nachthemd tegen haar borst drukkend, het grijze haar viel over haar voorhoofd, over haar ogen; ze keek tersluiks met een starre blik naar de gevolmachtigde, die achter Sasja de kamer binnenkwam.

'Maak je niet bezorgd, moeder... Er is huiszoeking bij mij. Het is een misverstand. Wordt opgehelderd. Ga rustig liggen.'

Over haar schouders keek ze somber langs Sasja naar de onbekende bij de deur.

'Heus, moeder, ik zeg toch dat het een misverstand is, ga nu asjeblieft rustig liggen.'

Terug in zijn kamer wilde hij de deur dichtdoen, maar de gevolmachtigde hield hem met zijn hand tegen: de deur moest open blijven. De gevolmachtigde was slechts een ondergeschikte uitvoerder, discussiëren of protesteren was zinloos. Hij moest zelfverzekerd en opgewekt zijn, alleen zo kon hij moeder geruststellen.

'Waar bent u naar op zoek? Misschien kan ik het zelf aan u geven?'

De gevolmachtigde ontdeed zich van muts en jas en hing ze in een hoek. Hij droeg een donkerblauw pak en een donker hemd met een das: een doodgewone jongeman met een beginnend buikje, een typisch ambtenaartje.

Op tafel lagen schriften van het instituut, overzichten en studieboeken. De gevolmachtigde nam ze in zijn handen, bladerde erin, bekeek de bladzijden vluchtig en legde ze netjes op een stapeltje.

De notitie die Sasja vandaag op zijn schrift voor weg- en waterbouw had gemaakt trok zijn aandacht: 'Een boer in de tram, verlegen en zielig, maar thuis bazig, een despoot!'

Het schrift kwam naast zijn paspoort en studentenlegitimatie te liggen. In de laden van de tafel lagen papieren, foto's en brieven. De gevolmachtigde had geen belangstelling voor de inhoud van de brieven maar voor de afzenders. Wanneer hij de ondertekening niet kon ontcijferen, vroeg hij ernaar. Sasja gaf korte antwoorden. De gevolmachtigde legde de brieven rechts, hij had ze niet nodig. Zijn geboortebewijs, zijn diploma van school, de referenties van waar hij had gewerkt en andere papieren bleven op hun plaats, zijn komsomol- en vakbondslegitimatie kwamen links te liggen.

'Waarom neemt u mijn komsomollegitimatie in beslag?'

'Voorlopig neem ik niets in beslag.'

Foto's uit zijn kinder- en schooltijd interesseerden hem niet, alleen die, waar volwassenen op stonden. En opnieuw vroeg hij: wie is dit, wie is dat.

Moeder stond op. Sasja hoorde het bed kraken, haar pantoffels sloften en het deurtje van de kast, waarin haar peignoir hing ging open en dicht. Ze kwam echter niet in haar peignoir tevoorschijn, maar in een jurk die ze inderhaast over haar nachthemd had aangetrokken. Met een trieste glimlach liep ze naar Sasja en streek met haar bevende hand door zijn haar.

'Burgeres, blijf in uw kamer,' zei de gevolmachtigde.

In zijn stem klonk de bureaucratische beslistheid waar ze altijd zo bang voor was; misschien had ze iets gedaan wat haar zoon kon schaden. Sofja Aleksandrovna knikte angstig trillend met haar hoofd.

'Moeten we misschien allemaal op de grond gaan liggen?' vroeg Sasja grinnikend.

De gevolmachtigde, die de boeken op de plank een voor een bekeek, keek verbaasd om en gaf geen antwoord.

'Blijf in je kamer,' zei Sasja tegen moeder.

Moeder begon nog erger te trillen en, angstig kijkend naar de brede rug van de gevolmachtigde, ging ze terug naar haar kamer.

Wisten ze van Solts? Nee natuurlijk, anders hadden ze niet durven komen. Een of ander radertje in het apparaat had niet goed gefunctioneerd. Het was schandelijk! Dit misverstand zou veel last veroorzaken.

De gevolmachtigde beval hem de kast te openen en de zakken van zijn jasje binnenste buiten te keren; er zat een notitieboekje met adressen en telefoonnummers in dat ook op tafel kwam te liggen. Controlerend of hij niets was vergeten liet de gevolmachtigde zijn ogen door de kamer dwalen, hij ontdekte een koffer achter de sofa, die na opening leeg bleek te zijn. Deze man deed zijn plicht, een stipt, gewetensvol ambtenaar. Als Sasja in zijn plaats was geweest, als de partij hem naar de GPOe had gestuurd en hem had opgedragen bij iemand huiszoeking te doen en hem te arresteren dan zou hij het net zo doen, ook al kon de persoon in kwestie onschuldig zijn; bij zoiets waren vergissingen onvermijdelijk. Je moest het niet persoonlijk opvatten, hij zou zijn onschuld bewijzen, zoals hij deze bij de Centrale Controle Commissie had bewezen. Laat deze man zijn werk maar doen.

'We gaan naar de andere kamer.'

Moeder stond met de ellebogen op de commode geleund met haar handen in haar grijze haar, ze keek uit haar ooghoeken naar de deur.

'De kameraad gaat je kamer doorzoeken. Ga zitten, moeder.'

Maar ze bleef staan in dezelfde houding en ging nauwelijks opzij toen de gevolmachtigde naar haar toeliep.

Op de commode stonden foto's van Sasja, van Mark en van moeders zusters.

'Wie is dat?'

'Mijn broer, Mark Aleksandrovitsj Rjazanov.'

Laat ze maar weten dat haar broer de beroemde Rjazanov was en Sasja zijn neef; ze had steeds zitten bedenken hoe ze dat moest vertellen: dan zouden ze stoppen met de huiszoeking en Sasja niet arresteren. Het hele land kende Mark, Stalin kende hem.

Met een trieste glimlach voegde ze er aan toe:

'En dat is Sasjenka toen hij klein was.'

Met een sombere blik pakte de gevolmachtigde de foto van Mark, deed het knipje van de lijst, haalde de foto eruit en bekeek de achterkant; er stond niets op. Hij legde alles terug op de commode: de foto, de lijst, het glas en het schutblad. Sofja Aleksandrovna liet zich in een stoel zakken en kreunde zachtjes met haar handen voor haar gezicht.

De gevolmachtigde rommelde in de opengeschoven laden van de commode. Het witgoed dat hij door elkaar gooide rook fris en gewassen, zo rook Sasja's bed wanneer moeder het op de divan opmaakte.

'De huiszoeking is toch bij mij,' zei Sasja.

'U vormt één gezin,' antwoordde de gevolmachtigde.

Ze gingen weer naar Sasja's kamer. Sofja Aleksandrovna liep achter hen aan, de huiszoeking was voorbij, nu stuurden ze haar niet meer naar haar kamer. De gedachte dat ze Sasja zouden meenemen maakte een einde aan haar verstarring, ze liep radeloos heen en weer, ze wist niet wat ze moest doen: nu eens liep ze naar Sasja, dan weer volgden haar ogen de gevolmachtigde. Hij maakte aan tafel proces-verbaal op. De zo en zo veelste, bij die en die, op bevel van... In beslag genomen: paspoort nummer zoveel..., vakbondskaart nummer zoveel..., komsomollegitimatie nummer zoveel..., studentenlegitimatie nummer zoveel..., notitieboekje. Het schrift voor weg- en waterbouw hield hij nog even in zijn hand, legde het terzijde, hij had besloten het niet mee te nemen. Daarna vroeg hij:

'Waar kan ik mijn handen wassen?'

Sofja Aleksandrovna kreeg het opeens druk.

'Ik zal het u wijzen.'

Haastig rukte ze aan de laden van de commode, pakte een schone handdoek en terwijl de gevolmachtigde zijn handen waste, stond ze bij de deur van de badkamer en hield de handdoek voor zich uit, en glimlachte triest en overdreven gedienstig: misschien zou deze man het lot van haar zoon dáár verlichten.

De gevolmachtigde droogde zijn handen, liep de gang op, belde een nummer en zei iets onbegrijpelijks, een formule, slechts één woord was duidelijk: Arbat. Daarna hing hij op en leunde tegen de deur met de onverschillige blik van iemand die zijn opdracht heeft uitgevoerd. De soldaat bij de deur stond in de rusthouding, de tweede kwam terug uit de keuken; nu waren zowel de voordeur als de nooduitgang vrij, conciërge Vasili Petrovitsj was weggegaan. Hoewel niemand tegen de buren had gezegd dat de huiszoeking voorbij was, kwamen Michail Joerjevitsj en Galja de gang op.

Moeder pakte Sasja's spullen, haar handen beefden.

'Geef hem warme sokken mee,' zei de gevolmachtigde.

'Misschien moet hij wat eten meenemen,' opperde Michail Joerjevitsj beleefd.

'Geld,' meende de gevolmachtigde.

'Verdorie,' zei Sasja, 'ik heb geen sigaretten meer.'

'Ik haal er wat van mijn man.'

Galja kwam terug met een pakje Boks.

'Sasja, heb je geld?' vroeg Michail Joerjevitsj.

'Wel wat, ja.'

Hij voelde na in zijn zakken.

'Tien roebel.'

'Dat is genoeg,' zei de gevolmachtigde.

'Er is daar een goedkoop winkeltje,' legde de soldaat uit.

Iedereen was kalm, alsof Sasja op reis ging naar een vreemde stad, naar het noorden of zuiden, en ze hem adviseerden wat hij moest meenemen.

De gevolmachtigde leunde tegen de deurpost en rookte, een soldaat praatte met Galja en de ander zat op zijn hurken en rookte eveneens. Michail Joerjevitsj glimlachte opbeurend naar Sasja en Sasja glimlachte ook, hij voelde dat het een meelijwekkende glimlach was, maar hij kon niet anders.

'Sasja, kijk wat ik voor je heb ingepakt,' met bevende handen maakte Sofja Aleksandrovna het bundeltje aan een kant open, 'zeep, tandpoeder, tandenborstel, handdoek, scheermes…'

'Dat scheermes is niet nodig,' waarschuwde de gevolmachtigde.

'Neem me niet kwalijk,' ze haalde het scheermes eruit, 'sokken, schoon ondergoed, zakdoeken…'

Haar stem beefde.

'Hier een kammetje, en… hier je sjaaltje… sjaaltje…'

Haar woorden gingen over in snikken. Ze voelde zich slap worden, het werd haar te veel, terwijl ze alles opnoemde, de dingen van haar jongen die haar afgepakt werd en naar de gevangenis werd gebracht, ze was er kapot van. Sofja Aleksandrovna zakte in een stoel, haar kleine dikke lichaam schokte van het huilen.

'Stil nou maar, het zal wel loslopen,' zei Galja, haar over haar schouder strelend, 'laatst werd die jongen van Almazov opgepakt, ze hielden hem even vast en lieten hem weer vrij. Als het zo afloopt hoef je nu niet te huilen.'

Maar zij schudde hen en weer en mompelde:

'Dit is het einde, het einde, het einde…'

De gevolmachtigde keek op de klok.

'Maak u klaar!'

Hij gooide zijn peuk weg, trok zijn jas recht en zette een streng gezicht. De bewakers trokken ook hun uniform recht, ze traden opnieuw in functie. Ze gaven geen adviezen meer, ze zetten het geweer af, klaar om hem weg te leiden. De gevolmachtigde wenkte dat Michail Joerjevitsj en Galja de weg vrij moesten maken waarlangs ze de arrestant dadelijk zouden *afvoeren*.

Sasja trok zijn jas aan, zette zijn muts op en pakte zijn bundeltje.

De soldaat rommelde lang onhandig met het Franse slot en kreeg uiteindelijk de deur open. Dat geluid bereikte Sofja Aleksandrovna: ze had er angstig op gewacht. Ze rende de gang op, zag Sasja met zijn muts en jas, ze greep hem vast en barstte trillend in snikken uit.

Michail Joerjevitsj hield haar zachtjes vast bij haar schouders.

'Sofja Aleksandrovna, echt, dat is nergens voor nodig.'

Sasja kuste zijn moeder op haar hoofd, op haar verwarde grijze haar. Michail Joerjevitsj en Galja hielden haar vast, ze snikte en probeerde zich uit hun armen los te rukken.

Sasja ging naar buiten.

De auto stond niet ver van het huis te wachten. Sasja nam plaats op de achterbank, tussen de gevolmachtigde en de ene soldaat in, de andere soldaat ging naast de chauffeur zitten. Zwijgend reden ze door de nachtelijke straten van Moskou. Sasja kon niet uitmaken van welke kant ze de gevangenis waren genaderd. De hoge ijzeren poort ging open en de auto reed een lange en smalle overdekte binnenplaats op. Eerst stapten de soldaten uit, daarna Sasja en als laatste de gevolmachtigde. De auto reed meteen weg. Sasja werd een grote, lege en lage, gewelfde ruimte binnengebracht, een enorme kelder zonder stoelen, banken of tafels die naar chloor rook, de muren waren afgebladderd, de cementen vloer was uitgesleten door het vele lopen. Sasja begreep dat dit het lokaal was vanwaar gevangenen naar hun cel werden gebracht en groepen werden geformeerd voor transport: de in- en uitgang van de gevangenis, de eerste en laatste etappe. Nu was de ruimte leeg.

De gevolmachtigde en de bewakers letten al niet meer op elke beweging van Sasja: hiervandaan ontsnapte je toch niet. Zij hadden hun operatie tot een goed einde gebracht, de arrestant *afgeleverd*, ze waren niet meer voor hem verantwoordelijk.

'Blijf hier staan,' beval de gevolmachtigde en ging weg.

Ook de bewakers verdwenen naar hun kamer; uit de open deur kwam een lucht van natte uniformjassen en soldatensoep.

Sasja stond bij de muur met het bundeltje aan zijn voeten. Hij werd door niemand bewaakt of in de gaten gehouden: een pauze die ontstaan was omdat het arresteren was beëindigd en het insluiten nog moest beginnen. Maar juist in deze minuten, nu hij aan zichzelf was overgeleverd, merkte hij dat zijn nieuwe positie zich al van zijn bewustzijn meester had gemaakt. Als hij maar een stap zou verzetten zouden ze hem tegenhouden en bevelen te blijven staan waar hij stond, en hij zou moeten gehoorzamen, wat nog vernederender zou zijn. Hij moest ze geen aanleiding tot zoiets geven. Alleen zo kon hij zijn waardigheid behouden, de waardigheid van een sovjetburger die bij vergissing hier was beland.

Een militair met twee strepen liep voorbij en zei zonder te blijven staan of op te kijken:

'Meekomen!'

Sasja pakte zijn bundeltje en liep mee, hij voelde niets meer, alleen nieuwsgierigheid.

Achter de eerste boog stond een schrijftafeltje. De militair ging zitten, pakte een formulier. Naam? Voornaam? Vadersnaam? Geboortejaar? Bijzondere kenmerken? Tatoeages? Littekens? Brandwonden? Moedervlekken?... Hij noteerde de kleur ogen en haar... Hij reikte een soort stempelkussen aan, Sasja zette zijn vingerafdrukken op het formulier. Hij maakte een lijst van Sasja's spullen: jas, muts, schoenen, trui, broek, jasje, overhemd.

'Geld!'

Hij telde Sasja's geld, schreef het bedrag op het formulier, liet het hem ondertekenen en legde het op tafel.

'U krijgt nog een kwitantie.' Hij wees op een deur. 'Daarheen!'

In een klein kamertje werd Sasja opgewacht door een uitgezakte, slaperige dikke man in burger.

'Overkleding uit!'

Sasja ontdeed zich van jas en muts.

'Schoenen uit!'

Sasja trok zijn schoenen uit en bleef op zijn sokken staan.

'Veters eruit!'

De dikzak legde de veters op tafel en wees naar de hoek.

'Ga daar staan!'

In de hoek stond een lat met een schaalverdeling. De dikkerd plaatste de schuif op Sasja's hoofd en zei luid, tegen iemand achter de muur:

'Eénzevenenzestig!'

Daarna bevoelde hij Sasja's jas en muts, sneed met een mesje de voering open, doorzocht ook die, legde alles op een houten bankje en wees met het hoofd naar zijn broek en colbertje.

'Uittrekken!'

Sasja trok zijn jasje uit.

'Alles!'

Sasja stond in zijn ondergoed.

De dikkerd bevoelde zijn broek en zijn jasje, sneed de voering open, tornde de broekomslagen los, trok de riem eruit, legde die naast de veters en gooide het jasje en de broek op het bankje.

'Mond open!'

Met zijn slaperige gezicht vlak voor Sasja bekeek hij zijn mond en trok de lippen opzij, keek of er iets achter zijn lippen of tussen zijn tanden zat verstopt. Vervolgens knikte hij naar zijn ondergoed.

'Uittrekken!'

De dikzak zocht naar tatoeages, littekens en sporen van brand- of andere wonden, maar vond ze niet.

'Omdraaien!'

Sasja voelde zijn koude vingers over zijn billen glijden...

'Aankleden!'

Zijn broek zonder riem ophoudend, slofte hij op zijn losse schoenen bege-
leid door een bewaker door vele korte gangen, liep trappen met traliehekken
op en af, de bewaker tikte met zijn sleutel tegen de metalen leuningen, sloten
knarsten, om hem heen doodse cellen en doodse metalen deuren.

In een gang hielden ze stil. De cipier, die hen verwachtte opende een cel.
Sasja ging naar binnen. De deur sloeg dicht.

14 Overeenkomstig Stalins eis werd de vierde
hoogoven voortijdig in bedrijf genomen, op dertig november om zeven uur
's avonds, bij vijfendertig graden vorst. Mark Aleksandrovitsj kon pas weg
toen hij er zeker van was dat niet net zo'n ramp zou gebeuren als met de
eerste hoogoven, die ook bij vorst was opgeblazen. Daarom was hij niet met
de districtsdelegatie meegegaan en vertrok pas op twintig januari naar Moskou.

De dienstwagon was al aan de locomotief vastgekoppeld, de sneeuwruimer
reed vooruit. De gierende wind hoopte sneeuwbergen op, deed de spaarza-
me, mat schijnende straatlantaarns schommelen; de stroomvoorziening voor
de stad en het station was beperkt, omdat de fabriek elektriciteit nodig had,
daar waar metaal werd gesmolten.

In het kleine stationsgebouwtje hadden functionarissen van de fabriekslei-
ding zich rond de Hollandse kachel verzameld, ze hadden de stukken meegebracht die al lang voor het vertrek van de leiding naar Moskou werden
voorbereid, maar pas op het laatste moment werden afgehandeld. Met hun
natte viltlaarzen, overschoenen, besneeuwde mutsen en kragen stapten ze
achter Mark Aleksandrovitsj de wagon in, ze schudden stampvoetend de
sneeuw van zich af en rookten, tot ongenoegen van de conducteur die alles
blinkend had gepoetst, zoals altijd wanneer hij *alleen* reisde, en goed had
gestookt.

Mark Aleksandrovitsj ontdeed zich van zijn bontjas en muts, maar het bleef
heet, vooral voor zijn in viltlaarzen gestoken voeten. De lampjes brandden
onregelmatig, maar helder. Snel keek hij zijn papieren door, zich ervan overtuigend dat alles wat hij in Moskou nodig had erbij zat. In de stellingen van
het Centraal Comité was voor het eerst de datum van de voltooiing van de
fabriek vermeld: 1937. En het plan voor de landelijke ijzerproduktie was voor
het einde van het vijfjarenplan verlaagd van tweeëntwintig miljoen ton naar
achttien miljoen, een overwinning van de realistische benadering. Dit betekende dat de tijd was aangebroken om luidkeels te eisen wat gisteren nog
gefluisterd werd: woningen, mechanisatie, sociale voorzieningen.

'Ik geef het sein voor vertrek, Mark Aleksandrovitsj,' zei de stationschef die in de deuropening was verschenen.

In zijn zwarte uniformjas en zwarte muts liep de conducteur met een lantaarn in de hand door de wagon en bromde:

'We vertrekken, burgers, we vertrekken.'

Degenen die de reizigers uitgeleide deden stapten uit de salonwagen. Koude lucht stroomde naar binnen. De conducteur schoof de sneeuw die bij de drempel was blijven plakken met zijn voet weg en sloot de deuren. Hij blies op zijn fluitje, de fluit van de locomotief antwoordde, de wagon schudde en reed ratelend en schommelend over de lassen van de rails.

Mark Aleksandrovitsj trok zijn laarzen uit, pakte zijn pantoffels uit zijn koffer, deed een paar passen, zijn benen behaaglijk strekkend. Daarop liep hij naar het raam en schoof het gordijn opzij.

De kleine trein reed door de besneeuwde steppe, langs de berg waarop de stad was gebouwd, verlicht door de vlam van de hoogovens en de martinovens. Ze waren hier vier jaar geleden op een kale plek aangekomen, nu woonden er tweehonderdduizend mensen, stond er een fabriek van wereldklasse, een gigant, die het land al een miljoen ton ijzererts had geleverd. Mark Aleksandrovitsj verloor zich niet in herinneringen, daar had hij geen tijd voor, hij had zelfs nauwelijks tijd om na te denken over wat echt dringend was. Het congres stond voor de deur en zijn gedachten gingen terug naar Lominadze, die al met de districtsdelegatie naar Moskou was vertrokken.

Lominadze, lid van het Centraal Comité, was wegens zijn theoretische dwalingen uit alle hoge functies ontheven en bij hen tot secretaris van het stadscomité beoemd, dus praktisch tot secretaris van het partijcomité; de stad was de fabriek, en het stadscomité—het partijcomité van de fabriek. Even oud als Mark Aleksandrovitsj, zij het iets langer lid van de partij—Rjazanov vanaf 1919 en Lominadze vanaf 1917—werd hij als een belangrijk politicus beschouwd, verstandig, diplomatiek, met élan en wilskracht. Maar als ze op het congres de oude oppositie aanpakten, zou Lominadze daar ook bij zijn, en kon ook de fabriek een klap verwachten. Metaal was belangrijk, maar politiek nog belangrijker.

De situatie overwegend, veronderstelde Mark Aleksandrovitsj dat het congres rustig zou verlopen, de naam zei het al: *het congres der overwinnaars*. De drie voorafgaande congressen hadden in het teken van de strijd gestaan, nu was de tijd gekomen om de eenheid en saamhorigheid van partij en partijleiding te laten zien. Toch moest hij op alles voorbereid zijn.

In de tijd dat hij geen aparte wagon toebedeeld kreeg en in een goederentrein naar Moskou reisde, op het balkon of op het dak van de wagon, in een lange jas en met zijn tas op de rug gebonden, was het niet in zijn hoofd opgekomen iets te vrezen. Hoewel hij nu over het lot van honderdduizenden mensen beschikte, met absolute macht was bekleed, rotsvast geloofde in de juistheid van de partijlijn, van geen enkele oppositie deel uitmaakte en dit ook nooit had gedaan, Sergo van hem hield en Stalin hem waardeerde, moest hij juist nu alles goed afwegen, op zijn hoede zijn voor verwikkelingen, alleen omdat Lominadze een jaar geleden bij hen secretaris van het stadscomité was geworden en deze destijds fouten had begaan, waarmee noch Mark Aleksandrovitsj noch het door hem geleide collectief iets te maken had.

En dan de onverwachte en onbegrijpelijke arrestatie van Sasja... Toen hij de brief van zijn zuster kreeg had zich een knagend gevoel van triestheid en uitzichtloosheid van hem meester gemaakt. Maar hij kende de omstandigheden niet. Het incident met de docent boekhouden kon geen reden voor arrestatie zijn, te meer daar Solts hem had gerehabiliteerd. De oorzaak lag eerder in dat wat Sasja hem die nacht had verteld: Stalins onbescheidenheid, Lenins brief... Hij had die brief van Lenin gelezen? Waar, wanneer, bij wie? Stalins onbescheidenheid... Had hij dat alleen aan hem verteld? Aan wie nog meer? Had hij zijn eigen gedachten uitgesproken of waren ze hem aangepraat? Door wie? Hij had het recht alles te weten, het ging om zijn neef, hij moest op een nauwkeurig en objectief onderzoek kunnen rekenen.

In Sverdlovsk werd Mark Aleksandrovitsj opgewacht door Kirzjak, de fabrieksafgevaardigde in het uitvoerend districtcomité. De sneltrein Vladivostok-Moskou, waarop hij moest overstappen, had vertraging, en de stationschef bracht hem rechtstreeks van het perron, om het station heen, naar een kamer voor leden van de regering en andere hooggeplaatste personen.

Een kantinejuffrouw bracht thee en broodjes. Kirzjak, een zenuwachtig, druk mannetje, legde hem de stand van zaken voor: onzorgvuldige leveranciers, te weinig transport, de fondsen waren ontoereikend, de boekhouding legde hindernissen in de weg, de districtsorganisaties werkten niet mee. Mark Aleksandrovitsj was gewend aan de verongelijkte toon waarmee Kirzjak, die een goed bevoorradingsfunctionaris was, zijn gebrek aan doorzettingsvermogen probeerde te compenseren. Toen hij bij Kirzjak klaar was liep hij het station in. De gangen stonden vol met bundels, zakken, koffers. De mensen zaten en lagen op de grond, op bankjes, dromden in rijen voor de loketten en de heetwaterketels, opvallend veel vrouwen en kinderen. En dit was heel die wereld van schapevellen en bastschoenen, die vroeger altijd immobiel was geweest, het dorp met zijn hulpeloosheid, met zijn treurige ellende en armoe, het Rusland van de boeren, nu overhoop gehaald en in beweging gekomen.

Voor Mark Aleksandrovitsj was dit niet nieuw, zoiets gebeurde op alle wegen van het land. Ook naar zijn fabriek kwamen massa's mensen, bepakt en bezakt, met vrouwen en kinderen. En de fabrieksbarakken waren doortrokken van dezelfde scherpe zure, zweterige, knoflookachtige schapelucht. Zo waren de onverbiddelijke wetten der geschiedenis, zo was de wet van de industrialisatie. Dit was het einde van het oude, wilde, smerige en halfblinde dorp, haveloos en achterlijk, het einde van het bezittersprincipe. Een nieuwe geschiedenis werd gemaakt. En al het oude ging met grote verliezen en ontberingen te gronde.

De internationale wagon waarin Mark Aleksandrovitsj reisde was half leeg, Mark Aleksandrovitsj ging in zijn coupé zitten werken; pas toen het tegen drieën donker werd, ging hij het gangpad op.

Lopers dempten het regelmatige geratel van de wielen. De coupédeuren waren gesloten, op één na, vanwaar de stemmen van een man en een vrouw die Frans spraken te horen waren.

Daarna kwam de vrouw de gang op en bij het zien van Mark Aleksandrovitsj glimlachte ze verward. Verward, dacht Mark Aleksandrovitsj, omdat ze niemand in de lege gang verwachtte. De vrouw was in haar peignoir en pantoffels en met ongekamd haar naar buiten gekomen, wilde naar het toilet en nu stond daar opeens een onbekende Rus, die ze nog niet eerder had gezien, naar haar te kijken: Mark Aleksandrovitsj was ingestapt toen zij sliepen. De vrouw leek een jaar of vijfendertig, ze was lang en droeg een zware, hoornen bril. Toen ze terugkwam van het toilet glimlachte ze opnieuw en ging haar coupé binnen, de deur achter zich sluitend.

Daarop ging de deur weer open en verscheen in de gang een eveneens forse, gezette man die op Loenatsjarski leek. Mark Aleksandrovitsj herkende direct een bekende Belgische sociaal-democraat in hem, één van de leiders van de Tweede Internationale. Ongeveer een maand geleden was in de kranten het bericht verschenen dat hij via de Sovjetunie en China op weg was naar Japan om lezingen te geven. Toen al had Mark Aleksandrovitsj bedacht dat een dergelijk bericht bewees dat er nieuwe contacten werden gelegd, die in de huidige internationale situatie vanzelfsprekend en verstandig waren.

Ze raakten snel in gesprek, zoals dat gaat bij reisgenoten die een lange reis voor de boeg hebben. Mark Aleksandrovitsj sprak goed Engels en voldoende Frans om zich te kunnen redden. In de gang verscheen ook de vrouw van de Belg, in een grijze wollen rok en een trui die haar weelderige boezem goed deed uitkomen. Dit keer glimlachte ze omdat de ontmoeting met een reiziger die Frans sprak haar aangenaam verraste.

Ze praatten over de Russische winter, over de enorme afstanden in Rusland en de problemen van communicatie en transport. In Tokio en Osaka was het warm, in Nagasaki heet, terwijl het hier koud was. Russen waren in de vrieskou blijkbaar in hun element. De Belg beklaagde zich erover dat hij op doorreis door Siberië en de Oeral niet de beroemde Koezbass en de beroemde Magnitostroj had kunnen zien. Uit het raam van zijn wagon was alleen de beroemde Russische sneeuw te zien. Hij had graag het *Russische experiment* bekeken, voegde hij eraan toe, zich met een glimlachje verontschuldigend over zijn banale manier van uitdrukken.

Hij haalde de nieuwe 'Pravda' uit zijn coupé, waarin ter gelegenheid van het congres een kaart met de grootste bouwprojecten van het tweede vijfjarenplan was afgedrukt. De bouwplaatsen werden aangegeven met hoogovens, auto's, tractoren, dorsmachines, locomotieven, wagons, autobanden, waterkrachtstations... Mark Aleksandrovitsj gaf uitleg: rollen stof stonden voor textielfabrieken, suikerbroden voor suikerfabrieken, en deze cirkeltjes hier voor kogellagers. De Belg lachte goedkeurend, maar merkte op dat dit indrukwekkende programma slechts uitvoerbaar was ten koste van andere takken van de economie, vooral van de landbouw.

Mark Aleksandrovitsj kende deze mensjewitische argumenten. In Rusland vond een tweede revolutie plaats, en deze gesoigneerde, respectabele meneer, deze gladde parlementariër begreep daar net zo weinig van als van de eerste revolutie.

Mark Aleksandrovitsj zweeg, hij ging geen politieke discussie aan. Hij was vaak in het buitenland geweest en gewend om met buitenlanders om te gaan, maar vermeed gesprekken over politiek; de een zou de ander nooit iets kunnen bewijzen. Ook nu weerstond hij de verleiding van een twistgesprek met een beroemd politicus. Maar hij wilde niet de indruk wekken dat hij bang was met hem te discussiëren. In dit opzicht was Mark Aleksandrovitsj een ijdel man die niet gewend was de arena als verliezer te verlaten. Daarom begon hij over zijn indrukken van de Verenigde Staten, waar hij twee jaar in een staalgieterij had gewerkt, en vertelde een grappig voorval waar hij in New York getuige van was geweest.

Uit een kerk kwam een sukkelig, oud vrouwtje, gekleed in een ouderwetse zwarte jurk tot op de enkels en een zwarte hoed waarop een soort vogelnestje was bevestigd. Ze werd aan haar elleboog ondersteund door een meisje, waarschijnlijk haar kleindochter, of misschien wel achterkleindochter. Voorzichtig leidde ze oma over de treden van het kerkportaal, bracht haar naar de bij het trottoir gereedstaande Packard, liet haar voorzichtig instappen, kuste haar teder en sloeg het portier dicht. En achter het stuur gezeten startte het oudje, dat de auto nauwelijks had gehaald, de motor. De Packard schoot vooruit en flitste weg.

Mark Aleksandrovitsj vertelde dit voorval eenvoudig, zonder commentaar, gemoedelijk aan zijn pijp trekkend, maar wel precies op zo'n moment van het gesprek, dat de allegorie zijn schrandere gesprekspartner niet kon ontgaan: een zieltogend sociaal stelsel, gewapend met de nieuwste techniek, dat was Amerika. De Belg waardeerde zijn subtiliteit, waarmee hij zo diplomatiek had aangegeven op welk *niveau* hij gewoon was te converseren. Mark Aleksandrovitsj hield ervan tegenover buitenlanders te schitteren met zijn eruditie, zijn scherpzinnigheid en zijn ruime, vrije opvattingen, hij meende dat iemand die in zijn land over invloed en macht beschikte zich precies zó diende te gedragen.

De vrouw van de Belg was de allegorie ontgaan. Maar het toneeltje dat Mark Aleksandrovitsj had beschreven vond ze komisch en ze lachte er lang om.

Van het station reed Mark Aleksandrovitsj naar het Derde Huis van de Sovjets in de Sadovo-Karetnajastraat. De zaal van de organisatiecommissie was leeg, alle afgevaardigden waren gearriveerd, maar de receptionisten waren nog op hun post. Mark Aleksandrovitsj liet zich inschrijven, ontving een mandaat, een toewijzing voor een hotel, maaltijdbonnen en een map met het opschrift: 'Afgevaardigde voor het Zeventiende Congres van de VKP(b)'. Hij proefde de vertrouwde sfeer van het partijcongres, met de strenge dagorde, regels en discipline, waaraan je je moest onderwerpen en waaraan je je ook graag onderwierp; hij schakelde over op iets dat belangrijker en verhevener was dan zijn bezigheden van gisteren; de last van de dagelijkse beslommeringen van zich afzettend, voelde hij zich als een oud soldaat die weer is opgeroepen.

In het hotel kreeg hij een driepersoonskamer. Een bed, een nachtkastje, meer had hij niet nodig. Mark Aleksandrovitsj wist dat hij onder de afgevaardigden veel oude kameraden zou zien, hij had er al een paar in de hal ontmoet. Toen Mark Aleksandrovitsj ze daar vrolijk en opgewonden had zien staan, was hij zich nog sterker bewust geworden van de kracht, de juistheid van wat er gebeurde. Er was de partij, er waren partijkaders, gerijpt en gestaald, en die wisten wat ze moesten doen en hoe. Dat ze Stalin steunden bewees alleen hun kracht. Deze eerlijke, onbaatzuchtige en rechtvaardige mensen zouden nooit wetteloosheid dulden. Wat er met Sasja gebeurde was ongerijmd. Sonja's laatste brief had hij tien dagen geleden gekregen. Was Sasja misschien vrijgelaten?

Hij belde zijn zuster op. Aan haar stem hoorde hij meteen dat er niets veranderd was.

'Kom je?' vroeg Sofja Aleksandrova.

Hij had geen zin nu naar de Arbat te gaan. Het was laat, hij had geen auto en in de kamer naast hem wachtten zijn vrienden. Maar als hij nu niet ging wist hij niet of hij zich later nog vrij zou kunnen maken.

'Als je niet gaat slapen, ben ik over een uur of anderhalf bij je.'

'Hoe zou ik kunnen slapen?'

Mark Aleksandrovitsj raakte uit zijn humeur tijdens het bezoek aan zijn zuster. Ze sprak op een onderdanige manier tegen hem, zocht naarstig naar papiertjes, streek ze met trillende vingers glad, en keek hem aan met een mengeling van hoop en angst. Op dit moment was hij niet haar broer, maar één van de sterken der aarde: hij kon haar zoon helpen of niet helpen, redden of niet redden. Haar verdriet verscherpte haar opmerkingsvermogen, ze begreep dat hij de zaak vervelend vond, hij wilde alle omstandigheden tegen elkaar afwegen, terwijl voor haar maar één omstandigheid telde: Sasja zat in de gevangenis.

Weer kreeg Mark Aleksandrovitsj dat doffe en deprimerende gevoel van uitzichtloosheid, hij voelde een stekende pijn in zijn achterhoofd. Hij hield van Sonja, hield van Sasja. Maar hij kon geen loze beloftes doen. Hij was een man met ervaring. Een communist.

'Ik zal er morgen wat aan doen. Als Sasja nergens schuldig aan is zullen ze hem vrijlaten.'

Ze keek hem angstig en ontzet aan.

'Sasja schuldig... Hou je dat dan voor mogelijk?'

Hij was hard tegen haar. Maar ze moest op alles voorbereid zijn. De klap zou anders nog harder aankomen.

'Hij wordt ergens van beschuldigd... Ik ga niet uit Moskou weg voor ik precies weet waarvan...'

Mark Aleksandrovitsj ging ook bij Boedjagin langs. Door hem was Boedjagin in een dubbelzinnige positie geraakt—hij had moeite gedaan voor iemand die nu in de gevangenis zat.

Boedjagin was somber, repte met geen woord van het congres, het was voor hem een doordeweekse dag. Was hij misschien beledigd omdat hij niet naar het congres was afgevaardigd? Maar hij was afgevaardigde met adviserende stem, als zoveel andere leden van het Centraal Comité en de Centrale Controle Commissie, daar hoefde hij geen aanstoot aan te nemen, dat was al heel lang de procedure. Betekende het congres voor hem misschien niet zozeer een feest als wel nog zwaarder en lastiger werk? Maar toch... Vandaag vond hij hem uitzonderlijk somber, in zichzelf gekeerd en nors.

'Weet u van mijn neef?' vroeg Mark Aleksandrovitsj.

'Ja.'

'Toen ik u er indertijd op aansprak, verwachtte ik niet zo'n wending.'

'Begrijp ik,' antwoordde Boedjagin kalm, waarmee hij liet merken dat hij het hem niet kwalijk nam.

'Hij is mijn neef,' vervolgde Mark Aleksandrovitsj, 'en ik heb recht op informatie.'

Boedjagin zweeg. Hij zat met zijn ellebogen op tafel, de handen gevouwen onder zijn kin, en keek Mark Aleksandrovitsj aan.

'Op het congres zal ik proberen met Jagoda en Berezin te praten,' zei Mark Aleksandrovitsj, om een einde te maken aan het gesprek dat Boedjagin duidelijk niet wilde voortzetten.

Maar Boedjagin zei:

'Ze wisten dat hij je neef is.'

Mark Aleksandrovitsj keek Boedjagin strak aan.

'Wat wilt u daarmee zeggen?'

'Ze begrepen dat jij je ermee zou bemoeien. Met deze factor is rekening gehouden.' En met een wat vreemde blik in de ogen voegde hij er aan toe: 'Sasja is geen toeval.'

Hij zei dit op dezelfde toon als de vorige keer, toen hij opmerkte dat Tsjernjak geen secretaris meer was van het rayoncomité. Maar dat was een mededeling geweest, dit was een uitnodiging tot een gesprek.

Stond er iets te gebeuren op het congres? Maar wat dan? Een groep, een fractie, de werving van geestverwanten en stemmen? De oude leiders waren gecompromitteerd. Nieuwe leiders? Wie dan precies?... Dat was tot mislukken gedoemd, dat zou de partij nooit steunen, Stalin was de belichaming van haar koers, haar politiek.

Het gesprek met Boedjagin werd te ernstig, het kon te ernstige gevolgen hebben, hij mocht niet het geringste misverstand, de geringste onduidelijkheid over zijn positie laten bestaan.

'Ik denk niet dat we zoveel achter Sasja's arrestatie moeten zoeken. Toeval is geen reden voor zulke vergaande conclusies,' zei Mark Aleksandrovitsj gedecideerd.

Hij keek Boedjagin aan met een open, heldere en onverzoenlijke blik. Jammer. Hij was een goed communist, een arbeider die zich had opgewerkt, een groot staatsman. Maar hij had jaren in het buitenland gewoond, was losgeraakt van zijn land, wist niet meer wat het volk dreef, wat de partij dreef, wat hem, Mark Aleksandrovitsj, dreef... Ze trokken zich terug, maakten fouten, raakten in verwarring door de bijzondere gebeurtenissen van deze tijd, de offers die deze eiste.

'De partij is niet blind, Ivan Grigorjevitsj, dat weet u net zo goed als ik.'

Hij keek Boedjagin aan. Met hem was de jeugd verbonden, de burgeroorlog, alles wat zo waardevol was geweest, wat een mens nooit vergeet. Maar vandaag was zijn stad op de heuvel het belangrijkst, verlicht door de vlam van de hoogovens en de martinovens. Dat was de revolutie van nu. Deze ging verder, en zou verder blijven gaan, zelfs als Boedjagin eruit stapte zoals anderen hadden gedaan.

Mark Aleksandrovitsj verwachtte niet meer dat Ivan Grigorjevitsj hem zou antwoorden. Alles wat hij verder te zeggen had was nietig, onbelangrijk. En daarom leek Boedjagins stem mat, ver weg, hij hoorde de woorden haast niet, hun bitterheid drong pas veel, veel later tot hem door...

'We sluiten komsomolleden op,' zei Boedjagin.

…De hal van het Grote Kremlinpaleis, de brede marmeren trap naar boven en de foyer naast de vergaderzaal waren vol afgevaardigden. Ze stonden in groepen, liepen heen en weer, riepen elkaar, verdrongen zich voor de tafeltjes waar de stukken voor het congres werden uitgereikt.

Mark Aleksandrovitsj nam ook zijn stukken in ontvangst, ook hij werd geroepen: de jongens van de delegatie uit Donbass, waar hij vroeger had gewerkt. Daarop rinkelden belletjes en allen begaven zich naar de zaal. Deze was verbouwd, er was een grote galerij voor bezoekers bijgekomen, alles was nieuw en fris, rook naar hout en verf. Zoals de volgende dag in de krant stond: 'De zaal heeft een strenger, en tegelijkertijd majestueus, sober aanzien gekregen. De prullerige overdaad aan verguldsel is verwijderd, de zuilen zijn verdwenen, wapens en regalia—de rommel van enkele eeuwen is van de muren gehaald. Het is ruim en licht.'

Hun delegatie kreeg plaatsen op de vierde en vijfde rij, recht tegenover het podium. Ernaast stonden Kaganovitsj, Ordzjonikidze, Vorosjilov, Kosior, Postysjev, Mikojan, Maksim Gorki. Op de treden zat Kalinin die haastig iets in zijn map noteerde, terwijl hij af en toe door zijn ijzeren boerenbril een blik op de zaal wierp.

Het applaus waarmee de afgevaardigden de verschijning van Molotov achter de voorzitterstafel begroetten barstte met nog grotere kracht los: aan de zijkant kwam Stalin tevoorschijn. Het applaus zwol aan, vermengde zich met het geratel van terugspringende stoelzittingen, teruggeschoven lessenaars, iedereen stond op, schreeuwde luidkeels: 'Leve kameraad Stalin! Hoera…' de zaal brulde: 'Hoera! Leve de grote staf van het bolsjewisme! Hoera! Leve de grote leider van het wereldproletariaat! Hoera! Hoera! Hoera!'

De ovaties aan Stalin werden enkele keren herhaald… Zodra Molotov zijn naam noemde: 'Rond de leider en organisator van onze overwinningen, kameraad Stalin…' aan het einde van zijn rede… 'Met Stalin aan het hoofd—voorwaarts, op naar nieuwe overwinningen…' Daarna weer, toen Chroesjtsjov de samenstelling van het presidium presenteerde… En ten slotte de grootste ovatie toen de voorzitter aankondigde: 'Het woord is aan kameraad Stalin.'

Net als iedereen stond Mark Aleksandrovitsj op, klapte, riep 'hoera!' In zijn jak, dat alleen lichter was dan die van de overige presidiumleden, stond Stalin op het podium in zijn papieren te bladeren, rustig wachtend tot de ovaties wegebden. Het was alsof hij vond dat het applaus en geschreeuw niet hem golden, maar wat hij belichaamde: de grote overwinningen van land en partij, en alsof hij zelf die Stalin toeklapte. Dat Stalin dit begreep en in zijn rede zelfs ironisch opmerkte: 'U heeft Stalin toch al begroet, wat wilt u dan nog van ons?' riep een gevoel op van verbondenheid en begrip tussen hem en de mensen die hem geestdriftig hadden verwelkomd.

'Terwijl we op het Vijftiende Congres,' zei Stalin, 'nog gedwongen waren de juisheid van de partijlijn te bewijzen en bepaalde anti-leninistische groeperingen te bestrijden... hoeven we op dit congres niets te bewijzen en is er, zou ik haast zeggen, niemand om aan te vallen. Iedereen ziet dat de partijlijn heeft gezegevierd.'

Zijn woorden bevestigden de verwachtingen van Mark Aleksandrovitsj: het congres zou rustig verlopen, Lominadze zou geen probleem opleveren. Stalin zelf wilde eensgezindheid. De strijd was gestreden, ook de daarmee gepaard gaande uitwassen moesten verdwijnen. En die saaie lofredes zouden eveneens verdwijnen. Mark Aleksandrovitsj zag zijn gedachten mede bevestigd door de manier waarop Stalin afzag van een slotwoord:

'Kameraden! De debatten op het congres hebben de absolute eensgezindheid van onze partijleiders laten zien in, mag men wel zeggen, alle partijpolitieke kwesties. Er waren zoals u weet geen bezwaren tegen het verslag. In onze partijgelederen heeft zich een welhaast unieke politiek-ideologische en organisatorische saamhorigheid gemanifesteerd. De vraag is of er na dit alles nog behoefte is aan een slotwoord. Ik denk dat dit niet het geval is. Staat u mij daarom toe van een slotwoord af te zien...'

Lominadze kreeg meteen na de rede van Stalin het woord, daarna spraken ook de andere leden van de vroegere oppositie: Rykov, Boecharin, Tomski, Zinovjev, Kamenev, Pjatakov, Preobrazjenski, Radek. Het waren geen schuldbekentenissen, zoals op het Zestiende Congres, maar zakelijke analyses van hun eigen fouten, ze sloten zich aan bij het partijstandpunt. Niemand onderbrak hen, verlangde meer, of vond hun redevoeringen *onvoldoende*. Alleen Rykov werd een keer onderbroken door een ongeduldige uitroep: 'Uw tijd is om!'

Pjatakov werd voorgedragen als lid van het CC, Rykov, Boecharin, Tomski en Sokolnikov als kandidaat-leden. De rondgedeelde verkiezingslijst voor het nieuwe CC was bijna gelijk aan de vorige, met de gebruikelijke wijzigingen die er op elk congres plaatsvonden: er kwam iemand bij, er trad iemand terug. Op de lijst zag Mark Aleksandrovitsj ook zijn eigen naam: hij werd als kandidaat-lid van het CC aanbevolen. Mark Aleksandrovitsj beschouwde dit als een erkenning voor de rol die de bouw van zijn fabriek in het tweede vijfjarenplan speelde. Op de lijst las hij ook de namen van andere leiders van grote projecten en directeuren van de grootste fabrieken—een teken des tijds, een teken van de industrialisatie van het land.

Boedjagin stond niet op de lijst.

Maar Sasja kwam vaak bij de Boedjagins. Had Ivan Grigorjevitsj soms in zijn bijzijn niet op zijn woorden gelet? Had hij hem dan de brief van Lenin laten lezen? Was het misschien niet bij woorden gebleven?...

Mark Aleksandrovitsj kende Jagoda en Berezin niet persoonlijk. Maar Sasja's geval was niet belangrijk genoeg om zich daarvoor tot Jagoda, de voorzitter van de OGPOE, te wenden. En hij mocht de sombere, gesloten man ook niet. Berezin aan te spreken lag daarentegen voor de hand: hij hield zich juist met dergelijke zaken bezig. Maar in de pauzes werd Mark Aleksandrovitsj aan de praat gehouden, of kon hij Berezin niet vinden, was hij verdwenen. De manifestatie ter ere van het Zeventiende Partijcongres op eenendertig januari zou een goede gelegenheid zijn.

Van alle manifestaties die Mark Aleksandrovitsj had meegemaakt—en dat waren er niet weinig—was dit de meest indrukwekkende. Meer dan een miljoen mensen liepen in ruim twee uur over het Rode Plein, in de vrieskou van januari bij het licht van de schijnwerpers in het donker, dit maakte de optocht bijzonder indrukwekkend.

'Stalin!' Dat was het enige dat op de affiches en spandoeken stond, het werd geschreeuwd, gescandeerd, bleef in de vrieslucht hangen, en alle blikken waren gericht op de tribune van het Mausoleum, waar hij stond, in zijn lange jas en een eenvoudige muts met loshangende oorflappen. De anderen op de tribune droegen warme mutsen, maar alleen de flappen van Stalins muts waren los, hij had het koud, en dat maakte zijn gestalte nog eenvoudiger en menselijker voor die miljoenen mensen, zij hadden het ook koud, maar hij nog meer: zij liepen, terwijl hij enkele uren onbeweeglijk op de tribune van het Mausoleum stond om hen te groeten.

Samen met de andere afgevaardigden van het congres stond Mark Aleksandrovitsj op de tribune voor de Kremlinmuur. Bij hem op de bouwplaats was hij wel lagere temperaturen gewend, toch waren zijn voeten ijskoud, in plaats van zijn gewone laarzen had hij zijn viltlaarzen aan moeten doen. Hij kreeg Berezin in het oog, ging bij hem in de buurt staan en toen de redevoeringen waren afgelopen en de optocht begon, ging hij naar hem toe.

Op het bronzen eskimo-gezicht van Berezin verscheen de gespannen afwachtende uitdrukking van een man die alleen aangesproken wordt over zaken van leven en dood. Hij knikte beleefd—een afgevaardigde van het congres was op hem af gekomen, en toen Rjazanov zich voorstelde groette hij hem zelfs welwillend. Mark Aleksandrovitsj legde in het kort Sasja's geval uit, vermeldde de muurkrant en Solts, zei dat hij voor zijn neef instond, hoewel hij niet uitsloot dat hij in zijn jeugdige opvliegendheid mogelijk in antwoord op valse beschuldigingen iets had gezegd dat hij beter niet had kunnen zeggen. Als Sasja voor iets anders gearresteerd was, verzocht hij daarover geïnformeerd te worden, de zaak van zijn neef moest toch ook hem aangaan. Berezin luisterde aandachtig, wierp af en toe een blik op de mensen die over het plein trokken; dan baadde zijn gezicht in het licht van de schijnwerpers, het zag er vermoeid, pafferig en slap uit. Hij hoorde Mark Aleksandrovitsj zwijgend aan, vroeg slechts naar Sasja's achternaam, en op het verzoek om informatie te verstrekken over zijn geval zei hij glimlachend: 'In de diepe duisternis verschuilt hij zich…,' ten teken dat hij de zaak niet kende, en als het wel zo was, dit nu niet de tijd en plaats waren om erover te praten. En zelfs op een geschikte plaats had hij ook niets kunnen zeggen, dat lag in de aard van zijn werk.

'Ik zal me van de zaak op de hoogte stellen en al het mogelijke doen. Het onderzoek zal nauwkeurig en objectief worden verricht.'

Mark Aleksandrovitsj vond dit een serieus, oprecht en positief antwoord. Gerustgesteld liet hij Berezin alleen.

Mark Aleksandrovitsj wilde Solts nog spreken. Maar Solts nam niet deel aan het congres, hij was ziek. Mark Aleksandrovitsj vond het ongepast—en na het gesprek met Berezin bovendien overbodig—de zieke thuis op te zoeken.

15 Terwijl de Moskovieten over het door schijnwerpers verlichte Rode Plein liepen en Stalin op het Mausoleum toe-juichten, was het in de Boetyrkagevangenis tijd voor het avondeten. In de gang zacht geschuifel van viltlaarzen, geritsel, gerammel van een slot, een lepel die tegen een ijzeren soepkom tikte, geluid van heet water dat in een kroes geschonken werd. De ronde schuif van het slot ging opzij, even was er een lichtstraal, die onmiddellijk werd verduisterd door het hoofd van de ci-pier, hij bekeek de cel, liet de schuif los en opende het luikje.

'Avondeten!'

Sasja reikte zijn kom aan. De uitdeler, een criminele gevangene, deed er een lepel kasja in uit een pan die door zijn helper, ook een criminele gevange-ne, met beide handen werd vastgehouden, en schonk heet theewater in zijn kroes. De cipier zag erop toe dat Sasja niets aan de uitdeler gaf, en dat de uitdelers niet naar Sasja keken.

In deze gang zaten politieke gevangenen. Ook zij liepen naar hun luikje, reikten hun kom en kroes aan en kregen kasja en heet water.

Wat waren dit voor mensen? In twee weken had Sasja, op de uitdelers na slechts twee gevangenen gezien. De kapper, een miezerige oude man met een laag voorhoofd, een spitse kin en meedogenloze moordenaarsogen. Hij scheerde met een bot mes. Sasja ging niet meer naar hem toe, hij besloot zijn baard te laten staan. De tweede was een jonge crimineel met een meelkleurig wijvegezicht. Hij maakte de gang schoon en ging met zijn gezicht naar de muur staan wanneer Sasja werd weggeleid: hij mocht niet naar een voorbij-komende gevangene kijken noch zijn eigen gezicht laten zien. Toch voelde

Sasja zijn tersluikse, nieuwsgierige en zelfs vrolijke blik op zich gericht.

Wanneer Sasja naar de luchtplaats of naar de wc werd gebracht leken alle cellen uitgestorven. Maar de eerste avond had Sasja na het avondeten voorzichtig geklop tegen de rechtermuur gehoord: snelle, korte klopjes, korte pauzes en geschraap, alsof er iets langs de muur veegde. Daarna werd het stil, de buurman wachtte op antwoord. Sasja antwoordde niet, hij wist niet hoe hij moest kloppen.

De volgende dag na het eten werd het geklop herhaald.

Om zijn buurman te laten weten, dat hij hem hoorde klopte Sasja een paar keer met een gekromde vinger op de muur. Dat deed hij nu elke avond. Maar wat zijn buurman seinde kon hij niet begrijpen, hoewel hij regelmaat in de geluiden herkende: enkele klopjes, een korte pauze, weer klopjes en tot slot het geschraap. Hoewel Sasja niet begreep wat zijn buurman wilde zeggen werd hij zenuwachtig van dat voorzichtige geklop, vol hardnekkige gevangenishoop.

Links van Sasja werd er niet geklopt en werd zijn kloppen niet beantwoord.

Sasja at zijn kasja op, likte de lepel af, roerde ermee in zijn kroes met suiker en thee, dronk de koude thee op, stond op en liep door zijn cel: zes passen van de muur tot de deur en evenveel van hoek tot hoek. Hoewel het in strijd was met de wetten van de meetkunde—de diagonaal is langer dan de zijde—was het verschil zo klein dat het niet merkbaar was. In een hoek de emmer, in een andere zijn brits, in de derde een tafeltje; de vierde hoek was leeg. Aan het plafond hing een zwak lampje achter ijzergaas. Onder het plafond, in de diepe gebogen nis van het raam, achter tralies van dikke ijzeren staven een piepklein, smerig ruitje.

De schoenen die zonder veters aan zijn voeten bungelden, klosten over de betonnen vloer. Zijn broek zonder riem had hij aangepast door het bovenste knoopsgat van de gulp vast te maken aan een bretelknoop. Hij zat scheef en hinderde zijn bewegingen. Maar zo was hij het vernederende gevoel kwijt dat een afzakkende broek gaf.

Sasja werd niet gehaald, niet verhoord, nergens van beschuldigd. Hij wist dat dit laatste binnen een bepaalde termijn moest gebeuren. Maar binnen hoeveel tijd wist hij niet en kon hij ook niet te weten komen.

Soms dacht hij dat ze hem hadden vergeten en hij hier voor altijd ingemetseld was. Hij verbood zichzelf daaraan te denken en onderdrukte zijn ongerustheid. Hij moest wachten. Ze zouden hem oproepen, verhoren, alles zou worden opgehelderd en ze zouden hem vrijlaten.

Hij stelde zich voor, hoe hij thuis zou komen. Hij belde aan… Nee, dat was te onverwacht. Hij zou eerst opbellen: 'Sasja komt gauw,' en daarna zou hij verschijnen. 'Hallo, moeder, daar ben ik…'

De gedachte aan haar verdriet was ondraaglijk. Misschien wist ze niet eens waar hij zat, sleepte ze zich van de ene gevangenis naar de andere, en stond ze, klein en bang, in de eindeloze rijen. Alles werd vergeten, alleen zij vergat niets, ze zou de slag niet te boven komen. En hij zou tegen deze muren willen beuken, aan de ijzeren deur schudden, schreeuwen, vechten...

Het slot rammelde, de deur ging open.

'Naar de plee!' Sasja sloeg een handdoek over zijn schouder, pakte zijn emmer en liep voor de bewaker door de gang.

Op de wc rook het nog erger naar chloor dan in de cel. Sasja spoelde de emmer, besprenkelde hem met een chlooroplossing; hij gebruikte maar weinig maar toch stonk het. Vervolgens keerde hij terug, de ijzeren deur werd dichtgeslagen, en zou tot de volgende ochtend dichtblijven.

De sterren achter het smerige ruitje onder het plafond waren nog niet uitgedoofd, maar op de gang was al leven. Ook de grendel van zijn deur rammelde.

'Naar de plee!'

Het begin van een gewone gevangenisdag. Het schuifje van het kijkgaatje werd opzijgeschoven en het luikje ging open.

'Ontbijt!'

De uitdeler had een grote triplex mars op zijn borst hangen met hompen zwart brood, klonten suiker, thee en zout, pakjes Boks sigaretten met de verpakking in tweeën gescheurd, lucifers en stukjes fosforpapier van lucifersdoosjes. Sasja had geluk. Per dag kreeg je acht sigaretten, maar in een pakje zaten er vijfentwintig. Elke derde man kreeg er negen en ook nog de rest van het pakje, een stukje karton, dat, hoe dan ook, papier was. En vandaag kreeg Sasja het vodje, misschien kwam het van pas om een briefje op te schrijven om naar buiten te laten smokkelen. Hij wist alleen niet waar hij het moest verbergen en stopte het achter de radiator.

Het brood was zwaar, niet goed doorbakken met een loslatende korst, maar 's morgens rook het toch naar echt vers zuurdesembrood. Die geur herinnerde Sasja aan die keer, lang geleden, toen moeder meel naar de bakkerij bracht dat vader op zijn werk in plaats van brood had gekregen, een rantsoen voor een half jaar. Ze kregen toen meer brood terug dan ze aan meel hadden gebracht, een geheimzinnige toename die zijn fantasie lang bezighield. Met zijn moeder vervoerde hij het brood op een sleetje. De sfeer van die hongerwinter, de knarsende sleeijzers op de sneeuwkorst, de warme lucht van versgebakken brood en moeders vreugde—ze zouden er beschuit van maken en zo de winter doorkomen—aan dat alles dacht hij terwijl hij thee dronk met een korstje brood erbij. Zijn hart kromp ineen, deze herinneringen uit zijn kindertijd waren te menselijk voor de gevangenis, voor de halfdonkere cel waarin hij God weet waarom was opgesloten.

Het slot rammelde, de deur ging open, een cipier in een lange schapevacht met een geweer in zijn handen verscheen.

'Luchten!'

Aankleden, zijn cel uit, linksaf tot het eind van de gang, wachten tot de bewaker de deur naar het plaatsje openmaakte. Dan terug langs dezelfde weg, dezelfde deuren die open- en dichtgingen. Alles bij elkaar twintig minuten.

Het vierkante plaatsje werd aan twee kanten begrensd door muren van gevangenisgebouwen, de derde zijde door een hoge stenen muur en de vierde door een ronde bakstenen toren, die—hoorde Sasja later—de Poegatsjovtoren heette. Sasja liep rondjes over een platgetrapt paadje in de sneeuw. Er waren ook paadjes dwars over het plaatsje, sommige gevangenen liepen liever van hoek tot hoek in plaats van in het rond. De bewaker stond in de deuropening van het gebouw, leunde tegen de deurstijl, hield het geweer in zijn hand, soms rookte hij, soms keek hij vanonder zijn half dichtgeknepen oogleden naar Sasja.

De aangetrapte sneeuw knerpte onder zijn voeten... De blauwe hemelkoepel, de lichtblauwe sterren in de vrieslucht, het verre straatrumoer en de lucht van rook en brandende kolenkachels, grepen Sasja aan. De lichtjes achter de raampjes van de gevangeniscellen bewezen dat hij niet alleen was. De frisse lucht na de smerige stank van de cel was bedwelmend. Leven in de gevangenis was ook leven, de mens leeft zolang hij ademt en hoopt, en als je tweeëntwintig bent heb je nog alle hoop.

De bewaker haalde zijn schouder van de deurpost, stootte met zijn geweer op de grond en opende de tweede deur.

'Naar binnen!'

Sasja maakte zijn rondje af en verliet het plaatsje. Ze gingen een trap op, weer rinkelden de sleutels, de celdeur werd geopend, weer de kale muren, de brits, het tafeltje, de emmer, en het kijkgaatje in de deur. Maar de verfrissende vrieslucht en het verre straatrumoer kon hij lang vasthouden, hij stond bij het raam en staarde naar een stukje van de winterhemel, van de onverstoorbare blauwe koepel die daarnet nog boven hem hing.

Er was nog een heerlijkheid: de douche. Daar brachten ze hem eenmaal per week 's nachts naar toe. De deur ging open de bewaker wekte Sasja met de vraag:

'Lang niet gewassen?'

'Nee.'

'Maak je klaar!'

Sasja sprong op, kleedde zich snel aan, pakte een handdoek en verliet zijn cel. In het kleedhok gaf de bewaker hem een minuscuul grijs blokje zeep en Sasja ging het hokje in. Het water was nu eens heet, dan weer koud, dat was niet te regelen. Sasja ging onder de douche staan, genoot en zong. Gedempt door het geluid van het stromende water kon de bewaker, die in het kleedhok op de vensterbank zat, hem vast niet horen. De kleine soldaat, zo te zien vrolijk en inschikkelijk, joeg Sasja niet op, hij wachtte geduldig, het maakte hem niet uit op wie hij wachtte, was hij het niet, dan was er wel een ander. Sasja waste zich lang, het zeeprestje werd een zacht klompje, en hij bleef maar onder de douche staan, draaide zich om, liet het water over zijn rug, zijn buik en zijn benen stromen... 'We rijden in een trojka met belletjes, snel door de kou, lichtjes in de nacht... Ach werd jij nu maar snel mijn vrouw, daar heb ik zo lang op gewacht...'

Hij kwam terug in het kleedhok en droogde zich af, de bewaker keek nieuwsgierig naar hem, misschien omdat hij niet kon begrijpen waarom zo'n jonge vent, die vast nog had geleerd ook, hier werd vastgehouden, misschien ook bewonderde hij Sasja's gespierde lichaam.

Op een keer wekte de bewaker hem met de bekende vraag:

'Lang niet gewassen?'

Sasja was de vorige nacht nog geweest, de bewaker verwarde hem met een ander.

'Nee.'

'Maak je klaar.'

Toen hij het hokje uitkwam en zich afdroogde zei Sasja:

'Ik zou wel vaker willen.'

De kleine bewaker gaf geen antwoord, maar de volgende nacht kwam hij hem weer halen. Sasja ging nu bijna elke nacht onder de douche. Soms had hij geen zin om op te staan, wilde hij slapen, maar als hij weigerde kwam de bewaker de volgende nacht niet meer. Vanwaar die verwennerij? Misschien hadden de anderen geen zin, wilden ze zich 's nachts niet wassen en verveel-de de bewaker zich, een bezige boerenjongen, die het zonde vond dat het water nodeloos uit de kraan stroomde. Misschien was hij Sasja welgezind, omdat deze de douche die hij beheerde op prijs stelde.

Het geknars van het slot maakte Sasja wakker. Een bewaker stapte de cel binnen. Niet degene die hem naar de douche bracht maar een onbekende, met een enorme sleutelbos aan zijn riem. De gangwacht stond stokstijf in de deuropening.

'Naam?'

'Pankratov'

'Aankleden!'

Sasja kwam overeind van zijn brits... Waarheen? Werd hij vrijgelaten? Maar waarom 's nachts? Hoe laat was het?

Hij wilde zijn jas aandoen.

'Niet nodig!'

Met een knikje beval de bewaker hem naar rechts te gaan en liep achter hem aan. De sleutels rammelden aan zijn riem. Ze liepen lang door korte gangen, langs trappen die door traliewerk werden omgeven. Voordat hij de ijzeren deur naar een nieuwe gang openmaakte, tikte de bewaker er met zijn sleutel op. Uit de gang werd met eenzelfde metalen getik geantwoord. Daarna ging de deur pas open.

Sasja liep voor de bewaker uit en probeerde zich te oriënteren naar welk deel van de gevangenis ze liepen. Nu eens gingen ze omhoog, dan weer omlaag en volgens zijn berekeningen waren ze op de begane grond gekomen.

Ook hier waren veel deuren, geen ijzeren maar gewone houten, zonder kijkgaatjes en luikjes. Bij een ervan klopte de bewaker aan.

'Binnen!'

Het licht van een lamp verblindde Sasja. Een man achter een tafel draaide de lamp en richtte hem recht op Sasja's gezicht. Verblind door de smalle lichtbundel stond Sasja stil, hij wist niet wat hij moest doen, waar hij heen moest.

De lamp zakte en verlichtte de tafel en de man erachter.

'Gaat u zitten!'

Sasja nam plaats. Voor hem zat de onderzoeksrechter, een magere witblonde jongeman met een grote hoornen bril, met drie balken op het borstzakje van zijn uniformhemd. Als je het uniform wegliet, was dit het Sasja goed bekende en sympathieke type van de komsomolactivist van het platteland, dat tegelijk dorpsbibliothecaris en -onderwijzer was. Op tafel lag een formulier dat hij begon in te vullen. Naam. Voornaam. Vadersnaam. Geboortejaar. Geboorteplaats. Adres.

'Uw handtekening!'

Sasja tekende. Op het formulier stond ook de naam van de onderzoeksrechter: Djakov. Hij legde de pen op het randje van de inktpot en keek Sasja aan.

'Waarom zit u hier?'

Zo'n vraag had Sasja nooit verwacht.

'Ik dacht dat u me dat ging vertellen.'

Met een ongeduldige beweging leunde Djakov achterover in zijn stoel.

'Laat die kunstjes achterwege! Vergeet niet waar u bent. Hier stel ik de vragen en geeft u de antwoorden. En ik vraag u: waarom bent u gearresteerd?'

Hij zei het alsof zo maar iemand Sasja had gearresteerd en hij, Djakov, nu moest uitzoeken waarom. En Sasja moest wel weten waarom hij was gearresteerd, ze moesten geen tijd verliezen, hoe sneller ze aan de slag konden, des te beter. De kamer was in duisternis gehuld. Alleen de tafel werd verlicht door de bureaulamp; wanneer Djakov achteroverleunde verdween zijn gezicht en kwam zijn stem uit het donker.

'Waarschijnlijk dat incident op het instituut,' zei Sasja.

'Welk incident?' vroeg Djakov ongeïnteresseerd, alsof hij ervan wist, dit had niets met Sasja's arrestatie te maken. Met zulke fratsen begonnen alle arrestanten en hij moest ze aanhoren, hoe vervelend dat eentonige, zinloze ontkennen ook was.

Een truc? Of wist de onderzoeksrechter echt niets?

Alles verliep heel anders dan Sasja zich had voorgesteld en waarop hij zich had voorbereid. Er kwam een akelig, misselijk makend gevoel over hem, dat hij ook als kind had wanneer hij langs de brandtrap op het dak klom: de bovenste sporten waren losgeraakt van de muur, het einde van de trap slingerde heen en weer en hij moest op het goede moment overspringen, wanneer hij naar het dak toezwaaide. Van zeven hoog zag hij de jongetjes in de diepe put van de binnenplaats, ze stonden met het hoofd in de nek naar hem te kijken en wachtten af. Dan werd hij doodsbang dat hij het niet zou halen, dat hij zijn voeten niet op tijd van de trap kreeg en hij op het asfalt van de binnenplaats te pletter zou slaan.

Eenzelfde gevoel van een dodelijk en fataal spel beheerste hem ook nu, voor de onderzoeksrechter, ook nu kromp hij ineen. Zijn zaak was belachelijk, een bagatel, maar in de vorm van een politieke misdaad, met arrestatie, gevangenis en verhoor werd deze angstaanjagend.

Daar zat een kameraad, een communist, maar Sasja was voor hem een vijand.

Toch moest hij zich verdedigen, moest hij zeggen wat hij van plan was te zeggen. En in de bewoordingen die hij in zijn cel vaak bij zichzelf herhaald had vertelde Sasja over het conflict met Azizjan, over de muurkrant en over Solts.

'Maar u zegt toch dat de Centrale Controlecommissie u heeft gerehabiliteerd?'

'Inderdaad.'

'Dus u bent niet daarom, maar voor iets anders gearresteerd...'

'Verder is er niets.'

'Denkt u eens na, Pankratov, u bent toch niet gearresteerd vanwege onenigheid met de leraar boekhouden of vanwege een ongelukkig nummer van de muurkrant? Denkt u dat wij met een kanon op een mug gaan schieten? U heeft een vreemde voorstelling van de organen van de Tsjeka.'

'Wat is de aanklacht tegen mij?'

'Wilt u een formele aanklacht? Denkt u daar iets mee te winnen?'

'Ik wil weten waarom ik gearresteerd ben.'

'En wij willen dat u ons dat zelf zegt. Wij geven u de kans eerlijk en openhartig tegenover de partij te zijn.'

'U zegt waar u me van verdenkt en ik antwoord.'

'Met wie voerde u contrarevolutionaire gesprekken?'

'Ik? Met niemand! Dat heb ik niet gedaan.'

'Wie voerde ze dan met u?'

'Niemand.'

'Daar blijft u bij?'

'Daar blijf ik bij.'

Djakov keek bedenkelijk en verschoof zijn papieren op tafel...

'Nou, dat is dan erg jammer. We hadden van u iets anders verwacht. U weigert eerlijk en oprecht te zijn. Dat zal uw situatie niet ten goede komen.'

'Behalve de geschiedenis op het instituut weet ik van niets...'

'Dat wil zeggen dat u voor niets en niemendal bent gearresteerd? Wij zetten onschuldige mensen vast? Zelfs hier gaat u door met contrarevolutionaire agitatie, maar wij zijn geen gendarmerie of Derde Afdeling, wij zijn van de partij. En u, Pankratov, bent een huichelaar, zo is het.'

'Hoe durft u me zo te noemen!'

Djakov sloeg met zijn vuist op tafel.

'U komt er nog wel achter wat ik wel en niet durf! Denkt u soms dat het hier een sanatorium is? Mensen als u kunnen we hier ook anders behandelen. Huichelaar! U bent nooit door koelakken onder vuur genomen. U heeft uw hele leven de arbeidersklasse als een steen om de nek gehangen, en ook nu nog teert u op de staat, die u laat leren en uw beurs betaalt, en u bedriegt haar!'

Hij zweeg enige tijd somber en zei toen ontevreden, alsof het een onnodige en zinloze plichtpleging betrof:

'Laten we maar opschrijven wat u hier gezegd heeft.'

Hij begon te schrijven, terwijl hij Sasja af en toe korte vragen stelde: wanneer en met wie hij de krant had gemaakt, wanneer en naar aanleiding waarvan zich het conflict met de leraar boekhouden voordeed, wanneer hij was geroyeerd en op beschuldiging waarvan.

Toen hij klaar was met schrijven reikte hij Sasja het papier aan.

'Leest u het door en onderteken het dan.'

Hij leunde achterover. Sasja voelde zijn doordringende blik. Djakov bestudeerde zijn gezichtsuitdrukking, hij maakte gebruik van het vrije moment om hem goed op te nemen. Alles was juist, maar nogal eenzijdig opgeschreven: ze hadden de muurkrant voor de feestdagen gepubliceerd, vulgaire epigrammen over voorhoedestudenten geplaatst, daaraan was deelgenomen door die-en-die, en hij was geroyeerd door de partijcel en door het rayoncomité... Dit werd natuurlijk allemaal voor de vorm opgeschreven, om het verhoor vast te leggen, de reden van zijn arrestatie was blijkbaar een andere.

Toch vroeg hij:

'Hier staat niet dat ik overeenkomstig een beslissing van de Centrale Controlecommissie weer op het instituut ben aangenomen.'

Djakov fronste zijn wenkbrauwen en pakte het papier.

'Wat stond er in de verordening toen het instituut u weer aannam?'
'Ze hebben het niet helemaal correct opgeschreven...'
Djakov onderbrak hem.
'Ik vraag niet wat ze hadden moeten schrijven, maar wat ze geschreven hebben.'
'De student Pankratov in het licht van de erkenning van zijn fouten...'
Djakov nam zijn pen en schreef onderaan: 'Later werd ik weer tot het instituut toegelaten nadat ik mijn fouten had toegegeven.'
Hij gaf het papier opnieuw aan Sasja.
Sasja ondertekende. Djakov nam het papier en legde het terzijde.
'Ik raad u aan na te denken, Pankratov. Wij willen u niet verliezen voor onze zaak. Alleen daarom geven we ons zoveel moeite voor u. Begrijp goed dat we u ontzien. Dat moet u waarderen. En graaft u in uw geheugen, diep!'
Hij kwam achter de tafel vandaan, opende de deur en knikte naar de bewaker.
'Breng hem weg!'

Sasja kwam in zijn cel, het slot rammelde achter hem. Als daarstraks blonken de wintersterren achter de doffe ruit. Was het nacht of ochtend?
Hij hoorde geklop op de muur. Kennelijk vroeg zijn buurman waar hij geweest was. Sasja antwoordde met de gebruikelijke drie tikken en ging zonder zich uit te kleden op zijn brits liggen.
Wat wilde Djakov van hem? Wat moest hij bekennen? 'Met wie voerde u contrarevolutionaire gesprekken?' Wat voor gesprekken? Hij verloor zich in gissingen. Hij was er van overtuigd geweest dat hij was gearresteerd vanwege de geschiedenis op het instituut. Dat dit niet zo was was schokkend voor hem, zette alles op zijn kop, bracht alles in de war. Hij had gehoopt begrip en vertrouwen te wekken. Het omgekeerde was het geval. Als het instituut niet de reden van zijn arrestatie was, dan was er een andere reden, die het Openbaar Ministerie overtuigend vond. Hem van contrarevolutionaire activiteiten beschuldigen, wie had dat toch kunnen verzinnen? Hij had geen meningsverschillen met de partij. Ja, strooplikkers en pluimstrijkers bewierookten Stalin, maar dat had hij nooit tegen iemand verteld, dat was niet het belangrijkste van Stalin. Hij had het alleen aan Mark verteld, maar hij had dat gesprek niet kunnen doorgeven. Misschien was ook hij gearresteerd? Bij de huiszoeking had de gevolmachtigde zijn foto gepakt, hem om en om gedraaid en aan alle kanten bekeken. Wilde Djakov bewijzen tegen Mark van hem? Hoopte hij dat hij zou doorslaan?
Boedjagin? Misschien. Was hij bevriend met Eismont of met Smirnov? De Smirnovs woonden ook in het Vijfde Huis. De dochter van Smirnov, een gedrongen witblond meisje, had bij hen op school gezeten. Ivan Grigorjevitsj

was in het voorjaar uit het buitenland teruggeroepen, onmiddellijk na de zaak Smirnov-Eismont. En ze waren er achter gekomen dat Boedjagin Glinskaja had gebeld, en dat Sasja bij hen thuis kwam, ze wilden bewijzen tegen Ivan Grigorjevitsj. Onzin! Zijn hoofd liep om, hij draaide door. Ze arresteerden hem niet omdat hij een neef van iemand was en ook niet omdat hij bij iemand in de klas had gezeten. Er was iets waarom ze hem hier vasthielden... De onderzoeksrechter zou toch geen komedie spelen

Dag voor dag doorliep Sasja de laatste maanden van zijn leven. Had hij er zonder te denken iets uitgeflapt? Hij had zelfs over de gebeurtenissen op het instituut met niemand gesproken. Alleen zijn vrienden wisten ervan: Nina, Lena, Vadim, Maks, Joera... Joera Sjarok! Hun ruzie op oudejaarsavond... Maar tot zo iets gemeens was Joera niet in staat. De jongens van zijn groep? Kovaljov? Maar het ging immers niet om het instituut. Maar waar dan om?

Die dag verscheen er een gevangenisbeambte met twee balken op zijn uniform in zijn cel. Sasja stond automatisch op, zoals hij thuis gewoon was te doen, een beweging die hij zichzelf nooit kon vergeven.

'Naam?'

'Pankratov.'

'Verzoeken.'

'Ik krijg geen pakjes.'

'Wend u tot de onderzoeksrechter.'

'En kranten, boeken?'

'Dat is zaak van de onderzoeksrechter.'

Hij ging weg. De cipier sloot de cel af.

Gevangeniservaring komt vanzelf. De eenzame gevangene die hier voor het eerst belandt komt zelf tot het totaal van ongeschreven regels die het leven in de gevangenis de vorm verlenen die ook door voorgaande generaties gevangenen is ontwikkeld. De komst van de beambte maakte Sasja duidelijk, dat hij in een andere categorie was gekomen: het onderzoek van zijn zaak was begonnen. De beambte interesseerde zich niet voor zijn verzoeken. Hij deed Sasja inzien dat van de onderzoeksrechter niet alleen zijn verdere lot afhing, maar ook de manier waarop ze hem hier zouden houden.

Vanaf die dag werd Sasja's leven, uiterlijk hetzelfde als dat van de afgelopen weken, in één klap wezenlijk anders.

Eerst had hij ongeduldig en hoopvol op zijn ondervraging gewacht, nu wachtte hij met heimelijke angst. Hij was bang voor het onbekende dat de onderzoeksrechter hem onverwacht zou voorleggen, waarop hij, Sasja, niet was voorbereid, wat hij misschien niet goed zou kunnen verklaren. En dan zou de kloof van wantrouwen en achterdocht tussen hen nog dieper worden.

16 Joera's ouders mochten de Pankratovs niet. Ze hadden het niet op zijn vader de ingenieur, zijn moeder die 'veel te gestudeerd' was, en vooral niet op zijn oom, een van hén, de bazen. Op de binnenplaats zat Sasja's moeder bij de 'ontwikkelden', en de moeder van Sjarok bij de liftbediendes en straatveegsters. Over Sasja's arrestatie zeiden ze: de 'kameraden' vliegen elkaar aan, laten ze in godsnaam elkaar de strot afbijten.

Maar Sasja's arrestatie kon Joera Sjarok niet onverschillig laten. Hoe je het ook bekeek, hij was iemand uit zijn vriendenkring.

Maar wat bond hem aan die vrienden? Het was geen echte vriendschap, ze verdroegen hem slechts, de hysterische Nina, de achterlijke Maksim en die kletsmajoor Vadim. Nu zouden ze om Sasja grienen, hij ging ze daar niet bij helpen.

Lena… Een lekker wijf, aardig, eerlijk, maar anders. En geen echtgenote. Wat kon ze? Koffie zetten? Ze probeerde het hem naar de zin te maken, hij ergerde zich alleen aan haar onhandigheid. En ze waren even oud. Moest je zien hoe zijn vader er op zijn zestigste nog uitzag! Maar zou zij met veertig net zo dik zijn als haar mamaatje, Asjchen Stepanovna. Stalin was ontevreden over Boedjagin, Lena had het zelf gezegd. En hij wist dondersgoed wat dat 'Stalin is ontevreden' betekende, en waar dat op uitdraaide. Het Huis van de Sovjets, een riante woning—dat was alleen de buitenkant. Boedjagin had een preek gehouden over de sovjetrechtspraak, maar wat snapte hij ervan? Hij liep achter met zijn naïeve partijgeweten. Er was een macht opgestaan die wel hogere bomen had neergehaald. Wat voor figuur zou hij bij zijn vader slaan als het misliep met Boedjagin? Daar zit je dan met je dochter van een volkscommissaris!

Afgelopen! Moskou barstte van de mooie meisjes. Vika Marasevitsj—hij hoefde maar met zijn vingers te knippen. En Varka Ivanova! Een heerlijk meisje.

Een hele week belde hij Lena niet. Ze belde zelf wel. En dan zou hij haar zo'n antwoord geven dat ze nooit meer zou bellen. Maar toen hij haar stem door de telefoon hoorde: 'Joera, waar hang je uit?', raakte hij in verwarring, mompelde dat hij het druk had met het eindexamen en zijn plaatsing, pas om twaalf uur thuis kwam en er op het instituut maar een telefooncel was, en die was nog kapot ook.

Ze schermde de hoorn met haar hand af.

'Ik mis je.'

'Als ik tijd heb, bel ik je. Misschien volgende week.'

Hij belde die week niet, de week daarop evenmin. Hij zou helemaal niet meer bellen. Hij ging niets uitleggen!

Lena belde echter zelf.

'Joera, ik moet je spreken.'

'Ik heb gezegd: zodra ik tijd heb bel ik je.'

'Ik moet je absoluut dringend spreken.'

'Goed,' bromde hij. 'Om negen uur bij CHOEDOZJESTVENNY.'

Ze liepen langs het Arbatplein en sloegen de Nikitskiboulevard in. Het vroor hard. Lena droeg een bontmanteltje, rode wanten, een rond bontmutsje over een wollen hoofddoek die haar oren bedekte. Haar stevige, welgevormde kuiten, omspannen door de hoge laarzen wonden Joera altijd op. En die bekende parfum. Misschien vandaag voor het laatst? Dit was geen weer om te wandelen.

'Wat verschrikkelijk van Sasja!' zei Lena.

Hij haalde zijn schouders op.

'Gearresteerd...'

'Heb je niet met hem te doen?'

'Daar gaat het niet om. Hij veracht iedereen. En ik vertrouw hem niet, zo is het, ik vertrouw hem niet.'

'Sasja niet vertrouwen?!'

'Toen ik lid werd van de Komsomol zei Sasja: ik vertrouw Sjarok niet. Dat deed niemand wat. Maar als ik zeg dat ik hem niet vertrouw, is iedereen verontwaardigd.'

Geschrokken van zijn woedeuitbarsting, wist ze niet wat ze moest zeggen.

'Iedereen vindt je erg aardig, echt.'

'Ze doen neerbuigend, en jij ook.'

Ze keek hem ontzet aan. Hij zocht ruzie, had haar twee weken niet gebeld. Ze was bang te zeggen waarvoor ze gekomen was.

Zwijgend kwamen ze bij de Nikitskipoort.

'Zullen we teruggaan?'

'Laten we tot het Poesjkinbeeld lopen. Vertel eens hoe het met je gaat.'

Hij haalde zijn schouders op, hij had niets te vertellen, hij had er genoeg van.

'Hoe staat het met je plaatsing?'

'Nog niets bekend.'

Boven het plein torende de met sneeuw bepoederde Poesjkin op.

'Laten we even gaan zitten, ik ben moe.'

Met een ontevreden gezicht veegde hij voor haar de sneeuw van een bankje. Zelf bleef hij staan, zo zou hij blijven staan, met zijn blik op het Strastniklooster... Hij hoorde niet, voelde niet hoe gejaagd haar ademhaling was.

'Joera, ik ben zwanger.'

'Weet je het zeker?'

'Ja.'

'Ben je niet alleen over tijd?'

'Al twee weken.'

Precies de twee weken waarin hij haar niet had gezien. Twee weken geleden hadden ze nog iets kunnen verzinnen, maar een abortus nu... Hoe was het mogelijk? Hij was zo voorzichtig geweest. Hadden ze voor zoiets geen buitenlandse pillen of tabletjes?

'Heb je wat ondernomen?'

'Ik wilde eerst met jou overleggen.'

'Ik ben geen dokter.'

Boos, met een gezicht alsof Lena alleen zwanger was geworden om hem te ergeren, voegde hij eraan toe:

'Zo wil ik niet bij jullie in de familie komen.'

Ze leefde op.

'Wat geeft dat nou?'

'We moeten wachten.'

Hij ging naast haar zitten, pakte haar hand, vond een stukje warme huid tussen haar want en mouw. Als ze maar toegaf, als ze maar niet tegenstribbelde.

'Je moet begrijpen, het instituut, mijn plaatsing, alles is zo onzeker, zo onduidelijk... en dan Sasja. Hij is een van ons, vlak dat niet uit... Het is allemaal al moeilijk genoeg en we moeten het niet nog moeilijker maken. Het kan nu niet. Het is een nare operatie, ik weet het, maar het duurt maar een paar minuten. Laten we geduld hebben, wachten, later krijgen we kinderen. En mijn ouders... Ze zijn van de oude stempel: eerst naar de Burgelijke Stand, dan kinderen. Het is natuurlijk burgerlijk, maar ik wil geen geroddel, dat is vernederend, dat moet je begrijpen.'

'Ik begrijp het,' zei Lena verdrietig.

'Laten we gaan, straks bevries je nog.'

Hij stond op, gaf haar een hand en kon zich niet weerhouden een snelle blik op haar figuur te werpen, hoewel hij begreep dat twee weken te kort was. Toch leek het of ze wat dikker was geworden, moeizaam van het bankje opstond. Hij schrok toen hij bedacht wat er had kunnen gebeuren. Over zeven, acht maanden zou hij zonder het te weten vader zijn geworden. En dat voor de rest van zijn leven.

Ze glimlachte verlegen.

'Je ziet er nog niets van.'

Zo'n nacht hadden ze nog nooit gehad. Terwille van hem stemde ze in met een abortus, hij was het dierbaarste dat ze op de wereld had. Haar onderworpenheid ontroerde hem, vervulde hem met trots, hij was lief tegen haar, probeerde haar nog meer voor zich in te nemen, te binden, helemaal aan zich te onderwerpen. Alles herhaalde zich en zou zich een miljoen keer herhalen, ze was niet de eerste en ook niet de laatste, een gewoon vrouwezaakje. Zijn moeder had zeven abortussen gehad, bij hen in het dorp sprongen zwangere meiden zo van het dak op de grond, dat gaf niks, daar gingen ze niet dood van. Ze moest het leven niet zo ingewikkeld maken, in de zomer gingen ze naar Sotsji, daar moest nu een eersteklas kuuroord zijn, dan zag hij eindelijk de zee eens, wat had hij nou gezien behalve Moskou? Lena had mooi praten, zij had wat van de wereld gezien, maar hij?

Hier raakte Joera een zeer gevoelige snaar, met zijn redenering gaf hij blijk van zijn simpele, gezonde boerenverstand. Ze kon hem nu inderdaad onmogelijk met kinderen en zorgen opschepen, daarmee won ze hem niet, maar stootte hem alleen af. Ze zou het hem niet lastig maken, hij zou haar nooit iets te verwijten hebben. En van haar zwangerschap had ze alleen verteld omdat ze het aan niemand anders kwijt kon. Hij hoefde er niet aan te denken, hoefde zich geen zorgen te maken.

Het gebeurde bracht hen dichter bij elkaar. Nooit was hij zo lief, zo oprecht en zo zwak geweest. Voor het eerst zag ze hem verontrust, angstig, haar hart liep over van medelijden en ze hield nog meer van hem. 's Morgens doezelde hij met zijn hand op haar borst in, ze waakte over zijn slaap. Vroeger hield hij haar niet lang bij zich, stuurde haar 's nachts onopvallend naar huis, maar vandaag liet hij haar niet gaan. En toen hij haar tenslotte liet gaan, bracht hij haar naar de deur, niet op zijn tenen zoals vroeger, maar openlijk, luid pratend, zonder aan de krakende deur en het knarsende slot te denken; hij glimlachte, drukte zijn wang tegen de hare.

De conciërge keek niet wantrouwig, hij nam de roebel niet aan alsof deze hem toekwam, maar zei oprecht: 'Dank u'. Haar hakken tikten rustig en zelfverzekerd over de Arbat, ze liep over *zijn*, over *haar* straat. Pas toen ze bij het Arbatplein was bedacht ze dat ze op de trap langs Sasja's woning was gekomen. Waarom drong dat nu pas tot haar door? Vergat ze dan alles door haar verliefdheid? En Sofja Aleksandrovna lag 's nachts eenzaam in bed met open ogen over Sasja te piekeren...

Drie dagen ziekenhuis zou ze niet geheim houden. Haar ouders zouden de waarheid er zo uit krijgen. Voor mama hield je niets verborgen, moeders hebben zoiets in de gaten. Lenka kon het niet ontkennen, en waarom zou ze, dat was *laag*. En van wie het was, konden ze wel raden. En ze zouden het haar uit het hoofd willen praten: laat het maar komen, we kunnen wel zonder jouw Sjarok.

Wat haalde ze zich in haar hoofd? Joera belde Lena op haar werk, was vriendelijk, maar zijn stem klonk vermoeid—zaken, zorgen, ze moest hem nu niet met haar zaakjes en problemen gaan lastig vallen. De gewone Arbat-meisjes hadden hem nooit met dat soort narigheid opgezadeld, namen zelf hun maatregelen... Azijn! Permangaan? Kinine?! Dat was zijn zaak niet. Maar dat tere moederskindje, wist niks, kon niks, die buitenlandse troel, verdomme! Als hij nu niet van haar afkwam, zou hij voor altijd aan haar vastzitten. Als ze het maar kwijt raakte! Mensen gaan toch wel eens onderuit op de gladde stoep, vooral kippige, onhandige mensen als zij!

Hoewel bij de Sjaroks zelden openhartige gesprekken werden gevoerd, besloot Joera toch met zijn moeder te praten. Ze kende geheime middeltjes die het gewone volk gebruikte, of kende tenminste mensen die hen konden helpen. Hij zag haar op de binnenplaats met de andere wijven smoezen, en aan haar gezicht zag hij dat ze het *daarover* hadden.

En nu doorboorde ze hem met haar ogen, op haar gezicht verschenen vlekken. Lenka was de klos, zwanger geworden, de sloerie, kon ze niet oppassen, de slet! Die gestudeerde lui waren erger dan gewone mensen! Ze was op een vent uit, de teef! Ze zocht het zelf maar uit, ze was geen vijftien meer, goddomme!

Vandaag had ze nog zitten opscheppen dat Joera met de dochter van een volkscommissaris zou trouwen, in het Kremlin ging wonen, en nu kookte ze van woede. Joera's ouders werden door *die kameraden*, hun meesters, niet eens over de drempel gelaten, en Joeri kwam er ook niet in. Ze zouden tegen Lenka zeggen: ga met het kind maar bij je man wonen, hij heeft een kamer. Hij heeft een kamer, en zelf hebben ze er drie. En je man heeft een oma, handig als kindermeisje. Nou, dan hadden ze de verkeerde voor zich, ze hoefde niet voor hun koters op te draaien. Ze was niet eens Russisch! Ze was een jid, dat zag je aan haar neus! Nu moest ze geld voor een abortus, dat duivelsgebroed.

'Hou op!' schreeuwde Joera. 'Wat moet ze doen?'

Ze klemde haar lippen opeen, vroeg zakelijk:

'De hoeveelste maand is het?'

'Een paar dagen,' loog Joera, bang dat ze hem niet wilde helpen als hij de waarheid zei.

'Laat ze een mosterbad maken en haar voeten een heet bad geven. Echt heet, kokend heet, ze moet maar wat verduren. Ze zullen daar wel geen emmer hebben.'

'Daar komen ze wel aan.'

Hij zei niet dat Lena het niet bij haar thuis kon doen. Het zou hier, bij hen moeten gebeuren.

Op de Arbat was geen mosterd te krijgen, hij ging ervoor naar Oesatsjevka, verstopte het in zijn aktentas, daar durfde zijn moeder niet in te kijken, uit angst het ingewikkelde slot kapot te maken. Hij liep naar de keuken, keek of er een emmer was, er stonden er zelfs twee.

's Avonds gingen ze naar 'De man met de aktentas' in het Theater van de

Revolutie. Joera zag Granatov graag. In de noodlottige samenloop van omstandigheden in Granatovs leven herkende hij iets van wat hij zelf doormaakte.

In de foyer bekeek hij het publiek, snoof de geuren van parfum en poeder op, ieder theaterbezoek was voor hem een feest. Daarom begreep hij Sasja Pankratov en Nina nooit, die tussen hun bezigheden door, op een holletje naar het theater gingen, of Vadim die een toneelstuk ontleedde alsof hij een kikker prepareerde. In de pauze zei hij:

'Ik heb goed nieuws voor je. Bij ons op de faculteit zit een jongen, Kolja Sizov... Zijn vader is een beroemde arts, wel eens van gehoord?'

'Sizov... Nee, nooit van gehoord.'

'Hij is professor op het tweede medische instituut. Gynaecoloog.'

Ze kromp ineen, begreep waarover hij het had, maar zo snel kon het toch niet gaan.

Sjarok ging onverbiddelijk verder:

'Er is een ongevaarlijk middeltje: een mosterdbad voor je voeten, je weet wel, net als wanneer je verkouden bent.'

Ze kalmeerde een beetje.

'Helpt dat?'

'Het schijnt heel goed te werken.'

'Maar het is al zo lang...'

'Precies het goede moment.'

Ze schrok van zijn gedecideerde toon.

'Misschien moet ik toch naar een dokter...'

Hij drong aan:

'Het is geen abortus, het doet helemaal geen pijn, alleen even doorbijten met het hete water. Wat riskeren we? Of ben je van gedachten veranderd?'

'Nee dat niet', zei ze zacht, 'maar het zal lastig zijn, ze zullen het thuis zien...'

'Daar heb je gelijk in,' gaf hij toe.

Toen zei hij alsof hij opeens op een idee was gekomen:

'We doen het bij mij. Als mijn vader verkouden is maakt hij ook zo'n bad. Mosterd zal er ook wel zijn.'

17   'Te heet?'

'Nee hoor... Lekker zelfs.'

Lena zat op het bed, haar benen in een emmer gevuld met een bruine oplossing, haar hoofd afgewend, omdat de mosterd in haar ogen prikte.

Haar opgestroopte hemd liet haar ronde, witte, stijf tegen elkaar gedrukte knieën zien, haar grote voeten konden bijna niet in de emmer. Ze zat voorovergebogen, haar armen over elkaar op haar buik, haar schouderbandjes waren afgegleden en ontblootten haar flinke schouders, haar borst achter een blauw randje van kant; ze wreef haar benen een beetje tegen elkaar, haar gezicht vertrok, ze probeerde te glimlachen.

'Lekker zelfs.'

Met de tuit van de theeketel tegen de rand van de emmer goot hij heet water erbij, zodat het niet op haar benen terecht kwam.

Ze trok haar schouders op en trappelde met haar voeten...

'Heet...'

'Volhouden, het koelt zo af...'

Met de hand hield hij het hengsel van de waterketel vast, met de andere voelde hij het water in de emmer. Hij vond het niet heet genoeg en deed er nog een scheut heet water bij.

'Auw!'

Ze kromp ineen, steunde, sloot haar ogen en ademde zwaar.

'Volhouden, volhouden, het is zo voorbij, Lenotsjka, eventjes nog.'

Ze liet zich achterover vallen, haar hoofd raakte de muur, haar vingers knepen in haar hemd en lieten het steeds weer los.

'Bijna, bijna klaar, hou vol.'

Op haar bovenlip en op haar voorhoofd verschenen zweetdruppeltjes. Joera voelde in het water, vulde nog wat bij. Ze kreunde, kromp ineen, haalde haar voeten uit de emmer, hij zag haar vuurrode kuiten. De mosterdlucht verspreidde zich in de kamer.

'Joerotsjka, ik kan niet meer,' steunde ze, 'ik haal ze er even uit, eventjes maar...'

'Het is zo voorbij, nog heel eventjes...'

'Mijn voeten slapen, ik voel ze niet meer, ze zijn niet meer van mij...'

Met haar tanden op elkaar, haar ogen dicht, kromp ze op het bed ineen.

'Ik heb het benauwd...'

Hij boog zich over haar uitgestrekte lichaam, maakte haar schouderbandjes en beha los en streelde over haar knieën.

'Stil maar lieverd.'

Voorzichtig goot hij er nog wat water bij, ze kreunde zachtjes en bewoog haar benen nauwelijks, een groot, wit, levenloos lichaam, spaarzaam bedekt door het verkreukte blauwe hemd.

Joera liep naar de keuken en nam de tweede ketel van het fornuis. Het hengsel van de theeketel knarste verraderlijk, het hengsel van de emmer ook, oud was alles, keer op keer gerepareerd. Al die troep die ze bewaarden, ze gooiden nooit iets weg. Hij merkte dat er iemand binnenkwam en keek verschrikt om, moeder stond in de keukendeur. Ze keken elkaar zwijgend aan.

'Verbrand haar benen niet.'

Hij gaf geen antwoord, ging terug de kamer in, deed de deur stevig dicht en hoorde aan de andere kant de schakelaar klikken: moeder deed het licht in de keuken uit.

Lena lag met haar hoofd op een kussen, haar benen hingen naar beneden, op kaar kuiten tekende zich een vuurrode rand af.

'Lenotsjka, slaap je?'

Haar wimpers trilden, ze ademde heel zachtjes, bijna onhoorbaar, op haar voorhoofd, haar wenkbrauwen, haar bovenlip en haar kin parelden grote zweetdruppels. Hij veegde ze voorzichtig af met de punt van de handdoek.

'Lenotsjka!'

'Misselijk,' fluisterde ze, zonder haar ogen te openen.

Hij tilde haar hoofd op en bracht een beker naar haar lippen. Haar tanden klapperden zachtjes tegen de rand van de beker, ze nam moeizaam een slok, dronk het water en zakte uitgeput neer op het kussen. Hij bedekte haar met een deken en goot er heel voorzichtig nog wat bij, maar toch kwam er een beetje op haar been.

'Auw!' kreunde ze, ze kromp opnieuw ineen en gooide de deken van zich af.

'Stil maar, dat was het laatste…'

Ze beefde, alsof ze koude rillingen had, haar schouders schokten, haar handen trilden. Hij dekte haar opnieuw toe met de deken.

'Klaar, stil maar.'

Ze begon zachtjes en wanhopig te huilen.

'Het is klaar, ik hou nu op.'

Hij keek op de klok, kwart over een. Er waren veertig minuten verstreken. Goed, nog vijf minuten!

Ze hield op met huilen, meer dood dan levend begroef ze haar hoofd in het kussen, Sjarok boog zich over haar heen, betastte haar voorhoofd, het was koud, hij luisterde—ze ademde. Voorzichtig haalde hij haar voeten uit de emmer, ze leken wel gekookt. Het zou wel overgaan… De kamer vulde zich weer met de scherpe mosterdlucht. Hij legde haar benen op het bed, trok de deken er overheen, bracht de emmer naar de keuken, gooide hem leeg, spoelde de mosterd uit de gootsteen, waste alles schoon, zette het op zijn plaats en ging weer naar de kamer.

Lena sliep. Hij liep naar het raam en deed het rolluik open. In het buurhuis lichtten de trappenhuizen dof op, eenzaam flikkerden de lampjes in draadgaas. Als het maar niet voor niets was geweest. Een teer poppetje. Een ander zou geen kik hebben gegeven. Hier ging je echt niet dood van. Ze kon er iets op smeren.

Hij kleede zich uit, deed het licht uit, ging naast Lena liggen, schoof voorzichtig haar benen opzij en trok de rand van de deken over zich heen. De warmte van haar lichaam sloeg om hem heen, ze lag uitgestrekt, beweginloos, de scherpe, opwindende mosterdgeur kwam op hem af... En zo nam hij haar, ze reageerde niet en dat wond hem nog meer op. Het had iets wreeds, onbekends, dierlijks. Hij wilde een schok teweeg brengen, die dat wat al in haar leefde zou vernietigen, de nietige vrucht die zijn leven bijna kapot had gemaakt van haar zou losscheuren. Toen ze kreunde, dacht hij dat dit andere leven, dat in haar was ontkiemd, definitief was gedood.

's Morgens kon ze haar kousen niet aankrijgen.
'Het doet pijn.'
Daarna kreeg ze haar voeten niet in haar laarzen. Hij haalde grote viltlaarzen met losgesneden schachten.
'Zo kan ik me bewegen,' zei ze, voorzichtig en onhandig door de kamer stappend. Ze was meteen kleiner geworden, gedrongener, met de laarzen zag ze eruit als een oude vrouw met een bleek, opgezwollen gezicht en kringen onder haar lijdende ogen.
Plotseling ging ze op het bed zitten.
'Ik ben duizelig.'
Hij besloot haar naar huis te brengen, straks viel ze nog op straat... Hij zou haar een glas hete thee moeten geven, maar moeder was al in de weer in de keuken en Joera wilde niet naar binnen gaan terwijl zij er was.
Op de binnenplaats kwamen ze niemand tegen. Op de Arbat gekomen stak hij over: bij de bakker stonden buren in de rij. Lena liep langzaam, ze steunde op zijn arm, wat een moment om aan het handje te lopen! Maar dit was hun laatste gemeenschappelijke gang, ze moesten verder zwoegen. Als ze maar niet viel, als ze het maar haalde. Vandaag had ze vrij, kon ze naar bed. Ze liep alleen over haar binnenplaats, bij de deur keek ze om en glimlachte naar hem.
's Middags wilde hij bellen, vragen hoe het ging, maar hij deed het niet. Haast zou zijn ongerustheid verraden, het gevaar van het gebeurde benadrukken. Hij zou haar morgen op haar werk bellen. Als ze daar was zou ze zich goed voelen, als het gelukt was zou ze het zeggen. Ze was op haar werk. Duidelijk en zachtjes, met de hand half voor de hoorn zei ze:
'Alles is in orde.'
Aan haar stem hoorde hij hoe gelukkig ze was hem dit goede nieuws te kunnen vertellen.
'Geweldig, gefeliciteerd, 't allerbeste, ik bel je nog,' antwoordde Joera en hing op.
Hij zou haar niet meer bellen, genoeg, dat was afgehandeld.
Toen hij 's avonds terugkwam van het instituut, zei zijn moeder:
'Nina Ivanova heeft gebeld.'
'Wat wilde ze?'

'Of je terugbelt.'

Ze zou natuurlijk over Sasja gaan zeuren, eindeloos gewauwel. Ze konden barsten!

Nina belde weer.

'Weet je al van Lena?'

Zijn hart bleef even stilstaan.

'Wat is er dan?'

'Ze heeft vloeiingen.'

'Vreemd. We hebben elkaar eigenlijk al lang niet meer gezien, maar ik heb haar vandaag nog aan de telefoon gehad. Ze was op haar werk.'

'Ze hebben haar van haar werk opgehaald.'

'In welk ziekenhuis ligt ze?'

Nina gaf het nummer en het adres van het ziekenhuis, ergens bij Marinaja Rosjtsja.

Hij aarzelde even, vroeg toen beslist:

'Waar komt dat door?'

'Weet ik niet.'

'Wie heeft je verteld dat ze in het ziekenhuis ligt?'

'Asjchen Stepanova. Lena is er ernstig aan toe.'

'Bedankt voor je telefoontje. Ik zal er heen gaan.'

Hij ging terug naar zijn kamer, sloot de deur achter zich en ging aan tafel zitten. Hij was erbij. Hij kende de wetten goed, per slot van rekening was hij jurist. Illegaal aborteur. Handelingen… de dood van het slachtoffer tot gevolg hebbende… Idioot! Waarom had hij het thuis gedaan? Ze had het bij haar kunnen doen, dan had niemand het gezien, ze had een eigen kamer. Stom was hij! Stom! Stom!!!

Als ze bleef leven, zou ze hem niet verraden. Ging ze dood, dan zou hij alles ontkennen. Er waren geen bewijzen. Hij wist dat ze zwanger was, geen kind wilde, dat ze maatregelen zou nemen, van die buitenlandse pillen dacht hij, maar hij wist nog steeds niet wat ze had gedaan. De dag ervoor had ze er slecht uitgezien, hij had haar naar huis gebracht, en haar de volgende dag op haar werk opgebeld; gezien hun verhouding was dat normaal, maar het was geen bewijs van medeplichtigheid.

En was een mosterbad te vergelijken met abortus? Waarom had de wetgever juist dat woord gekozen? Abortus! Leende dat woord zich soms voor een ruime interpretatie? 'Kunstmatige onderbreking van de zwangerschap' kon je uitleggen zoals je wilde. Maar de wetgever was duidelijk: 'abortus', de medische betekenis van het woord, een chirurgische ingreep dus.

Hij moest zíjn versie *preciseren*, details overdenken. Waar, wanneer, dag, uur, minuut, plaats, overtuigende bijzonderheden. Als Lenka overleed, was hij nog niet van Boedjagin af. Misschien wilde hij geen schandaal? Hij was een vooraanstaand functionaris, maar zijn dochter had haar vrucht afgedreven op de meest primitieve manier die je maar kon bedenken. En als je naar de oorzaken ging zoeken, bleken zij, de Boedjagins, ook schuldig, zij waren de hoofdverantwoordelijken: zij waren tegen hun huwelijk, vanwege hen wilde Lena juist geen kind, objectief gezien hadden zij haar tot deze daad gebracht. Misschien niet alleen objectief gezien? Ze wilden geen ruchtbaarheid. Zo stond de zaak ervoor, zo zag het eruit, dat waren de conclusies, als je tot de kern doordrong. Op wat voor leven hadden ze haar voorbereid? Wat hadden ze haar geleerd? Vertalen uit het Engels? Dat was te weinig voor het leven. Hij had hun gezin altijd gehaat, weer waren ze de situatie meester, ze hadden hem in hun macht, hij zat maar ellendig in zijn kamertje, terwijl zij vanuit het Vijfde Huis van de Sovjets, hun onneembare vesting, artsen mobiliseerden om Lena te redden. En dat zou natuurlijk lukken. En daarna zouden ze met hem afrekenen.

Zijn moeder zweeg somber, ze had alles door, maar wilde er niet over praten, bang dat het gesprek in beschuldigingen zou eindigen. Waarom zou ze zich ermee bemoeien? Zij wilde het beste, maar ze deden alles toch op hun manier, wat dacht je, zo'n grote dame. En hij was ook een mooie, hij had zich wat op de hals gehaald, haar poten verbrand, hij kon geen maat houden.

Joera ging naar het ziekenhuis, maar bleef buiten, liep wat rond in de buurt, bang om de Boedjagins tegen te komen, bang voor nieuwe getuigen. Hoe minder mensen hem zagen, des te beter.

Hij keerde terug naar de Arbat en belde het ziekenhuis niet van thuis, maar vanuit een cel, en informeerde naar de toestand van patiënte Jelena Ivanovna Boedjagina. 'Toestand kritiek, temperatuur negenendertig acht.' Hij belde elke dag en pas tegen het einde van de week kreeg hij te horen: 'Toestand redelijk, temperatuur achtendertig twee.' En drie dagen later: 'Toestand bevredigend, temperatuur normaal.' Aan het eind van de twee week haalde Asjchen Stepanovna Lena op.

Juist die avond vroeg Joera's moeder:

'Hoe is het met die schoonheid van je?'

Hij grinnikte.

'Zo gezond als een vis, ze hoest niet meer.'

Hij belde haar niet, wist niet hoe ze zou reageren: hij had haar geen enkele keer in het ziekenhuis bezocht, niet geschreven, hij had geen enkel excuus. Barst maar! Het was goed dat hij niet was gegaan! Hij moest maar één ding weten: had ze het tegen iemand verteld? Maar hij kon er niet toe komen om de telefoon te pakken. En zij belde ook niet. Nina belde.

'Joera, we gaan vanavond met z'n allen naar Lena, kom je ook?'

'Vandaag kan ik niet.'

'Kom dan wat later.'

'Ik ben pas laat klaar.'

Belde ze uit zichzelf of op verzoek van Lena? Hij moest zich zekerheid verschaffen. Hij belde Lena. Hij hoorde haar zache, diepe, lieve stem:

'Eindelijk. Ik heb me zoveel zorgen over jou gemaakt!

'Anders ik wel over jou.'

'Ik dacht de hele tijd hoe jij je er doorheen zou slaan. Waarom ben je niet gekomen?'

'Ik heb elke dag gebeld om te informeren.'

'Werkelijk' vroeg ze blij, 'iedereen komt vanavond bij mij. Kom jij misschien ook?'

'Liever niet met zo'n drukte.'

'Ik begrijp je, maar wanneer dan?'

'Ik bel je wel.'

18 Nina kwam om vijf uur van school. Naast de deur op de trap zat Varja met Zoja, haar vriendin.

'Ik heb de deur dichtgeslagen en de sleutels vergeten.'

De sleutels vergeten... Gelogen. Het was haar verboden Zoja mee naar huis te nemen, daarom was ze op de trap gaan zitten de trap is niet van jou, hoe kun je dat verbieden?

'Je hebt een halve minuut bedenktijd en twee minuten voor de uitvoering,' zei Varja tegen Zoja.

En dan dat gekakel.

'Ben je bij Sofja Aleksandrovna geweest?'

'Ja.'

'Heb je alles gekocht?'

'Ja.'

'De bonnen?'

'Ingeleverd.'

'Hoeveel geld heb je over?'

Varja gaf haar het wisselgeld.

'Ik heb vijftig kopeken voor de ijsbaan genomen.'

'En je huiswerk?'

'Maak ik nog.'

Ieder moest zijn plicht doen. Nina zelf werkte als een paard, ze at zelfs op de avondschool, extra uren kon ze niet afslaan. En Varja had haar ijsbaan, theater, bioscoop, vriendinnen, de huishouding nam dus niet zoveel tijd in beslag.

'Warm voor vanavond de kasja op, ik laat het in de koekepan, de boter staat in het buffet,' zei Varja.

'Wees voor elven thuis,' waarschuwde Nina, haar mantel dichtknopend.

Ze sloeg de deur achter zich dicht, Varja belde Zoja.

'Je kunt komen, Ninka is opgehoepeld.'

Ze ruimde de tafel op, maakte het eten klaar, deed de afwas, alles netjes. Ninka legde nooit iets op zijn plaats.

De telefoon ging. Met de vaatdoek in haar hand nam Varja op.

'Natasja, ben jij het?'

Het was een jongen die ze door de telefoon had leren kennen, maar nog nooit had gezien en hij haar ook niet. Hij heette Volodja, zelf weigerde ze haar naam te zeggen.

'Heet je misschien Natasja?'

'Voor mijn part.'

Zo ging hij haar noemen. Maar elke keer vroeg hij:

'Natasja, hoe heet je toch?'

Ze vond dat hij een prettige stem had, ze was openhartig tegen hem: ze zou hem nooit zien en kon hem alles vertellen. Hij verzekerde haar dat ook hij met niemand zo open sprak als met haar.

'Natasja moet blond zijn.'

'Laat ik nou uitgerekend blond zijn.'

'En je ogen?'

'Pimpelpaars met een goud randje.'

'Bestaan die dan? Wat heb je gisteravond gedaan?'

'Het was fantastisch. We zijn op een bal in het technisch instituut geweest, ze speelden lekkere dansmuziek, rumba's en zo.'

'Ik benijd je. Ik heb huiswerk zitten maken.'

'Studeer, mijn vriend, studeer; doe je best, studie is de zoetste vrucht in 't leven en voert je uit het duister naar helverlichte dreven.'

'Wanneer zien we elkaar?'

'Nooit.'

'Stel dat we op elkaar verliefd worden?'

'Nee, we lijken teveel op elkaar.'

'Wat ga je vandaag doen?'

'Schaatsen.'

'Waar?'

'Bij de fabriek.'

'Welke fabriek?'

'De zeep- en spijkerfabriek.'

'Neem me mee, ik kan goed schaatsen.'

'Ik niet, er zou voor jou niks aan zijn. Nou tabé, ik krijg bezoek.'

Zoja verscheen warm ingepakt, met een wit mutsje en een lange wijde broek onder haar rok, een vuilnisbloempje, zoals Nina haar noemde. Zoja's moeder was kaartverkoopster in de bioscoop KARNAVAL, ze liet haar en Varja zonder kaartjes naar binnen.

'Waarom heb je de witte opgezet?' vroeg Varja terwijl ze Zoja's muts bekeek. 'We hadden toch afgesproken?'

'Van de rooie is het elastiek geknapt. Zet jij je rooie op, die staat je goed.'

'Bij een witte trui een rooie muts opzetten?! Doe jij mijn rooie op, dan neem ik de witte.'

'Waarom moet jij altijd je zin hebben?'

'Niet mijn zin, maar zoals we hadden afgesproken.'

Zoja haalde beledigd haar schouders op.

'Nou, als je per se wilt.'

'Doe geen moeite voor mij! Ik ga al niet meer.'

Varja trapte haar schoenen uit en ging met haar benen op het bed zitten.

'Stom,' mompelde Zoja. 'Goed, ik doe de rooie wel aan.'

'Ik ga niet schaatsen.'

Een tijdje bleven ze zwijgend zitten. Zoja keek sip, had spijt dat ze om iets onbenulligs ruzie hadden gekregen.

'Laten we gaan,' zeurde ze.

'Ik kan nergens heen zolang hij dáár zit.'

'Je was het toch van plan.'

'Ja, maar ik heb me bedacht.'

Sasja's arrestatie maakte Varja meteen bijzonder in de ogen van haar vriendinnen. Ze hoorde nu tot degenen van wie het vriendje opeens verdween, daarna weer opdook; hun vriendinnen wachtten op hen, en als ze dat *niet fatsoenlijk* deden, werd er zonder pardon met hen afgerekend. Iedereen wist dat ze met Sasja in de ARBAT-KELDER had gedanst, ze hadden hen daar gezien, en ook de vechtpartij hadden ze gezien. Varja was nu met Sasja's moeder bevriend, bracht pakjes naar de gevangenis…

Varja ging 's morgens vroeg van huis, stond in de vrieskou in de rij, daarna kwam Sofja Aleksandrovna, en samen schuifelden ze naar het loket. Sofja Aleksandrovna kon geen grote mond opzetten, ze was bang de persoon achter het loket boos te maken, durfde de rij niet op te houden: de mensen waren moe, stonden vanaf vijf uur 's morgens buiten langs de hoge, lange kille gevangenismuur. Varja was voor niemand bang, durfde alles. Ze zochten Sasja in alle gevangenissen. Bij het loket kregen ze een vragenformulier: naam, voornaam, vadersnaam van de gearresteerde, adres. Sofja Aleksandrovna vulde de vragen in, weer stonden ze in de rij, leverden het formulier in, wachtten op een antwoord, twee, soms wel drie uur… 'Niet hier…' En dan vroeg Varja brutaal: 'Waar dan wel?'—'Weten wij niet'—'Wie moet het dan weten? Jullie hebben hem opgepakt, jullie moeten het weten.'

Ze luisterde naar de raadgevingen van de alwetende binnenplaats van de Arbat. Een meisje van de Novinskiboulevard—haar vriend zat in de Taganka-gevangenis—liet haar zien hoe je een briefje tussen het wasgoed stopte, vertelde dat ze vooral appels en suiker moest sturen, dat ze er daar wijn van maakten.

Sofja Aleksandrovna luisterde naar haar, schudde het hoofd.

'Nee, Varenka, Sasja heeft geen wijn nodig...'

In een nacht was Sofja Aleksandrovna van een goed uitziende vrouw op leeftijd veranderd in een grijs oudje. De eerste tijd dacht ze dat het hart van degenen die Sasja gearresteerd hadden zou breken als ze voor hen zou staan, zij hadden toch ook een moeder? Daarna zag ze vele moeders zoals zijzelf: hun aanblik brak niemands hart. Ze stonden in de lange rijen, en ieder was bang dat het kleine beetje medelijden dat achter de zwijgende deuren nog smeulde niet haar, maar degene die vóór haar naar binnen ging ten deel zou vallen.

Ze zag de gewapende schildwachten, de ongenaakbare stenen muren, waarachter Sasja zat, haar jongen, beroofd van het recht dat elk levend wezen toekwam: in vrijheid de lucht op aarde te ademen. Welk lot werd hem toebereid? 's Nachts sliep ze niet—waarop sliep hij? Ze kon niet eten—wat at hij, gebogen over zijn gevangeniskom, hij, haar dierbare kind, haar leven, haar bloed? Zijn kussens roken naar zijn kinderhoofdje, zijn schoenen roken naar de droge grond waarover hij als jongetje blootsvoets had gerend, en de tafel naar de inktlucht van zijn schoolschriften.

In de hoop een van de mannen te zien die hem voor zijn arrestatie hadden gevolgd liep ze over straat. Zij wisten wat hem dreigde, wat hij nodig had. Als ze de kleine in de beverjas zou zien, zou ze op hem afstappen en naar Sasja vragen. Ze zou zeggen dat ze het hun niet kwalijk nam, het was hun werk. Maar nu ze hun werk hadden gedaan, konden ze barmhartig zijn, het maakte voor hen nu toch niets uit. Ze liep over de Arbat, nu eens aan de ene, dan weer aan de andere kant, ging de winkels binnen, deed alsof ze in de rij stond. Maar ze kwam de kleine in de beverjas niet tegen, noch die met de bontmuts noch de lange met het gemene gezicht.

Stijf van de kou, gebroken door het besef van haar eigen machteloosheid kwam ze thuis in de lege kamer, waar ze eenzaam en gekweld gebeden richtte tot God, die ze al lang verlaten had maar die ze nu aanriep, opdat de geest van goedheid en barmhartigheid die alomtegenwoordig was en alles doordrong de harten verzachtte van hen die over Sasja's lot zouden beslissen.

Het kleppen van de brievenbus haalde haar 's morgens uit bed. Ze wachtte op antwoord van het Openbaar Ministerie, op een brief van een of andere geheime maar invloedrijke weldoener, op een brief van Sasja zelf, meegegeven aan iemand die samen met hem had gezeten, maar die al op transport was gesteld; uit de verbanningsoorden kwamen de brieven aan. Zulke dingen gebeurden, ze had het zelf gehoord. Als ze de kranten las bestudeerde ze de portretten van Stalin: zijn sobere kleding, vriendelijke rimpeltjes rond de ogen, het wijze, rustige gezicht van een man met een zuiver geweten. Nog niet zo lang geleden hadden ze zijn vijftigste verjaardag gevierd, hij was nu vierenvijftig, nee, drieënvijftig, net als Pavel Nikolajevitsj, haar man. Stalins oudste zoon was waarschijnlijk even oud als Sasja, en hij had nog een zoon en een dochter, hij begreep wat het was om kinderen te hebben, wist wat familieleed was—hij had onlangs zijn vrouw verloren. Als Sasja's zaak hem maar ter ore kwam! Al haar hoop was op Mark gevestigd. Mark zou Stalin van Sasja vertellen. Stalin zou zijn dossier opvragen, hem mischien zelfs bij zich roepen. En hij zou Sasja aardig vinden, Sasja moest je wel aardig vinden.

Pavel Nikolajevitsj was gekomen. Natuurlijk was hij bezorgd, maar hij beschouwde het niet als een ramp. Ze zouden Sasja niet executeren, geen levenslang geven, dat was afgeschaft. Hij was jong, had zijn hele leven nog voor zich. Ja, ze moesten iets ondernemen. Maar alleen de hogere instanties konden helpen. Hij had daar geen toegang, Mark wel. Waarom kon ze, wilde ze dat niet begrijpen! Pavel Nikolajevitsj was gekomen met het vaste voornemen geduldig, zelfs vriendelijk te blijven. Maar zodra hij het kille huis binnenstapte, het oude mens zag dat eens zijn vrouw was geweest, de eisende stem hoorde, zodra hij die koppige konijneblik in haar ogen zag, die altijd verscheen wanneer ze haar angst probeerde te overwinnen, raakte hij weer geïrriteerd, werd ongeduldig en boos. Het was allemaal haar schuld, zij en die broer van haar hadden Sasja opgevoed.

Daar zaten ze dan tegenover elkaar: zij, grijzend, met trillende lippen en schuddend hoofd, hij, gladgeschoren, stevig gebouwd, de grijze, uitpuilende ogen vol ergernis. Ze zaten aan de tafel waaraan ze jaren hadden gezeten, met hetzelfde zeil, onder dezelfde ronde stoffen lampekap. Sofja Aleksandrovna veegde nerveus met haar hand over het zeiltje, streek het glad, hoewel er niets glad te strijken viel, en dit gebaar irriteerde Pavel Nikolajevitsj.

'Wil je dat ik de instanties afloop? Dat heeft geen zin, dat heb ik je uitgelegd. Je kunt in beroep gaan als er uitspraak is gedaan. Er is nog geen uitspraak, het onderzoek loopt nog.'

Wou ze misschien van de gelegenheid gebruik maken om hem terug te krijgen? 'Waar ben je op uit? Dat ik wegga van de fabriek? Ze laten me niet gaan. En ik ben niet van plan terug te komen naar Moskou, onthou dat goed! Wat?'

Hij dacht dat ze iets zei, met opzet zo zacht dat hij het niet kon horen. Maar ze zei niets, bewoog alleen geluidloos haar lippen.

'Niks… Ik luister.'

'Nou goed, je luistert… Je luistert en denkt: zijn vader is een schoft, hij wil niets voor zijn zoon doen. Je hebt altijd slecht over me gedacht en dat heb je onze zoon aangepraat.'

Ook vroeger had ze onuitsprekelijk geleden onder zijn gescheld, zijn verwijten, nu werd ze opnieuw gekwetst, en met ontzetting voelde ze dat ze nog steeds bang voor hem was, en dit was des te vernederender omdat het nu ging om de redding van haar zoon, *hun* zoon. Uit zijn woorden sprak vijandigheid tegenover Sasja, hij wilde zijn ellende ver van zich houden. Hoe durfde hij *nu* aan te komen met zijn gekwetste trots, zijn eisen. En hoe kon zij bang voor hem zijn, terwijl het om Sasja's leven ging?! Ze mocht voor niemand bang zijn, had geen recht op angst, ze was zijn moeder!

'Als jij had gezien hoe ze hem meenamen…'

Ze zei dit bitter. Maar tegen hem moest ze hard spreken, haast schreeuwen, anders verstond hij het niet.

'Natuurlijk, natuurlijk heb ik het weer gedaan, ik alleen… Jij bent de martelares, de gekwelde, en ik deug niet, ik ben de ploert, ik slemp en zuip…'

Mijn god! Zelfs deze ramp veranderde hem niet, net als vroeger kreeg hij een rode kop, tuitte zijn lippen, treiterde haar. Ze had op zijn komst zitten wachten, gehoopt op de hulp van een vader, een man! Sasja was toch het enige waaraan hij kon denken?! Hij had niet het recht aan iets anders te denken. En zij zou hem daartoe dwingen. Ze liep naar het bureau, pakte het verzoekschrift aan de officier van justitie.

'Kijk eens!'

Op zijn gezicht verscheen een ontevreden, minachtende uitdrukking. Wilde dat malle mens hem weer dwingen zich met iets nutteloos bezig te houden. Wie zat er nou op zo'n verzoekschrift te wachten, wie zou dat lezen?

Maar hij moest het wel lezen. Als hij nu ruzie met haar maakte, zou iedereen hem veroordelen. En voor de buitenwacht wilde Pavel Nikolajevitsj een fatsoenlijke man en vader blijven. Hij zou haar geen aanleiding geven om te zeggen: zelfs het verzoekschrift wilde hij niet lezen.

Wat had ze hier nu allemaal neergekrabbeld! 'Aan u schrijft een moeder… Geef me mijn zoon terug…' Naïef, sentimenteel, niet overtuigend. 'Ik richt me tot onze rechtvaardige en barmhartige regering'—woorden, woorden… 'Ik weet dat mijn zoon onschuldig is…' Wie gelooft dat?… 'Als hij een fout heeft begaan, dan is dat zonder opzet geweest, hij is immers nog een kind…' Tweeëntwintig jaar—hij was geen kind meer! En wat voor fouten? Waarom indirect zijn schuld toegeven?!

Sofja Aleksandrovna zat op de bank waarop Sasja altijd sliep, luisterde met gebogen hoofd naar zijn aanmerkingen, zonder acht te slaan op de hatelijkheden die haar domheid moesten aantonen: ze kon zelfs geen verzoekschrift schrijven. Laat maar! Laat hij het dan verbeteren, als het Sasja maar hielp. Ze legde een papier voor hem, zette de inktpot ernaast.

'Schrijf jij dan hoe het moet.'

Hij keek haar verbluft aan, begreep dat hij dom had gereageerd. Een verzoekschrift had geen zin, wat maakte het uit wat erin stond. Nu moest hij het zelf doen, en wat moest je eigenlijk schrijven als je de beschuldiging niet kende.

'Weet je,' zei Pavel Nikoaevitsj, 'je kunt het ook zo wel versturen. Alleen de zin over die fouten kun je wel weglaten, en ook dat "Geef me mijn zoon terug". Maar de rest... Ja, dat kan ook zo wel.'

'Goed,' zei ze en pakte het verzoekschrift op, 'ik zal het verbeteren.'

Iets anders had ze ook niet verwacht. En zonder Mark zou ze het toch niet versturen.

'Wanneer ga je weg?'

Hij stoof weer op:

'Ik weet niet of je het weet, maar ik moet morgen werken.'

'Laat alsjeblieft wat geld achter,' zei ze ferm, 'de spullen voor de pakjes koop ik in de Commerciële Winkel.'

Bijna was hij weer gaan schelden. Hij was gewoon ingenieur, kreeg zijn salaris, maar keek echt niet zo op het geld. Het was gewoon haar toon die hem ergerde, dat eisen, het enige waarvoor ze hem nodig had, was zijn geld. Hij haalde honderdvijftig roebel te voorschijn.

'Meer kan ik niet missen.'

19 Weer was het nacht. Weer werd Sasja gewekt door het piepend geknars van het slot. De bewaker van gisteren verscheen, en opnieuw liepen ze lang door talloze korte gangen. Aan de riem van de bewaker hing dezelfde sleutelbos, en op dezelfde manier klopte hij met een sleutel op een deurklink of tegen een metalen trapleuning, om te waarschuwen dat hij met een gevangene kwam. Maar nu telde Sasja de trappen omhoog en omlaag en wist hij zeker dat ze op de begane grond waren aangekomen. Achter een openstaande deur aan het eind van de gang klonken stemmen, gelach zelfs, en het rook er naar een ander leven dan het gevangenisleven.

Djakov bescheen hem ditmaal niet met de lamp, blijkbaar gebruikte hij die methode alleen bij de eerste kennismaking. Vandaag droeg hij niet zijn legeruniform, maar een bruin jasje over een blauwe trui. Met een knikje wees hij Sasja een stoel aan, en ging door met schrijven. Hij schreef, las het over, schreef weer, met het hoofd over de tafel gebogen, en schonk geen aandacht aan Sasja. Sasja en hij werden slechts van elkaar gescheiden door een massief inktstel en een al even massieve presse-papier. Sasja bedacht dat hij heel makkelijk de presse-papier kon grijpen en Djakovs hoofd inslaan. Op deze stoel zaten verschillende gevangenen, onder hen kon er een zijn die zin had dat te doen. Alles was hier voorzien, elke pas, elke beweging, alleen daarmee was geen rekening gehouden. Achtten ze niemand tot zoiets in staat? Was er misschien een of ander geheim mechanisme, dat in werking trad wanneer je de inktpot aanraakte? Je kwam hier natuurlijk niet vandaan maar iemand zou het in een vlaag van wanhoop kunnen doen. Toch was Djakov hier niet bang voor. Misschien werden de *echte* gevangenen niet hier verhoord?

Djakov pakte de beschreven papieren en verliet de kamer, de deur liet hij open. Hij droeg viltlaarzen, zijn bruine broek had hij erin gestoken. Omdat Djakov zo warm was aangekleed, voelde Sasja opeens de kou van de betonnen vloer door zijn schoenen.

Alles was anders, helemaal niet zoals de vorige keer. Het leek alsof Djakov met iets belangrijkers en urgenters bezig was, en dat ze Sasja alleen hierheen hadden gebracht, omdat daartoe opdracht was gegeven toen Djakov nog niet wist dat hij iets anders moest doen. In burger, met zijn viltlaarzen zag hij er gewoon en onofficieel uit, hij liep weg en liet Sasja alleen bij de tafel, waarop allerlei papieren lagen, hij was niet bang dat Sasja erin zou kijken, zoals hij ook niet bang was dat Sasja hem een klap zou geven met de zware presse-papier.

In de gang waren dichtslaande deuren en stemmen te horen, Djakov praatte met iemand, kwam weer terug, onhandig lopend in zijn viltlaarzen, liet de deur op een kier staan, ging achter de tafel zitten, rommelde in een lade, haalde een dun mapje te voorschijn met de papieren van de vorige ondervraging, toen zocht hij nog iets en terwijl hij in de lade rommelde vroeg hij, zonder Sasja aan te kijken:

'Zo, Pankratov, wat heeft u vandaag te zeggen?'

Hij stelde die vraag zo tussen neus en lippen door, kalm, vriendelijk zelfs, alsof hij vergeten was wat zij de vorige keer hadden besproken.

'Ziet u,...' begon Sasja.

'Aha!' Djakov had eindelijk het papier dat hij zocht gevonden en liep weer weg.

Hij kwam weer terug, legde de papieren in de bureaula, ging zitten en opende Sasja's dossier.

'Zo, Pankratov... heeft u nagedacht over mijn raadgevingen?'

'Ja, dat heb ik. Maar ik weet niet wat u bedoelt.'

'Niet best!' zei Djakov hoofdschuddend. In zijn stem klonk iets van een verwijt, van leedwezen en zelfs medeleven door, zo van: je maakt het jezelf moeilijk, vriend!

Hij dacht na, knikte naar de map met Sasja's dossier.

'Wilt u de zaak rekken?'

'Ik weet niet welke contrarevolutionaire gesprekken u de vorige keer bedoelde.'

Djakov keek bedenkelijk.

'U bent een huichelaar, Pankratov. U wilt dat wij ons niet met de hoofdzaak bezighouden, maar met uw instituutzaakjes. Maar zelfs daarin bent u niet eerlijk geweest. U heeft veel verborgen gehouden. Ook dat is tekenend voor u.'

'Wat heb ik verborgen gehouden?' verwonderde Sasja zich.

Op dat moment kwam een oudere man met een eskimogezicht de kamer binnen, gekleed in een donkerblauw kostuum, dat zijn stevige, zelfs massieve gestalte fraai kleedde.

Djakov kwam overeind. Met een knikje liet de man Djakov weer plaatsnemen en ging zelf op een stoel naast hem zitten.

'Gaat u verder!'

Hij keek Sasja strak aan. Sasja begreep dat dit Djakovs chef was, maar in zijn blik voelde Sasja meer dan de gebruikelijke bureaucratische belangstelling voor de zoveelste arrestant. Hij kreeg een sprankje hoop dat deze man zijn lot zou veranderen.

'Welnu, Pankratov,' zei Djakov, 'waar waren we gebleven?'

'U zei dat ik iets verborgen zou hebben. Maar wat dan?'

'Daartoe hoeven we alleen maar de notulen van de partijvergadering te bekijken. U zocht zelfs de protectie van hooggeplaatste personen...'

Djakov keek Sasja onderzoekend en afwachtend aan.

Ja. Nu was alles duidelijk. Het ging om Mark, om Boedjagin of om allebei. De toespeling was zonneklaar. Met opzet zei hij niet: 'hooggeplaatste kameraden', maar 'hooggeplaatste personen'. Ook noemde hij geen namen. Nee, laat hij eerst maar namen noemen. Van Sasja zou hij ze niet te horen krijgen.

'Wie bedoelt u?'

'Pankratov!'

Djakovs lippen vertrokken tot een grijns vol walging en afkeuring.

'Schaam u, Pankratov! Speel geen kat en muis met ons. We zijn beter geïnformeerd dan u denkt. U wilt ons dwingen tot spreken, maar wij willen dat u spreekt, dat is in uw eigen belang. Rjazanov en Boedjagin hebben moeite voor u gedaan, dat heeft u zelf op de partijvergadering toegegeven, en hier wilt u ons om de tuin leiden.'

Weer was het niet 'de kameraden Rjazanov en Boedjagin', maar gewoon 'Rjazanov en Boedjagin'.

'Ik heb niemands protectie gezocht,' wierp Sasja tegen, 'ik heb mijn oom Rjazanov alles verteld, maar ik heb hem niet gevraagd zich ermee te bemoeien. Hij heeft zelf, zonder mijn medeweten, Boedjagin gevraagd de directrice van het instituut, Glinskaja, te bellen.'

'Akkoord,' stemde Djakov in. 'Maar waarom heeft u dat de vorige keer niet verteld? Waarom heeft u juist die namen niet genoemd? U noemde een hele hoop mensen,' hij haalde een klein papiertje uit het dossier, dat Sasja voor het eerst zag. 'Baulin, Lozgatsjov, Azizjan, Kovaljov, maar Rjazanov en Boedjagin heeft u niet genoemd. Waarom niet?'

Sasja dacht koortsachtig na. Elk woord kon nu zowel voor Mark als voor Ivan Grigorjevitsj noodlottig zijn. De hele zaak draaide om hen, dat was duidelijk. Waar werden ze van beschuldigd?

'Dat vond ik niet belangrijk. Het zijn alleen familiebanden. Ik begrijp zelfs niet, waarom u dat zo opvallend vindt.'

Hij sprak op besliste toon, zoals men spreekt over iets waarover men niet wil, ook niet zal spreken. Djakov gaf aan in welke richting hij het moest zoeken, maar hij liet zich niet leiden.

Djakov keek hem aan, aandachtig, geïnteresseerd en—leek Sasja—zelfs op zijn hoede.

'Heeft uw oom ook de behandeling van de zaak bij Solts geregeld?'

'Niemand heeft iets geregeld. Ik ben zelf naar Solts gegaan.'

Djakov grinnikte.

'Mensen wachten maandenlang op een gesprek, maar u komt eraan en klaar is Kees: meteen ontvangt hij u en meteen is uw zaak behandeld. Wie zal dat geloven, Pankratov?'

'En toch is het zo.' zei Sasja, 'zo is het gegaan. Ik liep zijn kamer binnen, hij zag me, en vroeg wat er aan de hand was...'

'Geholpen door een gelukkig toeval?'

'Mogelijk... Had ik soms niet het recht me tot de Centrale Controlecommissie te wenden? Had mijn oom soms niet het recht iets voor mij te doen? Wat heb ik daar voor schuld aan? En waarom houdt u me hier vast? Voor niets en niemendal!'

Djakovs gezicht vertrok tot een grimas. Maar hij zei niets, hij keek slechts tersluiks naar zijn chef, alsof hij hem vroeg zich ervan te overtuigen met wie hij, Djakov, te maken had, of misschien omdat hij verwachtte dat deze zelf iets zou zeggen. Maar de man met het eskimogezicht zei niets, stond moeizaam op en ging weg.

Djakov fronste zijn wenkbrauwen en zei, nu op een andere toon:

'Uw schuld schuilt daarin, dat u onoprecht en oneerlijk bent tegenover de partij. U hebt nog heel wat meer verborgen gehouden. U heeft al uw aanklagers opgesomd, maar uw beschermers niet één keer genoemd. Veel mensen hebben zich met uw geval bemoeid... Neem nou Krivoroetsjko...'

Sasja rook onraad. Op het meest onverwachte moment kon de hele zaak ontploffen. Wat Mark en Boedjagin betreft was het duidelijk, hij kon en zou niets zeggen dat hen compromitteerde. Maar Krivoroetsjko… 'Die kok heeft nog gekruide potjes op het vuur…' Daarmee had Krivoroetsjko Stalin bedoeld. Door zijn woorden te herhalen zou Sasja er niet alleen zelf in verstrikt raken maar ook Krivoroetsjko verraden. Maar als hij zweeg, koos hij de weg van de oneerlijkheid en de onwaarheid.

'Ik ben twee keer bij hem geweest. De eerste keer heeft hij de papieren van mijn uitsluiting gestempeld, de tweede keer maakte hij mijn terugkeer in orde.'

Djakov begon te lachen.

'Zo word je eruit gegooid, zo weer aangenomen en zo zit je in de gevangenis… En hij zei niets tegen u?'

'Hij leek me terneergeslagen, ze hadden hem immers uit de partij gezet.'

'Net als u. Had hij u echt niets te zeggen?'

Djakov keek hem nog altijd strak aan, wist hij iets, vermoedde hij iets of zocht hij naar iets, misschien voelde hij zijn verwarring?

'Liet hij niet merken wat hij er van vond dat u was weggestuurd en vervolgens weer aangenomen?' drong Djakov aan. 'Heeft hij zelfs niets gevraagd? Te meer daar u hem op de zitting van het partijbureau had verdedigd.'

'Ik heb gewoon verteld wat er aan de hand was…'

'Ja ja… En hij zette gewoon zijn stempel.'

Nee, hij moest niet toegeven! Hij peilde hem, probeerde hem te vangen, leidde hem af van de hoofdzaak, van Mark en Boedjagin, probeerde hem vast te praten…

'Van een bijzonder gesprek kon geen sprake zijn. Hij was onderdirecteur en ik gewoon student.'

Djakov keek hem doordringend aan.

'Volgens onze informatie voerde Krivoroetsjko met andere studenten partijvijandige gesprekken. En tegen u, iemand die zich *gekrenkt* voelde en hem ook nog had *gesteund*, zei hij niets. Vreemd!…'

Krivoroetsjko kende Mark, hij moest hem de groeten doen. Nee, dat mocht hij niet zeggen.

'Zo is het,' zei Sasja.

Djakov keek Sasja ononderbroken aan, plotseling verscheen er een boosaardige glimlach vol leedvermaak op zijn gezicht. Met diezelfde gemene glimlach pakte hij het blanco ondervragingsformulier.

'Goed, we zijn een geduldig volk, we zullen wachten tot u eindelijk besluit eerlijk te zijn, en u zich herinnert wat u zich moet herinneren.'

Wat Djakov ditmaal opschreef begon met de woorden: 'Aan mijn vorige getuigenissen voeg ik toe…', en bevatte de bekentenis, dat Sasja in Krivoroetsjko's kamer was geweest, hem op de partijvergadering had verdedigd en dat

Janson en Siverski Sasja hadden verdedigd. Over Mark en Boedjagin geen woord in het rapport.

Alles was juist opgeschreven, maar net als de keer daarvoor was er iets dat bij Sasja een vaag gevoel van gevaar opriep. Waar het gevaar precies in schuilde wist hij niet. Hij eiste slechts dat er werd toegevoegd, dat hij voor studiezaken bij Krivoroetsjko was geweest.

'U bent student, logisch dat u voor studiezaken komt.'

'Hij kan barsten!' Sasja tekende het proces-verbaal.

'Ik krijg geen pakjes van mijn moeder, dat maakt me ongerust. Bovendien verzoek ik om kranten en boeken uit de bibliotheek.'

Djakov schudde zijn hoofd.

'Zolang het onderzoek loopt is dat allemaal verboden. Als u openhartig was geweest hadden we de zaak kunnen afsluiten, en dan zou u krijgen waar u om verzoekt. En houdt u er rekening mee, Pankratov, nze volgende bijeen-komst zal de laatste zijn,' hij wees met een vinger naar het plafond, 'mij worden ook vragen gesteld. En ik wil de zaak gunstig voor u afsluiten. Laat die gelegenheid niet voorbijgaan.'

Mark, Ivan Grigorjevitsj, of allebei. Eerlijke communisten, trouw aan de partij. Boedjagin kende hij slecht maar Mark kende hij goed, hij stond voor hem in, geen denken aan dat Mark iets verkeerd had gedaan. Marks arresta-tie was net zo'n misverstand als de zijne, sterker nog: tegen hem sprak ten-minste nog die ongelukkige affaire op het instituut. Maar Mark kon niets ten laste gelegd worden: een belangrijk ingenieur, een voortreffelijk econoom, een onbaatzuchtig mens, een echte communist, wiens hele leven bestond uit werken, werken en nog eens werken. En hem hadden ze gevangen gezet? Misschien was hij vlakbij, in dezelfde gang, naast hem zelfs? De bijziende Mark met zijn zwakke hart, hier in net zo'n cel?

Hij zou niet weten waaraan Mark schuldig was, hij was overtuigd van zijn rechtschapenheid. En als ze vonden dat hij Rjazanov dekte, dan vonden ze dat maar! Hij was bereid Marks lot te delen. Zo was het gegaan, het had hen overvallen, niets aan te doen, ze moesten standhouden, op een dag zouden Mark en hij hun onschuld bewijzen.

Alles was duidelijk, het had geen zin zich het hoofd te breken. Hij was eerlijk tegenover de partij, had geen geheimen, hield niets verborgen en kon niets slechts over Mark vertellen. Dat was alles. Punt uit.

Slechts één ding zat hem dwars... Krivoroetsjko... Dat was het enige punt waarop hij zich kwetsbaar voelde. Hoe je het ook bekeek, hij had iets verzwe-gen. Misschien iets onbelangrijks, iets onbeduidends, maar hij had iets ver-zwegen. Hij wilde een zuiver geweten hebben. Krivoroetsjko verstoorde dat gevoel van zuiverheid en klaarheid.

's Middags verscheen er een onbekende cipier met een velletje papier en een potlood in zijn handen.

'Schrijf uw aanvragen voor de bibliotheek op.'

Hij mocht boeken lenen! Sasja wist niet hoeveel boeken hij mocht en voor hoe lang. Maar hij liet niets merken van zijn onwetendheid. Het personeel hield meer rekening met ervaren gevangenen dan met onervaren.

'Oorlog en Vrede' van Tolstoj, 'De Dode Zielen' van Gogol, 'Verloren illusies' van Balzac, 'De Chartreuse van Parma' van Stendhal, en de laatste nummers van de tijdschriften 'Het Rode Braakland', 'Nieuwe wereld', 'Oktober', 'Jonge Garde', en 'De Ster'… Hij schreef zonder te denken, daar was geen tijd voor, de bewaarder wachtte, een gevangene moest van te voren al bedacht hebben wat hij wilde hebben, hij schreef wat er in hem opkwam, hij moest boeken hebben, dikke boeken, zodat hij genoeg te lezen had tot hij weer, onbekend wanneer, boeken kon aanvragen.

Slechts om één titel vroeg hij bewust, het 'Wetboek van Strafvordering'. Dat zou hij niet krijgen. Toch schreef hij 'Wetboek van Strafvordering van de RSFSR', om althans op die manier tegen zijn positie te protesteren.

Waarom had Djakov hem boeken toegestaan? Wilde hij hem paaien? Het was in zijn belang om Sasja's verblijf hier ondraaglijk te maken en hem tot bekentenissen te dwingen. Was hij bang de wet te overtreden die recht gaf op boeken? Medelijden? Als ze hem van contrarevolutionaire activiteiten beschuldigden was er geen plaats voor medelijden. Misschien gebeurde het zonder medeweten van Djakov, net als het douchen buiten zijn beurt. Jammer. Ze zouden de fout ontdekken en hem geen boeken meer brengen.

Maar de volgende dag verscheen er een nieuwe cipier met in zijn handen een pak, waar een schone witte lap met gele schroeivlekken omheen zat. Sasja herkende de lap meteen, hij gebruikte hem thuis bij het persen van zijn broeken. Dus niet alleen boeken maar ook pakjes waren toegestaan.

'Naam?'

'Pankratov.'

'Hier tekenen'.

De cipier gaf hem de lijst met de inhoud van het pakje en een potloodstompje. De lijst was geschreven in het handschrift van moeder, groot en onduidelijk, alleen 'chocolade' was er in een onbekend, duidelijk, bijna calligrafisch schrift aan toegevoegd. De helft van de lijst was met inktpotlood doorgestreept.

Sasja bekeek de zakjes en pakjes, die moeder secuur had ingepakt, en daarna door vreemde handen overhoop gehaald waren… Een wit stokbrood, kaas, gekookt vlees, worst—allemaal bij de controle in stukken gesneden—boter in vetvrij papier, suiker, schoon ondergoed, sokken, zakdoeken. Een levensteken van moeder dus, ze had volgehouden, wist waar hij was.

'Kan ik vuil goed terugsturen?'

'Pak maar in.'

Hij pakte het vuile goed in de lap. Die witte lap stof met zijn schroeivlekken van het strijkijzer bracht hem de geur van thuis, van zijn huis.

'Schrijf op wat u wilt hebben.'

Op de achterkant van het papiertje schreef Sasja: 'Alles ontvangen. Stuur alleen wittebrood, vlees en ondergoed. Alles in orde, ik maak het goed, liefs. Sasja.'

'Het potloodje!' gebood de cipier.

20 Sofja Aleksandrovna raakte het papiertje aan, betastte het, herlas het tien, honderd, duizend keer, een teken van het lijden van haar zoon, zijn bittere lot, maar ook een bewijs dat hij nog leefde. Ze liet het aan iedereen zien, aan Michail Joerjevitsj, buurvrouw Galja, Militsa Petrovna, haar zusters, Varja Ivanova en Maks Kostin... Ik heb niets nodig, alles in orde, ik maak het goed, liefs... Zoiets kon alleen hij schrijven, haar lieve, flinke jongen.

Alles had een nieuwe zin gekregen. Het verkreukelde papiertje, zijn ondergoed, dat naar de gevangenis rook, het brood en vlees waarom hij vroeg, deze tastbare kleinigheden had ze eerder moeten missen waardoor ze hem zich niet levend kon voorstellen. Haar avonden en nachten waren niet meer zo eenzaam: ze was dicht bij hem, wist hoe hij elke minuut doorbracht, voelde al zijn bewegingen. Als haar hart pijn deed, betekende het dat hij ziek was; kon ze niet slapen, dan lag hij met zijn ogen open op zijn brits. Was ze doodsbang, dan werd hij voorgeleid en martelde zich af, voelde zich radeloos en leed. Ze herinnerde zich hoe ze hem eens had gestraft, hij had haar niet naar het theater willen laten gaan, hij had toen niet van pijn gehuild maar omdat hij gekwetst was, ze had hem, een klein kind, vernederd. Nu werd hij door het leven geslagen.

Mark sprak met hooggeplaatste en invloedrijke personen over Sasja. Ze geloofde Mark, hij loog haar niet voor, hij suste haar niet, deed alles wat hij kon. Toch had ze meer vertrouwen in de vrouwen die voor de gevangenis in de rij stonden dan in Mark. Daar was alles duidelijk, simpel en eerlijk. Die zwakke vrouwen zagen kans hun naasten te beschermen en hen de warmte te geven die ze buiten in de bijtende kou verloren, verzachtten hun honger met het weinige dat ze van hun karige rantsoen konden missen, hun liefde, hun hoop ging dwars door de stomme gevangenismuren. Sofja Aleksandrovna was niet langer bang voor de gevangenisrijen: daar voelde ze zich niet alleen. Haar verdriet was er niet minder om, maar het nam het schrijnende van haar eenzaamheid weg. Ze moest net als de anderen doen. De wereld die haar vroeger zo bang maakte, dwong haar nu tot handelen en handelen onderdrukt de angst. De vrouwen leerden haar hoe ze Sasja moest opsporen, hoe ze overdracht van pakjes moest regelen, wat er in moest, tot wie ze zich moest wenden, wat ze het beste kon schrijven en aan wie. Ze moest precies die personen aanspreken of schrijven die de vrouwen haar aanraadden. Ze bereikte een onderhoud met de openbaar aanklager die toezicht hield op de organen van de OGPOe. 'Wanneer het onderzoek wordt afgesloten krijgt u bericht,' een antwoord wat ze haar hadden voorspeld, maar toch belangrijk was, omdat de openbaar aanklager nu aandacht zou schenken aan Sasja's zaak, en dat kon veel veranderen. In de rijen wisten ze wat ze moest doen als Sasja veroordeeld werd: ze kenden de *hele weg*, en deze weg was ook een levensweg, die de mensen gingen, en dit was geruststellender dan hoop en beloftes. Waarheen ze Sasja zouden sturen, hing er van af of hij zo slim was een medisch onderzoek te eisen; hij had zwakke bronchiën, dan mocht hij misschien naar Privolzje en hoefde niet naar Siberië. Als ze haar belden en zeiden dat ze warme kleren moest inpakken, betekende dat Siberië of het noorden, zeiden ze dat niet, dan werd het Centraal-Azië.

Toen de huismeester Viktor Ivanovitsj Nosov kwam, was ze erop voorbereid. Ze hadden haar gewaarschuwd dat Sasja's kamer zou worden verzegeld, de huismeester moest dat doen, ook al vond hij het waarschijnlijk pijnlijk. Ze was alleen bang dat hij van verlegenheid grof zou worden. In dat geval had ze een speciale zin klaar.

'Viktor Ivanovitsj,' zou ze zeggen, 'als u rustig met me praat versta ik u beter'.

Maar Viktor Ivanovitsj was niet grof.

'Zo is de procedure, Sofja Aleksandrovna. Na verloop van tijd zullen we het zegel weghalen. Het is voor u ook rustiger. U kent ons publiek, ze sluipen binnen en je krijgt ze er niet meer uit. Als u spulletjes wilt verzetten, stuur ik de conciërge. En wat u niet nodig heeft, laat u staan, het blijft uw kamer.'

Hij gaf haar te verstaan dat ze niet alles hoefde weg te halen, en Sofja Aleksandrovna begreep dat zelf ook: zolang er spullen in de kamer stonden, kon niemand deze eigenmachtig gaan bewonen. Maar van hulp van de conciërge zag ze af: daarvoor moest ze betalen en ze had geen geld.

Ze ontruimde niet de woonkamer, waar Sasja vroeger sliep en studeerde, maar haar eigen slaapkamer. Alles wat ze nodig had moest ze eruit halen, en Sasja's bureau, bank en klerenkast moest ze daar neerzetten.

Terwijl ze hiermee bezig was kwam Varja binnen. Snel trok ze haar jas uit en begon te helpen, stapeltjes ondergoed, haar jurken, kleedjes, kussens en dekens droeg ze naar de andere kamer, ze liet niets vallen, raakte niets kwijt, ze wist precies waar alles hoorde en borg het zo op dat er voor alles plaats was.

Sofja Aleksandrovna vond het prettig dat het meisje haar hielp, ze mocht haar graag. Sofja Aleksandrovna dacht soms dat ze er misschien niet goed aan deed Varja in haar leven, haar ongeluk te betrekken. Maar Varja's mede-leven, haar hulpvaardigheid waren zo vastberaden, dat ze niet wist hoe ze haar kon wegsturen.

En nu gaf de hulp van het meisje hun werk het aanzien van gewone huishou-delijke bezigheden, eenvoudig het verplaatsen van meubels, en om de schijn op te houden vertelde Sofja Aleksandrovna haar niets. Maar ze voelde hoe de moed haar in de schoenen zonk. Haar man was weggelopen, haar zoon mee-genomen, ze pakten haar kamer af... Ze had deze kamer allang aan Sasja moeten geven. Een volwassen man, de woonkamer was onvrij voor hem, maar ze had hem niet haar kamer afgestaan, wilde zichzelf het gerief niet ontzeggen. Hoe egoïstisch van haar! En hij was er niet over begonnen, haar lieve, bescheiden jongen.

Hij ijzeren bed kregen ze niet uit elkaar, een poot van de kast brak af, de commode kregen ze niet van zijn plaats, ook al haalden ze de laden eruit.

Michail Joerjevitsj kwam van zijn werk, buurvrouw Galja verscheen, en zij hielpen met het verschuiven van de kast en de commode, haalden het bed uit elkaar en droegen Sasja's slaapbank, zijn bureau en etagère naar het kleine kamertje. Sofja Aleksandrovna stalde er zijn schrijfspullen uit, legde wat van Sasja's boeken neer, hing het gordijn op.

Varja ging pas weg bij Sofja Aleksandrovna toen alles klaar was, hoewel ze wist dat Serafim thuis op haar wachtte, de jonge cadet die Maks op oude-jaarsavond had meegenomen.

Serafim—hij liet er geen gras over groeien—had Varja de volgende dag opgebeld voor een afspraakje op het Arbatplein. Ze ging er zomaar voor de lol heen, nam Zoja en nog een meisje mee. Haar vriendinnen bleven aan de overkant van de straat staan, zagen hoe een jonge militair op Varja afstapte en ze over de Arbat gingen lopen. De meisjes liepen aan de overkant, maakten gebaren die ze niet snapte, en ze seinde onbegrijpelijke tekens terug. Sera-fim nodigde haar uit voor een dansavond in het Huis van het Rode Leger. Varja kon die avond niet, ze zou naar de bioscoop. Maar ze wist hoe moeilijk het was een kaartje voor het Huis van het Rode Leger te bemachtigen en beloofde hem de volgende zaterdag mee te gaan. Serafim kende alle moder-ne dansen, ze gingen er elke week heen, en haar vriendinnen benijdden haar.

Varja verzoende zich met zijn idiote naam, een van de gebroeders Zna-menski heette ook Serafim. Hij leek natuurlijk niet op de rasechte Moskou-se jongens van hun binnenplaats, hij was een verlegen jongen uit de provin-cie. Maar hij maakte *serieus* werk van haar, dit vleide Varja, ze voelde zich volwassen, en Ninka kon niets tegen hun vriendschap hebben, Serafim was immers een vriend van haar Maks en Maks kon geen slechte kameraden hebben.

Thuis begroette Nina Varja met een boze blik: al een uur zat Serafim vol smart met een boekje op de bank te wachten, het geritsel van bladzijden die omgeslagen werden, ergerde Nina, stoorde haar bij het werk: ze keek school-schriften na. En haar vernietigende blik zei: 'Wees op tijd als je met iemand afspreekt, ik hoef jouw aanbidders niet zoet te houden'.

Varja vertelde haar niet waarom ze te laat was. Ze zou het wel uitleggen, maar later. Eerst stuurde ze Serafim de gang op: ze moest zich verkleden.

Aan de kastdeur hing een spiegel, Varja opende de deur zo, dat ze niet met haar rug, maar met haar zij naar het licht stond, en begon zich te verkleden. Ook dit ergerde Nina, ze had toch een mooie jurk aan, die kon ze best aan-houden. En hoe ze haar kousen aantrok! Ze strekt haar been, verstilt in die houding, bewondert zichzelf. En die manier om halfaangekleed door de ka-mer te lopen, waar heeft ze dat vandaan met haar zestien jaar?!

'Vergeet niet dat er op je wordt gewacht.'

'Weet ik,' antwoordde Varja zachtjes. En even zacht vroeg ze: 'Mag ik van-daag je schoenen?'

Nina wilde niet haar enige uitgaansschoenen uitlenen, maar Varja kon haar niet gauw genoeg verdwijnen.

'Neem maar.'

Varja pakte de schoenen, bekeek ze lange tijd, bevoelde ze, en toen ze ze aan had, bestudeerde ze ze nogmaals, strekte haar been vol bewondering. Eindelijk was ze klaar met haar toilet en opende de deur.

'Kom maar, Serafim.'

Met haar jas al aan, hoofddoekje om, en na een blik in de spiegel, draaide Varja zich om naar haar zuster.

'Ik ben bij Sofja Aleksandrovna geweest. Ik heb geholpen bij het verplaatsen van haar spullen. Sasja's kamer is verzegeld.'

Varja had Nina de slag instinctief, maar trefzeker toegebracht: zelfs wat er in Sasja's huis gebeurde, hoorde Nina van haar.

Natuurlijk, Nina noch iemand anders kon Sasja helpen. Wat konden ze doen, zonder te weten waarvan hij werd beschuldigd?! Toch voelde ze zich schuldig tegenover Sasja, alleen al omdat zij vrij was en hij in de gevangenis zat. De beste van hen allemaal! En iedereen zweeg. Nina had gehoopt dat het misverstand opgehelderd zou worden, maar ze hadden zijn kamer verzegeld en lieten hem dus niet vrij. Wat nu? Toegeven dat Sasja een vijand was van het sovjetregiem? Hem verloochenen? Ze hadden Sasja laten stikken, waren hem afgevallen. Ze was een keer bij Sofja Aleksandrovna langsgegaan om haar medeleven te laten blijken—wie zat er nu op haar medeleven te wach-ten?!

Een brief schrijven... Handtekeningen van zijn kameraden verzamelen, Sasja was immers secretaris van de komsomolcel geweest, schrijven dat ze voor hem instonden. Maks zou tekenen, en Vadim, en Lena, en de anderen. En het schoolhoofd, en de leraren die Sasja kenden. Nina gaf les op de school waarop ze vroeger met Sasja had gezeten, en ze had goede hoop de handtekeningen bij elkaar te krijgen. Joerka zou niet tekenen, hij kon barsten. Ze belde Lena en Vadim, ze spraken voor de volgende dag af bij Lena. Daarna liep ze naar beneden naar de moeder van Maks, en vroeg of ze hem wilde zeggen dat hij morgen, op zijn verlofdag, bij haar langs moest komen.

Het werd geen vrolijke bijeenkomst. Lena, ingepakt in een plaid, was zwijgzaam. Een brief ondertekenen—best. Ook Maks zag er triest uit. Hij wist dat een brief zinloos was en bepaalde gevolgen kon hebben, maar hij wilde niet weigeren, Nina moest niet denken dat hij een lafaard was. Alleen Vadim zei:

'Jongens, wat levert zo'n brief op? Wordt Sasja erdoor geholpen? En als het hem schaadt, zijn zaak moeilijker maakt? Ze roepen ons op: wat weet u van Pankratov? Op school was hij een goed komsomollid. Maar het is zes jaar geleden dat we met hem op school zaten. Hoe is hij nu? Weten jullie wat er op het instituut is gebeurd? Heeft hij het aan jullie verteld? Wat heeft hij verteld? En daarna roepen ze Sasja op: "Wat heeft u aan uw kameraden verteld?" Ik trek Sasja's oprechtheid niet in twijfel. Ik probeer me alleen voor te stellen wat voor indruk het maakt.'

'Moeten we Sasja aan zijn lot overlaten?' vroeg Nina.

'Hoezo aan zijn lot overlaten? Zijn zaak is toch in behandeling? Wat voor reden hebben we te veronderstellen dat zijn zaak niet goed wordt behandeld? Ja, wij kennen Sasja, maar zij ook, ze hebben waarschijnlijk zijn getuigschriften opgevraagd. En ze hebben hem niet gearresteerd omdat hij Sasja Pankratov is, maar omdat er iets aan de hand is, en wij weten niet wat.'

'We moeten voor hem opkomen,' zei Nina.

'Gebruik je verstand toch,' wierp Vadim tegen, 'Sasja komt niets van onze brief te weten. Integendeel, ze zullen hem over elk van ons uithoren en dat maakt het voor hem alleen maar erger.'

'Ben je bang dat ze over jou zullen vragen?'

'Ik ben nergens bang voor,' zei Vadim met een rood hoofd.

Iedereen begreep dat Vadim gelijk had, Nina ook. Maar er was iets dat hoger, belangrijker was dan dit begrijpen. En er speelde nog iets mee, pijnlijk en beschamend: ze waren bang zelf last te krijgen. Het was moeilijker deze angst te overwinnen dan de brief te versturen.

'Moet ik anders met mijn vader overleggen?' zei Lena.

'Dat is het!' viel Nina haar bij, heimelijk hopend dat Ivan Grigorjevitsj zich ermee zou bemoeien en Sasja zou helpen.

Vadim vond dit ook een goed idee: Ivan Grigorjevitsj zou hen afraden zo'n onverstandige brief te sturen. Hij, Vadim zou hem toch niet ondertekenen, dat had hij zich vast voorgenomen. Alleen Maks met zijn nuchtere boerenverstand begreep dat ze Ivan Grigorjevitsj niet in verlegenheid moesten brengen.

'Zullen we dat wel doen?' zei Maks twijfelend, 'we moeten zelf beslissen.'

'We kunnen altijd om raad vragen,' zei Nina gedecideerd.

Ivan Grigorjevtisj en Asjchen Stepanovna kwamen thee drinken in de salon.

'Papa,' zei Lena, 'wat moeten we met Sasja?'

'Wat zou je kunnen doen?'

'We wilden een brief naar de OGPOe sturen.'

Boedjagin fronste zijn wenkbrauwen.

'Wat hebben ze aan een brief van jullie?'

'We moeten toch iets ondernemen,' zei Nina.

'De zaak wordt zonder jullie behandeld,' antwoordde Boedjagin boos.

21 Na Boedjagins terugkeer uit het buitenland had Stalin hem geen enkele keer ontvangen, hoewel Ivan Grigorjevitsj veel te vertellen had over zaken die niet in rapporten stonden, maar die in de ontstane internationale situatie geen uitstel duldden. Hij vroeg om een onderhoud. 'Wacht u tot wij u oproepen.' Hij wachtte al langer dan een jaar. Dit was geen toeval, net zoals het geen toeval was geweest dat hij niet in het CC was gekomen. Als ambassadeur in een van de machtigste westerse mogendheden voerde hij een politiek die gedicteerd werd door het Centraal Comité, maar hij had het recht om het Centraal Comité zijn standpunt voor te leggen.

Maar Stalin was een moeilijk man. Tijdens zijn ballingschap praatte hij niet meer met een kameraad, als deze een grapje had gemaakt over zijn gewoonte met zijn sokken aan te slapen. In Siberië was hij bijzonder hulpeloos, hij had het koud en sliep daarom met zijn sokken aan. Hij had een gestikte bonte zijden deken. Daar maakten ze ook grapjes over. Stalin vatte dat op als een benadrukking van zijn zwakheid, zijn gebrek aan aanpassingsvermogen. Ze hielden op de draak met hem te steken. Met hem kon je geen ruzie maken: hij kon geen vrede sluiten. Zijn zware Georgische accent en zijn logge zinswendingen maakten hem niet tot een goede spreker: in discussies was hij ook onbeholpen, en men wilde hem niet voor het hoofd stoten. Niet voor het hoofd stoten, dus niet tegenspreken.

Ruzies en onenigheid hinderden de bannelingen niet met elkaar om te gaan. Alleen Stalin deed nooit een stap tot verzoening, een ideologische tegenstander werd zijn persoonlijke vijand. Hij vond het vanzelfsprekend, als een kameraad hem de viltlaarzen gaf, die hij zelf nodig had. Maar hij zou nooit de laarzen van iemand aannemen, met wie hij het de dag daarvoor oneens was geweest. Door zijn grillen, lichtgeraaktheid, al die moeizame misverstanden was hij onuitstaanbaar. Anderen gingen jagen of vissen, maar hij ging nergens heen, zat 's avonds bij het raam te studeren bij het licht van een kerosinelamp. Deze eenzame, onverzoenlijke Georgiër, die diep in de Siberische tajga, in een boerenhut aan de rand van het dorp woonde, onder vreemden waar hij het slecht mee kon vinden, riep het medelijden op van zijn kameraden. En zij vergaven hem veel.

Boedjagin stond als enige op min of meer vertrouwde voet met hem. Als jonge arbeider uit Motovilicha zag hij de Kaukasiër voor het eerst, hij had medelijden met deze zuiderling gekregen die naar het koude Siberië was gestuurd, waar de omstandigheden zelfs menige Rus te bar waren. Boedjagin was hem van dienst, en hielp hem waar hij kon, Stalin beschouwde dit als iets dat hem toekwam. Ivan Grigorjevitsj had het hier makkelijker dan de anderen: hij kende het vak van smid en bankwerker, wist hoe je een bijl moest vasthouden, hij kon zowel een ploeg als een geweer repareren en hield van vissen, vooral 's nachts in de herfst met een brandende pekfakkel voor op de boot. Hij luisterde zwijgend naar de betogen van zijn ontwikkelde kameraden, hun gesprekken en betogen, las veel, leerde zelfs Engels. De meesten leerden Duits of Frans, alleen Stalin hield zich niet met talen bezig. De ballingen gaven Boedjagin boeken, legden uit en verduidelijkten. Dat deed Stalin ook. Zijn rechtlijnigheid, zijn seminaristische neiging tot commentaar geven, de onwankelbare zekerheid dat zijn kennis de hoogste wijsheid was, hadden een overtuigingskracht die Boedjagin toen meer imponeerde dan de erudiete welbespraaktheid van de anderen. Maar dat was na verloop van tijd afgelopen, hij ontwikkelde zich snel en ontmoette op zijn weg mensen die knapper en briljanter waren dan Stalin. Maar die acht maanden gemeenschappelijke ballingschap stonden niet alleen in zijn geheugen gegrift, ze stonden ook in het hart gegrift: ze vormden de eerste voorbereiding tot wat zijn levenswerk zou worden.

Hij ontmoette Stalin ook tijdens de burgeroorlog. Toen begon Stalin net een opvallende rol te spelen. Zijn wil en energie kon de revolutie gebruiken, zijn gebrek aan loyaliteit, zijn grofheid en zijn tirannieke ambities werden getolereerd, de revolutie bediende zich ook van extreme middelen. Maar in het tijdperk van de opbouw werden die tekortkomingen gevaarlijk. Stalin maakte zich meester van een allesoverheersende en oncontroleerbare macht. Dat was de grondgedachte van Lenins brief. Iemands toegewijdheid aan de idee mat Stalin aan zijn toegewijdheid aan hem. Daar waar Rjazanov een einde zag, bevroedde Ivan Grigorjevitsj een begin. Hij had gedacht dat er op het congres veranderingen zouden plaatsvinden. Dat was niet het geval. Nadat Stalin eerst op het congres zijn uitzonderlijkheid tot norm had verheven, zou hij nu zijn enigheid tot norm verheffen.

Boedjagin betrok alles op zichzelf: elke revolutionaire daad beschouwde hij als zijn eigen daad, elke fout als zijn eigen fout, elke onrechtvaardigheid als zijn eigen onrechtvaardigheid, hij had de hogere moed van de revolutionair: hij nam de verantwoording op zich voor het lot van mensen die in de smeltkroes van de sociale woelingen waren gestort. Naast hem vielen mensen, schuldigen en onschuldigen, maar hij geloofde dat hij de weg baande voor een nieuwe generatie, de ware revolutie was niet groot door WAT ze vernietigde, maar door WIE ze schiep.

Stalin begunstigde Rjazanov. Daarin vergiste Ivan Grigorjevitsj zich niet. Wanneer iemand in het Centraal Comité zou komen moest de arrestatie van een neef van hem wel bekend zijn. Zijn gearresteerde neef zou Rjazanovs achillespees zijn, hem dwingen de man die een *dergelijke* omstandigheid negeerde toegewijd te dienen. Als dat zo was maakte Boedjagins inmenging in Sasja's zaak zijn verhouding met Stalin nog ingewikkelder.

Toch moest hij zich er mee bemoeien. Bij het zien van de jongelui die bij Lena zaten te overleggen hoe ze Sasja moesten helpen, huiverde hij: deze jongelui, zuiver en onbaatzuchtig, zag hij als de voortzetters van de zaak van de revolutie. En hij, een oude bolsjewiek nota bene, die deze had voorbereid en uitgevoerd, kon hun niets antwoorden. Hij kon niet zeggen dat Sasja terecht was gearresteerd, hij wist dat het niet zo was. Maar hij kon ook niet zeggen dat het onterecht was, dan moest hij hun uitleggen hoe zoiets kon gebeuren.

Hoewel Boedjagin wist dat zijn bemoeienis zinloos was belde hij Berezin. Hij kende hem als een eerlijke, moedige Tsjeka-soldaat. Hij vertelde Berezin dat hij voor Sasja Pankratov instond en hij vroeg hem zijn zaak uit te zoeken.

Berezin wist beter dan Boedjagin en Rjazanov dat Pankratov absoluut onschuldig was, Berezin kende de zaak. Hij was aanwezig geweest bij een verhoor van Sasja en zag een oprechte jongen in hem. Ondanks de dichte zwarte baard had hij toch zijn mooie jonge gezicht gezien, waaruit eergevoel, moed en diep gewortelde rechtschapenheid spraken. En het korte, trotse 'voor niets en niemendal', de glimlach van de jeugd die nergens bang voor is en zijn hele leven nog voor zich heeft. Berezin wist echter veel waarvan noch Boedjagin, noch Rjazanov iets wisten, en vermoedde dingen die zij niet konden vermoeden.

Lominadze, in het verleden een van de leiders van de Komintern, had over de Chinese revolutie een standpunt naar voren gebracht dat afweek van dat van Stalin, en hij had het probleem met Sjatskin en Syrtsov besproken. Deze conversatie had Stalin er toe gebracht hen tot 'rechtsanarchistische monsters' te verklaren. Lominadze werd van zijn post ontheven en als partijsecretaris van een stadscomité naar de Oeral gestuurd.

Er werd een onderzoek naar hem ingesteld. In het dossier bevond zich een getuigenis van Tsjer, een voormalig functionaris bij de Komintern, waarin stond dat Lominadze een nieuwe Internationale wilde oprichten. Tsjer, een man met een onduidelijke nationaliteit, onderdaan van vele staten, noemde een hele rits mensen, die met Lominadze zouden zijn verbonden, onder wie Glinski, een voormalig activist van de linkervleugel van de Poolse Socialistische Partij, die Lenin als emigrant belangrijke diensten had bewezen.

De vrouw van Glinski was directrice van het instituut voor transport. Op het instituut was een zogenaamde ondergrondse oppositiegroep ontdekt, geleid door Glinskaja's onderdirecteur Krivoroetsjko, voormalig lid van de 'arbeidersoppositie'. Jagoda had zich daar meteen in vastgebeten. Een verband tussen Glinski's vrouw en de ondergrondse oppositie verleende de wankele getuigenissen van Tsjer geloofwaardigheid, elke zijdelingse connectie zou de zaak omvangrijker en overtuigender maken, elk feit had gewicht, elke naam die in deze zaak opdook en kundig met de kern werd verbonden, was belangrijk.

Berezin begreep heel goed dat er helemaal geen ondergrondse op het instituut was, dat Sasja Pankratov en Krivoeroetsjko niets met elkaar te maken hadden, net zo min als Krivoroetsjko iets met de zaak van Glinski te maken had, dat Glinski geen band had met Lominadze en dat Lominadze helemaal niet van plan was een nieuwe Internationale op te richten. Maar Jagoda behandelde Lominadze's zaak persoonlijk, en deze zaak, zo begreep Berezin, reikte hoger en verder, hoe hoog kon Berezin alleen maar raden... Jagoda was hierover ingelicht, en Berezin wist wat de prijs was... Een vreselijke en onheilspellende keten. De vrijlating van Pankratov kon worden uitgelegd als het verwijderen van een schakel, hoe klein ook, uit die keten. Dat zou Jagoda niet toelaten. Vysjinkski evenmin. Solts had Pankratov gerehabiliteerd, Vysjinski had zijn arrestatie bekrachtigd. Pankratov moest in de schaduw worden gehouden, buiten de belangstelling, alleen dat kon de jongen redden. Alles moest vooralsnog blijven zoals het was, laat Djakov maar doorgaan met de zaak, zijn bezigheden beperkten zich tot het instituut, meer wist hij niet. Berezin gaf Sasja alleen toestemming pakjes te ontvangen en boeken uit de gevangenisbibliotheek te lenen. Die verordening hoorde Djakov eerbiedig aan, hij hoorde Berezin altijd eerbiedig aan, hij vermoedde dat Berezin niet lang meer in het centrale apparaat zou werken. Pakjes en boeken betekende natuurlijk een versoepeling, maar dat werd soms gedaan in het belang van het onderzoek, en daar ging je niet over bakkeleien.

'Tot uw orders,' zei Djakov.

Berezin beleed de denkbeelden van de revolutie, het werk voor de Tsjeka beschouwde hij als zijn revolutionaire plicht. Als voorzitter van de regionale Tsjeka had hij tijdens de burgeroorlog de rode terreur gestalte gegeven maar hij had ook wel eens een onfortuinlijke liberaal of een bourgeois die 'm kneep gewoon laten lopen, als hij zag dat ze ongevaarlijk waren voor revolutie. Niemand ontsnapte uit de kleine maar grijpgrage handen van Djakov, als iemand bij hem terecht kwam betekende dat automatisch dat hij schuldig was. Djakov geloofde niet in de werkelijke schuld van mensen, maar in een *algemene* vorm van schuld. Die *algemene* vorm moest op een slimme manier worden toegepast op een *gegeven* persoon en zo een *concrete* vorm opleveren. Wanneer de concrete versie er was, maakte hij zichzelf, het onderzoek en de verdachte er ondergeschikt aan. Als de verdachte deze versie afwees, was dat slechts een bewijs te meer van zijn vijandigheid tegenover de staat die Djakov hier dacht te vertegenwoordigen.

Djakovs versie (hij was er heilig van overtuigd dat deze goed, logisch en onweerlegbaar was) kwam neer op het volgende: aan het hoofd van het instituut stond Krivoroetsjko, voormalig lid van de oppositie, al verslagen en dientengevolge gekrenkt, en, volgens Djakovs logica, voor altijd rancuneus. Zo'n man moet wel tot actie overgaan: de vijand rust niet en haalt vuiligheid uit, waar hij maar kan, vooral temidden van politiek onrijpe jongelui. Een groep van zulke jongeren geeft een muurkrant uit tegen de partij. Is er een verband tussen deze omstandigheden? Dat moet wel! De leider van die jongelui, de student Pankratov, verdedigt Krivoroetsjko. Toeval? Geen sprake van! Is het toevallig dat de zaak Krivoroetsjko samenvalt met de zaak Pankratov?! Dat zal niemand geloven! Achter Pankratov staat een inspirator, een voormalig lid van de oppositie. Krivoroetsjko heeft Pankratov erbij betrokken, en dan is het al een contrarevolutionaire organisatie.

Djakov twijfelde er niet aan dat Pankratov zou *doorslaan* en dat zijn versie zou worden bewezen. Djakov verdeelde de verdachten in diegenen die het onderzoek vertrouwden en bijgevolg geloofden in het Sovjetregiem, en diegenen die het onderzoek niet vertrouwden en dus niet in het Sovjetregiem geloofden. Verder verdeelde hij ze in kleingeestigen, die over elke letter in het proces-verbaal vielen, en niet-kleingeestigen, die dat niet deden. Pankratov geloofde in de organen van de partij, was niet kleingeestig, geschokt door zijn arrestatie, hij hoopte op vrijlating, hij zocht vertrouwen, was onervaren en argeloos, zou zijn kameraden dekken en alles op zich nemen, zelfs meer dan nodig. Een makkelijk geval.

Krivoroetsjko was in dezelfde nacht gearresteerd als Sasja. Hij verklaarde dat hij over Pankratovs zaak had gehoord, maar zich Pankratov zelf niet herinnerde: op het instituut zaten duizenden studenten. In werkelijkheid was Krivoroetsjko niet vergeten wat Pankratov op de partijvergadering had gezegd, herinnerde hij zich dat hij bij hem geweest was om zijn papieren in orde te laten maken. Hij ontkende Pankratov te kennen, niet omdat hem dat persoonlijk zou schaden—niets kon hem op dit moment nog schaden of helpen—dit was een campagne gericht tegen diegenen die ooit lid waren geweest van enige oppositie. En ook niet omdat hij de *versie* doorzag—hij wist niet eens dat Pankratov in de gevangenis zat. Hij ontkende omdat hij wist: elke naam die hij noemde kon de persoon met die naam alleen maar schaden.

22 Sasja kreeg vier boeken, er was er niet een bij die hij had opgegeven, al had de bibliothecaris geprobeerd in de richting te blijven. 'Caesar Biroto' in plaats van 'Verloren Illusies', 'Kinderjaren', 'Jongensjaren' en 'Jongelingsjaren' voor 'Oorlog en Vrede', het tijdschrift 'Mens en Natuur' uit 1905 en nummer twee van 'Het Rode Braakland' uit 1925. Alles was stukgelezen, verfomfaaid en voorzien van een blauw, ovaal stempel: 'Stadsgevangenisbibliotheek Boetyrka'. De Balzac was van 1899, Tolstoj van 1913. Veel bladzijden waren weg, de lijst met ontbrekende bladzijden achterin klopte niet. En toch werd de komende week een feest. Sasja bekeek eerst de tijdschriften, las toen de boeken en daarna weer de tijdschriften. In 'Het Rode Braakland' vond hij een gedicht van Jesenin: 'Blauwe nevel. Besneeuwde vlakte…' Sasja had het nog niet eerder gezien. 'Caesar Biroto' had hij al gelezen, destijds vond hij het verhaal van de onfortuinlijke parfumeur melodramatisch, maar nu werd hij erdoor geroerd… 'Voor een genie is het ongeluk een stap naar verheffing, voor een christen en zuiverend doopvont, voor een sluwe vos een schat, een afgrond voor een slappeling'. Hij was geen genie, geen christen, sluwe vos of slappeling, maar toch zat er in deze woorden iets dat voor hem van belang was.

De hele week genoot hij van de boeken, het schone goed en de lekkernijen die moeder had gestuurd. Het middagmaal maakte hij eetbaar door stukjes vlees in de soep op te warmen en ze bij de kasja te doen. 's Morgens en 's avonds smeerde hij broodjes met boter, worst en kaas—de geur van zijn schoolontbijt verjaagde de gevangenislucht. Moe en voldaan ging hij op zijn brits liggen lezen. Liggen was overdag verboden, maar Sasja schonk geen aandacht aan de opmerkingen van de bewakers, en ze lieten hem met rust, traden pas op als hun meerdere eraan kwam. Die week had hij een lui, overdadig leventje, met boeken, worst en chocola. Het was alsof hij was gewend, ingeburgerd, zich had aangepast… 'Iedereen is gerust, we zullen daar allemaal zijn, zo vrolijk als in dit leven tegen wil en dank…' Het overtuigde niet, maar suste hem in slaap.

Het leven in de boeken en tijdschriften had niets gemeen met zijn leven van nu, en ook niet met zijn vroegere. Niets van het leed in 'Kinderjaren' en

'Jongelingsjaren' leek op zijn ervaringen als kind en jongen.

Op een keer had hij toen tegen zijn vader gezegd:

'Ik laat moeder niet beledigen.'

Vader keek hem aan met zijn bolle grijze ogen en liet zijn hoofd op zijn handen steunen.

'Je bent een goede zoon...' en hij begon te huilen.

Het bleef zijn vader. Al was zijn hand koud, hij was niet vergeten hoe hij hem als kind had aangeraakt. Hij wilde hem troosten, om vergeving vragen. Vader trok zijn handen van zijn gezicht. Zijn ogen waren droog, boos.

'Wie geeft jou het recht je ermee te bemoeien?!'

'Het is mijn moeder.'

Een paar dagen stond vader 's morgens zwijgend op, schoor en waste zich langdurig, kleedde zich aan en bestudeerde zichzelf in de spiegel, ging zwijgend aan tafel, at zwijgend, stopte zijn papieren in zijn aktentas, mompelde iets en ging zonder afscheid te nemen naar zijn werk. Teruggekomen keek hij boos de kamer in, at zonder een woord te zegen, schoof luidruchtig de borden van zich af en gaf geen antwoord op de bedeesde vragen van moeder. Alleen 's avonds laat, als vader en moeder naar hun kamer waren gegaan, hoorde Sasja daarvandaan zijn gedempte stem, moeder zweeg alleen maar, en Sasja was bang dat van het zwijgen haar hart zou breken.

Toen zei hij tegen Sasja:

'Ik moet met je praten.'

Ze gingen naar buiten en liepen over de Arbat. Sneeuwvlokjes dwarrelden in het licht van de straatlantaarns. Vaders hoge muts was van hetzelfde bont als de kraag van zijn bontjas, hij liep naast Sasja, een lange, knappe, gladgeschoren man, gedecideerd, en geen tegenspraak duldend.

...Hij wilde zijn zoon niet in hun problemen betrekken, maar *zij* had hem van jongs af aan tegen zijn vader opgestookt. Het was *haar* schuld dat ze ruzie hadden, *zij* deelde zijn ambities en interesses niet, ze hield meer van haar broer en zusters. Jaloezie, dat was het enige waartoe ze in staat was.

Een bodemloos verdriet had Sasja bevangen. Wat kon hij hier op straat tegen zijn vader zeggen, vader hoorde slecht, hij zou moeten schreeuwen.

Sasja zei slechts:

'Als mensen niet met elkaar kunnen leven, moeten ze uit elkaar gaan.'

Een maand later vertrok zijn vader naar de synthetische rubberfabriek in Jefremov. En zo kwam Sasja er op zijn zestiende alleen voor te staan.

Sasja werd niet bij Djakov geroepen, en hij maakte zich er niet druk over. Naar de eerste ondervraging had hij hoopvol uitgekeken, naar de tweede angstig, nu voelde hij noch hoop nog angst. Alleen de gedachte aan Krivoroetsjko liet hem niet met rust. Ze konden Krivoroetsjko arresteren, en die zou bekennen wat hij Sasja over die kok had verteld. Dan was Sasja op een leugen betrapt en eenmaal op een leugen betrapt zouden ze hem ook niet geloven als het er werkelijk op aankwam, als het om Mark ging.

Waarom had Krivoroetsjko dat toch tegen hem gezegd? Hij was door hem wel in een idiote positie geraakt. De kletskous! Wat had Sasja gedaan als de kwestie Krivoroetsjko op een partijvergadering was besproken? Daar zou hij die zin niet hebben verzwegen… Laat kameraad Krivoroetsjko eens uitleggen wat hij bedoelt! Waarom zou hij hier anders handelen? Waarom moest hij Krivoroetsjko *dekken*?

Hij zou alles vertellen, zoals het was geweest, zich van die last bevrijden. Zijn geweten zou zuiver zijn, ze moesten het daar maar uitzoeken… 'Siberië is zo verschrikkelijk, Siberië is zo ver, maar ook in Siberië wonen mensen…' Waar stond dat?

Hij leefde in de gevangenis, lag, las, genoot van de worst en chocola, zong elke nacht onder de warme douche, dacht na en haalde herinneringen op. Zijn baard was lang geworden, hij streek er niet meer over, hij wilde zien hoe een baard hem stond, maar er was geen spiegel.

Opnieuw verscheen de cipier met potlood en papier, nam de boeken mee. Sasja maakte een nieuw lijstje. Hij gaf dit keer tien boeken op, wellicht was er iets bij dat ze hadden. Hij schreef 'Oorlog en Vrede' en 'Verloren Illusies' nog een keer op, vroeg ook om tijdschriften van januari, februari en maart, Stendhal, Babel, Gibbons 'Val en vernietiging van het Romeinse Rijk', waaraan hij vlak voor zijn arrestatie was begonnen, Gogol, die hij graag las, en Dostojevski, van wie hij niet hield, maar hij moest alles aankunnen. En weer het wetboek, laat ze maar weten dat hij erop stond. Hij twijfelde er niet aan dat Djakov zijn aanvragen bekeek. Nou, laat Djakov maar beseffen dat hij zijn rechten wilde kennen.

De twee dagen zonder boeken wierpen hem terug in zijn vroegere toestand. Weer de zwijgende muren, de drukkende stilte, het oog dat hem bespiedde, de gang naar de WC, weer het zware eten, waarvan hij het zuur kreeg, de levensmiddelen die moeder hem had gestuurd waren op.

Hij dacht aan Katja, herinnerde zich haar warme handen, haar droge, ruwe lippen. Hij kon niet slapen, stond op, begon te lopen. Maar van de bewakers mocht hij niet 's nachts door de cel ijsberen.

'Gevangene, liggen!'

Hij ging liggen, kon niet inslapen, en als hij indommelde kreeg hij uitputtende dromen, slopende visioenen zoals vroeger, toen hij zeventien was…

Op zijn zeventiende was hij met moeder in Lipetsk geweest. De pensionhoudster bij wie ze logeerden had haar schoondochter uit Samara over, haar man had daar een baan bij de spoorwegen. Ze heette Jelizaveta Petrovna, een

magere blondine die over haar naakte lichaam slechts een openvallende badjas aanhad. Ze gluurde heimelijk naar Sasja, glimlachte dubbelzinnig, en
stelde zich aan, een klein burgervrouwtje uit Samara. Toch raakte Sasja opgewonden door dat dubbelzinnige lachje, haar lichaam dat zichtbaar was
door de halfopen badjas, en de goedkope parfum. Overdag lag ze gewoonlijk
in de tuin, de badjas open en haar blanke welgevormde benen in de zon. Sasja
keek niet in haar richting, zag slechts uit zijn ooghoek de witte vlek van het
kussen onder de appelboom, de kleurige badjas, de fraaie blote benen en
ronde knieën, voelde haar steelse blik, haar glimlachje op zich gericht.

'Sa-ssja,' zei ze op een keer, de 's' rekkend.

Hij kwam naderbij, ging naast haar zitten.

'Sasssja,' teemde ze en draaide zich naar hem om, de badjas viel open,
ontblootte een blanke magere schouder en een kleine borst. 'Sasja... Wat
spook je uit de hele dag? Ben je bij de meisjes? Zeg eens...'

Hij kreeg geen woord over zijn lippen, keek naar haar stevig tegen elkaar
gedrukte benen, de kleine witte borst... Het was heet en droog, een wesp
zoemde, het rook naar appels. Sasja kon niet opstaan, kon zich niet verroe-
ren, en met schaamte voelde hij dat ze alles zag, alles begreep, met haar
dubbelzinnige glimlachje, en dat ze hem in haar hart uitlachte.

'Dat leest maar en dat leest maar, je wordt zelf nog eens een boek.'

Ze pakte het bundeltje van France uit zijn handen.

'Pak het dan!'

Ze verborg het boek achter haar rug. Hij probeerde het te pakken, hun
handen verstrengelden zich, hij voelde de warmte van haar lichaam, ze wierp
een steelse blik op het hekje, gooide het hoofd naar achteren, haar ademhaling ging zwaar, haar gezicht kreeg iets vreemds, iets geheimzinnigs. Ze sloeg
haar gloeiende armen om zijn nek, trok hem naar zich toe, zijn lippen raakten
de hare en ze liet zich op haar rug vallen.

Daarna keek ze hem lachend in de ogen.

'Moet je zien wat je gedaan hebt... Nu moet ik het afwassen. Maar zeg eens,
vond je het niet leuk?... Geeft niks liever, de eerste keer is nooit leuk, het
was toch de eerste keer voor je, ja toch?'

Hij schaamde zich, ontliep haar, maar de volgende dag zei ze onder het
middageten:

'Sasja, wees een kerel en roei mij eens een stukje.'

'Ja, doe dat, Sasja,' zei zijn moeder die erover inzat dat Sasja zich in Lipetsk
verveelde.

Met het roeibootje gingen ze naar de overkant van de Voronezj, zoals de
rivier in Lipetsk heet, en hier, op een weitje gaf ze zich aan hem, berekenend
en volledig.

's Nachts kwam ze bij hem, hij sliep op de bank in de woonkamer, en dat deed ze iedere nacht, overdag nam ze hem mee naar de overkant van de Voronezj.

'Die duivelin heeft een baby aan de haak geslagen, de slet,' siste haar schoonmoeder.

Moeder merkte niets.

De man van Jelizaveta Petrovna arriveerde, bekeek Sasja argwanend, blijkbaar had hij iets van zijn moeder gehoord. Jelizaveta speelde de tedere echtgenote, en deed of Sasja een hopeloos verliefd jongetje was. Haar woorden rekkend, zei ze lachend waar haar man bij was:

'En daar heb je mijn aanbidder...'

Haar aanstellerij stond Sasja tegen, evenals het gefluister en gelach met haar man op hun kamer. Hij moest trouwens kort daarop in de fabriek beginnen en vertrok naar Moskou, zijn moeder in Lipetsk achterlatend. Nog lang daarna ging hij vrouwen uit de weg.

Op een keer was er in de fabriek een communistische zaterdag georganiseerd, ze veegden het fabrieksterrein, laadden hout uit, ruimden sneeuw. Hij werkte samen met Polja, een arbeidster van de derde werkplaats, een lange knappe meid, ze maakte grapjes, flirtte en aan het einde van de dag zei ze zachtjes:

'Laten we naar mij gaan, een beetje op temperatuur komen.'

En nog zachter voegde ze er aan toe:

'Ik ben alleen vandaag.'

Hij was toen niet gegaan, ze had het hem al te nadrukkelijk voorgesteld. Nu speet het hem dat hij het niet had gedaan.

Zijn bloed kookte, gaf hem geen rust, hij wist waartoe eenzaamheid soms kon leiden en was er bang voor. Hij deed 's morgens en 's avonds gymnastiek, ging overdag niet liggen, liep van hoek tot hoek, stelde zijn dagelijkse norm op tienduizend passen, hij douchte ijskoud, ging zo laat mogelijk slapen en stond zo vroeg mogelijk op.

Twee dagen later kreeg hij boeken en stortte hij zich weer op het lezen. Hij las echter niet liggend, maar zittend, zelfs staand tegen de muur. Hij had de eerste twee delen van Gibbon gekregen, 'De Gebroeders Karamazov', en in plaats van 'Dode Zielen' 'Taras Boelba'.

Hij kreeg een celgenoot: een magere, uitgemergelde jongen in een versleten dunne jas en afgetrapte schoenen, met een pet. Ze brachten hem in de cel, kwamen toen met bed, matras en deken.

Hij heette Saveli Koeskov, was derdejaars student aan het Moskouse Pedagogisch Instituut en zat al vijf maanden in de Boetyrka. Hij bleef twee dagen bij Sasja, daarna werd hij weggehaald, maar zijn bed lieten ze staan.

Op Sasja maakte hij de indruk zo niet totaal gestoord, dan toch zeker niet goed wijs te zijn. Uren lag hij zwijgend en onbeweeglijk op zijn brits, opeens sprong hij op, ging rondjes lopen, stootte tegen de bedden, terwijl hij zachtjes zong: 'Allemaal korenbloempjes, korenbloempjes, je ziet ze overal in 't veld'. En het monotoon opgedreunde gedicht van Apoechtin versterkte de indruk dat hij niet normaal was.

Hij wilde niet gelucht worden, ging niet met Sasja douchen en deed geen gymnastiek. Hij had geen familie of vrienden in Moskou en ontving geen pakjes; wat de uitdelers brachten, at hij echter niet meteen op, maar pas wanneer het toch al lauwe eten helemaal koud was, hij spoelde zijn kom slordig en hij keek onverschillig toe hoe Sasja de zijne zorgvuldig afwaste. Moeder had toen net haar tweede pakje afgegeven. Sasja zette alles op tafel, maar Saveli raakte bijna niets aan. Gibbon hield hij even in zijn handen en legde het terzijde. Gogol en Dostojevski had hij naar zijn zeggen al gelezen. Sasja's zaak interesseerde hem niet, over de zijne sprak hij onverschillig. Hij kwam uit het rayon Sebezj, hun dorp lag in de grenszone; hij was van plan geweest met de vakantie naar huis te gaan, zijn moeder had geschreven dat het bij hen zo moeilijk was met muntgeld, je kon niks kopen, niks verkopen en je kreeg geen wisselgeld terug. Hij was zilver gaan sparen, tijdens een huiszoeking werden er achtentwintig roebel en veertig kopeken bij hem gevonden en ze beschuldigden hem ervan het plan te hebben de grens over te vluchten, temeer daar hij op de faculteit voor vreemde talen zat. Hij had zijn schuld aan het ten laste gelegde bekend, het vooronderzoek was afgesloten en hij wachtte nu op het vonnis.

'Waarom heb je bekend?'

'Hoe bewijs je je onschuld,' zei Saveli flegmatiek.

'Jij hoeft niets te bewijzen, dat moeten zij doen.'

'Dat hebben ze ook gedaan: ik potte mijn zilver op.'

Idioot, belachelijk. Overigens, als hij zou vertellen dat hij voor een muurkrant, of vanwege zijn oom was gearresteerd, zou ook niemand het geloven.

Saveli leefde alleen op als hij gevangenislegendes over ontsnappingen vertelde. Ze vijlden de tralies door, klommen naar het dak, sprongen op een ander dak, daarna op de omheining, en van de omheining op straat. Onlangs waren twee zwartgeldhandelaren gevlucht, van de derde verdieping op de keien gesprongen.

Hoe kort Sasja ook in de gevangenis zat, hij begreep dat ontsnappen onmogelijk was. Maar hij ging er niet op in. Hij verbaasde zich slechts over Saveli's simpelheid. Hij probeerde Duits met hem te praten, herinnerde zich nog wat woorden van school. Saveli sprak goed Duits, zonder hakkelen en dit nam bij Sasja de even opkomende verdenking weg dat hij misschien helemaal geen student van het pedagogisch instituut was.

Niet minder enthousiast vertelde Saveli over het gevangenisziekenhuis.

Daar was van alles, allerlei behandelkamertjes, elektrotherapie en een tandarts. Had je een steenpuist, een zweer, spit: meteen de rode lamp erop, werd je er elke dag heengebracht, en anders legden ze je op een zaal en daar kreeg je kadetjes en melk. Hij sprak geestdriftig over de melk en de kadetjes, wat des te onbegrijpelijker was omdat hij zelf niets at.

Maar hij vertelde ook iets dat voor Sasja belangrijk was. Als er een arts in de cel kwam en vroeg of hij klachten had, dan werd hij verbannen; als hij naar het zuiden, naar Centraal-Azië of Kazachstan wilde, moest hij zeggen dat hij tuberculose, reumatiek, ischias of jicht had; als hij naar het noorden wilde, dan moest hij klagen over een zwak hart. En als er geen arts kwam, werd het kamp, dan kon je overal terechtkomen.

Van hem kwam Sasja te weten hoe hun gebouw en de andere heetten, en waar alles lag. De toren op het binnenplaatsje werd de Poegatsjovtoren genoemd. Dit was het kleinste plaatsje, er waren ook grotere, de beste was die naast de werkplaats, waar de criminelen werkten; via hen kon je een briefje naar buiten smokkelen.

De derde dag werd Saveli weggehaald. Hij vertrok net zo onverschillig als hij was gekomen. Hij had een onbekende ontmoet en liet een onbekende achter.

Toen Sasja in de deuropening de smalle, onderdanige rug van de gebogen Saveli zag, en deze zonder om te kijken of afscheid te nemen de cel verliet, toen voorvoelde hij de eindeloos lange *gevangenisweg*. Op deze weg zou hij ook mensen ontmoeten. Saveli was de eerste.

23 'Kameraad Boedjagin, een gesprek voor u.'

Vervolgens sprak de stem die hij goed kende:

'Dag, Ivan!'

Ivan Grigorjevitsj was niet gewend Stalin met zijn achternaam aan te spreken, met de voornaam aarzelde hij. Hij antwoordde:

'Goedendag...'

'Je bent aangekomen en komt niet langs, zeker te trots, de weg vergeten?'

'Ik ben klaar. Wanneer?'

'Als je klaar bent kom dan. We wonen vlak bij elkaar.'

Boedjagin was twee jaar geleden voor het laatst bij Stalin geweest, een maand voor Nadja's dood. Na zijn terugkeer in de Sovjetunie had hij alle zaken afgehandeld met de Volkscommissaris van Buitenlandse Zaken, Litvinov, die het vertrouwen van Stalin genoot.

Volgens Stalins opvatting waren Engeland, Frankrijk en Japan de vijanden van de Sovjetunie. Engeland zag in de Sovjetunie een bedreiging van haar koloniale imperium, Japan van haar heerschappij in China, Frankrijk van haar invloed in Europa. Tegelijkertijd waren Engeland en Japan de belangrijkste concurrenten van de Verenigde Staten op de wereldmarkt. Het overwonnen Duitsland stond tegenover overwinnaar Frankrijk.

Op die manier werden alle ingewikkelde problemen eenvoudig: Engeland, Frankrijk en Japan aan de ene kant, de Sovjetunie, de Verenigde Staten en Duitsland aan de andere. Het ingewikkelde terugbrengen tot het simpele beschouwde Stalin als zijn grote talent.

Ivan Grigorjevitsj beschouwde Stalins opvatting, die nog uit de tijd van de Weimarrepubliek stamde, als verouderd, zijn talent om alles te vereenvoudigen als katastrofaal. Hitlers machtsovername veranderde de machtsverhoudingen en stelde het Duitse probleem centraal.

Blijkbaar deelde Litvinov Boedjagins standpunt, maar liet dat niet merken. Hij hoopte dat de tijd Stalins houding zou veranderen. 'Laisser passer,' zei hij tegen Boedjagin.

Stalin kende Europa niet, verachtte de partijintellectuelen, de emigranten, verwaande betweters, die van hetzelfde slag waren als de westerse vakbondsleiders in smoking en rokkostuum. Hij had ondergronds in Rusland geleefd, was verbannen, maar meermaals ontsnapt, had ondergedoken gezeten, terwijl zij veilig in het buitenland woonden, wat lazen, wat schreven en beroemd werden. Op het vijfde partijcongres in Londen had hij ze goed kunnen bekijken, van heel dichtbij.

Daarvoor was Stalin buiten Rusland alleen in Tammerfors en Stockholm geweest. Maar die congressen waren op geen enkele manier te vergelijken met dat in Londen, waar meer dan driehonderd afgevaardigden waren: bolsjewieken, mensjewieken, leden van de Bund, Poolse en Letse sociaaldemocraten. Voor het eerst en het laatst zag Stalin de hoofdstad van een wereldmacht, een stad zoals hij nog nooit had gezien, het kapitalistische Babylon, de citadel van de burgerlijke democratie. Temidden van die onverstoorbare mensen, die opgegroeid waren met onbegrijpelijke, vreemde tradities voelde hij, die de taal niet sprak, zijn onbeduidendheid die hem deprimeerde; bovendien verloor Stalin zijn sjaal, het was in Londen koud in april, hij ging met Litvinov een nieuwe kopen, maar kon geen geschikte vinden, de grove wol *prikte* in zijn nek. Ze kochten de zachtste sjaal, een dure, maar nog had Stalin kuren, hij draaide met zijn hoofd en schold op de Engelsen. In het havenkwartier was Litvinov even weg, toen hij terugkwam werd Stalin al lastig gevallen door dokwerkers: missschien hadden ze iets gevraagd en had hij geen antwoord gegeven, hij kende de taal niet. Litvinov, iemand die durfde en Engels sprak als een rasechte Londenaar, had de dokwerkers weggejaagd.

Later had Litvinov Boedjagin over de sjaal verteld, maar nooit over de dokwerkers. Stalin zou zo'n verhaal nooit vergeven: van kindsbeen af teer en zwak, was hij ziekelijk gevoelig voor alles wat zijn fysieke kracht en moed twijfelachtig maakte: een geestesgesteldheid waaruit later achterdocht groeide.

In ballingschap had hij al tegen Boedjagin gezegd: grofheid moet je bestrijden met nog grotere grofheid, de mensen houden dat voor kracht.

Een keer, op een van de lange winteravonden had Stalin zelf het voorval met de dokwerkers aan Boedjagin verteld: ze zouden hem voor een Indiër hebben gehouden en wilden hem een pak slaag geven, maar hij had ze op hun bek gegeven. Ze waren er vandoor gegaan. Hij hield veel van de uitdrukking 'op zijn bek slaan'.

'En dat was dan de veelgeprezen Engelse arbeidersklasse,' zei Stalin, 'het zijn net zulke kolonialen als hun bazen.'

Meer dan een jaar had Boedjagin moeite gedaan om Stalin te mogen bezoeken, hij beschouwde het als zijn plicht hem zijn standpunt kenbaar te maken. Hij wist dat het moeilijk was Stalin tot andere gedachten te brengen, deze man liet zijn sympathieën gemakkelijk varen, zijn antipathieën nooit. Maar hij wist ook dat Stalin een oorlog vreesde.

Boedjagin begreep nu dat zijn poging gedoemd was te mislukken. De tijd had Stalins stellingname niet veranderd, de tijd had hem zelf veranderd. Hij was nu meer dan ooit overtuigd van zijn onfeilbaarheid. Ivan Grigorjevitsj besefte terdege hoe het zou aflopen als hij hem zou tegenspreken.

Boedjagin liep niet zoals gewoonlijk over de Vozdvizjenka naar het Kremlin, maar door de Herzenstraat, hij stak het plein bij de Manege over en bereikte langs het hek van het Aleksandrpark de Troitskipoort; hij maakte een omweg van enkele minuten, hij wilde het komende gesprek nog nader overdenken of misschien de ontmoeting even uitstellen; hij voelde dat deze een beslissende rol in zijn leven zou spelen.

Ivan Grigorjevitsj had zich altijd verre gehouden van ruzies binnen de partij. Maar hij zong ook niet mee in het grote koor en stak niet de loftrompet over hem. Dat was voor Stalin voldoende.

Boedjagin had niet aan de revolutie meegedaan omdat hij een beter leven wilde, de familie leefde in betrekkelijke welstand: zijn vader, zijn broers en hijzelf waren allemaal geschoolde metaalbewerkers op de fabriek van Motovilicha. Deze fabriek, *staats*eigendom, gold als een van de belangrijkste van het land, men zei dat de vijftig ton wegende hamer de zwaarste ter wereld was. Motovilicha, op de linkeroever van de Kama, aan de hoofdspoorlijn, was een industrie- en handelsvoorstad van Perm, bedrijvig, welvarend, en redelijk nuchter.

De bekwame, jonge arbeider werd opgemerkt door Nikolaj Gavrilovitsj Slavjanov, de uitvinder van het elektrisch booglassen, die hem betrok bij de eerste elektrisch gelaste constructiewerken. De kennismaking met voor die tijd geavanceerde techniek en haar briljante pleitbezorgers was een stimulans voor zijn denken. Boedjagin sloot zich aan bij de sociaaldemocraten, die goed vertegenwoordigd waren onder de arbeiderselite van de fabriek en bij de politieke ballingen in de stad. Ivan Grigorjevitsj zou waarschijnlijk ook gewoon lid van de sociaaldemocratische partij zijn gebleven. Hij begon de algemeen vormende cursussen aan het Technisch Instituut van Tomsk te volgen die opleidden voor het diploma dat toegang gaf tot het instituut. De eerste Russische revolutie maakte een professioneel revolutionair van hem. In december 1905 deed hij mee aan de algemene politieke staking, vervolgens aan schermutslingen met het leger. Hij werd gearresteerd en verbannen naar Narym.

Alles was duidelijk zolang Boedjagin tegen de autocratie vocht. De revolutie was ook duidelijk: het einddoel van hun strijd, de overwinning van hun ideeën. Excessen waren onvermijdelijk, de woede van het volk stortte zich uit over hun eeuwige onderdrukkers, de revolutie moest worden verdedigd.

Er kwam een eind aan de burgeroorlog, alles kwam op zijn plaats terecht. De NEP luidde niet alleen een nieuwe economische politiek in. Er ontstond een nieuwe manier van leven.

Maar dat wat Lenin 'serieus en voor lang' voor ogen had was slechts van korte duur. Stalin liquideerde de NEP, waarbij hij beweerde Lenins laatste wil uit te voeren. Hij hield ervan bij Lenin te zweren en zich op hem te beroepen. Maar in Siberië had hij al tegen Ivan Grigorjevitsj gezegd dat Lenin Rusland onvoldoende kende en daarom ook de leus van de nationalisering van het land had gelanceerd, waar, zo betoogde Stalin toen, de boeren niet aan mee zouden doen. Maar in Tsarytsin had hij hem, Boedjagin, persoonlijk willen aanpraten, dat Lenin weinig van militaire aangelegenheden snapte. Niettemin, de betekenis van Lenin, zijn rol in de partij, had Stalin steeds begrepen, en hij had nooit openlijk oppositie tegen hem gevoerd. Wanneer Lenin uiteindelijk gelijk bleek te hebben, en dat was altijd het geval, verklaarde Stalin dat hij het met hem eens was en zonder aarzeling Lenins politiek uitvoerde. Ook nu riep hij bij elke stap Lenin aan, presenteerde zich bijna als de initiatiefnemer en de inspirator van Lenins beslissingen. Maar in plaats van de socialistische democratie, waarnaar Lenin streefde, had Stalin een heel ander stelsel geschapen.

In Stalins kleine woning was niets veranderd sinds de keer dat Ivan Grigorjevitsj voor het laatst op bezoek was geweest.

Stalin was alleen, hij zat aan de eettafel. Op tafel een fles wijn uit Ateni, glazen, fruit in een schaal, twee flessen mineraalwater en een opengeslagen boek. Stalin droeg ook thuis een half-militair pak, de pijpen van zijn broek waren in lichte saffiaanleren laarzen met een frambozerood patroon gestoken.

Hij keek om. Zijn wangen en onderkin gingen schuil achter het randje van zijn witte kraag, zijn jasje bolde op bij zijn buik. Het lage voorhoofd, de bekende pokputjes, de zachte, welgevormde hand. Boedjagin begreep dat dit hun laatste ontmoeting was.

Stalin kwam langzaam overeind, stak zijn hand niet uit, bleef Boedjagin strak aankijken. Stalin was kleiner dan hij, maar hij keek niet tegen hem op, en ook niet rechtuit, maar als het ware door zijn zware neerhangende oogleden heen.

Ivan Grigorjevitsj wachtte tot Stalin hem een stoel aanbood en een einde zou maken aan deze onbehaaglijke toestand.

Stalin knikte in de richting van het raam.

'Schelden ze daar op mij?'

Hij vroeg niet naar het land waar Boedjagin vandaan kwam, en ook niet naar het land, waar ze nu waren, maar naar de hele wereld, de hele mensheid, die zich daar, buiten, bevond; in de onverbiddelijke Aziatische god was de eenzame verbannen Georgiër in de Siberische hut wakker geworden. Alleen lag achter het raam niet de doodse tajga, maar het onmetelijke land dat aan zijn wil was onderworpen.

Hij vroeg dit na zijn triomf op het congres, als vroeger vertrouwde hij niemand. En nogmaals wilde hij zich er van overtuigen dat zijn wantrouwen, zijn verdenkingen terecht waren, hij wilde nog eens nagaan *hoe* Boedjagin en mensen als Boedjagin waren. Hij was vooringenomen ten aanzien van Boedjagin, glimlachte niet, vroeg niet naar zijn gezin, van hun vroegere verstandhouding was in zijn gedrag niets over.

'Dat verschilt…' antwoordde Boedjagin, 'sommigen wel.'

Stalin bewoog even met zijn hand, Ivan Grigorjevitsj ging zitten. Met zijn pijp in de vuist geklemd liep Stalin door de kamer, zijn tred was nog even licht en verend als vroeger.

'Hoe is het met Rjazanov?'

Een overwachte vraag. Stalin had Rjazanov ontvangen, hem op het Politbureau gehoord en hem voorgesteld als lid van het cc. Twijfelde hij misschien aan hem in verband met de arrestatie van zijn neef?

'Een bekwaam en kundig man,' antwoordde Boedjagin.

'Ze zeggen dat hij buiten het programma om is gaan bouwen.'

Op het volkscommissariaat waren signalen binnengekomen dat Rjazanov eigenmachtig in de stad een bioscoop en een sportcomplex aan het bouwen was en zelfs een sanatorium aanlegde, 'Oeralskaja Matsesta'.

'Pjatakov heeft er een commissie heen gestuurd,' antwoordde Boedjagin.

Stalin keek hem recht in de ogen. Boedjagin wist, wat die blik betekende:

wantrouwen. Zijn antwoord bevredigde Stalin niet. Waarom niet? Boedjagin had de waarheid gesproken. Hij kende Stalins manier zijn gespreksgenoot in verwarring te brengen overigens goed: ongeloof tonen waar ongeloof ongegrond was, en doen alsof hij iets geloofde wanneer er reden tot twijfel was.

Stalin wendde langzaam zijn blik af, hij grinnikte.

'Sergo heeft Rjazanov voorgedragen voor het CC. Hij wil, dat het CC uitsluitend nog uit economische bewindslieden bestaat.'

Hij zweeg, wachtte op Boedjagins reactie. Zo was het karakter van deze man: hij bedoelde dat Ordzjonikidze Rjazanov wel voor het CC had voorgedragen, maar Boedjagin niet.

Iets luider ging Stalin door:

'Alle respect voor Sergo, maar we mogen het CC van onze partij niet veranderen in het presidium van de Sovjet van de Volkshuishouding. Het Centraal Comité van onze partij is de Olympus, waar zowel economen als politici, zowel leger als cultuur zijn vertegenwoordigd. In het Centraal Comité moeten alle krachten van onze partij zijn vertegenwoordigd. Vooral de jonge krachten.'

Hij bleef voor Boedjagin staan.

'Er moet plaats worden gemaakt voor mensen uit het volk. Het volk wil zijn eigen zonen aan het hoofd van zijn land zien, geen vreemden, geen nieuwe adel. Het Russische volk houdt niet van de adel. De geschiedenis van het Russische volk is de geschiedenis van de strijd tegen de adel. Het Russische volk hield van Ivan de Verschrikkelijke en van Peter de Grote, dat wil zeggen van die tsaren die de bojaren en de adel vernietigden. Alle boerenopstanden, van Bolotnikov tot Poegatsjov waren bewegingen voor een goede tsaar en tegen de adel.'

Wat hij zei kon je houden voor een van zijn gebruikelijke historische uitweidingen. Hij kende de geschiedenis goed, vooral die van kerk en de ketterse sekten. Maar het kon ook als volgt worden opgevat: de oude kaders, mensen als Boedjagin, vormden de nieuwe adel. En hen wilde het volk niet langer.

Stalin vervolgde:

'Waarom steunden de boeren de revolutie in de centrale gouvernementen en bijvoorbeeld niet in de buitengewesten in Siberië? In de centrale gouvernementen zag de boer de landeigenaar, de edelman, in Siberië waren geen landeigenaren. Maar toen de edelman Koltsjak verscheen, toen steunde de Siberische boer de revolutie.'

Stalin keek naar Boedjagin. Zijn ogen werden donkerder. Vervolgens liep hij naar het raam en zei met zijn rug naar Ivan Grigorjevitsj:

'Maar niet alle jonge mensen zijn NIEUWE krachten. Van de zomer reed ik een keer over de Arbat en wat zie ik: op een hoek hangen jongelui in buitenlandse jassen rond en lachen. Je vraagt je af wat ze liever hebben, hun Sovjetvaderland of een buitenlandse jas?'

Hij was over de jeugd begonnen, hij wist dus van zijn voorspaak voor Sasja.

'Iemand kan buitenlandse kleren dragen en van het Sovjetvaderland houden,' zei Boedjagin.

'Zou je denken?' Stalin draaide zich naar hem toe. 'Zo denk ik er niet over. Mijn kinderen lopen niet in buitenlandse kleren. Mijn kinderen zijn tevreden met onze sovjetkleding, mijn kinderen kunnen nergens buitenlandse kleren kopen. De vraag rijst: waar krijgen zij die kleren vandaan?'

Doelde hij misschien op Lena? Misschien had een lastertong gezegd: 'Boedjagins dochter loopt in buitenlandse jurken.' Stalin hechtte altijd waarde aan kleinigheden, hij luisterde er altijd goed naar, nam ze te baat wanneer hij wilde laten zien hoe goed hij was ingelicht. Hij was trots op zijn vaardigheid kleinigheden te generaliseren, er conclusies uit te trekken.

'Ik draag ook een buitenlands pak,' zei Boedjagin, te kennen gevend dat hij en zijn gezin bij hun verblijf in het buitenland van bijna tien jaar daar natuurlijk kleren hadden gekocht.

Stalin begreep de toespeling en hief in spottende inschikkelijkheid de handen te hemel.

'Nou ja... Jij bent immers een functionaris van internationaal kaliber, wat hebben we op jou aan te merken...'

Hij liep langzaam op Boedjagin af, stak plotseling zijn arm uit en raakte zijn hoofd aan.

'Je bent nog heel jong, zwart haar, knap...'

Boedjagin bedacht hoe gemakkelijk zijn hoofd dat Stalin net had aangeraakt, kon rollen. Stalin liet zijn arm zakken, alsof hij begreep wat Boedjagin dacht, opnieuw bewoog een grijnslach zijn snor.

'Jij bent altijd een twistzoeker geweest, Ivan, een hopeloze, onverbeterlijke polemist.'

Hij liep weer naar het raam, bleef weer met zijn rug naar Ivan Grigorjevitsj staan, begon weer te spreken.

'We houden van onze jeugd, de jeugd is onze toekomst. Maar we moeten haar opvoeden. De jeugd moet gekweekt worden, zoals een tuinman een boom kweekt. We moeten hen niet vleien, ons niet naar hen schikken, hun fouten niet vergeven...'

Ja, hij had het over Sasja. Hij demonstreerde zijn kennis van de feiten. Een klein beetje van wat hij wist. Als het moest zou hij alles onthullen.

'...We moeten geen goedkope populariteit bij de jeugd zoeken,' ging Stalin ondertussen verder. 'Het volk houdt niet van leiders die goedkope populariteit zoeken. Lenin deed dat ook niet, hij liep niet op straat te paraderen. Het volk houdt niet van leiders met mooie praatjes. Trotski was zo'n babbelaar, maar wat is er van hem geworden?'

Dat was er één voor Kirov. Kirov wandelde door de straten van Leningrad, Kirov was de beste spreker van de partij. Wat stak daar achter? Nee, van Kirov en Ordzjonikidze zou hij zich voorlopig niet ontdoen. Daarvoor was het nog te vroeg. Hij begon nu met hem, hij peilde hem, hij was iemand die dicht bij Kirov en Ordzjonikidze stond, al sinds de verdediging van Astrachan en de militaire operaties in de Noordelijke Kaukasus. Daarom had hij hem ook ontboden. Internationale problemen interesseerden hem niet. Als die hem wel interesseerden had hij hem een jaar eerder al ontboden.

Als altijd werd hij getroffen door de openhartigheid waarmee Stalin over mensen uit zijn directe omgeving sprak, door de zekerheid dat zijn woorden niet werden doorverteld. Eén woord van Boedjagin over wat hij hier gehoord had tegen Kirov of Sergo, en hij zou zwart worden gemaakt als intrigant. Stalin had niets slechts gezegd, alleen gewezen op Ordzjonikidze's streven om meer economen in het CC te zien en hij had terecht zijn vrees uitgesproken omdat Kirov de gewoonte had vrijelijk en openlijk door de straten van Leningrad te lopen.

'Tussen twee haakjes,' vroeg Stalin zonder zich om te draaien, 'wat is Kodatski voor iemand? Hij was toch, geloof ik, met jou in Astrachan?'

'Ja, dat klopt, hij deed daar Visserijzaken. Jij kent hem ongetwijfeld ook, hij is voorzitter van de stadssovjet van Leningrad.'

Stalin deed alsof hij de verborgen hatelijkheid van het antwoord niet opmerkte, en zei kalm:

'Maar Kodatski is toch een aanhanger van Zinovjev?'

Boedjagin was oprecht verbaasd:

'Kodatski? Hij was tegen Zinovjev.'

'Zogenaamd ja...' beaamde Stalin. 'Maar toen de Leningraadse arbeiders Trotski en Zinovjev wilden royeren was Kodatski niet bijzonder enthousiast. Hij aarzelde. In zo'n kwestie! Toen stelde kameraad Kirov zelf voor hem te ontslaan als secretaris van het Moskou-Narva rayoncomité van de partij. Dat gebeurde. Hij bleef lid van de Sovjet van de Volkshuishouding. En nu hebben ze hem voorgesteld als voorzitter van de stadssovjet van Leningrad. In plaats van Grigori Zinovjev een nieuwe voorzitter van de Leningraadse Sovjet die ook een aanhanger van Zinovjev is. Wat moeten de Leningraadse arbeiders daarvan denken?'

'Voor zover ik weet heeft Kodatski nooit deel uitgemaakt van de oppositie,' zei Boedjagin. 'Als hij al aarzelde bij iets dat de organisatie betrof: niemand blijft dat soort aarzelingen bespaard, nu niet en acht jaar geleden al helemaal niet.'

'Niemand eist Kodatski's bloed,' zei Stalin onverschillig en draaide zich om naar Boedjagin. 'Maar in zo'n organisatie als die in Leningrad moet men bij de keuze van de kaders voorzichtiger te werk gaan. De partij heeft kameraad

Kirov overigens toevertrouwd zijn medewerkers naar eigen inzicht te selecteren. Wij zullen er ons niet mee bemoeien.'

De laatste zin klonk als een waarschuwing dat het gesprek over Kodatski niet officieel, maar persoonlijk van aard was. Uitsluitend voor de vorm, ter beëindiging van het bezoek stelde Stalin de vraag die Boedjagin al verwachtte:

'En Hitler?'

'Hitler betekent oorlog,' antwoordde Boedjagin.

Stalin zweeg een moment, vervolgens vroeg hij:

'Heeft hij iets om oorlog mee te voeren?'

'Het industriële potentieel van Duitsland is enorm. Het land kan zich gemakkelijk bewapenen.'

'Zal men hem toestaan zich te bewapenen?'

'Hij zal geen toestemming vragen.'

'Zal hij aan de macht blijven?'

'Zo te zien wel.'

Opnieuw zweeg Stalin even, stak zijn vinger achter de witte boord.

'Zullen de Duitsers vechten?'

'Als ze gedwongen worden wel.'

Langzaam en indringend sprak Stalin:

'Engeland en Frankrijk hebben Duitsland Versailles opgedrongen, herstelbetalingen, het tot op het hemd uitgekleed, ze hebben de kolonies afgenomen, de Sudeten, Gdansk, de Poolse Corridor, Oostpruisen is afgesneden. Met wie gaan de Duitsers oorlog voeren?'

'Engeland en Frankrijk zullen proberen ten koste van ons met Duitsland te onderhandelen.'

Stalin draaide zich om naar Boedjagin. Het was duidelijk: Boedjagin vond het niet nodig zijn mening te verbergen, integendeel, hij vond het nodig er hier in zijn huis tegenover hem voor uit te komen.

Desondanks bleef Stalin uiterlijk kalm en zei:

'Engeland en Frankrijk zullen nooit een sterk Duitsland in het hart van Europa tolereren. Wij daarentegen zijn gebaat bij een sterk Duitsland, als tegenwicht tegen Engeland en Frankrijk.

'Voor ons is Duitsland de meest reële bedreiging,' antwoordde Boedjagin overtuigd.

Stalins gezicht betrok.

'Als je het Duitse gevaar overdrijft dan onderschat je het grootste gevaar. Ongetwijfeld hebben de Engelse imperialisten daar belang bij. Maar wij Sovjetburgers niet.'

'Ik blijf bij mijn mening,' zei Boedjagin.

'Daarom ben je niet meer waar je was,' antwoordde Stalin, terwijl hij hem bleef aankijken. Boedjagin weerstond zijn blik.

Stalin zweeg, daarna sprak hij, zonder Boedjagin aan te kijken, alsof hij zich tot iemand anders wendde:

'De partij kan geen gekoketteer met *nuances* van meningen gebruiken. De partij wil degelijk werk. Wie dat niet begrijpt heeft de partij niet nodig.

'Of de partij mij nodig heeft bepaalt de partij zelf,' zei Boedjagin.

Stalin ging aan tafel zitten, wendde zich af, pakte het boek.

'Ik heb het druk. *Excuseer.*'

24 De deur sloot zich achter Boedjagin. Stalin legde zijn boek terzijde, stond op, liep met zijn pijp in de hand door de kamer, bleef voor het raam staan en keek naar het vertrouwde geel-witte gebouw van het Arsenaal en de langs de voorgevel opgestelde koperen kanonnen.

Een diplomaat uit Motovilicha! Niet van het ontwapende Duitsland kwam het gevaar, maar van de Japanse troepen in Mandsjoerije, het achterland van ons Verre Oosten. Ondanks zijn beperkingen begreep Boedjagin dit ook. Hij was niet vanwege Hitler gekomen. Hij was gekomen om te vertellen dat in de partij krachten met een eigen standpunt bestonden, die zich het recht op een eigen standpunt voorbehielden en zonodig bereid waren ZIJN mening te weerstreven. Hij was niet uit eigen beweging gekomen, daarvoor was hij te nietig. Hij kwam in *opdracht.* Van personen die hém, Stalin, zogenaamd hadden geholpen zijn tegenstanders te verpletteren, op wie híj schijnbaar had gesteund, steunde en moest steunen, omdat ze hem anders net als hén zouden verwijderen. Ze waren ervan overtuigd dat híj alles aan hen te danken had.

Ze vergisten zich deerlijk. Een ware leider komt alleen, zijn macht heeft hij uitsluitend aan ZICHZELF te danken. Anders is hij geen leider, maar een stroman. Niet zij hadden hem uitgekozen, maar hij hen. Niet zij hadden hem naar voren geschoven, hij had hen meegetrokken. Niet zij hadden hem vast in het zadel geholpen, hij had hen tot het hoogste gezag in de staat verheven. Wat zij waren, waren ze alleen geworden omdat ze met hem waren.

Bij wie stond Lenin in het krijt? Bij de emigranten uit Londen, uit Genève? En bij wie Peter? Bij Mensjikov, Lefort? Erfelijkheid van de macht verandert niets aan de kern van de zaak. Om zich tot leider te verheffen, moet een monarch zijn omgeving, die gewend is hem als een marionet te zien, vernietigen. Zo was het bij Peter, zo was het bij Ivan de Verschrikkelijke.

Híj was geen leider geworden omdat het hem was gelukt zijn tegenstanders te verpletteren. Hij had zijn tegenstanders verpletterd *omdat* hij een leider was, juist HIJ was voorbestemd om het land te leiden. Zijn tegenstanders hadden dit niet begrepen en waren daarom uitgeschakeld, ze begrepen het nog steeds niet en zouden daarom vernietigd worden. Een mislukte pretendent is altijd een potentiële vijand.

De Geschiedenis had hem uitgekozen, omdat alleen hij het geheim van het opperste gezag in dit land kende, alleen hij kon dít volk besturen, dat hij met al zijn kwaliteiten en gebreken kende. Vooral de gebreken.

Het Russische volk was een volk van het collectief. De obsjtsjina was sinds eeuwen zjin bestaansvorm, de gelijkheid vormde de grondslag van het nationale karakter. Dit schiep gunstige voorwaarden voor de maatschappij die hij in Rusland schiep. Tactisch gezien was de NEP van Lenin een juiste manoeuvre geweest, maar 'serieus en voor lang' slechts een vergissing. De manoeuvre was een tijdelijk vergelijk met de boeren om graan te krijgen. 'Serieus en voor lang' was een politiek die berekend was op de zelfstandige landbouwer, en deze weg leidde tot een ongelijkheid die in strijd was met de volkspsyche. Stalin liep naar de kast, pakte een deel Lenin met losse vellen papier tussen de bladzijden, las nogmaals: 'Maar om door de NEP te bereiken dat de hele bevolking zonder uitzondering lid van de coöperatie wordt... daarvoor is een heel historisch tijdperk nodig... Zonder volledig alfabetisme, zonder voldoende ontwikkelingsniveau, zonder een voldoende mate van gewenning van het volk aan de omgang met boeken, zonder materiële basis, zonder een zekere verzekering tegen bijvoorbeeld misoogst, honger en dergelijke, zonder dit alles kunnen wij ons doel niet bereiken.' Hij sloeg het boek dicht, zette het terug. Op die manier kweekte men bij de Russische moezjiek de psychologie van de zelfstandige landbouwer, die hem vreemd was. Maar een zelfstandige boer kan de dictatuur van het proletariaat niet gebruiken. De bezitsdrang en het individualisme van de zelfstandige boer moesten in de Russische moezjiek in de kiem worden gesmoord. Een coöperatie? Ja. Maar dan een waar de boer een gewone werker is. Dat had HIJ volbracht, dat was Ruslands tweede revolutie, die niet minder belangrijk was dan de Oktoberrevolutie: in de Oktoberrevolutie stond de Russische boer aan onze kant, bij de collectivisatie was hij tegen ons. Ja, boekjes en wetenschap waren noodzakelijk, evenals de strijd tegen misoogsten... Dat was allemaal nodig, echter niet als voorloper van de collectivisatie, maar op *basis* van de collectivisatie. Zo had híj ook gehandeld: eerst collectivisatie, dan cultuur.

Wat Lenin de *bureaucratische verwording* noemde, was de enig mogelijke bestuursvorm. Er school ook gevaar in: de bureaucratie streeft ernaar zich tussen het volk en het oppergezag te plaatsen, poogt dit te vervangen. Dit moest meedogenloos worden afgestraft. Het apparaat was de blinde voltrekker van de hoogste wil, moest in angst leven en deze angst op het volk overbrengen.

Had híj een dergelijk apparaat? Nee, zeker niet! Het apparaat, dat in de strijd om de macht was ontstaan, was nog geen instrument van een leider, het beschouwde zichzelf als medeoverwinnaar. Het bezoek van Boedjagin had hem hieraan helpen herinneren.

Het apparaat van een ware leider wordt door hemzelf geschapen, *nadat* hij aan de macht is gekomen. Dit apparaat mag niet eeuwig zijn, stabiel blijven, anders worden de onderlinge banden te hecht, en krijgt het het karakter van een monoliet, wordt het een macht. Het moet door elkaar worden geschud, vernieuwd, gewijzigd.

Het scheppen van een dergelijk apparaat was een zwaardere opgave dan het uitschakelen van concurrenten, het apparaat bestond uit honderdduizenden mensen, verenigd in een van boven tot onder hecht aaneengesmeed organisme. De huidige leden van het Politbureau waren niet meer degenen met wie Lenin uit het buitenland was teruggekeerd. Dit waren mensen met connecties binnen het apparaat, die van hoog naar laag liepen. Je hoefde maar een schakel aan te raken en de hele keten viel uiteen.

Vertrouwde híj zijn omgeving?

In de politiek werd niemand vertrouwd.

Molotov, Kaganovitsj en Vorosjilov waren betrouwbaarder dan de rest; ze maakten geen aanspraak op zelfstandigheid, waren goede uitvoerders. Ze hadden hun capaciteiten voor de nodige acties bewezen, en zich daardoor gebonden, zonder *hem* waren ze niets. Vorosjilov kon overlopen, maar hij zou aan *zijn* kant blijven, hij was bang voor de militaire intellectuelen, vooral voorToechatsjevski. In het leger steunde Vorosjilov op de cavalerie: Boedjonny, Timosjenko, Sjtsjadenko, Gorodovikov, maar dat was een zwak steunpunt, de tijd van degens was voorbij.

Kalinin en Andrejev. Het oudste en het jongste lid van het Politbureau. De een negenenvijftig, de ander negenendertig. Opgekomen van de basis. De boer Kalinin, de arbeider Andrejev, zij zouden meelopen met de meerderheid.

En ten slotte de onbetrouwbaren: Kirov, Ordzjonikidze, Kosior, Koejbysjev en Roedzoetak.

Lenin had Roedzoetak *toen*, in de tijd van die geheime brief, zijn zogenaamde testament, in het geheim aanbevolen om HEM op de post van Secretaris Generaal te vervangen. Het was mogelijk dat Lenin Roedzoetak zelf niet over deze kwestie had geraadpleegd, geen toestemming had gevraagd. Roedzoetak manoeuvreerde voorzichtig. Hij had geen serieuze contacten in het apparaat: na het Londense congres was hij bijna tien jaar, tot de Februarirevolutie, dwangarbeider geweest. En toch was dit de man die Lenin op ZIJN plaats had willen zetten. Dit moest hij niet vergeten. Roedzoetak zelf zou het evenmin vergeten.

Koejbysjev was van adel, had op de cadettenschool gezeten. Een sybariet.

Hij leefde teruggetrokken, sukkelde en wilde met rust worden gelaten. Een goede werker, maar de partij had meer goede werkers.

Als Kosior kwam, liep hij met HEM door de gang, kwam nu eens van rechts, dan weer van links aanrennen. Waarom deed hij dat? Een onoprechte kerel. Niet te vertrouwen.

Ordzjonikidze. Een ingewikkeld geval. De enige die hem na stond, ze hadden elkaar dertig jaar geleden in Tiflis leren kennen. Maar dat was het juist! Hij kende hem té lang, had hem in te verschillende situaties meegemaakt, beschouwde zich als een geestverwant. Maar een leider heeft geen geestverwanten, een leider heeft *medestrijders*. Apostelen worden niet uit vrienden, maar uit leerlingen gekozen. Hij was een argeloze romanticus, goed van vertrouwen, al te oprecht overtuigd van wat hij zei en deed, en dat waren gevaarlijke eigenschappen voor een politicus. Na de capitulatie van de oppositie had hij voorgesteld ze allemaal zonder uitzondering te rehabiliteren. Snapte hij dan niet dat iedereen die tegen hém agiteerde, vernietigd moest worden? Het volk moest begrijpen dat optreden tegen hém gelijk stond aan optreden tegen het Sovjetregiem. Waarom wilde hij de vijanden van het Sovjetregiem niet uitroeien, als deze vijanden niet buiten, maar binnen de partij zaten? Dat was geen vergissing, maar een beleid, de wens om in de partij tegenwicht tegen HEM te behouden, het streven om ook in de toekomst een scheidsrechter te zijn, om iets achter de hand te hebben dat hij zonodig tegen HEM kon gebruiken.

Lominadze bevestigde dit. Sergo wist van Lominadze's brief aan Sjatskin die in 1930 was onderschept. Wat was zijn reactie geweest? Hij had zijn schouders opgehaald... 'Kinderwerk...' Maar wat had dat 'kind' in die brief over HEM geschreven? Kinderen doen niet aan politiek, politiek is geen kinderspel. Lominadze en Sjatskin waren van plan hem op te volgen, ze hadden haast. En wie was Lominadze? Als hij drie jaar vroeger was geboren, had hij in de mensjewistische groep van Zjordanija, Tsjcheidze en Tsereteli gezeten, die vonden HEM immers ook een proleet. Die Georgische intellectuelen bezaten al het slechte van het Georgische volkskarakter: ze lieten zich erop voorstaan een Europese enclave op het Aziatische continent te zijn. Lominadze was nu in de Oeral, maar Sergo protegeerde hem als voorheen. Was dat toeval? Nee, Lominadze was een van de schakels in zijn politiek.

Stond Ordzjonikidze alleen in die politiek? Nee. Het was hun gezamenlijke beleid, van hem en van Kirov. De onafscheidelijke vrienden en makkers! Als Kirov in Moskou was bleef hij altijd bij Ordzjonikidze logeren. Wat stak er achter die innige vriendschap? Vanwaar die band? Wat voor persoonlijke vriendschap kon er tussen politici bestaan? Waarom zouden twee leden van het Politbureau zich door vriendschap van de rest onderscheiden? Allebei achtenveertig, beiden waren ze in Noord-Kaukasië en Georgië geweest en vanaf 1930 lid van het Politbureau: dat was nog geen reden voor zo'n eensgezindheid. In vriendschap bestaan geen gelijken. Vriendschap is als de politiek: de een leidt, de ander wordt geleid, de een heeft invloed, de ander wordt beïnvloed. De sterkste in deze vriendschap was Kirov. IJdel als iedere halfgeletterde, demagogisch als de eerste de beste provinciejournalist en als iedere praatjesmaker, had hij volgelingen die hem vereerden als eerste spreker van de partij, welhaast de 'tribuun van de revolutie'.

Door Kirov indertijd naar Leningrad te sturen, had Stalin de bevolking van die stad willen laten zien dat Leningrad niet de tweede hoofdstad was, maar een provinciestad in het noordwesten van het land. Er konden geen twee hoofdsteden zijn, een tweede hoofdstad is altijd een rivaal van de eerste. De bewoners van Leningrad waren gewend aan grote namen, maar uit het verre Azerbajdzjan kwam de onbekende Kirov, die niet eens lid was van het Politbureau. De arbeiders van 'Piter' gingen prat op hun revolutionaire verleden, maar hen stuurden ze een man die voor de revolutie een simpele medewerker van het onbeduidende blaadje 'Terek' was geweest. Hij was gestuurd als buitenstaander, als aangewezen persoon, als verdelger van de rebellie van de oppositie. De achterliggende gedachte was dat de bevolking het niet zou nemen, de situatie zou verscherpen en de voorwaarden zouden ontstaan voor de definitieve liquidatie van dit centrum dat altijd en eeuwig dwars moest liggen.

Na acht jaar is Kirov in Leningrad één van hen geworden, hun 'favoriet', hij heeft de partijorganisatie om hem heen verstevigd, de betekenis van Leningrad juist als tweede stad in het rijk versterkt, hij moedigt het aloude Leningraadse separatisme aan, de belachelijke overtuiging dat hun stad bijzonder is, de enige Europese stad van Rusland. Hij dorst naar populariteit, hamert op zijn eenvoud. Zijn grote huis aan de Kamennoostrovskiprospekt wordt bevolkt door Jan en alleman, hij gaat lopend naar zijn werk, wandelt door de straten van Leningrad, toert kinderen rond in zijn auto, speelt krijgertje met hen op de binnenplaats…

Een medestrijder moet het voorbeeld van zijn leider volgen. De levenswijze van een leider is de stijl van het tijdperk dat hij belichaamt, de stijl van de staat die hij leidt. Door te koop te lopen met zijn eenvoud en toegankelijkheid daagt Kirov HEM uit, wil hij onderstrepen dat Stalin in het Kremlin woont, bewaakt wordt, niet over straat loopt of met de kinderen krijgertje speelt, hij wil benadrukken dat Stalin bang is voor het volk, en Kirov niet…

Op het Zeventiende Congres had Kirov gezegd: 'In Leningrad zijn alleen de roemrijke revolutionaire tradities van de Petersburgse arbeiders bij het oude gebleven, al het andere is nieuw…'

Dat was niet waar! Leningrad zat nog steeds met de ambtenarij van voor de revolutie, de adel, de burgerlijke intellectuelen, de Letten, Esten, Finnen en

Duitsers: agenten van de bourgeois spionagediensten; er woonden kleinburgerlijke arbeiders die zich als de voltrekkers van de Oktoberrevolutie beschouwden, er liepen nog tienduizenden mensen rond die Zinovjev in zijn aanval op de partij hadden gesteund. De Leningraadse organisatie had achter Zinovjev gestaan, communisten en Komsomol hadden voor de oppositie gestemd. Wáár waren ze gebleven? Ze waren springlevend, en vormden nog steeds de meerderheid in de Leningraadse organisatie. Zijn kornuiten waren gebleven, veel kornuiten. Waarom weigerde Kirov ze met wortel en tak uit te roeien? Hij beriep zich op Tsjoedov, Komarov, en nog een paar anderen die tegen Zinovjev waren ingegaan. En waarom hadden ze dat gedaan? Zinovjev had hen beledigd, daarom waren ze tegen hem opgetreden. Wat een gebrek aan fantasie! Zinovjev had dit begrepen en hen geen kans gegeven. HIJ zou ze ook geen kans geven, ook tegen HEM zouden ze stemming maken. En met zulke lieden omringde kameraad Kirov zich.

Hoe kon je nu nog zeggen dat alleen de roemrijke revolutionaire tradities bij het oude waren gebleven?! Dat was een openlijke verdediging van de Leningraadse oppositie—openbaar of verborgen, ontmaskerd of ondergronds, een flirt met de kleinburgerlijke arbeiders van Leningrad, de wens om nog meer bij hen in de gunst te komen en te tonen dat hij hen tegen Stalin beschermde, het was een poging het Leningraadse bastion voor zichzelf te behouden. Net als Sergo was hij van plan HEM tegenspel te bieden. Een gezamenlijke tactiek, gezamenlijke politiek. Ze dachten Stalin om de tuin te leiden! Het zou ze niet lukken Stalin om te tuin te leiden! Hoezeer ze Stalin ook zouden loven, hoezeer ze ook bij zijn naam zouden zweren—het zou ze niet lukken.

Vorig jaar had hij een week met Kirov doorgebracht. Vorosjilov was er ook bij. Ze gingen naar Belormorkanal, inspecteerden de havens van Sorok, Moermansk en Leningrad. Hij vond Kirovs houding ten opzichte van Belomor gereserveerd. Maar de Noordelijke zeeroute was de route naar de Stille Oceaan, naar het achterland van Japan. In deze strategische kwestie nam Kirov een andere positie in, hij oriënteerde zich niet op het Oosten, maar op het Westen, ook dat had hij van de Petersburgers overgenomen, zij beschouwden zich immers als Europeanen. Hij zat op een lijn met Boedjagin. Daarom was de waarschuwing waarmee Boedjagin was gekomen niet alleen algemeen, maar ook concreet.

Kirov kon heel enthousiast doen, maar over Belomorkanal was hij het niet, dat vond hij niet eens nodig. Hij deed er het zwijgen toe. Toch kon hij het niet laten: toen de havenmeester van Moermansk de nieuwe portaalkraan demonstreerde, probeerde Kirov uitleg te geven bij diens toelichting, moest zonodig zijn superioriteit laten zien. Ja, natuurlijk! Hij had op een nijverheidsschool gezeten, en niet op een seminarie, hij was monteur. Alleen had kameraad Kirov om de een of andere reden de laatste twintig jaar geen dag als monteur gewerkt. Het werk bij 'Terek' was blijkbaar schoner. Van zijn middelbare technische opleiding was niets over, en het was ongepast zijn verouderde en allang vergeten kennis ten toon te spreiden. Een leider zonder technische scholing probeert er iets van te snappen, een leider met slechts oppervlakkige kennis kletst, probeert anderen te beleren. Wíe was hij eigenlijk van plan te beleren?!

Tóen, díe avond, had Nadja tegen hem geschreeuwd: 'Ze denken dat ze een goede invloed op je kunnen hebben... Ze zijn naïef! Ze kennen je niet! Het is onmogelijk jou te beïnvloeden, je bent onverbeterlijk...'

ZIJ—dat waren haar beste vrienden, Kirov en Ordzjonikidze. Zij hadden haar zover gebracht! Zij! Zij!... Via haar wilden ze hem beïnvloeden, zaaiden wantrouwen bij haar. Ze gebruikten een politiek bekrompen vrouw, beroofden hem zelfs van dat achterland, ontnamen hem zijn huis, zijn vrouw, zijn gezin, naderden van achteren, vielen hem in de rug aan. Dat zou hij ze nooit vergeven. En zij had het mooi voor elkaar gekregen! Haar dood was ook een uitdaging aan hem. Nadja kwam ook uit die vervloekte stad, daar was ze opgegroeid, een rasechte Petersburgse, met haar hele wezen was ze tegen hém, en zij hadden er nog een schepje boven op gedaan. Niemand kon je vertrouwen, zelfs je vrouw niet. Ze wilden hem isoleren. Best! Hij kon ze allemaal in zijn eentje aan.

Beïnvloeden!... Sergo wilde ook invloed... Invloed op hem! Eigengereide dwazen!

Kirov was iemand van semi-intellectuele stand en een demagoog. Op het Zeventiende Congres: ovaties. De manifestatie op het Rode Plein ter ere van het congres: wederom ovaties. Maar eigenlijk had een lid van het Politbureau dat de HELE partij vertegenwoordigde, en niet alleen de Leningraadse districtsorganisatie, de Moskovieten moeten toespreken. Hij had niet geweigerd en een toespraak gehouden. Niet te vertrouwen!

Hij moest Kirov naar Moskou halen. Hier was hij binnen bereik, hier zou hij definitief zijn ware gezicht laten zien. En dan was het gedaan met de tweede hoofdstad.

Wie hadden ze besloten te sturen: Vanja Boedjagin! Ze konden geen slimmere vinden. Bij zijn eerste vraag over Rjazanov had hij hem te pakken. 'Pjatakov heeft er een commissie heen gestuurd...' Hij had de vraag ontweken. Rjazanov had de commissie immers huisarrest opgelegd en daarna teruggestuurd naar Moskou. Waarom verborgen ze dat voor HEM? Ze wilden hun ruzies verheimelijken, laten zien hoe eensgezind en hecht hun apparaat was. Lominadze was bij Rjazanov secretaris van het stadscomité, ook zijn rol wilden ze verdoezelen, geheim houden. Geheim houden voor HEM, die al hun stappen, al hun gedachten kende.

Het vasthouden en terugsturen van een commissie was een bijzonder geval.

Daarvoor moest Rjazanov zich verantwoorden. Maar de zaak getuigde van de serieuze ontwikkelingen rond Ordzjonikidze. Het was een klap in het gezicht van Ordzjonikidze, ook al had Pjatakov de commissie samengesteld.

Ze probeerden dit alles voor hem te verbergen om het conflict zelf in te dammen. Ze vergisten zich. Hᴉᴊ zou het zelf uitzoeken.

Stalin ging weg bij het raam, pakte de telefoon en gaf Poskrebysjev opdracht Rjazanov direct naar Moskou te roepen.

25 Rjazanov verwachtte de oproep en toen hij hem ontving vertrok hij dezelfde dag nog.

Hij begreep waar het allemaal op kon uitdraaien: ontheffing uit zijn functie en uitsluiting uit de partij. Hij was erop voorbereid en had zijn antwoorden klaar.

Behalve met het wooncomplex was Mark Aleksandrovitsj inderdaad begonnen met de bouw van een bioscoop, de club Osoaviachim, een pionierskamp, een kleuterschool en een kliniek naast de warme zwavelbron, genaamd Oeralskaja Matsesta. Zonder de normale voorzieningen was het onmogelijk de fabriek van vaste gekwalificeerde arbeidskrachten te voorzien. Als geen ander wist Mark Aleksandrovitsj dat het land metaal nodig had, en hij leverde metaal. Maar hij wist ook dat het niet alleen om metaal ging. Het land moest een industrie hebben. Niet een Aziatisch Rusland met een paar fabrieken—fabrieken kon je ook hier en daar in de Kongo neerzetten—maar een Europees Rusland, geïndustrialiseerd en socialistisch. Daarvoor had je geen boeren nodig die een beetje met een draaibank hadden leren werken, maar goed geschoolde kaders die alle verworvenheden van de moderne beschaving konden toepassen. De cultuur van het dagelijks leven was een integraal bestanddeel van de fabriekscultuur. Een fabriek kon je onder alle omstandigheden bouwen. Een moderne industrie moest je anders scheppen.

Eén bioscoop maar, één club, een kleuterschool en één kliniek, dat was heel weinig. Maar iedereen begreep dat dit pas het begin was. De mensen werkten 's avonds en op vrije dagen met hetzelfde enthousiasme als waarmee ze indertijd hoogovens en martinovens hadden laten verrijzen. Maar aan Moskou werd bericht dat Rjazanov buiten het plan om projecten ten koste van de fabriek ondernam en de mensen liet werken zonder te betalen.

Pjatakov had er een commissie heen gestuurd. Aan het hoofd daarvan stond een in het verleden weliswaar vooraanstaand maar bekrompen economische bewindsman, die maar één ding wist: het belangrijkste was gietijzer. Stel je voor: barakken! In de burgeroorlog sliepen ze in de sneeuw. Als eerste expert van de commissie was een bekend econoom uit de Boecharin-school benoemd. Aan het eind van de jaren '20 had hij beweerd dat de Oeral weinig perspectief bood, dat de industrie zich op Siberië moest oriënteren, waar aanzienlijk meer kolen en olie voorhanden waren en vooral waterreserves, naar zijn overtuiging de basis voor de elektrificatie.

Vanaf het begin was duidelijk dat de commissie Rjazanovs woningbouw— en welzijnsprogramma niet zou steunen en de groeimogelijkheden van de fabriek in twijfel zou trekken. Zo'n commissie op het bedrijf toelaten en daar haar conclusies laten trekken, stond gelijk aan het demoraliseren van het collectief.

Overeenkomstig Mark Alexandrovitsj' orders werd de geachte commissie in Het Buitenhuis gehuisvest; zo heette de residentie met speciale keuken en speciale bediening voor leden van de regering, gelegen op een schilderachtige plek, twintig kilometer van de fabriek. De commissieleden waren tevreden geweest als er niet één ding had ontbroken: ze kregen geen auto tot hun beschikking, en er was geen ander vervoer naar de fabriek. Ze kregen drie behoorlijke maaltijden per dag maar geen telefoonverbinding met Rjazanov of met Moskou. De eerste dag maakten ze zich na hun copieuze maaltijd vrolijk over Rjazanov die er niet in was geslaagd hen van een auto te voorzien; de tweede dag waren ze verontwaardigd, de derde dag begrepen ze dat ze bij de neus werden genomen. De vierde dag werden ze allemaal op eigen verzoek op het station afgeleverd, hun mandaat werd afgetekend, ze kregen kaartjes voor een slaapwagen en werden teruggestuurd naar Moskou.

Mark Aleksandrovitsj had deze operatie zonder medeweten van Lominadze uitgevoerd. Stalin mocht hem niet, zijn betrokkenheid zou de zaak alleen maar schaden.

Na het Zeventiende Congres was de verhouding tussen Rjazanov en Lominadze problematisch geworden. Lominadze was uit het Centraal Comité verwijderd, terwijl Rjazanov was toegetreden, vergeleken met Lominadze bekleedde hij nu een politiek hogere functie. Mark Aleksandrovitsj was ingenieur. Hoe knap en briljant Lominadze ook was, hij begreep niets van techniek. Bovendien was de fabrieksdirecteur geen nieuwkomer in de partij, de chefs van de meeste werkplaatsen, afdelingen, ploegen en overkoepelende organen waren communisten. Ze waren geen militaire specialisten uit de burgeroorlog, commissarissen hadden ze niet nodig.

Schitterende toespraken, historische parallellen, prachtig! Maar in een andere tijd, op een andere plaats, een andere keer, met uw welnemen! Mark Aleksandrovitsj had drie jaar in Amerika gewoond, heel Europa afgereisd, en hij wist hoe groot de achterstand was, er moest gewerkt en ingehaald worden, al het andere was kletspraat. Het communisme moest je bouwen, niet eindeloos bespreken.

Alles was nog zinvol geweest als Lominadze zijn vroegere invloed had kunnen gebruiken. Maar in het centrum, in het district, hier ter plaatse, overal woog Rjazanovs woord zwaarder. Weliswaar was Lominadze een favoriet van Ordzjonikidze, hij had een directe telefoonverbinding met hem, maar alles wat Mark Aleksandrovitsj voor de fabriek nodig had kreeg hij zelf van Ordzjonikidze gedaan. Je ging niet voor elke bagatel naar Sergo, het apparaat nam alle beslissingen, en het apparaat kende alleen Rjazanov... Hij, Rjazanov, was de fabriek, haar leven, haar dood.

Mark Aleksandrovitsj had zijn optreden tegen de commissie nauwgezet overwogen, hij was zich bewust van het risico. Maar als het lukte was de winst enorm en was zijn positie voor lange tijd zeker. Hij rekende op steun van Ordzjonikidze, Pjatakov had de commissie buiten zijn medeweten gestuurd. Sergo zou het ook waarderen dat Rjazanov Lominadze er niet bij had betrokken. Mark rekende ook op de steun van Vorosjilov, die een maand eerder op de terugweg uit het Verre Oosten was langsgekomen, bijzonder tevreden over alles was en hem een vriendschappelijk schouderklopje had gegeven.

'Ik heb een bolsjewiekeneus, ik ruik hier staal.'

Rjazanov rekende erop dat Stalin hem zou begrijpen, omdat Stalin in zijn plaats net zo had gedaan: daardoor had hij zich in de eerste plaats laten leiden. Rjazanov was Stalins man, het was zijn fabriek, zijn Oeral. Dat moest Stalin wel waarderen.

De kwestie werd behandeld in het Kremlin, door Stalin, Vorosjilov, Ordzjonikidze en Jezjov, een stille, beleefde man met lichtblauwe ogen, het nieuwe hoofd van de toewijzingscommissie van het CC.

Mark Aleksandrovitsj gaf uitleg. Hij had niemand laten arresteren. De commissieleden konden gaan en staan waar ze wilden. Hij had alleen verhinderd dat ze voor zijn gesprek met kameraad Ordzjonikidze op de fabriek zouden verschijnen, hij wilde kameraad Ordzjonikidze vragen de commissie terug te sturen naar Moskou, omdat hij haar aanwezigheid in de fabriek schadelijk achtte. Hij had met Moskou gebeld, waar ze hem hadden verteld dat Sergo in het Zuiden was en enkele dagen later terugkwam. De commissie had die paar dagen best kunnen wachten, er was geen haast bij. Wat het sociale complex betrof, dat werd uitgevoerd binnen de limieten van de toegewezen fondsen en met vrijwillige deelname van de arbeiders. Voor de controle had men kunnen volstaan met het sturen van een boekhouder, in plaats van zo'n respectabele commissie.

Ze hoorden hem zwijgend aan, zonder hem te onderbreken. Stalin ijsbeerde door de kamer met zijn pijp in de hand. Ordzjonikidze keek somber. Jezjov zat bescheiden met een groot opengeslagen bloknoot aan de rand van de tafel. Vorosjilov glimlachte bemoedigend, en toen Rjazanov de commissie respectabel noemde moest hij lachen. Hij nam als eerste het woord:

'Ik heb de fabriek onlangs nog bezocht. Er is gestage vooruitgang, er wordt staal geproduceerd, het collectief is hecht en de leiding heeft gezag. Waarom hebben ze daar een professor naar toe gestuurd die tegen de bouw van het complex was? Rjazanov heeft correct gehandeld, ik zie in zijn handelwijze niets laakbaars. Hij wachtte op kameraad Sergo, de commissie had ook moeten wachten. Ze wilden niet wachten. Wat zou 't, ze doen maar. En Rjazanov heeft gelijk: we houden ervan commissies te sturen als een inspecteur volstaat. We moeten kameraad Rjazanov steunen.'

Iedereen wachtte op wat Ordzjonikidze zou zeggen. Hij zei koel:

'Dit is juist. Laten we aannemen dat het zo is. Maar u, kameraad Rjazanov, heeft de commissieleden niet alleen vervoer, maar ook een telefoonverbinding geweigerd. U wilde mij spreken, daar heeft u recht op. Maar zij wilden zich ook in verbinding stellen met Moskou: dat was hun recht.'

'U bent niet geheel juist geïnformeerd, Grigori Konstantinovitsj,' sprak Rjazanov hem tegen. 'Wij hebben een slechte verbinding met Moskou, dat is bekend. En het is practisch onmogelijk Moskou op de gebruikelijke manier door te krijgen. We hebben twee rechtstreekse verbindingen met u, Grigori Konstantinovitsj, de mijne en die van kameraad Lominadze. Tot kameraad Lominadze hebben ze zich niet gewend, hij staat helemaal buiten deze zaak, en ik vond dat ze mijn toestel niet konden gebruiken: ze zouden Pjatakov bellen, en hij zou het mandaat van de commissie bevestigen. En ik wachtte op u, ik rekende er echt op, dat u het mandaat niet zou bevestigen.'

Toen Mark Aleksandrovitsj gewag maakte van de directe verbinding die Lominadze en Sergo hadden, zag hij hoe er een siddering door Stalins rug voer.

Stalin begon onmiddellijk te spreken, langzaam, met zijn zware Georgische accent sprak hij de woorden uit, hij was duidelijk opgewonden:

'Wij hebben in de Oeral geen mensen nodig die de Oeral geen warm hart toedragen. Laten degenen die dat niet doen maar in Moskou in hun gemakkelijke stoelen blijven zitten. Het was een grove fout daar zo'n commissie naar toe te sturen. We moeten kameraad Pjatakov daar op wijzen.'

Hij pauzeerde even. Jezjov maakte snel aantekeningen op zijn bloknoot 'Woonhuizen en gebouwen voor de gemeenschap zijn binnen redelijke grenzen ook onmisbaar,' vervolgde Stalin, 'vooral daar, waar men zich met succes van zijn produktietaken kwijt. De arbeidersklasse moet de reële verworvenheden van het socialisme zien, niet alleen in loon, dat betalen kapitalisten ook. Ze moet de resultaten van het socialisme zien in instellingen voor cultuur en welzijn, zoals sanatoria en kleuterscholen, juist voor hun kinderen, arbeiderskinderen. De arbeiders van de fabriek hebben daar recht op, ze voeren het plan uit. Dat is pas voor mensen zorgen. Is dat reëel? Ja. Tastbaar? Ja. Overtuigend? Ja.'

Hij stopte zijn pijp en vroeg:

'Wat is de rol van het stadscomité van de partij in dit conflict? Ik zie die rol niet. Waar is het comité eigenlijk? Waarom is het door de directeur van de fabriek niet van de commissie op de hoogte gebracht? Waarom heeft hij er geen rekening mee gehouden?'

Rjazanov deed een poging te antwoorden, maar Stalin maande hem met een handgebaar tot zwijgen en ging verder:

'Heeft het geen gezag? Waarom geen gezag? Als kameraad Lominadze zich niet met de fabriek bezighoudt, dan vraag je je af wat hij wel doet. Hij is een actief persoon, hij kan niet stilzitten. Houdt hij zich met mondiale problemen bezig? Waarom oefent hij zijn directe functies niet uit? Als partijorganen hun directe functies niet uitoefenen, zijn de economische bewindslieden wel genoodzaakt stappen te ondernemen die hen onder andere omstandigheden zouden kunnen compromitteren. Waarom heeft de secretaris van het stadscomité een directe verbinding met de volkscommissaris? Hij moet een directe verbinding hebben met de districtssecretaris.'

'Wat maakt het uit, een directe verbinding,' bromde Ordzjonikidze.

'Een kleinigheid', zei Stalin instemmend en glimlachte plotseling goedmoedig, 'maar het houdt hem wel van zijn werk, begrijp je. Andere secretarissen van stadscomités hebben geen directe verbinding met jou en weten zich uitstekend te redden. Waarom zouden we voor onze dierbare kameraad Lominadze een uitzondering maken? Dat is onpedagogisch tegenover onze jonge partijleider kameraad Lominadze. Dat geeft hem een verkeerde voorstelling van zijn persoonlijke betekenis. We bewijzen kameraad Lominadze daar een slechte dienst mee.'

Mark Aleksandrovitsj had zich niet in Stalin vergist. En Stalin niet in hem. Zij raakten innerlijk verbonden, en dat gaf Mark Aleksandrovitsj vleugels. Alle mensen, papieren en instanties die hen scheidden, dat alles verdween als het ware, vervaagde, verloor zijn betekenis. Mark Aleksandrovitsj liet zich nu alleen door Stalin leiden. In gedachten wendde hij zich tot hem, vroeg hem om raad, hij liet hem zijn daden beoordelen.

Dit vervulde Mark Aleksandrovitsj van een trots besef van zijn macht en betekenis. Heerszuchtig van karakter, verborg hij zijn heerszuchtigheid niet langer. Hij veranderde noch zijn levenswijze, noch zijn gewoontes. Voordat hij boven bij de volkscommisssaris langs ging liep hij eerst de afdelingen en sectoren af en praatte met de gewone functionarissen. Zij hielden zich als voorheen graag met zijn zaken bezig en vonden oplossingen, die de belangen van de fabriek vereisten. Met andere woorden, zo als Mark Aleksandrovitsj het wilde. Niemand merkte het nieuwe op dat in Rjazanov was verschenen: de accentuering van zijn heerszuchtigheid. Vroeger ging hij bij ze aan tafel

zitten, nu sprak hij staande, en stond de medewerker op. Zijn toon was beminnelijk en aardig maar het gesprek vond plaats in het *voorbijgaan*. Dat leek
natuurlijk: hij die met hen sprak was niet alleen de beroemde directeur van
de beroemde fabriek, niet alleen de favoriet van Stalin en Ordzjonikidze,
maar misschien ook hun toekomstige volkscommissaris. Toch stapte hij net
als vroeger op hen af, de gewone functionarissen van het apparaat, hij was
niet verwaand of aanmatigend.

Tussen Mark Aleksandrovitsj en Ordzjonikidze was enige wrijving ontstaan. Op de bespreking had Ordzjonikidze Stalin en Vorosjilov niet tegengesproken. Zijn standpunt kwam er echter in feite op neer dat Rjazanov zich
diplomatieker had kunnen opstellen, een schandaal had kunnen voorkomen,
waarin het volkscommissariaat geen beste beurt had gemaakt.

Mark Aleksandrovitsj zag Sergo's misnoegen, het verdroot hem, maar wist
dat Ordzjonikidze niet rancuneus was, geen stille wrok zou koesteren, te
meer daar Mark Aleksandrovitsj in wezen gelijk had en het niet zijn schuld
was dat Sergo en Stalin van mening verschilden over Lominadze.

Mark Aleksandrovitsj ging niet naar Ordzjonikidze, hij wachtte tot deze
hem zelf zou laten komen en regelde ondertussen zijn zaken in het apparaat,
bij GOSPLAN en bij de GOSBANK. Elke reis naar Moskou, zelfs op een
spoedoproep van de regering, ging altijd gepaard met een hoop zaken, die
alleen daar afgehandeld konden worden. Hij moest ook nog bij Boedjagin
langs, ook al zat deze zijn laatste dagen op het Volkscommissariaat uit. Mark
Aleksandrovitsj had meer met hem te doen dan met Lominadze: geen theoreticus, geen redenaar, maar een functionaris die, al was hij geen ingenieur,
ter zake kundig was, de dingen meteen begreep. Maar hij was van het toneel
verdwenen, de tijd had hem ingehaald, de tijd—dat was Stalin, en hij mocht
Stalin niet, hij verzette zich tegen hem en verzette zich derhalve tegen land en
partij.

Mark Aleksandrovitsj praatte met Boedjagin als met een meerdere, als met
de ondervolkscommissaris, kalm en zakelijk, maar plotseling bedacht hij:
waarom hadden ze Pjatakov en Boedjagin tot Sergo's ondervolkscommissarissen benoemd? In Sergo's omgeving verkeerden veel mensen wier trouw
aan Stalin twijfelachtig was. Koos Sergo zelf zulke helpers of werden ze
aangewezen? Met welk doel? Boedjagin sprak ook gereserveerd met Rjazanov, hij vroeg zelfs niet naar de commissie. Nadat hij de papieren had ondertekend en alles was afgehandeld, vroeg hij echter wel iets anders:

'Hoe is het met je neef?'

Deze vraag had Mark Aleksandrovitsj niet verwacht. Hij was van plan geweest vanavond naar zijn zuster te gaan, maar helaas moest hij vanavond al
weg.

'Hij zit nog...'

Meer vroeg Boedjagin niet, Mark Aleksandrovitsj verliet de kamer. Maar hij hield er een onbehaaglijk gevoel aan over. Boedjagin wist zelf dat Sasja gearresteerd was. Hij vroeg ergens anders naar: had Mark Aleksandrovitsj zijn ontmoeting met Stalin niet aangewend om voor Sasja te pleiten?

Een kwetsende vraag.

Had hij het recht om ZIJN tijd in beslag te nemen voor een jongen die ze kennelijk niet zonder reden vasthielden? Hij had domme dingen gedaan, dat was zeker. Dat Mark Aleksandrovitsj zich tot Berezin gewend had moest wel zijn opgemerkt, en Sasja zat daar nog steeds. Hij moest dus wel iets gedaan hebben.

Hoe kon Mark Aleksandrovitsj zich in zo'n situatie tot Stalin wenden? Stalin had hem lid van het CC gemaakt, ondanks de arrestatie van zijn neef. Stalin zag hem los van Sasja, die vraag had hij terzijde geschoven. En zou hij er nu tegen Stalin over beginnen? Tactloos! Dat was het enige wat Stalin er van zou vinden. Hun innerlijke verbondenheid en hun wederzijds begrip zouden dan vernietigd worden. Zo stond de zaak ervoor. Maar Boedjagin dacht dat hij gewoon bang was er met Stalin over te spreken. 'Een primitieve man, hij heeft politiek afgedaan,' dacht Mark Aleksandrovitsj geërgerd over Boedjagin.

26 Saveli had Sasja laten zien hoe hij moest seinen: het alfabet was verdeeld in zes rijen van elk vijf letters. De eerste klopjes gaven de rij aan, de tweede—de plaats van de letter in de rij. Korte pauzes tussen de tikjes: dat was de rij; de pauzes tussen de letters waren iets langer en die tussen de woorden nog langer. Geschraap over de muur betekende: 'afgelopen!' 'stop!' of 'herhalen!'. De pauzes en intervallen waren uiterst kort, bij ervaren gevangenen bedroegen ze fracties van seconden. De pauzes waren het moeilijkst, als je die miste, vloeiden de klanken in elkaar over, kreeg je de verkeerde letter en ging de betekenis verloren.

Met een afgebrande lucifer schreef hij het alfabet op het kartonnetje van een sigarettendoosje en begon te kloppen. Hij deed dit langzaam, met lange tussenpozen, onder zijn deken op zijn brits liggend, zodat de bewaker het niet hoorde. Zijn buurman begreep hem, maar Sasja begreep hem slecht, haalde de letters door elkaar en vroeg om herhaling, hoewel zijn andere buurman duidelijk en helder tikte, met lange tussenpozen. Hij vroeg Sasja naar zijn achternaam en noemde de zijne: Tsjernjavski, partijlid. Hij vroeg of Sasja kranten ontving, en deelde mee dat hij niets kreeg.

Maar hij beschikte wel over informatie, misschien van zijn andere buurman. Er was een partijcongres geweest, waarop niets bijzonders was gebeurd. Iedere avond gaf hij Sasja het nieuws. Als een cipier zijn cel of die van Sasja naderde, moesten ze stoppen en daarna helemaal opnieuw beginnen. Twee avonden gingen om met het verslag van de stomer 'Tsjeloeskin' die, gekraakt door het ijs, in de IJszee was gezonken, de twee volgende avonden werden besteed aan de algemene antifascistische staking die in Frankrijk was afgekondigd.

Sasja kon de man niet anders dan dankbaar zijn; ondanks het risico van de strafcel seinde hij, wilde zijn eenzaamheid verzachten. Het land was in beroering, werd opgebouwd, maar hij zat eenzaam in een cel en keek angstig naar de deur: laat de bewaker in godsnaam niet merken dat hij, Sasja Pankratov, zich interesseerde voor gebeurtenissen waarover de Sovjetkranten schreven.

Zijn opwelling om zich in het onvermijdelijke te schikken, bereidwillig zijn lot te aanvaarden, verdween. Nee! Dat lot wilde hij niet aanvaarden. Hij wilde zich niet schikken, hij wilde niet, wilde niet. Hij wilde deze weg niet... Niet deze weg—zijn weg was met de partij, met het volk, met de staat. Wat kon hij doen? Iemand schrijven? De officier van justitie? Die had zijn arrestatie bekrachtigd. Stalin? Zijn brief zou niet verder dan Djakov komen. En waarover kon hij zich beklagen? Dat hij niets met Marks zaak te maken had? Maar hij wist niet eens wat voor zaak dat was en of zijn arrestatie ermee in verband stond.

Toen rijpte bij Sasja een plan. De kans was klein, maar het was te proberen.

's Avonds bij het seinen vroeg Sasja aan zijn buurman wat ze over het door Mark geleide project schreven en kreeg als antwoord: 'Ik informeer, laat je weten.' De volgende dag seinde hij: 'Hoogoven aangeblazen, onderscheidingen gekregen.' Sasja vroeg: 'Rjazanov?' Zijn buurman antwoordde: 'Leninorde.'

Mark was in vrijheid, nog steeds hoofd van het bouwproject!... Hij was het niet! Hoe was hij daarbij gekomen? Het was het instituut, alleen van de andere kant, niet de muurkrant, maar Krivoroetsjko. Daarop hadden ze in het rayoncomité ook gehamerd. Zijn laatste gesprek met Baulin en Lozgatsjov was doorslaggevend geweest. Dat begreep hij toen al, toen al wist hij dat hij een fout had gemaakt, en nu plukte hij de vruchten.

Djakov vroeg hardnekkig naar Krivoroetsjko. 'Wie heeft met u contra-revolutionaire gesprekken gevoerd?' Daar was het allemaal van gekomen! Misschien was Krivoroetsjko ook gearresteerd en had hij bekend dat hij met Sasja over Stalin had gesproken, al was het maar uit angst dat Sasja hem voor zou zijn. Dan was Krivoroetsjko dus eerlijk, had bekend, maar hij, Sasja, was oneerlijk, dekte hem ... 'Wie heeft met u contra-revolutionaire gesprekken gevoerd?'

Djakov had gelijk, hij was onoprecht, had zelf zijn kansen laten liggen, zijn eigen graf gegraven. Al drie weken was hij niet opgeroepen, misschien zou dat ook niet meer gebeuren, waarom ook, als hij ontkende, de feiten tegensprak. Misschien was zijn zaak afgesloten, de beslissing al gevallen. Hij liep door zijn cel, luisterde naar de voetstappen op de gang, wachtend tot ze hem kwamen halen om het vonnis uit te spreken, hij realiseerde zich dat alles door zijn eigen schuld verloren was. Zelfs als er nog geen beslissing was genomen, zelfs als Djakov hem nogmaals zou laten komen, was het toch te laat voor een bekentenis. Had hij bij het eerste verhoor de hele waarheid verteld, dan had zijn bekentenis vrijwillig en eerlijk geleken. Nu zou het een gedwongen bekentenis zijn, dus onoprecht en oneerlijk.

's Morgens had hij geen zin om op te staan, overdag geen zin tot de avond te wachten en hij begon net als Saveli de emmer te gebruiken. Ook voor de nachtelijke douche wilde hij niet opstaan, hij weigerde een keer, twee keer, daarna kwam de bewaker hem niet meer halen. Hij wilde alleen maar eten, wachtte met ongeduld op de uitdelers, keek uit naar een pakje, droomde over eten en had spijt van het briefje waarin hij alleen om witbrood en vlees had gevraagd. Met een goed stuk worst zou hij nu wel raad weten! Dat was het minste waar hij recht op had. Zijn leven was voorbij, hoe je het ook wendde of keerde! Het brandmerk van de contra raakte je niet kwijt!

Tsjernjavski klopte. Maar Sasja antwoordde niet. Hij wist niet wat die Tsjernjavski voor iemand was, waarom zou hij met hem seinen? Wat had hij gemeen met de mensen die hier zaten? Hij had gedacht dat Mark en Boedjagin hier zaten, rechtschapen communisten die zich nergens schuldig aan hadden gemaakt. Mark noch Boedjagin was hier, rechtschapen communisten zaten hier niet, hier zat je voor een *zaak*. Dat gold voor Saveli, Tsjernjavski en ook voor hem, Sasja—hij had Krivoroetsjko ontzien, was zwak geweest en betaalde daarvoor de prijs. Hij had geen duidelijke, onverzettelijke positie ingenomen, en daarom waren zijn fouten met Azizjan en de muurkrant geen toeval, net zomin als zijn twijfels aan Stalin, de grote Stalin! Hij was lichtzinnig, eigenwijs geweest, wilde alles zelf uitvinden, maar er waren nu eenmaal dingen die grotere geesten eerder hadden bedacht.

Door het smerige stukje glas achter de tralies drong het aprilzonnetje. De eerste echte zonnige lentedag, het moest heerlijk zijn buiten. Hij klom op de tafel, opende het raampje, hoewel dat alleen was toegestaan als hij ging luchten. Onmiddellijk knarste de ijzeren grendel, in de deuropening verscheen een cipier.

'Dicht! Weg van het raam! Wil je naar de strafcel?'

Sasja sloot het raampje, sprong van de tafel.

'Ik wil lucht!'

Toch had hij verre straatgeluiden kunnen opvangen, het gerinkel van trams, toeterende auto's, kinderstemmen. Sasja zag het opdrogende asfalt van de trottoirs voor zich. De meisjes droegen al luchtige jurken: blote halzen, armen, slanke benen... Wilden ze hem dat dan afnemen? Nu, terwijl hij jong, sterk, gezond was... Nee! Hij wilde daar, op de lentestraat zijn, wilde leven als iedereen.

Een jaar geleden had hij in net zo'n lente stage gelopen in een autowerkplaats. In de garage rook het naar benzine en uitlaatgassen, het was halfdonker: er zat bijna geen glas meer in het met plaatijzer opgelapte dak. De oude garage, een van de oudste van Moskou, was nog gebouwd door de Moskouse Stichting voor Bewerking van Landbouw- en Industrieprodukten, er stonden zelfs nog eentonners: T-Fordjes en de kleine vrachtwagens om brood rond te rijden. Sasja vond de directeur van de autowerkplaats, Antonov, sympathiek, een nog jonge, roodharige man met een bril. Hij mocht de vindingrijke Antonov met zijn gezonde verstand, hij was dag en nacht in de garage. Deze arbeider, die op een verantwoordelijke post was gezet, belichaamde dat nieuwe dat de revolutie had gebracht: mensen uit de laagste regionen, geroepen tot een scheppend leven, de echte arbeidersmacht, het volk! Hij moest ook met het volk zijn, daar was zijn plaats, met Antonov, de gewezen chauffeur, met Malov, de vroegere sjouwer; zij zaten niet moeilijk te doen en eindeloos te redeneren, ze werkten, brachten iets tot stand. Wat een prachtig leven was dat en hoe weinig had hij het gewaardeerd. Maar hij zou terugkeren, koste wat kost!

Zijn boeken werden gebracht. Sasja bekeek ze onverschillig, zonder het enthousiasme dat hij de eerste keer had gevoeld! Het derde en vierde deel van Gibbon, een gehavend boekje met een kartonnen kaft: 'Indrukken van mijn reis door de USSR' van de Franse senator De Monzi, een kleinburgerlijke politicus, een links radicaal. In het midden van de twintiger jaren had hij de Sovjetunie bezocht en daar een bezield, maar oppervlakkig boekje over geschreven. Sasja had er niet om gevraagd. Waarom had de bibliothecaris het gestuurd?

De Monzi schreef in het algemeen met sympathie over de Sovjetunie, maar leverde hier en daar ook kritiek, met name over het strafrecht en de strafvordering. En als bewijs voerde hij artikel achtenvijftig aan. Juist vanwege dit artikel had de bibliothecaris het boek gestuurd, in plaats van het wetboek waar Sasja om had gevraagd en dat de bibliothecaris hem niet mocht sturen.

Uit het artikel kwam Sasja niets belangrijks of wezenlijks aan de weet. Het ging ook niet om artikel achtenvijftig.

Het ging erom dat een onbekende gevangenisbibliothecaris op zijn stem had gereageerd, zijn bede had verhoord, Sasja een voorbeeld had gegeven van menselijkheid, moed en vertrouwen.

Wat had hem daartoe gebracht? Had hij een dienstvoorschrift geschonden? Ja, misschien. Een andere, hogere plicht was hij daarentegen nagekomen —een menselijke plicht. De door de mens gestelde wet mag niet in strijd zijn met de wet van het geweten. Diegenen die onschuldigen veroordelen, weerlozen niet beschermen, rechtelozen hun laatste recht ontnemen—zij verzaken hun plicht.

Sasja sprong niet van zijn brits, begon niet door zijn cel te rennen. Het gebeurde was zo helder en zuiver, beantwoordde zozeer aan al het wezenlijke en menselijke in hem dat hij schok noch opwinding voelde. Hij had gevonden wat hij moest vinden. Hij schaamde zich alleen dat hij de moed had verloren.

Naar het laatste verhoor ging Sasja zonder hoop, hij wist wat hem te wachten stond en hij was nergens bang voor. Iemand die had gezegd dat Stalin nog gekruide potjes op het vuur had, was nog geen vijand. Djakov negeerde de normale betekenis van woorden, Djakov interpreteerde en daar wenste hij niet aan mee te doen. Hij wilde hier weg, ja, maar dan met een zuiver geweten tegenover de partij en zichzelf.

Djakov ontving hem officieel.

'We sluiten de kwestie van het instituut af,' zei hij zakelijk, 'uw verklaringen zijn vastgelegd. Nu dient u het geheel *zelf* politiek te beoordelen.'

'De editie van de muurkrant beschouw ik als een fout,' antwoordde Sasja.

'Een subjectieve...' onderbrak Djakov hem. 'Maar fouten hebben objectieve oorzaken en objectieve gevolgen. Zo is het!'

Daar begon het *interpreteren.* Voor Djakov was een mens maar een heel klein deeltje van de telastelegging, de telastelegging was nodig om die persoon te veroordelen.

'Welnu, Pankratov, wat zijn de objectieve oorzaken en de objectieve gevolgen van uw fouten?'

Sasja staarde naar Djakovs jongensgezicht. Als hij die nu eens op de Arbat tegenkwam...

'We zetten alles op een rijtje,' begon Djakov op een docerende toon. 'Als er bij u op het instituut een gezond politiek klimaat had geheerst, dan was zo'n muurkrant onmogelijk geweest. Maar het politieke klimaat was niet gezond. Krivoroetsjko stond aan het hoofd van een ondergrondse anti-partijorganisatie die nu is blootgelegd, de deelnemers zijn ontmaskerd en gearresteerd. Ze bevinden zich hier, bij ons en hebben alles bekend...'

Op de fabriek verschansten zulke mensen zich in het kantoor, de boekhouders en normcontroleurs, lummelden wat rond op personeelszaken. Wat kon Djakov hem doen? Hij kon vaten van tachtig kilo op zijn rug sjouwen, een houthakkerskamp zou hij dus ook wel overleven, hij zou teruggaan naar brigadier Averkiev, naar de vroegere divisiecommandant Morozov, zij waren overal, zij waren het volk... De Djakovs waren de echte vijanden van de partij.

Djakov keek Sasja even aan, hoopte van het effect van zijn woorden te kunnen genieten, en ging toen verder:

'U bent onervaren, Pankratov, u kent ze niet. Krivoroetsjko heeft de bouw van het studententehuis vertraagd om onvrede onder de studenten te kweken, een tactiek die erop was berekend de studentenmassa's politiek te desoriënteren. In die atmosfeer was het mogelijk een muurkrant als de uwe te publiceren, Pankratov. Of u het wilde of niet, maar objectief gezien was u een wapen in de handen van Krivoroetsjko en zijn bende, zij hebben u voor hun contrarevolutionaire doeleinden gebruikt. Daarom bent u ook hier beland. Temeer daar u uw fouten niet politiek hebt willen evalueren maar voor evalueren is het nog niet te laat, geloof ons.'

'Geloof ons…' Genoeg, hij had geloofd! In zulke woorden had hij geloofd, hij had ze zo vaak gehoord, ze zo vaak zelf uitgesproken. Dat waren geen menselijke woorden, maar bezweringsformules. Net als Lozgatsjov en Azizjan, net als Baulin en Stolper, speelde Djakov voor opperpriester. En op het offerblok lag het leven van onschuldigen.

Djakov keek Sasja aan.

'Heeft u me begrepen, Pankratov?'

'Ja.'

'Mooi,' zei Djakov, 'dan kunnen we het opschrijven.'

'Als u het maar overtuigend doet,' zei Sasja op die speciale toon die geen enkel jongetje van de Arbat zou hebben misleid. Maar die stomkop snapte niets, was overtuigd van zijn vermogen om mensen bang te maken, van zijn recht over hun lot te beslissen; die opgeblazen kalkoen wist niet dat hier, tussen deze muren, in hetzelfde uniform mensen rondliepen die deze leugen, deze tovenarij doorzagen, die wisten dat dit vroeg of laat afgelopen moest zijn, en met gevaar voor eigen leven anderen hielpen.

'Uiteraard,' antwoordde Djakov gewichtig.

Spiekend van een papiertje—Djakov had Sasja's verklaring van te voren in klad voorbereid—vulde hij een formulier in, keek het voor zichzelf na, las het vervolgens aan Sasja voor:

'"Na mijn gedrag en daden overdacht te hebben en wensend ze eerlijk en oprecht te beoordelen, voeg ik aan de al eerder gegeven verklaringen het volgende toe: ik beken dat de uitgave van de partijvijandige muurkrant ter gelegenheid van de zestiende verjaardag van de Oktoberrevolutie een politieke fout was, evenals het feit dat ik in deze editie de studenten Roenotsjkin, Kovaljov, Poloezjan, en Pozdnjakova heb meegesleept. Eveneens geef ik mijn politiek onjuiste verdediging van Krivoroetsjko toe. Deze fouten waren het gevolg van het politieke klimaat op het instituut, geschapen door de onderdirecteur van het instituut, Krivoroetsjko. Ik beken dat de tegen de partij gerichte editie van de muurkrant ter gelegenheid van de zestiende verjaardag van de Oktoberrevolutie deel uitmaakte van de tegen de partij gerichte koers die Krivoroetsjko op het instituut volgde."'

Hij legde het papier voor Sasja.

'Kijk na, Pankratov, of ik het goed heb opgeschreven, en teken.'

'Dit teken ik nooit,' zei Sasja terwijl hij Djakov recht in de ogen keek.

27 Het leven op de Arbat ging door. De april-zon keek door de ramen, verwarmde straten en stoepen. Op de boulevards zakten de sneeuwhopen in en werden zwart, uit de scheuren in het asfalt dampte de warme lucht van de ontwakende aarde. In de stegen voetbalden schoolkinderen zonder jas of muts. Tegen de huizen verschenen steigers, met metselaars en schilders, de huizen werden opgeknapt, geschilderd en verbouwd. Op het Arbatplein verdween het plantsoen en werden de huizen gesloopt die het verkeer hinderden. Moskou kreeg er nieuwe fabrieken en wijken bij, raakte omringd door barakken.

's Avonds schitterden op de Arbat nog steeds de lichtjes van de bioscopen: ARS ARBAT, KARNAVAL, PRAGA en CHOEDOZJESTVENNY.

Over de troittoirs flaneerden de meisjes van de Arbat, van de Dorogomilovskaja en de Pljoesjtsjicha, de jaskraag omlaag, de kleurige sjaaltjes los hangend, hun voeten in schoentjes, hun benen in dunne vleeskleurige kousen gestoken. Nog steeds verdrong zich bij de poort van Sasja's huis de vrolijke bende jongelui. Varja liep voorbij en zwaaide, ze haastte zich naar het Huis van het Rode Leger, naar het slotfeest van de militaire academies.

Op zo'n indrukwekkend feest was ze nog nooit geweest. Op het podium zat het presidium dat uit nationaal bekende legerleiders bestond. Varja herkende Boedjonny, en van de namen die Serafim haar toefluisterde bleef Toechatsjevski haar bij, zo'n knappe man had ze van haar leven nog niet gezien. Hoewel Varja niet van bijeenkomsten en voordrachten hield, werd ze meegesleept door de feestelijke stemming van deze avond, de luister van de zaal, de romantiek van het wapenfeit die de legendarische legeraanvoerders de cadetten voor de toekomst toewensten, de sfeer van soldateneendracht die onder militairen ontstaat wanneer de grenzen tussen de rangen verdwijnen, de cadet zijn toekomst in de beroemde legeraanvoerder ziet en de legeraanvoerder zijn jeugd in de jonge cadet. Ook de vrouwen van de commandanten vond ze bijzonder, met hun man deelden ze de tegenslagen en gevaren van hun beroep. De hier uitgenodigde meisjes gedroegen zich ook voornaam, alsof ze al in dat leven waren opgenomen. Varja nam ze aandachtig op, sommigen droegen erg mooie kleren. Voor het zang- en dansensemble van het Rode Leger had Varja zich nooit bijzonder geïnteresseerd, maar vandaag vond ze het prachtig hoe de soldaten op z'n Russisch dansten, uitbundig en aanstekelijk.

Het blaasorkest in de foyer kon net zo goed foxtrots, rumba's en tango's als jazz spelen. Naast de gedisciplineerde, kwieke, eenvoudige en vrolijke cadetten zagen de jongens in hun charlestons, wijde wapperende broeken, schreeuwerige dassen en slecht gepoetste schoenen er koddig uit.

Nina was vandaag ook anders, ze zat haar niet op haar huid, was aardig en haar goedgezind en treurig, ze vond het vast jammer dat Maksim vertrok, maar ze had zijn aanzoek afgewezen.

Serafim vertrok morgen ook naar het Verre Oosten, maar dat vond Varja niet erg, omdat ze hem vanavond haar jawoord gegeven had. Ze zou haar school afmaken en naar hem toe gaan. Het komende jaar zou hij haar schrijven, ze zou terugschrijven en al haar vriendinnen van school en van de binnenplaats zouden te weten komen dat zij naar het Verre Oosten, naar haar *man* ging. Dat onderscheidde haar opnieuw van haar vriendinnen, niemand van de meisjes die ze kende werd in het Verre Oosten verwacht. Naar het theater, de ijsbaan en de bioscoop zou ze alleen gaan, naar dansavonden helemaal niet meer. En als ze wel ging zou ze met Zoja dansen. Ze kon natuurlijk wel met mannen dansen, als het daar maar bij bleef... Dank u wel... Nee, sorry... Ik kan niet... Eenzaam en alleen, in het middelpunt van de belangstelling, het ongenaakbare meisje dat naar het Verre Oosten ging. Wat Sasja betreft zou zij Sofja Aleksandrovna niet in de steek laten, en ook Sasja zelf niet. Dat Serafim op haar wachtte in het Verre Oosten, terwijl Sofja Aleksandrovna en Sasja haar in Moskou nodig hadden maakte haar in haar eigen ogen nog interessanter en origineler.

Varja was vrolijk. Serafim en zij dansten voortreffelijk, zelfs de hoogste officieren en hun vrouwen keken naar hen. Varja probeerde zo lang mogelijk rondjes te draaien in de hoek waar Toechatsjevski stond.

Maksim danste met Nina, zijn vollemaansgezicht met de wipneus straalde goedheid uit. Zijn vrienden kwamen naar Nina toe, vroegen haar voor de volgende dans, en Maks bleef goedmoedig glimlachend op haar wachten in een hoek. Lang en breedgeschouderd beschikte hij over uitzonderlijke lichaamskracht, net als de meeste sterke mensen was hij bang zijn kracht te gebruiken, iemand aan te stoten of iets stuk te maken.

Zijn vader, een stoker, was een zware drinker geweest en in een delirium gestorven, zijn moeder, een liftbediende, was achtergebleven met vier kinderen. Maksim was de oudste. Aan zijn armoedige jeugd had hij de zuinigheid overgehouden die zijn schoolkameraden voor gierigheid hielden, ze staken de draak met zijn netheid. Zijn kam borg hij op in een leren hoesje, papiergeld in zijn portefeuille, munten in een beursje, zijn potlood in een metalen puntbeschermer, zodat de stift niet brak; hij deed jarenlang met zijn notitieboekje voor telefoonnummers en adressen, hield van degelijke spullen, van eenvoudig en voedzaam eten, alleen was hij niet gewoon er veel geld aan te besteden, als het moest kon hij ook een tijdje honger lijden.

Omdat hij de secuurste was, kreeg hij op school alle praktische karweitjes opgedragen. Hij notuleerde, inde contributies, hield het archief met de instructies van het rayoncomité bij en deed de boekhouding. Ergens langsgaan, instructies ophalen, verordeningen opschrijven, affiches aanplakken, rode stof kopen voor de feestdagen, kaartjes kopen voor collectief theaterbezoek, verslagen maken van werk- en studiegroepen, stemmen tellen bij verkiezingen: met al dat werk was Maksim belast. Het was niet zo dat ze hem tot niets beters in staat achtten. Het was vanzelf zo ontstaan, iedereen was er aan gewend.

Hij was ouder dan zijn kameraden, een, soms wel twee jaar. Hij begreep hoe onbetekenend hun ruzies waren, maakte er grappen over en ontwapende iedereen met zijn goedaardigheid. Met zijn gezonde verstand wist hij handig klippen en riffen te omzeilen, als het nodig was kon hij sluw zijn, maar hij verloochende zijn principes nooit en was altijd loyaal ten aanzien van zijn kameraden. Met de jaren was er een soort soldateneenvoud, iets standvastigs en onverzettelijks in hem gerijpt en bezonken. Maksim was na zijn diensttijd naar de militaire academie gegaan; dat bood materiële zekerheid, en hij kon het gezin en zijn zieke moeder helpen, voor wie het leven een last was. Bovendien hield Maksim van orde. Het soldatenleven beviel hem: hij werd officier van het Rode Leger, was jong, sterk, had een goede opleiding gekregen. Zijn plaats was bij de grenstroepen, waar het conflict dreigde. Toch deed het hem pijn Moskou te verlaten. Het was triest van zijn vrienden afscheid te nemen, van Nina, Sasja Pankratov, Lena Boedjagina, Vadim Marasevitsj. Zij belichaamden het leven waarin hij, en duizenden anderen als hij die uit donkere, vochtige kelders kwamen, een beter leven hadden gekregen.

Als jongetje had Maksim soms in plaats van moeder het trappenhuis schoongemaakt. Nina hielp hem daarbij. Niet omdat het voor Maksim te zwaar was, maar om de bewoners te laten zien dat dat werk, net als elk ander werk, niet vernederend was. Dat was een echte komsomoldaad, een daad van solidariteit onder kameraden, die Maksim beter dan welk boek ook het wezen van de nieuwe moraal deed inzien. Later, in de negende klas, gebeurde er iets verschrikkelijks… Zijn vader stal het geld van hem—en verdronk het–dat voor het bouwfonds van het vliegtuig de MOSKOUSE KOMSOMOL was ingezameld, dertig roebel ongeveer, een behoorlijk bedrag voor die tijd. Maksim wilde zelfmoord plegen, waar haalde hij dertig roebel vandaan en hoe moest hij zich rechtvaardigen tegenover zijn vrienden? Nina zag hoe het met hem was gesteld, liet hem alles opbiechten en vertelde het meteen aan Sasja.

'Och jij,' zei Sasja tegen hem, 'je vindt je leven wèl erg weinig waard.' Hij gaf hem het geld, vijftien roebel leende hij van zijn moeder, vijftien van Mark Aleksandrovitsj. Zulke vrienden moest hij nu missen. Sasja had hem gered, maar hij had Sasja niet kunnen beschermen...

Hij had Nina al aardig gevonden toen ze nog verstoppertje speelden op de achterste binnenplaats, en later ook op school: ze was lang, flink, vastberaden. Haar onhandigheid, halsstarrigheid en hulpeloosheid vond hij charmant. Hij geloofde niet, dat ze zogenaamd niet van hem hield; ze wist het alleen zelf niet. Serafim had hij met opzet mee naar haar huis genomen, laat Varja maar met hem trouwen, hij was een fijne kerel, niet dom, en knap van uiterlijk. Dan verviel de belangrijkste reden waar Nina zich op beriep: ze kon niet beslissen voor ze Varja op weg had geholpen in het leven. Maar Nina dacht zo... De legerleiders zagen er ongetwijfeld imposant uit, maar dat waren politici, strategen, staatsfunctionarissen, en Maks zou nooit strateeg, of politicus worden, hij zou recruten drillen op de kazerneplaats... Links-twee!... Links-twee!... Daar stond hij, hij wachtte op haar, breedgeschouderd, een blos op de wangen, het rossige haar met zorg gladgestreken, laarzen en knopen blonken, de splinternieuwe riem kraakte, en bij het dansen tikte het beslag van zijn zolen op het parket. Hij zou een ouwe getrouwe worden... Jammer! Hij zou meer kunnen bereiken. Als er oorlog kwam moest iedereen werken, maar voor het zover was moest je leven en werken. Dat alles had ze Maksim al uitgelegd, toen hij naar de academie ging. Hij had niet naar haar geluisterd. Nou, dan maar niet! Hij had recht op een eigen mening. Maar ook zij had het recht over haar eigen lot te beslissen. Nina was vastbesloten niet met Maksim te trouwen en niet uit Moskou weg te gaan.

28 In het Vachtangov-theater werd 'Hamlet' opgevoerd, met de kleine dikke Gorjoenov in de hoofdrol. Joera Sjarok hield van de spelers van dit theater, hij belde Vadim Marasevitsj, vroeg deze een kaartje voor de voorstelling te regelen en zei dat hij 's avonds bij hem op de Starokonjoesjennystraat langskwam.

Professor Marasevitsj, de beroemde Moskouse therapeut, hield een keer per maand spreekuur in de polikliniek van de Centrale Commissie ter Ondersteuning van Wetenschapsbeoefenaren aan de Gagarinstraat; er was voor hem een wachtlijst van een half jaar. Een kliniek aan de Pirogovstraat werd de Professor Marasevitsjkliniek genoemd; een leerstoel op het medisch instituut droeg zijn naam. Thuis ontving hij alleen intimi. Hoewel een verre afstammeling van een of andere Oekraïense hetman, was hij, net als zijn vader die ook arts en hoogleraar was geweest, een rasechte Moskoviet met hechte, oude banden binnen de Moskouse intelligentsia. Zijn huis aan de Starokonjoesjennystraat werd bezocht door Igoemnov, Stanislavski, Prokojev, Nezjdanova, Geltser, Katsjalov, Soembatov-Joezjin, Meierhold, en ook Loenatsjarski. Geen enkele beroemde westerse acteur op tournee of gevierde artiest ging aan het voorname, maar ook rommelige huis voorbij. De gasten werd ontvangen door de oogverblindende dochter des huizes, dan werd op de met gesteven lakens bedekte tafels het baccaratkristal uitgestald. Jonge acteurs, die vaak na de voorstelling langskwamen, stortten zich vol overgave op het kalfsvlees en de lichtroze zalm. De jongelui zetten de boel op stelten, begonnen soms gewoon aan tafel te improviseren, speelden scènetjes. Vadim haakte meteen in met een mondelinge recensie, en deed dit volgens professor Marasevitsj niet zonder scherpzinnigheid. Vadim was afgestudeerd kunsthistoricus, gaf college, leidde soms excursies, en probeerde het nu als toneelcriticus.

Professor Marasevitsj nipte aan zijn mineraalwater, kon bij gelegenheid een paar leuke voorvallen uit zijn praktijk of die van zijn vader vertellen, maar bleef nooit tot na twaalven zitten, wenste iedereen goedenacht, hij zei dat mensen met zijn beroep zekere leefregels in acht moesten nemen.

Vika had ook een poging bij het theater en de film gewaagd, vooralsnog zonder dat daar iets uit voortvloeide, als je haar romances met beroemde acteurs, veelbelovende regisseurs en ambitieuze journalisten buiten beschouwing liet. Haar romances begonnen met stijl, met bloemen en brieven, restaurants en taxiritjes, maar eindigden met ruzie, verwijten en verklaringen over de telefoon.

Alleen de affaire met Joera Sjarok begon rustig en eindigde rustig. Ze ontmoetten elkaar een keer toevallig op de Arbat en liepen aan de zonkant een stukje samen op. Toen zei Joera:

'Kom mee, dan laat ik je zien hoe ik woon.'

Vika wist heel goed wat hij met 'hoe ik woon' bedoelde. Maar deze manier van uitnodigen werkte bij haar bijna automatisch. De heimelijke concurrentie met Lena Boedjagina was een extra aanmoediging. Dat zij en Joera elkaar niet meer zagen, wist ze niet.

De kennismaking met Joera's woonomstandigheden, verliep zonder overbodige woorden en verklaringen, alsof ze al jaren een verhouding hadden. In vergelijking met andere, meer ervaren kandidaten had Joera *niveau* genoeg. Maar die kamer, die armetierige woning, die lucht van strijkwas die haar eraan herinnerden wat zijn vader was…

Ze verwachtte dat Joera lastig zou worden en dat ze hem zou moeten afpoeieren, iets dat ze met hetzelfde gemak deed als waarmee ze zomaar bij alleenstaande mannen langsging. Maar Sjarok bleek een *fatsoenlijke* kerel. Dat was nog eens een kleermakerszoon!

Zijn kiesheid was echter eenvoudig te verklaren: ze liet hem onverschillig, ze was koud en onbenullig. Hij vergeleek haar met Lena en deze vergelijking viel niet in haar voordeel uit. Hoe makkelijk stapte ze in een vreemd bed! Hij kookte van woede als een burgerman die in elke sloerie zijn eigen vrouw meent te herkennen.

Vandaag ging hij voor 'Hamlet' bij Vadim langs.

'Laten we een hapje eten,' stelde Vadim voor.

Ze liepen naar de salon die groter was dan de hele woning van de Sjaroks.

Vadim, met zijn dikke lippen, varkensoogjes en korte, borstelige, lynxachtige wenkbrauwen, at gulzig. In weerwil van zijn uiterlijk had hij een geweldige stem: mannelijk, rollend en met subtiele, intelligente nuances in toon.

Hij smeerde een dikke laag boter op zijn brood, hoewel hij soep at en zei: 'Hij verwart jurisdictie met jurisprudentie, rariteit met pariteit, precedent met pretendent. Maar hij is de *nieuwe mens*, noem hem wat je wil: stootarbeider, of recruut. Hij heeft zijn thema, let wel, zijn hóófdthema, en zijn held die welbeschouwd de held van de *toekomst* is. Maar we verkwanselen onze toekomst toch niet voor een onsje boter?!' Vadim schoof de botervloot van zich af. 'Maar de treurenden treuren juist om dat ene onsje boter...'

Joera hoorde Vadims beschouwingen over de helden van de *toekomst* zonder ergenis aan, ze droegen toch bij aan een iets beter begrip van die wereld die hij niet kende. Laatst zei Vadim precies het tegenovergestelde, schold op de slechte smaak en hemelde het vakmanschap op. Zijn vermogen om met alle winden mee te waaien was verbazingwekkend, altijd trok hij naar de sterken, op school liep hij Sasja Pankratov na, op de universiteit was het iemand anders, en nu had hij zich achter een beroemde criticus geschaard die artikelen publiceerde over de *decadente* poëzie. Maar Joera wees Vadim niet op zijn inconsequentheid. Hij hield van het huis van de Marasevitsjen, van de acteurs, van die stroom vrolijke, zorgeloze beroemdheden. In de gesprekken van die troetelkindjes van de roem proefde hij iets lichts en cynisch, waardoor ook hun roem licht en bereikbaar leek, een kwestie van toeval, handigheid. Ondanks hun zorgeloosheid gedroegen deze mensen zich als onaantastbaren.

Ook professor Marasevitsj beviel hem wel: een heer met een gesoigneerd uiterlijk, een mooi baardje en zachte handen, en even onaantastbaar.

Vadim zag hij nu bijna dagelijks. Vadim nam hem mee naar het theater en Joera ging ook zonder hem naar voorstellingen, na een telefoontje van hem of van kennissen, die hij bij Vadim thuis had ontmoet.

Een geweldige tijd! De lente van vierendertig bleef Joera Sjarok nog lang bij. Zijn kandidatuur voor het openbaar ministerie was nog niet bevestigd. Maar Malkova beloofde steeds dat de beslissing spoedig zou vallen. Dit waren Joera's laatste vrije, zorgeloze maanden en hij probeerde zo veel mogelijk interessante dingen mee te maken. Alleen de gedachte aan Lena liet hem niet met rust. Als hij naar het theater ging, keek hij angstig de zaal rond, bang en tegelijkertijd ook hopend haar te zien.

Na haar ziekte was Lena geen enkele keer in het theater geweest. Ze ging haast niet van huis, belde niemand, zelfs haar vrienden had ze niet meer gezien sinds ze bij elkaar waren gekomen om de brief aangaande Sasja te schrijven.

Vandaag kreeg ze onverwacht bezoek van Hera Tretjak, ook een ambassadeursdochter; als kinderen waren ze bevriend geweest, hadden af en toe tegelijkertijd in Londen, Parijs, Berlijn gezeten, maar waren elkaar in Moskou bijna uit het oog verloren.

Hera was een aantrekkelijke brunette, gevat en geestig, die zelfs over onbenullige zaken onderhoudend kon praten; Lena luisterde glimlachend naar haar. Ze haalden herinneringen op over die keer toen ze in Zuid-Wales waren en in een goedkoop hotel in Cardiff logeerden, waar ook een Schotse voetbalploeg verbleef, en twee voetballers hen voorstelden weg te lopen naar een of ander land waar vrouwen al op hun veertiende mochten trouwen. Lena en Hera waren toen net vijftien. Ze praatten over hun uitstapje naar het Paleis van Fontainebleau en de vrouwelijke gids die hen het bed van Napoleon had laten zien en zijn lengte had vermeld: een meter tweeënvijftig. Hera was verbaasd geweest, waarschijnlijk bedoelde ze een meter tweeënzestig. De gids was boos geworden en had gezegd dat haar man een meter tweeënvijftig was en dat iedereen wist dat hij even lang was als Napoleon. Om de een of andere manier vonden ze het nu heel grappig, en ze lachten erom. Lena was blij dat Hera de avond met haar had doorgebracht. Ze omarmde haar, kuste haar ten afscheid en zei verdrietig: 'Laat nog eens van je horen.'

29 Op dezelfde avond dat Varja, Nina en Maks in het Huis van het Rode Leger dansten, Joera bij Vadim Marasevitsj soupeerde en Hera Tretjak bij Lena Boedjagina op bezoek was, op die zelfde avond werd Sofja Aleksandrovna om een uur of acht opgebeld met de boodschap dat ze de volgende morgen om tien uur 's morgens op het bureau van de commandant van de Boetyrkagevangenis moest verschijnen voor een bezoek aan haar zoon, Pankratov, Aleksandr Pavlovitsj. Ze moest warme kleding, geld en levensmiddelen meebrengen. De stem was effen, kalm, er sprak iemand, die gewend was dag in dag uit hetzelfde te zeggen, bondig, duidelijk. Nadat hij alles had uitgelegd, hing hij meteen op, zonder te wachten op vragen.

Sofja Aleksandrovna was bang dat hij niet was uitgesproken, iets wezenlijks, iets belangrijks had vergeten, waardoor ze niet alles kon regelen zoals het moest. Ze was bang iets te vergeten, bang dingen door elkaar te halen, daarom probeerde ze koortsachtig alles in haar geheugen te prenten, wat *hij* had gezegd: 'Morgen, om tien uur, Boetyrka, bezoek, warme kleding, levensmiddelen, en nog iets... O God, ik ben vergeten wat nog meer... O ja, geld, geld voor onderweg...' Om alles te onthouden schreef Sofja Aleksandrovna het op een briefje. Geld en levensmiddelen betekenden verbanning, warme kleding—het Noorden of Siberië.

Ze moest alles in één nacht inpakken en klaarmaken, Sofja Aleksandrovna had geen tijd om te wanhopen. Alleen kon ze zichzelf niet vergeven dat ze nog niets had ingepakt; alles op voorhand voor zo'n reis voorbereiden vond ze de duivel verzoeken. Sasja had een winterjas, een muts met oorlappen, een trui, en een warme sjaal bij zich; hij had weliswaar geen viltlaarzen, maar waar ze hem ook heen stuurden, hij had ze nu, in april, niet nodig. In de winter kwamen ze van pas, maar tegen die tijd kon ze ze opsturen. Wat hij nu moest hebben waren laarzen, *daar* was het smerig, modderig, op zijn schoenen was hij verloren, laarzen waren precies wat hij nodig had, die konden zijn leven redden. Maar Sasja had geen laarzen. En de winkels waren al dicht, bovendien werden laarzen alleen met een toewijzing verstrekt, en die had ze niet. Ze zou ze op de vlooienmarkt kunnen kopen voor een woekerprijs, met het risico dat ze haar karton in plaats van leer aansmeerden. Maar de markt was ook al gesloten.

Toen herinnerde ze zich, dat haar zuster Vera in haar datsja een paar stevige, dikke laarzen had, Sasja's maat, maat veertig. Ze zou andere voor hen kopen, hoe duur die ook waren, maar deze moesten ze Sasja geven.

Ze belde Vera. Ze was met haar man Volodja naar de datsja en zou pas overmorgen terugkomen. Wat een pech!

Haar jongste zus Polina had geen telefoon. De buren wel en Sofja Aleksandrovna wist het nummer nog uit de tijd, dat Polina bevriend was met die buren, maar sinds een paar jaar al riepen ze haar niet meer als er telefoon voor haar was. Polina had gevraagd niet meer te bellen. Toch belde Sofja Aleksandrovna, hoewel ze neerslachtig werd bij de gedachte dat ze konden weigeren, en op de koop toe grof konden worden.

Ze hoorde een opgewekte, montere mannenstem.

'Neemt u me niet kwalijk,' zei Sofja Aleksandrovna, 'het spijt me vreselijk dat ik u stoor, maar het is dringend... Zou u misschien Polina Aleksandrovna aan de telefoon kunnen roepen?'

'Welke Polina Aleksandrovna?'

'Uw buurvrouw van nummer zesentwintig, maar neemt u me alstublieft niet kwalijk, u spreekt met haar zuster.'

'Ja, ziet u...'

De man hing niet op, maar er kwam een vrouw.

'Wie moet u hebben?'

'In godsnaam, neemt u me alstublieft niet kwalijk,' zei Sofja Aleksandrovna. 'U spreekt met de zuster van uw buurvrouw, van Polina Aleksandrovna. U moet weten, het is zo akelig, een vreselijk dringend geval, het gaat om... Zou u misschien mijn zuster kunnen roepen, alstublieft.'

'Moment,' antwoordde de vrouw met een ontevreden stem.

Sofja Aleksandrovna wachtte lang, eindelijk kwam Polina aan de telefoon, opgewonden, ze vermoedde al dat er slecht nieuws over Sasja was.

'Sasja gaat morgen op transport', zei Sofja Aleksandrovna. 'Er moet iemand naar de datsja, naar Vera, om de laarzen op te halen.'

'Wat een ramp,' jammerde Polina, 'Kleine Igor heeft koorts en Kolja komt pas na elven. Wat moet ik doen? Zo gauw Kolja thuis is kom ik meteen naar je toe, maar de datsja haal ik niet meer.'

'Goed, kom me maar helpen inpakken,' zei Sofja Aleksandrovna, 'ik verzin wel iets voor die laarzen.'

'Wat moet ik meebrengen?'

'Niets, ik heb alles.'

Ze moest zelf gaan, ook al wist ze niet of ze 's nachts de weg zou vinden in het nieuwe datsjapark met zandpaden in plaats van straten. Niemand wist de straatnamen, de nummering van de huisjes was een chaos, en er waren nog geen zomergasten die je naar de weg kon vragen. Toch moest ze erheen. Maar als zij naar de datsja ging, wie deed dan de boodschappen? Ze belde Varja. Varja en Nina waren allebei niet thuis. Militsa Petrovna misschien? Die zou niet gaan, ze was bang voor haar hart, ze tilde nog geen melkbusje op, en er moesten veel levensmiddelen gekocht worden: brood, beschuit, suiker, gecondenseerde melk, citroenen, hij kreeg helemaal geen vitaminen, gerookte worst, kaas, ham... Ze schreef alles op een briefje en klopte aan bij Michail Joerjevitsj. In een kamerjas zat hij over tafel gebogen iets te plakken.

'Ik vind het heel naar, maar ik kan niet anders. Hier is het briefje, hier het geld, als er geen gerookte worst is, dan maar halfgerookte, die blijft wel goed bij dit weer, visconserven zouden ook goed zijn, alleen niet te zout.'

Michail Joerjevitsj keek haar somber aan door zijn pince-nez.

'Hoe komt u 's nachts de stad uit? En wanneer komt u terug?'

'Ik kom terug met de nachttrein, die gaat om even over enen...'

'Dan rijden er geen trams meer.'

'Ik kom er wel.'

'Gaat u naar de winkel,' zei Michail Joerjevitsj, 'dan ga ik naar uw zuster.'

'Maar Michail Joerjevitsj, het is ver, achtenveertig kilometer, ruim twintig minuten vanaf het station, het park is niet verlicht, er is geen verharde weg of stoep, alleen modder, u weet niet wat u zegt, ze vermoorden u nog.'

'Schrijft u het adres op', zei Michail Joerjevitsj, 'kunt u misschien tekenen hoe ik moet lopen, dan doe ik meteen mijn jas aan.'

Zo duidelijk ze kon tekende ze en legde ze uit. Naast het station was een kiosk, die 's winters dichtgespijkerd was, het belangrijkste was, dat hij na de kiosk naar rechts ging, dan kwam hij meteen op het goede pad. Dat was het moeilijkste: op het goede pad komen. Op het pad de derde straat links, dat heette Drie Groen, maar er waren geen bordjes, die hadden kinderen 's zomers vernield. Datsja nummer zesentwintig, het stond op het hekje. De datsja was gemakkelijk te herkennen aan het staketsel. Ervoor en erna waren schuttingen, daartussen het staketsel van Vera's datsja. Het belangrijkste was om meteen na de kiosk naar rechts te gaan. Michail Joerevitsj stond voor haar, hij droeg laarzen en een hoge bontmuts, met zijn rimpels en zijn ouderwetse pince-nez zag hij er voornaam en tegelijkertijd ook—als je bedacht hoe hij door de modder van het verlaten park zou baggeren—hulpeloos uit. Hij zou de hele nacht lopen zoeken, en morgen vroeg moest hij weer naar zijn werk.

Ze keek op de klok en schrok, kwart over negen! De avondwinkel ging om tien uur dicht.

De tram was vol, Sofja Aleksandrovna stapte in bij het voorbalkon van de tweede wagon, dan maar een boete, ze kregen haar er niet uit, maar ze werd niet beboet, ze gaf geld door voor een kaartje en bleef op het balkon staan. Ze bedacht dat ze na de boodschappen nog veel te doen had; wat moest ze met de koffer, ze wist niet waar de sleutels waren en of het slot gerepareerd was, ze had de koffer al lang niet meer gebruikt. Hij moest op slot kunnen, Sasja kon in een groep met criminelen terecht komen die alles van hem zouden stelen.

Bij de gedachte, dat Sasja in een groep criminelen zou reizen en ze hem konden bestelen, beledigen en in elkaar slaan, voelde ze opnieuw in alle hevigheid het ongeluk dat zich over haar zoon had uitgestort: hij was gebrandmerkt, verjaagd, verstoten, rechteloos.

Het Moskou waar ze nu doorheen reed, die hele verzameling straten, lichtjes, pleinen, auto's, etalages en trams, kwam haar onwezenlijk voor. Alles was in beweging, op weg ergens naar toe, onwaarachtig, onnatuurlijk en nevelig, het leek een boze droom, wassen beelden, etalagepoppen, in het melkwitte licht van de tram.

Ze stapte uit op de Ochotnybaan. Kwart voor tien. Vanaf de tramhalte zag ze de drukte bij de deuren van de avondwinkel. Open! Ze haastte zich, hijgde van het hollen. Toen ze aankwam trof ze een mensenmassa bij de winkel, er mocht niemand meer naar binnen, de mensen maakten scènes, boos dat ze een halve minuut of wat te laat waren. Sommigen probeerden zich naar binnen te wurmen, maar dat lukte niet. Een dikke verkoopster hield de deur dicht.

Sofja Aleksandrovna probeerde er ook doorheen te komen, maar het lukte haar niet. Ze werd platgedrukt in die kleine, maar woelige massa. Toen begon het minder te worden, er kwamen steeds minder mensen de winkel uit, binnen werd het licht al uitgedaan. Langzaamaan ging iedereen weg. Alleen Sofja Aleksandrovna bleef. Toen de deur openging, vroeg ze de verkoopster om haar binnen te laten.

De verkoopster met haar dikke gezicht, rood van de kou, zei met een ruwe stem:

'Ga weg, moedertje, val ons niet lastig!'

'Alstublieft, ik smeek het u.'

Uit de winkel kwam een groep vrolijke jongelui naar buiten stormen, een jonge, heldere stem riep:

'Laat opoe binnen voor een half litertje!'

En het vrolijke gezelschap rende de Ochotnybaan op.

'Alstublieft, u bent toch nog niet dicht,' smeekte Sofja Aleksandrovna toen de deur openging.

De verkoopster schonk geen aandacht aan haar, ze was gewend aan die volhouders, die waren er elke avond, ze bleven staan zeuren tot het slot op de deur hing.

'Wat moet u! Weg bij de deur!'

Schoonmaaksters veegden de vloer aan en strooiden geel zaagsel, de verkoopsters haalden levensmiddelen van de toonbanken, ze hadden haast. Sofja Aleksandrovna bleef staan. De verkoopster liet de laatste klant uit en verliet haar post. Sofja Aleksandrovna duwde de deur open en ging naar binnen.

'Hé daar?!' riep de dikke verkoopster en rende op haar af.

'Ik ga niet weg,' zei Sofja Aleksandrovna zacht.

'Ik haal meteen de politie!' zei de verkoopster dreigend.

'Voor mijn zoon in de gevangenis.' Sofja Aleksandrovna keek naar het grove, koude gezicht van een verkoopster die in de vorst pasteitjes en ijsjes verkoopt. 'Morgen sturen ze hem op transport, ik moet proviand voor hem inslaan.'

De verkoopster zuchtte.

'Ze liegen allemaal, ze hebben allemaal wat. Maar wij moeten ook eens vrij hebben.'

Sofja Aleksandrovna zweeg.

De vrouwen deden hun jassen aan en pakten hun tassen.

'Michejeva, een klant!' riep de verkoopster door de hele winkel.

Polina kwam, en het was al midden in de nacht toen Michail Joerjevitsj en Vera met de laarzen arriveerden. Ze bleken maat eenenveertig in plaats van veertig te zijn, maar ze kwamen toch van pas.

'Het zijn geen chroomleren laarzen om mee uit te gaan, maar loop- en werklaarzen,' zei Vera, 'prima met wollen kousen, warm en gemakkelijk.'

Behalve de laarzen had Vera een rugzak meegenomen met brede schouderbanden, die je langer en korter kon maken.

'De levensmiddelen gaan in de zak, de kleren in de koffer.'

Vera was het energiekste en handigste van haar zusters, praktisch, precies zó als de mensen in de Moskouse voorsteden zijn. Haar man hield van jagen en vissen, haar kinderen van skieën en wandelen, ze woonden in hun datsja, waar ze in de tuin en de moestuin werkten. 'Je bent veel te onderdanig,' verweet ze Sofja, ze had er toen altijd op aangedrongen dat ze zich van haar man moest laten scheiden. Ze kwam op voor haar zuster en kreeg ruzie met Pavel Nikolajevitsj, ze kon zijn gemopper niet uitstaan en uiteindelijk ging ze niet meer naar de Pankratovs toe.

Vera pakte alles handig en netjes in, ze vroeg om een vork, lepel, mes en een beker. Dat had Sofja Aleksandrovna helemaal vergeten, net als een scheermes, ze pakte in wat ze gewend was in de pakjes te doen, maar dit waren spullen voor op reis, nu mocht er van alles in, was alles toegestaan.

'Geef hem niet te veel geld mee,' benadrukte Vera, 'dat kunnen ze onderweg stelen, stuur het hem liever na als hij is aangekomen. Zeg bij het afscheid dat hij meteen bij aankomst moet telegraferen, dan stuur je het poste restante. Hij redt het wel, hij is nog jong!'

Maar niet zozeer haar woorden waren geruststellend, als wel haar manier van doen, haar energie, haar praktische instelling, daar sprak het leven uit, dit maakte Sasja ook klaar voor het leven daar.

30 Het viel Nina niet op dat bij Sofja Aleksandrovna het licht nog brandde, Varja merkte het wel op, zij zag altijd alles. Ze bleef er echter niet bij stilstaan, Sofja Aleksandrovna lag soms de hele nacht met het licht aan, dat had ze zelf verteld. Bovendien had Varja wel iets anders aan haar hoofd: morgenavond zou ze met Nina naar het station gaan om Maks en Serafim uit te zwaaien.

De dansavond in het Huis van het Rode Leger duurde tot twee uur 's nachts. Velen gingen eerder weg om de tram nog te halen, en Nina wilde ook gaan, maar Varja en Serafim haalden haar over om te blijven. Maks glimlachte goedig, Nina was in de minderheid en gaf toe.

Ze liepen door het koude nachtelijke Moskou, Varja zonder overschoenen, in een luchtig, tule jurkje. Serafim sloeg zijn cape om haar heen en gaf haar zijn pet, bij een straatlantaarn bekeek ze zichzelf in een spiegeltje. De pet zakte in haar ogen, maar stond haar erg leuk, ze was net een jong, knap soldaatje. Zij en Serafim liepen achteraan. Zijn hand rustte op haar schouder en toen Maks en Nina de hoek om waren, kusten ze elkaar. Serafim kuste haar zo, dat het pijn deed aan haar lippen. Varja had nooit écht gezoend en nu vond ze het helemaal niet prettig, het deed gewoon zeer. Maar ze begreep wel wat het betekende: Serafim was *hartstochtelijk.* Nina had waarschijnlijk wel door waarom Serafim en Varja achterbleven, maar deed net of ze het niet merkte. Ook thuis zweeg ze, zei haar alleen meteen naar bed te gaan en het licht uit te doen—ze moest de volgende dag werken.

's Morgens liet ze op tafel een briefje achter voor Varja's klasselerares: 'Ik verzoek Varja Ivanova na de derde les wegens familieomstandigheden vrij te geven.' Die familieomstandigheden waren het uitzwaaien van Maks en Serafim. Maar Varja dacht er niet aan naar school te gaan. Ze wilde goed gekleed op het station verschijnen. De pas gediplomeerde cadetten vertrokken, er zouden veel mensen komen om afscheid te nemen, de prachtige, goed geklede meiden die ze gezien had in het Huis van het Rode Leger zouden er zijn, en Varja wilde in kleding niet voor hen onder doen en er volwassen en onberispelijk uitzien, ze deed immers haar aanstaande echtgenoot uitgeleide. Niet in het zwart, maar wel onberispelijk, zij 't ook opvallend. Ze moest haar haar doen, zich opmaken en als ze na de derde les wegging—ze zat in de tweede groep—zou ze het helemaal niet halen.

Haastig maakte ze het middageten voor Nina klaar, pakte haar schoolboeken en ging naar Zoja. Zoja ging ook niet naar school, ze hielp Varja met aankleden, kammen en met het krullen van haar wimpers. Ze gaf haar modieuze laarsjes met metalen gespjes en, het belangrijkste, haar moeders jas van zeehondenbont, waarin ze zelf af en toe een straatje om mocht. Varja trok hem aan en ze zag er volgens Zoja verpletterend uit, een volwassen, sjieke dame met een bontmantel, moderne laarsjes en een witte shawl die ook Zoja's moeder toebehoorde.

Pas tegen vijven was Varja klaar en ze belde Nina.

'Ik ga rechtstreeks naar de tram.'

'Waar bel je vandaan?'

'Van school.'

Ze waren tegelijkertijd bij de tramhalte.

Nina herkende haar niet...

'Wat is dat voor een verkleedpartij?'

'De garderobe op school was dicht en ik heb een jas en shawl van Zoja geleend.'

'En Zoja dan?'

'Die doet mijn spullen aan.'

'Waar zijn je boeken?'

'Heb ik in de schoolbank gelaten, moet ik ze soms mee naar het station slepen!?'

De garderobe kon tijdens de lessen gesloten zijn, maar toch loog Varja: Zoja's jas hing dan ook in de garderobe, als het al haar jas was. Maar ze had geen zin het eruit te trekken, haar op een leugen te betrappen. Ze was geen kind meer, binnenkort ging ze trouwen, met Serafim gelukkig, een nette jongen; laat ze haar leven maar inrichten zoals ze dat zelf wilde en laat ze Serafim maar uitzwaaien zoals ze dat wilde.

Het was druk in de stationshal, het perron was stampvol mensen. Nina en Varja bleven verloren bij de uitgang naar het perron staan. Maar Maks en Serafim renden hen al zwaaiend tegemoet, en gezamenlijk liepen ze langs de treinstellen naar hun wagon, zich een weg banend door de menigte, bang elkaar te verliezen tussen de mensen, die ook haast hadden, ook iemand zochten, tussen mannen, vrouwen met bundeltjes en lekkers voor onderweg, tussen meisjes met bloemen die deze prachtkerels omarmden en kusten, de nieuwbakken officieren van het Rode Leger in hun met riemen omgorde legerhemden en zonder petten: hun jassen en petten hadden ze in de wagon gelaten... Jong, vrolijk, levendig en tegelijkertijd ernstig: de ontzagwekkende krijgsmacht van de Sovjetstaat. Nina wist dat deze stoere, roodwangige jongens zich het eerst in de strijd zouden werpen, de spits zouden afbijten. Ze bedacht dat haar plaats waarschijnlijk naast de zo sterke, rustige Maksim was. En als hij weg was zou ze zijn kalmte en goedhartigheid missen.

Varja genoot van Serafims verliefde blikken en de aandacht van de andere officieren. Hier was zij de mooiste, onverwacht lang, bijna net zo lang als Nina. En niemand droeg zo'n sjieke bontmantel, zo'n sjaal. Haar wangen gloeiden, ze was opgewonden door de stationsdrukte, de hoorns en fluiten van de locomotieven, voorbodes van een lange, onbekende en lokkende reis. Maks zei dat ze wel een filmactrice leek, Serafim fluisterde dat hij meer van haar hield dan van het leven zelf en zelfs Nina glimlachte, in haar nopjes over haar knappe zus.

Zoals het een volwassen vrouw, een verloofde, betaamde keek Varja alleen naar haar eigen groepje, naar Nina, Maks en Serafim, en verder naar niemand, zodat ze niet zouden denken dat ze stond te lonken. En als ze rondkeek, dan was dat alleen om met een verstrooide blik de treinen en de mensen die zich erheen haastten op te nemen.

En toen ze zo naar het aangrenzende perron keek, zag ze opeens Sasja.

Hij liep tussen twee soldaten in, een kleine officier in een lange jas liep vooruit en baande zorgelijk de weg door de menigte en achter hem, tussen twee soldaten, liep Sasja met een rugzak en een koffer.

Hij voelde dat er naar hem werd gekeken, draaide zijn hoofd om en ze zag zijn spierwitte gezicht en zijn zwarte, zigeunerachtige, krullende baard. Sasja's blik gleed over de vertrekkende cadetten, over Maks, Nina, over Varja, maar hij herkende niemand, draaide zich om en liep door naar een trein die aan een perron verder weg stond. Achter en voor hem liepen mensen met zakken, koffers en kistjes, ze hadden haast, haalden hen in en ze verdwenen in de menigte.

Maar Varja bleef kijken naar de plek waar Sasja was verdwenen. Ze hoorde de bel niet, zag niet dat iedereen afscheid begon te nemen, dat Nina Maks op het voorhoofd kuste en Serafim zich naar haar uitstrekte en haar in de ogen keek.

'Varja, word wakker!' zei Nina.

'Ik zag Sasja net.'

'Wat klets je?!' riep Nina, maar begreep meteen ze dat Varja de waarheid sprak.

'Met twee bewakers, hij heeft een baard,' mompelde Varja zonder haar blik van het aangrenzende perron af te wenden, alsof hij nog steeds in de met koffers en zakken hollende mensenmassa liep, nog steeds liep en ze hem zou kunnen zien... 'Hij heeft een baard, een baard, als een oude man.'

Ze barstte in snikken uit.

'Hou op, je hebt je vergist', zei Nina met trillende stem.

Maks die ook was gealarmeerd, maar rustig probeerde te blijven, voegde eraan toe:

'Je vergist je, Varja, zó zouden ze hem niet afvoeren.'

'Nee! Het was hem...' haar stem stokte, 'ik herkende hem... Hij draaide zich om en keek. Spierwit, net een oude man...

Onthutst strekte Serafim zijn hand naar haar uit.

'Tot ziens, Varja.'

'Helemaal wit, lijkwit!' huilde Varja. 'En hij zeult met een koffer, zij lopen en hij zeult...'

Verlegen en blozend kuste Serafim haar op de wang, nat van de tranen en met zwarte strepen van de make-up die van haar wimpers druppelde.

De trein reed langzaam weg, de cadetten hingen op de treeplanken, verdrongen elkaar op de balkons en zwaaiden, de achterblijvers wuifden terug, riepen hen iets achterna en holden mee met de trein. Maks zwaaide, en Serafim ook.

Maar Varja stond midden op het perron te huilen, veegde met een zakdoek over haar gezicht, smeerde haar make-up door elkaar, verslikte zich, in tranen. Nina, geschrokken en geschokt, probeerde haar te kalmeren.

'Stil maar. We kunnen nu toch niets doen, we gaan meteen naar Sofja Aleksandrovna, dan horen we het allemaal.'

Een oud vrouwtje kwam voorbij, bleef staan en keek naar Varja terwijl ze medelijdend het hoofd schudde.

'De meisjes huilen om hun soldaatjes.'

2

1 De oude weg naar Angara, een door de eerste kolonisten platgetreden pad in de tajga, begint in Tajsjet, de nieuwe in Kansk; hier eindigt het transport per trein en men moet te voet verder.

Kansk was een stil stadje met houten stoepen, zonder tuinen, als een stad in de steppe. Weer blauwe lucht boven het hoofd en de bedwelmende geur van leven. Geen cel meer, Djakov, de gevangenisbinnenplaats, de wacht met zijn geweer en zijn slaperige blik die je overal volgde. Niet te geloven dat het zo kon zijn. Hier liep je zo ongeveer als ieder ander vrij op straat, zeulde je met je koffer, en naast je Boris Solovejtsjik, klagend dat hij niet in Kansk kon blijven.

'Een specialist in mijn vak naar een dorp sturen?! Komt dat de staat ten goede?'

Het postkantoor, een klein huis met een hoge stoep, was tegelijkertijd spaarbank. De meisjes in zelfgemaakte jurken, hun vingers onder de lijm en inkt, kenden Solovejtsjik; de sympathieke spraakzame Moskoviet kreeg zijn brieven poste restante.

'Alles goed adres district Kansk dorp Bogoetsjany poste restante liefs Sasja,' luidde zijn eerste telegram aan moeder.

Het meisje telde de woorden, noemde het bedrag, schreef een kwitantie uit en pakte het geld aan. Vrolijke meisjes hier, en knap…

Solovejtsjiks hospita, een magere, jonge vrouw met een kalm gezicht, dekte de tafel. Hoe was ze ertoe gekomen iets met Boris te beginnen? Hij zou weer weggaan en haar vergeten. Vond ze hem aardig? Had ze medelijden met de balling? Naast haar deed Boris met zijn maniertjes van een hoofdstedelijk rokkenjager zielig aan.

Sasja haalde een blik sprotjes uit zijn koffer—dat was het enige wat er van moeders pakje over was. Boris ontkurkte een fles wodka. Hij had zijn eigen glaasjes en zelfs servetten, ook hier wilde hij fatsoenlijk leven. Het was net alsof ze een normaal leven leidden en alleen als je eraan dacht wat ze waren, was het absurd, vreemd en beangstigend of eigenlijk niet meer zo beangstigend.

Het eerste glaasje steeg Sasja al naar het hoofd.

'Heel gewoon na de gevangenis,' merkte Boris op, 'daar went u weer aan. In Angara drinken we spiritus, dat is goedkoper te vervoeren dan wodka; zeshonderd kilometer en op paarden. Maar we zullen het wel redden. Bogoetsjany is een groot dorp, ik vind passend werk en u bent ook haast ingenieur, daar zijn tractors, zaaimachines, wanmolens.'

'Ik weet niets van tractors, laat staan van zaaimachines en wanmolens.'

'Als u iets op uw bord wilt, gauw genoeg. Vroeger gingen intelligente jongelui naar het buitenland, maar wij tweeën... naar de ijsberen. Maar wat moeten we anders? Huilen en jammeren? Zo mikte ik op het voorzitterschap van Gosplan of beter gezegd als niet-partijlid op het vice-voorzitterschap. Ik ben iemand die het voortouw neemt, een werkpaard, ik was niemand tot last en iedereen had me nodig. Maar mijn weg werd versperd door een leesteken, ik werd gestopt door een dubbele punt. Vergeet niet dat geen enkele balling u de waarheid zal zeggen; iemand die ergens voor zit doet alsof hij nergens voor zit en iemand die voor niets zit doet alsof hij ergens voor zit. Maar mij kunt u geloven. Met mij is het zo gegaan. Bij ons op het instituut hing de leus: "De techniek bij de opbouw beslist alles. Stalin." Kent u die leus? Ja. Prachtig. Ik las hem in gezelschap van een aanvallige jongedame voor en zij betrapte me erop dat ik mijn interpunctie niet kende. Let op. Zij dacht dat ik de leus zo las: "De techniek: bij de opbouw beslist alles Stalin." Zij was een ontwikkeld meisje, kon mijn onwetendheid niet verdragen en deed haar beklag bij de juiste persoon. Ik heb altijd al een slechte uitspraak gehad en ik dacht: nou ja, daar krijg ik een stevige uitbrander voor. Maar ik kreeg artikel achtenvijftig, punt tien, contrarevolutionaire agitatie en propaganda. Nog een meevaller, ze vonden dat drie jaar genoeg was om te leren spellen. Hie heb ik het niet slecht geregeld; beheerder bij de bontopslag ZAGOTPOESJNINA. Ik kan je verzekeren dat de bontvoorraad sinds mijn komst niet is geslonken. Maar kennelijk is de stad Kansk voor het leren van de leestekens nog te veel van het goede. Ik moet met het eerste ballingentransport mee naar Angara, dat wil zeggen samen met u. Ik droom van een betrekking als boekhouder in het kantoor van ZAGOTPOESJNINA in Bogoetsjany. Wat wij tweeën voor elkaar zullen krijgen, Sasja, zal in de ogen van de eerste de beste Moskouse sufferd onbeduidend zijn, maar voor ons betekent het overleven.'

Misschien had Boris gelijk. Voor zichzelf had Sasja echter een andere weg gekozen. Hij ging waarheen hij gestuurd werd en zou wonen waar ze hem zeiden te wonen. Want iets willen bereiken betekende erkennen dat Djakov en de zijnen het recht hadden hem hier te houden. En dat recht kende hij hun niet toe.

'Waar woonde u in Moskou?' vroeg Boris.

'Op de Arbat.'

'Ook niet slecht. En ik in de Petrovka, in dat huis bij de ijsbaan, weet u wel?'

'Ja.'

'Zoals u wel raden kunt heeft mijn jeugd zich in het Hermitage-park afgespeeld. Daar heb ik heel wat plezierige avonden doorgebracht. Maar zoals mijn grootvader-tsaddek zei... Weet u wat een tsaddek is? Nee. Een tsaddek is iets tussen een wijze en heilige in. Kijk, mijn grootvader-tsaddek zei in zo'n geval: "Genog". U weet ook niet wat "genog" betekent? Genog wil zeggen: "Het is genoeg geweest!", "basta!" … En daarom zeg ik nu: genog herinneringen, genog tranen vergoten!'

's Ochtends was de hospita al naar haar werk gegaan toen zij nog sliepen. Het ontbijt stond in de oven, achter het ijzeren deurtje.

'Dat is nu de eenvoudige vrouw in al haar grootheid,' zei Boris. 'Waarom ben ik van mijn vrouw gescheiden? Kijk, zij wilde 's ochtends niet vroeg opstaan om voor mij een warm ontbijt klaar te maken. En toen? Ze raakte haar man kwijt. Overigens zou ze die toch kwijtgeraakt zijn. Maar laten we naar die machtige onderneming ZAGOTPOESJNINA gaan om mijn ontslag te regelen. Op een goude handdruk reken ik niet, maar een brief voor Bogoetsjany zal ik wel los weten te krijgen. Moet u zich niet scheren?'

'Nee.'

'Luister eens, Sasja, scheer uw baard af, wat hebt u eraan? We gaan straks de straat op, dan zult u zien hoe de meisjes hier zijn.'

Sasja had de meisjes al gezien. Ze waren heel knap—grote, slanke Siberische meisjes met lichtbruin haar, een flink lichaam en flinke benen. Hij had zich voorgesteld in Siberië als een kluizenaar te leven, hij zou Frans, Engels en politieke economie gaan studeren, die drie jaar moesten niet verspild worden. Nu begon hij te twijfelen. Waarschijnlijk moest je niet alleen daarvoor leven.

'Geen cosmetica, alles puur natuur,' zei Boris intussen. 'Over drie dagen worden we doorgestuurd, we kunnen dus samen nog wat boemelen. Maar beste man, met zo'n baard kun je beter thuis blijven zitten.'

'Ik heb geen zin me hier te scheren.'

'Luister naar de raad van een man met ervaring. Het is uw eerste dag in ballingschap, mijn derde maand. Als u uw leven uitstelt tot de dag dat u vrijkomt, heeft u als mens afgedaan. Je kunt jezelf maar op één manier handhaven—leven alsof er niets is gebeurd. Dan hebben we een kans er bovenop te komen.'

Een laag kamertje met verschoten behang, het witte papier op het plafond stond bol en zat vol gele vlekken, achter de muur huilde een kind. Maar het rook naar eau-de-cologne en poeder. Twee gewone kapperstoelen, de kappers droegen witte jassen, al hadden ze ook laarzen aan, hun gezichten waren hetzelfde als die van de Moskouse kappers, nors-beleefd.

De dof geworden, gebarsten spiegel weerkaatste Sasja's bleke gezicht met de golvende, zwarte baard, regelmatig van vorm alsof hij hem pas had bijgeknipt.

'Alles eraf?'

Peinzend liet de kapper zijn schaar in de lucht klikken en knipte daarna resoluut Sasja's baard af. De vlokken vielen op de smoezelige jas die hij had omgekregen. Het scheerapparaat zoemde, op zijn wangen het warme schuim van de zeep, Sasja dacht terug aan de kapper op de Arbat, de geuren daar, het felle licht, de drukte voor de feestdagen.

'Bent u het of bent u het niet?' Solovejtsjik maakte een verwonderd gebaar. 'Nu bent u pas een knappe, gezonde kerel.'

Ze liepen weer op straat, Sasja keek openlijk naar de meisjes en zij naar hem.

'Als ze ons hier laten, zouden we het plaatselijke ras verbeteren,' zei Boris. 'Kansk zit vol ballingen, dan waren er nog twee meer.'

'Wie laten ze dan blijven?'

'Lieten... Lieten ze blijven! Zieken, mensen met veel kinderen, gebrekkigen. Daar loopt, staar niet teveel, een mensjewiek, een van de leiders.'

Leunend op een stok naderde een oude man met een jas aan en een hoed op, zijn lange grijze haren vielen op zijn kraag. Solovejtsjik groette. De oude man beantwoordde zijn groet aarzelend, zoals wanneer je iemand niet herkent. Toen zag hij wie het was en lichtte zijn hoed met een beleefde glimlach.

'Zijn jubileum hier nadert,' vertelde Boris, trots op het respect dat de man hem had bewezen, 'zijn zilveren jubileum. Hoe oud dacht u dat hij is?'

'Zestig.'

'En mag het ook tweeënzeventig zijn?! Je ziet hier allerlei mensen: mensjewieken, socialisten-revolutionairen, anarchisten, trotskisten en nationalisten. Er zijn mensen bij die in het verleden beroemd waren.'

Sasja had nooit gedacht dat er in de Sovjetunie nog mensjewieken en socialisten-revolutionairen waren. Trotskisten, dat kon hij zich nog herinneren. Maar die anderen? Begrepen ze het werkelijk niet? Ze hoopten nog ergens op... Bleven ze dan bezig...? Of waren ze misschien met alles opgehouden?

Ze aten in de kantine van ZAGOTPOESJNINA, in een laag sousterrain met vierkante tafeltjes zonder kleedjes. Achter de brede rechthoek van het doorgeefluik was de keuken; drie grote aluminiumpannen op de kookplaat, daarboven kronkelde damp omhoog, ernaast de kokkin met een rood gezicht en een opscheplepel in de hand.

'Dit is een besloten kantine,' verklaarde Boris, 'voor de medewerkers. Maar buitenstaanders worden oogluikend toegelaten—mits er contanten zijn. Ze hebben hun eigen mesterij: varkens, konijnen, gevogelte. Hier eet de helft van de ballingen. Als iemand tegen u zegt dat ik ervoor gezorgd heb dat hij hier kon komen, kunt u dat geloven.'

Zodra ze Boris zag, legde de kokkin de opscheplepel neer, veegde haar handen aan haar schort af en kwam de keuken uit.

'Borsjtsj vandaag, Boris Saveljevitsj, boeuf Stroganov met puree, als u even wacht bak ik aardappels en,' ze boog zich naar hem toe, 'er is een flesje koemelk.'

'Bakt u de aardappels maar,' stemde Boris groothartig toe.

'Gaat u weg, Boris Saveljevitsj?'

'Ja,' antwoordde Boris met een bedrukt gezicht. 'Zijn de zemelen er al?'

'Ja, vier zakken, ze hebben beloofd morgen meer te brengen. Maar met de rekeningen hebben ze zich weer vergist; de goelasj is acht kopeken minder. En met de kachelsmid is het ook niet in orde gekomen. De oven rookt, je ogen doen er zeer van.'

Ze praatte met hem alsof alles goed ging zolang hij er was, maar in het honderd zou lopen zodra hij weg was. En uit Boris' hele houding bleek dat het zo ook moest gaan, maar dat hij het, ook al betekende hij hier niets meer, prettig vond om als vanouds met respect behandeld te worden.

'Ik sta maar te kletsen en u wilt eten,' realiseerde de kokkin zich ineens.

'Voor mijn tijd,' zei Boris, 'werkten ze hier in de kantine met zijn vijven, nu met zijn tweeën, de keukenhulp en zij. De kokkin is ook nog eens cassière, serveerster en directrice. Overigens, de kantine stelt niet veel voor. Ik zou u kunnen vertellen wat ik hier in die twee maanden allemaal heb gedaan. Maar nu interesseert dat niemand meer. Onvervangbaar zijn de mensen hier niet: vandaag ik, morgen jij. Al zijn dat holle woorden als je er goed over nadenkt. Als er in de bibliotheek geen Poesjkin is, kan ik hem door Tolstoj vervangen, maar dan is het Tolstoj en geen Poesjkin. In mijn functie is een ander benoemd, maar dat is een andere Poesjkin.'

Schuchter trad een klein mannetje de kantine binnen. Jong, maar gebogen, slonzig, ongeschoren, een pet met een geknakte klep, een lang, haveloos jasje over een vuil hemd, waar knopen aan ontbraken, afgetrapte schoenen. Zijn uitgezakte, gewatteerde broek lubberde om zijn knieën, de omslagen bungelden er los bij.

'Ha, Igor!' groette Boris hem. 'Kom erbij, kom!'

Igor liep op hen toe, verlegen lachend. Sasja zag zijn blauwe ogen en witte, dunne hals.

'Zet je pet af, dit is een eetzaal,' zei Boris.

Igor frommelde zijn pet tussen zijn handen, zijn in lange tijd niet geknipte en ongewassen, lichtbruine haren stonden alle kanten uit.

'Hoe is het ermee?' vroeg Boris.

'Gewoon, goed.' Igors glimlach ontblootte de paar tanden die hij nog over had.

'Goed is goed. En gewoon is gewoon. Hebben ze je weer weggejaagd?'

'Nee, hoezo? Ze laten me niet met de expeditie meegaan.'

Zijn prettige, beschaafde stem had iets bijzonders, maar wat precies, daar kon Sasja niet de vinger op leggen. Die stem bleef je bij.

'Igor heeft voor het inventarisatiekantoor gewerkt,' legde Boris uit, 'geen stoffig werk; gebouwen opmeten, ontwerpen tekenen, en stukloon—je kunt er goed verdienen. Maar dit heerschap luiert, levert tekeningen af met vet-vlekken erop. Heb je soms boter, Igor? Smeer dat dan op je brood en niet op je tekeningen. En dat jij niet bij de expeditie mag, lieg je. De helft van de groep blijft in Kansk en jij had ook kunnen blijven als je een man was.'

Igor glimlachte schuldbewust en kreukelde zijn pet tussen zijn handen.

'Goed!' beëindigde Boris zijn vermaning. 'Wil je eten? Ja natuurlijk! Heb je geld? Nee natuurlijk!'

'Ik kan elk moment het geld voor acht tekeningen binnenkrijgen.'

'Dat van die acht tekeningen hoor ik al twee maanden...'

Boris riep:

'Marja Dimitrievna, geef Igor te eten, ik betaal...'

Nors schoof de kokkin een bord borsjtsj met brood door het luik. Igor stopte zijn pet in zijn zak, klemde het brood onder zijn arm en liep naar een tafeltje ver weg, onhandig met beide handen het bord vasthoudend.

'Wat is dat voor een man?' vroeg Sasja.

'Een opvallende persoonlijkheid hier, een kleurrijk type. Een dichter. Zoon van een witte emigrant. In Parijs werd hij fanatiek Komsomollid, hij ging naar de USSR en, voilà, nu zit hij al helemaal in Kansk.'

'Waarvoor?'

'U stelt naïeve vragen. Rebellie smoren wij in de kiem. Als ik de verkeerde anekdote heb verteld, betekent dat dat mijn gedachten een bepaalde richting uitgaan en ik onder gunstige omstandigheden tot anti-sovjetactiviteiten in staat ben. U heeft een onjuiste muurkrant gepubliceerd, morgen geeft u een ondergronds tijdschrift uit, overmorgen vlugschriften. Dit is zelfs humaan; voor de muurkrant hebben ze u drie jaar gegeven en voor vlugschriften had-den ze u moeten doodschieten—ze hebben u dus het leven gered. Igor is in Parijs opgegroeid, hij is zoon van een emigrant, van iemand die onder de revolutie heeft geleden, van hem kun je van alles verwachten. Dus moet hij voor zijn eigen bestwil geïsoleerd worden.'

Igor zat in een hoek haastig te eten.

Met een blik op hem zei Boris:

'De gewone man ruimt achter zich op en blijft daardoor overal een mens. Een aristocraat is gewend dat er achter hem wordt schoongemaakt en zonder schoonmakers verandert hij in een stuk vee. Monsieur le Prince wenst niet te werken, hij eet wat overblijft in de kantines, ze jagen hem zijn huis uit—hij is een viespeuk! Hij heeft van iedereen geld aangenomen en geeft het niemand terug. Nou, en zoals u wel begrijpt, is er geen Croesus onder de ballingen. Maar ze hebben hem zelf bedorven; ze hebben veel ophef over hem gemaakt. Dat is geen lolletje: een dichter! Uit Parijs! Parijs! Frankrijk! De drie muske-tiers! Dumas-père! Dumas-fils!... Alleen voor mij is hij bang; de mensen die zoveel ophef over hem maakten, geven hem niet te vreten, maar ik wel.

Hij moet mijn berispingen dus dulden, ook al veracht hij mij in zijn hart als een plebejer en hufter. En nu ga ik naar Angara en zal hij zonder mij creperen van de honger! Maar het interessantste is dat hij op zijn Dulcinea wacht. Als zij komt, staat u een schouwspel te wachten zoals u nog nooit hebt gezien en nooit meer zult zien. Kijk, daar is ze al!'

Een vrouw van rond de dertig, opvallend mooi, kwam de kantine binnen, een majestueuze godin met een scherp getekende, grote, eigenzinnige mond. Met een kalme blik overzag ze de eetzaal en knikte Boris onverschillig toe die met gereserveerde waardigheid het hoofd neeg. Toen zag ze Igor in de hoek over zijn bord gebogen zitten.

'Zo'n misbaksel heeft zo'n vrouw,' mompelde Boris terneergeslagen.

'Wie is dat?'

'Ze kwam uit Leningrad om haar verbannen man te zoeken en raakte verliefd op deze vogelverschrikker. Ze zijn hier elke dag, hij draagt haar zijn gedichten voor en zij zit hem aan te gapen als het portret van Dorian Gray.'

De vrouw vertelde Igor iets, hij giechelde, veegde de kruimels van de tafel bijeen en gooide ze in zijn mond. Een warrige, rusteloze man, zonder enige charme. Daarna stond de vrouw op, liep naar het doorgeefluik en ook zij kreeg door de onwillige kokkin een bord borsjtsj aangereikt. Igor schoof zijn stoel achteruit, wilde helpen, maar bleef uiteindelijk zitten. Toen de vrouw opnieuw wegliep om brood te halen, was hij haar weer bijna achterna gegaan, maar hij keerde om.

Zij at, nu vertelde hij iets, zijn gezicht zag tegelijkertijd jeugdig en afgeleefd. Zij luisterde en knikte af en toe. Vervolgens haalde ze het hoofdgerecht, schepte de helft over op haar soepbord en schoof Igor de rest toe.

'Vreetzak!' reageerde Boris verontwaardigd. 'Hij kan van 's ochtends vroeg tot 's avonds laat eten, neemt het zelfs zijn geliefde af. Mensen blijven zelfs onder de ergste omstandigheden mensen, maar deze Parijse boulevardier, kijk eens wat er van hem is geworden! En denk maar niet dat hij naïef is. O, nee! Hij is een brutale vlerk, een cynicus, in zijn hart lacht hij de mensen uit die hij kaal plukt. Parasiet! Hij ontziet zichzelf en zichzelf ontzien betekent anderen niet ontzien, zo zei mijn grootvader-tsaddek. Hij is naar de USSR gekomen! Dacht dat hij de Sovjetunie daarmee een grote eer bewees, maar hier bleek hij te moeten werken. Daar had hij geen zin in en de maatschappij verstootte hem, heeft hem weggebonjourd'.

Glimlachend sprak Sasja:

'Het was juister geweest als hij naar Parijs was teruggebonjourd.'

De vrouw was intussen klaar met eten, schoof haar bord van zich af, plantte haar ellebogen op tafel, liet haar kin op haar handen rusten en keek Igor aan.

En hij pruilde, leunde tegen de rugleuning en begon met gebogen hoofd te mompelen…

Hij droeg zijn gedichten zonder stemverheffing voor en Sasja ving slechts losse woorden op: kruisvaarders, muren van Jeruzalem, geel zand, brandende zon, vrouwen wachtend op ridders die nimmer terugkeerden.

'Hoe vindt u het?' vroeg Boris met gedempte stem. 'Moedige ridders en bekoorlijke dames. Hè? En dat in Kansk, in de kantine van Zagotpoesjnina?!'

Het was inderdaad lachwekkend. En toch had deze situatie iets fascinerends door Igors wereldvreemde gezicht en de diepe blik van de mooie vrouw.

Sasja moest heel even een gevoel van irritatie onderdrukken die het gevolg was van de onverdraagzame sfeer waarin hij was opgevoed.

En hij zei tegen Boris:

'Laten we toegeeflijk zijn.'

2 Stalin verscheen pas op de vergadering over het Algemene Plan voor de Herschepping van Moskou, toen deze al bijna was afgelopen. Hij wist wat Kaganovitsj in zijn inleiding zou zeggen en had het referaat van Boelganin gelezen. Over alle meningen en voorstellen voor de Herschepping was rapport aan hem uitgebracht, het was tweemaal op het Politbureau besproken en hij had zijn eigen standpunt uitgewerkt. Dit standpunt was vastgelegd in het Algemene Plan. Het Algemene Plan wás zijn standpunt.

Allen stonden op toen hij in het presidium verscheen, en de gebruikelijke aanzwellende storm van bijval barstte los. Groetend hief Stalin een hand op en ging dadelijk zitten, hiermee de anderen vragend hetzelfde te doen.

Op het spreekgestoelte was iemand bijna klaar met zijn redevoering. Terwijl hij deed alsof hij aandachtig luisterde, tekende Stalin op een vel papier de ruïnes van de oude kerken in Ateni, een klein dorpje op een kilometer of tien van Gorki, waar klanten van zijn vader, schoenmaker Dzjoegasjvili, woonden. Vader bracht hun zijn werk terug en bleef daar soms een dag of wat om laarzen te lappen.

Hij had de kleine Josif vaak meegenomen. Ze lieten Gori dan 's ochtends vroeg al achter zich en liepen langs de oever van de Tana en de wijngaarden tot ze bij de ruïnes van de oude kerken in Ateni, dat kleine dorpje, kwamen. Het waren er negen of tien, waaronder de kerk van het Zion-klooster, die met een koepel was bekroond en volgens de overlevering in de zevende eeuw was gebouwd. Op de voorgevel waren de beeltenissen van historische figuren uit die tijd bewaard gebleven en in de kerken was een fresco, ook met historische personen.

Architectonische monumenten waren de belangrijkste monumenten: ze waren van duurzaam materiaal gemaakt, stonden op een open plaats en konden door iedereen worden bekeken, zowel in het echt als op reprodukties en foto's. Ook Lenin, die propaganda door middel van monumenten had geëist, had het belang van de beeldhouwkunst ingezien. Alleen zag Lenin deze als middel om de massa's bewust te maken van de nieuwe autoriteiten in de geschiedenis, terwijl het wezenlijke doel van monumentale propaganda de vereeuwiging van de époque was. Hoeveel gedenktekens waren er nog over van de vijftig die destijds waren gebouwd? Een? Twee?

Het momument van ZIJN tijd zou Moskou zijn, de stad die HIJ zou herscheppen, alleen steden bestonden lang. De sobere architectuur van de jaren twintig was een vergissing geweest. Het tegenover elkaar stellen van het revolutionaire ascetisme en de demonstratieve weelde van de Nieuwe Economische Politiek diende als dekmantel voor formalistische architecten die afzagen van de klassieke erfenis. En de klassieke erfenis moest juist in de eerste plaats worden benut.

Tsaar Peter had dat ingezien en Petersburg naar klassiek voorbeeld laten bouwen. Daarom was Leningrad architectonisch gezien een echte stad. Maar het was een stad van vergane eeuwen: aan de aarde gebonden. Het nageslacht zou Moskou als een stad ervaren die naar hoger streefde. Hoge gebouwen in combinatie met klassieke architectonische oplossingen, dat was de stijl van de toekomst. Als eerste hoge bouwwerk zou het Paleis van de Sovjets verrijzen. Dit had Kirov in 1922 al op het eerste Congres van de Sovjets voorgesteld. Maar wie herinnerde zich dat nog? Het Paleis van de Sovjets zou HIJ bouwen. HIJ zou het bouwen als het architectonische middelpunt van het nieuwe Moskou, HIJ zou nieuwe verkeerswegen en een metro de stad laten doorsnijden, moderne woonhuizen en kantoorgebouwen laten optrekken, nieuwe kaden en bruggen, hotels, scholen en bibliotheken, theaters, verenigingsgebouwen, tuinen en parken laten verrijzen. Dat alles zou het grootste monument van ZIJN tijd zijn.

Nu riepen de herinneringen aan de ruïnes van de oude kerkjes in Ateni zulke gedachten in Stalin op, terwijl de vervallen kerken hem destijds, in zijn jeugd, door hun galmende leegte, door hun verre mystiek hadden getroffen.

Opzij aan de lange tafel van het presidium gezeten tekende hij op een vel papier hun strakke contouren. Hij kon niet tekenen, maar rechtlijnige figuren lukten hem zelfs zonder lineaal, hij had een vaste hand.

'Het woord is aan kameraad Stalin,' kondigde Kaganovitsj aan.

Opnieuw stond iedereen op, weer de gebruikelijke ovatie, het gebruikelijke daverende applaus.

Stalin betrad het spreekgestoelte, maakte met een handgebaar een eind aan het applaus en zei zacht:

'Er is hier genoeg gesproken over de noodzaak Moskou opnieuw te bouwen.

Ik hoef dat niet te herhalen. Het oude, houten Moskou met haar smalle straatjes en steegjes, hofjes en doodlopende laantjes, haar chaotische bebouwing, haar armoedige huizen en sombere huurkazernes, haar prehistorische transportmiddelen, beantwoordt in geen enkel opzicht aan de behoeften van de arbeiders.'

Hij pauzeerde even, luisterde aandachtig naar de gespannen stilte; niemand verroerde zich, geen zucht te horen.

'In de jaren van het sovjetbestuur,' vervolgde Stalin nog zachter, 'hebben we veel gedaan om het bestaan van de Moskouse arbeiders te verbeteren. Arbeiders die in sousterrains hokten hebben we ondergebracht in normale woningen door de woonruimte van de vertegenwoordigers van de vroegere uitbuitende klassen op te splitsen. Voor arbeiderskinderen zijn tal van scholen gebouwd, voor de arbeiders verenigingshuizen en cultuurpaleizen. We hebben op dit gebied opmerkelijke resultaten geboekt en deze roepen in het hart van de sovjetmens een gerechtvaardigde trots op. Maar we moeten aan de toekomst denken. Besturen betekent vooruitzien. We moeten een plan maken voor de komende decennia. En dat plan zal het Algemene Plan voor de Herschepping van Moskou zijn.'

Hij kwam achter het spreekgestoelte vandaan, liep over het podium. In de zaal heerste nog steeds dezelfde stilte.

Stalin liep terug naar het spreekgestoelte en vervolgde:

'Om dit plan te kunnen verwezenlijken moeten wij op twee fronten de strijd aanbinden. In de eerste plaats moeten we het idee bestrijden dat Moskou een "groot dorp" zal blijven en tegen de excessen van de urbanisatie vechten. We moeten de westerse voorbeelden niet blind navolgen. Moskou is een socialistische stad, de hoofdstad van een socialistische staat en dat moet haar gezicht bepalen. Het is geen stad waar de rijken in paleizen wonen en de arbeiders in krottenwijken, maar integendeel, een stad waar juist voor de arbeiders de beste en meest uitgebreide voorzieningen in het leven worden geroepen.

Dientengevolge is de belangrijkste doelstelling van dit plan een stad te scheppen waarin het geriefelijk wonen is. Wij moeten nieuwe, comfortabele wooncomplexen bouwen, bij voorkeur in groene zones. We moeten mooie en comfortabele huizen op de kaden van de Moskva en de Jauza bouwen, dat zal ons vijftig kilometer extra aan welingerichte straten opleveren. We moeten nieuwe huizen aan de hoofdstraten van de stad bouwen en daarbij al het oude slopen, de hoofdwegen tot vijftig à zeventig meter verbreden om de verkeersproblemen van de stad op te lossen, wederom in het belang van de arbeiders.'

Stalin pauzeerde weer. Hij wist dat hij bekende dingen zei, maar wist tegelijkertijd dat zijn woorden voor iedereen die hem aanhoorde een openbaring waren, omdat HIJ ze uitsprak.

'Ik kom nu toe aan de tweede doelstelling,' begon Stalin weer, 'de tweede doelstelling luidt: de hoofdstad van de eerste socialistische staat ter wereld moet een mooie stad zijn. Al in het prille begin van het bestaan van onze staat werd onder leiding van de grote Lenin een plan voor monumentale propaganda uitgewerkt. De grote Lenin wilde dat onze époque gedenktekens voor de komende eeuwen zou achterlaten—de laatste wil van Lenin moeten we in ere houden en ten uitvoer brengen. In die jaren waren we echter arm en moesten we genoegen nemen met sobere architectonische oplossingen. Helaas heeft de formalistische kunst hierdoor ruim baan gekregen, terwijl de formalistische kunst onbegrijpelijk is voor de massa, het is een kunst die ons vreemd is. Nu zijn we rijk en machtig genoeg en moeten in de eerste plaats de klassieke erfenis benutten. Natuurlijk moeten we de klassieke erfenis niet blind kopiëren, zoals de stedebouwkundigen van Petersburg dat hebben gedaan. We moeten de klassieke vormen een nieuwe, socialistische inhoud geven.'

Hij pauzeerde weer langdurig en vervolgde:

'En ten slotte dit, kameraden: in welke richting moet Moskou zich ontwikkelen?

Het eerste voorstel luidt: Moskou zo laten als het nu is, als een soort museum en historisch monument, en op een nieuwe plaats een nieuw Moskou bouwen. Met alle respect voor de auteurs van dit voorstel: we kunnen het niet aanvaarden. Moskou is het historische centrum van Rusland, Moskou heeft Rusland één gemaakt en geschapen en we kunnen haar niet opgeven, daar hebben we het recht niet toe en zullen we het recht nooit toe hebben.

Het tweede voorstel luidt: het huidige centrum van Moskou, min of meer dat wat binnen de Sadovoje Koltso ligt, onaangeroerd laten en het met acht aangrenzende satellieten omringen, acht woonconglomeraties vormen die tevens het nieuwe Moskou zullen zijn. Men kan makkelijk zien dat dit niet meer dan een vereenvoudigde variant van het eerste voorstel is.

Waaruit komen deze voorstellen voort? In de eerste plaats uit gebrek aan vertrouwen in ons vermogen een nieuw Moskou te construeren. Natuurlijk is het gemakkelijker een nieuwe stad te bouwen. Maar wij bolsjewieken kunnen ook de meest gecompliceerde opgave aan: Moskou herscheppen, ons Moskou haar plaats laten behouden, als centrum van ons land en als centrum van de wereldrevolutie. En daarom hebben wij besloten Moskou overeenkomstig haar historisch gegroeide radiale en ringvormige opbouw te ontwikkelen. Het architectonisch centrum wordt het Paleis van de Sovjets dat met een indrukwekkende beeltenis van Vladimir Iljitsj Lenin zal worden bekroond. Vanaf het Paleis van de Sovjets zullen Moskou's hoofdstraten zich straalsgewijs uitstrekken, brede, fraai aangelegde wegen met hoge gebouwen. Moskou zal naar hoger streven, opwaarts. Opwaarts strevend in combinatie met klassieke, maar socialistisch uitgewerkte oplossingen, dat is het toekomstige gezicht van de stad. Het toekomstige gezicht van Moskou.'

Toen Stalin om kwart voor tien terugkwam van de vergadering, liep hij door naar zijn werkkamer.

'Sjoemjatski heeft de film gebracht, Josif Vissarionovitsj!' meldde Poskrebysjev hem.

'Goed,' zei Stalin, 'Sjoemjatski kan naar huis gaan. Zeg tegen Kliment Jefremovitsj dat hij moet komen kijken!'

De filmzaal lag achter Stalins werkkamer, alleen de kamer van de lijfwacht lag ertussen. Het was geen grote zaal: zeven rijen met elk acht stoelen.

Een film zag Stalin gewoonlijk samen met een van de leden van het Politbureau. In zo'n geval zette hij zijn bril op en ging op de laatste, de zevende rij zitten, aan de zijkant, om geen last te hebben van de lichtstraal en het gezoem van de projector bij zijn oor. Soms, zij 't heel zelden, alleen wanneer er gasten waren, ging Stalin in het midden van de tweede rij zitten en zette zijn bril niet op. Hij vertoonde zich aan niemand met bril en werd ook nooit met bril afgebeeld.

Vandaag was op Stalins bevel 'Citylights' van Charlie Chaplin gebracht. Hij zag deze film voor de derde keer. Hij hield van Chaplin, Chaplin deed hem aan zijn vader denken, de enige aan wie hij zich verwant voelde. En soms zag hij een gelijkenis tussen Chaplins held en hemzelf: hij was net zo eenzaam op deze wereld. Maar hij verjoeg deze gedachte die niet met de werkelijkheid overeenkwam. Chaplin deed hem aan zijn vader denken, alleen aan zijn vader. De arme Charlie liep de weg af en keek een paar maal om met een weerloze glimlach op zijn gezicht. Stalin kreeg tranen in de ogen en veegde ze met zijn zakdoek af...

Vorosjilov boog zich naar hem toe.

'Koba, wat heb je?'

'Die film gaat over mij,' antwoordde Stalin kortaf.

Maar de film ging niet over hem, maar over zijn vader, de onfortuinlijke schoenmaker Vissarion Dzjoegasjvili... Wanneer hij op pad ging om geld te verdienen, meestal naar Telavi of ergens anders naar toe, keek hij net als Chaplin een paar keer om en zwaaide met een treurige, weerloze glimlach naar Josif.

Ze woonden toen in het huis van Koeloembegasjvili, ook een schoenmaker. Het huis had twee kamers, in de ene woonde de familie Koeloembegasjvili, in de andere huisden zij, de Dzjoegasjvili's. Een piepklein, van schoenmakersluchtjes doortrokken huisje, waar Koeloembegasjvili werkte maar zijn vader zelden was. Hij reisde naar Kachetië, zwierf rond, kon niet met moeder overweg. Zijn moeder was een heerszuchtige vrouw, een zuivere Georgische, een 'kartveli', terwijl zijn vader uit Zuid-Osetië zou komen. Zijn voorouders hadden zich in rayon Gori gevestigd en zich geassimileerd, zijn grootvader had het Osetische 'ev' in zijn achternaam Dzjoegaev door het Georgische 'sjvili' vervangen.

Moeder deed de was en de huishouding bij de rijke weduwnaar Egnatosjvili. Op het seminarium werd gefluisterd dat hij Josifs vader was en hem ook op het seminarium had gedaan, want als Josif de zoon van schoenmaker Dzjoegasjvili was geweest had deze hem toch het schoenmakersvak bijgebracht en was hij niet als een vagebond door Georgië gaan zwerven.

Ze logen allemaal—je moest niemand geloven! De kleine Josif wist heel goed dat schoenmaker Vissarion Dzjoegasjvili zijn vader was, een stille, goede man, ook al was moeder eeuwig op hem aan het schelden en zei ze dat ze door hem zo arm waren en dat hij hun leven verwoest had. Om deze verwijten hield Josif niet van zijn moeder.

Zijn moeder had het ongetwijfeld goed met hem voor, ze wilde dat hij priester werd, wilde hem aan God afstaan. En ze nam hem mee naar de Egnatosjvili's om hem meer en lekkerder te kunnen laten eten. Maar hij wilde daar niet naar toe. Zij waren rijk, hij arm. Ze brachten hem buiten, op de binnenplaats, een bord chartso, schapevlees met maïs, terwijl ze zelf binnen zaten te eten, drinken en praten. Wanneer ze naar de Egnatosjvili's gingen, probeerde zijn moeder hem er netjes uit te laten zien. Maar waarom zou hij? Sommigen onderstreepten met hun kleding hun rijkdom, anderen probeerden er hun armoede onder te verbergen. Maar hij schaamde zich niet voor zijn armoede. Was zijn broek versleten? Barstte niet! Hij had geen andere! Waren zijn schoenen afgetrapt? Hij had geen andere schoenen. Op het seminarium in Tiflis was hij zelfs trots op zijn haveloze uiterlijk—zo hoorde een echte man eruit te zien! Ook nu kleedde hij zich als een gewoon soldaat...

Hij wilde zich niet aan de wil van zijn moeder onderwerpen. Van zijn vader hield hij, maar ook aan zijn wil onderwierp hij zich niet om de simpele reden dat zijn vader geen wil had. Zijn moeder had een wil en iedereen zei dat hij haar karakter had, maar zij gebruikte al haar wil en haar hele karakter om een hap eten te verdienen. Zijn vader daarentegen boog zijn rug niet voor een paar kopeken. Hij hield van zingen, grappen maken en eten met zijn vrienden. En dan was hij een echte man, sympathiek, charmant, vrolijk. Maar naast moeder leek hij klein, geïntimideerd, zwijgzaam. Een slappeling!

Toen kwam de brief dat zijn vader bij een gevecht tussen dronken mannen in Telavi was omgekomen. Alweer gelogen. Zijn vader vocht nooit, was een kalm, vredelievend mens. Wie kon hem nu doden, waarom? Zijn vader was gewoon doodgegaan. De jongens op school pestten Josif, omdat zijn vader niet voor zichzelf had kunnen opkomen. Maar Josif wist heel goed dat dat niet waar was, alles gelogen, hij antwoordde niet eens, grijnsde en trok zich terug. Hij verachtte ze allemaal, zijn medeleerlingen, verachtte de rijken die opschepten over hun rijkdom, verachtte de armen die zich voor hun armoede schaamden.

Daar in Telavi was zijn vader ook begraven, waar wist niemand. Zelfs hij, zijn zoon, wist het niet. Maar hij had van zijn vader gehouden en zijn vader van hem. Zijn vader had hem nooit een standje gegeven, nooit gestraft, had liefdevol door zijn haar gewoeld en gezongen. Van hem had hij ook zijn muzikaliteit. In het schoolkoor stond hij altijd op de bovenste rij, waar de kleinste jongens hun plaats hadden. ZIJN stem vonden ze de beste, de dirigent zei dat hij ook een goed gehoor had. Dat had hij allemaal van zijn vader. En hij leek op zijn vader, die was ook niet groot geweest, een beetje rossig, terwijl zijn moeder lang en donker was. Zijn vader maakte graag grappen, zijn moeder niet, zij was een zwaarmoedige vrouw.

Zijn landslui wilden Gori Stalin noemen, naar hem. Dat hoefde niet! Laten ze de stad Tschinvali, de hoofdstad van Zuid-Ossetië, maar naar hem vernoemen, dat zou een herinnering aan zijn vader en het Ossetische geslacht van zijn voorvaderen zijn. Ook voor zijn moeder was het goed te weten dat hij de nagedachtenis aan zijn vader, schoenmaker Vissarion Dzjoegasjvili, in ere hield. Ze was geen domme vrouw, zou het begrijpen. Natuurlijk moest hij in de ogen van het Sovjetvolk een voorbeeldige zoon zijn, dat maakte hem menselijker, gewoner, één van hen. Maar voor hem betekende zijn jeugd allereerst zijn vader.

Hij moest weer aan de tochten naar Ateni denken. De boeren daar hadden wijngaarden, stampten de druiven met hun voeten en goten de kostelijke wijn, Atenoeri, in reusachtige aardewerken kruiken.

En 's avonds dronk vader dan die wijn van Ateni met zijn vrienden en zong liederen met hen, de Georgische meerstemmigheid die het hart aangreep. Ze zongen goed, dronken goed, op z'n Georgisch, gemoedelijk en vrolijk wordend, niet zoals wanneer Russische boeren wodka dronken en begonnen te brallen en vechten en hun messen trokken. Maar dat was het Russische volk, groot in aantal, met een groot grondgebied, het enige volk waarmee je geschiedenis kon maken. Dankzij de aansluiting bij Rusland waren de Georgiërs een natie gebleven en daarom was het Georgische socialisme een deel geworden van het Al-Russische socialisme.

De Russen waren echter geen Georgiërs. Op school, op het seminarium had niemand hem lastiggevallen vanwege zijn misvormde arm, een blijk van de oeroude Georgische edelmoedigheid. Later had niemand meer rekening gehouden met zijn gebrek, in Bakoe niet, in Batoemi niet, in Siberië niet, ze waren grof en meedogenloos geweest. Hij had zich toen staande weten te houden door hen nog grover te bejegenen. Lenin had hem zijn grofheid verweten, maar alleen zo kon je een land regeren: de grofheid van het apparaat hield de grofheid van het volk in toom. Alleen intellectuelen gedroegen zich meer kies tegenover hem, maar die werden er later toch weer als oud vuil uitgemikt. Indertijd al, in zijn jeugd, had hij begrepen dat democratie in Rusland slechts het losbreken van brute krachten zou betekenen. Brute instincten kan men alleen met een sterk gezag onderdrukken, zo'n gezag heet dictatuur. Dat hadden de mensjewieken niet begrepen omdat ze het volk niet kenden, de bolsjewieken wel, want zij kenden het volk. Daarom waren de Russische sociaal-democraten in meerderheid achter de bolsjewieken gaan staan, en de niet-Russische sociaal-democraten achter de mensjewieken. Het bolsjewisme was een Russische aangelegenheid, het mensjewisme een niet-Russische. Van alle invloedrijke Georgiërs had alleen HIJ het Russische volk begrepen en zich bij de bolsjewieken aangesloten. Andere Georgiërs, zoals Noj Zjordanija, Tsereteli, Tsjcheidze en gelijkgestemden kenden het Russische volk niet en hadden zich bij de mensjewieken aangesloten. Toen was hij inderdaad tegen de nationalisatie van de grond geweest, maar wie wat díe tijd betreft gelijk had gehad, hij of Lenin, was niet duidelijk. Op de vraag wie in het verleden gelijk of ongelijk had, geeft de geschiedenis geen ondubbelzinnig antwoord—de overwinnaar heeft gelijk. Maar HIJ was geen oppositie tegen Lenin gaan voeren, hij had voor de bolsjewieken gekozen, voor Rusland, alleen zó kon hij zich als politicus handhaven. Hij had zich veel met het nationale vraagstuk beziggehouden en was ervan overtuigd dat bij naties, net als bij mensen, de sterkste overwon en dat er bij volkeren, net als bij politici, leiders waren en mensen die geleid werden. In de Sovjetunie, die een honderdtal volkeren telde, kon slechts één volk de leider zijn, het Russische, dat meer dan de helft van de bevolking vormde. Tegen het Russische grootmachtschauvinisme moest echter een genadeloze strijd worden AFGEKONDIGD, want dit chauvinisme riep weer plaatselijk nationalisme op. Je mocht geen moment vergeten dat het Russische volk de belangrijkste, één makende kracht was. Voor het Russische volk moest hij een Rus zijn, zoals de Corsicaan Napoleon Bonaparte voor de Fransen een Fransman was geweest.

Stalin was tevreden over de vergadering. HIJ was daar niet alleen als initiatiefnemer en organisator van de herschepping van Moskou opgetreden, maar ook als degene die de stad—waarvan de naam elke Rus dierbaar was—voor Rusland had bewaard. HIJ had Moskou zo bewaard als elke Rus het kende en zich voorstelde. Niet die intellectuelen in de zaal met hun hoge voorhoofden en hun bemoeienissen met Ruslands cultuur, maar HIJ, uitgerekend HIJ en HIJ alleen kwam aan dat diepgewortelde Russische gevoel van liefde voor Moskou en verering voor Moskou tegemoet. En daarom was Moskou ZIJN stad en werd het toekomstige Moskou een gedenkteken voor HEM. De Rus Kirov had het zo druk in Leningrad, schetterde dat hij Leningrad zou herscheppen, maar wat viel daar nu te vernieuwen? Leningrad was een afgebouwde stad, één klomp steen, waarmee je niets kon doen en waarmee Kirov ook niets zou doen.

Maar zoals altijd wanneer HIJ zijn uitzonderlijkheid had gedemonstreerd werd hij bevangen door een heftig gevoel van eenzaamheid. Ze stonden wel op en klapten voor hem in hun handen, maar ze hielden niet van hem, waren bang voor hem, alleen daarom stonden ze op en klapten in hun handen. Hun triomf, plezier en vreugde zou groter zijn, als ze hem, ten val gebracht, konden vertrappen. Ze konden noch wilden instemmen met zijn superioriteit, zijn uitzonderlijkheid en unieke persoonlijkheid. Voor hen was hij de gemankeerde seminarist, de minderwaardige plebejer. Zelfs zijn 'medestrijders' waren bang voor de uitbreiding van zijn macht, praatten maar over hun collectief bestuur, de rol van het CC, hielden Pokrovski's theorietje waarin de rol van het individu in de geschiedenis werd ontkend, achter de hand, omdat ze daarmee in de eerste plaats ZIJN rol in de geschiedenis van de Partij, in de geschiedenis van Rusland wilden verkleinen.

Maar dat zou ze niet lukken. HIJ zou niet alleen een nieuwe Russische geschiedenis tot stand brengen, maar ook nieuwe criteria uitwerken voor de beoordeling van historische gebeurtenissen—dat was de enige garantie dat de huidige en komende generaties juist zouden oordelen over dit tijdperk, ZIJN tijdperk.

Caesar en Napoleon waren niet uit ijdelheid keizer geworden, maar op grond van de historische noodzaak. Alleen als alleenheerser had Caesar de barbaren kunnen terugslaan, alleen als keizer had Napoleon Europa kunnen veroveren. Het opperste gezag moest de majesteit van het gezag van de tsaar hebben, alleen voor zo'n gezag zou het volk buigen, alleen daaraan zou het zich onderwerpen, alleen zo'n gezag was in staat het volk angst en ontzag in te boezemen. De Russische historische wetenschap schilderde Ivan de Verschrikkelijke als een misdadiger af. In werkelijkheid was Ivan de Verschrikkelijke een groot staatsman geweest, hij had Kazan, Astrachan en Siberië bij Rusland ingelijfd, had als eerste in de geschiedenis van Rusland en misschien niet alleen die van Rusland, het staatsmonopolie op de buitenlandse handel ingevoerd en als eerste Russische tsaar het principe van het staatsbestel tot grondprincipe gemaakt: alles was ondergeschikt aan de belangen van de staat. De bojaren hadden zich tegen het ontstaan van een machtige centralistische staat verzet en daarom was de fout van Ivan de Verschrikkelijke niet geweest dat hij bojaren terecht liet stellen maar dat hij er te weinig terecht had laten stellen en de vier belangrijkste bojarenfamilies niet met wortel en al had uitgeroeid. De Ouden hadden in dat opzicht een meer vooruitziende blik gehad, zij hadden hun vijand tot in de derde en vierde generatie uitgeroeid, voor eens en altijd.

De historische wetenschap vertolkte ook de rol van de 'opritsjnina' onjuist. Je moest onderscheid maken tussen de begrippen 'opritsjnina' en 'opritsjnik'. De opritsjnina was Ivans lijfwacht, een geavanceerd leger dat als taak de bestrijding van de bojaren en het bojarendom had. De opritsjnik was de uitvoerder, onder hen moesten ook beulen zijn. Wetten over de doodstraf werden weliswaar door humane parlementariërs, hoogontwikkelde wetgevers aangenomen, maar de straf werd nu eenmaal door beulen voltrokken.

Peter de Grote was een groot bestuurder geweest, hij had een nieuw Rusland geschapen. En wat schreef Pokrovski over Peter? Alsjeblieft, deze regels: 'Peter, door vleierige historici "de Grote" genoemd, sloot zijn echtgenote in een klooster op om met Jekaterina te kunnen trouwen, die dienstmeid bij een dominee in Estland was geweest. Hij heeft zijn zoon eigenhandig gemarteld en hem vervolgens in het geheim in de kerkers van de Peter-Paulsvesting terecht laten stellen... Hij stierf aan de syfilis nadat hij eerst ook zijn tweede vrouw ermee had besmet...' Dat was alles wat Pokrovski in Peter had gezien!

Met zulke kletspraat kwam 'het hoofd van de historische school' aanzetten! Dat Peter Rusland hervormd had, was hem niet opgevallen! Nu zag je wat voor onzin het resultaat was, waartoe een doctrinaire opvatting van het marxisme en de ontkenning van de rol van het individu in de geschiedenis konden leiden! En Lenin had deze primitieve socioloog als een der belangrijkste historici naar voren geschoven, zijn 'Geschiedenis van Rusland in kort bestek' geprezen, terwijl het een stuntelig werk was, dat alle historische staatslieden van Rusland afdeed als onbegaafd en onbeduidend. Hoe had Lenin dat werk kunnen prijzen? Lenin die de rol van het individu juist wel had begrepen?

Pokrovski wilde zich als beschermheer van het leninisme opwerpen, als de enige uitlegger van Lenins opvattingen. Maar, neem me niet kwalijk, de enige vertolker van de opvattingen van Vladimir Iljitsj Lenin kan alleen zijn opvolger zijn, alleen hij die zijn werk voortzet, alleen hij die het land na hem bestuurt! En zijn opvolger, de voortzetter van zijn werk was Stalin, hij leidde het land. Dus was alleen Stalin de enige vertolker van Lenins erfenis, met inbegrip van de geschiedenis, hij immers *maakte* deze geschiedenis. Kameraad Pokrovski had echter al die tien jaar met geen woord gerept van wat kameraad Stalins bijdrage aan de ontwikkeling van de sociale wetenschappen was. Begreep kameraad Pokrovski dan niet dat het besturen van een staat betekende dat men tevens met de theorie van het staatsbestel ontwikkelde? Dat wel, maar hij wilde kameraad Stalin noch als wetenschapsman noch als theoreticus erkennen.

De anti-marxistische 'historische' school van Pokrovski moest worden verpletterd. Lenins autoriteit moest dienstbaar zijn aan de noden van de partij van vandaag en de noden van morgen. En Lenins autoriteit moest op zijn opvolger overgaan. Stalin was de Lenin van vandaag. Wanneer Stalin dood zou zijn, zou zijn opvolger zich de Stalin van vandaag noemen. Alleen op die manier kon er een onwankelbare continuïteit van de macht worden geschapen, die eeuwenlang zou standhouden en stabiel was. De historische wetenschap moest bevestigen dat Stalin Lenins ware opvolger was, dat er geen andere opvolger kon zijn, dat zij die aanspraak maakten op Lenins erfenis zielige simulanten, politieke avonturiers en intriganten waren. De historische wetenschap moest bevestigen dat Stalin steeds aan Lenins kant had gestaan. Niet Zinovjev, die als emigrant alleen zijn secretaris was geweest, niet Kamenev die daar ook alleen maar referent was geweest, maar juist HIJ die praktisch in Rusland werkend de partij had geschapen. Daarom werd de partij ook de Partij van Lenin en Stalin genoemd. Alle kleine meningsverschillen tussen Stalin en Lenin moesten worden vergeten, moesten voor altijd uit de geschiedenis worden gebannen. In de Geschiedenis moest alleen dat bewaard blijven wat Stalin tot de Lenin van vandaag maakte. De belangrijkste opgave was een machtige socialistische staat te scheppen. Daarvoor was een sterk gezag nodig. Stalin was de leider van dit gezag, dat hield in dat hij samen met Lenin aan de oorsprong stond, dat hij samen met Lenin de Oktoberrevolutie had geleid. John Reed stelt de geschiedenis van de omwenteling van de Oktober anders voor. Aan zo'n John Reed hebben we geen behoefte.

Zou dat een verdraaiing van de Geschiedenis zijn? Nee, de Oktoberomwenteling was door de partij tot stand gebracht en niet door emigranten die in Parijs, Zürich en Londen woonden. Daar konden ze wel aardig discussiëren en disputeren, op de terrasjes van de Parijse cafés hadden ze leren kletsen en vergaderen, terwijl de revolutionairen van Rusland er het zwijgen toe moesten doen of met gedempte stem spreken. Maar juist zij, de gewone, bescheiden partijwerkers, juist zij hadden op het beslissende ogenblik de massa's tot de strijd aangezet, tot de revolutie en daarna tot de verdediging van de revolutie. HIJ was dan ook de vertegenwoordiger van déze partijkaders en daarom was hún rol in de geschiedenis van Oktober ook ZIJN rol. Daarin lag de ware rol van de massa's besloten en de ware rol van het individu in de geschiedenis. De Burgeroorlog was niet gewonnen door militaire deskundigen die de zaak alleen maar hadden bemoeilijkt, de Burgeroorlog was daarentegen gewonnen door de tienduizenden communisten, de werkers van de partijkaders die legers en divisies, regimenten en detachementen hadden gevormd. HIJ vertegenwoordigde deze kaders en daarom was HUN rol in de Burgeroorlog ZIJN rol, en ZIJN rol was ook de rol van de partij.

Kijk, op zulke grondslagen moest de geschiedenis worden gebaseerd, en de geschiedenis van de partij in de eerste plaats. Het zogenaamde 'collectieve' bestuur was een mythe. In de geschiedenis van de mensheid had nooit een collectief bestuur bestaan. De Romeinse Senaat? Waarmee was dat geëindigd? Met Caesar. Het Franse Triumviraat? Met Napoleon. Ja, de geschiedenis van de mensheid is de geschiedenis van de klassenstrijd. Maar de LEI-

DER drukt het streven van de klasse uit en daarom is de geschiedenis van de mensheid de geschiedenis van haar leiders en bestuurders. Dit is geen idealisme. De tijdgeest wordt bepaald door degene die de tijd schept. Het tijdperk van Peter de Grote was een van de schitterendste in de Russische geschiedenis; het reflecteerde zijn schitterende persoonlijkheid. De regering van Alexander de Derde was de meest kleurloze, deze kwam volledig overeen met de onbeduidendheid van zijn persoon.

3 's Morgens ging Boris weg om met een voerman af te spreken. Sasja begon aan een brief:

…'Lieve moeder,'

Men had hem zijn vonnis in dezelfde kamer meegedeeld als waarin hij eerder verhoord was. Een functionaris had hem de beschikking van de Buitengewone Vergadering voorgelezen. Artikel achtenvijftig, punt tien, administratieve verbanning naar Oost-Siberië voor drie jaar met aftrek van voorarrest.

'Onderteken!'

Sasja las het door. Misschien stond er waarvoor hij dic drie jaar kreeg. Nee, niets daarover. Het was zelfs geen vonnis, maar een onderdeel van een lijst van personen waarop hij als nummer vijf of nummer vijfentwintig misschien wel nummer driehonderdvijfentwintig voorkwam.

Sasja ondertekende. Het vonnis was hem 's morgens meegedeeld, die middag was zijn moeder op bezoek geweest en die avond werd hij weggevoerd.

De dag daarvoor was de cipier gekomen en had hem papier en potlood gegeven.

'Wie wilt u op bezoek hebben?'

Hij had vader en moeder opgeschreven… Varja? Hij kon schrijven: Varja Ivanova—mijn verloofde. Een verloofde waren ze verplicht op te roepen. Waarom juist Varja? Hield hij dan soms van haar of zij van hem? En toch had hij juist haar graag gezien. 'Bloem van de geurige prairies, jouw lach klinkt lieflijker dan een herdersfluit.' Die lieve stem miste hij. Maar Sasja schreef haar naam niet op; wilde zij hem wel zien, wachtte ze op hem, had ze hem nodig?

De cipier bracht Sasja naar een piepklein kamertje, liet hem alleen en sloot de deur af. Sasja ging aan de tafel zitten en stelde zich moeders ontzetting voor wanneer ze zijn baard zou zien, stelde zich voor hoe eng ze de gevangenisgangen zou vinden.

Er knarste een sleutel in het slot, het gezicht van de cipier verscheen en daarachter moeders gezicht, haar grijze hoofd. De cipier ging zo staan dat hij met zijn rug Sasja afschermde, zodat moeder niet bij hem kon komen en wees haar de stoel aan de andere kant van de tafel. En zij, klein en grijs, haastte zich met gebogen hoofd naar de aangewezen plaats, zonder Sasja aan te zien. En pas toen ze zat sloeg ze de ogen op en vanaf dat moment bleef ze onophoudelijk naar hem kijken. Haar lippen trilden en ze schudde lichtjes het hoofd.

Sasja keek naar haar en glimlachte, maar zijn hart kromp ineen. Moeder was zo oud geworden, zag er zo ongelukkig uit, er stond zoveel leed in haar ogen te lezen. Ze was in haar oude, versleten demi-saison gekomen, die ze 'mijn gabardine' noemde, dit herinnerde Sasja eraan dat het al lente was; hij had moeder in januari voor het laatst gezien.

De onderste helft van het raam was witgekalkt, door de bovenste helft scheen een felle lentezon, zijn stralen vielen in de verste hoek waar de cipier met een onverschillig gezicht zat.

'Ik wilde me laten scheren, maar 't ging vandaag niet, de kapper was er niet,' zei Sasja vrolijk.

Ze keek hem zwijgend aan, haar lippen trilden en ze schudde haar hoofd, ze kon het niet bedwingen, ze probeerde niet te gaan huilen.

'De kapper is een beunhaas, hij snijdt je en niemand wil zich bij hem laten scheren. Maar misschien staat een baard me wel, zal ik hem laten staan?'

Ze bleef zwijgen, knikte even met het hoofd en wendde haar blik niet van hem af.

'Hoe is het met iedereen? Gezond en wel?'

Hij bedoelde zijn vrienden—of het met hen in orde was.

Ze begreep zijn vraag.

'Alles goed, iedereen is gezond.'

Maar de gedachte dat het met iedereen goed ging en alleen met Sasja slecht, met hem als enige, om de een of andere reden juist met hem, die gedachte was ondraaglijk. Ze liet haar hoofd op haar handen rusten en barstte in snikken uit.

'Hou op, ik moet je iets zeggen.'

Ze haalde een zakdoek tevoorschijn en veegde haar tranen af.

'Ik ga in hoger beroep, mijn zaak stelt niets voor, het heeft te maken met het instituut.'

De cipier onderbrak hem:

'Niet praten over uw zaak!'

Maar moeder werd niet bang zoals vroeger, wanneer ze te maken kreeg met de botte bureaucratie. Op haar gezicht verscheen de Sasja zo vertrouwde onverzettelijke uitdrukking, ze luisterde gespannen naar Sasja en hoorde hem tot het laatste woord aan. En het was voor het eerst dat Sasja haar zo zag.

'Ik ga naar Novosibirsk, alles komt in orde.'

Hij wilde niet 'Siberië' zeggen, daarom zei hij 'Novosibirsk'.

'Zodra ik daar aankom, stuur ik een telegram en daarna schrijf ik. Ik zal wel zorgen dat ik werk krijg, stuur geen geld.'

'Ik heb honderdvijftig roebel naar je overgemaakt.'

'Waarom zoveel?'

'Voor levensmiddelen en laarzen.'

'Laarzen, dat is goed, maar levensmiddelen hoeft niet.'

'En warme sokken en een das.' Ze sloeg de ogen op. 'Hoeveel heb je gekregen?'

'Weinig—drie jaar vrije verbanning. Over een half jaar kom ik terug. Is vader nog geweest?'

'In januari, maar ik kon hem nu niet over laten komen, ik werd gisteren pas gebeld. Hoe is je gezondheid?'

'Prima. Ik ben helemaal niet ziek geweest, het eten is uitstekend, als op vakantie!'

Hij was opgewekt, wilde haar opmonteren, maar ze zag wat hij doormaakte, leed er zelf onder, glimlachte geforceerd om zijn grapjes en wilde hem ook moed inspreken, hij moest weten dat hij niet alleen was, dat ze zich om hem bleven bekommeren.

'Vera vond het zo erg dat je haar niet liet komen, ze is met me meegegaan, maar ze lieten haar niet binnen en Polina ook niet.'

Hij had om de een of andere reden niet aan zijn tantes gedacht.

Terwijl ze haar van tevoren bedachte woorden verwarde met wat nu in haar opwelde, zei ze:

'Pas goed op jezelf, het gaat allemaal voorbij. Maak je over mij geen zorgen, ik ga werken.'

'Wat voor werk?'

'In een wasserij, wasgoed aannemen, op de Zoebovskiboulevard, vlakbij, ik heb al afgesproken.'

'Vuil goed sorteren?!'

'Ik heb al afgesproken. Later, niet nu meteen kom ik je opzoeken.'

'Waarom zou je naar mij komen?'

'Ik kom naar jou.'

'Goed. We schrijven nog,' zei Sasja op verzoenende toon.

'Is er nog iemand van het instituut geweest?'

'Die kleine, schele...'

Roenotsjkin. Dat betekende dat met de jongens alles in orde was.

'Wat zei hij?'

'Over de onderdirecteur...'

Krivoroetsjko! Dan was hij hier. Djakov had niet gelogen.

'De hele zaak draait om hèm,' bracht Sasja uit.

De cipier stond op.

'Het bezoek is afgelopen.'

'De hele zaak draait om hem,' herhaalde Sasja. 'Zeg dat tegen Mark.'

Ze knikte ten teken dat ze hem begrepen had: Sasja was gearresteerd vanwege de onderdirecteur, dat moest ze aan Mark doorgeven. Ze zou het doen, ook al wist ze dat het geen zin had. Alles was zinloos. Het zij zo, als het maar niet erger werd. Drie jaar, die gingen wel voorbij, daaraan zou toch eens een einde komen.

'En zeg hem ook dat ik geen getuigenis heb afgelegd.'

De cipier deed de deur open.

'Nu gaan, burgeres!'

Sasja stond op en omhelsde zijn moeder, ze drukte zich tegen zijn schouder.

'Toe nou,' Sasja streek over haar zachte, grijze haren, 'alles is in orde en jij huilt.'

'Kom, burgeres!'

Men mocht elkaar niet omhelzen, mocht niet bij elkaar komen maar toch deed iedereen het en omhelsde en kuste elkaar.

'Vooruit, vooruit,'—met een gewoontegebaar duwde de cipier moeder met zijn schouders naar de deur. 'Ik heb 't toch gezegd, komt u nu!'

Sasja schreef aan zijn moeder dat alles goed was, hij was gezond, in goed humeur, ze hoefde niets te sturen. Haar brieven moest ze zo adresseren: dorp Bogoetsjany, district Kansk, poste restante.

Boris kwam kwaad terug: 'Niemand wil rijden, ze zijn bang dat de weg slecht is en vragen gigantische bedragen. Maar de commandant wacht niet —zie maar dat je er komt. Mensen die ontslagen zijn geven ze een paar centen—niet eens genoeg voor de helft van de reis.' Ze aten weer in de kantine van ZAGOTPOESJNINA. Aan een leeg tafeltje in de hoek zat Igor ineengedoken.

'De graaf op zijn post,' merkte Boris op, 'hij wacht op mij en Dulcinea. Op Dulcinea om haar zijn gedichten voor te dragen en op mij voor een gratis maaltijd. Maar hij kan lang wachten, ik ben nu zelf werkeloos.'

De kokkin kwam dit keer de keuken niet uit, ze was luidruchtig in de weer met haar pannen en kletterde met de aluminiumborden.

'U hebt hem hierheen gelokt, Boris Saveljevitsj, hij zit hier al vanaf vanmorgen, dat is vervelend voor de medewerkers, het is hier geen kerkportaal waar je kunt bedelen.

'Ik zal met hem praten.'

Boris was dan wel geen chef meer, maar de kokkin schepte net als gisteren een extra lepeltje room op zijn bord.

'Je moet haar positie begrijpen,' zei Boris, 'er mogen geen bedelaars in de kantine komen, zij is daar verantwoordelijk voor.'

'Hij heeft honger,' antwoordde Sasja.

'Weet u, Sasja,' bracht Boris hier geëmotioneerd tegen in, 'ik heb ervoor gezorgd dat de ballingen hier konden komen. Nu laat het me natuurlijk onverschillig, want ik ga weg. Maar voor de mensen die hier achterblijven is het een kwestie van leven en dood. En het zal erop uitlopen dat ze worden weggestuurd. Ik heb ze steeds gewaarschuwd: kom tegen tweeën, wanneer de medewerkers al gegeten hebben, maak geen herrie, blijf niet te lang zitten, wees rustig, vriendelijk en netjes. Maar nee! Hij verschijnt al 's ochtends vroeg, hangt hier de hele dag rond, bedelt, draagt gedichten voor en gedichten, weet u, heb je in verschillende soorten, en ook liefhebbers van gedichten kunnen verschillen... Begrijpt u me?...'

'In Parijs komen de mensen bij elkaar in een café om te kletsen, dat is Igor gewend.'

'Ik ben gewend aan een warm toilet,' zei Boris bits, 'aan badkamer, telefoon en restaurant. Zoals u ziet ben ik het nu ontwend.'

'Laten we hem voor het laatst te eten geven,' stelde Sasja voor, 'ik betaal, roep hem maar.'

Boris haalde zijn schouders op, fronste het voorhoofd en wenkte Igor met een vinger.

Igor had op dat teken gewacht, werd opgewonden, kwam onhandig achter de tafel vandaan en liep met een afwachtende glimlach op hen af.

'Hoe zit het, heb je je geld voor de tekeningen al binnen?' vroeg Boris.

'Ze beloofden dat het binnenkort kwam.'

'En waar is de dame?'

'Valerija Andrejevna is naar Leningrad vertrokken.'

'Voorgoed?'

'Voorgoed.'

'Vreemd was onze ontmoeting en vreemd zal het afscheid zijn,' mompelde Boris. 'Kom, ga zitten.'

Igor ging haastig zitten, legde zijn verfomfaaide pet op tafel, realiseerde zich opeens wat hij deed en legde hem op zijn knieën.

Boris knikte naar Sasja.

'Morgen worden we...'

Igor stond op en maakte een buiging voor Sasja. Sasja lachte hem toe.

'Kijk,' vervolgde Boris, 'morgen sturen ze ons naar Angara. Ik heb de volgende afspraak gemaakt: jou en de andere kameraden zullen ze als vanouds hier binnenlaten. Maar het wordt tijd dat je begrijpt dat dit geen café in Montmartre is.'

'Ik begrijp het,' fluisterde Igor en boog zich voorover.

'Dit is een besloten bedrijfskantine. Je komt hier eten en gaat weer. Als je geen geld hebt, kom je niet. Zo is hier de regel. En jij maakt daar inbreuk op.

Ze kunnen je weigeren en dat is niet zo erg. Maar door jou kunnen ze ook de anderen, je medeballingen, weigeren. Heb je dat begrepen?'

'Ja, maar ik ben geen balling,' antwoordde Igor haastig.

'Wat ben je dan, met permissie gevraagd,' informeerde Boris spottend.

'Ik ben niet veroordeeld, ik werd opgeroepen en ze zeiden: ga naar Kansk, u moet daar wonen.'

'Meld je je steeds?'

'Ja.'

'Heb je een paspoort?'

'Ik heb nooit een Sovjetpaspoort gehad.'

'Heb je het recht om weg te reizen?'

'Nee.'

'Dan ben je er dus net zo een als wij. Kom mee!'

Boris en Igor liepen naar het luik en kwamen terug: Igor met een bord borsjtsj en Boris met brood en bestek.

'Eet!' commandeerde Boris. 'En haast je niet, niemand zal het afpakken.'

Igor at zwijgend over zijn bord gebogen.

'Je bent toch een kunstenaar, je kunt portretten tekenen.'

Igor legde zijn lepel neer en veegde zijn lippen met een vinger af.

'Dat willen ze niet, ze zeggen dat foto's beter lijken en goedkoper zijn.'

'Je kunt toch landschapjes schilderen,' drong Boris aan, 'daar houden ze hier van, en in de club kun je zo wat bijverdienen met het feest. Je moet alleen je hersens gebruiken en jezelf niet als een aristocraat zien.'

'Dat doe ik niet,' fluisterde Igor.

Igor schudde zijn hoofd.

'Dat lieg je, dat doe je wel. En mij beschouw je als een plebejer.'

'Nee, niet als een plebejer.'

'Als wat dan?'

Igor liet het hoofd zakken, zijn lepel bleef in de lucht steken.

'Ik zie u als een windbuil.'

En hij boog zich nog dieper over zijn bord.

Sasja kon een glimlach niet onderdrukken.

Boris verbleekte.

'Voor mij is dat niets nieuws. Lomperd, plebejer, windbuil—het is allemaal hetzelfde. In Rusland tenminste. Ik weet niet hoe het in Parijs is. Maar aangezien plebejers, dat wil zeggen, excuseer me, parvenu's de plicht hebben de adellijke heren te eten te geven, laat ik hier zeven roebel voor je achter'—Boris haalde geld uit zijn zak en telde zeven roebel uit—, 'voor tien maaltijden. Het geld laat ik in de keuken, anders vreet jij het in één dag op. Maar kijk, wanneer je die tien maaltijden hebt opgeschrokt, moet je óf een andere parvenu vinden, wat uitgesloten is, óf je gaat werken, wat ik betwijfel, óf je zult van de honger verrekken, wat het waarschijnlijkste is.'

Hij liep naar het luik, overlegde met de kokkin en gaf haar het geld. Zij smeet het met een ontevreden gezicht op het bord dat als kassa dienst deed.

Sasja stond op. Igor stond ook op. Zijn pet viel, hij bukte zich en raapte hem op.

Sasja stak hem zijn hand toe.

'Tot ziens, ik hoop dat u uiteindelijk werk vindt.'

'Ik zal het proberen,' antwoordde Igor droevig.

'Gegroet!' Boris knikte hem koeltjes toe.

's Ochtends kwam er een voerman in een gescheurd jak van hertevel, een vettige bontmuts op het hoofd en afgetrapte mocassins aan de voeten. Niet een baard, maar rood-bruine stoppels bedekten zijn gerimpeld gezicht. Hij keek verontrust en zorgelijk: zat hij onder de prijs?

Sasja en Boris legden hun spullen op de wagen, de hospita een papieren zak met eten. En zij bleef hen lang op de stoep staan nakijken.

Achter de wagen stappend zei Boris treurig:

'Hoe het ook zij, ze heeft veel voor me gedaan.'

Bij het kantoor van de commandant wachtten de anderen die op transport gingen: Volodja Kvatsjadze, een lange, knappe Georgiër met een nieuwe, zwarte gewatteerde jas aan die hij een maand voordat hij zijn straf—vijf jaar—in het kamp had uitgezeten had gekregen, Ivasjkin, een bejaarde typograaf uit Minsk, en Kartsev, een voormalig Komsomolfunctionaris uit Moskou, die na een hongerstaking van tien dagen uit de gesloten inrichting voor politieke gevangenen in Verchne-Oeralsk naar Kansk was overgebracht.

Boris klopte op het raampje en meldde dat de wagen er was en hij, Solovejtsjik, en Aleksandr Pavlovitsj Pankratov er ook waren.

'Wacht even!'

Het raampje werd dichtgesmeten.

Volodja Kvatsjadze gedroeg zich arrogant, keek nors en zweeg. Ook Kartsev knoopte geen gesprek aan, hij zat op de bank met gesloten ogen, slap, doodop, volkomen apathisch.

'De weg is nauwelijks begaanbaar en de voerman wil ons honderd roebel afzwendelen,' zei Boris, 'we hebben vijftig roebel aan reisgeld, de rest moet bijbetaald worden.'

'Ik peins er niet over,' sneed Volodja hem af, 'laten zíj maar bijbetalen!'

'Ze geven zoveel als is vastgesteld,' legde Boris uit, ' 's zomers kun je natuurlijk makkelijk reizen.'

'Ik kan ook van de zomer reizen, ik heb geen haast,' antwoordde Volodja, 'overigens is dit een zinloos gesprek, ik heb geen geld.'

'Ik ook niet,' antwoordde Kartsev zachtjes, zonder zijn ogen op te slaan.

'En ik ook niet,' voegde Ivasjkin er schuldbewust aan toe.

Het raampje ging open.

'Ivasjkin! ... Ondertekenen!'

Ivasjkin keek verward achterom.

Kvatsjadze duwde hem weg en stak zijn hoofd door het raampje.

'U geeft ons elk tien roebel, maar de wagen kost honderd.'

'Wij geven het vastgestelde bedrag.'

Boris boog zich naar het raam toe.

'Niet iedereen heeft geld, hoe moet dat nu?'

'Verzint u zelf maar wat,' luidde het antwoord.

'Nee, dat moet u verzinnen!' riep Volodja. 'U!' Kvatsjadze sloeg met zijn vuist tegen het raampje.

'Waar haalt u het lef vandaan?'

'Roep uw chef!'

Ivasjkin trok zachtjes aan zijn mouw.

'Maak nou geen heibel, man!'

Volodja wierp hem een verachtelijke blik toe.

Er verscheen een weldoorvoede man met twee strepen op zijn uniformjas.

'Wij kunnen en hoeven onze reiskosten niet zelf te betalen,' zei Volodja terwijl hij hem over zijn schouder aankeek.

'Ga dan lopen.'

'En onze spullen? Draagt u ze?'

'Tegen wie heb je het!'

'Het maakt me niet uit tegen wie... Ik vraag: wie draagt onze spullen?'

'Het bedrag voor de reiskosten is vastgesteld door de Volkscommissaris van Binnenlandse Zaken,' verklaarde de commandant, zich inhoudend.

'Laat uw volkscommissaris dan ook eens voor zoveel geld reizen.'

'Wat wil je, terug naar het kamp?'

Volodja ging op zijn hurken bij de muur zitten.

'Zie maar dat je me wegkrijgt.'

'Dat zullen we doen ook.'

'Toe dan.'

'Bewaking!' schreeuwde de commandant.

Er kwamen twee soldaten, ze trokken Kvatsjadze overeind en draaiden zijn handen op zijn rug.

'Door hem vast te binden heeft hij nog geen geld,' zei Sasja.

'Wil jij ook?' schreeuwde de commandant, rood aanlopend.

'Daarmee heb ik ook nog geen geld,' ging Sasja rustig door.

De commandant draaide zich om en beval:

'Laat de wagen de binnenplaats op rijden!'

Kvatsjadze werd naar binnen gebracht.

Ivasjkin hoestte.

'We krijgen hier last mee.'

Kartsev sloeg zijn ogen niet op.

Het raampje ging open.

'Solovejtsjik!'

Boris liep erheen.

'Betaal de voerman nu het reisgeld, de rest zal de gevolmachtigde in Bogoetsjany bijleggen. Geef hem dit pakket, hier zijn alle papieren voor iedereen. Naar buiten!'

Ze gingen de straat op. De kar kwam de poort uit, erachter twee geleiders te paard met geweren. Op de kar lag Volodja Kvatsjadze gebonden, loensend met een onverzoenlijke blik in zijn donkere, boze ogen.

De groep zette zich in beweging.

4 De jongens gingen bij de stenen muur staan, de leraren waren op de banken gaan zitten en de meisjes op de grond, mooi aangekleed, blij en feestelijk. Ze hadden de negende klas en daarmee de school doorlopen en namen voorgoed afscheid. Alleen Varja was niet gekomen.

Op zo'n dag ontbreken! Nina stikte van verontwaardiging. Geen afscheid nemen van je klas, je klasgenoten met wie je negen jaar van je leven had doorgebracht, zelfs geen foto ter herinnering achterlaten. Er niet aan denken in wat voor situatie ze haar, haar eigen zuster, tegenover het lerarencorps bracht.

Een paar dagen geleden was in de leraarskamer de wiskundeleraar naar haar toe gekomen en had Varja geprezen: 'een begaafde jongedame'. Het woord 'jongedame' had haar onaangenaam getroffen. Haar zuster was inderdaad duidelijk niet van haar tijd, ze had een rechte scheiding in het haar, maar het was niet in een knotje op het achterhoofd opgebonden, het viel over haar oren, zoals op ouderwetse vrouweportretten. En ze draaide haar hoofd op een manier alsof ze alles van opzij, van op afstand, bekeek.

Het woord 'jongedame' vond Nina sociaal onjuist en daarom kwetsend, ze had zich erop voorbereid dat het gesprek met de wiskundeleraar onplezierig zou worden, maar hij keek welwillend, en ook de natuurkundeleraar en scheikundelerares spraken lovend over Varja, terwijl hij instemmend knikte. Varja hoefde niet bang te zijn voor het toelatingsexamen, niemand twijfelde eraan of ze zou naar de universiteit gaan.

Nina maakte zich er met algemeenheden van af: Varja schilderde goed en tekende heel mooi, wanneer iemand zoveel talenten had was het moeilijk te weten wat je wilde… Ze moest vooral niet laten merken dat haar zus geen rekening met haar hield, zich gedroeg en leefde zoals het háár uitkwam.

Ze rookte. Op de vraag waar die dure sigaretten vandaan kwamen—Hertogin Flor, een smal pakje, tien stuks—antwoordde ze kalmweg: 'Gekocht.' En op de vraag waarom ze zo laat thuis kwam, waar ze zo lang bleef, antwoordde ze eveneens kortaf: 'Bij kennissen.' Waar ze geld voor sigaretten vandaan haalde en bij welke kennissen ze tot diep in de nacht zat, zei ze niet. Toen Nina haar vroeg van wie ze buitenlandse grammofoonplaten kreeg, kneep ze brutaal haar ogen halfdicht. 'Ik werk voor de Japanse inlichtingendienst. Weet je dat dan niet?'

Ze zei het uitdagend, stevende af op een scène. Nina hield zich in, glimlachte alsof het een grapje was.

'Ik denk dat ook bij de inlichtingendienst mensen met een hogere opleiding meer op prijs worden gesteld. Kijk om je heen, Varja, in wat voor tijd we leven. Iedereen heeft de mogelijkheid om zijn talenten te ontwikkelen, is dat niet het belangrijkste? Waarom zou je je jaren verdoen, iedereen studeert toch…'

'Dat interesseert me niet, begrijp je?'

'Maar wat interesseert je dan wel?' schreeuwde Nina. 'Rondhangen in portieken?'

Hoe die portieken haar uit de mond vielen, wist ze zelf ook niet, ze begreep dat het nu niet langer om vriendjes van de straat ging, vervloekte zichzelf dat ze zich zo had laten gaan.

Wat wilde Varja? Wilde ze tekenares worden? Typiste? Naar Siberië gaan, naar Sasja? Je kon alles van haar verwachten, je kon het zo gek niet verzinnen.

Toen ze op het station ineens Sasja met zijn bewakers in het oog kreeg, was ze hysterisch geweest, had gehuild, er viel niet met haar te praten. In de tram keken de mensen naar hen: een meisje in een tweedehandsjasje van zeehondebont dat huilde en haar gezicht achter een zakdoek verborg.

Thuis bepraatte Nina haar om niet naar Sofja Aleksandrovna te gaan, en onverwachts gehoorzaamde Varja en ging liggen, ze rilde. Nina dekte haar toe met een warme deken: goed uitslapen, tot rust komen, het zou wel overgaan. Varja sliep de hele avond en nacht door, hoorde niet dat Zoja haar zielige bontje kwam ophalen, hoorde niet dat Nina zich 's ochtends klaarmaakte om naar school te gaan. Nina kwam uit ongerustheid eerder thuis, maar trof Varja niet meer.

Varja keerde laat terug, zei dat ze bij Sofja Aleksandrovna was geweest. En ging net als de vorige dag onder een warme deken op bed liggen. De volgende dag bracht ze weer bij Sofja Aleksandrovna door.

Enige tijd later ging ook Nina naar Sofja Aleksandrovna. Deze ontving haar koel, zonder de gebruikelijke hartelijkheid, alsof het Nina's schuld was dat Sasja was verbannen en de anderen vrij rondliepen. Zo moest je dat wel opvatten. Varja zat op de bank te lezen en toen Nina binnenkwam, keek ze haar nauwelijks aan. Het gesprek vlotte niet, Sofja Aleksandrovna gaf antwoorden van één lettergreep, in de stilten die er vielen hoorde je Varja de bladzijden omslaan. Zij vond waarschijnlijk ook dat Nina Sasja verraden had en niets voor hem had gedaan.

Ze dacht maar. Bij Sofja Aleksandrovna kwam ze toch al niet meer en ze zou ook niet meer gaan. Met Varja erover praten had al helemaal geen zin. Ze hoefde zich niet te rechtvaardigen, ze had nergens schuld aan.

Maar er bleef een bittere nasmaak, een gevoel alsof ze het huis was uitgezet. Zij was daar een vreemde en Varja hoorde er thuis. Vandaar die onverzoenlijkheid, daar zat 'm de knoop.

Wat probeerde Sofja Aleksandrovna haar aan te wrijven? Zij stond immers *aan de andere kant*, omdat Sasja ook aan *de andere kant* stond. Vreemd, maar zo was het. Nina dacht terug aan haar schooltijd met Sasja, maar een ontroerende schoolvriendschap was te weinig om iemand politiek te kunnen vertrouwen. Je jeugd was je jeugd en het leven het leven. Wat was er over van hun vriendenkring? Sasja was verbannen. Maks in het Verre Oosten. Hij zou ongetwijfeld trouwen en een gezin stichten. Sjarok werkte bij het Openbaar Ministerie. Ook dat was raar. Joera Sjarok, die beschikte over andermans lot, aanklager, een woord dat voor Nina ridderlijke toewijding aan de revolutie belichaamde, terwijl Sasja Pankratov een verbannen contrarevolutionair was!

En toch had de geschiedenis een harde, onverbiddelijke logica. Als je een communist louter op zijn persoonlijke kwaliteiten beoordeelde, veranderde de partij in een amorfe massa van wereldvreemde intellectuelen.

Wie bleef er over? Vadim Marasevitsj? Hij was als altijd beleefd wanneer ze elkaar op de Arbat tegenkwamen. Hij publiceerde in kranten en tijdschriften, had succes, zoals hun hele gezinnetje, maar zij hadden het Sovjetregime immers het zeventiende jaar van zijn bestaan erkend.

Varja stond in een hemdjurk en zonder schoenen op de vensterbank en zeemde het raam. Zwarte druppels rolden langs haar armen, dropen van de ruit en stroomden tussen de dubbele ramen in plasjes samen.

'Waarom ben je niet gekomen voor de foto?'

'Vergeten. En toen ik eraan dacht was het te laat.'

'Godzijdank dat je tenminste niet alles vergeet wat je moet doen.'

Varja gooide de zeem in de emmer met water en sprong op de grond.

'Ik heb me niet laten fotograferen,' ze schoof de laden open, haalde foto's tevoorschijn en legde ze op tafel, 'hier heb je de zesde klas, hier de zevende en achtste. Trouwens hier is ook de negende, we zijn in de herfst op de foto gegaan. In dat halve jaar zijn we niet zo veranderd. Kijk zelf maar.'

Zonder naar de foto's te kijken verklaarde Nina koel:

'Over twee dagen ga ik weg, naar een cursus. Beslis wat je van plan bent te gaan doen. Ik kan je alleen helpen op voorwaarde dat je je gaat voorbereiden op een hogere opleiding. Anders moet je het zelf opknappen.'

'Ik geloof niet dat je je verder nog druk hoeft te maken,' antwoordde Varja. 'Ik ga werken.'

De schok die Varja op het perron had gekregen toen ze Sasja zag, was niet overgegaan. Ze was ontzet dat hij onder geleide werd weggevoerd, was ontzet over zijn uiterlijk: bleek, oud, met een baard. En zoals de mensen hem op het perron voorbijrenden en maar één zorg hadden: zo snel mogelijk instappen en de beste plaatsen inpikken. En de jonge, vrolijke en blozende officieren kéken zelfs niet naar de man die werd weggeleid, en reisden af naar het Verre Oosten in de overtuiging dat alles goed was ingericht.

Maar het had haar nog meer geschokt te zien hoe *onderdanig* Sasja daar liep, gewoon met zijn koffer zeulde en *op zijn eigen benen* in ballingschap ging.

Waarom had hij niet gevochten, geen weerstand geboden, waarom hadden ze hem niet geboeid moeten wegdragen? Als hij had gevochten, verzet had geboden, geschreeuwd en geprotesteerd en aan armen en benen geboeid was weggedragen, waren er geen twee bewakers geweest, maar een heel peloton, was er geen gewone wagon geweest, maar een ijzeren met tralies en hadden de mensen niet zo gedachteloos over het perron gerend. En die Maksims en Serafims in hun gloednieuwe uniformen waren dan misschien niet zo zelf-genoegzaam, zo geborneerd en zo gehoorzaam geweest.

Sasja had zich onderworpen.

Toen ze pakjes voor hem naar de Boetyrka-gevangenis bracht, was het alsof die hoge, ondoordringbare, dikke muren voor Sasja waren gebouwd—zo bang waren die gewapende mannen voor hem. Maar nee, zij waren niet bang voor hem, hij maakte hen niet bang, maar zij hém. Daarom had hij zo gelaten tussen die twee jonge bewakers gelopen, die hij met één slag uiteen kon drijven. Nee, hij kon het niet.

Maar met Sofja Aleksandrovna had Varja medelijden, net als vroeger was ze elke dag bij haar, vertelde haar allerlei nieuwtjes en probeerde haar aandacht af te leiden. Toen Sofja Aleksandrovna in de wasserij begon te werken, deed ze boodschappen voor haar, zorgde voor het inruilen van de bonnen.

Sofja Aleksandrovna prees Sasja, noemde hem eerlijk, moedig en onver-schrokken. Varja sprak haar niet tegen, maar zelf vond ze Sasja niet moedig meer. Als hij zich *zo* liet vernederen, was hij net als ieder ander. En was dat altijd geweest, net als iedereen deed hij wat hem werd bevolen. En nu hadden ze hem bevolen in ballingschap te gaan en was hij dus in ballingschap gegaan, sjouwde onderdanig met zijn koffer over het perron.

Sofja Aleksandrovna had besloten Sasja's kamer te verhuren, Varja hielp hem voor de nieuwe bewoonster klaar te maken. In de kast lagen Sasja's schaatsen, 'gageny' met versleten laarzen, in de lange veters zaten knopen op de plaatsen waar ze waren gebroken. Sofja Aleksandrovna pakte ze op en begon te huilen, ze herinnerden haar aan Sasja's jeugd.

Maar Varja brachten ze de vrieslucht van de ijsbaan in herinnering, de doffe lichtvlek op het ijs, het orkest onder de overkapping, hete thee aan het buffet, het gedrang bij de garderobe. Haar geknapte veters hadden net zulke onhandige knopen waardoor je ze niet meer door de gaatjes van je schoenen kon krijgen en je er lang mee zat te prutsen.

En dan herinnerde Varja zich nog dat ze in de ARBAT-KELDER waren en ze Sasja mee naar de ijsbaan vroeg. Toen leek alles nog goed af te lopen, Sasja had iedereen verslagen, ze waren vrolijk, dansten de tango en de rumba, het orkest speelde 'Mister Brown' en 'Zwarte ogen', 'Ach, citroentjes, mijn citroentjes' en 'Waar ik ook zwierf in de bloeiende mei'. En Sasja had het opgenomen voor een onbekend meisje, hij had moed getoond.

Toen, in de ARBAT-KELDER, was hij haar held geweest.

Nu begreep ze dat hij geen held was. En dat helden helemaal niet bestonden.

Wat wel bestond, was een reusachtig huis, zonder zon, zonder frisse lucht, waaruit de kelder de lucht van vieze kool en rotte aardappelen opsteeg. Overbevolkte communale woningen met ruzies en intrige's. Trappen die naar katers stonken. Rijen voor brood, suiker, margarine. Bonnen waarop niets te krijgen was. Gestudeerde mannen in verstelde broeken. Gestudeerde vrouwen in smoezelige blouses.

En vlakbij, op de hoek van de Arbat en het Smolenskplein het Handelssyndicaat, waar *alles* te koop was, maar alleen voor mensen met goud en buitenlandse valuta. En daar vlakbij, in de Plotnikovsteeg, een besloten distributiepunt waar ze ook *alles* hadden. En hier, op de Arbat, in de ARBAT-KELDER, was ook *alles*, maar alleen voor wie veel geld had. Oneerlijk! Onrechtvaardig!

In de zesde klas was Varja bij de toneelclub geweest, die door een gewezen actrice, Jelena Pavlovna, werd geleid. Activisten beschuldigden haar ervan dat ze Ostrovski en Gribojedov liet opvoeren en geen propagandastukken van sovjetauteurs. Jelena Pavlovna werd ontslagen, hoewel ze ook nog voor een zieke dochter moest zorgen. Varja was geschokt geweest door de harde manier waarop de bejaarde vrouw van haar broodwinning werd beroofd. Het was nu drie jaar geleden, de toneelclub was niet meer opgericht, voor een dergelijke schamele verdienste was geen regisseur te vinden. Alles hielpen ze naar de ratsmodee. En niemand droeg de verantwoordelijkheid. Varja smeerde hem altijd van de schoolvergaderingen, alles was van tevoren beslist, daaraan meewerken was vernederend. En Nina verdedigde hen, Nina was een dwaas, ze had op elke vraag een kant en klaar antwoord. De vragen waren verschillend, maar de antwoorden altijd hetzelfde.

Varja ontvluchtte dit op straat met jongens en meisjes die ook niet wisten waar ze heen moesten. Je mocht niet roken, dus de jongens rookten. Lippen verven werd afgekeurd, dus de meisjes verfden ze en poederden zich, lieten hun haar lang groeien, hadden doorzichtige kousen en felle hoofddoeken.

Maar nu was dat niet interessant meer. Door de schok die Varja op het station had gekregen, zocht ze nu naar een ander soort onafhankelijkheid. Temeer omdat de vriendenkring van de straat voor een nieuwe werd verruild.

Op een keer kwam Varja op de Arbat Vika Marasevitsj tegen met een fatterige man van een jaar of veertig, een weerzinwekkende kerel.

Vroeger had Vika nooit naar Varja omgekeken, maar nu bleef ze staan, omhelsde haar zelfs. Vika geurde naar een heerlijk parfum.

'Vitali—mijn vriend, Varja—mijn schoolvriendin...'

Varja betrapte haar op een kleine onnauwkeurigheid, een verschil van maar vijf klassen...

'Kijk eens, wat een schoonheden wij op de Arbat hebben,' vervolgde Vika. 'Nou? Wat zeg je daarvan, Vitali?'

Vitali trok zijn dwaze wenkbrauwen op en maakte bij gebrek aan woorden een verbaasd handgebaar.

'Je lijkt wel van de aardbodem verdwenen, je belt niet, komt niet langs.'

Varja had Vika nooit gebeld, was nooit bij haar geweest.

'Hoe is het met Nina?'

'Goed, ze werkt.'

'Nina is haar zus,' legde Vika haar metgezel uit. 'Bel, of ik bel jou.'

Vika haalde uit haar tas een notitieboekje tevoorschijn, bladerde het door, noemde hun telefoonnummer.

'Is het nog hetzelfde?'

'Ja.'

'Nou, laat wat van je horen.'

Twee dagen later belde Vika op en nodigde haar uit.

Varja ging naar haar toe.

Vika was kennelijk net opgestaan, ze liep nog in haar kamerjas, haar kousen, zijden ondergoed en jurk slingerden op een stoel, die modewinkel kostte haar niets, ze was er niet erg zuinig mee.

Vika liet haar gardcrobe zien: rokken, pakjes, jassen, zes of zeven paar schoenen. Met een klein sleuteltje opende ze een houten kistje—het stond op een rek tussen allerlei flacons en potjes—er lagen oorbellen, kettingen en broches in. Ze liet het niet uit opschepperij zien, maar om te tonen wat er in het buitenland werd gedragen en in de mode was, ze bladerde buitenlandse tijdschriften door: in bontmantels gehulde, kleumende schoonheden met vleeskleurige kousen en lakschoentjes aan prijkten op de bladzijden.

Daarna gingen ze aan een tafeltje bij de ottomane zitten, dronken koffie en 'Bénédictine' uit minuscule glaasjes en rookten lange sigaretten met goud-kleurige rand.

Ja, dit was een heel andere wereld! Daar stonden ze in de rij en kochten alles op de bon, hier werd koffie gedronken, gerookt, zaten ze de laatste buiten-landse mode te bewonderen.

'Weet Nina dat je bij me bent?'

'Nee.'

'Heb je haar gezegd dat je me bent tegengekomen?'

'Moet ik dan rapport uitbrengen?'

'Goed gedaan!' prees Vika haar. 'Ik heb respect voor je zus, we hebben negen jaar bij elkaar in de klas gezeten. Maar ze heeft mannehersenen, alles waarvoor vrouwen leven, laat haar koud, ze veracht me, dat weet ik. Nina is een blauwkous. Dat verwijt ik haar niet, ik respecteer haar ambitie, ze is sociaal bewogen, dat is mooi, prachtig! Maar niet iedereen zit zo in elkaar.'

'Nina wil dat iedereen leeft zoals zij,' zei Varja.

'Wie vind jij goed?' vroeg Vika, de grammofoon aanzettend. 'Melochov? "Zeg tegen je vriendin, meisjes …" Dat is toch te erg?'

Ze zette Vertinski op en daarna Lesjtsjenko. 'Door de Baltische landen is alles me zo gaan tegenstaan…'

'Vitali heeft fantastische platen. We moeten daar eens gaan luisteren.'

Varja begon te lachen.

'Bij hem?'

'Wat heb je daarop tegen?'

'Ik weet natuurlijk wel dat mensen van apen afstammen, maar waarom zou-den we naar hem gaan?'

'Je onderschat hem, Vitali is iemand met invloed.'

'Laat hij die maar op anderen uitoefenen.'

'Heb jij geen plannen om naar de toneelschool te gaan?'

'Dit jaar ga ik niet studeren. Ik ga werken.'

'Waar?'

'Ergens als technisch tekenaar.'

'Varja!' riep Vika. 'Vitali heeft zo werk voor je. Hij kent heel Moskou. Ik bel hem meteen.'

Ze trok de telefoon, die een lang snoer had, naar de ottomane en draaide een nummer.

'Met Vika.'

Door de hoorn klonk jazz.

'Zet je draaiorgel wat zachter!' commandeerde Vika. 'Varja is hier,' vervolgde ze, 'mijn schoolvriendin van de Arbat... Goed,' ze knikte naar Varja, 'de groeten.'

'Merci!'

'Luister, ze zoekt werk als technisch tekenaar... Op school... had ze daar al aanleg voor, ze tekent geweldig... Wat? Maar wie is er dan? Nee, niet interessant... Maar waar haal je hém vandaan? (Het ging kennelijk over iemand voor wie Vika wel wilde komen) Nee! Laten we voor overmorgen afspreken, voor zaterdag, Erik komt vast ook, dan gaan we naar METROPOL... Wacht, ik vraag het... Varja, kun je overmorgen?'

'Ja.'

'Ze kan. En Erik moet er zijn... Dat zeg ik toch... hij moet er zijn! Anders komen Varja en ik niet. Hij moet er absoluut zijn, hou dat in de gaten...'

Vika legde de hoorn neer.

'Er komt nog iemand, hij heet Erik. Hij werkt als installateur bij de Magnitostroj.'

Ze keek Varja aan.

'Kom overmorgen om zes uur bij me, dan vertrekken we van hier. We bepraten en regelen jouw zaken en amuseren ons in een moeite door.'

Ze woelde lachend door Varja's haar.

'Ik kan je meenemen naar Pavel Michajlovitsj, die zal je wel kappen.'

Pavel Michajlovitsj was een beroemde kapper, zijn zaak naast hotel PRAGA heette PAUL. Zijn cliëntes waren hem ook zo gaan noemen: 'Mijnheer Paul'. Door hem bij zijn voor- en vadersnaam te noemen liet Vika merken dat ze hem goed kende.

5 Wat moest ze morgen aantrekken, wat moest ze naar METROPOL aan? Varja zag zich al naast Vika; een meisje in een afgedragen jakje. Alles wat ze had was uit de mode, afzichtelijk. En haar kousen? En haar schoenen? Ze ging haar hele kast na, kleedde zich aan en uit. Alleen haar oude blauwe jurk zat goed. De 'bulldogs' met de hoge hakken moest ze weer van Zoja lenen, niets aan te doen.

Vika droeg een met kraaltjes afgezette jurk, van voren viel hij net over de knie, van achteren over de kuit en aan een kant was hij ietsje lager. De jurk sloot strak om haar borst en taille. Zo was ze lang, blond, opvallend met haar gave huid en grote, grijze ogen.

Ze trok haar jurk uit en zat in alleen haar zachtrode ondergoed haar haar anders op te maken, zonder enige haast, hoewel ze voor zeven uur hadden afgesproken en het al bijna acht uur was.

De telefoon ging, er volgde een gecompliceerd gesprek met Vitali. Hij kon Erik nergens vinden en stelde voor dat ze naar hem kwamen. Vika verklaarde dat ze het bij haar ook geweldig naar hun zin hadden.

'Het zou nog geweldiger zijn met jou, maar jij moet helaas op je post bij de telefoon blijven.'

Vika zat nog steeds in alleen haar ondergoed voor het rek.

'Komt Lena Boedjagina wel eens bij jullie?'

'Niet meer sinds Nieuwjaar.'

'En bij Joera?'

'Daar heb ik haar niet gezien. Joera is een stille, ik kan hem niet uitstaan!'

Vika draaide zich om op haar draaikruk en keek Varja kwaad aan—zo praatte men niet bij haar thuis. Vika, haar broer, hun vader, hun hele *kring*, aanvaardde de werkelijkheid als een gegeven, als een onontkoombare bestaansvoorwaarde. De manier waarop je dat accepteerde was simpel: terughoudendheid met respect, geen dubbelzinnigheden, geen anekdotes, geen toespelingen, het was maar al te bekend hoe dat afliep.

'Varja, knoop dit in je oren! Ik breng je in contact met mensen. Hun positie stelt bepaalde eisen. Je moet daarom goed op je woorden letten!'

'Maar wat heb ik dan gezegd?'

Vika wilde het woord 'stille' niet herhalen, zij had dat niet in de mond genomen.

'Je epitheta rieken naar de straat.'

Varja vloog op.

'Maar daar ben ik opgegroeid.'

'Je begrijpt me verkeerd. Ik heb het niet over vulgariteit, daar dacht ik niet eens aan. Maar sommige dingen en sommige woorden kun je beter niet uitspreken. Joera is bezig met zijn eigen zaken en daar begrijpen wij tweeën niets van.'

Varja zweeg. Waar moest zij dan iets van begrijpen? Van de rijen voor de gevangenis… Maar Vika had gelijk: dit was een nieuwe, onbekende wereld waarin je je anders moest gedragen.

'Ik mag Sjarok gewoon niet, zoals hij kijkt, weerzinwekkend.'

Vika omhelsde haar.

'Je bent een goeie meid. "Het leven is kort"—dat zijn banale woorden, maar er zit een kern van waarheid in. En met de rest hebben we niets te maken. Nietwaar?'

Toen Varja bij Vika kwam, was het stil geweest in de woning. Maar om een uur of negen kwam het huis tot leven, hoorde je stemmen, stappen in de gang en het slaan van deuren. Vika besteedde er geen aandacht aan: hier leefde ieder zijn eigen leven, niemand had iets met een ander te maken, zelfs Vadim kwam nooit bij zijn zus kijken. En Varja vergeleek dit met haar eigen communale woning, met de kamer, waarin ze samen met Nina woonde onder haar vervelende en hinderlijke controle.

Om tien uur belde Vitali op en vroeg hen om over een kwartier en niet later beneden bij de deur te staan.

Zonder zich te haasten schikte Vika haar kapsel, stiftte opnieuw haar lippen en trok haar kraaltjesjurk aan.

Erik was een lange, slanke jongeman met glad naar achteren gekamd, glanzend zwart haar. Aan zijn pak en aan de manier waarop het zat kon je zien dat hij een buitenlander was. Hij kwam de auto uit en hield het portier voor Vika en Varja open als een galante prins die herderinnetjes in zijn koets noodde. Daarna zette hij zich achter het stuur en liet zich de hele weg geen woord ontvallen. Bij METROPOL hielp hij de meisjes met uitstappen.

De rij bij het restaurant maakte plaats voor hen, een portier in uniform met galons hield de deur open, er verscheen een maître d'hôtel in zwart kostuum, in de overvolle zaal werd dadelijk een vrij tafeltje gevonden, een kelner schikte het bestek. Vitali sprak met de portier, de man in de garderobe, de maître d'hôtel en de kelner, maar Varja zag dat iedereen alles voor Erik deed en Vitali zelf nog het meest van allemaal. Alsof hij hier dagelijks kwam keek Vitali het menu door en overlegde wat ze zouden bestellen, de kelner met bloknoot en potlood in de hand noteerde alles.

Vika was een ander mens geworden. De rij bij het restaurant, de portier, de man in de garderobe, de volle tafeltjes, de attente maître d'hôtel, de gedienstigheid van de kelner—niets raakte haar. Van haar korte gang door de zaal maakte ze een triomftocht, de op haar gerichte blikken moesten ervan getuigen hoe mooi ze was en ervoor zorgen dat ze nog meer indruk op Erik maakte. Ze keek recht voor zich uit, zodat geen kennissen haar met hun familiariteit konden compromitteren, vandaag maakte ze zelf uit met wie ze zou omgaan.

Toen ze aan tafel zat en haar onverschillige blik die niets ontging door de zaal liet glijden, knikte ze een miniatuur-blondine toe, die in gezelschap was van een kleine, gezette Japanner met een donkere bril.

'Zie je Noemi?'

Net als toen op de Arbat gedroeg ze zich tegen Varja als een intieme vriendin. Varja had geen idee wie Noemi was, had Vika alleen een uur geleden met haar in METROPOL horen afspreken.

Daarna wees ze op een knappe Chinese.

'Kijk, Sibilla is er ook!'

Terwijl hij toekeek hoe de kelner het bestek schikte, vertelde Vitali aan

Varja en Erik dat Sibilla Tsjen, dochter van de Chinese minister van buitenlandse zaken, een beroemd danseres, morgen haar gastoptreden in Moskou
begon waarna ze naar Leningrad zou gaan en vervolgens op tournee door
Europa en de Verenigde Staten. Hij noemde nog enkele kunstenaars. Over
een half uur, wanneer de voorstellingen waren afgelopen, trof men elkaar.
Vanaf elf uur speelde Oetjosovs groep 'Tea-jazz', zonder Oetjosov zelf, hij
zong niet in restaurants.

Er waren veel meisjes met buitenlanders. Varja wist dat ze de nieuwste
kleren van hen kregen, dat ze met hen uit rijden gingen, met hen trouwden en
mee naar het buitenland gingen.

Varja interesseerde zich niet voor buitenlanders, maar dit restaurant, de
fontein en de muziek, de beroemdheden om haar heen—was dat niet waarnaar ze in haar kleurloze huurkamerbestaan streefde?

De gesteven tafelkleden en servetten, de schitterende kroonluchters, zilver,
kristal. ... METROPOL, SAVOY, NATIONAL, GRAND HOTEL... Hoewel geboren en getogen Moskouse kende ze die namen alleen van horen zeggen, nu
was haar tijd dan gekomen. Het nuchtere en opmerkzame meisje uit de Arbat
zag alles—hoe de mannen naar haar keken en de vrouwen alleen een vlucht-
ige blik op haar wierpen. Ze telde niet mee voor hen, omdat ze slecht gekleed
was. Maakte niet uit, ze zouden wel anders naar haar kijken wanneer ze
sjieker dan de anderen hier kwam. Hoe het haar zou lukken zulke kleren te
bemachtigen, wist Varja niet. Ze zou zich niet aan buitenlanders verkopen, ze
was geen prostituée. En niet iedereen hier was dat. Een tafeltje verder zat een
gezelschap met één fles voor iedereen, geen geld, ze waren gekomen om te
dansen, zij zou ook wel haar eigen vriendenkring vinden.

Ze bespraken wat voor wijn ze zouden bestellen. Vitali stelde een Chateau-
en-nog-wat voor, maar Vika vroeg om een 'Barzac', van zo'n wijn hoorde
Varja voor het eerst. Erik suggereerde een glaasje wodka met kaviaar. De
beleefde glimlach week niet van zijn gezicht, hij sprak keurig Russisch, zij het
met een licht accent, soms zocht hij gespannen naar een woord. Zijn vader
was een Zweed, eigenaar van een bekend telefoonbedrijf, hij installeerde
speciale communicatiesystemen in onze fabrieken, Erik was ingenieur en
vertegenwoordigde het bedrijf van zijn vader. Zijn moeder was in Rusland
geboren, in een van de Baltische landen, zij had Erik Russisch geleerd, zelfs
zijn vader kende Russisch—hun bedrijf had nog voor de revolutie de eerste
telefoons in Rusland geïnstalleerd. Varja glimlachte, zei dat een Scandinaviër
blond moest zijn met blauwe ogen. Nog even serieus legde Erik uit dat zijn
oma van moeders kant een Georgische prinses was die met een Oostzeeba-
ron, een generaal in het Russische leger, was getrouwd. Hij noemde zijn
achternaam, het leek wel een vraag uit een van de puzzels die Varja graag
oploste. In haar klas hadden nakomelingen van oude, aristocratische families

gezeten, jongens en meisjes van de Sitsev Vrazjok, Gagarin-, Starokonjoes-jenni- en andere zijstraten van de Arbat. Maar Eriks stamboom omvatte niet alleen eeuwen, maar ook hele landen, zijn stamboom was net zo grillig als de geschiedenis zelf die oude geslachten uiteenslaat en hun splinters over de wereld verspreidt.

'Draai je niet meteen om,' fluisterde Vika, zich over de tafel buigend, 'kijk strakjes. Achter ons, tweede tafeltje rechts, zitten twee lui, een Italiaan en een meisje…'

Beurtelings en quasi terloops keken ze naar het tafeltje. Daar zat een Italiaan in gezelschap van een lang, mager meisje met een Martiaans gezicht —enorme ogen en een heel erg blanke huid.

'Nina Sjeremeteva,' verklaarde Vika.

'Dé?' Erik trok zijn wenkbrauwen op.

Eriks belangstelling voor de gravin bemerkend antwoordde Vika:

'Ja, maar wel de arme tak.'

'Ze was getrouwd met een fotocorrespondent, daarna was ze met een acteur tot die terugging naar zijn vrouw, ik ben benieuwd hoe haar avontuurtje met de Italiaan afloopt,' vulde Vitali aan.

Vika had deze onthullingen uitgelokt. Nu alles was gezegd, vond ze het nodig blijk te geven van haar fijngevoeligheid.

'Enfin, je weet dat er over een knappe vrouw altijd wordt geroddeld.'

Het licht werd getemperd, de fontein werd door schijnwerpers verlicht en het orkest begon te spelen. Een nogal kleine jongeman keek naar Varja, hij had een cherubijnegezicht met een regelmatige, enigszins gerekte ovaalvorm, een hoog voorhoofd, keurig zittend kastanjebruin haar, een rechte, nogal korte neus en goedmoedig lachende blauwe ogen. Zijn pak, overhemd, das en schoenen—alles was onberispelijk, vlekkeloos, zelfs té, geen plooitje, geen pluisje, een jongen als op een paasplaatje. Varja besloot dat hij acteur was. Zo knap en elegant kon alleen een acteur zijn. Hij danste simpel, zonder stijlfiguren en fratsen—dat was ook de laatste mode. Vitali danste ouderwets en Varja geneerde zich voor zo'n oude danspartner. De cherubijn lachte haar toe, niet brutaal, maar kameraadschappelijk, prettig dat we hier dansen in METROPOL, hij was duidelijk een jongen van hier, helemaal geen buitenlander, een beetje een dandy en een vaste gast in de restaurants.

De muziek verstomde, iedereen ging naar zijn plaats. De cherubijn liep vlak langs Varja, glimlachte haar weer toe, bracht zijn dame naar haar plaats, bedankte en keerde terug naar zijn tafeltje aan dezelfde kant als waar Varja zat, alleen dichter bij de fontein. Het was niet helemaal duidelijk met hoeveel mensen en met wie precies hij aan tafel zat, er kwamen steeds jonge mensen aanlopen, schoven aan, sommigen bleven, anderen gingen weg, er kwamen nieuwe bij. De cherubijn en het enige meisje aan die tafel, een knap dikkerdje met sproeten, zo een naar wie je met plezier kijkt, sloegen niet een dans over, het dikkerdje danste met iemand uit hun gezelschap, de cherubijn vroeg verschillende meisjes ten dans. En toen het orkest een rumba begon te spelen, stond hij ineens bij Varja's tafeltje, groette in het algemeen en vroeg Vitali toestemming om diens dame uit te nodigen. Varja dacht dat dit een gebruikelijke formaliteit in restaurants was—ze had immers zelf het recht te beslissen met wie ze wilde dansen. Ze stond op en liep voor de cherubijn uit naar de dansvloer.

De rumba danste hij op dezelfde manier als de foxtrot, quick-slow, quick-slow. Varja danste zelfs met slechte partners uitstekend en met zo iemand…

'Maar ik ken u,' zei hij met een glimlach. Hij had heel witte tanden, maar toen hij glimlachte, zag ze dat er een scheef stond.

Een *intrige* als manier om kennis te maken: je stelt gerichte vragen en krijgt de gewenste antwoorden. Wat primitief! Varja trok een beetje een gezicht van: kent u me, nou geweldig hoor.

'Uw vriendin heet Vika.'

Varja antwoordde met dezelfde grimas: waarom zou hij Vika niet kennen? Hier kende iedereen haar waarschijnlijk.

'U woont op de Arbat,' vervolgde hij glimlachend en weer ontblootte hij de scheve tand, waardoor zijn glimlach nog liever werd. Hij had ook een mooie stem.

'Als u weet dat Vika op de Arbat woont, is dat niet moeilijk te raden.'

'En uw andere vriendin heet Zoja.'

De cherubijn glimlachte triomfantelijk, ze speelden een spelletje en nu had hij gewonnen.

Varja duwde hem van zich af en keek hem in het gezicht. Dus het was geen intrige, geen spelletje. Waar had hij haar dan met Zoja gezien?

'Hoe kent u haar?'

Zijn raadselachtige glimlach betekende dat hij heel wat wist, maar het niet zo zou zeggen, nu was het haar beurt om openhartig te zijn.

'Ik heet Ljova en u?'

'Varja.'

'Mag ik de volgende dans van u?'

'Graag.'

Ze kwam tegelijk met Vika en Erik bij het tafeltje terug. Vitali was blijven zitten, hij had niet gedanst.

'Varja, kom even mee,' riep Vika haar toe.

De vrouwen stiftten hun lippen, poederden en kamden zich—het toilet leek wel een filiaal van een kapperszaak. Een vrouw was een knoop aan haar ceintuur aan het naaien. Het naaigerei was van de toiletjuffrouw, die papier gaf en voor wie ze kleingeld neerlegden.

'Zeg, hoe zit dat?' vroeg Vika. 'Je bent met ons gekomen en nu dans je met iedereen. Dat kun je toch niet doen?'

'Maar Vitali vond het goed.'

'Hij vond het goed dat jij *gevraagd* werd, maar jij had moeten weigeren. In wat voor positie breng je me, wat moet Erik wel niet denken? Iedereen komt naar ons tafeltje, wanneer ze een meisje hebben gezien dat niemand weigert.'

'En als ik nu niet met Vitali wil dansen?'

'Kom dan met iemand met wie je wel wilt dansen. Maar als je eenmaal met ons bent, moet je met Vitali en Erik, dat zijn per slot van rekening onze gemeenschappelijke kennissen. Maar met Jan en alleman dansen?!'

'Tussen twee haakjes, hij is niet Jan en alleman, hij kent onder andere jou.'

'Ja, hij kent me. Van naam. En ik hem. Ljovotsjka! Iedereen hier kent hem,' ze trok verachtelijk een scheve mond, 'hij is tekenaar op een constructiebureau.'

Dus daar kende hij Zoja van. Zoja werkte ook op zo'n bureau. Daar had hij haar ook gezien, ze was er wel eens geweest. Hij herinnerde zich haar en zij had gedacht dat hij een acteur was. Maar wat dan nog, des te beter dat hij tekenaar was, dat wilde ze zelf ook worden.

'Hij loopt alle danslokalen af,' ging Vika verder, 'is niet weg te slaan van een biljartspeler, eet en drinkt op zijn kosten. Als hij je bevalt, kun je de volgende keer met hem komen en met hem en zijn vrienden dansen, maar wees vandaag zo goed mij niet in een idiote positie te brengen.'

Ze gingen terug naar de zaal, Erik en Vitali stonden op, schoven hun stoelen een stukje achteruit en hielpen hen op hun plaats.

Ljova zat aan zijn eigen tafeltje, niet als daarstraks met zijn rug naar Varja, maar met het gezicht naar haar toe en toen de muziek begon te spelen keek hij vragend naar haar. Nauwelijks merkbaar schudde Varja haar hoofd. Ljova ging naar een ander tafeltje. Vika liep met Erik naar de dansvloer. Varja zei tegen Vitali dat ze geen zin had om te dansen.

De avond was bedorven. Vitali mokte tegen Vika: nu had hij toch netjes Erik *georganiseerd* en wat kreeg hij zelf aangesmeerd? Hij maakte vage toespelingen op egoïsten die voor hun eigen doeleinden misbruik maakten van fatsoenlijke mensen. Vika deed alsof ze zijn toespelingen niet begreep en Varja kon de hele Vitali geen bal schelen.

Ze kwamen om ongeveer drie uur 's nachts het restaurant uit. Vitali stelde voor naar hem te gaan om platen te draaien. Vika verklaarde dat ze moe was en dat het laat was.

'Wat zeg jij?' vroeg ze Varja.

'Ik had allang thuis moeten zijn.'

Erik zei dat hij hun chauffeur was en klaar stond om elke opdracht uit te voeren, Vitali stapte niet in. Hij woonde vlakbij, in de Gorkistraat, en kon best lopen. Hartelijk dank voor de gezellige avond.

Vika wuifde spottend naar hem.

Over het geheel genomen was Vika tevreden over Varja.

Op zo'n meisje kon je rekenen, ze was niet goedkoop, geen leeghoofd, netjes en knap, Vika zou in het effect van haar onschuld delen, zo'n metgezellin kon ze precies gebruiken. Ook uiterlijk vormden ze een klassiek stel: een blondine en brunette, even lang, beiden mooi, je hoefde haar alleen maar te kleden, kappen en goede manieren leren.

Met Erik had ze morgen in NATIONAL afgesproken.

Ze zou met Varja komen en met nog een vriend, een bekende architect die onlangs bij een prijsvraag de eerste prijs had gewonnen. Erik verheugde zich, hij kende die naam.

Was Vika van plan met een buitenlander te trouwen en met hem te emigreren, zoals de andere meisjes in METROPOL probeerden? Ze had nog geen besluit genomen. Ze was ermee opgegroeid dít allemaal niet te accepteren. Als kind had ze de proleet onuitstaanbaar gevonden, hij die naast hen in hún kamer was gehuisvest, die zijn orde in gang en keuken liet gelden, de vieze arbeider die tegen de ochtend van zijn nachtdienst kwam, de badkamer in een vuile kliederboel veranderde en in haar vader, de eigenaar van de woning, een contrarevolutionnair zag met wie nog niet was afgerekend. En haar vader, professor van wereldfaam, was gedwongen als honorarium meel, jam, plakkerige Montpensiers aan te nemen—iets dat ze zelfs verborgen hielden voor de buren om niet voor bourgeois door te gaan. Die onvergetelijke kindertijd…

Nu was alles anders. Ze hadden de woning teruggekregen, vaders inkomen was fabelachtig hoog, de rantsoenen van de hoogste categorie, er kwamen beroemde mensen over de vloer, ze had alles, mooie kleren, cosmetica. En ze had het hier als een van de bekendste schoonheden van Moskou niet slecht.

Maar hoe moest het verder? Een professor? Kunstenaar van nationale faam? Een belangrijk directeur? Echtscheidingen, alimentaties… Jonge mensen begonnen bij nul, met een salaris van vierhonderd roebel, niet haar stijl om een klaploper mee naar huis te nemen. Het was waar, er was een nieuwe elite in opkomst—piloten, vliegtuigconstructeurs, de regering vertroetelde hen, ze kregen schitterende woningen, rantsoenen, bonussen, een aantal zelfs in bonnen voor de Handelssyndicaten. Vodopjanov, Kamanin, Doronin, Ljapidevski, Levanevski, Molokov, Slepnjev—waren de bekendste namen in Moskou. Maar waar waren die piloten? Waarschijnlijk al getrouwd. Waar waren die mysterieuze vliegtuigconstructeurs?

Er stond nog niets vast. In elk geval geen Japanner, zelfs geen Amerikaan —te ver, geen Duitser-gifspuiter—daar was het te onrustig. Een Engelsman van goede huize, een rijke Fransman, zelfs een lichtzinnige Italiaan, dat betekende Parijs, Rome… Een Zweed was ook goed, een nazaat van de luciferkoning, een Hollander, nakomeling van een oliebaron. Ze waren alleen op papier Zweed en Hollander, maar woonden in Londen en Parijs. De vrouw van Erik worden—de meisjes zouden sterven van jaloezie, voor hen was een Turkse sjaslikverkoper al een prins.

In elk geval kon je alleen met buitenlanders de restaurants binnenkomen—zij werden bediend, voor hen was niets teveel, voor valuta was alles te koop, dan voelde je je pas een mens. Morgenmiddag zou ze naar NATIONAL gaan. Ze wist niet of ze daarna met Erik naar boven zou gaan, ze zou Varja's aanwezigheid als excuus kunnen aanvoeren. Door haar kuisheid te bewaren, zou ze haar deugd demonstreren.

En daar zaten Vika en Varja in restaurant NATIONAL aan een klein tafeltje, samen met Erik en de bekende architect Igor Vladimirovitsj, een magere man van ongeveer vijfendertig met een nerveus gezicht en een zachte stem. Varja had op de radio over hem gehoord. Vika noemde hem gewoon Igor.

Een langwerpige zaal met tafeltjes voor vier personen, de dienstertjes brachten thee rond. Op de theehouders stonden de monogrammen van het restaurant en ook op de suikerpotten en biskwieschaaltjes. Gebakjes, wijn. Alles even netjes, rustig en stijlvol.

Varja ontdekte een paar mensen die gisteren in METROPOL waren. Noemi met de Japanner, Nina Sjeremeteva met de Italiaan en het dikkerdje met de sproeten, maar zonder Ljova. De vrouwen waren niet in het lang, maar droegen gewone jurken en velen een mantelpakje. Noemi had een kardinaalrood pakje aan met een suède ceintuur en een zilveren gesp, de schouderstukken van haar vestje leken op epauletten.

Ze praatten over muziek en ballet. Erik sprak over Stravinski, Djagilev, Pavlova en noemde Russische musici en zangers die in het buitenland woonden.

Varja hield van muziek, ze ging vaak met haar vriendinnen naar de uitvoeringen in het conservatorium, maar toen Igor Vladimirovitsj vroeg van wat voor muziek zij hield, antwoordde ze:

'Van harde.'

Igor Vladimirovitsj en Erik barstten in lachen uit. Vika begon ook te lachen omdat zij lachten.

Het orkestje zette in: een violist, cello, piano, trompet en slagwerk. Ze dansten op de kleine dansvloer voor het orkest.

Igor Vladimirovitsj danste niet zo professioneel als Ljova, maar wel goed, er werd naar hen gekeken—hij was bekend, men kende hem van gezicht. Het dikkerdje glimlachte Varja toe, liet merken dat ze haar had herkend, dat ze in hun gezelschap was opgemerkt.

'U danst heerlijk,' zei Igor Vladimirovitsj, 'met u gaat het makkelijk.'

'Met u ook.'

Igor Vladimirovitsj ging met Varja om zoals een welgemanierd heer op leeftijd met een jong meisje omgaat. Maar Varja merkte dat hij haar aardig vond.

Vika danste met Erik, hij had haar uitgenodigd om later in zijn hotelkamer te komen, weigeren was onverstandig: ze zagen elkaar al voor de vierde keer, langer rekken kon niet.

Noemi's kardinaalrode pakje speelde een hoofdrol in dit besluit.

Zo'n pakje! En Vika had behalve haar avondjurk met kraaltjes niets origineels. Ze nam het model over van de kleren die de diplomatenvrouwen uit het buitenland meebrachten en liet het door Moskouse naaisters maken. En wat konden die eigenlijk?

Ze moest een besluit nemen. Niet vannacht, maar nu, nu ze deze gevoelens had. Hun gesprek was een goed begin, naast affectie verlangde ze ook naar een intelligente man. En overdag een hotelkamer binnengaan was niet verboden.

Maar wat moest ze met Varja doen? Haar meenemen naar de kamer en daarna wegsturen was gênant, omdat duidelijk was waarom zij bleef. Haar naar huis brengen en alleen teruggaan was nog erger. Ze stelde voor om van partners te ruilen en toen ze met Igor danste, vroeg ze hem Varja naar huis te brengen.

'Ik moet naar de naaister. Varja is een geweldig meisje, maar wanneer er een naaister in het geding is, gaat die voor, ook al is het je beste vriendin.'

Ze verlieten NATIONAL. Igor Vladimirovitsj stelde voor:

'Laten we wat door het Aleksandrpark wandelen, als u tijd heeft.'

Om de een of andere reden was de ingang naar de tuin versperd door een bankje, ook al was het nog niet laat.

'We zullen deze hindernis overwinnen.'

Igor Vladimirovitsj schoof het bankje opzij en ze liepen langs het ijzeren hek voorbij de hoge linden en de gesnoeide hagen over paden die vochtig waren van de regen. De avond was zwoel, het was nog niet donker, op de kantelen van de Kremlinmuur schitterden de stralen van de ondergaande zon.

'Vroeger stroomde de Neglinka hier,' zei Igor Vladimirovitsj, 'toen hebben ze de vijvers aangelegd en daarna de tuinen. Ze zijn ontworpen door Bovet, een groot bouwmeester.'

'Inderdaad,' antwoordde Varja spottend.

Hij herinnerde zich haar antwoord op zijn vraag over muziek en zweeg.

'Hij heeft de Manege gebouwd,' vervolgde Varja, 'het Maly Theater, het Bolsjoj Theater na de brand en de gevel van het Staatswarenhuis... Wat nog meer? De Triomfboog. Het Eerste Stadsziekenhuis en het huis van de vorsten Gagarin op de Novinboulevard.'

'Hoe weet u dat zo goed?'

'Ik heb op school technisch tekenen gedaan. We moesten het leren.'
Hij zei:

'Uw ogen zijn heel bijzonder gevormd, ze staan schuin naar de slapen toe.'

'Ik heb Tataars bloed.'

'Nee,' bracht hij er tegen in. 'U heeft geen Mongools gevormde ogen, zulke ogen als u heeft kom je alleen tegen op Perzische miniaturen.'

'En Tataarse miniaturen bestaan niet,' zei Varja.

Ze moesten allebei lachen.

Daarna zei hij:

'Ik vind het jammer dat u van harde muziek houdt, ik houd van zachte.'

'Ik houd van goede muziek,' antwoordde Varja.

In de verte verscheen de figuur van een parkwachter.

'Zou hij ons wegsturen?' vroeg Varja.

'We leggen het uit,' antwoordde hij moedig.

'Laten we er liever vandoor gaan.'

Springend over de plassen renden ze naar de uitgang. Achter hen klonk een fluitje. Maar ze hadden het bankje al opzij geschoven en waren het park al uit.

'Gered,' verklaarde Igor Vladimirovitsj.

Zij sprong ineens op één been, leunde tegen de omheining en deed een schoen uit.

'Nat geworden?' Hij boog zich naar haar toe.

'Erger. Een ladder in mijn kous.'

Hij stond naast haar, wist niet wat hij moest doen, verdrietig door haar verdriet. Zij was uit haar humeur: het was haar enige paar fatsoenlijke kousen.

Hij pakte haar schoentje op, haalde zijn zakdoek tevoorschijn en wreef de schoen van binnen en van buiten droog. Zij leunde tegen het hek van de tuin.

'Wat is uw maat?'

'Vijfendertig.' Varja trok de schoen aan. 'Alles in orde, we kunnen gaan.'
Ze liepen naar de halte.

'Mag ik u opbellen?' vroeg hij, toen Varja op de tramtree stapte.

'Natuurlijk.'

6   Op negenentwintig juni was de opening van het plenum van het cc en de dertigste kwam uit Duitsland het nieuws over de moord op Röhm, de commandant van de sa, en vele andere leiders van de sa. Deze actie, die de geschiedenis inging als 'De nacht der lange messen',

werd door Hitler persoonlijk geleid.

Op een juli publiceerden de 'Pravda' en andere kranten al artikelen, onder andere van Zinovjev en Radek, waarin deze gebeurtenis werd afgedaan als een stuiptrekking van het fascistische regime, die zijn onafwendbare ondergang aankondigde.

Stalin sprak deze uitleg niet tegen: de zwakte van andermans gezag onderstreept altijd de kracht van het eigen gezag. Al wist hij zelf heel goed dat een scheuring een politieke beweging niet verzwakt, maar haar sociale basis verbreedt, doordat deze *verschillende* aanhangers aantrekt en de oorspronkelijke stroming in haar strijd met de scheurmakers sterker maakt. het christendom was hier het duidelijkste voorbeeld van.

Lenin vreesde geen scheuring vóór de machtsovername, maar een scheuring binnen de regeringspartij. Dit was de reden van zijn zogenaamde testament. Lenin beschouwde het staatsgezag als een factor die die mensen verenigde die er belang bij hadden dit te behouden en te verstevigen, maar in feite zaait het verdeeldheid, ieder streeft immers naar de macht. Gezag wordt pas een consoliderende factor wanneer het geconcentreerd is in handen van iemand wie niemand dit niet alleen niet kán ontnemen, maar onder wie niemand daaraan zelfs maar durft te denken.

Daarom moest het volk worden ingeprent dat het gezag onwankelbaar was en moest ieder die in staat was een aanslag op het gezag te doen worden vernietigd.

Lenin had zijn partij naar de revolutie geleid, hij had deze partij geschapen en niemand deed een aanslag op zijn leiderschap. Nu was de situatie een andere. HIJ moest zijn macht vestigen terwijl er veel pretendenten waren die ervan overtuigd waren dat ze meer recht hadden Lenin op te volgen dan HIJ. Zelfs ten val gebracht verloren ze de hoop niet... Zinovjev bijvoorbeeld... Begreep hij dan niet dat de moord op Röhm Hitler niet verzwakte, maar versterkte. Hij was geen nieuweling in de politiek. En die doortrapte Radek begreep het ook. Maar zij wilden de partijmassa's het idee aanpraten dat elke scheuring het gezag verzwakte, dat de fysieke vernietiging van tegenstanders zogenaamd alleen eigen was aan het fascisme en dat de bolsjewieken er daarentegen steeds naar streefden hun gelederen en krachten te bundelen. Waren zij een politieke kracht? Ze hadden zich al lang uit de politiek moeten terugtrekken. Maar nee, ze schreven, hielden toespraken, herinnerden aan hun bestaan, wilden gezien worden, aan de oppervlakte blijven, ze spartelden, wachtten hun tijd af, probeerden hem bang te maken met een oorlog. Sterker nog, ze lokten een oorlog uit. Hoe moest je het voornemen van de redactie van 'De Bolsjewiek' om Engels' artikel 'De buitenlandse politiek van het Russische tsarisme' te publiceren anders taxeren? Waarom nu ineens? Veertig jaar nadat het was geschreven? Het is precies twintig jaar na het begin van de wereldoorlog, ziet u, daarom. Een primitief foefje van Zinovjev, red-actielid van 'De Bolsjewiek', waardoor die sufferd van een hoofdredacteur, Knorin, zich echter had laten beetnemen...

In zijn artikel beweerde Engels dat Rusland in tijden van militaire suprema-tie door talentvolle buitenlandse avonturiers werd bestuurd, met name door Duitsers: Katharina de Tweede, Nesselrode, Lieven, Hirsch, Benckendorff, Dubelt en anderen. Waarom moest dat juist nu worden benadrukt. Waarom moesten ze Hitlers propaganda, die de Duitsers zo ophemelde, een dergelij-ke troef in handen geven? Waarom moesten ze de rol van het niet-Russische element in de leiding van Rusland eigenlijk naar voren halen? Was dat geen toespeling op hém, op zijn Georgische afkomst? Zinovjev en Knorin waren evenmin Russen. Maar wie dacht er nu aan hen? Wie kon hen gebruiken? Op zo'n parallel zou niemand komen. Men zou aan kameraad Stalin denken en dat was ook de bedoeling. En die hele stelling over het niet-Russische ele-ment speelde de pure Rus Kirov in de kaart, hij kreeg deze buit in de schoot geworpen, op hem gokten ze nu, zoals ze destijds op kameraad Stalin hadden gegokt toen Trotski moest worden uitgeschakeld.

Maar dit keer gingen ze verder, veel verder. Want ze hadden niet alleen de these over het niet-Russische element in Ruslands leiding ontdekt, maar Engels noemde Rusland daar bovendien 'het bolwerk van de Europese reac-tie' en beschuldigde het van expansiedrang, hij stelde een toekomstige oorlog tegen Rusland bijna als een bevrijdingsoorlog voor. Zo schreef hij: 'Een overwinning van Duitsland is derhalve een overwinning van de revolutie... Als Rusland een oorlog begint, dan voorwaarts, op tegen de Russen en hun bondgenoten, wie dat ook mogen zijn!' En geen woord over de tegenstellin-gen tussen Engeland en Duitsland, terwijl deze juist de hoofdoorzaak van de wereldoorlog waren geweest. Blijkbaar had Engels niet alles kunnen voor-zien.

Zo werd de belangrijkste gedachte achter de publicatie van het artikel de wens Hitler te laten zien dat er in de USSR politieke krachten waren die op een oorlog wachtten, die al hun hoop op een oorlog vestigden om de huidige leiding omver te kunnen werpen. En daarom waren zíj bereid met Hitler te onderhandelen, hem iets toe te geven, hem de illusie van een overwinning in de buitenlandse politiek te geven, die hij nodig had ter rechtvaardiging van het idee van de revanche, want dit was Hitlers kracht, hiermee verenigde hij de natie.

Maar het Sovjetvolk kon geen oorlog gebruiken, de Sovjetunie was er nog niet klaar voor; de industrialisatie van het land was nog niet voltooid. Zíj en niemand anders, zíj konden een oorlog gebruiken, want andere middelen om HEM omver te werpen hadden ze niet, andere middelen om de macht te grijpen zagen ze niet. In woorden waren Zinovjev en Radek onverzoenlijke

tegenstanders van Hitler, maar met hun poging om Engels' artikel te publiceren bewezen ze Hitler een dienst, wakkerden ze zijn ambities aan, deden hem
een ideetje aan de hand om het met het Westen op een akkoordje te gooien,
bereidden ze achter ZIJN rug en ten koste van HEM een transactie voor.

Stalin pakte een vel papier, doopte zijn pen in de inktpot en schreef in zijn
kleine, maar duidelijke handschrift een brief over Engels' artikel aan de leden van het Politbureau. Alleen betreffende de kern van het artikel. Zijn
persoonlijke gevoelens ten aanzien van Zinovjev, Radek en Kirov zette hij
niet uiteen. Hun namen noemde hij niet. Stalin besloot zijn brief als volgt:

'Verdient het artikel van Engels—na bovenstaande—publicatie in ons
strijdorgaan «De Bolsjewiek», als hoofdartikel of in elk geval als een uiterst
leerzaam artikel? Het is immers duidelijk dat wij het in dat geval stilzwijgend
als zodanig aanbevelen.

Ik denk van niet. J. Stalin.'

Daarna liep hij de werkkamer door en opende de deur naar de ontvangkamer die tegelijkertijd Poskrebysjevs kamer was. Stalin gebruikte zelden de
bel; als hij Poskrebysjev nodig had, deed hij de deur open en vroeg hem
binnen te komen of liet hem de persoon halen die hij nodig had. Poskrebysjev
zat altijd op zijn plaats; als hij er even niet was, zat Dvinski op zijn stoel achter
het bureau.

Poskrebysjev was er. Stalin liep naar de statistieken aan de wand. Elke dag
waren er nieuwe gegevens: in het voorjaar over het zaaien, in de zomer over
de oogst, in de herfst over de leveranties. Zoals gewoonlijk las hij deze aandachtig en zoals gewoonlijk gaf hij geen commentaar. Teruglopend naar zijn
werkkamer, zei hij tegen Poskrebysjev:

'Komt u.'

Poskrebysjev liep achter Stalin aan de werkkamer binnen, sloot voorzichtig
de deur achter zich (Stalin hield er niet van als de deur open bleef maar wilde
ook niet dat ermee werd geslagen), bleef enkele passen van het bureau staan,
zodat hij niet direct naast Stalin stond (daar hield Stalin ook niet van), maar
dichtbij genoeg om zijn zachte stem te verstaan en niet om herhaling te hoeven vragen (Stalin hield er niet van iets te herhalen).

'Neem deze brief mee,' zei Stalin.

Poskrebysjev kwam dichterbij, nam de toegestoken velletjes papier aan.

'Stel de leden van het Politbureau in kennis van deze brief en stuur tegelijk
het volgende voorstel rond aan de leden van het Politbureau: "Kameraad
Knorin wordt uit zijn functie als hoofdredacteur van het tijdschrift «De Bolsjewiek» ontheven. In de functie van hoofdredacteur wordt kameraad Stetski
benoemd. Zinovjev wordt uit de redactie van «De Bolsjewiek» verwijderd,
kameraad Tal komt in zijn plaats."'

Poskrebysjev had aan een half woord van kameraad Stalin genoeg om te begrijpen wat hij wilde. In dit geval wilde kameraad Stalin: *a* dat de brief in één exemplaar rondging en na lezing door de leden van het Politbureau in zijn privésafe werd bewaard; *b* de brief verklaarde de leden van het Politbureau waarom de redactie van «De Bolsjewiek» werd gewijzigd; *c* er zou geen officiële verklaring over de wijzigingen worden afgelegd.

'Tot uw orders!', antwoordde Poskrebysjev.

Maar hij ging niet weg. Hij bezat nog een eigenschap: aan Stalins gezicht zag hij precies of hij al moest gaan of nog niet.

Stalin pakte een donkerrode, marokijnleren map van zijn tafel en gaf die aan Poskrebysjev.

'Neem de post mee.'

Nu wist Poskrebysjev dat het zover was, hij stapte achteruit, draaide zich om en liep de kamer uit, opnieuw de deur goed maar behoedzaam achter zich dichttrekkend.

Aan zijn bureau gezeten keek Poskrebysjev de post door die Stalin hem in de marokijnleren map had teruggegeven. Kameraad Stalin kreeg altijd alleen de belangrijkste post. Ook het vermogen het belangrijke van het onbelangrijke te scheiden, het nodige van het overbodige was een deugd van Poskrebysjev. Omdat hij natuurlijk fysiek onmogelijk alle aan Stalin geadresseerde post kon doornemen, was een aantal mensen van het secretariaat speciaal daarmee belast, ze sorteerden de post en gaven wat zij wezenlijk achtten door aan Poskrebysjev. Hieruit selecteerde deze dan wat hij aan Stalin meende te moeten overleggen. De mensen van het secretariaat verstonden hun taak, zij wisten wat er moest gebeuren, wisten dat brieven die betrekking hadden op leden van het CC en in het bijzonder van het Politbureau absoluut moesten worden doorgegeven. Elke morgen legde Poskrebysjev de rode, marokijnleren map met de post op kameraad Stalins bureau en nam deze weer mee wanneer Stalin hem teruggaf, zoals vandaag.

Zoals gebruikelijk verdeelde Poskrebysjev de teruggegeven post in twee stapels: brieven waaraan kameraad Stalins pen te pas was gekomen en brieven waarbij dat niet zo was. De eerste gaf hij dadelijk door aan het secretariaat ter registratie en verdere afhandeling, overeenkomstig Stalins geschreven instructies. De andere, de brieven zonder instructie, werden niet geregistreerd en in de safe bewaard tot kameraad Stalin ernaar vroeg.

Maar er was nog een categorie brieven, de brieven die Stalin niet direct teruggaf, soms zelfs *helemaal* niet teruggaf, die hij zelf bewaarde, of, wat ook gebeurde, vernietigde. Dit waren brieven van uitzonderlijk gewicht.

Wanneer hij 's ochtends de post op kameraad Stalins bureau neerlegde, telde Poskrebysjev de brieven en noteerde dat. En als hij de post van Stalin terugkreeg, telde hij ze opnieuw en zo wist hij hoeveel brieven Stalin bij zich hield. Hij wist ook precies welke. Hij had een taai ambtenaarsgeheugen: als hij 's ochtends de post op Stalins bureau legde, herinnerde hij zich in grote lijnen de inhoud.

Dit keer was alles op zijn plaats, alleen het dichtgeplakte pakket met het rapport van Jagoda ontbrak. Maar die pakketten hield Stalin altijd bij zich.

7 Mark Aleksandrovitsj kwam op negenentwintig juni 's ochtends, vlak voor de opening van het plenum van het CC, aan in Moskou en vertrok op één juli 's avonds, direct nadat de vergadering was afgelopen. Hij had haast. De walsbaan zou in bedrijf worden genomen en daarmee zou de produktiecyclus van de fabriek compleet zijn. Het levenswerk van Mark Aleksandrovitsj, de bouw van de machtigste metaalgigant ter wereld, werd nu voltooid.

Mark Aleksandrovitsj wilde niet van de vergadering wegblijven. De te bespreken kwesties, de graan- en vleesleveranties en de verbetering en ontwikkeling van de veeteelt, vormden een belangrijk onderdeel van de partijpolitiek en als een van de leidende economen moest hij van alle aspecten op de hoogte zijn. Hij was niet eens bij het Volkscommissariaat langsgeweest: het belangrijkste, de inbedrijfstelling van de walsbaan, werd niet meer hier in Moskou beslist, maar daar, op de fabriek zelf.

Er was maar één ding dat Mark Aleksandrovitsj moest doen, dat niets met de vergadering te maken had: Sonja opzoeken. Sasja was veroordeeld, verbannen, en hij kon hem nergens mee helpen. De gesprekken die hij voor de uitspraak had gevoerd hadden niets uitgehaald en nu kon hij helemaal niets meer doen: tegen een vonnis van de Buitengewone Vergadering was geen beroep mogelijk. Dat hij, Rjazanov, kandidaat-lid van het CC, zich voor Sasja inzette, was ongetwijfeld aan de top gerapporteerd en toch was Sasja veroordeeld; dat betekende dat hij ergens bij betrokken was. Maar dat was geen ramp: Sasja was jong, drie jaar was gauw om, hij had zijn hele leven nog voor zich.

En toch deprimeerde de gedachte aan Sasja Mark Aleksandrovitsj. In zijn leven waren complicaties voorgekomen, maar nooit van deze kant, politiek gezien was alles altijd in orde geweest, onberispelijk, duidelijk, hij noch iemand van zijn familie had ooit tot een fractie behoord of er dissidente meningen op nagehouden. Hij was opgegroeid in een gezin dat buiten de politiek stond, alleen hij, Mark, was lid van de partij geworden. Zijn zusters niet, hun mannen evenmin. Sasja had hij als partijlid gezien, als communist. En wat was het resultaat! Een neef van hém, Rjazanov, was veroordeeld op grond van artikel achtenvijftig: contrarevolutionaire agitatie en propaganda. Mark Aleksandrovitsj voelde zich schuldig tegenover de partij. Hij had onvoldoende opgelet, iets over het hoofd gezien, Sasja maar laten begaan. Hem trof blaam. Als dit direct na de revolutie was gebeurd, was het begrijpelijk geweest: de revolutie had in heel wat families een wig gedreven. In de jaren twintig was het ook te verklaren geweest: dat waren jaren van veranderingen in de partijleiding, van verschillende deviaties, van oppositie; een deel van de jeugd, met name de studenten, had zich door Trotski's demagogie laten meeslepen. Maar in 1934, nu het voor altijd gedaan was met dissidenten en oppositionelen, nu de nieuwe partijleiding zich had geconsolideerd, de algemene partijlijn stabiel was geworden, nu partij en volk ongekend eensgezind en eendrachtig waren, was Sasja's geval ongerijmd, een schande, een blamage, ook voor hem.

Waaraan had het Sasja ontbroken? Hij had alles: Moskou, een huis, het instituut, een schitterende toekomst. Het conflict met de leraar boekhouden, de muurkrant, daarvoor kon hij toch niet zijn veroordeeld. Er was dus nog iets anders, hij had dus iets achtergehouden. Had hij zich door iemand laten beïnvloeden? Maar hij was toch geen kleine jongen meer, hij was tweeentwintig, een volwassen man, hij moest toch dénken, niet alleen aan zichzelf, maar ook aan zijn moeder. En hij mocht ook wel aan zijn oom denken die de plaats van zijn vader innam: wat voor gevolgen dit voor hem zou hebben, voor zijn positie, voor zijn reputatie in de partij en het land. Maar nee! Daar had hij geen rekening mee gehouden. Waarom niet? Hij wist alles beter. 'Een beetje meer bescheiden zou goed zijn,' dat had die snotaap van Stalin durven zeggen, hij had het lef gehad voor te schrijven hoe Stalin moest zijn. Op Mark Aleksandrovitsj' fabriek werkten elfduizend jongens en meisjes van de Komsomol, díe werkten pas. Zestien uur per dag toen ze de tweede hoogoven bouwden, zonder vrije dagen, 's winters bij strenge vorst en een ijzige wind. Een keer was hij teruggekomen uit Moskou (Ordzjonokidze had hem een paar dagen nodig) en rapporteerden ze hem dat het zand, puin en cement in de wagons bevroren, terwijl beton juist warm moet zijn. En die jongens en meisjes die zo van het platteland kwamen hadden er het volgende op gevonden: ze hadden de locomotieven opgesteld, de pijpen verlengd en er vierentwintig uur per dag stoom en heet water door geleid, zo werkten zij, ze hadden de tweede hoogoven ter ere van hen de Komsomolhoogoven genoemd! Hun eten kookten ze direct op het vuur. De paarden bleven in de modder steken, de kruiwagens stortten van de planken, hun belangrijkste werktuig was de schop, hun belangrijkste transportmiddel de paardekar, bouwputten, bouwputten, hopen aarde, overal stof, tot aan de hemel, herrie, geratel, uit die chaos verrees de grootste fabriek van deze tijd. En deze jonge mensen, met hun jeugdig vuur, ontzagen zich niet, weidden niet uit over hun eigen problemen. Ze woonden niet in een comfortabel huis aan de Arbat, maar in tenten, kuilen, barakken, een heel gezin op één brits, op één strozak. Niets ontbrak, er waren luizen, vlooien, kakkerlakken, er was tyfus... Er waren te weinig onderwijzers, de kinderen kregen les in dezelfde barakken als waar ze sliepen, films werden buiten vertoond, in schuren waren winkels ingericht, en wat was er in die winkels—niets dan lege planken. De stootarbeiders werden beloond met een bon voor een broek, een rok, overschoenen, of gewoon met een doosje ijsbonbons. En ze waren trots op zo'n beloning. Ze begrepen dat ze het bolwerk van de socialistische industrie bouwden, dat ze eeuwen achterstand van hun land inhaalden, zijn weerbaarheid, economische onafhankelijkheid vergrootten, de nieuwe socialistische maatschappij schiepen.

Die jongens en meisjes begrépen dat. Zij verweten kameraad Stalin niets. Stalin was het symbool van hun leven, van hun werk dat zijn weerga niet had. Zij, die jongens en meisjes, zij maakten de geschiedenis, en niet zijn neef Sasja die was afgezakt tot gevangene en balling in Siberië.

Mark Aleksandrovitsj naderde het vertrouwde huis van zijn zuster.

De voorgevel was bekleed met witte geglazuurde tegels, boven de ingang van de bioscoop ARS ARBAT rukte de wind aan de bonte aanplakbiljetten, de dicht opeenstaande woonblokken vormden een diepe smalle binnenplaats. Daar had Sasja vaak gespeeld, dan was hij hem met uitgestrekte armen tegemoetgerend en samen met hem naar binnen en naar boven gegaan terwijl hij blij riep: 'Oom Mark is gekomen, hoera!'

Ja, het leven heeft zijn schaduwzijden, tegenslagen vergezellen onze weg, nu was het ongeluk over Sonja gekomen, de zachtste en meest weerloze van zijn zusters. Haar man was weg, haar zoon verbannen. Hij had met zijn zuster te doen, maar was niet bij machte geweest te helpen toen Pavel Nikolajevitsj wegging en ook nu stond hij machteloos. Hij kon haar alleen zijn liefde en medeleven schenken en materieel helpen. Ze moest standvastig zijn, moedig. Ongeluk duurt niet eeuwig, het gaat voorbij.

Hij herinnerde zich zijn laatste bezoek. Wat had ze er zielig en beverig uitgezien, wat had ze onderdanig met hem gesproken, druk naar papieren gezocht, ze met nerveuze vingers gladgestreken. Voor hij binnen was voelde hij al een stekende pijn in zijn achterhoofd. Straks zou hij weer haar blik ontmoeten, vol hoop en vol angst dat haar hoop niet in vervulling zou gaan. Voor Sasja kon niets meer worden gedaan, het werd tijd dat ze dat begreep en zich ermee verzoende. Over drie jaar zou hij thuis zijn.

Sofja Aleksandrovna was net terug van haar werk, ze stond het eten op te warmen. Ze begroette hem rustig, zonder de vreugde waarmee ze hem vroeger altijd had verwelkomd. Vroeger bereidde ze zijn komst voor, bakte een pastei, trok haar netste kleren aan, vandaag kwam hij bij een vrouw alleen die elke dag uit werken ging; haar hoofd stond niet naar pasteien en gasten ontvangen. Ze begroette haar broer en stelde hem voor mee te eten, al was ze er niet zeker van of hij haar gerstesoep en pekelvlees met in margarine gebakken aardappelen wel zou lusten. Onverschillig keek ze naar het pakket dat Mark Aleksandrovitsj had meegebracht, naar het bundeltje bankbiljetten dat hij uit zijn aktentas haalde. Mark bedacht met voldoening dat werken haar ten goede kwam, haar anders maakte. Vroeger was ze alleen maar echtgenote, moeder en huisvrouw geweest. Nu leidden haar werkleven, haar collega's, zorgen buitenshuis haar af van haar persoonlijke bekommeringen, dit vergrootte haar wereld, maakte haar zekerder en energieker.

Mark Aleksandrovitsj was blij, om zijn zuster en om zichzelf, het bezoek zou niet zo moeilijk worden als hij had gevreesd.

Maar in zijn hart moest hij wel opmerken dat ze weliswaar iets nieuws over zich had gekregen dat naar zijn mening heel goed was, maar tegelijkertijd iets had verloren dat hem heel dierbaar was, iets van vroeger, iets eigens: haar zachtheid en toegenegenheid. De gewone, prettige gezelligheid, het opgeruimde en verzorgde van het huis, al zijn snuisterijtjes, waren verdwenen. Hier was alleen het noodzakelijkste, nu had ze haast, leefde gejaagd. Aardappelen at ze zo uit de koekepan die op een metalen roostertje op een hoek van de tafel stond, met het tafelkleed weggeslagen. Niet dat zijn zuster zich verwaarloosde, integendeel, ze was juist strenger voor zichzelf, ze was magerder geworden, beweeglijker, doelmatiger. Het huis had blijkbaar zijn betekenis voor haar verloren. Haar zoon was er niet.

Ze vertelde van haar werk in de wasserij. Ze nam vuil goed aan, geen zwaar werk, al waren er soms natuurlijk wel lastige klanten, daar was niets aan te doen, iedereen was tegenwoordig zenuwachtig, overspannen. Ook door het bedrijf werden fouten gemaakt, dingen gingen kapot of raakten weg. Dat was lastig: uitleggen, zoeken, formaliteiten, de mensen stonden te wachten, de rij morde. De chef moest het geval uitzoeken, zodat zij niet van haar werk werd afgehouden, maar de chef kwam niet, hij was er nooit, hing hele dagen elders uit, waar was een groot raadsel. Ze kon er nog een grapje over maken, zelfs nu, gevoel voor humor had ze altijd gehad.

Geen woord echter over Sasja. Ze sprak beleefdheidshalve met Mark, om niet te hoeven zwijgen, ze keek hem niet aan, ontweek zijn blik, maar hij voelde dat ze één bepaalde zin had *voorbereid*. Ze sprak hem nog niet uit, voorlopig aarzelde ze nog, en in deze besluiteloosheid, in haar ontwijken van zijn blik, herkende Mark Aleksandrovitsj de oude Sonja.

Opeens onderbrak ze haar verhaal.

'Ja, Mark, ik moet je waarschuwen, het kleine kamertje verhuur ik. Dus als je blijft slapen, moet je hier in de kamer bij mij.'

'Ik heb een hotel,' antwoordde Mark Aleksandrovitsj.

Dat zijn zuster de kamer had weten te houden, wist hij. Zij en Pavel Nikolajevitsj waren officieel niet gescheiden, ook na Sasja's arrestatie had hij, als specialist die voor zijn werk tijdelijk in de provincie verbleef, deze woonruimte kunnen aanhouden. Maar zijn zuster verhuurde de kamer, en van dat nieuws was hij allerminst verrukt, meer geld voor een kamer vragen dan de huishuur mocht niet, voor de wet was dat speculeren in woonruimte. Nu werd zoiets oogluikend toegelaten, er heerste woningnood, de mensen konden nergens heen, maar toch wilde hij niet dat zijn zuster, een zuster van Rjazanov, van de huuropbrengst van een kamer leefde. Hij had haar nooit hulp geweigerd, hij kon haar een bedrag verstrekken dat veel hoger was dan de som die ze voor de kamer kreeg.

'Was dat echt nodig?'

'Ze begreep hem niet.

'Wat?'

'De kamer verhuren?'

'Ja, ik heb het geld nodig.'

'Hoeveel krijg je ervoor?'

'Vijftig roebel.'

'En wie zijn de huurders?'

'Huurster. Een oudere vrouw.'

'Hoe kom je aan haar?'

'Van de buren… Maar hoezo?' Eindelijk keek ze hem recht aan. 'Vind je dat ik daar verkeerd aan doe?'

'Je kent haar niet… De buren hebben haar aanbevolen… Waarom doe je dat? Al die drukte met de administratie, woonvergunning, uitleggen hoe en wat… Nogmaals: waarom? Ik bied je geen vijftig, maar hondervijftig per maand. Ik heb vijfhonderd roebel voor je meegenomen. Je weet dat ik het geld niet nodig heb.'

Ze zweeg, dacht na. Toen zei ze rustig:

'Ik neem je geld niet aan, ik heb het zelf niet nodig, ik verdien mijn eigen brood. En wat Sasja betreft… Sasja heeft een vader en moeder, zij zorgen voor hem.'

Het zou niet lukken haar om te praten, hij wilde ook geen ruzie maken. Hij had haar geld aangeboden, zij verhuurde liever de kamer, haar zaak, al zag ze dat hij het niet prettig vond. Maar wat ze net had gezegd, was nog steeds niet die ene zin die ze had voorbereid, laat ze die nu eindelijk uitspreken, ze had lang genoeg verstoppertje gespeeld.

'Hoe is het met Sasja?' vroeg Mark Aleksandrovitsj.

Ze treuzelde met antwoorden.

'Sasja… Zijn laatste brief was uit Kansk. Hij moest naar het dorp Bogoetsjany, maar vandaar heb ik nog niets. Ik weet niet hoe hij daarheen is gegaan, of er vervoer was of dat hij moest lopen. Ik heb op de kaart gezocht. Bogoetsjany ligt aan een rivier, de Angara, er loopt geen weg daarheen, waarschijnlijk zijn ze gaan lopen.' Opeens grinnikte ze. 'Ik weet niet hoe veroordeelden tegenwoordig voor dwangarbeid naar Siberië worden gestuurd, vroeger reden ze in Stolypinwagons, maar nu... ik weet het niet.'

'Sonja!' sprak Mark Aleksandrovitsj nadrukkelijk. 'Ik begrijp dat je het erg moeilijk hebt. Maar ik wil dat je de situatie duidelijk onder ogen ziet. Ten eerste hebben wij geen dwangarbeid. Ten tweede is Sasja niet naar een kamp gestuurd, maar verbannen. Ik heb me tot de hoogste instanties gewend. Ze hebben zich ermee bemoeid, maar konden niets uitrichten. Wet is wet. Sasja heeft iets gedaan, waarschijnlijk niet iets dat zoveel betekent, maar toch iets. Het zijn harde tijden, daar is niets aan te doen, hij is voor drie jaar verbannen, hij moet in een dorp wonen, miljoenen mensen wonen in dorpen, hij zal er werk vinden. Hij is nog jong, drie jaar is zo voorbij, je moet je alleen met het onvermijdelijke verzoenen, rustig en geduldig wachten, jezelf in de hand houden.'

Plotseling glimlachte ze, één keer, twee keer. Hij kende deze glimlach maar al te goed. En ze zei:

'Ja, het komt er dus op neer dat hij weinig heeft gekregen, maar drie jaar.'

'Zeg ik soms dat hij meer had moeten krijgen?! Sonja, bezin je! Heus, als we eerlijk zijn, is drie jaar verbanning niks in onze tijd... Er worden ook mensen geëxecuteerd...'

De glimlach bleef op haar gezicht, het leek alsof ze dadelijk in lachen zou uitbarsten.

'Kijk eens aan... Ze hebben hem niet doodgeschoten... Voor rijmpjes in de muurkrant is hij niet doodgeschoten, voor rijmpjes in de muurkrant heeft hij maar drie jaar verbanning naar Siberië gekregen—bedankt! Drie jaar, wat stelt dat voor, een kleinigheid! Ook Josif Vissarionovitsj kreeg niet meer dan drie jaar ballingschap en hij organiseerde gewapende opstanden, stakingen, demonstraties, gaf ondergrondse kranten uit, ging illegaal de grens over, maar kreeg toch maar drie jaar, en toen hij vluchtte werd hij opnieuw daar voor drie jaar gehuisvest. Maar als Sasja nu zou vluchten, zou hij in het beste geval tien jaar kamp krijgen...'

Ze glimlachte niet meer, keek Mark Aleksandrovitsj strak en streng aan. 'Ja! Als de tsaar jullie volgens jullie wetten had veroordeeld, dan had hij het nog duizend jaar uitgehouden...'

Hij sloeg met zijn vuist op tafel.

'Wat klets je nu? Dwaas! Waar haal je dat vandaan? Hou meteen op! Hoe durf je zo te praten? Waar ik bij ben! Ja, we hebben een dictatuur. En dictatuur betekent geweld. Maar dit is geweld van de meerderheid tegen de minderheid. Onder de tsaar onderdrukte de minderheid de meerderheid, daarom durfde de tsaar ook niet de strengste maatregelen toe te passen die wij in naam van het volk en voor het volk toepassen. De revolutie moet zichzelf kunnen beschermen, anders is ze niets waard. Je ongelijk is groot, maar dat geeft je niet het recht je kleinburgerlijk te gaan gedragen. Je geeft je geen rekenschap van wat je zegt. Als je zoiets tegen een ander zegt, kom je in het kamp terecht. Neem dat dan tenminste omwille van Sasja ter harte, hij mag zijn moeder nu niet kwijtraken.'

Ze luisterde zwijgend, tastte met haar vingertoppen naar de broodkruimels en drukte ze fijn op de tafel. Daarna zei ze rustig:

'Luister eens, Mark... Wil je in mijn huis alsjeblieft nooit met je vuist op tafel slaan. Dat vind ik niet prettig. Afgezien daarvan, ik heb buren en ik geneer me voor hen. Vroeger sloeg mijn man met zijn vuist op tafel, nu mijn broer. Zorg dat dat nooit meer gebeurt. Als je erg graag met je vuist wil zwaaien, doe dat dan in je eigen kamer tegen je ondergeschikten. Onthoud dat alsjeblieft. En wat de kampen betreft, daar hoef je niet mee te dreigen, ik ben nergens meer bang voor, ik ben genoeg bang geweest, dat is voorbij. Jullie kunnen niet iedereen uit zijn huis halen, daar zijn te weinig gevangenissen voor... Een onbeduidende minderheid... Dat je dat kunt zeggen! "Miljoenen mensen wonen in dorpen!" En heb je gezien hoe ze leven? Vroeger, toen je jong was, zong je graag "Noem mij een plaats," weet je nog, "Waar de Russische boer niet jammert," weet je nog? Je zong goed, met gevoel, je had een goed hart, had met de boeren te doen. Waarom nu niet meer? Over wie zong je toen? "Voor het volk, in naam van het volk." En Sasja, hoort die dan niet bij het volk? Zo'n zuivere jongen, die niets verbergt, geloofde, hij moest naar Siberië, doodschieten mocht niet, dan maar naar Siberië. Wat is er van jullie liederen over? Jullie verafgoden jullie Stalin...'

Mark Aleksandrovitsj stond op, verschoof de tafel.

'Kom, beste zus...'

'Geen herrie, wind je niet op, alsjeblieft,' ging ze rustig verder, 'ik wil je dit zeggen, Mark: je hebt me geld geboden, met geld koop je niets af. Jullie hebben het zwaard tegen onschuldigen getrokken, tegen weerlozen, jullie zullen zelf door het zwaard vergaan!' Ze boog haar grijze hoofd, keek haar broer fronsend aan, hief haar vinger. 'En wanneer jouw uur is aangebroken, Mark, zul je je Sasja herinneren, ga je nadenken, maar dan is het te laat. Jij hebt de onschuldige niet verdedigd, jou zal ook niemand verdedigen!'

8 Het was al de vierde dag dat de groep, steeds dieper de tajga binnendringend, onderweg was. Voorop reed de wagen, achteraan de dorpsgeleide, een slaperige jongeman te paard met een jachtgeweer op zijn rug.

Het werk van dorpsgeleide was een corvee, de boeren waren het bij toer-beurt, in elk dorp werd de opbrenger afgelost. Dit was nog altijd een van de verplichtingen van de Siberische boer. Ook de vader, grootvader en over-grootvader van de jonge ruiter hadden zo ballingen geleid, maar zijn betover-grootvader was zelf op deze manier hierheen gedreven.

Geleide doen was een formaliteit, de groep ballingen werd zonder registra-tie ontvangen en afgeleverd. De werkelijke bewaker was de tajga, daar kon je je niet verbergen, daar werd een vreemde al op dertig kilometer afstand op-gemerkt; het besef van de onmogelijkheid onder te duiken—in een tijd waar-in iedereen, waar hij ook ging of stond, werd gecontroleerd—was hun bewa-king.

De zeldzame vluchtpogingen werden ondernomen uit de plaats van verblijf, wanneer de balling naar vrijheid hunkerde en zonder aan de gevolgen te denken op de vlucht sloeg. Hij liep weg in de lente wanneer haar geuren, op alle breedtegraden gelijk, zijn hart met een onbedwingbare heimwee aangre-pen, of in de vroege herfst wanneer de gedachte aan de lange maanden van de stikdonkere Siberische winter ondraaglijk werd. Of hij liep 's winters weg, een maand voor zijn straf om was: met zijn gedachten was hij al thuis, hij kon niet meer wachten en vreesde de dag dat hij zijn ontslagbrief zou gaan halen, maar in plaats daarvan misschien strafverlenging kreeg. Zo'n wintervluchte-ling werd dan in de lente onder de gesmolten sneeuw gevonden, vandaar dat ze zo één een 'sneeuwklokje' noemden.

Maar niemand liep van zo'n voettocht weg. Zo pas uit de gevangenis, het kamp of de benauwde wagon liepen ze nu los en vrij, hun boeltje lag op de wagen, je kon het er onmogelijk stiekem afhalen. En maar één papier voor de hele groep; als je wegliep, liet je de anderen stikken, ze zouden iedereen verantwoordelijk stellen, medeplichtig verklaren. Wil je vluchten, doe dat dan vanuit je verblijfplaats, wees sportief.

In de laagte smolt de laatste sneeuw al, van boven baanden de zonnestralen zich een weg naar beneden, maar op het pad bleef het schemerig en vochtig. Omgewaaide bomen, afgeknapte takken, bomen met uitgedroogde wortels, bedekt met ruig, grijs mos, vermolmd hout, geen struik, geen bloem, slechts hier en daar geel gekleurd gras van vorig jaar en overal brandlucht, alsof hier een onstuitbare brand had gewoed. Een bos zonder einde, mistroostig, een-tonig: lariks na lariks, soms een den, ceder of spar, nog zeldzamer een berk of esp. Alleen in de kruinen van de bomen leek leven te zijn, daar ruiste een bries, hoorden ze de mezen tsjilpen, sprongen eekhoorns van boom tot boom, ritselden de denneappels. En voor hen overal dit dichte bos, bergrug-gen en hun uitlopers.

Bij Kansk waren talrijke dorpen, maar overal werden ze zo snel mogelijk weggestuurd om ze niet te laten overnachten. Ze kwamen dan ook pas 's avonds laat bij hun nachtlogies aan en vertrokken 's morgens vroeg alweer. De huisbaas vloekte, de grendel werd met een klap weggeschoven, een wakkergeschrokken kind huilde, de vrouw mopperde, smeet wat vodden op de vloer, of helemaal niets: zie maar hoe jullie slapen. Op de grond slapen was te koud, de zieke Kartsev hoestte hysterisch, denkend aan vrouw en kinderen zuchtte en steunde Ivasjkin zwaarmoedig.

Maar in de tajga waren weinig dorpen, het was een dag gaans van het ene naar het andere. Ze bereikten de eerste tajganederzetting toen het nog licht was en konden eindelijk genoeg slaap krijgen.

Eenmaal buiten Kansk, hadden de soldaten Volodja's armen losgemaakt.

'Loop maar.'

Hij masseerde zijn gevoelloos geworden lichaam en begon te lopen, licht, zonder achter te blijven, zonder te klagen, met een kwaad en onverzoenlijk gezicht. Hij wist dat uit het kamp: elke kleinigheid kon je je leven kosten, je moest op je hoede zijn, direct beslissen, nooit wijken, voor niemand bang zijn, integendeel, de anderen juist bang maken. Hij deed uit de hoogte tegen Boris, Sasja en Ivasjkin, 'toevallige slachtoffers van Stalins regime', en minachtte Kartsev, 'die meeloper', sprak niet tegen hem, liet hem links liggen. Sasja verbaasde zich over zijn vermogen iemand naast wie je liep, naast wie je sliep en met wie je je ongeluk deelde, zo te negeren.

Volodja Kvatsjadze liep voorop, Kartsev sleepte zich ziek en hijgend achteraan voort en bleef vaak staan. Dan stopte de hele groep. Volodja stond stil zonder om te kijken, geërgerd over het oponthoud. Kartsevs fysieke zwakheid legde hij uit als geestelijke zwakheid, daarin zag hij ook de oorzaak van zijn politieke afvalligheid. Ook degene die naast Kartsev liep en hem op zijn moeilijke mars hielp, werd door Volodja met achterdocht gadegeslagen, als een verspieder uit het kamp van de vijand.

Volodja's onverschrokkenheid, zijn verzet tegen de machthebbers, de trots in zijn gedrag bevielen Sasja. Maar Volodja kon niet accepteren dat iemand er andere ideeën op nahield, deze tekortkoming kende Sasja ook van zichzelf. De eerste dag zei hij:

'Volodja, laat er geen misverstand over bestaan, maar ik ben het eens met het beleid van de partij. Laten we onze meningen voor ons houden. Het heeft geen zin vruchteloos te gaan discussiëren.'

'Ik had er toch al geen behoefte aan om met stalinistische jaknikkers in discussie te gaan,' antwoordde Volodja hooghartig, 'maar nu jullie mij eenmaal hierheen hebben gedreven snoer je me de mond niet.'

Sasja glimlachte.

'Ik heb u niet hierheen gedreven, ik ben zelf ook hierheen gedreven.'

'Ze herkennen hun bondgenoten niet eens. Jij had mijn armen niet slechter op mijn rug gedraaid dan die lui in Kansk.'

'Ik stel me zo voor wat u met ons zou doen als u aan de macht was,' zei Sasja.

'Ook bij ons zou u uw handen omhoogsteken,' merkte Kvatsjadze vol verachting op.

'Maak nu geen ruzie, jongens,' mengde Boris zich in het gesprek. 'Dat is het eeuwige probleem met politieke ballingen, ze maken altijd ruzie... Criminelen zijn altijd eendrachtig, hen raakt de administratie met geen vinger aan.'

'Criminelen zijn uitschot!' zei Volodja. 'Smeerlappen, beulen. Voor een bordje dunne watersoep verraden ze een kameraad. Ze zijn de steun en toeverlaat van de administratie, haar helpers. Heeft iemand zijn vrouw vermoord, krijgt hij acht jaar en zij doen er nog eens de helft af wegens goed gedrag. Maar heb je een paar zolen van de fabriek meegenomen, dan zit je tien jaar.'

De tajga werd steeds dichter. Dezelfde bergruggen, begroeid met dicht ondoordringbaar bos, hoogvlakten, dalen en heuvels, vogelgekrijs in de boomkruinen, schemer en vocht op het pad. Een keer dook er tussen de berken een reusachtige, langbenige eland op en vluchtte weg onder gekraak van takken.

Van 's ochtends vroeg warmde de zon al. Zijn stralen drongen bijna niet door tot het pad, maar toch was het vrolijker en prettiger lopen.

Midden op de dag hielden ze voor een rustpauze stil bij een winterkamp, een onaanzienlijk boshutje met donkere, beroete wanden, zonder zoldering, zonder ramen, zonder kachel, met een vloer van aangestampte en verschroeide aarde; 's winters werd hier een vuur aangelegd, de rook kon door een opening in het dak naar buiten. In een hoek lag een armvol droge takken; wanneer men wegging liet men brandhout achter voor wie daarna kwam— deze kon wel bij vorst, sneeuw of storm aankomen, zou geen droog hout kunnen vinden om een vuur aan te leggen, hij zou doodvriezen in de hut. Iemand met een goed hart liet niet alleen hout achter, maar legde ook ergens op een droge plaats een doosje lucifers neer.

Ze legden het vuur aan, haalden water uit een bron, kookten gierstebrij en zetten thee.

De gierst had Boris de vorige dag in een dorpswinkel gekregen. Hij kende de beheerder van de winkel en deze had 's nachts de winkel opengemaakt en hem behalve gierst ook nog een pakje tabak gegeven en een fles eigengestookte wodka weten te bemachtigen, die ze dezelfde avond nog opdronken.

Toen hij besefte dat ze hem zelfs hier, in een dorpje diep in de tajga kenden en dat zijn metgezellen zonder hem verloren zouden zijn, werd Boris weer net zo actief als hij altijd was geweest op, dit sterkte hem in zijn overtuiging dat men hem ook in Bogoetsjany wel ergens voor kon gebruiken.

Hij rekende af voor logies en eten, betaalde voor iedereen. De jongens hadden geen geld, alleen Sasja wel, maar het was niet zeker of hij werk zou krijgen. En Boris was werk in Bogoetsjany toegezegd. Hij zag eruit als de leider: een veldjasje met liggende boord, broek ingestopt in degelijke laarzen, regenjas, pet in schutkleur. En de zachte, autoritaire stem van een leider van de ontwikkelde soort met wie je het moeilijk oneens kunt zijn, hij praat je toch om, je kunt beter meteen doen wat hij van je verlangt.

Ook nu gaf hij bevelen, stuurde de een weg voor water, de ander voor brandhout, je kon overal droge takken in het bos sprokkelen en ze besloten het hout in de hut niet aan te raken. Alleen Kartsev stuurde hij nergens heen. Kartsev ging op een boomstronk zitten, sloot zijn ogen en liet een zonnestraal zijn bleke, gekwelde gezicht beschijnen.

Dezelfde beheerder had geregeld dat ze in plaats van wie er aan de beurt was een goede begeleider kregen, een gedienstige jonge man, en handig: tijdens de rust sneed hij lepels uit berkebast. Hij ging te voet, liep licht, had vlasblond haar, voerde zijn paard aan de teugel. Sasja had naast hem gelopen toen ze het dorp verlieten en naast elkaar bereikten ze de rustplaats. De jongen had hem zijn geweer gegeven om een sneeuwhoen te schieten, maar Sasja raakte niet.

'Als je een beer mist is het pas erg, hoor,' lachte de jongen.

'Ben je wel eens op berejacht geweest?'

'Ja, drie keer. We pakken de beer in zijn hol. Zodra de honden het beest ruiken, kappen wij lange stammen, stoppen het hol dicht en als hij er probeert uit te komen schieten we hem. Er zijn er die met een speer jagen, en ook wel met een mes, dat noemen we een 'kinzjal'. Een beer is een slim beest, een mens valt hij openlijk aan, maar paarden of vee besluipt hij.'

Hij glimlachte toen Sasja zei dat er nog sterkere dieren dan een beer waren: een leeuw, tijger, olifant... Hij geloofde het niet.

Met dezelfde glimlach vertelde hij dat een jaar geleden op de open plek waar ze net langs kwamen drie verbannen criminelen waren vermoord.

'Ze stonden onder geleide als jullie, en gingen in het dorp zitten kaarten. Onze jongens hadden geld bij ze gezien. Ze slopen hierheen, begonnen te schieten. Zij renden de wildernis in, vielen, sneeuwden onder, het vroor krankzinnig. Onze mensen dachten dat ze zouden worden opgevreten, er zit hier veel wild. Maar net die dag kwam de gevolmachtigde van de bevoorrading uit het rayon hierheen, de honden roken de dooien. Ze gingen de zaak uitzoeken en onze jongens werden naar Novosibirsk gebracht. Daar zijn ze in de gevangenis een voor een doodgemaakt door dat schorem.'

'En vonden ze veel geld bij de doden?'

'Stel je voor, tien roebel.'

Bij het kampvuur kwam dit voorval weer ter sprake. Boris kende het, de ballingen in Kansk hadden het verteld, Kvatsjadze kende het, hij had het in het kamp gehoord. Beide jongens werden in dezelfde nacht dat ze in de gevangenis werden gebracht, doodgemaakt: het nieuws was hen vooruitgesneld. Het was een grote cel, eensgezind, zodat ze niet aan de weet kwamen wiens werk het was geweest.

'Goed dat ze afgemaakt zijn,' merkte Volodja op, 'ze hadden hooguit vijf jaar gekregen en waren al na een jaar losgelaten, wat dacht je, ze hadden maar ballingen vermoord. Maar nu weten ze het hier: de gevangenistelegraaf werkt beter dan de staatstelegraaf. De staat beschermt ons niet, dan doen we het zelf. Een andere oplossing is er niet.'

'Volodja,' zei Sasja, 'u heeft zelf gezegd dat criminelen geen mensen zijn! Mogen ze dan wel voor rechter spelen?'

'De dwangarbeid heeft zijn eigen wetten. Wanneer u een tijdje in die huid steekt, komt u er wel achter,' maakte Volodja er zich van af, 'zo redeneren intellectuelen altijd.'

'Waarom op de intelligentsia vitten? Die is ook wat waard,' zei Sasja.

Volodja hief een vinger.

'De afzonderlijke vertegenwoordigers.'

'U bent toch ook een intellectueel.'

'Waarom denkt u dat ik daar trots op ben?'

'De eerste intellectueel,' zei Sasja, 'was de man die het vuur heeft uitgevonden. Zijn tijdgenoten hebben hem natuurlijk gedood. De een brandde zijn vinger, de ander zijn voet, de derde heeft hem gewoon doodgemaakt. Probeer niet boven de anderen uit te steken! Dat was toen ook al zo, in het stenen tijdperk. Probeer niet boven de anderen uit te steken!'

'Sasja krijgt de eerste prijs voor logisch denken,' kondigde Boris aan. 'Volodja, vindt u ook niet dat Sasja de eerste prijs verdient?'

'Heeft u die dan?' vroeg Kvatsjadze.

Iedereen was vreedzaam gestemd. De zon daalde achter de boomkruinen, maar ze voelden zijn warmte, liepen zonder hun spullen, hadden hun jassen en petten op de kar gegooid. Een hulpvaardige jongeman vergezelde hen, liet hen met zijn geweer schieten, hij was geen bewaker, het leek helemaal niet een reis onder geleide. Voor het eerst aten ze niet aan andermans tafel, maar in het bos bij een kampvuur. Het knetteren van de dennetakken, de harsgeur, de lucht van aangebrande kasja, dennenaalden in de thee—ze waanden zich terug in hun kinderjaren. Niet eens zo lang geleden hadden ze zo om het kampvuur in een pionierskamp gezeten.

Kartsev liet de zon op zijn zieke gezicht schijnen, draaide zijn hoofd daarheen, waarheen zijn smalle nevelige lichtstraal wegkroop.

Ivasjkion viel zowel Volodja als Sasja bij, hij hield van *scherpzinnige* gesprekken. Hij zag zijn beroep als een intellectueel, een buitengewoon beroep. Als je haast had, maakte je zo een drukfout en zat je zo in Siberië, ook al had je de fout niet eens zelf gezet. Ze hadden in een rede van kameraad Stalin bij vergissing 'omhullen' in plaats van 'onthullen' gezet. Ze hadden hen met hun zessen opgepakt. Ivasjkin had thuis vrouw en kinderen, drie dochtertjes, moeten achterlaten.

De jonge bewaker luisterde ook naar hun gesprek, hij glimlachte. Om de anderen niet te kort te doen at hij heel weinig van de kasja.

De voerman zat er nors bij, sloeg de kasja af, sloeg ook de thee af, hij zat op de wagen op iets te kauwen, deed daarna een dutje, tot zijn paard was uitgerust en genoeg had gegraasd. Toen spande hij in. Loom geworden bij het vuur stonden ze met tegenzin op. De groep zette zich in beweging.

Ze waren zo'n vijf kilometer verder, toen de wind opeens in de boomtoppen begon te fluiten, waarop het meteen donker werd en een sneeuwstorm opstak die de vlokken bij vlagen tegelijk neerjoeg.

De voerman begon haast te maken, de jonge bewaker begon haast te maken, ze wilden voor het donker de Tsjoena bereiken. Even plotseling als hij begonnen was, hield de storm op, de sneeuw had alleen de struiken met witte mutsjes getooid en de toch al slechte weg volledig onbegaanbaar gemaakt. Samen hielpen ze de wagen vooruit, nog altijd even hard lopend.

Alleen Kartsev kon niet meekomen, hij hijgde, bleef steeds staan, leunde tegen een stam en hoestte.

'Ga op de wagen zitten, Kartsev,' zei Sasja.

Maar de voerman vond het niet goed.

'Ik ben niet gehuurd om mensen te vervoeren, dat trekt het paard niet, de weg is slecht.'

'Schaam je,' zei Ivasjkin.

Sasja greep het paard bij de teugel.

'Stop! Kartsev, ga zitten!'

'Laat dat, man!' schreeuwde de voerman. 'Ik ga terug, ze zullen je leren ongehoorzaam te zijn.'

'Kom, we gaan geen ruzie maken, vadertje,' sprak Boris gebiedend en zette Kartsev op de wagen.

Ze moesten twee koffers van de wagen halen, de lichtste, hun geleide bond ze aan zijn zadel. Alleen Volodja Kvatsjadze had geen woord gezegd, wachtte onverschillig af hoe het zou aflopen. Hij kwam niet op voor een 'meeloper', ook niet als hij doodging.

Ze staken de Tsjoena over op een praam. Deze kon niet aanleggen, ze moesten waden, met hun spullen, en de wagen omhoogtrekken. Ze werden drijfnat.

Ze kwamen in een groot dorp, maar armoedig, met bouwvallige, zwart geworden huizen, vervallen stallen. Er was een feest, in de huizen een vroeg vuur, ze hoorden dronkemansgeschreeuw en -gezang, op straat liepen wankelende boeren, mannen uit de tajga en het bos, anders van bouw en anders van huidskleur, die niet op de rijzige Siberiërs van de steppen met hun lichtbruine haar leken. Op de balken zaten jongens en meisjes, ze lachten en riepen hun geleide toe dat het vandaag het feest van een heilige was. Hij kreeg nu opeens haast om de voorzitter te vinden, zodat hij de ballingen zo gauw mogelijk kwijt was.

Terwijl ze op het dorpshoofd wachtten, kwamen de plaatselijke ballingen naar hen toe: een statige man met een weelderige haardos, rustige bewegingen en een opmerkzame blik, het Sasja uit het Vijfde Huis van de Sovjets welbekende type van de staatsman, en een magere vrouw met rossig haar en een streng, uitgeteerd gezicht. Ze waren het eerste konvooi nu de wegen weer begaanbaar waren en zij wilden zo snel mogelijk weten of er mensen van hén bij waren.

'Gegroet, kameraden!'

De blik van de vrouw bleef op Kvatsjadze rusten, aan de manier waarop hij haar blik beantwoordde, herkende ze een geestverwant. Volodja noemde zijn naam, ze kenden deze en hij kende ook hun namen. Ze omhelsden, zoenden elkaar, maar zij maakten geen aanstalten zich aan de anderen voor te stellen. De man leek hen vriendelijk toe te glimlachen, maar stak naar niemand zijn hand uit, hij zou de verkeerde eens een hand komen te geven of iemand zou zijn uitgestoken hand niet drukken. De vrouw glimlachte niet eens.

Ze namen Volodja mee. Hij liep tussen hen in, lang, soepel, in zijn zwarte gewatteerde jas, met zijn rugzak; hij antwoordde op hun vragen, zo te zien waren er veel vragen, de post was al twee maanden niet geweest.

'Adieu!' riep Boris hen beledigd na. Volodja had een solidariteit geschonden die van hogere orde was dan politieke solidariteit.

Er kwam een jongen met een enorme bakkes aangerend, hij liep op iets te kauwen, was dronken, rusteloos, sperde zijn ogen wijd open.

'Wie zijn hier de verbannenen? Jullie hier? Wat zien jullie vreselijk zwart. Hebben de Russen dat gedaan? Kom mee!'

Hij bracht ze naar een verlaten huisje aan de rand van het dorp met een kapotte kachel. En ze moesten zich warmen, hun kleren drogen en de zieke Kartsev op een warme plaats leggen. Maar terwijl ze de lang verlaten woonplaats inspecteerden, verdween de vent met de enorme bakkes spoorloos. Ook de voerman was vertrokken, hun bagage had hij op de grond gegooid.

'We gaan het plaatselijk gezag bewerken,' zei Boris, 'kom mee, Ivasjkin!'

'Waarheen? Het dorp viert feest.'

'Ik zal het woord doen en u helpt het voer dragen,' stelde Boris hem gerust.

Ze gingen op pad, Sasja haalde schoon ondergoed, wollen sokken en een hemd uit zijn koffer en gaf het aan Kartsev.

'Trek andere kleren aan!'

Sasja was geschokt door zijn magerte. Zijn huid stond strak over zijn ribben, puntige knieën, bijna doorzichtige benen, lange, krachteloze armen, uitstekende schouderbladen als de stompen van gekortwiekte vleugels.

'U bent wel afgeteerd door die hongerstaking,' merkte Sasja op.

'Ze hebben me kunstmatig gevoed,' Kartsev stopte onhandig het hemd in zijn onderbroek. 'Daarna ben ik overgebracht naar het gevangenisziekenhuis, daar kreeg ik melk. Ik heb mijn aderen doorgesneden, bloed verloren.'

Zijn ogen schitterden koortsig, zijn gezicht zat onder de rode vlekken, hij had ongetwijfeld koorts, maar ze hadden geen thermometer en het had ook geen zin de koorts op te nemen, ze moesten morgen toch weer op weg. Eindelijk had hij zich omgekleed, hij wikkelde zich in Sasja's baaien deken, ging op de bank zitten, leunde tegen de muur en sloot de ogen.

'Waarom hebt u uw aderen opengesneden?' vroeg Sasja.

Kartsev antwoordde niet, hoorde het niet, was misschien ingedut.

Sasja bekeek de kachel. Bij de stook- en aanmaakplaats staken ijzeren uiteinden omhoog, iemand had de sluitplaat al losgetrokken. Sasja wilde hem aanmaken, maar bedacht zich: misschien zou Boris een ander onderdak bemachtigen.

Boris en Ivasjkin brachten een heel brood mee en een berkebasten kan met room, verder hadden ze niets kunnen krijgen. Een ander onderdak ook niet, iedereen was dronken, niemand aanspreekbaar, niemand liet hen bij zich overnachten.

Ivasjkin had op het erf een stuk hout gevonden, hij hakte een spaander af, maar deze doofde, ze hadden nodeloos een lucifer gebruikt.

In het donker aten ze brood met room.

'Koud eten is beter dan helemaal niets,' verklaarde Boris.

Kartsev weigerde voedsel, vroeg te drinken. Er was geen water.

'Ik ga naar Volodja's vrienden, zij moeten hem maar voor een nacht onderdak verlenen,' zei Sasja.

Boris schudde twijfelend het hoofd.

'Dat doen ze niet. Maar u kunt het natuurlijk proberen. Ik ga met u mee.'

'Waarom?'

'Het hele dorp is stomdronken en die kerels op die balken zijn in een agressieve stemming.'

Op straat was het lichter dan in de hut. Aan de wolkeloze hemel stond een volle maan. Op de balken zaten nog steeds jonge mannen en meisjes. Een van de jongens, kennelijk de plaatselijke grappenmaker en herrieschopper, zwaaide met zijn armen, vertelde iets leuks wat met lachsalvo's werd beantwoord. Toen hij Sasja en Boris zag riep hij:

'Hé, jullie daar, vergetenen en verwaarloosden, kom hier!'

'Geen aandacht aan schenken,' fluisterde Boris.

'Waarom niet?' Sasja liep naar de balken. 'Wat is er?'

'Wat zwerven jullie over straat? Zoeken jullie meisjes? Vechten?'

Op de balken zat ook de jonge bewaker, hij glimlachte zwijgend. Maar het was duidelijk: ook als zij hen gingen slaan, zou hij blijven glimlachen.

Sasja wendde zich tot Boris.

'Dat is waar. Kijk eens hoe knap de meisjes hier zijn.'

'Ja, maar niet voor jullie,' riep de jongen.

'Voor jou alleen dan?' lachte Sasja. 'Red je dat wel?'

Op de balken barstten ze in lachen uit.

'Nou, nou,' bemoeide een jongen zich ermee, 'niet zo kletsen.'

'Nah, nah,' aapte Sasja hem na, 'nie so klessen. Jouwe gaat naar de kloten...'

Sasja trok zo grof van leer dat elke sjouwer van de chemische fabriek waar hij gewerkt had er jaloers op zou zijn.

En hij ging verder.

'We hoeven toch geen ruzie te maken, jongens, laten we wat serieuzer zijn,' voegde Boris er dringend aan toe en liep Sasja gauw achterna.

Onderweg zei hij tegen hem:

'Als ze u hier niet doodmaken, zult u lang leven. U kunt iemand nog eens iets aan het verstand brengen.'

De deur van het huis was niet op slot. Volodja, de man en de vrouw zaten aan tafel. Er brandde een kerosinelamp.

'Dat zijn nu Pankratov en Solovejtsjik,' zei Volodja, 'ik heb het over hen gehad.'

Blijkbaar had hij goed over hen gesproken, want de man glimlachte.

'Ga zitten, kameraden, drink een kop thee met ons.'

'Dank u.'

Sasja ging niet zitten en wendde zich tot Volodja.

'Wat zullen we met Kartsev doen?'

'Wat moet ik dan doen?'

'Jij bent kennelijk van plan om hier te logeren. Misschien kun je je plaats aan hem afstaan?'

In plaats van Volodja antwoordde de man.

'In zekere zin beslis ik wie er bij mij logeert.'

'Weet u misschien bij wie we voor een nacht logies kunnen krijgen?' vroeg Boris.

'Niemand neemt hier passanten op. En zeker geen zieken.'

De vrouw wendde zich tot Volodja:

'Wanneer heeft u Iljin het laatst gezien?'

Toen ze op straat stonden zei Sasja bitter:

'En u zei dat ik iemand iets aan het verstand kan brengen.'

'Mijn beste jongen,' antwoordde Boris, 'hier zijn politieke hartstochten aan het werk en dat zijn de meest redeloze die er zijn.'

9 Tegen het einde van de dag legde Poskrebysjev de door de leden van het Politbureau gelezen brief over Engels' artikel op Stalins bureau. Iedereen was het erover eens dat het artikel niet moest worden gepubliceerd. Het bij rondvraag genomen besluit over de wijzingen in de redactie van «De Bolsjewiek» was ook eenstemmig.

Stalin had er niet aan getwijfeld dat beide werden doorgevoerd: de zet met Stetski was een juiste zet. Stetski was een man van Boecharin en Boecharin hielden ze in reserve. Hem zouden ze voorlopig niet afstaan, zoals ze vorig jaar ook Smirnov, Tolmatsjev en Eismont niet wilden afstaan, en het jaar daarvoor Rjoetin.

Toch moesten alle tegenstanders, van vroeger, nu en later, worden vernietigd en zouden ook worden vernietigd. Het enige socialistische land ter wereld kon zich alleen handhaven als het intern volkomen stabiel was, dit was ook de waarborg van zijn stabiliteit naar buiten toe. De staat moest in geval van een oorlog sterk zijn, de staat moest sterk zijn als ze vrede wilde, ze moest gevreesd worden.

Ontelbare materiële en menselijke offers waren nodig om van een land van boeren op zeer korte termijn een industrieland te kunnen maken. Het volk moest deze offers aanvaarden. Maar alleen met enthousiasme bereikte je dat niet. Hij moest het volk dwingen offers te aanvaarden. Daarvoor was een sterk gezag nodig dat het volk angst inboezemde. Die angst moest met koste wat het kost worden gehandhaafd, waartoe de theorie van de nooit aflatende klassestrijd alle mogelijkheden bood. Als hierbij enige miljoenen mensen zouden omkomen, zou de geschiedenis het kameraad Stalin vergeven. Maar als hij de staat weerloos zou achterlaten, tot de ondergang gedoemd, zou de geschiedenis het hem nooit vergeven. Een groot doel vereist een grote inzet, een grote inzet van een achtergebleven volk wordt alleen met grote wreedheid verkregen. Alle grote regeerders waren wreed geweest. Kamenev, nu directeur van uitgeverij Akademija, had niet toevallig Machiavelli uitgegeven. Hij had deze voor HEM uitgegeven, hij wilde HEM laten zien dat de methodes die HIJ toepaste, al in de vijftiende en zestiende eeuw bekend waren. Hij vergiste zich, Kamenev. Machiavelli's aanbevelingen waren verouderd. Overigens, het was niet zeker of ze in de vijftiende eeuw wel geschikt waren geweest. Scherpzinnig maar oppervlakkig, niet dialectisch, maar schematisch. 'Gezag dat op de liefde van het volk voor de dictator is gebaseerd, is geen sterk gezag omdat het afhankelijk van het volk is, terwijl gezag dat op de angst van het volk voor de dictator is gebaseerd, wel sterk is, want het is alleen van de dictator afhankelijk.' Deze these was slechts ten dele juist: gezag dat *alleen* op de liefde van het volk was gebaseerd, was niet sterk, dat was waar. Maar gezag dat *alleen* op angst was gebaseerd, was ook wankel. Onwankelbaar was het gezag pas als het zowel op angst voor de dictator als op liefde voor hem was gebaseerd. Een groot bestuurder was hij die door de angst liefde wist op te wekken. Een zodanige liefde dat alle wreedheden van zijn bestuur door het volk en de geschiedenis niet aan hem maar aan de uitvoerders werden toegeschreven.

Trotski's verbanning naar het buitenland was een humane daad geweest en derhalve een verkeerde: Trotski was op vrije voeten en bleef actief. Zinovjev en Kamenev zou hij niet naar het buitenland sturen: zij zouden de eerste stenen zijn in het bolwerk van de angst dat hij absoluut moest oprichten om het volk en het land te beschermen. Hun bondgenoten zouden hen volgen. Boecharin was hun bondgenoot, hij was via de achterdeur naar Kamenev overgelopen, had heimelijke besprekingen met hem gevoerd, had gezegd dat hij liever dan Stalin Zinovjev en Kamenev in het Politbureau zag. Hij had zelf zijn bondgenoten uitgekozen en zou hun lot delen.

In de politiek was geen plaats voor medelijden. Als hij met iemand medelijden had, was het maar met een, met Kamenev. Hij betreurde het in die zin dat Kamenev niet aan zijn kant stond, maar aan die van Zinovjev. Een 'gezellige' man, zachtaardig, inschikkelijk, bovendien kwam hij uit Tiflis, was daar op het gymnasium geweest, had er vele jaren gewoond. Hij had iets van een Joodse en tegelijkertijd Georgische intellectueel: vriendelijkheid, kiesheid, beleefdheid, een beetje een cynicus, maar goedaardig. Hij was ontwikkeld, was op de hoogte van de politieke situatie, kon duidelijk en helder zijn conclusies formuleren, daarom had Lenin terecht waardering voor hem. Hij was niet eerzuchtig, maakte geen aanspraak op een leidersrol, was traditioneel de *tweede* man. Dat was hij onder Lenin geweest, dat had hij ook onder Stalin kunnen zijn. Maar hij wilde niet! Hij verkoos de kletsmeier Grisjka boven HEM! Eens hadden ze goed samengewerkt, elkaar uitstekend begrepen. Dezelfde Kamenev had hem, Stalin, kandidaat gesteld voor de functie van Secretaris-Generaal van de partij. Maar hij had dat alleen gedaan om hem tegen Trotski uit te spelen, dat had hij samen met Zinovjev uitgedacht: van het partijapparaat een stok maken om Trotski mee te slaan; ze waren gewend om anderen de kastanjes uit het vuur te laten halen. Het belangrijkste hadden ze niet begrepen: het partijapparaat was geen stok, maar de spil van de macht. Door hem deze in handen te geven gaven ze hem tegelijkertijd alle macht in handen. ZIJN genialiteit was daarin gelegen dat hij dit als enige had ingezien.

Overigens had Lenin dat ook gezien, maar niet meteen, bijna een jaar later pas, te laat dus! Maar zelfs toen Lenin ZIJN ontslag als Secretaris-Generaal eiste, zelfs toen had Kamenev niets doorgehad en op het congres voorgesteld om Lenins brief buiten beschouwing te laten. Pas na Lenins dood begreep hij het, toen bleek dat niet alleen Trotski, maar ook Kamenev en Zinovjev als opvolgers van Lenin aan de kant waren gezet. Toen had hij de juiste politieke keus moeten maken, toen had hij zich samen met de hele partij achter kameraad Stalin moeten scharen. Maar hij had voor die nul van een Grisjka gekozen! Waarom? Geloofde hij dan in Grisjka's grote gaven? Onzin! Hij had verkeerd gekozen, omdat hij HEM nooit echt begrepen had, nooit begrepen had dat kameraad Stalins zogenaamde primitiviteit en zogenaamde middelmatigheid en werkelijkheid de eenvoud waren van een leider, die niet alleen les gaf op de Communistische Academie, maar in de eerste plaats met de massa's sprak, de massa's aanvoerde.

Joden begrepen nooit wat een LEIDER was. Zij konden zich nooit echt onderwerpen, dat was historisch zo gegroeid, dat was hun nationale tragedie. Alle volkeren hadden zich aan Rome onderworpen en zich als natie weten te handhaven. Alleen de Joden onderwierpen zich niet. In alle godsdiensten was God in een mens belichaamd: Christus, Mohammed, Boeddha... Alleen de Joden hadden geen goddelijke leider, alleen het judaïsme verbood de verpersoonlijking van God. Zij erkenden geen absolute autoriteit, daarom hadden ze hun staat niet kunnen behouden. De opperste leider moet een verpersoonlijking van het opperste gezag zijn. De Joden hadden hun hele geschiedenis door geredetwist, democratie betekende voor hen de mogelijkheid om te redetwisten, tegenover de mening van de meerderheid hun persoonlijke mening te stellen.

Er waren natuurlijk ook Joden die een leider konden erkennen en dienen, zoals Kaganovitsj. Juist Kaganovitsj had als eerste, in 1929, toen hij in het Rode Professoraat sprak, HEM een leider genoemd... Maar Kamenev had de voorkeur gegeven aan de oppervlakkige eruditie en mooipraterij van een ander. En had zich misrekend. Voor een leider waren eruditie en mooipraterij niet genoeg. Waar waren al die revolutionaire 'leiders' van voor de revolutie, die 'intellectuelen' en 'literatoren', gebleven? Al die Loenatsjarski's, Pokrovski's, Rozjkovs, Goldenbergs, Bogdanovs, Krasins? En die Nogins, Lomovs, Rykovs? Nergens, er was niets van hen over. Trotski bezat zekere leiderskwaliteiten. Maar de partijkaders vonden zijn intellectuele hooghartigheid onverdraaglijk. Elk moment gaf hij blijk van zijn geestelijke superioriteit, maar mensen houden er niet van voor dom te worden versleten. Mensen erkennen geestelijke superioriteit, als deze gepaard gaat met superioriteit van gezag. Geestelijke superioriteit accepteren ze daarom alleen van een bestuurder, want dan onderwerpen ze zich aan een *intelligent* bestuurder en dat

is niet vernederend voor hen, integendeel, het verheft hen juist, het recht-
vaardigt in hun ogen dat ze zich onvoorwaardelijk onderwerpen. Ze troosten
zich met de gedachte dat ze niet voor zijn kracht, maar voor zijn verstand
zwichten. Maar zolang de leider geen absolute macht heeft verworven, moet
hij kunnen overtuigen, de mensen het vaste vertrouwen kunnen inboezemen
als zouden ze zijn vrijwillige bondgenoten zijn en als zou hij alleen hun eigen
gedachten uitdrukken, formuleren. Trotski had dat niet begrepen en had
evenmin het belang van het apparaat begrepen. Omdat hij zichzelf als een
leider zag, dacht hij dat hij alleen, in zijn eentje, de massa's met zijn welspre-
kendheid en intellect kon meeslepen. Nee, om de massa's te veroveren waren
schitterende redevoeringen niet genoeg, daar was een instrument voor nodig
en dat instrument was het apparaat. 'Geef ons een organisatie van revolutionairen en wij zullen Rusland veranderen!' Deze fundamentele uitspraak van
Lenin had Trotski nooit begrepen. Dat was ook zijn 'niet-bolsjewisme' waarvan Lenin in zijn 'testament' sprak.

Had Lenin wellicht het idee van het collectieve bestuur serieus genomen?
Nee! Lenin had het belang van de leider begrepen. 'Het socialistische sovjet-
centralisme is volstrekt niet in tegenspraak met persoonlijke macht en dictatuur... de wil van de klasse wordt soms door een dictator verwerkelijkt die
alléén soms meer tot stand brengt en die vaak ook onmisbaar is...' En verder:
'De dictatuur van de massa *over het geheel genomen* als tegengesteld zien aan de
dictatuur van de leiders... is een lachwekkende ongerijmdheid en domheid.'
Dat had Lenin begrepen, maar hij wilde Rusland met Europese methodes
besturen en in HEM, Stalin, zag hij een Aziaat.

Lenin onderkende het belang van het apparaat. Maar hij wilde het staatsapparaat waarop hij zelf als regeringsleider steunde sterker maken, en niet
het partijapparaat waarop kameraad Stalin steunde. Daarom had hij ook
voorgesteld hem van zijn post van Secretaris-Generaal te ontheffen. Ergens
in de toekomst plande hij na de Nieuwe Economische Politiek blijkbaar in-
grijpende veranderingen, want als de oriëntatie op de zelfstandige landbouwer gericht was, dan zou deze landbouwer zijn rechten eisen. Trotski, Zinovjev, Kamenev, Boecharin en zelfs Pjatakov vond Lenin voor zulke
manoeuvres geschikt, HEM, kameraad Stalin, vond hij ongeschikt. In kameraad Stalin zag hij de belangrijkste 'apparatsjik', hij vreesde de versterking
van dit apparaat. En terecht. Het apparaat heeft de neiging te verstarren.
Hecht aaneengesmeed door onderlinge betrekkingen gedurende vele jaren,
wordt het in plaats van de spil van het gezag een obstakel, wordt het een
mummie. In dit reusachtige achtergebleven land van boeren van vele natio-
naliteiten was een ambtelijk apparaat nodig om de verworvenheden van de
revolutie te behouden, maar dit ambtelijk apparaat herbergde een gevaar
voor diezelfde revolutie: de macht van de ambtenarij werd alomvattend, alles-

overheersend en oncontroleerbaar. Lenin vreesde dit terecht en stelde daarom: 'We hebben van het tsaristische Rusland het slechtste overgenomen, het bureaucratisme en oblomovisme, waarin we letterlijk stikken.' Dat was waar, maar het betekende volstrekt niet dat het apparaat moest worden vernietigd, dat er een politiek evenwicht moest worden geschapen. Een politiek evenwicht betekende het *einde* van de dictatuur van het proletariaat. Men moest het apparaat behouden, het sterker maken, maar zijn zelfstandigheid in de kiem smoren door de mensen onophoudelijk te vervangen en door het ontstaan van hechte onderlinge banden tegen te gaan. Een apparaat dat voordurend in beweging is, bezit geen eigen politieke macht, maar is machtig in handen van een leider, in handen van een almachtig bestuurder. Dat apparaat moet als machtsinstrument het volk angst inboezemen, terwijl het apparaat zelf voor de leider moet beven.

Beschikte hij over zo'n apparaat? Nee, dat niet. Hij had de samenstelling van het CC al lang willen wijzigen, maar had het niet kunnen doen, zelfs niet op het Zeventiende Congres, ZIJN triomfcongres. Tsja, er waren geen motieven geweest om kandidaten af te wijzen, er moesten in het CC mensen blijven zitten die daar niet meer op hun plaats waren, hij had niet door *hun* collectieve verantwoordelijkheid, *hun* eensgezindheid, het cordon van *hun* onderlinge betrekkingen heen kunnen breken. Basta! Dat apparaat was uitgediend en hij had er in deze vorm niets meer aan, hij had een ander apparaat nodig, een dat geen besluiten nam, maar waarvoor slechts één wet gold: ZIJN wil. Het huidige apparaat was aftands, afgewerkte stoom, rommel. Die oude kaders echter, uiterst eendrachtig, met de hechtste onderlinge banden, zouden zich niet zo makkelijk terugtrekken, je moest ze opruimen. Het zouden voor altijd gekrenkte, eeuwig wrokkende, potentieel dodelijke vijanden zijn, klaar om zich bij de eerste gelegenheid aan te sluiten bij diegenen die zich tegen HEM keerden. Hij moest ze vernietigen. Onder hen zouden ook mensen zijn die zich in het verleden verdienstelijk hadden gemaakt—de geschiedenis zou het kameraad Stalin vergeven. Nu werden hun vroegere verdiensten schadelijk voor de zaak van de partij, ze maakten zichzelf tot de voltrekkers van het lot van de staat. En daarom moest hij ze vervangen. Vervangen, dus vernietigen.

Stalin liep zijn werkkamer weer door, bleef tegenover het raam staan... Ja, Lenin had de Oktoberrevolutie voorbereid en voltooid, dat was zijn historische verdienste. Maar na de voltooiing van de Oktoberrevolutie, nadat hij het nieuwe gezag in het vuur van de Burgeroorlog had weten te verdedigen, was hij in essentie de weg ingeslagen die de ervaring van het orthodoxe marxisme voorschreef: de Nieuwe Economische Politiek vormde het begin van deze weg. Lenin had met vergaande revolutionaire middelen de burgerlijke revolutie voltooid, het pad voor haar geëffend door de resten van het feodale stelsel te vernietigen. Maar Lenin was dood. De geschiedenis is een groot regisseur. Ze had Lenin op tijd afgevoerd en een nieuwe leider naar voren laten komen die Rusland een waarlijk socialistische weg zou doen inslaan. Daarvoor waren meer revoluties nodig. Eén revolutie die niet voor de Oktoberrevolutie onderdeed, had hij al volbracht, hij had de individuele landbouw geliquideerd, de koelakken geliquideerd, zelfs de mogelijkheid tot ontwikkeling van de zelfstandige landbouw geliquideerd. Daarbij waren miljoenen mensen omgekomen—de geschiedenis zou het hem vergeven. Hij had een tweede revolutie volbracht: dank zij hem was Rusland de weg van de industriële ontwikkeling ingeslagen, was het een moderne, militair gezien machtige staat geworden. De prijs van deze verandering was hoog, er waren vele menselevens verloren gegaan—de geschiedenis zou het kameraad Stalin vergeven, de geschiedenis zou het hem niet vergeven, als hij Rusland zwak en hulpeloos ten opzichte van haar vijanden zou achterlaten. Nu moest hij een nieuw, speciaal machtsapparaat scheppen. En het oude vernietigen. De vernietiging van het oude apparaat moest hij laten beginnen bij hen die tegen HEM waren opgetreden, bij Zinovjev en Kamenev, zij waren kwetsbaarder, streden tegen de partij en hadden al zoveel fouten toegegeven, dat ze zouden blijven toegeven, alles zouden toegeven wat hij maar wilde. En niemand zou hen durven verdedigen, ook Kirov niet.

Negen jaar was Kirov nu in Leningrad. Wat had hij in al die jaren uitgericht om van de Leningraadse partijorganisatie niet alleen schijnbaar, maar ook daadwerkelijk een bolwerk van het Centraal Comité te maken? Hij had besloten deze altijd dwarsliggende stad tot verzoening te brengen in plaats van haar te verpletteren. Verpletteren wilde zeggen het oude apparaat door een nieuw vervangen, de oude kaders door nieuwe vervangen. Verzoenen betekende het oude apparaat onaangetast laten, de oude kaders op hun plaats laten, hen alleen naar zijn kant overhalen. Dat was ook de weg van kameraad Kirov. Waarom? Had hij zijn opdracht niet begrepen? Jazeker wel! Maar vooral zijn eigen opdracht en niet die van de partij, hij had Leningrad niet in een bolwerk van de partij veranderd, maar in zijn eigen bolwerk. Hij had hen niet voor de partij gewonnen, maar zij hadden hem voor zich gewonnen, zij hadden van hem hun nieuwe leider gemaakt.

Stalin liep weer naar zijn bureau, las Jagoda's rapport nog eens. Ja, Jagoda's beschermeling, Zaporozjets, was niet in staat de situatie in Leningrad te veranderen. Een zwakkeling, een nul!

Stalin trok de deur van de ontvangkamer open en verzocht Poskrebysjev om kameraad Jagoda, de volkscommissaris van binnenlandse zaken, voor de volgende dag te ontbieden.

10 Om twaalf uur bereikten ze de Angara. Boven de machtige rivier overhangende torenhoge rotsen, hun grijsbruine, gele en rode kalklagen legden de oerstructuur van de aarde bloot.

Een uur later reden ze Bogoetsjany binnen. Daar moesten ze gaan wonen. Langs de oever zwarte badhuizen, fuiken aan stutten, bootjes vastgebonden aan palen. Aan weerszijden van een brede straat houten, zwartgrijze huisjes. De lattendaken begroeid met groen mos. Tussen de huizen hoge, stevige schuttingen. Een stoep op de binnenplaats. Aan de straatkant ramen omlijst met decoratief blauw en violet houtsnijwerk.

De voerman reed een grote binnenplaats op met een graanschuur, hooizolder, schuren en een omheinde ruimte voor het vee. Maar vee was er niet, er scharrelden alleen kippen op de mesthoop rond. De voerman trok de deur van het grote huis open, een zurige lucht prikkelde hun neusgaten, ze zagen een grove, zelfgemaakte tafel, banken langs de wanden: het nederige onderkomen van een weduwe.

De vrouw des huizes, een gewrongen mensje met een kruk, zat op een bank en volgde elke beweging van de gasten met een nerveuze blik; haar dochter, een vrouw van een jaar of veertig met een ingevallen boezem, slap hangende buik en een vuil schort voor, zweeg alsof ze stom was, en ten slotte was er haar zoon, een klein, lelijk jongetje van ongeveer zestien.

Ze zetten hun spullen neer en gingen naar de rayongevolmachtigde van de NKVD. Dat bleek een zekere Baranov te zijn, een dikke man met een voldaan ambtenarengezicht, waarop geschreven stond dat hij de hele winter door had geslapen en nog langer zou slapen als de staatszaken er niet tussen waren gekomen. Hij sneed het pak papier open, trok een gewichtig gezicht, las het door en wees iedereen een verblijfplaats toe. Ivasjkin kon in Bogoetsjany blijven, Volodja Kvatsjadze moest verder de Angara af, de anderen juist stroomopwaarts, Kartsev naar het dorp Tsjadobets en Boris en Sasja naar een ander rayon, naar het dorp Kezjma, waar ze onder toezicht van de plaatselijke gevolmachtigde zouden staan. 'Weet u,' legde Boris uit, 'ik heb een aanstelling bij me voor de plaatselijke afdeling van ZAGOTPOESJNINA. Dat is een instructie van kameraad Chochlov voor kameraad Kosolapov.'

Chochlov was hoofd van het streekkantoor van ZAGOTPOESJNINA, Kosolapov van dat in Bogoetsjany. Maar Boris liet Chochlovs brief niet zien uit angst dat Baranov hem in beslag zou nemen.

'Chochlov heeft niets met uw werkzaamheden te maken,' zei Baranov nors, 'zodra de postboot komt moet u naar Kezjma.'

Volodja ging op zoek naar bekenden.

Ivasjkin deed ineens heel gewichtig, was weer doordrongen van het uitzonderlijke van zijn beroep, in Bogoetsjany was een drukkerij opgericht, maar er waren geen zetters, daar was overal vraag naar.

'Hoe weet u dat van die drukkerij?' vroeg Sasja verwonderd.

'Dat heb ik in Kansk gehoord,' antwoordde Ivasjkin ontwijkend en haastte zich weg om een woning te zoeken.

Het was vervelend dat hij daar de hele weg niets over had gezegd, bang als hij was dat iemand anders zijn plaats zou inpikken.

Boris zag er terneergeslagen uit. Kezjma was ver, nog driehonderd kilometer, het was onzeker of daar een vacature was, hij was een stommerik dat hij er niet aan gedacht had een extra brief voor daar mee te brengen.

'Ik ga toch maar naar Kosolapov,' zei Boris, 'misschien doet hij iets. Die Baranov, die meneer Ram, doet zijn naam alle eer aan.'

Sasja en Kartsev gingen naar huis. Kartsev was volledig uitgeput, haalde het huis nog net, viel op een bank neer, vroeg om drinken, rilde steeds. Sasja dekte hem toe en vroeg de oude vrouw:

'Heeft u gekookt water?'

'Theewater? In de ketel daar.'

Ze ging weer als een uil in haar hoekje zitten.

'Hij heeft onderweg kou gevat. Niets bijzonders. Hij wordt wel beter, is nog jong. Wilt u eten?'

'Wanneer mijn kameraden er weer zijn.'

Als eerste kwam Volodja, hij pakte zijn rugzak, zei dat hij bij een kennis logeerde, het derde huis voorbij de school en vertrok.

Daarna kwam Boris, Kosolapov had geen invloed, Baranov had alle touwtjes in handen, van zo'n botterik hing je leven af! Hij kon stikken!

'Weet u, Sasja, ik ben zelfs blij. Ik ben nu aan u gewend. We zijn samen op weg gegaan, maken het samen af.'

Hij sprak er al over hoe hij het in Kezjma zou aanpakken, hij zou Sasja werk bezorgen, hij herinnerde zich de cijfers van het district, waarmee hij de plaatselijke chef van ZAGOTPOESJNINA voor zich zou innemen.

Ivasjkin kwam weer opdagen, berichtte dat hij voor weinig geld kost en inwoning had gevonden, het salaris was hier goed, met koudetoeslag, hij zou geld naar huis kunnen sturen of zijn gezin over laten komen. Hij bleef niet eten, daar had hij al voor betaald.

'Ik moet rennen, jongens, er wordt op me gewacht,'

Hij vroeg niet wanneer ze afreisden, liet geen adres achter, vroeg niet om te schrijven, beloofde zelf niets... Ik moet rennen, jongens, er wordt op me gewacht.

'Kijk, zo nemen mensen nu afscheid,' merkte Boris op.

'Hij snikte niet aan uw borst,' grinnikte Sasja.

'Heeft u dat ook gemerkt? Goed zo! U bent een pienter joch.'

Ze aten dratsjeny, allemaal uit één schaal, en gingen naar het postkantoor, lieten daar de boodschap achter dat alles naar Kezjma moest worden doorgestuurd. Sasja schreef aan zijn moeder dat het uitstekend met hem ging, de Angara een indrukwekkende rivier was, dat hij niets nodig had en dat ze haar brieven naar Kezjma, poste restante, moest sturen.

Ze gingen huiswaarts. Op straat lagen eskimohonden met krulstaarten, ze lichtten zelfs niet de kop op als er een vrouw met een juk op de schouders langsliep of een groep kinderen uit een poort zwermde.

'Een ook maar een klein beetje passend object heb ik niet waargenomen,' zei Boris, 'het meisje op het postkantoor, en dat is de plaatselijke elite. Tussen twee haakjes, wees voorzichtig, hier heerst syfilis. En trachoom; raak in godsnaam hun handdoeken niet aan! Nu de belangrijkste vraag: heeft u dat meisje dat om ons huis heendraait gezien? Zo een met van die jukbeenderen, geen lelijke meid?'

Sasja had haar met de zoon van de vrouw zien praten.

'Ze heeft een oogje op u,' voegde Boris er aan toe.

'Het is nog maar een kind.'

'Hoezo? Zestien of zo. Precies de goede leeftijd. Daarna trouwen ze en veranderen in werkpaarden. Kijk maar eens goed.'

'Ontucht met minderjarigen,' lachte Sasja. 'Ik heb al genoeg aan artikel achtenvijftig.'

Op de aarden wal tegen het huis aan zat het meisje, ze was niet groot, had een goed figuur, stevige benen, een regelmatig, fijn getekend gezichtje, een gewelfd voorhoofd, volle lippen. Aan de iets vooruitstekende tanden herkende je een verre Toengoezische, Mongoolse voorvader. Een tot boven toe dichtgeknoopt jakje, een lange boerenrok die de blote benen met de harde, vuile voetzolen tot de enkels toe bedekte. Ze kauwde op een stuk hars en keek Sasja met haar kleine, lachende bruine ogen aan.

'Waarom lach je?' vroeg Sasja.

Ze proestte het uit, bedekte haar mond met haar hand, sprong op en rende weg, het hekje dichtklappend. Maar Sasja zag dat ze door een kier naar hem keek.

'Schuw, maar charmant, een beeldje,' zei Boris.

Als avondeten kregen ze een gestoomd gerecht, koolraap met boerdoek, haverbrij. Opnieuw lepelden ze allemaal, ook de vrouw en haar zoon, uit één schaal. De oude vrouw klaagde: er was geen melk, geen vlees, zelfs geen vis; ze hadden geen man in huis, en niemand die vis ving.

Tijdens het eten verscheen het buurmeisje weer. Ze deed de deur open, zag Sasja, deed hem weer dicht, verschool zich in het voorhuis.

'Waarom verberg je je, kleine slang?!' riep de oude vrouw. Maar ze bleef zwijgend in de hal staan. 'Ze is van een gemengd huwelijk,' legde de gastvrouw uit.

'Ze heet Loekerja. Loekesjka,' riep ze weer, 'kom binnen. Die stadsmensen hebben nieuw eten meegenomen.'

Sasja sneed restjes worst voor Kartsev klein.

Loekesjka kwam binnen maar bleef in de deuropening staan.

'Een kleinduimpje,' zei de oude vrouw, doelend op Loekesjka's geringe lengte, 'van beide kanten dwergjes, én de vader, én de moeder... Waar zijn je broers?'

'Joost mag het weten,' antwoordde Loekesjka, intussen naar Sasja glurend, 'in het bos, denk ik.'

'Rooien, zagen of zuipen? Ze kunnen de fles niet laten staan. Is vader mee?' 'Ja...'

Loekesjka wierp een blik op Kartsev.

'Ziek?'

'Ja,' antwoordde de oude vrouw, 'hij ligt maar te mompelen. Waarom? Zijn ziel neemt afscheid van het lichaam. Wat sta je daar? Ga zitten, zeg wat, kijk eens wat een vent.' Ze knikte naar Sasja.

Maar Loekesjka ging niet zitten, bleef bij de deur staan, kauwde hars, wierp een schuinse, lachende blik op Sasja, blootsvoets, in een loshangend jak en een lange rok. Haar lenige lichaam rook naar water, de rivier, hooi. Het waren die jaren in het leven van een dorpsmeisje, waarin ze nog niet was afgebeuld door het werk in het huishouden, met de kinderen, op het land, ze was bij de hand, sterk, wist alles al, haar opvoeding had ze in de gemeenschappelijke kamer gekregen waar ze allemaal sliepen, vader en moeder, haar broers met hun vrouwen, en op de ruwe dorpsstraat, ze was open en naïef schaamteloos.

Sasja reikte haar een stukje worst.

'Proef eens.'

Loekesjka verroerde zich niet.

'Pak aan, deksels kind, eet!' zei de oude vrouw.

Loekesjka nam het stuk worst aan.

'Zijn jullie eergisteren wezen vissen?' vroeg de oude vrouw.

'Ja.'

'Veel gevangen?'

'Twee emmers vol.'

'Hoe oud ben je?' vroeg Sasja.

'Wat?' vroeg Loekesjka.

'Hoeveel jaar ben je?'

'Waarom moet je dat weten... Zestien.'

'Waarom jok je?' sprak de oude vrouw haar tegen, 'onze Vanjka is vijftien en dat ben jij ook.'

Loekesjka wreef met haar schouder tegen de deurpost en antwoordde niet.

'Loekesjka!!!' klonk het van de straat.

'Ze roepen je,' zei de oude vrouw.

'Ja,' antwoordde Loekesjka, maar bleef staan.

'Loekesjka!'

'Bah, een ontsnapte boef!' schold Loekesjka en ging, de deur achter zich dicht slaand.

'Een goed meisje,' zei de oude vrouw tegen Sasja, 'als je haar een *katjetka* geeft, gaat ze wel met je mee.'

'Wat is een *katjetka*?'

'Nou, een hoofddoek in jullie taal.'

'Interessant,' lachte Sasja.

Kartsev kreunde 's nachts, had het benauwd, vroeg of ze hem overeind wilden helpen, hij kon zelf niet meer opkomen.

's Ochtends gingen Sasja en Boris naar het ziekenhuis. Er stond een lange rij bij de dokterskamer. De mensen wachtten in de gang en op de stoep. Solovejtsjik liep rechtstreeks door naar de spreekkamer. Sasja volgde hem. De jonge arts hoorde Boris aan en toen hij hoorde dat het om een balling ging, beval hij dat ze een verordening van de rayongevolmachtigde van de NKVD moesten halen.

'De man ligt op sterven,' zei Sasja botweg, 'wat voor verordening hebt u nodig?'

'Baranov weet wel waarom,' antwoordde de arts.

Baranov kwam naar de binnenplaats, was slaperig, vroeg hen nors wat er aan de hand was, krabbelde onwillig 'Aan de rayonarts. Onderzoek zieke adm. balling Kartsev' op een papiertje.

Ze gingen terug naar het ziekenhuis. Boris drong weer voor en overhandigde het briefje. De arts zei dat hij na het spreekuur langs zou komen.

's Avonds kwam hij, onderzocht Kartsev, constateerde longontsteking en een opgezette long ten gevolge van algehele distrofie. Hij had een zuurstofapparaat nodig, dat was er niet, hij moest opgenomen worden, maar in het ziekenhuis waren tien bedden en er lagen twintig mensen. Hij schreef een recept uit en zei dat ze Kartsev 's nachts hete melk moesten geven. Maar in zijn norse en gesloten blik las Sasja dat Kartsev voor hem al dood was.

's Ochtends voelde Kartsev zich beter en vroeg of ze Baranov wilden laten komen.

'Waar heb je hem voor nodig?' vroeg Sasja verbaasd.

'Ga nu maar,' antwoordde Kartsev al hijgend en hoestend, 'zeg maar dat er wel een zuurstofapparaat is, dat alles er is. Ga nu toch, laat hem komen.'

Ze gingen. Boris stelde voor bij Volodja Kvatsjadze langs te gaan.

'Hij kan met ze praten.'

Volodja hoorde hen rustig aan, zelfs vol medeleven. Zou hij zijn gedrag in

Tsjoena, toen hij Kartsev in de koude schuur had laten slapen, nu willen goedmaken? Dat viel te betwijfelen... Waarschijnlijk was er een andere reden: hij kon nu bij de autoriteiten een scène maken, zichzelf bewijzen, en de aanleiding was serieus genoeg: ze wilden een balling geen medische hulp verstrekken.

'Kartsev vroeg of Baranov bij hem kwam.'

'Wat?!' Volodja wendde zich met een verschrikt gezicht tot Sasja. 'Vroeg hij of Baranov kwam?!'

Zijn stem trilde en zoals altijd wanneer hij opgewonden was had hij een heel duidelijk Georgisch accent.

'Hij kan in deze toestand toch zelf niet naar hem toegaan.'

'Hij vroeg of Baranov kwam?!' herhaalde Volodja. Hij wierp een hatelijke blik op Sasja. 'En jullie voeren zo'n opdracht uit?'

Sasja had genoeg van zijn onverdraagzaamheid.

'Waarom kijk je me zo aan? Zie je me voor het eerst?'

'Volodja, bedaar,' zei Boris, 'Sasja kan er toch niets aan doen.'

Volodja zweeg, verklaarde daarna somber:

'Kartsev is een provocateur.'

'Waarom?' reageerde Sasja verbaasd. 'Hij heeft drie jaar in de gevangenis gezeten, geweigerd te eten, zijn aderen opengesneden.'

'Hij heeft gezeten, honger geleden, zijn aderen opengesneden!' riep Volodja door de kamer ijsberend. 'Er zitten allerlei mensen, heel wat verschillende en ze moeten allemaal honger lijden... Waarom hebben ze hem naar Moskou gebracht?'

'Hij is verbannen,' merkte Boris op.

'Nou en?!' gilde Volodja weer. 'Ook in ballingschap hebben ze zulke lui nodig. "Je denkt nu anders? Hebt je fouten ingezien? Nee, pardon, dat is te weinig, bewijs dat maar eens concreet! We hebben *rapporteurs* nodig..."'

'Als dat waar was,' weerlegde Sasja, 'had Baranov hem niet naar Tsjadobets gestuurd, maar hier in Bogoetsjany laten blijven.'

'Baranov weet helemaal van niets! In de papieren zaten alleen onze gegevens. En zóiets komt later, met de speciale post. Kartsev wil hem duidelijk maken dat hij behandeld moet worden, gered. Alle mensen uit Verchne-Oeralsk zijn naar verschillende kampen en gevangenissen gestuurd, alleen hij naar Moskou! Waarom? Toch niet om het Tretjakov-museum te gaan bekijken?'

'Iedereen die het niet met jou eens is, is óf een schoft, óf een provocateur,' zei Sasja, 'wij gaan naar Baranov.'

'Goed,' sprak Volodja op dreigende toon, 'werken jullie maar mee, werken jullie maar mee.'

'Hou op met intimideren! We kennen jouw soort!'

'Wat weet jij ervan?!' schreeuwde Volodja weer. 'Niets! Je bent een moederszoontje! Jij hebt niet bij veertig graden onder nul bomen moeten kappen. Jij hebt niemand zien doodgaan van de kou. Bloed zien spugen. Jij hebt met Kartsev te doen. Heb je dan niet met de mensen te doen die door lui als Kartsev de dood in worden gejaagd?'

'In de eerste plaats heb ik met jou te doen,' zei Sasja.

Toen ze bij Baranovs huis kwamen, bleef Boris staan.

'Wacht, Sasja, laten we alles goed overdenken. We hoeven het niet met Volodja eens te zijn, maar een zekere logica kun je hem niet ontzeggen. Waarom heeft Kartsev Baranov nodig? Om in het ziekenhuis te komen? Dat kunnen wij ook eisen. Waarom dan? U, Sasja, begint hier net en ik ben al een ouwe rot. Er is niets ergers dan van zoiets verdacht worden, dat is in een oogwenk rondgebazuind. En dat is voor het leven, het tegendeel kun je nooit bewijzen. Ik ben bereid naar het ziekenhuis te gaan, voor Kartsev te zorgen, wat je maar wilt, zijn po te legen... Maar een ontmoeting met Baranov regel ik niet.'

'Ik ga alleen,' zei Sasja.

Boris dacht na, stelde toen voor:

'Laten we het zo doen: we verlangen van Baranov dat hij wordt opgenomen en dat Kartsev hem vraagt te komen zeggen we niet. En als hij daar, in het ziekenhuis, Baranov wil zien, laat hij hem dan via de dokter officieel ontbieden.'

'Ik heb jullie een dokter gegeven, wat moeten jullie nog meer?' vroeg Baranov geïrriteerd.

'Hij moet naar het ziekenhuis.'

'Ik heb toch gezegd: geen plaats.'

'De man gaat dood.'

'Welnee.'

'Maar als hij dood gaat, laten we Moskou weten dat u weigerde hem in het ziekenhuis op te laten nemen.'

'Een slechte start hier, Pankratov,' sprak Baranov onheilspellend.

Drie uur later kwam er een ziekenwagen voorrijden. Sasja en Boris droegen Kartsev naar buiten.

De hete junidag liep ten einde, van de rivier woei een briesje, Kartsev lag met gesloten ogen, ademde gelijkmatiger, rustiger.

's Avonds zat Loekesjka weer op de aarden wal, leren schoentjes omsloten haar kleine voeten. Haar hoofd en schouders waren bedekt met een bonte doek.

Ze schoof opzij, nodigde daarmee Sasja uit om naast haar te komen zitten. Sasja deed het.

'Nu, vertel eens iets, Loesja. Je heet toch Loesja?'

'Ze noemen me Loekesjka.'

'Wij zeggen Loesja. Ik zal je Loesjenka noemen.'

Ze bedekte haar mond met de doek.

'Vind je dat leuk, Loesjenka?'

Ze trok de doek van haar mond, haar ogen lachten.

'Werk je, leer je nog?'

'Ik ben van school af.'

'Hoeveel klassen heb je?'

'Nou, drie.'

'Kun je lezen en schrijven?'

'Ja, maar ik ben het vergeten.'

'Werk je?'

'Ik ben kokkin. Waar ga je wonen?'

'In Kezjma.'

'Oei,' bracht ze er teleurgesteld uit, 'dat is ver. Hier bij ons wonen veel verbannenen.'

'Ben je wel eens in Kezjma geweest?'

'Nee, ik ben nooit verder dan het bos geweest.'

'Ben je niet bang voor beren?'

'Ja. Vorig jaar waren we in het bos bessen aan het zoeken en toen sprong er ineens een tevoorschijn, brullen dat ie deed, het eikenbos trilde ervan. We gilden en renden naar de boot. Jammer van de bessen, maar die waren te zwaar, bleven daar. We lieten ze vallen. Hij liep met zo'n gangetje, die lompe beer. We stootten af met roeispanen en hij het water in... We roeiden en roeiden en konden maar net wegkomen, we gilden en waren als de dood... O, we waren er bijna geweest... We waren voor niets gegaan, nu gaan we niet meer het woud in, daar niet meer naar toe, we zijn bang.'

Ze praatte vlot, lachte en hield tegelijkertijd verlegen een punt van de doek voor haar mond.

'Ga je met me mee naar Kezjma?' vroeg Sasja.

Ze hield op met lachen, keek hem aan.

'Als je me meeneemt, ga ik.'

'En wat doen we daar?'

'Wonen. Hoelang moet je in Kezjma blijven?'

'Drie jaar.'

'We wonen drie jaar samen, dan ga je weg.'

'En jij?'

'Hoezo? Ik blijf. Iedereen doet dat zo, ze wonen samen en vertrekken dan weer. Maar misschien blijf je in Angara?'

'Nee, dat doe ik niet.'

'Morgen gaan we naar de Sergoeneilanden. Ga met ons mee.'

'Waarom?'

'We blijven daar slapen,' verklaarde ze met naïeve onbeschaamdheid.

'Loekesjka!' klonk een stem van de aangrenzende binnenplaats.

'Je gaat dus mee?'

'Ik moet erover denken.'

'Ach jij, piekeraar,' lachte Loekesjka en rende weg.

In de kist lagen houtspaanders. Sasja wilde ze eruit halen, maar Boris zei:

'Dat mag niet, weet je dat niet?'

Dat wist Sasja niet, het was de eerste keer dat hij iemand begroef.

De doodgraver en de voerman gingen de kelder in, naar het lijkenhuisje.

De dokter kwam naar buiten op de stoep, keek Sasja met diezelfde norse blik aan waarmee hij naar de stervende Kartsev had gekeken en zei:

'De overlijdensakte is naar de gevolmachtigde van het rayon gestuurd.'

Sasja en Boris gaven geen antwoord—wat moesten zij met de akte, aan wie zouden ze die sturen?

De arts ging niet weg, bleef staan, naar hen kijken. Hij was even oud als zij.

De doodgraver en de voerman droegen het lichaam naar buiten, legden het in de kist.

Ze spijkerden het deksel vast. De kar reed de binnenplaats af. Ernaast liep de kleine boer, de voerman, achter de kist Sasja en Boris. Ze reden de lange dorpsstraat af, langs de houten, zwartgrijze huizen, sloegen een andere, net zo'n zwartgrijze straat in, en reden het dorp uit, een berghelling op naar een houten, dichtgespijkerde kerk. Daarachter lag het kerkhof.

Ze pakten schoppen en begonnen te graven. Alleen de bovengrond was zacht, dieper was hij hard, bevroren, met lagen ijs.

Zo eindigde de levensweg van Kartsev, hun toevallige metgezel op hun tocht onder geleide, werknemer van HAMER EN SIKKEL, Komsomol-functionaris, politiek gevangene in Verchne-Oeralsk, balling. Had Volodja gelijk? Wat had Kartsev ertoe gebracht? Het verlangen om zijn schuld af te kopen, om de oprechtheid van zijn berouw te bewijzen? Misschien hadden ze beloofd hem vrij te laten. Of was het gewoon zwakheid?

Het antwoord op deze vragen nam Kartsev mee in zijn graf in het verre Siberië, aan het einde van de wereld.

Maar zelfs al was het zo, het maakte toch niets uit, die Kartsev had Sasja niet gekend. Hij had de man alleen ziek en lijdend gekend.

De voerman zette zijn schep weg.

'Genoeg, de beren kunnen er niet bij.'

Ze haalden de kist van de kar, legden hem op touwen en lieten hem voorzichtig over de verse, aarden wal heen in het graf zakken.

Daarna trokken ze de touwen op en gooiden de groeve dicht. Alles was voorbij. De voerman sprong op de kar, greep de teugels en reed in een draf naar het dorp. Sasja en Boris bleven bij het graf achter.

'We moeten in elk geval een bordje met zijn naam neerzetten,' zei Boris. Maar ze hadden geen plankje en ook geen potlood.

Van de berg af kon je ver de loop van de Angara volgen, van onbekende streken stroomden haar wateren tussen rotsen en wouden naar andere onbekende streken. Aan de horizon nam het water de kleur van de hemel aan, vloeide ermee samen, als had God de aarde nog niet geschapen om water te scheiden.

Een bitter en tegelijk blij gevoel doorstroomde Sasja.

Terwijl hij triest en wanhopig op het verwaarloose kerkhof stond, besefte hij ineens heel duidelijk de onbeduidendheid van zijn eigen tegenspoed en ontberingen. Deze *grootse eeuwigheid* versterkte zijn geloof in iets dat hoger was dan datgeen waarvoor hij tot nu toe geleefd had. Zij die andere mensen verbanden vergisten zich als ze iemand op die manier dachten te kunnen breken. Ze konden hem zo doden, maar niet breken.

11 'Lees!'

Terwijl Jagoda zijn laatste rapport doorlas, sloeg Stalin hem gade: een grof en smal steenrood gezicht met een klein hitlersnorretje onder de neus en een sombere, waakzame blik. Geen schoonheid!

Al in 1929 had hij zijn keus op hem laten vallen. Menzjinski was ernstig ziek, werkte praktisch niet meer en op het Zeventiende Partijcongres hadden ze zijn vervanger, Jagoda, zijn plaats in het CC laten innemen. Hij had kameraad Menzjinski ook uit zijn functie als bestuursvoorzitter van de OGPOe kunnen ontheffen en Jagoda op zijn plaats kunnen benoemen. Maar dat zou verkeerd worden opgevat; Menzjinski werd door iedereen gezien als de opvolger van Feliks Dzjerzjinski. Een maand geleden was Menzjinski gestorven. Direct daarna werd het al veel eerder door het Politbureau voorbereide besluit om een NKVD op te richten uitgevoerd. Onder dit Volkscommissariaat zouden de staatsveiligheidsdienst, de politie, de grensbewaking en de binnenlandse veiligheidstroepen, de heropvoedingswerkkampen en kolonies, de brandweer en de burgerlijke stand ressorteren. Jagoda werd tot volkscommissaris van de NKVD benoemd.

Jagoda's kandidatuur was niet op verzet bij het Politbureau gestuit; hij was een oud partijlid, een ervaren Tsjeka-soldaat, geen politicus, geen lid van het

Politbureau, een 'neutraal persoon', hij verstoorde het evenwicht in de partij-leiding niet.

Sverdlov, met wiens nicht Jagoda getrouwd was, had de talenten van zijn familielid indertijd niet zo hoog aangeslagen, hij had hem eerst naar de red-actie van «Dorpsarmoede» gestuurd, en daarna op een onbelangrijke post bij de Tsjeka gezet. Maar Sverdlov had weinig mensenkennis, ging er ten on-rechte prat op dat zijn agenda meer waard was dan de hele personeelsafde-ling van het CC. Immers, Sverdlov beschouwde ook HEM als een 'individua-list', had hem dat al tijdens de ballingschap in Toeroechan recht in het gezicht gezegd, en HIJ was niet gekwetst. Sverdlov was over het geheel geno-men een simpele, brave borst, maar geen persoonlijkheid. Lenin had hem dan ook tot hoofd van het Al-Russische Centraal Uitvoerend Comité be-noemd, een functie die louter representatief was. Na Sverdlovs dood had Lenin voor die post Kalinin uitgezocht, dat boertje uit Tver, 'het dorpshoofd van Rusland'.

Wijlen Dzjerzjinski had Jagoda ook niet gemogen, hij had hem voor bijrol-len achter de hand gehouden, voor bestuurszaken. Maar ondanks al zijn kwaliteiten was kameraad Dzjerzjinski van aristocratische komaf.

Hij voelde zich daarom natuurlijk meer aangetrokken tot Menzjinski, ook een aristocraat, bovendien polyglot, hij kende veertien talen (wat moest een bolsjewiek met veertien talen?), meer dan tot Jagoda, die een eenvoudig apo-theker uit Nizjni Novgorod was. En afgezien van al zijn verdiensten was kameraad Dzjerzjinski tot op zekere hoogte een poseur... Daarom mocht hij Trotski, die hem in dit opzicht verre overtrof, ook niet. Natuurlijk maakte het weinig ontwikkelde 'ambtenaartje' dat Jagoda was niet al teveel indruk op IJzeren Feliks...

Maar de GPOe had geen behoefte aan engelen en evenmin aan schoonhe-den, de kunst van het besturen kwam er op neer dat je de juiste man op de juiste plaats zette en hem later—daar ging het om—wanneer hij overbodig werd, verwijderde. Jagoda behield voorlopig zijn functie nog; hij vatte de werkelijke betekenis van wat je tegen hem zei.

De verdenking dat Jagoda met de tsaristische Geheime Politie had samen-gewerkt, was mogelijk niet ongegrond. Maar zulke zaken waren ingewikkeld en verward. Zoiets nagaan was practisch onmogelijk. Indirecte bewijzen wa-ren nooit afdoende en betrouwbaar en directe waren er vrijwel niet; kort na de revolutie had de Ochrana bijna alle archieven vernietigd. Hadden we eigenlijk veel namen van voormalige informanten? De ontvangen materialen bewezen weinig; de Ochrana had de sporen weten te maskeren, kon je op een dwaalspoor zetten. En voor iemand die contact had met de ambtenaren van de gendarmerie en had moeten manoeuvreren om voor de partij behouden te kunnen blijven, waren situaties die nu, vele jaren later, dubieus leken onver-mijdelijk geweest.

Het bewijs leveren dat iemand met de Ochrana verbonden was geweest, was moeilijk en het tegendeel bewijzen, wanneer zo'n verdenking al was gerezen, was nog moeilijker, zodra er ook maar enig belastend materiaal was. Er was wat belastend materiaal tegen Jagoda ingebracht, weliswaar indirect en niet afdoende, maar voldoende om indien wenselijk Jagoda van provocatie te beschuldigen. HIJ had destijds tegen de persoon die hem dit materiaal had overgelegd gezegd dat de partij dit niet overtuigend vond en hij had hem opgedragen nooit en te nimmer op deze kwestie terug te komen. Maar het materiaal had hij bij zich gehouden. En Jagoda wist dat. Hij had ook verboden de informant last te bezorgen. En Jagoda wist dat ook. Hij zou hem uit angst toegewijd zijn en dat was beter dan uit overtuiging: overtuigingen kunnen veranderen, maar angst gaat nooit over.

Jagoda legde de stukken op het bureau en zei niets; Stalin had nog niets gevraagd. Hij keek Stalin ook niet aan: als je kameraad Stalin aankeek betekende dat dat je hem stilzwijgend een vraag stelde, tot een gesprek wilde provoceren. Stalin hield daar niet van, hij bepaalde zelf wat hij moest zeggen en wanneer. Stalin had hem natuurlijk zijn eigen rapport laten zien, het was echter nog niet duidelijk wat daar achter stak.

Stalin knikte nauwelijks merkbaar naar de stoel waar Jagoda naast stond. Hij nodigde hem uit te gaan zitten, er stond hem dus een lang gesprek te wachten en, zoals Jagoda al begrepen had, een ernstig gesprek in die zin dat hij heel wat rebussen zou moeten oplossen.

Door zijn werkkamer ijsberend zei Stalin:

'Waarvan getuigt uw rapport? Dat kameraad Zaporozjets zijn verplichtingen niet nakomt. Als de liquidatie van Zinovjevs oppositie een eenvoudige zaak was geweest, was die taak aan kameraad Medved en zijn apparaat opgedragen. Maar kameraad Medved is een aanhanger van Kirov en kameraad Kirov onderschat, helaas, de ernst van de bedreiging die Zinovjev voor de partij en voor hem persoonlijk vormt. Hij taxeert de situatie in Leningrad verkeerd.'

Stalin liep langzaam en onhoorbaar over het tapijt heen en weer.

'Wat is het bijzondere aan deze situatie?' vervolgde hij. 'Het bijzondere aan de situatie in Leningrad is niet alleen dat er in de partijorganisatie zoveel aanhangers van Zinovjev zijn overgebleven. Het belangrijkste is dat er in de *leiding* van de partijorganosatie nog zoveel zijn, dat er in kameraad Kirovs omgeving nog zoveel zijn. Je vraagt je af waar al die tienduizenden zijn gebleven die voor het Veertiende Partijcongres voor Zinovjev hebben gestemd. Wel, die zitten daar in Leningrad, nog steeds op dezelfde plaatsen, op dezelfde posten. Kameraad Kirov beweert dat ze nu voor de algemene partijkoers zijn, dat ze nu voor het CC zijn… Maar is dat wel zo? Ja, ze zijn voor kameraad Kirov, maar dat betekent niet dat ze voor het CC zijn! Waarom zouden ze ook niet voor kameraad Kirov zijn nu hun kaders dank zij kameraad Kirov in

Leningrad ongeschonden zijn gebleven. Natuurlijk zijn ze voor kameraad Kirov, natuurlijk zijn ze kameraad Kirov toegewijd. Maar interpreteert kameraad Kirov die toewijding aan hem niet als toewijding aan de partij? Brengt kameraad Kirov tussen hemzelf en de partij geen gelijkheidsteken aan? Is hij daar niet te vróég mee? Is het zo verbazingwekkend dat oprechte Leningraadse communisten over een dergelijke situatie in de partijorganisatie van Leningrad ontevreden zijn? Daar is niets verbazingwekkends aan. Een dergelijke ontevredenheid is volkomen rechtmatig, vooral, zoals u zelf terecht in uw rapport stelt, wanneer het jonge communisten betreft die na de periode Zinovjev zijn opgegroeid en volwassen geworden. Zij protesteren tegen een dergelijke situatie, temeer daar hun ontwikkeling en carrière worden geblokkeerd door Zinovjevs oude partijkaders, die natuurlijk hun éígen mensen naar voren schuiven en anderen, vreemden, geen kans geven. Maar wat voor hen vreemden zijn, zijn eerlijke en oprechte aanhangers van het cc!'

Stalin zweeg, bleef langzaam en onhoorbaar door de kamer ijsberen, begon toen opnieuw:

'Waaruit bestond kameraad Zaporozjets' taak? Uit het veranderen van de situatie in Leningrad, het veranderen van de houding van de Leningraadse organisatie tegenover de aanhangers van Zinovjev en het aantonen van de ernst van de bedreiging die de aanhangers van Trotski en Zinovjev vormen. Wat heeft kameraad Zaporozjets gedaan? Niets. Hij klaagt dat Kirov en Medved het hem niet toestáán—let wel!—iets te doen. Dergelijke klachten zijn een echte Tsjeka-soldaat onwaardig. Hij klaagt dat het apparaat niet hem, maar Medved gehoorzaamt. De sukkel! Laat hij of zijn eigen apparaat uitkiezen of zijn eigen onvermogen toegeven.'

Stalin bleef ineens voor Jagoda staan.

'Met de aanhangers van Zinovjev en Kamenev moet voor eens en altijd afgerekend worden. Kameraad Kirov heeft zich omringd met aanhangers van Zinovjev die hem dankbaar zijn voor al zijn weldaden. Zeer zeker, wanneer Kirov in de situatie zoals deze vandaag is wordt verwijderd, is dat,' Stalin begon weer door de kamer te ijsberen, 'is dat zeer zeker nadelig voor de aanhangers van Zinovjev: Kirov laat hun kaders in Leningrad ongeschonden. Maar wanneer de situatie zich toespitst in een strijd om de macht, hebben zij Kirov niet nodig. Ook in geval van een oorlogsdreiging, kan de situatie zich toespitsen. En een oorlog is alleen in het voordeel van tegenstanders van het cc want een oorlog maakt de weg vrij voor een machtswisseling. Nu proberen Zinovjev en Kamenev kameraad Kirov te gebruiken om het cc aan te vallen, maar er zal een moment komen dat ze hem niet nodig hebben en hem zullen verwijderen om een crisissituatie in het land uit te lokken. Kirov koestert de trotskistische slang aan zijn boezem om die tegen Stalin te ge-

bruiken, maar zal kameraad Kirov niet zelf gebeten worden?'
Hij pakte Jagoda's rapport van zijn bureau en smeet het hem toe.
'De partij heeft geen papiertjes nodig, maar daden. U kunt gaan!'

Stalin had Jagoda weggestuurd. Had hij hem begrepen? Ja, hij had alles begrepen. Het was overigens het beste als Kirov instemde naar Moskou te verhuizen. Hij was secretaris van het CC, dan moest hij ook als zodanig werken. Hier zou hij hem in het vizier hebben. Wel naast Ordzjonikidze, maar dan zouden we tenminste zien wat er van die mooie vriendschap te-rechtkwam, als de hele industrie onder Kirov zou ressorteren, ook de zware, dus ook Sergo met zijn apparaat. Ordzjonikidze was niet al te vlug van begrip, van dat stel was hij de nummer twee, maar hij zou zich niet daadwerkelijk aan Kirov willen onderwerpen. Wat zou het, gezond wantrouwen is de beste basis voor een goede samenwerking.

Stalin liep naar de ontvangkamer en beval Poskrebysjev om kameraad Jezjov te ontbieden.

Jezjov was in 1927 deel uit gaan maken van het apparaat van het CC. Hij was klein, bijna een dwerg. Stalin hield van kleine mensen, hij was zelf een meter zestig.

Het kwam zelden voor, maar Stalin was vergeten wie hem had aanbevolen. Mechlis? Poskrebysjev? Tovstoecha? Een van hen. Daarvoor was Jezjov par-tijfunctionaris in Kazachstan geweest.

Op het secretariaat voldeed hij goed, hij herinnerde zich wie waar en wan-neer welke functie had bekleed, hij kende honderden namen uit het hoofd. Hij was een geboren kaderfunctionaris. In 1930 had HIJ hem tot personeels-chef van het CC benoemd. En hij had zich niet vergist. Over elke gewenste medewerker van de nomenclatura, inclusief de leden van het Politbureau, kon Jezjov een uitputtend, tien minuten durend exposé geven. Iedereen, nie-mand uitgezonderd, stond in Jezjovs kaartsysteem, dat onderdeurtje erkende geen enkele autoriteit, voor hem speelden zaken als staat van dienst in de partij, sociale afkomst en vroegere verdiensten geen enkele rol. Al die begrip-pen vond hij verouderd en zelfs schadelijk, want ze kenden iemand het denk-beeldige recht op uitzonderlijkheid toe. Wanneer Jezjov hem rapport over de leden van het Politbureau uitbracht, stonden zijn violette ogen onverschillig, voor hem was er geen onderscheid tussen de leden van het Politbureau en de leden van de nomenclatura. Als enige op het secretariaat had hij geen per-soonlijke contacten, hij was een partijfunctionaris uit het verre Kazachstan die totaal onbekend was en juist daarom had hij een hekel aan de kaders, hecht aaneengesmeed als ze waren door hun oude onderlinge band. Deze 'beslagring' vernielde hij genadeloos door de belangrijkste schakels eruit te halen en zo ZIJN politiek van het isoleren van mensen in het apparaat uit te voeren. Natuurlijk was Jezjov een eenling. In zijn strijd tegen de sterke 'beslagringen' verdedigde hij zichzelf en zijn positie. Zeer zeker werd hij door zijn blinde haat, een slechte eigenschap in de politiek, gehinderd bij het nemen van de juiste beslissingen. Maar ook slechte karaktereigenschappen kunnen hun nut hebben. Jezjov, dat betekende geen 'witte handschoenen', Jezjov, dat betekende 'zwarte handschoenen'. Maar ook die waren nuttig. Hij redeneerde niet, maar handelde, vrij van elke morele rem, van elke ethische norm. Naar buiten toe bescheiden, maar toch eerzuchtig, wilde hij over mensen regeren, over hun lot beslissen, heimelijk, in zijn werkkamer, achter zijn bureau gezeten, met al zijn dossiers, zijn almachtige kaartsysteem. Praktisch gezien had hij al de controle over de organen van de NKVD, en Jagoda haatte hem dan ook: hier was een evenwicht gevonden. Op het Zeventiende Congres had HIJ hem in het CC opgenomen, een van de weinige veranderingen die HIJ toen had kunnen doorvoeren. Nu moest hij hem in het secretariaat halen om de organen van de NKVD, de rechtbanken en het openbaar ministerie te controleren; dan was er definitief een evenwicht gevonden. Met Jezjov en Jagoda, twee partners die elkaar haatten, kon hij wat die sector betrof gerust zijn.

Stalin knikte naar de stoel.

Jezjov ging zitten en legde zijn bloknoot voor zich.

'Er is een voorstel,' zei Stalin, 'om de structuur van het CC te wijzigen, om het apparaat van het CC met nieuwe afdelingen aan te vullen.'

Wanneer kameraad Stalin zei 'Er is een voorstel' betekende dat dat het voorstel van kameraad Stalin zelf afkomstig was.

'Waarop is dit voorstel gebaseerd?' Stalin leek deze vraag aan zichzelf te stellen.

En hij beantwoordde hem ook zelf:

'Naar ik meen op verstandige overwegingen.'

Jezjov keek naar zijn bloknoot, hield zijn potlood gereed.

'Wij hebben destijds kameraad Rjazanov zijn optreden vergeven,' zei Stalin, 'wij hebben het hem vergeven, omdat Pjatakov hem tot dit optreden had geprovoceerd. Maar het blijft een schandaal. Een commissie uit het centrum arresteren! Geen enkele secretaris van een districtscomité zou zo'n besluit durven nemen. En kijk, de directeur van een fabriek durfde het wel, zelfs zonder enig overleg met de partijsecretaris van het stadscomité. Dat is een ernstig signaal!'

Stalin pauzeerde. Jezjov schreef zonder op te kijken.

'Een signaal waarvan?' vroeg Stalin weer aan zichzelf.

En hij gaf zelf het antwoord:

'Een signaal daarvan dat de industriële bestuurskaders niet gecontroleerd worden. Het industriële apparaat verandert van een sovjetapparaat in een technocratisch apparaat. Dat is heel gevaarlijk!'

Hier pauzeerde Stalin *speciaal* om aan te geven dat er een generalisatie zou volgen die voor het grote publiek was bestemd. Jezjov deed zijn best om alles precies te noteren.

'Een technocratisch apparaat streeft naar economische heerschappij en economische heerschappij is politieke heerschappij, deze waarheid hoort tot het ABC van het marxisme. Wij mogen geen economische en dientengevolge politieke heerschappij van de technocratie toelaten, want dat zou het einde van de dictatuur van het proletariaat betekenen.'

Stalin wachtte tot Jezjov alles had opgeschreven en zei:

'Helaas onderschat kameraad Ordzjonikidze dit gevaar.'

Jezjov hield op met schrijven: alles wat op de leden van het Politbureau betrekking had moest hij onthouden maar mocht hij niet noteren.

'Overigens herhaalt kameraad Ordzjonikidze een fout van veel van onze hoge leiders die toewijding van hun apparaat aan hen persoonlijk interpreteren als toewijding aan de partij en de staat. Het technocratische apparaat is kameraad Ordzjonikidze werkelijk toegewijd. En waarom ook niet? Kameraad Ordzjonikidze beschermt dit apparaat op alle mogelijke manieren, hij neemt het in bescherming, onttrekt het aan de partijcontrole, stimuleert autonome tendensen, hij verzet zich tegen de arrestatie van elke ingenieursaboteur, hij was zelfs tegen het proces van de Industriële Partij. Natuurlijk staat het technocratische apparaat onder dergelijke omstandigheden achter hem. Echter, alleen voor zolang het duurt, het is hem toegewijd zolang het aan kracht wint. Is het eenmaal sterk genoeg, kunnen ze het zonder kameraad Ordzjonikidze stellen! Rjazanov heeft de commissie die door Pjatakov was benoemd gearresteerd en weggestuurd. Maar Pjatakov is immers ondervolkscommissaris bij kameraad Ordzjonikidze! Welke garantie hebben we dat kameraad Rjazanov morgen niet een commissie wegstuurt die door kameraad Ordzjonikidze zelf is benoemd? Door de commissie uit Moskou weg te sturen heeft kameraad Rjazanov een politieke daad gesteld. Waarom heeft hij deze politieke daad niet ter goedkeuring voorgelegd aan de politieke leiding in de persoon van de secretaris van het stadscomité, kameraad Lominadze? Is kameraad Lominadze persoonlijk dan geen autoriteit voor kameraad Rjazanov? Laten we aannemen van niet. Maar kameraad Lominadze is hoe dan ook de voorzitter van de partijorganisatie en het is niemand toegestaan de partijorganisatie te passeren...'

Zodra Stalin was opgehouden over Ordzjonikidze te spreken en op Rjazanov overgegaan, was Jezjov weer gaan noteren.

'Kameraad Rjazanov,' vervolgde Stalin, 'houdt al geen rekening meer met Moskou en evenmin met het plaatselijk partijbestuur. Wat betekent dat? Dat betekent dat het technocratische apparaat zich onaantastbaar en buiten alle controle waant. Waarom?'

Opnieuw pauzeerde Stalin. Jezjov, die een conclusie voelde aankomen, boog zich over zijn bloknoot.

'Het economisch apparaat,' vervolgde Stalin, 'waant zich buiten alle controle, omdat het geen gelijkwáárdige partijcontrole heeft. Welke rol kan de partijcel van het Volkscommissariaat van de Zware Industrie nu spelen als een lid van het Politbureau aan het hoofd van dit volkscommissariaat staat? Welke rol kunnen de partijcellen spelen bij de directoraten, de trusts, de bedrijven, de fabrieken als de chefs van die directoraten en de fabrieksdirecteuren lid van de districtscomités en anders wel van het CC van de partij zijn en de secretarissen van de cellen in het beste geval leden van de rayoncomités? Op zo'n niveau is de rol van de partijorganisaties praktisch gelijk aan nul. De zaak Rjazanov doet ons de oplossing van dit uiterst belangrijke vraagstuk aan de hand: de controle op de activiteiten van het economische apparaat moet op *gelijkwáárdig* partijniveau worden verwezenlijkt. Het partijapparaat moet álle apparaten van het land controleren, waaronder ook het economische en in de eerste plaats het industriële, dat over de zelfstandigste, meest ontwikkelde en *arrogante* kaders beschikt.'

Bij het woord 'arrogant' flitste er woede in Stalins gele ogen en hij voegde er na een stilte aan toe:

'Alle aanzetten tot het scheppen van een technocratie in ons land moeten in de kiem worden gesmoord, er mag niets overblijven. Vandaar het voorstel om aan de bestaande afdelingen van het CC nog drie afdelingen toe te voegen: een industriële, een agrarische en een transportafdeling. Op deze wijze zullen de belangrijkste sectoren van onze economie, industrie, landbouw en transport, een directe band met het Centraal Comité van de partij hebben. Op deze manier kan de partij de beslissende sectoren van de economie beter steunen. De leiders van deze nieuwe afdelingen moeten van hetzelfde formaat zijn als de volkscommissarissen, misschien zelfs van nog groter formaat, zodat zij overwicht en autoriteit bezitten. Bereid over de reorganisatie van de partijorganen een ontwerpresolutie voor en laat me deze zien. Zoek voor de leidinggevende functies van de nieuwe organen kandidaten uit en laat me zien wie u heeft gekozen. Elke afdeling zal onder toezicht staan van een secretaris van het CC die mogelijk zelfs Politbureaulid is. Omdat de industriële afdeling het belangrijkst is, zal deze zeker onder toezicht komen van een lid van het Politbureau. Van kameraad Kirov bijvoorbeeld. Hij heeft, dacht ik, een technische opleiding. Breng mij overigens zijn persoonlijk dossier.'

Stalin stond op.

Jezjov kwam haastig overeind, klapte zijn bloknoot dicht, liet zijn vulpen in zijn borstzak glijden.

Al staand zei Stalin:

'Als kameraad Rjazanov op dit moment gestraft zou worden, zou dat Pjata-kovs provocatie rechtvaardigen. Maar op het principe van het democratische centralisme mag geen inbreuk worden gemaakt, zelfs al heeft het centrum ongelijk. Laat het districtscomité van de partij dit uitzoeken. Laat het districtscomité om opheldering vragen, laat een onderzoek doorvoeren en u rapport uitbrengen. Het incident moet worden vastgelegd.'

12 In de lente al, vlak voor zijn afstuderen, bel-de Malkova Sjarok op en verzocht hem de volgende morgen bij de personeelsafdeling van het Volkscommissariaat van Justitie te komen.

Zijn probleem was dus opgelost. Als het een fabriek werd was het uitstekend, werd het een gerechtshof of het openbaar ministerie dan betekende dat ongetwijfeld Moskou, anders zou hij niet bij het volkscommissariaat ontboden zijn. Iedereen op het instituut had al een aanstelling en iedereen werd naar de provincie gestuurd.

Joera verscheen de volgende dag op de afgesproken tijd bij Malkova. Toen hij binnenkwam stond ze op en zei kort: 'Laten we gaan!'

Ze bracht hem naar een kleine, halflege kamer met kale wanden, er stonden alleen een krakkemikkig bureau, zonder kastjes en afgedekt met een groen vel vloeipapier vol inktmoppen, en met drie stoelen. Aan een draad aan het plafond hing een lamp zonder kap, een verwaarloosde kamer zonder een duidelijke bestemming.

Bij het beslagen raam dat in lange tijd niet was gelapt, stond een kleine man. Toen ze binnenkwamen draaide hij zich om. Malkova liet Sjarok passeren en ging direct weg, de deur stevig achter zich dichttrekkend.

Een tijdje keken ze elkaar aan. De man had een onbeweeglijk kindergezicht, dat door een grote hoornen bril onnatuurlijk volwassen leek. Joera ging zulke droogstoppels altijd uit de weg; ze waren zwakkelijk maar lichtgeraakt en rancuneus. De droogstoppel heette Djakov, stelde Joera voor plaats te nemen en ging tegenover hem zitten.

'U sluit uw opleiding af, kameraad Sjarok,' begon Djakov, 'de toewijzing van functies staat voor de deur, ik wilde nader kennismaken. Vertel eens wat over uzelf.'

Indertijd had Malkova hem met precies dezelfde woorden begroet. De medewerkers van de personeelsafdeling waren niet bijster origineel. En Sjarok antwoordde Djakov ook precies zoals hij het toen Malkova gedaan had; hij was de zoon van een arbeider op een confectiefabriek, hij was vroeger frezer geweest, had op het instituut dat en dat aan sociaal werk gedaan. Er was ook een *complicatie*: zijn broer was veroordeeld wegens diefstal. Kortom, hij antwoordde zo dat hij zich niet compromitteerde en tegelijkertijd een ongeschikte indruk voor het werk bij het rechtswezen maakte, ze moesten hem maar naar de fabriek laten gaan.

Maar in tegenstelling tot Malkova las Djakov hem niet de les over zijn broer, kennelijk was hij daarover al ingelicht. Hij begon hem daarentegen uitvoerig over andere dingen uit te vragen: waar kwamen zijn ouders vandaan, wie waren zijn verwanten, waar woonden ze, wat voor huis hadden de Sjaroks en ten slotte: wat waren zijn plannen voor de toekomst.

'Ik wil terug naar de fabriek.'

Djakov knikte meevoelend.

'Mijn opdracht is duidelijkheid over uw plannen te verkrijgen, het overige wordt door de leiding beslist. Ik bel u nog.'

Ze wilden hem dus bij het volkscommissariaat of het Openbaar Ministerie hebben, alleen voor welk werk was niet duidelijk. Ze hadden hem uit zijn hele jaar geselecteerd, vleiend natuurlijk, maar het doorkruiste wel zijn plannen. En hoewel het volkscommissariaat of het Openbaar Ministerie Moskou betekende, besloot hij toch om te proberen op de fabriek werk te krijgen.

Een paar dagen later belde Djakov en vroeg hem bij het Volkscommissariaat van Justitie te komen. Joera ging. Djakov wachtte hem in het pasjeskantoor bij de ingang op. Ze gingen met de lift naar de derde etage en liepen naar dezelfde kamer als waar Djakov hem de laatste keer had ontvangen.

Bij het raam zat een dikke man in militair uniform met vier onderscheidingstekens op zijn blouse de krant te lezen. De onderscheidingstekens waren vuurrood: de troepen van de OGPOe. Joera kromp ineen, hij begreep voor wat voor werk ze hem wilden hebben.

'Kameraad Berezin,' verklaarde Djakov.

Berezin liet de krant zakken, Joera zag een bronskleurig eskimogezicht en werd weer ongerust.

Met een handgebaar nodigde Berezin Joera uit te gaan zitten.

Djakov bleef staan en ging pas tijdens het gesprek zitten, toen Berezin hem met een hoofdbeweging een stoel wees.

Berezin sloeg Joera zwijgend gade, daarna zei hij langzaam:

'De Partijorganisatie beveelt u aan voor de organen van de NKVD. Ik ken uw dossier. Uw broer is veroordeeld. Kende u degenen met wie hij samen is veroordeeld?'

'Ik zag hen voor het eerst in de rechtszaal.'

'Stond u op goede voet met uw broer?'

'Hij is vier jaar ouder dan ik. Ik had mijn vrienden, hij de zijne.'

'Onderhoudt u contact met hem?'

'Hij schrijft vader en moeder... Ze antwoorden... Laten hem weten dat ik hoop dat hij na zijn straftijd een eerlijk en werkzaam leven begint. Maar of mijn raad zal helpen weet ik niet.'

Berezin was niet in zijn broer geïnteresseerd, maar in hem, dat merkte Joera duidelijk. Hij moest zó antwoorden dat er niet aan zijn oprechtheid getwijfeld werd, maar ze hem tegelijkertijd niet in de organen wilden hebben. Ze moesten hem zelf weigeren. Berezin zou hem nooit vertrouwen, hij was van hetzelfde soort als Boedjagin, een van de IJzeren Garde.

'En wie zijn uw vrienden?' vroeg Berezin.

'Echt intieme vrienden heb ik niet,' begon Sjarok voorzichtig, omdat hij wel begreep dat dit de belangrijkste vraag was. Maar over wie wilde Berezin wat te weten komen: over Sasja Pankratov of over Lena Boedjagina?... Maar zowel Sasja als Lena waren al lang zijn vrienden niet meer... 'Intieme vrienden heb ik niet,' herhaalde Sjarok. 'Ik heb kennissen van het instituut, van de school waar ik op zat, van het huis waarin ik woon.'

'Heeft u op school nummer zeven gezeten?'

Ja, het was duidelijk, het ging om Sasja of Lena.

'Ja, op nummer zeven.'

'In de Krivoarbatskistraat?'

'Ja.'

'Een goede school. Wie van uw schoolvrienden ziet u nog?'

Hij stuurde aan op Sasja Pankratov. Zwijgen? Maar waarom? Ze wisten het toch. En wat konden ze hem aanwrijven? Het was geen vriendschap geweest, eerder vijandschap. Maar ook over vijandschap moest je niet praten, ze zouden denken dat hij een gearresteerde belasterde. Er was niets geweest, geen vriendschap, geen vijandschap. Ze woonden in hetzelfde huis, waren even oud, dus zaten ze op dezelfde school, werkten later op dezelfde fabriek, dat was allemaal lang geleden...

'Ziet u,' zei Joera, zorgvuldig elk woord afwegend, 'eigenlijk zien we elkaar niet meer. Vroeger zagen we elkaar wel eens, toevallig, we woonden in hetzelfde huis. Maar nu zijn we verschillende kanten opgegaan. Maksim Kostin bijvoorbeeld heeft de infanterieopleiding gevolgd en is naar het Verre Oosten vertrokken. Aleksandr Pankratov is gearresteerd, waarvoor weet ik eigenlijk niet. Nina Ivanova is lerares, soms komen we elkaar op de binnenplaats tegen: goedemorgen, tot ziens... Ja, en dan nog Vadim Marasevitsj, hij woont niet bij ons in huis, maar in de buurt, soms ontmoeten we elkaar, hij is filoloog... Wie nog meer? Lena Boedjagina woont in het Vijfde Huis van de Sovjets, we zien elkaar ook bijna niet.'

'De dochter van Ivan Grigorjevitsj?' vroeg Berezin.

'Ja.'

'Heeft u een verloofde, vriendin?'

Deze vraag, dadelijk gesteld nadat Sjarok Lena had genoemd liet zien dat ze waren ingelicht. Ze moesten wel zijn ingelicht. En de vragen waren niet zozeer bedoeld om bijzonderheden uit zijn leven te leren kennen als wel om zijn eerlijkheid te controleren.

'Voorlopig heb ik geen trouwplannen,' glimlachte Joera.

'Houdt u van de schouwburg, bioscoop, van dansen...'

Ze wisten dat hij met Lena in restaurants was geweest.

'Ja, dat is waar.'

'Met knappe meisjes?'

'Liefst met knappe.'

Berezin zweeg even, vroeg toen:

'U noemde Pankratov. Is dat Pankratov Aleksandr Pankratovitsj?'

'Ja, we noemden hem gewoon Sasja. Hij was secretaris van onze Komsomolcel. Maar hij is gearresteerd...'

'Wat is hij voor iemand?'

Sjarok haalde weer zijn schouders op.

'Het is al zo'n tijd geleden. Acht jaar. *Toen* leek hij een beste jongen, eerlijk,' hij glimlachte, 'een Komsomolleider. Maar wat er later is gebeurd, weet ik niet.'

Hij kon niet anders antwoorden. Een negatief, zelfs een gereserveerd oordeel, zou vragen hebben opgeroepen die zinloos waren en waarop hij geen antwoord zou kunnen geven. *Toen* was Sasja een beste jongen geweest, toen was hij vijftien, toen was Sjarok ook vijftien en bezag de wereld met jonge, argeloze ogen. Ook nu bezag hij de wereld nog met argeloze blik, zo'n openhartig en oprecht type met een criminele broer konden ze hier vast niet gebruiken.

Sjarok had er geen vermoeden van dat juist zijn positieve, 'eerlijke' oordeel over Sasja Pankratov zijn lot bezegelde. Berezin bracht zijn eigen houding tegenover Sasja over op hem, en zag in Sjarok evenals in Pankratov een goede, eerlijke vent. Een ernstige misrekening die Berezin later duur zou komen te staan.

Maar intussen zei hij:

'We zullen uw kandidatuur overwegen. Maar eerst moet u zelf beslissen: wilt u bij ons werken of niet? Het is een grote eer, de Tsjeka is de gewapende arm van de partij. We dwingen niemand, weigert u dan nemen we het u niet kwalijk.'

Hij wendde zich weer tot Djakov.

'Geef kameraad Sjarok uw telefoonnummer.'

'Tot uw orders.' Djakov veerde op.

'Er is nog niets besloten,' zei Berezin, 'dit gesprek blijft onder ons.'

'Begrepen,' antwoordde Sjarok.

Waarom juist hij? Hij was een doorsneestudent, geen uitblinker. En ook sociaal gezien was hij niets bijzonders, hij had gedaan wat hem werd opgedragen. Kennelijk hadden ze zulke doorsneemensen nodig.

Hij probeerde zich voor te stellen hoe ze over hem zouden praten. Berezin zou weifelen. Waarom was zijn broer een misdadiger? Waarom kwam hij in restaurants? Waarschijnlijk hield hij, die crimineel, ook van een luxeleventje, daarom had hij ook een juwelier beroofd. Waarom moeten we uitgerekend zo iemand in dienst nemen? Maar Djakov zou voor Sjarok zijn, hij zou aan zijn kandidatuur vasthouden en zijn keus verdedigen. Er was heel even iets tussen hen geweest, een flits van wederzijds begrip of iets dergelijks. Met hem zou Joera kunnen samenwerken.

Maar met die Berezin...

'Gaat u wel eens met uw vader mee naar de paardenrennen?' had Berezin gevraagd.

'Nee, nooit.'

Deze vraag had Joera het vervelendst gevonden. Ze wisten alles van hem, wisten alles van iedereen. En hij was altijd bang voor Boedjagin geweest! Van Boedjagin had hij niets te vrezen, van Berezin wel. Boedjagin was bekend, Berezin niet, en toch had Berezin meer macht. Omdat hun macht geheim moest blijven, stonden ze achter de ruggen van de mensen met zichtbare macht.

En Djakov had ook macht, ook al stond hij elke keer op dat Berezin hem aansprak. Joera dacht terug aan zijn eerste gesprek met hem, hoe gewichtig Djakov toen op zijn stoel was gaan zitten. Nee, hij selecteerde niet de middenmoot van het instituut, wat hadden ze aan de middenmoot, Djakovs keuze was weloverwogen: hij, Sjarok, was voor dit werk geschapen, hij en niet de simpele Maksim Kostin, de intellectueel zonder ruggegraat Vadim Marasevitsj of de al te zelfstandige Sasja Pankratov. Bij Sjarok zou niemand zich eruit kunnen draaien of zich vrijpleiten, hij geloofde in niemands oprechtheid. Je kon niet oprecht in *dat alles geloven* en wie verklaarde dat hij dat wel deed, loog.

Genoeg. Het was een juiste beslissing. Je moest op het lot vertrouwen. Hij zou zich bereid verklaren, dan moesten zij maar beslissen. Als ze hem wilden hebben, konden ze hem krijgen, als ze niet wilden, namen ze hem maar niet. Dáár zou hij veilig zijn. Niemand kon hem daar iets doen, ze pakten zelf iedereen aan.

Joera belde Djakov en zei dat zijn beslissing positief was.

'Kom vanavond,' zei Djakov.

Met zijn toegangspasje in de hand liep Joera de lange gang door terwijl hij op de nummers van de kamers lette. Zou hij hier echt gaan werken?

Djakov ontving hem in een piepklein kamertje, maar het was zijn eigen kamer en hier was hij de baas, hier troonde hij in een uniform met drie strepen op de kraag van zijn blouse. Vreemd genoeg stond het hem goed, het gaf zijn tengere figuur gewicht.

'Daar heb je goed aan gedaan.'

Hij sprak hem nu met 'je' aan, was hartelijk als tegen een collega, haalde een map uit zijn bureau.

'Jouw dossier. We zullen alles regelen.'

Joera voelde dat hij hem mocht.

'Zeg, Sjarok,' zei Djakov, 'vorige keer noemde je Pankratov, wat is dat voor iemand?'

'Tsja,' Joera haalde zijn schouders op, 'dat heb ik al verteld. Op school was hij secretaris van de cel van de Komsomol. Toen maakte hij een eerlijke indruk. Als een tekortkoming zou ik zijn ambitie om intelligenter, deskundiger en beter ingelicht dan de anderen te lijken kunnen noemen.'

'Misschien wás hij wel beter ingelicht.'

'Mogelijk,' gaf Joera toe. Hij doorzag alles en wist nu al wat hij moest zeggen. 'Zijn oom, Rjazanov, heeft de leiding over een belangrijk bouwproject. Bij ons op school zaten trouwens heel wat kinderen van hoge functionarissen. Pankratov kwam bij hen thuis. Ik zou het zo willen zeggen: hij hield ervan te commanderen, de nummer een te zijn…'

'Dat is 't 'm juist,' zei Djakov ernstig. 'En kijk eens wat hij nou heeft aangericht. Hij heeft én zichzelf én andere, eerlijke jongens in moeilijkheden gebracht.'

'Ik hcb gchoord dat hij een of andere muurkrant heeft geredigeerd.'

'Ja, en hij had ook contacten naar de andere kant… Zeg eens, wie waren die hoge functionarissen bij wie hij thuis kwam?'

Hij was in Boedjagin geïnteresseerd, maar noemde hem niet, dat was een te belangrijke naam. Ook Joera noemde zijn naam niet, *dergelijke* informatie zou niet van hem komen. Tijdens het gesprek met Berezin had hij Lena al genoemd, dat was genoeg!

'Op onze school zaten kinderen uit het Vijfde Huis van de Sovjets, bij hen kwam hij vaak.'

Djakov wierp een schuinse blik op Sjarok.

'Je moet dit vragenformulier invullen en een levensloop schrijven…' En hij voegde er vrolijk aan toe: 'Ik denk dat we goed zullen kunnen samenwerken.'

Joera was dadelijk in zijn nieuwe omgeving ingeburgerd, hij was op zijn plaats in deze instelling, fleurde deze op met zijn jeugd, zijn hartelijke glimlach, zijn open Russische gezicht dat met de jaren een Scandinavisch aandoende regelmatigheid had gekregen. Hij was slank, vlot, bovendien vlug van begrip, efficiënt en afstandelijk, eigenschappen die zowel Djakov als Berezin waardeerden.

Berezins protectie garandeerde Joera een snelle promotie, maar Joera vreesde deze protectie en was bang voor Djakov. Berezin was hoog boven hem verheven, zag Joera wekenlang niet en herinnerde zich hem pas weer wanneer hij voor hem stond. Djakov was dichtbij, kon elk ogenblik van Joera's onervarenheid gebruik maken en hem breken. Er was één Berezin, er waren vele Djakovs. Maar toch lag Djakovs spitsvondigheid hem beter dan Berezins openheid. Berezin geloofde ergens in, terwijl Joera nergens in geloofde en Djakov deed alsof hij ergens in geloofde.

Maar hij moest uitkijken met Djakov, hij was een intrigant, dat had Sjarok meteen doorgehad en hij was op zijn hoede. Djakov droeg hem een aantal mensen over met wie hij *werkte*, onder anderen Vika Marasevitsj.

Was dat toeval of wist hij van hun betrekkingen?

Voor alle zekerheid zei Sjarok:

'Die Vika Marasevitsj ken ik, we hebben samen op school gezeten. Haar broer zat bij me in de klas en zij zat een klas hoger of lager, ik weet het niet meer.'

Maar Djakov liet absoluut niet merken of hij ervan wist, legde onverstoorbaar uit:

'Dat dametje is met buitenlanders gesnapt, kijk maar in haar dossier, daar staat het. Maar bij haar vader, professor Marasevitsj, komt Glinski over de vloer, en over dat contact moet je haar uithoren. Je zult haar in de Marosejka ontvangen. Haar dag is dinsdag, elf uur. Ze is punctueel, komt nooit te laat.'

Vika kwam inderdaad precies om elf uur. Joera deed de deur open. Toen ze Sjarok zag deinsde ze terug naar de lift. Ze wist dat Sjarok bij de NKVD werkte, maar ze had nooit verwacht dat uitgerekend híj haar zou *leiden*.

'Kom erin, beste meid, geneer je niet,' lacht Joera breeduit, 'dat is lang geleden.'

Hij liet haar in de kamer, schoof vriendelijk een stoel aan, hij zag er goed uit in zijn uniform. Alles—zijn riem, de onderscheidingstekens op zijn jasje, zijn laarzen—was nieuw, blonk en glom. Hij belichaamde kracht, macht, succes, sprak vriendelijk met haar, zelfs vrolijk, alsof er niets bijzonders aan *deze* rol van haar was. En alsof het evenmin iets bijzonders was dat ze elkaar in een dergelijke situatie ontmoetten.

Maar toen Vika op hun volgende afspraak in een blote zomerjurk verscheen, die haar heupen strak omsloot, en met een handige beweging een schouderbandje liet zakken, zodat haar witte, ronde schouder was te zien, liet Joera zijn blik onverschillig langs haar glijden en zei, terwijl hij haar recht aankeek:

'We hebben op dezelfde school gezeten en als we elkaar in het vrij kwartier stiekem hebben gezoend, dan interesseert dat geen mens. Meer is er nooit tussen ons geweest. Is dat duidelijk?'

Ze hees het bandje op en mompelde verward:

'Ja, ja, natuurlijk.'

Djakov had Vika indertijd gerecruteerd, omdat ze het huis van professor Marasevitsj moesten infiltreren, dat was nodig voor de zaak Lominadze.

Glinski, een *handlanger* van Lominadze, kwam bij de Marasevitsjen over de vloer, als landgenoot of verwant, en ontmoette daar buitenlanders. Waarom zou hij niet via hen geheime contacten leggen met de aanhangers van Lominadze in buitenlandse communistische partijen?

Uit zo'n op het eerste gezicht verrassende overweging kon een nieuwe *versie* ontstaan, deze kon Tsjers wankele verklaringen aannemelijk maken, ze onderbouwen met namen van mensen die niet direct met de Komintern hadden te maken, door indirecte contacten werd de zaak omvattender en overtuigender. Elk feit woog, zelfs de onbenullige verklaringen van Vika waren van belang als ze met die *versie* werden verbonden, Glinski's naam was een van de namen die Tsjer zich ongetwijfeld zou *herinneren* als een van de koeriers van Lominadze. Aan de andere kant was Glinksi's vrouw directrice van een instituut waar een trotskistische ondergrondse had bestaan die door haar onderdirecteur Krivoroetsjko was geleid.

Sjarok kende Glinski's zoon Jan nog van school, hij had zijn vader gehoord toen deze op school zijn herinneringen aan Lenin vertelde, hij had ook zijn moeder gezien, een dame van aanzien, die later directrice was geworden van het instituut waar Sasja Pankratov studeerde, zij was trouwens degene die hem van het instituut had gestuurd. De zottin wist niet dat Sasja's zaak deel zou gaan uitmaken van de zaak van haar man en later ook van haar eigen zaak.

Nu was hij, Sjarok, met deze zaak bezig.

Doordat hij hier, in deze nieuwe wereld, bekende namen tegenkwam, raakten heden en verleden met elkaar verbonden. Voor het eerst zag Sjarok een reële mogelijkheid om wraak te nemen op iedereen die hem in dat vroegere leven had vernederd en gekleineerd. Sasja Pankratov had zijn verdiende loon al gekregen, niet van hem, maar toch... En de anderen zouden het ook krijgen.

13 De woning waarin Joera Vika ontving was van Djakov. Zelf woonde Djakov bij zijn vrouw, Revekka Samojlovna, een dikke, gebogen, ontstellend lelijke vrouw, maar politiek geschoold: ze doceerde politieke economie. Aan haar had Djakov zijn politieke kennis te danken, al las hij voor zover Sjarok kon zien maar één boek: Stalins 'Vragen met betrekking tot het Leninisme'.

Sjarok mocht Revekka niet. Om de waarheid te zeggen hield hij helemaal niet van Joden. Op de binnenplaats en op school maakte niemand een onderscheid tussen Joden en niet-Joden, maar Joera deed dat wel. En zijn vader en moeder ook.

Het antisemitisme van de familie Sjarok was sluimerend, het antisemitisme van de markt. In hun herinnering spookte nog een Jood uit de tijd dat hun vader en grootvader kleermaker waren in de Moskvoretskajastraat en de Joden vlakbij, in de Zarjadjestegen, bij de Glebovskiherberg, woonden; daar stond ook hun synagoge. Door de jongelui in de winkels werden zij, de Joodse kleermakers, hoedenmakers en bontwerkers, bespot. Nu waren ze van rechtelozen ineens mensen met hoge posities geworden. De ongeletterde Ivan had de macht gegrepen, dat was onverdraaglijk, maar het was nog onverdraaglijker dat hij die macht met Jankel deelde. De oude Sjarok had zijn protest tegen het nieuwe stelsel omgezet in haat tegen de Joden. Tegen het stelsel zelf protesteren was te gevaarlijk.

Dat Djakov met Revekka was getrouwd kwam volgens Sjarok voor rekening van zijn eigen onooglijkheid. Tegen Djakov zei hij niets over Joden, sprak helemaal niet over hen. Zelfs thuis, als zijn vader op dit thema voortborduurde, grinnikte Joera alleen maar wat.

Zijn familie vormde nu een ernstig probleem voor hem. Met zijn moeder had hij het snel geregeld, hij verbood haar op de binnenplaats te kletsen. Ze had ook geen tijd om daar veel te zitten: elke dag ging ze naar het besloten verkooppunt, nu eens was er dit, dan dat. En op de binnenplaats bleef ze niet hangen, waarom moesten de mensen weten wat je in je tassen had. Met zijn vader lag de zaak ingewikkelder. Hij was thuis blijven naaien. Niet veel, twee of drie mantelpakjes in de maand, maar door dat werk, wat hij voor de belastinginspecteur verborgen hield, kon de oude man zich veroorloven naar de paardenrennen te gaan om te wedden. Dit was compromitterend voor Joera, het kon zijn carrière verwoesten.

De oude man wenste deze privépraktijk onder geen beding op te geven, dit was zijn manier van onafhankelijkheid ten opzichte van die vervloekte autoriteiten. Op de fabriek was hij niemand, een gewone arbeider, hier zijn eigen baas. De sjiekste Moskouse dametjes deden alle moeite om als klant bij hem te komen, vaak tevergeefs, ze drongen zich aan hem op, durfden niet af te dingen. Die schoonheden met hun benen in ajourkousen gestoken en hun koketterie bevielen hem, ook al deden ze dit alleen om bij hem in de gunst te komen. Hij gaf de voorkeur aan jonge en mooie klanten, zelfs voor mooie Joodse vrouwen wilde hij wel eens werken, er waren er met van dat zwarte haar—schitterend! Als een vrouw maar jong was, fris, blakend van gezondheid, hij hield van vrouwen met een gevuld lichaam, een volle boezem; voor oude vrouwen en zelfs voor vrouwen op middelbare leeftijd naaide hij niet, ze hadden geen taille, geen figuur.

Vader was de enige voor wie Joera respect had, aan wie hij gehecht was, hij had respect voor zijn levenswijsheid. En hij wist dat zijn vader ook alleen aan hem was gehecht. Vader had Volodja genadeloos afgeranseld, Joera had hij met geen vinger aangeraakt. Ze waren allebei knap, leken op elkaar, hielden van het leven, stelden zich in het gezin op tegenover moeder, de ergste kijfster van de plaats, en de oudste zoon die misdadiger was. Vader Sjarok liet in niets merken wat hij van de nieuwe betrekking van zijn zoon vond. Net zoals hij vroeger ook zijn toetreding tot de Komsomol en de partij en zijn omgang en later breuk met Lena nooit had afgekeurd of goedgekeurd. Dat was geen onverschilligheid maar een zaak van vertrouwen. Iedereen had een dienstbetrekking, alles was nu van de staat, je kon nergens anders naar toe en nu het zo was: ieder naar beste vermogen. Hij had zijn persoonlijke zelfstandigheid weten te behouden en hij zou zijn ambacht niet opgeven. Als Joera daarvan ook maar zou reppen, zou hij zijn vader zo kwetsen dat deze hem nooit zou vergeven.

Ergens anders gaan wonen? Zichzelf en zijn ouders van het in Moskou zo zeldzame voorrecht beroven over een afzonderlijke woning te beschikken? Voor altijd in onmin met zijn vader leven?

Joera kon niets bedenken. Maar de complicaties van zijn privéleven durfde hij op zijn werk niet verborgen te houden. Ze konden het beter van hem dan van een buitenstaander horen.

'Al voor de oorlog woonden we in dit huis,' legde hij Djakov uit. 'Iedereen kent elkaar, iedereen is bevriend met iedereen, voor de een moet je een colbertje keren, voor de ander een jas verkorten, voor de derde moet je een lapje stof opzetten. En mijn vader is niet vies van de fles, hij is kleermaker, dat snap je wel!'

'Je vader werkt op een fabriek,' antwoordde Djakov, 'een paar lappen stof in je vrije tijd opnaaien is geen overtreding, en drinken is evenmin een overtreding.'

Djakov had lak aan wat de mensen zouden denken en zeggen. Samen met Sjarok beschikte hij hier over andermans lot en leven, zij bevochten de vijand aan het front, zij hadden een bijzondere verantwoordelijkheid en daarom ook bijzondere rechten. Niet alleen hun werk was geheim, maar ook hun privéleven. Onnodige nieuwsgierigheid kon op verschillende manieren worden aangemerkt.

Joera droeg nu het uniform van de NKVD. Hij kwam tegen de ochtend thuis en ging na het middageten naar zijn werk. Op de binnenplaats ontmoette hij bijna nooit iemand en als dat wel het geval was deed hij of hij niets zag.

De klanten uit hun huis kwamen niet meer bij zijn vader. Van hen kwamen er vroeger ook maar weinig en nu weigerde zijn vader hen definitief. Joera zag dit als een teken van tact en begrip. Zijn vader was zo kies dat hij nu zelf naar het huis van zijn twee belangrijkste cliëntes ging en de andere cliëntes kwamen daar ook. Daardoor was Sjarok senior nog minder toegankelijk geworden en des te befaamder.

Op deze manier was deze kant van het *bestaan* geregeld, hetgeen de familie Sjarok een gevoel van zekerheid gaf waarvan ze zo lang verstoken waren geweest, zelfs het gevoel van de angst waaronder ze gebukt gingen verdween enigszins. Restte nog de andere kant van het *bestaan*: vrouwen.

Joera had zich ook vroeger altijd voorzichtig opgesteld, was bang voor alimentatie. Op zijn nieuwe werk keken de vrouwen wel naar hem, maar in zijn *collectief* begon men geen amoureuze affaires. Er ontstonden geen nieuwe contacten, de oude hernieuwde hij niet.

Varja Ivanova zag hij graag. Ze had altijd al iets gehad, maar nu: een madonna! En tegelijk een kreng. Hij was haar een keer op de plaats tegengekomen, had vriendelijk naar haar geglimlacht, zij had met een blik vol haat geantwoord. Zij en Nina, haar hysterische zus, dat was Sasja's kring. Joera was die oudejaarsavond niet vergeten. Sasja had hem beledigd, maar Nina was begonnen, zij had een scène gemaakt. Met Sasja was het afgelopen, Sasja was verbannen. Ook de anderen konden ze verbannen. Maar daar zou hij zijn handen niet aan vuil maken, o nee! Ze waren allemaal van dezelfde *plaats*. Djakov zou zulke gevoelens als kleinburgerlijk pseudo-fatsoen betitelen. Maar het was zijn huis, hij was er opgegroeid, hier woonden zijn vader en moeder, hier zou zijn broer terugkomen, hij wilde hen niet met vijanden omringen.

De herinnering aan maar één vrouw hield Sjarok bezig: Lena. Hij kon haar lieve, lijdende gezicht niet vergeten. Naast zijn vader was zij de enige met wie hij een band voelde, hij geloofde in haar trouw. Ze was bereid zich voor hem op te offeren en had dat ook bewezen. Die verschrikkelijke nacht, het ziekenhuis, met geen woord, met geen zucht had ze hem verraden. Ze hield van hem. Hij herinnerde zich die laatste hete mosterdlucht nog, die lucht hitste hem nog altijd op. De gedachte dat ze op een ander verliefd kon worden, met een ander bevriend raken en met hem trouwen, verscheurde hem. Hij had haar bijna vermoord, in de steek gelaten, en toch was hij de enige die recht op haar had. Hij zou Lena terugkrijgen, haar alles laten vergeten, haar weer onderwerpen.

Joera hoopte op een toevallige ontmoeting, maar ze konden elkaar nergens tegenkomen. Hij wist waar ze werkte, maar haar daar opwachten zou pijnlijk zijn. Hij deed net als vroeger en belde haar thuis op. Hij moest de hoorn opleggen: Ivan Grigorjevitsj kwam aan de telefoon.

De volgende dag belde hij haar op haar werk.

Lena was niet verwonderd of deed alsof ze dat niet was. Nog altijd dezelfde langzame, diepe stem. Hoe het was? Goed. Een afspraak? Natuurlijk. Alleen ging ze van haar werk meteen door naar de datsja. Ze moesten de anderen ook bellen, misschien konden ze met zijn allen wat afspreken?

Joera reageerde verbaasd:

'Wie bedoel je?'

Ze begon te lachen.

'Ja, eigenlijk niemand. Ik dacht aan Nina, maar ze is naar een of andere cursus. Misschien Vadim, bel hem op.'

'Ik zal het proberen,' antwoordde Joera en nam direct het besluit Vadim niet te bellen. 'Wat spreken we af?'

'Voor zondag, lijkt me.'

Een niet al te zeker antwoord, maar ze sprak altijd zo. De woorden sprak ze aan het eind duidelijk uit en ze rekte de accenten, dat gaf haar antwoorden iets onzekers.

Lena noemde de vertrektijd van de bus vanaf het Teatralnajaplein, het ringnummer (zo noemden ze in Serebrany Bor de straten), het huisnummer en ze legde uit hoe je van de ringbaan, de eindhalte vanwaar de autobus terugreed naar Moskou, moest lopen.

Geen verwijten, geen gekwetste toon, geen blijdschap, geen woede, geen onthutstheid. Een enigszins krenkende kiesheid. De superioriteit van een aristocrate. Toch vond hij dat plezierig.

Hij zag op tegen een ontmoeting met Ivan Grigorjevitsj en Asjchen Stepanovna, maar ze wisten vast van niets. Ivan Grigorjevitsj mocht hem niet, maar ach, hij mocht hem vroeger ook al niet. En zou hij hem wel te zien krijgen? Hij zou met Lena in de Moskva gaan zwemmen, zou niet blijven eten, hij moest haar alleen maar zien, alles goed maken, de oude relatie herstellen. En het was niet uitgesloten dat Lena alleen was.

Haar ouders waren misschien wel weg en hadden Vladlen meegenomen. Misschien had ze hem daarom voor zondag uitgenodigd en gevraagd om Vadim mee te nemen; was ze bang met hem alleen te zijn.

De gedachte dat hij haar overmorgen, zondag, zou zien, herinnerde Sjarok aan vroeger. Hij herinnerde zich dat hij bij Ivan Grigorjevitsj in de werkkamer had gezeten, terwijl Lena zich in haar kamer verkleedde; hij zat toen op haar te wachten en zijn hart klopte van opwinding. Ook nu was hij opgewonden, nog meer dan toen.

14 Zijn nieuwe werk, zijn nieuwe positie, zijn geheime macht schonken Sjarok zelfvertrouwen. Maar toen hij bij Serebrany Bor kwam, werd hij onzeker. De straten, de ringen, zoals ze hier werden genoemd, verschilden alleen van elkaar door hun nummers. Overal dezelfde schuttingen van smalle planken met overhangende seringen en jasmijnen, de hekjes net als de schuttingen, paadjes van de hekjes naar de huizen die achter bomen en struiken verscholen lagen. Geen slagbomen, geen bewaking, geen vreemden; het leek wel een natuurreservaat.

Het hek was niet op slot. Joera liep over het paadje dat met bloemen was afgezet, en bevond zich voor een bleekgroen geschilderde datsja met één verdieping. Geen levende ziel, geen enkel geluid. Op de grote veranda een tafel waar de ontbijtboel nog op stond, glazen, kopjes, bordjes. Er was veel vaatwerk en er stonden heel wat stoelen omheen, dus Lena was niet alleen.

Besluiteloos bleef hij voor de veranda staan, wist niet hoe hij moest laten merken dat hij er was. Er keek een werkster uit een raam, zag hem beleefd vragend aan.

'Ik kom voor Lena,' zei Sjarok.

'Loopt u alstublieft achterom.'

Ze wees hoe hij moest lopen.

Joera liep om het huis heen en ontdekte nog een veranda, heel klein, begroeid met druiveranken, hij hoorde een mannestem en herkende onmiddellijk Vadim.

Maar hij had hem toch niet gebeld. Hoe raakte Vadim hier verzeild? Een vreemd toeval. Was hij een vaste gast? Of speciaal uitgenodigd om een tête-à-tête te voorkomen?

Aangezien iedereen thuis was, kwam Vadims aanwezigheid trouwens wel gelegen. Met hem erbij voelde hij zich hier zekerder, leek hij een echte oude schoolvriend. Lena had die schaapskop zelf uitgenodigd, om te vermijden dat de situatie pijnlijk werd.

Hij liep de houten treetjes op. Lena en Vadim zaten in rieten stoelen. Verder stonden er hier een rond tafeltje en een smalle rieten bank waarop Joera ging zitten. De veranda grensde aan een kleine kamer.

Als Vika tegen Vadim uit de school had geklapt, zou hij zich verraden: door een blik, verlegenheid, schrik. Maar er gebeurde helemaal niets. Vadim deed net als altijd, voerde het hoogste woord, danste bijna, zwaar en gracieus als een olifant, als vanouds praatte hij over iets dat hij wist en de anderen niet.

Lena luisterde aandachtig naar hem. Ze was helemaal niet veranderd. Ze lachte nog steeds even verlegen, met gefronste wenkbrauwen. Nog altijd een grote bos haar, dezelfde felrode, enigszins uitstulpende lippen. Ze gedroeg zich gewoon en natuurlijk. Maar Joera zag dat ze nog steeds van hem hield... Zijn hart zwol van trots en vreugde.

Dit huis van een dignitaris stond hem net als vroeger tegen. Hij was toch nog altijd bang, vreemd, ze moesten juist bang zijn voor hem. Hij kon het geheim van de macht van deze intellectuelen eenvoudig niet begrijpen. Waarom moest hij hen dienen? Niet begrijpen betekende juist dat je bang was.

Vadim vertelde dat er een delegatie naar Venetië was gegaan, ze hadden vier films meegenomen: 'Bolletje' van Michail Romm, met Galina Sergejevna,

'De vrolijke makkers' van Aleksandrov met Leonid Oetjosov in de hoofdrol, 'Tsjeljoeskin' van Posjolski met als cameraman Trojanovski, die hem de 'Tsjeljoeskin' gevaren had, en 'Een nieuwe Gulliver' van Ptoesjko.

Vadim liet merken dat hij aan de selectie van deze films had deelgenomen, hij vertelde hen de inhoud, voorspelde succes, vooral voor 'Bolletje'. Met uitzondering van 'Tsjeljoeskin' waren deze films nog niet in de bioscoop vertoond, Joeri en Lena hadden ze niet gezien en het draaide er weer op uit dat Vadim over iets sprak wat hij kende en de anderen niet.

Volgens Vadim werden veel films bedorven door formalistische fratsen en snobistische tendenzen. Maar 'Bolletje' en 'De vrolijke makkers' wekten grote verwachtingen. Onze cinematografie werd nu werkelijk volks.

' 'Bolletje' van de Maupassant voor het volk?' vroeg Joera twijfelend.

'Ja, ja, ja,' riep Vadim, 'stel je voor! Het is niet alleen de geschiedenis van een prostituée. Het is een antimilitaristische, antifascistische film. Dat begrijpt het volk en daar heeft het behoefte aan.'

Joera hield zijn tong achter zijn kiezen. Voor hem was 'Bolletje', zoals al de Maupassants werk, in de eerste plaats erotisch. Hij had uit het oog verloren dat een Pruisische officier Bolletje in zijn macht had.

' 'De pantserkruiser Potemkin' is ook nogal gecompliceerd, maar die hebben we toch gezien,' zei Lena.

Joera merkte dat Lena hem uit de verlegenheid hielp.

'Ja,' stemde Vadim in, 'maar waar is Eisensteins formalisme in veranderd? 'Oktober' is al volstrekt onbegrijpelijk voor de toeschouwer, het grootse onderwerp is daar banaal gemaakt. Neem Dziga Vertov! Hebben jullie zijn 'Symphonie van Donbass' gezien? Een chaos, een parodie op de werkelijkheid! Nu werkt Vertov aan een film over Lenin,' Vadim haalde zijn dikke schouders op, 'Dziga op zulk materiaal loslaten?! Het zijn grote kunstenaars, maar het wordt tijd om vast te stellen: aan welke kant sta je?'

Joera herinnerde zich met hoeveel verrukking Vadim ooit over Henri de Renet en andere Fransen had georeerd, hem zelfs onderhoudende boekjes over het leven van Franse souteneurs te lezen gaf.

Misschien was het ook niet de moeite om met Vadim te bekvechten. Maar zijn drang om hem voor 'Bolletje' terug te betalen kreeg de overhand.

'Je smaak is wel veranderd, Vadim,' zei Joera.

'Ten gunste, ten gunste, kerel,' antwoordde Vadim uitdagend, 'we maken allemaal een evolutie door, de vraag is alleen welke kant we uitgaan.'

'Wat wil je daarmee zeggen?' Sjarok werd getroffen door Vadims agressie. Hij was niet als Vika. Hij voelde zich sterk.

'Precies wat ik zeg,' antwoordde Vadim knorrig. 'Een mens ontwikkelt zich, het gaat erom welke kant je opgaat. Iedereen moet een hindernis nemen; het gaat erom welke, wáár draaf je op af. Wát is je doel. Op school was mijn literaire smaak nog onevenwichtig, het gaat erom hoe deze nu is. Op school maakte jij geen haast om Komsomollid te worden, nu ben je partijlid, ik vind zo'n ontwikkeling normaal.'

En toch moest hij een conflictsituatie voorkomen, hij moest vriendelijk, inschikkelijk zijn, daardoor zou hij in Lena's ogen alleen maar winnen.

Joera zei:

'Geweldig! Misschien wordt Eisenstein ook wel een socialistisch realist.'

Hij vermeldde alleen Eisenstein, was bang de naam van de andere regisseur verkeerd uit te spreken. Een vreemde achternaam, een vreemde voornaam. Al die Rabinovitsjen, daar brak iedereen zijn tong over.

Lena wierp hem een dankbare blik toe.

'Wordt de stagnatie waarover Vadim het heeft misschien verklaard door de overgang naar de geluidsfilm?'

Vadim sprak dit direct tegen:

'Ik sprak niet over stagnatie en wat de geluidsfilm betreft ben ik voorzichtig met prognoses. Hoe je 't ook bekijkt, de film is de grote stomme kunst. Het gesproken woord kan de film veranderen in toneelspel op het doek. Kunnen jullie je een sprekende Charlie Chaplin voorstellen? Ik niet.'

In Londen had Lena heel wat geluidsfilms gezien. De geluidsfilm had daar vaste voet gekregen, dat zou hier ook gebeuren. Maar ze wilde geen ruzie met Vadim, glimlachte alleen bij de herinnering aan het bioscooppubliek dat tijdens de demonstratie van een Amerikaanse geluidsfilm moest lachen om de uitspraak van de Amerikaanse acteurs.

'En hoe zit het met "De voorbijganger" en "Gouden bergen"?' vroeg Joera verzoenend en daarmee Vadims superioriteit erkennend.

Vadim glimlachte.

'Zijn dat dan films waar echt gesproken wordt? Dat zijn films met muziek van Sjostakovitsj erbij. De muziek is ook op zichzelf goed, temeer omdat Sjostakovitsj van volksmelodieën uitgaat. Dat is belangrijk voor de ontwikkeling van een componist.'

Vadim liet merken dat hij goed op de hoogte was, wilde Joera ervan doordringen dat hij aan alle kanten was ingedekt. Joera begreep dat en ook dat de reden daarvan zijn angst voor Joera was. Dat was ook de oorzaak van Vadims vreemde agressie. Hij kon niet nalaten te glimlachen, glimlachte Lena toe en zij lachte terug, dankbaar voor zijn toegeeflijkheid.

'Gaan we voor of na het eten zwemmen?' vroeg Lena.

'Ik houd jullie geen gezelschap,' verklaarde Vadim met een blik op zijn horloge, 'ik moet even bij Smidovitsj langs. Ik ben terug voor het eten als je het goed vindt.'

Lena ging weg om zich om te kleden, sloot de deur achter zich. Vadim en Joera bleven op de veranda. Het raam van Lena's kamer keek uit op de veranda, er hing een vitrage voor. Het wapperde in de wind, bolde op en toen zag hij Lena met haar armen omhoog, ze trok haar jurk over haar hoofd. Joera ging bij het raam staan, schermde het met zijn lichaam af en drukte het gordijn ertegen.

'Hoe staan de zaken, Vadim?'

Vadim keek de boeken op het tafeltje door.

'Alles bij het oude. Maar jij komt niet, belt niet.'

'Ik heb het druk.'

Vadim pakte een boek van de tafel, hield het omhoog, liet het Joera zien.

'Gelezen?'

'Wat is het?'

'Memoires van Panajev.'

'Ik herinner me niet... Als ik me niet vergis heb ik de mémoires van Panajeva in handen gehad.'

'Dat is zijn vrouw. Officieel dan. In de praktijk is ze Nekrasovs vrouw. Haar mémoires zijn niet van belang gespeend. Maar dit is van Panajev zelf,' Vadim bladerde het boek door, 'er staan een paar interessante regels in.'

In het huis naast hen klonk een prettig aandoende mannestem:

' "Waarom houd ik van je, stralende nacht..." '

Vadim wendde zich van het boek af, luisterde.

'Muziek van Tsjaikovski, woorden van Jakov Polonski.'

En hij begon weer te bladeren.

Lena kwam naar buiten in een zigeunse sarafaan met schouderbandjes, blote schouders en rug.

Een opvallende vrouw, weelderig en rijzig. Precies wat Sjarok nodig had.

Lena glimlachte, verlegen door haar blote jurk.

'Ik heb mijn badpak al aan, dan hoef ik me daar niet om te kleden. Gaan we?'

'Zometeen, wacht even!' Vadim had eindelijk gevonden wat hij zocht. 'Kijk, een interessant stuk. Panajev citeert Belinski. Belinski zegt: "We hebben een Peter de Grote nodig, een nieuwe, geniale despoot, die in naam van humane principes genadeloos en onverbiddelijk behandelt. We moeten een tijd van terreur doormaken. Vroeger was Peter de Grote's stok nodig om ons enigszins op mensen te doen lijken; nu moeten we een tijd van terreur doormaken om in de volledige en edele betekenis van het woord mensen te worden. Onze Slavische broeder zul je niet makkelijk tot dat bewustzijn brengen. Het is bekend, zolang de donder niet klinkt slaat de boer geen kruis, nee heren, u kunt praten zoveel u wilt, maar onze heilige moeder Guillotine is een goede zaak." '

Vadim liet het boek zakken.

'En? ... Wat vind je ervan?'

Joera zweeg, wist niet hóe hij op die directe toespeling moest reageren.

Treffende woorden, van Vadim kon je het een en ander verwachten, maar zo rechtstreeks…

Weer hielp Lena hem uit de verlegenheid.

'Ik heb dat fragment gelezen. Dat is niet door Belinski, maar door Panajev geschreven. Hij schrijft Belinski die woorden toe.'

'Hij citeert Belinski letterlijk,' hield Vadim vol, 'die woorden van Belinski staan in andere memoires over hem, met name bij Kavelin. Ja, Belinski was een groot man en hij begreep dat Rusland een harde leiding nodig heeft. Maar hij was een man van zijn tijd, hij wist niet en kon ook niet weten dat deze leiding de dictatuur van het proletariaat moest zijn.'

Joera verbaasde zich in stilte over Vadims politieke flexibiliteit.

' "En daarom houd ik van je, stille nacht…" '

Dat was dezelfde stem van hiernaast.

'Hij zingt goed,' zei Joera, 'wie is dat?'

'Onze buurman,' antwoordde Lena, 'hij werkt bij het CC, Nikolaj Ivanovitsj Jezjov.'

Vadim gebaarde dat hij deze naam voor het eerst hoorde. En dat terwijl hij toch alle namen kende.

'Ik weet niet wie dat is,' zei Joera, 'maar hij zingt goed.'

'Een erg aardige man,' zei Lena.

Toen Joera en Lena samen waren, zei Lena:

'Ik ken Vadim niet meer terug. Ik ben zelfs bang voor hem, eerlijk waar. Hij is zo categorisch, zo onverdraagzaam, zo wantrouwig geworden. Hij is voortdurend het Sovjetregime aan het verdedigen! Tegen wie? Tegen ons?'

Lena verhulde altijd haar bijzondere positie, ook nu probeerde ze niet op te vallen. En toch behoorde ze tot de mensen die de staat bestuurden en hem niet eenvoudigweg dienden, zoals Vadim en zijn vader. Ook Joera behoorde tot degenen die de staat bestuurden, hij hoorde tot de arbeidersklasse, het volk, daaruit kwamen nu ook de leiders voort. Juist daarom hadden ze hem in de organen opgenomen. In Lena's huis aan de Granovskistraat en hier, in Serebrany Bor, woonden belangrijke mensen van de Tsjeka, het waren fantastische mensen, en haar vader was ooit lid van het bestuurscollege van de Tsjeka-OGPOe geweest. Aan Vadims houding was iets onnatuurlijks, iets onoprechts, zijn woorden: 'WIJ kunnen', 'WIJ kunnen niet', 'WIJ hebben al', 'ONZE staat' klonken vals… Nina Ivanova, zelfs Sasja Pankratov, had ze kunnen gebruiken, dat was hun wereld, zij hadden daar recht op. Maar Vadim niet. Hij kon alleen dienen, meer niet.

Op hetzelfde moment dat Lena aan Sasja dacht, begon Joera over hem; dit toeval deed Lena huiveren.

'Vadim is veranderd sinds de dag dat Sasja is gearresteerd,' zei Joera. 'Ik heb dat toen meteen opgemerkt. Hij is geschrokken van Sasja's arrestatie. Van angst probeert hij nu harder dan iedereen te schreeuwen.'

'Ja,' stemde Lena droevig in, 'sinds Sasja's arrestatie zijn we anders geworden.'

Net als tijdens het gesprek met Berezin begreep Joera ook nu dat veel afhing van wat hij over Sasja zou zeggen.

'Het is jammer van Sasja. Ik had toen ongelijk. Hij heeft me op oudejaarsavond beledigd, maar ik was niet objectief.'

'Wat is er eigenlijk gebeurd?' Lena keek Joera aan met een blik die op zijn vertrouwen rekende.

Bedachtzaam zei Joera:

'Sasja was eraan gewend haantje de voorste te zijn. Op het instituut waren anderen dat. Sasja sloot zich aan bij mensen die hen omver wilden werpen. En zij wilden het partijbestuur omverwerpen, het waren deviationisten. Sasja bleek erbij betrokken. Drie jaar ballingschap, dat was alles wat er voor hem kon worden gedaan, de anderen hebben gevangenisstraf, kamp, zware straffen gekregen.'

Hij liet doorschemeren dat ook hij iets voor Sasja had gedaan.

'Ik ben na het instituut bij de NKVD terechtgekomen, daar ingedeeld, ik ben immers jurist, zoals je weet,' vervolgde Sjarok, 'mijn indiensttreding viel samen met Sasja's zaak. Eerlijk gezegd wist ik tot het laatste moment niet in wat voor hoedanigheid ik daar moest verschijnen.'

'Nee toch?!' zei Lena geschokt. 'Maar jullie hebben toch op verschillende instituten gezeten, en op school... Op school was iedereen met elkaar bevriend.'

Hij glimlachte veelbetekenend.

'Lena, meisje! Als ze zich niet voor álle vrienden van Sasja interesseerden, wil dat nog niet zeggen dat ze zich niet voor een paar interesseerden. Vergeet niet dat ik met Sasja in hetzelfde huis heb gewoond, op dezelfde trap, twee jaar met hem op dezelfde fabriek heb gewerkt. Vadim is niet voor niets zo vreselijk bang. Toen Sasja was gearresteerd, was ik gedwongen iedereen te ontlopen, inclusief jou, ik kon Ivan Grigorjevitsj geen complicaties bezorgen, hij heeft zijn best voor Sasja gedaan, zich met de zaak bemoeid, terwijl hij slecht was ingelicht. Gelukkig is alles opgehelderd. Sasja is er betrekkelijk goed van af gekomen, zijn vrienden zijn vrij van verdenking, alleen Vadim is nog steeds zenuwachtig.'

Lena liep naast hem, het hoofd licht gebogen. Geloofde ze hem? Ze had geen reden hem niet te geloven. Ze wist niet alleen wat voor fantastische mensen er in de organen werkten, maar ook wat voor fantastische mensen er door die organen in het oog werden gehouden. Ze nam aan dat de jongens waren opgeroepen en zij niet, dat was ook een soort van loterij. Ook Joera had, zoals hij zei, last gehad en hij wilde niet dat haar vader last kreeg, en terecht: Stalin mocht papa niet, de geringste aanleiding was genoeg voor grote narigheid. Een ander zou in Joera's plaats waarschijnlijk anders zijn opgetreden: had het gezegd, uitgelegd. Maar Joera was nu eenmaal zo. Het was belangrijk waardoor hij zich liet leiden.

Er waren weinig mensen op het strand. Aan de kant waren kleine kinderen luidruchtig aan het ploeteren, gebruinde jongens zaten in hun zwembroek op het zand te kaarten.

Lena deed haar sarafaan uit en had nu alleen een zwart badpak aan dat als gegoten aan haar lichaam zat en haar borsten en heupen liet uitkomen. Opnieuw glimlachte ze verlegen naar Joera, maar ze keek niet opzij toen hij onder zijn onderbroek zijn zwembroek aantrok.

'Laten we verderop gaan, daar is het dieper,' zei Lena.

Terwijl ze zwom haalde ze het water met gebogen armen naar zich toe, met haar hoofd onder water dat ze nu eens naar rechts draaide, dan weer naar links. Joera kende die slag niet. Zelf crawlde hij. Hij was verbaasd hoe goed ze zwom. Dit was een nieuw, onbekend facet aan haar dat hij vandaag ontdekt had. De angst bekroop hem dat het niet zo makkelijk en eenvoudig zou zijn alles goed te maken.

Daarna lagen ze in het zand, met hun blote ruggen in de zon. Met haar hoofd op de ineengestrengelde handen keek ze hem van opzij aan en het leek opnieuw dat ze net als vroeger van hem hield.

Ze hield echt van hem. Misschien omdat er geen andere liefde voor in de plaats was gekomen. Ze was zinnelijk, en Joera was de eerste en enige man in haar leven. Het lijden dat hij haar had aangedaan versterkte dit gevoel alleen maar. Hij had immers ook geleden.

'Wanneer zien we elkaar weer?' vroeg Joera.

Ze antwoordde eenvoudigweg:

'Wanneer je wilt.'

Hij kon haar weer mee naar huis nemen, naar zijn kamer. Zijn vader zou een zuur gezicht trekken, zijn moeder haar handen ineenslaan, nou ja, ze zouden er wel overheen komen. Maar een primitieve, mannelijke behoedzaamheid weerhield hem. De verhouding hernieuwen was best, maar niet in alle hevigheid. De tweede keer zou hij er niet zo gemakkelijk vanaf komen.

Waar moesten ze elkaar ontmoeten? Waar kon hij haar uitnodigen? Er was maar één plaats, Djakovs woning. Hij woonde feitelijk bij zijn vrouw in Zamoskvoretsje. Geen bijster geschikte plaats voor een rendez-vous. Als Lena erachter zou komen... Maar dat zou ze niet. Het bed was oud, vies, hij was er zelfs niet zeker van of er lakens waren. Maar dat hinderde niet. Hij kon lakens van huis meenemen in zijn aktetas.

'Weet je wat het is,' zei Joera, 'ons huis wordt opgeknapt, we slapen bij elkaar, kamperen steeds in een andere kamer en moeten onze spullen steeds versjouwen. Een kennis van me, een kameraad van het instituut, is nu met vakantie, ik heb de sleutels van zijn kamer. We kunnen daar gaan zitten.'

'Goed,' stemde Lena toe.

15 Zoja was verrukt toen ze hoorde dat Varja met Ljova in METROPOL had gedanst. Zijn achternaam was Sinjavski, hij was technisch tekenaar, een vriendelijke sympathieke jongeman die je altijd met je werk hielp. En zoals hij zich kleedde! Bij de beste kleermakers van Moskou. En zoals hij danste! Niet slechter dan de beroemde Vagan Christoforovitsj. Het knappe dikkerdje dat bij Ljova had gezeten, was ook technisch tekenaar, ze heette Rina.

Zoja keek Varja vleierig aan. Ze had er altijd van gedroomd in Ljovotsjka's vriendenkring terecht te komen en het wilde maar niet lukken. Hoeveel betekende het als je knap was, dan ging alles vanzelf, viel alles je in de schoot.

'Ach,' zuchtte ze oprecht, 'jij hebt geboft.'

Varja vond Ljovotsjka niet buitengewoon aantrekkelijk, hij was te weinig mannelijk. Maar hij danste geweldig en het belangrijkste was dat hij een fidele vent was, dat ze in zijn kring allemaal vrienden waren. Dat was iets anders dan Vika met haar Vitalik, iets anders dan die meiden met hun buitenlanders. De enige die indruk had gemaakt op haar was Igor Vladimirovitsj. Maar hij was vijfendertig, ze geneerde zich bij hem. Met hem moest je serieus praten en ze kon niet op zo'n oude man verliefd worden en wilde hem ook niet het hoofd op hol brengen. Hij wekte respect, was een edel mens en het zou een schande zijn hem verdriet te doen. Varja had haar zo haar eigen fatsoenscode, ze wist wat kon en wat niet.

Ze hoopte dat Ljova haar in zijn vriendenkring zou opnemen en wachtte op een uitnodiging. De uitnodiging kwam niet zo snel, pas zo'n twee weken na hun kennismaking in METROPOL. Zoja kwam opgewonden aanrennen en verklaarde triomfantelijk dat ze morgen met z'n allen naar het HERMITAGE-park zouden gaan en dat zij ook werden verwacht.

En toen belde Vika net en stelde haar voor de volgende avond met Igor Vladimirovitsj naar restaurant KANATIK te gaan.

'Ik kan niet,' antwoordde Varja, 'ik ga naar de HERMITAGE.'

'Interessant. Met wie ga je?'

'Met Ljova en zijn vrienden, ik ga bij hen werken.'

'Moet je daarom met hen uitgaan? Bel op en zeg het af. Ik zei dat toch Igor Vladimirovitsj met ons meegaat.'

'Ik kan niet. Ik heb het beloofd en mag ze niet teleurstellen.'

'Maar ik heb het ook beloofd,' zei Vika verontwaardigd, 'en niet aan de een of andere zak van een Ljova, maar aan Igor Vladimirovitsj. Ik dacht niet aan mezelf. Hij vindt je aardig, hij is niet getrouwd.'

'Sorry,' zei Varja, 'een andere keer graag. Bel nog eens. Tot kijk.'

En ze legde neer.

Net als die keer in METROPOL werd ook nu in de HERMITAGE Ljova's kring nu eens groter, dan weer kleiner, er kwamen mensen bij, er gingen er weg, ze kwamen weer terug. Dit was natuurlijk—je hoefde je niet met z'n allen tegelijk te amuseren. Ze deden trouwens niets, ze stonden bij de hoofdingang, om iedereen te zien en zelf gezien te worden.

De mannen in het gezelschap waren Ljova, twee jongens van het constructiebureau, grote Volja en kleine Volja, een knappe jongeman met de vreemde naam Ika, verder Willy Long, de zoon van een hoge functionaris van de Komintern, een krachtpatser met een straatjongensgezicht, en ten slotte Miron, een assistent van de beroemde dansleraar Vagan Christoforovitsj, een gemoedelijke krullebol met de ziel van een zakenman. Het enige vaste meisje was de mollige Rina, die door al haar sproeten wel zonverbrand leek en er daardoor heel sympathiek uitzag. Grote Volja zei dat dat zoenen van de zon waren. Rina was op de wereld gekomen om vrolijk te zijn. Met al haar sproeten straalde ze vrolijkheid uit, haar rode haar vlamde op als een bloeiende waterkers.

De andere meisjes waren bij toeval in het gezelschap verzeild geraakt, net als Varja vandaag. Maar niemand behandelde haar als een nieuweling. Niemand sloofde zich hier voor een ander uit, ieder was gelijk, de jongens en de meisjes, ze waren gewone technische tekenaars, net als Zoja. Deze jongelui zouden haar helpen om werk te krijgen op het bureau van de architect Sjtsjoesev, dat hotel MOSKVA ontwierp. Je verdiende daar niet minder dan bij de organisaties die gebouwen voor de zware industrie ontwierpen.

Ljova glimlachte vriendelijk, ontblootte zijn scheve tand, een jongen met een cherubijnegezicht, Rina glimlachte als een zonnetje, ze stonden ergens over te kletsen, ze bekeken de langslopende meisjes en gaven commentaar, maar deden dit leuk en zonder ordinair te worden, de meisjes werden er niet kwaad om.

En juist zij waren de baas in het park, deze jongelui die geen geld hadden, die zelfs zonder toegangskaartje het park waren binnengekomen en later in een restaurant zouden gaan dansen. De krullebol Miron, de gemoedelijke zakenman, ging steeds ergens heen, deed nogal vaag en noemde een zekere Kostja, maar niemand gaf blijk van ongerustheid, ze wisten dat ze toch zouden gaan.

Varja voelde zich opgewekt en vrij in dit gezelschap, zag dat de jongens, de zwijgzame Ika en Ljova, haar aardig vonden, maar was er niet zeker van dat ze haar naar het restaurant zouden meenemen, temeer omdat ze met Zoja was. Zoja drong zich op, gedroeg zich lawaaierig, opgewonden, en zoals altijd wilden ze haar daarom kwijt.

Niet ver van de ingang stond een kleine tafel, daarachter zat een man met een baardje. Op het tafeltje lagen een stapel enveloppen en potloden, er stond een bordje: 'D.M. Zoejev-Insarov, grafoloog. Karakteranalyse op grond van uw handschrift. Kosten: vijftig kopeken.'

'Ik wilde al lang mijn karakter leren kennen,' zei Zoja ineens, 'zijn er meer liefhebbers?'

Rina trok verbaasd haar wenkbrauwen op.

Willy Long zuchtte diep, maakte een vertwijfeld gebaar.

'Jammer dat er geen draaimolen is, anders hadden we daarin kunnen zitten.'

Varja begreep wat voor een flater haar vriendin had geslagen: in de ogen van het gezelschap was dit slechts een kermisattractie.

Zoja liep naar het tafeltje, riep naar Varja:

'Varja, kom hier!'

Als ze niet naar Zoja ging, had ze kans mee naar het restaurant te kunnen, ging ze wel dan liepen ze dat samen mis.

Toch ging ze naar het tafeltje van de grafoloog. Ze bladerde het boekje met reacties door... 'Maksim Gorki, Loenatsjarski, bekende acteurs...' 'aan Zoejev-Insarov van een ontmaskerde Jaron...'

Zoja schreef haar adres op een envelop, gaf die aan de grafoloog, knikte Varja toe.

'Schrijf dan!'

'Nee, ik wil niet,' weigerde Varja. Ze had nog maar acht kopeken voor de tram... En wie kon haar karakter nu vaststellen en dan nog wel op grond van iets dat ze op een envelop had geschreven, dat was toch onzin!

Maar Zoja had de grafoloog al een roebel gegeven.

'Voor haar en voor mij.'

Varja schreef haar adres op een envelop. Ze ging weer naar het gezelschap terug, niemand besteedde er aandacht aan dat ze er weer waren, dat hoorde er zo bij, iedereen kon weggaan en terugkomen.

Miron verscheen, zei iets onbegrijpelijks en verdween weer.

Terwijl Zoja druk in gesprek was met een van de Volja's, zei Rina zacht tegen Varja:

'Laten we naar SAVOY gaan, maar zonder Zoja.'

'Hoe raak ik haar kwijt?'

Rina trok haar schouders op, dat was Varja's zaak, ze wilden háár meehebben en Zoja niet, zij moest haar maar kwijt zien te raken. Met een zonnige glimlach wendde Rina zich af alsof ze niets gezegd had.

Ze stapten op, niet allemaal tegelijk, maar een voor een, op een of andere manier heel handig en ongemerkt, als goochelaars... Nu de ogen open, en weg is iedereen.

Zoja en Varja waren alleen overgebleven.

'Ze zijn hem gesmeerd,' fluisterde Zoja en barstte in huilen uit.

'Hoopte je dan dat ze je in de auto mee zouden nemen?' vroeg Varja spottend, 'of in een koets op rubberbanden?'

'Het zijn schoften,' zei Zoja boos, 'en de grootste is Rina met haar verwaande sproetenkop en haar rooie haar.'

Ze liepen door een laan, kwamen terecht tussen de bezoekers van de HERMITAGE, er was een hele mensenmenigte; zowel in het theater als op het podium waar het jazzorkest van Tsfasman optrad was het pauze. Ze hadden twee keer verveeld een rondje gelopen toen ze ineens Ika op dezelfde plaats zagen als waar ze de hele avond hadden rondgehangen.

'Meisjes,' riep Ika, 'ik zoek jullie. Kom mee, snel!'

'Waarnaartoe?' vroeg Varja.

'Naar SAVOY. We stonden bij de halte te wachten, jullie waren er niet, iedereen reed weg en ik moest jullie gaan zoeken.'

'Niemand heeft ons iets gezegd,' zei Zoja verbaasd.

'Ik weet niet,' Ika wilde het niet uitleggen, 'jullie hebben iets niet begrepen. Kom mee, snel!'

16 Het gezelschap zat al aan een grote, ovaalvormige tafel. Varja's en Zoja's verschijning wekte geen opzien; ze waren er, ga maar zitten. Varja begreep dan ook niet of Ika uit zichzelf of in opdracht voor hen was teruggekomen.

Het gezelschap aan tafel had het over een of andere Alevtina, die uit jaloezie door haar man uit Boechara was vermoord. Rina was bij de rechtzitting geweest.

'Hij werd door zijn verdediger, Braude, uit de brand geholpen,' vertelde Rina, 'hij deed alles uitvoerig uit de doeken en de rechters luisterden met open mond... "De draaideur bij de ingang van NATIONAL lokt onze meisjes de vicieuze cirkel van het zondige restaurantleven binnen." ' Ze bewoog haar hand in 't rond om aan te geven hoe de meisjes door de draaideur de vicieuze cirkel van het zondige restaurantleven werden binnengelokt.

'Zijn vrouw vermoord en dan maar twee jaar!' zei Zoja verontwaardigd.

'En dat waarschijnlijk voorwaardelijk wegens culturele achterstand.'

Ljova glimlachte als een cherubijn, lieflijk zijn scheve tand ontblotend.

'En als we niet door de hoofdingang en niet door de draaideur naar binnen gaan, worden we dan niet verleid?'

'Overal ter wereld brengen mensen hun tijd in restaurants en cafés door,' zei Willy Long.

Kleine Volja bedekte zijn gezicht met zijn handen en mompelde als een biddende Islamiet heen en weer wiegend:

'Arme Alevtina, ongelukkige Alevtina, daarom heeft haar wilde man uit Boechara haar gekeeld, haar als een kippetje gekeeld, haar als een kuikentje gekeeld.'

'Het kuikentje gebraden, het kuikentje gestoofd,' begon grote Volja te zingen, 'het kuikentje wil niet van zijn leventje beroofd...'

'En als ze de draaideur weghalen en een gewone neerzetten, is er dan geen vicieuze cirkel meer?' vroeg Ljova weer.

Miron verscheen, ging aan tafel zitten en kondigde aan:

'Hij is bijna klaar met zijn partij, hij komt zo.'

'Daar is hij!' zei Willy, die met zijn gezicht naar de deur zat.

Er kwam een man naar hun tafel toe, hij was ongeveer achtentwintig, gedrongen, had brede schouders en een snorretje. Hij droeg glimmende, zwarte lakschoenen en een prachtig pak, dat enigszins nonchalant zat en daarom ook beter dan dat van de onberispelijke Ljova. Hij liep met lichte, vastberaden, maar behoedzame tred de zaal door, knikte bekenden toe en beantwoordde hun groet met een glimlach. Dat was Kostja, de beroemde biljartspeler over wie Miron het in de HERMITAGE terloops had gehad.

Het gezelschap begroette hem. Hij keek langzaam de tafel rond, met een vreemde blik die overmoedig en tegelijkertijd argwanend was, 'wat zijn dat hier voor mensen'—overigens kende hij ze heel goed. Hij keek alleen wat langer naar Varja en Zoja die hij niet kende.

Hij ging naast Varja zitten.

'Jullie hebben niets besteld,' constateerde Kostja.

'Rina was aan het vertellen over Alevtina, ze was op de rechtszitting,' antwoordde de hoffelijke Ljova.

De rechtlijnige Ika corrigeerde grofweg:

'We hebben op jou gewacht.'

Na een doordringende blik op Ika geworpen te hebben zei Kostja:

'Jammer van Alevtina, ze was een goed meisje. Ik heb haar nog gewaarschuwd: bind je niet aan die man uit Boechara, ze wilde niet luisteren.'

Hij sprak langzaam, duidelijk, de lippen tuitend en ook zijn woorden een beetje rekkend, zoals er in Zuid-Rusland wordt gesproken. Hij had donkerbruine ogen, maar de kleur van zijn haar was warm, goudblond.

Hij wendde zich tot Varja.

'De meisjes zijn vast uitgehongerd.'

'Ik wil niet eten,' zei Zoja gemaakt.

'Maar ik wel,' verklaarde Rina, 'ontzettend graag, ik lust nu alles.'

'We moeten een hapje eten,' zei Ika.

Kennelijk was hij als enige hier niet van Kostja afhankelijk.

Er kwam een kelner aan.

'Breng vast wat sigaretten,' bestelde kostja.

' "Hertogin Flor"?'

'Ja.'

Hij sprak en deed alles met opzet langzaam. Iedereen wilde zo gauw moge-lijk iets te eten krijgen, hij wist dat en haastte zich niet.

Met zijn nagel maakte hij het sigarettendoosje open en wierp het op de tafel: steek maar op. Alleen aan Varja vroeg hij:

'Rookt u?'

Aan zijn stem hoorde ze dat hij een weigering verwachtte, kennelijk wilde hij niet dat ze rookte.

Toch nam ze een sigaret.

'Ik dacht dat u niet rookte.'

'Wat een teleurstelling,' lachte Varja als een hardvochtige coquette.

Kostja wendde zijn trage blik af en vroeg net als daarstraks zijn woorden rekkend:

'Zo, wat zullen we eten, wat zullen we drinken?'

Ljova begon het menu voor te lezen. Kostja onderbrak hem:

'Sla en aspic.' Hij keek de tafel rond, telde iedereen.

'Twee flessen wodka en één muskaat. Donkere of rosé?'

'Liever donkere,' zei Rina.

Hij wendde zich tot Varja.

'En u?'

'Het maakt mij niet uit.'

'Dus twee flessen wodka en één donkere muskaat. Als hoofdgerecht gebak-ken karper!'

'Oho!' riep Willy Long.

'Kostja, doe niet zo stoer,' verzocht Miron.

'Ik trakteer,' antwoordde Kostja.

'Bent u jarig?' vroeg Varja gemaakt ernstig.

'Ja. Jarig. In zekere zin.'

Deze man ging recht op zijn doel af. Hij zou niet over de vorm van haar ogen praten. Ze kon hem afweren, indien nodig. Voorlopig hoefde dat niet, hij was alleen maar aan het flirten.

Er verscheen een kerel met de tronie van een verlopen bandiet, hij boog zich naar Kostja toe en fluisterde hem iets in het oor.

'Nee,' zei Kostja, 'voor vandaag is het genoeg geweest.'

De figuur verdween, loste op in de lucht.

Voor Varja onverwachts en voor de anderen ongemerkt pakte Kostja ineens haar tasje van haar schoot, stopte er een stapeltje bankbiljetten in en zei fluisterend:

'Om vandaag niet te spelen.'

Varja wist niet wat ze moest doen. Als hij wilde spelen zou hij het geld pakken, wilde hij niet dan kon het in zijn zak blijven. Een primitieve versiertruc: blijk geven van je vertrouwen, een ander tot je medeplichtige maken. Zo gaven dieven waarschijnlijk hun geld aan hun liefje in bewaring. Maar het was gênant om het waar iedereen bij zat terug te geven en dit net zo ongemerkt doen als hij kon ze niet. Het geld bleef in haar tasje. 't Zat Varja dwars.

De kelner bracht de drank en de hapjes, Kostja volgde zijn bewegingen als een gastheer die gesteld is op een goed gedekte tafel. In METROPOL en de HERMITAGE had hun gezelschap steeds uit andere mensen bestaan; sommigen gingen weg, anderen kwamen erbij, er was wanorde, veel geloop. Hier zaten ze allemaal rustig. En Varja begreep dat dit niet zo'n toevallig gezelschap was als ze aanvankelijk gedacht had, het was rond Kostja verenigd, het was zijn vriendenkring. Alleen Miron nam als enige de vrijheid van tafel te gaan en zijn zaken te regelen. En Ika ging om zijn onafhankelijkheid te demonstreren aan het tafeltje ernaast zitten.

Een kok in een wit schort en met een hoge koksmuts op kwam met een aquarium aanlopen, op de bodem spartelde een levende vis in een net.

'Wat is dat voor een vis?' vroeg Kostja aan Varja en bracht waarschuwend zijn vinger naar de lippen, zodat de anderen het niet zouden zeggen.

'U heeft toch karper besteld,' antwoordde Varja, 'dan is dit er kennelijk een.'

'Maar wat voor een karper, een gewone of een spiegelkarper?'

'Ik weet het niet.'

'Dit is een spiegelkarper,' legde Kostja uit, 'hij heeft een hoge, scherpe rug en grote schubben, ziet u. Terwijl een gewone karper een brede rug en kleine schubben heeft. Begrijpt u?'

'Ja, dank u. Nu kan ik bij het visseninstituut gaan werken.'

Kostja knikte naar de kok en die droeg de vis weg.

'Bent u een hengelaar?' vroeg Varja.

'Geen hengelaar, maar visser, uit Kertsj, mijn vader en grootvader waren visser en als jongen ging ik de zee op.'

'Sinds wanneer is een karper een zoutwatervis?' vroeg Ika bij hun tafeltje terugkomend.

'Ik heb op zee niet op karpers gevist,' Kostja tuitte zijn lippen, keek Ika kwaad aan, 'ik heb op zee op blankvoorns gevist. Weet je het verschil tussen een blankvoorn en een Kaspische voorn? Nee? Daar heb je het orkest, ga dansen, ik leg het je straks uit.'

Varja danste met Ljova, met Ika en Willy. Kostja danste niet, dat kon hij niet. Maar dat leek Varja nu om een of andere reden geen tekortkoming, daardoor stak Kostja zelfs gunstig bij de anderen af. Hij bleef alleen aan tafel zitten en hief slechts het hoofd op om naar haar te kijken en haar toe te lachen. Varja vond het zelfs kwetsend voor hem: ze amuseerden zich op zijn kosten en lieten hem alleen, ze vonden dansen belangrijker dan hun vriend.

Toen ze allemaal voor de volgende dans opstonden, pakte Kostja haar hand.

'Blijf bij me zitten.'

Ze bleef.

'Werkt u, studeert u?'

'Ik ben klaar met school en ga werken.'

'Waar?'

'Op een constructiebureau. Bij ons op school heb ik technisch tekenen gedaan.'

'En een hogere opleiding?'

'Dat ben ik voorlopig niet van plan.'

'Waarom niet?'

'De beurs is niet ruim. Vindt u dat een geschikt antwoord? Maar dit is een volstrekt zinloos gesprek. Bent u ook ontwerper?'

'Ontwerper?' Hij grinnikte. 'Nee, ik heb een andere specialiteit.'

'Biljarten?'

Hij hoorde de ironie, keek haar ernstig aan, er flitste woede op in zijn ogen, maar deze doofde. Langzaam en zijn woorden rekkend zei hij:

'Biljarten is geen beroep. Zoals een ontwikkeld man al zei: biljarten is een kunst.'

'En ik dacht dat biljarten een spel was,' sprak Varja hem tegen. Ze wilde hem een beetje kwaad maken, hij moest niet proberen indruk te maken.

'Mijn specialiteit is medische, elektrische apparatuur,' zei Kostja ernstig. Rode lampen, sollux, kwartslampen, hoogtezon, tandartsboren. Houdt u van tandartsboren?'

'Ik haat ze.'

'Ik ook. Ik repareer ze.'

En omdat hij kennelijk vond dat hij genoeg over zichzelf had verteld, vroeg hij:

'Kent u Rina al lang?'

Hij wilde te weten komen hoe ze in zijn vriendenkring was terechtgekomen.

'Nee, we hebben pas vandaag kennis gemaakt. Ze werkt bij Zoja en Zoja en ik wonen in hetzelfde huis.'

'In hetzelfde huis?' Hij was om een of andere reden verwonderd. 'Waar dan?'

'Op de Arbat.'

'Op de Arbat?' Weer was hij om een of andere reden verwonderd. 'Met uw vader en moeder?'

'Ik heb geen vader en moeder. Ze zijn al lang dood. Ik woon bij mijn zuster.'

Hij keek haar achterdochtig aan. Meisjes in restaurants probeerden altijd op te vallen, of door hun enorme geluk of door hun enorme ongeluk, ze wilden allemaal iets hebben. Een volle wees van zeventien, dat was ook zo iets.

Maar voor hem zat geen restaurantmeisje.

'En ik heb ze allemaal nog,' zei Kostja, 'vader, moeder, vier broers, drie zusjes, opa, oma, een heel grote familie.'

'Wonen ze allemaal in Kertsj?'

'Nee, ze zijn verhuisd,' antwoordde Kostja ontwijkend, 'maar in Moskou heb ik niets of niemand, zelfs geen huis.'

'Waar woont u dan?'

'Ik huur een kamer in Sokolniki.'

Varja was verbaasd:

'U heeft zoveel vrienden en ze kunnen u niet aan een kamer in het centrum helpen?'

De gedachte kwam bij haar op om hem bij Sofja Aleksandrovna onderdak te brengen, de huurster zou binnenkort weggaan. Ze kon Kostja natuurlijk niets beloven zonder met Sofja Aleksandrovna overlegd te hebben, maar haar verlangen om het zijn ondankbare vrienden betaald te zetten kreeg de overhand.

'Ik kan niets met zekerheid beloven. Maar ik zal het een vrouw in ons huis vragen. Ze heeft een kamer over, misschien verhuurt ze hem aan u.'

Weer keek hij haar argwanend aan.

Maar nee, dit meisje meende het.

'Dat zou geweldig zijn,' zei Kostja, 'dat zou gewoonweg fantastisch zijn. Heeft die vrouw telefoon?'

'Ik moet eerst zelf met haar praten.'

Hij schoot in de lach.

'U begrijpt me verkeerd, ik wil haar niet opbellen. Ik heb voor mijn werk een telefoon nodig.'

'Er is telefoon.'

Dat van die kamer had ze beter niet kunnen zeggen. Misschien kwam er niets van.

'Hoe bent u zo van een visser in een elektrotechnicus veranderd?'

'Visser... Ik woonde aan zee, vandaar dat vissen.'

'Ik ben nog nooit aan zee geweest,' zei Varja.

Hij was verbaasd:

'Heeft u nog nooit de zee gezien?'

'Alleen in de bioscoop.'

Nu keek hij haar strak aan.

'En wilt u dat?'

'Nou en of!'

De muziek verstomde. Iedereen keerde naar de tafel terug.

Kostja leunde achterover in zijn stoel, hief het glas:

'Ik stel voor om op onze nieuwe kennissen te drinken: op Varja en Zoja.'

'Hoera!' riep kleine Volja spottend.

Een toost paste werkelijk niet bij dit gezelschap noch bij het tijdstip, ze hadden al gegeten en gedronken, op tafel heerste wanorde, er kwamen mensen aanlopen, ze schoven aan, praatten.

Naast Kostja dook ineens een gebrilde jongeman met een professorsgezicht op. In zijn vuist hield hij een bankbiljet geklemd, aan de kleur zag Varja dat het een tienroebelbiljet was. Hij vroeg:

'Even of oneven?'

'Ik speel niet,' antwoordde Kostja. Toen bedacht hij zich.

'Wacht... Varja, doe een wens. Klaar?'

'Klaar,' zei Varja die nergens aan dacht.

'En nu: even of oneven?'

'Even.'

'Even?' herhaalde de jongeman.

'Even,' bevestigde Kostja.

De jongeman legde het tienroebelbiljet op tafel. Wat zagen hij en Kostja daaraan? Kostja grijnsde, pakte het biljet en zei tegen Varja:

'Ik heb mijn geld gewonnen en u uw wens. Wat heeft u gewenst?'

Ze zei het eerste wat bij haar opkwam:

'Dat ze me voor het werk aannemen.'

'Dat hoefde u niet te wensen, dat doen ze toch wel.'

Hij was teleurgesteld.

'Wat is dat voor een spel?' vroeg Varja.

Kostja streek het tientje glad en liet haar het nummer zien: drie, één, zes, zeven, twee.

Hier staan zes getallen, u heeft de even genomen: vier, zes, twee, twaalf in het totaal. De andere zijn oneven: drie, een, zeven, samen elf. U heeft meer, en heeft gewonnen, het biljet is van u. Als hij meer had gehad hadden wij hem een tienroebelbiljet moeten geven, begrepen?'

Varja lachte.

'Geen hogere wiskunde.'

'Dat is juist goed: als hij zijn vuist openmaakt, zie je meteen of je gewonnen of verloren hebt,' zei hij kinderlijk blij.

'En hoe heet dit ingewikkelde spel?'

' "Spoortje". Niet "chemin de fer", maar gewoon "spoortje".'

' "Spoortje à la Savoy",' zei Varja.

Kostja lachte.

'Hoor je dat? Hoor je dat, Ljova? "Spoortje à la Savoy".'

'Bedoelde u Savoy of Savoye?' Met zijn glimlach gaf Ika te verstaan dat niemand anders behalve zij tweeën en Kostja al helemaal niet het verschil tussen restaurant SAVOY en Savoye kende.

'Ik bedoelde restaurant SAVOY,' antwoordde Varja geïrriteerd, ontevreden omdat Ika zich vrolijk maakte over Kostja.

'Ja natuurlijk restaurant SAVOY,' viel Kostja haar bij.

Hij was vlug van begrip, had het verschil begrepen, ook al had hij er geen idee van wat Savoye was. Hij zat enigszins van de tafel afgekeerd, zijn arm op Varja's stoelleuning, maar hij raakte haar niet aan.

Hij probeerde haar met primitieve middelen te versieren, vrijpostig, hardnekkig, maar hij kon zich beheersen. Varja doorzag al zijn manoeuvres, maar wilde hem niet kwetsen, uiteindelijk vermaakte ze zich hier net als de anderen op zijn kosten. En ze vond hem op een of andere manier aardig, hij was niet alleen royaal, maar ook goedhartig en oprecht.

Opnieuw begon de muziek, iedereen ging dansen en weer hield Kostja haar tegen.

'Bent u echt nog nooit aan zee geweest?'

'Ik zei het toch al: nee.'

Haar recht in de ogen ziend zei hij langzaam:

'Met de trein naar Sebastopol, met de bus langs de zuidkust tot Jalta. We gaan morgen, nu we nog geld hebben,' hij knikte naar haar tasje, 'de trein vertrekt 's middags, neem alleen het hoognodige mee, zwemspullen, zonnejurk, overigens kun je dat daar ook allemaal kopen.'

Varja keek hem verbluft aan. Hoe durfde hij haar zo'n voorstel te doen?! Had ze daar aanleiding toe gegeven? Hoe dan?

'Hebt u niemand om uw reguliere vakantie mee door te brengen?' vroeg ze, waarbij ze alle verachting en ironie in haar woorden legde die ze kon opbrengen.

Hij maakte een trotse hoofdbeweging en zei heel duidelijk:

'Ik heb geen reguliere vakantie, ik bepaal zelf wanneer ik vakantie heb, ik ben van niemand afhankelijk.'

Nu begreep ze wat haar in deze man aantrok: hij was onafhankelijk en stelde haar voor zijn onafhankelijkheid met hem te delen. Ze begreep waartoe haar toestemming haar zou verplichten. Maar *daar* was ze niet bang voor, *dat* moest vroeg of laat toch gebeuren. Er was iets anders dat ze griezelig vond. Hij was een speler, had geld gewonnen en wilde dat nu verbrassen met een kersvers vriendinnetje.

Om haar duidelijk te maken dat hij haar niet alleen voor dit reisje uitnodigde, voegde hij er aan toe:

'De rest kopen we als we terug zijn.'

Varja zweeg, dacht na, zei toe:

'Hoe kan ik met u op reis gaan, ik ken u helemaal niet.'

'Dan leer je me juist kennen.'

'Waarom zegt u "je", ik dacht niet dat we al broederschap hadden gedronken.'

Hij reikte naar de fles.

'Laten we dat dan doen.'

Ze duwde zijn hand weg en al begreep ze dat haar woorden banaal waren vroeg ze omdat ze geen andere kon vinden:

'Waar ziet u me eigenlijk voor aan.'

'Ik zie je aan voor wat je bent: een charmant, zuiver meisje,' zei hij oprecht en legde zijn hand op de hare.

Varja trok haar hand niet terug. Hij drukte deze niet, streelde niet haar vingers zoals verlegen jongens altijd deden, maar legde zijn hand gewoon zacht op de hare en ze vond het prettig. En zag dat hij het ook prettig vond om gewoon zijn hand op de hare te laten rusten.

Rustig en toegeeflijk keek hij de rumoerige zaal in, een onafhankelijk, machtig man, met geld, naast een meisje, de enige die hij hier vertrouwde, de enige die hij hier erkende. Er mochten dan wel geen helden bestaan, maar deze man zou niet op een 'geef acht!' in de houding springen en zijn meerdere vol ontzag aanstaren, hij zou niet onder geleide met zijn koffer over het perron zeulen...

Zonder naar Varja te kijken zei hij opeens peinzend:

'Misschien word ik naast jou wel een mens.'

Zijn gezicht versomberde. Hij wendde zich af.

'Goed,' zei Varja, 'ik ga mee.'

17 Sasja deed de band om zijn schouder en was verbaasd hoe makkelijk de grote, beladen boot stroomopwaarts ging. Met de jaaglijn over de boegspriet—een lang rondhout op de voorsteven—gegooid werd de boot naar de *oddor* getrokken en begon soepel evenwijdig aan de oever te varen, zonder schommelen, of zonder—zoals postbesteller Nil Lavrentjevitsj het noemde—*myr*.

De rivier staken ze steeds roeiend over. Sasja en Boris gingen op de roei-bank zitten, staken de riemen in de dollen en roeiden uit alle macht, er stond hier een sterke stroom. Maar zelfs midden in de vaargeul kon je op de bodem de kleurige kiezelstenen zien liggen, zo schoon en helder was het water. Alleen de kleur wisselde afhankelijk van het weer, was nu eens staalgrijs, dan weer diepblauw of blauwgroen.

'Het gaat rap met zulke jonge kerels,' grapte Nil Lavrentjevitsj.

Nil Lavrentjevitsj, een druk mannetje met fijne trekken in een beweeglijk gezicht, had goud gedolven bij de Lena, als partizaan tegen Koltsjak gevochten en was nu kolchozboer. Over zijn partizanentijd vertelde hij vaag, hij loog, waarschijnlijk had hij het van anderen, maar dat hij goud had gedolven was waar. Het was een traditie van de bewoners van Angara om als jongeman goud te gaan zoeken. Als hij bij zijn terugkomst een gouden ring aan zijn vinger had betekende het dat hij goud had gevonden, dan kon hij gaan trouwen! Zo was Nil Lavrentjevitsj ook goud gaan zoeken, had goud gevonden, was teruggekomen, getrouwd en had een boerenbedrijf gehad met zes koeien. In deze streken was een boer zelfs met tien koeien nog geen koelak, zeker niet als hij geen knechts had, geen separator en geen handel met de inheemse Evenki dreef. In de herfst ging hij de bossen in, maakte in één winter zes à zevenhonderd huiden buit, de eekhoornjacht bracht heel wat op. Nu waren de eekhoorns naar het noorden uitgeweken, ook het sabeldier had ze uitgeroeid en het werk op de kolchoz eiste hem op. Vroeger zwaaide je alleen in de hooitijd met een vork, al het overige werk kwam op de vrouw neer. Nu was er geen verschil, man en vrouw waren hetzelfde: kolchozarbeiders.

Terwijl ze zo Nil Lavrentjevitsj' eindeloze verhalen aanhoorden, liepen ze over de oever, langs overhangende rotsen, over hopen bergpuin of waadden op plaatsen waar de rotsen zich tot in het water uitstrekten. Overdag stond de zon hoog boven hun hoofd en was het heet, tegen de avond verdween ze achter het bos en dan viel het tajgalicht in lilakleurige strepen over de oever.

Soms verscheen er een eenzame vissersboot, flitste er bij de oever een houten boei op—daar was een viskorf of fuik—in de verte dreef een praam voorbij met een paard erop, en dan weer: geen mens, geen dier, geen vogel. Bij de stroomversnellingen ruiste het zoals de tajga ruist bij harde wind; het water raasde over de zwerfkeien en de kiezelhopen, ziedde in de draaikolken en spatte speels in de zon op. Bij een stroomversnelling trokken ze allemaal de jaaglijn en Nil Lavrentjevitsj stond rechtop in de boot en stuurde met de roerstok. Ook zijn vrouw liep, ziekelijk, zwijgzaam en met een grote doek om hoofd en schouder, aan de treklijn.

Boris masseerde zijn schouder, schopte tegen de stenen aan de walkant en zei somber:

'Volodja Kvatsjadze zou de boot niet hebben getrokken, hij had zich laten trekken.'

'Aan de lijn, maar wel zonder geleide,' antwoordde Sasja.

In het dorp Goltjavino stonden de plaatselijke ballingen aan de oever de boot op te wachten: een klein, grijs vrouwtje, in het verleden een bekend socialist-revolutionair, een anarchist—ook klein en grijs met een vrolijk, goeiig ge-zicht—en een opvallend mooi meisje, Frida. De oude vrouw heette Maria Fjodorovna en de oude man Anatoli Georgievitsj.

De post was al twee maanden niet geweest en Nil Lavrentjevitsj gaf ieder-een een pakje met brieven, kranten en tijdschriften, voor Frida was er ook nog een pak.

'We staan hier al drie dagen op de uitkijk,' zei Anatoli Georgievitsj op vrolij-ke toon, 'van 's ochtends tot 's avonds.'

'Het sorteren heeft ons opgehouden, Natoli Jegorytsj,' legde Nil Lavrentje-vitsj uit, 'we moeten tot aan Dvorets.'

Dit nieuws had een levendige discussie tot gevolg: als nu in het dorp Dvo-rets een postkantoor was, zou de post 's winters via Tajsjet hier sneller ko-men. Aan de andere kant kon het oprichten van een nieuw postkantoor voor-afgaan aan administratieve veranderingen. Misschien zou Dvorets een nieuw rayon worden. En een nieuwe overheid zou een nieuwe bezem betekenen en deze bezem zou dichterbij zijn.

'Pak uw spullen,' gebood Maria Fjodorovna, 'wij kunnen voor uw logies zorgen.'

'Nee dank u,' antwoordde Sasja. 'Nil Lavrentjevitsj wilde ons meenemen.'

'Naar Jefrosinja Andrianovna?'

'Ja,' bevestigde Nil Lavrentjevitsj, terwijl hij de postzak uit de boot trok.

'Prachtig, dan praten we vanavond, Frida komt jullie halen. Goed, Frida?'

Frida was een brief van haar post aan het lezen.

'Frida, word wakker!'

'Ja, ja,' het meisje deed de brief in de enveloppe en sloeg haar grote, blauwe ogen naar Maria Fjodorovna op. Haar zwarte krullen vielen op haar oude jakje dat los om haar slanke taille hing.

'Jij haalt ze op,' herhaalde Maria Fjodorovna, 'dan zijn wij bij Anatoli Geor-gievitsj.'

'Ja, naar mij.' Anatoli Georgievitsj bladerde een tijdschrift door.

'Kom mee, kameraden, jullie kunnen straks lezen,' zei Maria Fjodorovna bazig.

Boris pakte het pak op.

'U heeft uw eigen bagage,' zei Frida.

'Wat dan nog!'

Met een stoere beweging slingerde Boris het pak op zijn schouder en pakte zijn koffer op. Het leek of hij niet wist wat moeheid was.

'Laat de koffer maar staan, wanneer u terugkomt neemt u hem wel mee,' adviseerde Maria Fjodorovna.

Sasja hielp Nil Lavrentjevitsj met lossen. Boris kwam terug en ze sleepten alles naar een huisje dat op de oever stond.

Terwijl de vrouw des huizes vis schoonmaakte en het eten kookte liepen Sasja en Boris de straat op.

'En?!' Boris keek Sasja vragend aan.

Sasja deed alsof hij de vraag niet begreep.

'Aardige, lieve, gastvrije mensen.'

'Ja,' beaamde Boris ongeduldig, 'niet zoals die in Tsjoena, die kennissen van Volodja, dit zijn echte intellectuelen, in wie je gelooft vinden ze niet belangrijk, maar wel dat je net zo'n balling bent als zij. Waarachtige mensen!... En wat vind je van Frida?'

'Een mooi meisje.'

'Dat is het woord niet!' riep Boris uit. 'De Sulamitische! Esther! Het Hooglied! Dit moest behouden blijven, door de millennia heen, onder alle ballingschap, omzwervingen en pogroms.'

'Ik wist niet dat je zo nationalistisch was,' lachte Sasja.

'Een Russisch meisje is geen nationalist, een Joods meisje wel. Ik heb het over het type, het slag vrouw. Mijn vrouw kwam ook uit een joodse familie en ze is nog niet de pink van deze Frida waard. Wat een houding! Wat een waardigheid. Dat is een *mens*! Een echtgenote, moeder, huisvrouw!'

'Hier spreekt de Joodse man.'

'Ja, mag het?'

'U zit een straf uit en zij ook. U in Kezjma, zij in Bogoetsjany.'

'Een bagatel! Als we trouwen, laten ze ons bij elkaar wonen.'

Sasja verbaasde zich over Boris' fantasterij, maar hij zei alleen:

'Misschien is ze getrouwd.'

'Dan ziet het er slecht uit.'

Op de borden vis, room en bessengelei. Nil Lavrentjevitsj en zijn vrouw spuugden de graten op tafel uit. Sasja was er al aan gewend.

De huisvrouw, stevig en lang niet dom, klaagde over haar zoon: hij wilde niet op de kolchoz werken, *ronselaars* lokten hen naar Rusland, voor de bouw.

'Het meest doortrapte volk dat er is,' merkte Nil Lavrentjevitsj over de ronselaars op, 'gauwdieven, ze hangen rond en kletsen je omver.'

De zoon, een volslagen zigeuner, wierp nieuwsgierige, schuine blikken op Sasja en Boris en hoorde zijn moeders verwijten zwijgend aan. De huisbaas, die ook op een zigeuner leek, zat op de bank te roken. Boris keek naar de deur, wachtte op Frida. De vrouw bleef over haar zoon klagen:

'Ik zag gaten, brandgaten in zijn zakken, hij stopt er zijn sigaretten in, brandend, in zijn zakken. En waarom wil hij hier niet wonen? We laten hem niet hard werken, hij is veel bij zijn vader. De vogels tsjilpen nog niet of die is al op het veld. De autoriteiten eisen het, niets aan te doen!'

De zoon bleef zwijgen, loenste naar Sasja en Boris. Ook de man, in zijn hart zelf een zwerver, zweeg. En de vrouw klaagde maar door: hij zou weggaan, slechte vrienden krijgen, in de gevangenis terechtkomen.

Frida kwam binnen, groette, ging op de bank zitten zonder het gesprek te onderbreken. Ze droeg laarzen, een oude jas en een doek die om haar hoofd en schouders was geknoopt. Ze deed hem niet af, ging zo zitten wachten tot ze klaar waren met eten.

Boris stond op, wierp Sasja een ongeduldige blik toe om hem tot haast te manen.

In de mooie hoek van de kamer stond een kastje met ikonen, in een andere een hoekkast met een spiegel en een zak, een spoel met garen, daarnaast een sierkleed, een schone, geborduurde doek, op de vensterbanken stenen, mineraalmonsters, zaden in doosjes en zaailingen in potten.

'Anatoli Georgievitsj is onze agronoom, geoloog, mineraloog, paleontoloog en weet ik wat nog meer,' Maria Fjodorovna grinnikte, 'hopelijk vindt hij erkenning.'

'Laat ze het land maar erkennen,' antwoordde Anatoli Georgievitsj, 'zo'n rijkdom als hier in Angara vind je nergens. Steenkool, metalen, olie, bos, bont, onuitputtelijke waterreserves.'

Door zijn smalle vingers liet hij steentjes glijden, brokjes lava stenen die dooraderd waren met zilver. Hij was gelukkig met de aandacht van deze toevallige toehoorders; misschien dat de volgende over een jaar kwamen of helemaal niet.

'Nog voor de Februarirevolutie,' vervolgde Anatoli Georgievitsj, 'was ik in ballingschap in Angara en nu ben ik hier weer. Maar toen werden mijn artikelen over dit land gepubliceerd en nu hoef ik daar niet aan te denken. Toch hoop ik dat mijn aantekeningen nog eens van pas komen.'

'In verband met de ontwikkeling van een tweede centrum van de metaalindustrie in het Oosten,' zei Boris met een schuine blik op Frida, 'is het onderzoek naar de natuurlijke rijkdommen heel belangrijk. Na Koezbass zal de industrialisatie deze kant uitkomen. Dat is een kwestie van tijd.'

Hij zei dit op gewichtige toon, als een belangrijk functionaris die de plaatselijke enthousiastelingen aanspoorde. Arme Boris! Hij wilde in Frida's ogen belangrijk lijken en hij was juist op een heel andere manier belangrijk.

Maria Fjodorovna knikte spottend.

'Dat vindt u nodig: industrialisatie, vijfjarenplan... Ze hebben u uw vrijheid ontnomen, denk daar liever aan. U heeft het erover hoe dit land er over vijftig jaar zal uitzien, hoe Siberië dan zal zijn... Maar denk er liever aan waarin diezelfde vijftig jaar de mensen zullen veranderen die het recht is ontnomen om goed en barmhartig te zijn.'

'Toch kun je de evidente feiten niet ontkennen,' zei Anatoli Georgievitsj, 'in Rusland speelt zich een industriële revolutie af.'

De grijze, zachtaardige man beantwoordde totaal niet aan Sasja's voorstelling van anarchisten.

'Waarom zit u hier!' riep Maria Fjodorovna uit, 'Geef de strijd op. En word meteen wetenschapper!'

'Nee,' wierp Anatoli Georgievitsj tegen, 'laten ze het maar weten: andersdenkendheid bestaat en zonder andersdenkendheid is er helemaal geen denken. Maar er moet gewerkt worden, de mens kan niet zonder werk,' hij wees naar een zaailing, 'ik kweek ook tomaten en watermeloenen.'

'Vanwege die tomaten zult u hier ook als eerste vandaankomen,' merkte Maria Fjodorovna op, 'u bent druk bezig met uw tomaten terwijl de kolchozboeren het graanprobleem moeten oplossen. In Rusland is dat niet opgelost en nu hebben ze het in hun hoofd gehaald om dat in Angara te doen, waar niemand zich van z'n leven ooit met graan heeft beziggehouden.'

Ze zuchtte.

'Vroeger was het nog draaglijk; de ballingen werkten bij boeren of leefden van wat hun van thuis werd toegestuurd, bijna niemand interesseerde zich voor hen. Maar nu zijn er kolchozen gekomen, er is een bestuur, er arriveren gevolmachtigden, elk onbekend woord wordt tot agitatie verdraaid, er hoeft maar iets op een kolchoz te gebeuren of ze zoeken een schuldige en de schuldige is híj, de balling, de contrarevolutionair, híj beïnvloedt de plaatselijke bevolking en wel zo dat zelfs de aardappels niet willen groeien, de vis niet gevangen wordt en de koeien niet kalven en geen melk geven. Zo wordt Frida voor een baptiste gehouden. Een van hen heeft het zo tegen haar gezegd: hou op met die baptistische propaganda! Dat heeft hij toch zo gezegd?'

'Ja,' glimlachte Frida.

'Ze hebben maar één ding bereikt,' lachte Maria Fjodorovna, 'de boer zal niet meer vechten. Waarvoor zou hij vechten? Vroeger was hij bang dat de landheer terug zou komen en hem het land zou afnemen. Maar nu is het land toch al afgenomen, dus waarvoor zou hij vechten?'

'Dat staat ter discussie,' zei Sasja, 'voor het volk, voor de natie zijn er waarden waarvoor hij zal vechten.'

'En gaat u vechten?' vroeg Maria Fjodorovna.

'Natuurlijk.'

'Waarvoor zult u dan vechten?'

'Voor Rusland, voor het Sovjetregime.'

'Maar het Sovjetregime heeft u naar Siberië verbannen.'

'Helaas wel,' stemde Sasja in, 'maar toch is het Sovjetregime niet de schuldige, diegenen die de macht niet te goeder trouw uitoefenen zijn schuldig!'

'Hoe oud bent u?' vroeg Anatoli Georgievitsj.

'Tweeëntwintig.'

'Jong,' glimlachte Anatoli Georgievitsj, 'u heeft alles nog voor u.'

'Maar wát dan?' vroeg Maria Fjodorovna somber. 'Voor hoe lang bent u verbannen?'

'Voor drie jaar. En u?'

'Ik heb geen termijn,' antwoordde ze kil.

'Hoezo?'

'Kijk, dat zit zo. Ik ben in tweeëntwintig begonnen: ballingschap, Solovki, een gevangenis voor politieke gevangenen, weer verbanning, voor me ligt weer Solovki of de gevangenis. Nu zeggen ze dat ze ons, de contra's, het Noorden in cultuur zullen laten brengen. Dat staat ook u te wachten. U bent in deze kringloop terechtgekomen en komt er niet meer uit. Ook Frida niet, tenzij ze haar naar Palestina laten gaan.'

'Wilt u naar Palestina?' vroeg Sasja verbaasd.

'Ja.'

'Wat wilt u daar doen?'

'Werken,' antwoordde het meisje, enigszins brouwend, 'land spitten.'

'Kunt u dat?'

'Een beetje.'

Sasja bloosde. Zijn vraag had onaardig geklonken 'Kunt u dat?' Ze werkte hier toch ook op het land, ze leefde ervan.

Om zijn gebrek aan tact goed te maken vroeg hij vriendelijk:

'Heeft u het dan moeilijk in Rusland?'

'Ik wil niet dat iemand me een Jid kan noemen.'

Ze zei het rustig, maar net met die nuance van onbuigzame koppigheid die Sasja bij mensen die aan hun ideeën vasthielden had gezien. Als Boris niet tot haar geloof zou overgaan, zou er niets van zijn plannen terechtkomen.

Zowel Maria Fjodorovna als Anatoli Georgievitsj waren overblijfselen van die korte periode van na de revolutie toen men andersdenkendheid als onvermijdelijk aanvaardde. Nu werd dat als tegennatuurlijk beschouwd. De Baulins, Stolpers en Djakovs waren overtuigd van hun recht recht te spreken over oude en ziekelijke mensen die het waagden anders te denken dan zij dachten.

'Ik heb een verzoek aan u,' zei Maria Fjodorovna, 'zoek in Kezjma Jelizaveta Petrovna Samsonova op, ze is net zo'n oude vrouw als ik en geef haar dit.'

Ze stak Sasja een enveloppe toe.

Moest hij hem aannemen? Wat zat er in? Waarom stuurde ze hem niet over de post? De aarzeling op zijn gezicht ontging Maria Fjodorovna niet. Ze opende de enveloppe, er zat geld in.

'Hier is twintig roebel, geef het, zeg dat ik nog leef.'

Sasja bloosde weer.

'Goed, ik zal het overbrengen.'

Opnieuw voeren ze stroomopwaarts, passeerden stroomversnellingen, roeiden van oever tot oever. Het was warm, maar de vrouw van Nil Lavrentjevitsj zat ook nu in haar doek gewikkeld op de achtersteven, en ook zelf deed hij zijn zeildoekse regenjas niet uit.

Ze hoorden een geraas in de verte.

'De stroomversnelling van de Moera,' verklaarde Nil Lavrentjevitsj bezorgd.

Steeds vaker waren er stenen onder het water, de stroom werd sterker, het geraas heviger, het ging over in een ononderbroken gebulder, werd ten slotte uitzinnig hard. De rivier voor hen was in een reusachtige witte wolk gehuld, uit het water staken gladde stenen omhoog, hoog daarboven. Stortzeeën van schuim, het geraas leek op het dreunen van honderden kanonnen. Van de linkeroever stortte de rivier de Moera zich met een hels lawaai uit een rotsspleet. Op de plek waar deze in de Angara uitmondde torende een reusachtige rots met granieten tanden.

Ze sleepten de boot de wal op, losten, brachten de spullen tot voorbij de stroomversnelling, gingen terug en sleepten ook de boot over land daarheen.

Boris was niet meer moe, integendeel, klaagde dat ze langzaam gingen, had haast om in Kezjma te komen, zich daar te vestigen en te regelen dat Frida over kon komen. Hij twijfelde er niet aan of ze zouden trouwen.

'Ze heeft geen verloofde of man. Een moeder ergens bij Tsjernigov. Wat moet ze alleen? We kunnen in Kezjma wonen, ik laat haar niet werken, laat ze maar de huishouding doen, als er een kind komt, wel, hier groeien ook kinderen op, als onze straf voorbij is gaan we weg. Kunt u zich haar in Moskou in avondjurk in het theater voorstellen? Om een goede vrouw te krijgen is het de moeite waard om in Angara te zijn. Drie jaar ballingschap en een vrouw voor het leven!'

'Ze wil naar Palestina.'

'Onzin! Dat gaat over. Ze heeft zich nog nooit vrouw gevoeld. Als ze een gezin heeft, een huis, kinderen, dan blijft er van haar Palestina niets over.'

Sasja herinnerde zich de koppige uitdrukking op Frida's mooie gezicht en verbaasde zich over Boris' blindheid.

'Ze beweert zelfs dat ze in God gelooft,' vervolgde Boris, 'denkt u dat dat serieus is? Noem me één moderne Jood die serieus in Jahweh gelooft. Voor Joden is hun godsdienst alleen maar een vorm van nationaal zelfbehoud, een middel tegen assimilatie. Maar assimilatie is onvermijdelijk. Mijn grootvader was een tsaddek, maar ik ken geen Hebreeuws. Wat ben ik dan voor een Jood, vraag ik u?'

'Boris, u heeft haar maar één avond gezien.'

'Om iemand te leren kennen is vijf minuten genoeg. Ik zag u bij de commandant en zei tegen mezelf: wij zullen het samen kunnen vinden. En ik heb me niet vergist. Ik heb ze al in 't wit, blauw en groen gekend, maar als ik de ware heb gevonden, heb ik geen andere meer nodig. Wie voor zijn huwelijk een brave jongen is gebleven loopt achter de eerste de beste rok aan, laat zijn vrouw en kinderen in de steek, maakt zijn gezin kapot.'

Waar deze argumenten ook uit voortkwamen: uit eenzaamheid of medelijden met het meisje dat net als hij in een uithoek terecht was gekomen, toch was dit liefde, onverwachts bij zo'n zakelijke man, vrouwenjager en levensgenieter. Wanneer hij over Frida sprak straalde zijn gezicht vol vertedering.

Ze kwamen langs het dorp Tsjadobets, waar de gestorven Kartsev had moeten wonen, ze passeerden nog meer dorpen, overnachtten bij kennissen of familie van Nil Lavrentjevitsj.

Sasja en Boris gingen dadelijk na het eten slapen, maar Nil Lavrentjevitsj bleef nog lang met de gastheer en -vrouw zitten praten. Er kwamen mensen. In zijn slaap hoorde Sasja deuren slaan en brokstukken van lange gesprekken tussen mannen.

Ze stonden vroeg op, gewekt door de geur van gebakken vis en het rammelen van de kacheldeur en de potten die op de kachel werden verschoven.

'Hoe hebben jullie geslapen, geen insektebeten?' vroeg de gastvrouw.

'Goed. Dank u.'

's Ochtends bleven ze niet lang aan tafel zitten, haastten zich op weg. Op straat hoorden ze al stemmen.

'Op weg naar het werk, ze hebben wel haast,' verklaarde de gastvrouw.

'Dank u wel,' Nil Lavrentjevitsj stond op, boerde, sloeg achteloos een kruis over zijn mond.

In de boot redeneerde Nil Lavrentjevitsj na zulke overnachtingen:

'Wat hebben we hier nou voor kolchozen? Schrale grond, bevroren tajga, dit is Rusland niet, geen graan om uit te voeren, als je jezelf en je kindertjes te eten wilt geven. Wat kunnen wij de staat nu geven, niets, alleen eekhoorns. Vroeger hielden we vee bij de Lena, nu is er geen melk te krijgen. Vroeger hadden we ballingen en politieke gevangenen in dienst, ze rooiden bomen, maar nu rooien we niet. Zelfs de ceder wordt door niemand omgehakt.'

Ze kwamen voorbij Kalininski, een dorp dat in 1930 door bijzondere kolonisten, uit Rusland verbannen *koelakken*, was gebouwd.

'Ze werden helemaal aan het eind van januari hier gebracht,' vertelde Nil Lavrentjevitsj, 'de moedigsten onder de mannen zijn naar het naburige dorp gegaan, Koda, ongeveer acht werst, en zeiden: geef onze kinderen onderdak. Maar de mensen van Koda, ze heten allemaal Roekosoejev, waren bang, hun eigen koelakken waren ook allemaal weggehaald, de fanatiekste waren gedeporteerd, daarom waren ze bang. De mannen gingen terug naar het bos, kuilwoningen graven, en wroet daar maar eens in, in die aarde, bij vorst en sneeuw. Sommigen stierven, anderen bleven in leven. In de lente rooiden ze het bos, ruimden de struiken op, ploegden, zaaiden, een nijver volk, werkpaarden, bekwaam. Nu wonen ze daar, kweken tomaten. Eerst kweekte Natoli Jegorytsj, een verbannen politiekeling, tomaten, ze lachten hem uit, krabden hun gat, ons volk is wild en onwetend, en nu hebben de koelakken hen wat laten zien. Kijk, zo trekt de staat ook profijt van ze.'

De laatste zin sprak hij op gewichtige en nadrukkelijke toon, onderstreepte daarmee dat hij weet had van het staatsbelang: zowel van de noodzaak om de koelakken te bestrijden als van het nut om tomaten te kweken.

Maar hoe hij ook veinsde, het was duidelijk dat hij meevoelde met de bijzondere kolonisten, hij had ook kinderen en was net zo'n mens als zij. Ook hij was geschokt door het gebeurde, wist niet wat er nog meer stond te gebeuren en of het lot van de boeren uit de Oekraïne en Koeban, die uit hun geboortedorpen waren *geplukt* en om onbekende redenen naar onbekende plaatsen waren verbannen, ook niet hém zou treffen.

Sasja keek naar de nieuwe huizen, ze leken niet op de huizen in de omgeving. Dit waren de traditionele Russische boerenhuizen met stoepen naar de straat en aarden wallen tegen de buitenmuur: een stukje Rusland, van haar geboortegrond weggerukt en in de tajgasneeuw neergesmeten, hier echter door Russische mensen opnieuw opgebouwd en behouden.

Sasja wilde zien hoe de mensen nu waren. Maar ze waren op hun werk, het dorp lag er stil, vredig en rustig bij, ook de oever was precies zoals die van de andere dorpen aan de Angara, met boten, ponten en netten.

Ze leefden als iedereen. Dat wil zeggen zij die het overleefd hadden. In een flits was er op een heuvel een groepje kinderen te zien. Dit waren de kinderen die het overleefd hadden, en niet in de sneeuw waren gestorven. Of misschien waren er nieuwe geboren.

En opnieuw de rustige, machtige rivier, blauwe rotsen, de eindeloze tajga, de zon aan een blauwe hemel, alles overdadig en overvloedig geschapen voor het welzijn van de mens. Zacht gekabbel, kleine, naamloze ondiepten. Op de rechteroever het dorp Koda, waar iedereen Roekosoejev heette en waar de bijzondere kolonisten om hulp hadden gevraagd en die niet hadden gekregen. Ook daar was het stil, rustig, verlaten.

18 'Goed, ik ga mee,'—dat was gisteravond makkelijk gezegd toen ze in het restaurant zaten, de muziek speelde en charmante vrouwen met elegante mannen dansten, dat was een nieuw, onafhankelijk leven. Kostja zelf en ook zijn voorstel om mee naar de Krim te gaan hadden deel uitgemaakt van dat leven en daarom had Varja gisteren regelrecht vanuit het restaurant met hem mee kunnen gaan, waarheen hij maar wilde. Maar vandaag zag dat er hier, in hun grauwe communale huurkamer, allemaal heel anders uit, niet reeël, niet uitvoerbaar, het leek nu een spelletje, hol restaurantgezwets. In Vika's vriendenkring leuterden ze op die manier over reizen naar het buitenland, in Kostja's kring over reizen naar de Krim of de Kaukasus.

En dan, wie was hij eigenlijk, die Kostja? Een biljartspeler, een gokker. Met wat voor een primitieve middelen was hij haar aan het verleiden: hij stopte geld in haar tasje, bestelde dure gerechten, exclusieve wijnen, deed stoer, sloofde zich uit... Hoeveel van dat soort meisjes had hij al gehad? Hoeveel had hij er al verleid, met zulke reisjes naar de Krim? Zíj zou daar niet invliegen! Zij was niet zo onnozel dat ze zich door een of andere biljartspeler als een domme gans liet beduvelen! Wat een figuur zou ze slaan als hij haar na de Krim zou laten vallen of op de Krim zou achterlaten, ze bofte nog als hij haar geld voor de terugreis zou geven, maar als hij dat niet deed: zie zelf maar hoe je thuiskomt, stuur Nina maar een telegram, zo van: help me uit de nood zusje, Nina zou een beroerte krijgen, van zoiets kon ieders hart blijven staan: gisteren elkaar leren kennen in een restaurant, vandaag naar de Krim vertrokken. En waarom moesten ze uitgerekend vandaag weg? Waarom al die haast?

Met Sofja Aleksandrovna zou ze, zoals ze had beloofd, praten. Als zij hem die kamer zou geven, zouden ze elkaar beter leren kennen en dan zou zich misschien tussen hen ook een zekere verstandhouding ontwikkelen.

Gisteren had Kostja haar en Zoja vanuit het restaurant in een taxi naar huis gebracht, bij het afscheid had hij gezegd:

'Ga morgen niet van huis, wacht op mijn telefoontje. Ik bel je voor twaalven.'

Het was al twaalf uur en het zou het beste zijn als ze nu wegging, en bijvoorbeeld Sofja Aleksandrovna of Zoja op haar werk opzocht. En als hij 's avonds belde zou ze zeggen: 'Ik heb de hele morgen op uw telefoontje gewacht, u heeft niet gebeld'. Trouwens, zou hij wel bellen? Waarschijnlijk was hij zelf al vergeten wat hij allemaal gekletst had. Hoe kon hij nu zo ineens naar de Krim gaan? Zijn zaken in de steek laten! Hoe kon hij kaartjes krijgen? Gereserveerde plaatsen voor dienstreizen waren al nauwelijks te krijgen, gewone stervelingen moesten voor een kaartje weken op het station doorbrengen. Ze kon rustig thuis blijven. Wegrennen was vernederend. Ze had beloofd op zijn telefoontje te zullen wachten en zou dat ook doen. Het was zelfs wel interessant: zou hij wel of niet bellen? Hoe zou hij zich er uit draaien?

Om half een belde Kostja en zei dat hij de kaartjes in zijn zak had, de trein om vier uur vertrok en dat hij om drie uur bij haar zou zijn. Hij vroeg op welke etage ze woonde en wat haar huisnummer was.

Zodra ze zijn stem met de zachte, maar dwingende intonatie hoorde, raakte

Varja van haar stuk. Net als gisteren sprak hij langzaam, precies, zijn woorden een beetje rekkend. Ze herinnerde zich onmiddellijk zijn gezicht, de vreemde, wilde en tegelijk argwanende blik, die hij lang op haar had laten rusten, zijn vrijgevigheid en branie en tegelijkertijd zijn naïviteit: hij was verbaasd dat ze aan de Arbat woonde en teleurgesteld omdat ze niet dát in gedachten had genomen waarop hij hoopte. Ze herinnerde zich ook dat ze het zijn vrienden zeer kwalijk had genomen dat ze op zijn kosten aten en dronken, maar hem wel alleen lieten zitten. Dat hij had gezegd: 'Misschien word ik naast jou wel een mens.' En dadelijk daarop had hij mismoedig gekeken, hij had zich voor zo'n bekentenis geschaamd.

Hoe kon ze hem teleurstellen, haar woord breken? Ze had het beter niet kunnen beloven, maar ze had het wel gedaan! Ze kon het niet over zich verkrijgen 'nee' te zeggen.

'U hoeft niet hierheen te komen,' antwoordde Varja, 'ik zal in de Nikolskistraat op u wachten, bij het tweede huis van de hoek.'

'Goed, maar kom niet te laat, anders missen we de trein.'

Varja besloot om via de tussenliggende binnenplaats naar de Nikolskistraat te lopen: bij de poort kon ze Nina tegen het lijf lopen.

Een koffer had ze niet nodig. Alles wat ze nodig had, had ze aan, en verder nam ze alleen een extra jurk, een zonnejurk, broekje en onderjurk, een paar kousen, tandenborstel, zeep en kam mee die ze in haar schooltas propte.

En het was maar goed ook dat ze geen koffer nodig had: de binnenplaats bleek afgesloten. Varja herinnerde zich dat alle doorgangen naar de aangrenzende binnenplaatsen een tijdje terug waren afgesloten. De Arbat was een militair beveiligde straat geworden omdat Stalin er soms op weg naar zijn datsja over reed. Ze moest gewoon over straat naar de Nikolskistraat lopen. Gelukkig kwam ze niemand tegen. En als dat toch was gebeurd, wat dan nog: ze liep met haar oude schooltas.

Voor Nina had ze een briefje achtergelaten: 'Ben met vrienden naar de Krim, kom over twee weken terug, hou je taai, Varja'.

Toen ze de hoek omging zag Varja in de Nikolskistraat een taxi en Kostja ernaast, hij had hetzelfde pak aan als gisteren in SAVOY.

Ze zaten in een internationale wagon. Zo'n wagon zag Varja voor het eerst van haar leven. Naar haar tante in de stad Kozlov, die nu Mitsjoerinsk heet, was ze met Nina in een gewone trein met gereserveerde plaatsen gereisd. En haar kennissen reisden ook altijd zo. Ze had gehoord dat er wagons met afgescheiden coupés voor vier personen bestonden. Maar van een coupé voor twee met een aparte wastafel had ze nooit gehoord. En daar zat ze nu, in zo'n wagon, zo'n coupé, alles was van fluweel en brons, zelfs de deurknoppen waren van brons. In de gang lag een zachte loper, voor de ramen hingen velours gordijntjes, op de tafel stond een lamp met een mooie kap. De conducteur in uniform bracht thee rond in glazen in massieve houders, hij was beleefd, attent, speciaal tegenover Kostja.

Voorzover Varja begreep, reisden belangrijke en misschien wel beroemde mensen in deze wagon: in de coupé ernaast zat een militair van de hoogste rang met vier balken, een coupé verder een oudere, knappe dame en haar echtgenoot, ongetwijfeld een actrice. Varja meende haar zelfs in een film gezien te hebben. En in de andere coupés zaten misschien wel volkscommissarissen of ondervolkscommissarissen, in uniformjasjes, rijbroek en laarzen, de standaardkleding voor hooggeplaatste functionarissen. Maar zowel de conducteur als de kelner die wijn en hapjes rondbracht, de ober die kwam noteren wie er in de restauratiewagen zou eten en de kelner en barkeeper daarna in de restauratiewagon waren bijzonder voorkomend tegen Kostja. In zijn uiterlijk en manier van doen was iets waardoor deze mensen Kostja direct anders behandelden dan de andere reizigers.

Eerst was Varja geschokt door zijn grove familiariteit, tegen al het bedienend personeel zei hij 'jij', maar zij herkenden in Kostja één van hen en niemand voelde zich beledigd, ze lachten om zijn grapjes en vervulden zijn wensen met zichtbaar genoegen. Kosja reageerde op alle inspanningen van de kelners met een welwillende glimlach zoals het een man betaamt die zich op het hoogtepunt van zijn succes bevindt en begrijpt dat zijn succes de mensen aantrekt. Maar hij was vrolijk en vriendelijk.

Kostja had geen rang, geen positie, geen titel, maar die had hij ook niet nodig. Onafhankelijk, vol durf en charmant als hij was bereikte hij dingen die anderen niet konden bereiken. Wie kon nu in juni, terwijl het vakantieseizoen in volle gang was, op de dag dat de trein vertrok kaartjes naar de Krim krijgen en dan nog wel voor een internationale wagon die alleen voor de allerbelangrijkste personen was gereserveerd? Maar Kostja was dat gelukt, hoewel Varja aannam dat hij voor de kaartjes het dubbele of drievoudige had betaald. Hij gaf royale fooien, wilde geen wisselgeld terug en liet de mensen in zijn geluk delen.

Met Varja ging hij om alsof hij haar al honderd jaar kende en er niets bijzonders aan was dat ze samen in een aparte coupé reisden. Hij vroeg haar nergens naar, alsof hij alles al van haar wist en vertelde over zichzelf niets alsof zij alles van hem wist. Hij praatte over de plaatsen waar ze langs kwamen, hij zag ze blijkbaar niet voor het eerst. Hij drong zich niet op. Probeerde haar geen enkele keer te omhelzen, te kussen, op de een of andere manier te *beginnen*. Alleen toen ze in de gang stonden en naar buiten keken sloeg hij zijn arm om haar schouder, dat gebaar en die houding waren eenvoudig en natuurlijk: in de gang stond een jong echtpaar en de jonge echtgenoot sloeg zijn arm om de schouder van zijn jonge vrouw. Ook in de wagon gedroeg iedereen zich tegenover hem alsof ze net getrouwd waren, ze glimlachten en het scheen Varja toe dat ze hen bewonderden en haar in het bijzonder. Varja zag dat Kostja dat prettig vond, het vleide hem dat iedereen zíjn vrouw bewonderde.

Alleen de gedachte aan hoe het 's nachts moest zat haar dwars. Kostja was er natuurlijk van overtuigd dat ze door erin toe te stemmen met hem mee te gaan ook dáárin toestemde. Mannen dachten over het algemeen dat ze als ze een meisje uitnodigden voor het theater, de bioscoop of om te dansen ook dáárop recht hadden en waren beledigd en kwaad wanneer het meisje weigerde. En hij nam haar mee naar de Krim, ze zouden in één hotelkamer slapen, hij zou haar eten en drinken betalen... Nee, zó'n handeltje was niets voor haar, op zó'n handeltje zou ze niet ingaan. Ze had zich niet opgedrongen, had nergens om gevraagd, ze ging om hem naar de Krim, hij had haar uitgenodigd, ze had toegestemd om mee te gaan, voor niets anders had ze toestemming gegeven. Als hij het prettig vond om in de Krim met een jonge knappe meid uit te gaan, wel, dan gunde ze hem dat genoegen.

Buiten werd het donker. Kostja keek haar in de ogen en glimlachte.

'Alles okee?'

'Alles okee,' antwoordde Varja hem op dezelfde toon, hoewel ze naarmate de avond naderde hoe langer hoe angstiger werd.

Het was iets anders als ze verliefd werd, tot over haar oren. Maar dat was nog niet gebeurd en het was niet zeker of het wel zou gebeuren. Zoals iedereen imponeerden Kostja's vrijgevigheid en branie haar, zij was eraan gewend zich in te houden. Kostja was on-beschaafd, hij kwam uit een andere wereld. Zij was wel beschaafd, ook al was ze dan op straat groot geworden. Ook haar vrienden Ljova, Ika, Rina, Grote Volja en Kleine Volja: ze hadden allemaal geleerd en ondanks het feit dat hij de belangrijkste was, was Kostja niet intellectueel gevormd. Ze voelden zich allemaal tot hem aangetrokken omdat hij had wat zij niet hadden: geld, en hij omringde zich met deze jonge mensen omdat zij hadden wat hij niet had: intellectuele vorming. Natuurlijk, hij bleef een man uit het volk, uit de provincie, dat was een bepaald karakter, een bepaalde natuur, alleen zo kon je hem begrijpen. Dit sprak haar alleen niet bijzonder aan.

Zijn onafhankelijkheid sprak haar wel aan. Maar alleen als ze zelf in haar levensonderhoud voorzag kon ze ook persoonlijk onafhankelijk zijn. Zelfs als ze zijn vrouw werd. Wilde ze wel zijn vrouw worden? Dat wist ze ook niet. Ze hadden trouwens helemaal niet over trouwen gesproken. Betekende dat dan dat ze zijn minnares zou worden? Maar een minnares en minaar hielden van elkaar. Zijn maîtresse dan? Nee, ze was niet van plan zijn maîtresse te worden.

Maar wat Varja ook tegen zichzelf zei, ze zag hoe wankel haar argumenten waren. Wat moest gebeuren, zou gebeuren. Als ze moeilijk ging doen, was dat schijnheilig.

19   In het dorp Dvorets namen ze afscheid van de schipper en zijn zwijgzame vrouw. Nil Lavrentjevitsj haastte zich naar het postkantoor, keerde terug met de postontvanger, sleepte de zakken de boot uit, was druk in de weer, maakte ruzie en had geen aandacht meer voor Sasja en Boris. Hij had onderweg ballingen meegenomen, dat was hem bevolen, daar waren ze dan.

'Zullen we bij de commandant langs gaan?' stelde Boris voor.

'Waarom?'

'Dan sturen ze ons naar Kezjma.'

'We komen er ook zonder hen, we hebben het bevel in onze zak.'

'We kunnen er last mee krijgen,' zei Boris bedenkelijk, 'waarom we niet zijn gekomen, we ons niet hebben gemeld... We mogen ze niet onnodig irriteren.'

Sasja wilde niet naar de commandant. Een onnodige kennismaking: een onnodige vernedering. Bezeten van de wens zo gauw mogelijk voor Frida aan de slag te gaan, dacht Boris alleen nog maar daaraan. Omdat hij gehoord had dat Dvorets een rayoncentrum zou worden, wilde hij hier contacten hebben, mensen kennen, om later Frida's verhuizing naar hem of zijn verhuizing naar Frida te vergemakkelijken. De fantast.

'Laten we morgen beslissen,' zei Sasja.

'Goed,' stemde Boris toe,' blijf bij de bagage, ik zoek logies.'

De zon verdween achter de wolken, de *chjoes*, de koude rivierwind, woei en rukte aan de buigzame purperwilg aan het water. Sasja sloeg zijn jas om zijn schouders, haalde zijn koffer. Hij voelde zich diep treurig. Waarom was hij niet naar de commandant gegaan? Kvatsjadze zou wel zijn gegaan, hij zou eisen hebben gesteld. Boris wilde ook gaan, wilde zijn zaken regelen, dat was zijn recht. Maar hij ging niet en zou ook niet gaan. Die week dat hij zonder bewaking had gereisd over de open rivier had hij zich betrekkelijk vrij gevoeld. Was dat nu allemaal voorbij? Hier in deze uithoek van de wereld was dat wel heel vreemd en onnatuurlijk. Nee, hij ging niet. Het was een illusie, zelfbedrog, laat maar!

Boris kwam terug en berichtte vrolijk:

'Ik zal u zo met een overblijfsel van het keizerrijk laten kennismaken. De kok van Zijne Majesteit! Hij heeft voor prins Joesoepov en Grigori Raspoetin gekookt. Een verbijsterend exemplaar.

In het huis waar hij Sasja mee naar toenam zat een zwaarlijvige, oude heer met een rode neus op een bankje. Hij was gekleed in een gewatteerd camouflagejack en zijn gewatteerde broek was in laarzen met open schachten gestopt. Aan zijn opgeblazen en gladgeschoren gezicht, zijn grijze stekeltjeshaar, even gelijkmatig als mos, was te zien dat hij uit de stad kwam.

'Mag ik u voorstellen' zei Boris opgewonden, 'Anton Semjonovitsj! De chef-kok aan het hof van Zijne Majesteit de Tsaar.'

'Eerder zijn lijfkok,' merkte Sasja op en nam de oude man belangstellend op.

Vanonder zijn halfgesloten oogleden keek deze ook Sasja aandachtig aan.

'Moskou laat Anton Semjonovitsj terugkomen,' vervolgde Boris, 'hij gaat voor ambassadeurs en gezanten koken. 'Côtelettes de volaille', 'sauce provençale'... In Moskou heb ik koks gekend. Natuurlijk niet te vergelijken met uw niveau, maar er zijn er nog over. Kent u Ivan Koezmitsj van het GRAND HOTEL?'

'Nee, die ken ik niet,' antwoordde Anton Semjonovitsj onverschillig: hij kon toch niet iedere Ivan Koezmitsj kennen, maar iedere Ivan Koezmitsj moest hem, Anton Semjonovitsj, wel kennen.

'Een heel behoorlijke kok,' vervolgde Boris, 'wanneer er iets te koken valt. Maître Albert Karlovitsj.'

'Ken ik,' antwoordde Anton Semjonovitsj kortaf.

'Een specialist, hij kan wat laten zien.' Boris leefde nog meer op nu ze een gemeenschappelijke kennis bleken te bezitten.

'Wat kan hij nog laten zien?' merkte Anton Semjonovitsj knorrig op. 'Voorgerecht, hoofdgerecht, nagerecht...'

'Dat bedoel ik juist,' ging Boris verder, 'als er iets om van te koken is, en iemand om voor te koken. Wanneer boeuf Stroganov het toppunt van je dromen is...'

'Ook een boeuf Stroganov moet je kunnen klaarmaken.' Anton Semjonovitsj keek om naar de huisvrouw die bedrukt het eten klaarmaakte.

'Wanneer vertrekt u?' vroeg Boris.

'Wanneer ze me laten gaan.'

'Maar u bent toch al zo goed als vrij, zei u.'

'Ik werk op het kantoor van de commandant, zij willen ook eten, daarom rekken ze het.'

De vrouw des huizes maakte een vis schoon en gooide hem in de koekepan. Met een hoofdbeweging naar het fornuis zei Boris:

'Ik stel me voor hoe ú dat zou afgaan.'

Anton Semjonovitsj hulde zich in een hooghartig stilzwijgen.

'Als we terug zijn in Moskou, zult u ons te eten geven,' lachte Boris.

Anton Semjonovitsj wierp hem een schuinse blik toe, en zei toen met de hardnekkige aandrang van een zuiplap:

'Als ik nog wat wil hebben, dan moet ik nu gaan.'

Toen hij van Boris geld had gekregen, verhief hij zich moeizaam en liep de deur uit.

'Een alcoholist,' zei Sasja.

'Nee,' sprak Boris tegen, 'hij heeft behoefte aan mensen.'

Anton Semjonovitsj kwam terug met een fles spiritus.

'Net wat ik nodig heb, dat wil zeggen mijn hart.'

Hij dronk bijna zonder erbij te eten, werd direct dronken. Zijn hals werd rood, zijn gezicht kreeg een kwaardaardige uitdrukking, een man die op jouw kosten probeert te drinken en je dan nog uitscheldt ook. Boris viel het niet op en hij ging door met het opsommen van de Moskouse koks en maîtres d'hôtel die hij kende.

'Waarom bent u hier?' vroeg Sasja.

Anton Semjonovitsj sloeg zijn zware blik naar Sasja op, hij stond op het punt zijn toevallige drinkgenoten verrot te schelden, die Moskouse dwazen die hij oprecht minachtte en wel in de eerste plaats omdat ze zich zo gemakkelijk lieten belazeren.

Maar zijn blik ontmoette niet de kiese blik van een of andere Moskouse stommeling, maar de Moskouse straat keek hem aan, spottend, alles begrijpend en in staat het tegen iedereen op te nemen.

Anton Semjonovitsj wendde zijn zware blik af, ademde moeizaam en zei onwillig:

'Ik heb in een wijkkantine gewerkt. Heb in het menu gezet:

"Luiwammessoep". De openbare aanklager vroeg:

Waarom "Luiwammes?" Daarmee maakte ik de stootarbeiders die er kunnen eten belachelijk. Ik liet hem een kookboek uit 1930 zien: "Luiwammessoep". Duidelijk? Nee, je liegt! Dat boek is ook door een contrarevolutionair geschreven.'

Dit was het zotste van alles wat Sasja hier gehoord had.

'De hemel zij dank dat het allemaal voorbij is,' zei Boris meelevend. 'Nu is alles voorbij en gaat u weer naar huis terug.'

'Naar huis terug?' Anton Semjonovitsj keek Boris vol haat aan. 'Waar is dat, dat huis? In dat Berditsjev zeker?'

Alsjeblieft! Dat was een lesje voor Boris: laat je niet door iedere dubieuze figuur inpalmen.

'En nou, wegwezen, lazer op met die rotkop van je,' zei Sasja.

'Nee!' Boris stond op, liep naar de deur, deed het haakje er op.

'Wat is er, makkers?' mompelde Anton Semjonovitsj ongerust, 'het was maar een grapje.'

'Dat was dan de laatste keer, uitschot,' grinnikte Sasja.

Boris stortte zich op Anton Semjonovitsj en drukte zijn hoofd tegen de tafel.

'Laat me los, jongens,' rochelde Anton Semjonovitsj en liet zijn gemene, goorwitte ogen rollen.

'Maak hem niet af, Boris, laat ook wat voor mij over,' zei Sasja.

Dat opgeblazen smoel met de witte ogen haatte hij. De etter!

Dacht hen voor paal te kunnen zetten. De hufter. Schorem.

Hun medeballing! Hun lotgenoot!

Een afzichtelijke scène was het, maar ze waren op de bodem van het mens-zijn gestort en met zulk schoelje kon je niet anders handelen.

'Bied je excuses aan, schoft!'

'Mijn excuses,' rochelde Anton Semjonovitsj.

'En nu opgesodemieterd!'

Boris duwde hem de deur uit, smeet hem de stoep af en liet zich moe op de bank zakken.

'Dat was dan je lijfkok van Zijne Majesteit,' lachte Sasja.

'Tussen zulke mensen moet Frida leven,' zei Boris.

De volgende dag vonden ze een boot die hun kant uit ging. Een coöperatie-medewerker ging ermee akkoord hen mee te nemen als ze evenveel als de schipper en hij de jaaglijn trokken. Naar Kezjma was het zeventig kilometer en als er niets tussenkwam zouden ze er over twee dagen zijn. Dat was een meevaller.

Ze droegen hun spullen naar de oever, naar de reusachtige, zwaarbeladen boot die ze moesten slepen. De man van de coöperatie was daar druk bezig, een vrolijke jongeman met een brede bakkes, in een zeildoekse jas en *boka-ri*—hoge lieslaarzen die op moeraslaarzen lijken, maar van hoefdiereleer zijn gemaakt, van het zachte leer van hertepoten.

'Vertrekken we gauw?' vroeg Boris.

'We maken de papieren in orde en gaan,' antwoordde de coöperatiemede-werker.

'Weet u, Sasja,' begon Boris weer, Sasja apart nemend, 'we moeten echt naar de commandant. Laten we zeggen: we hebben een boot gevonden, onze spullen zijn al ingescheept, we komen ons alleen even afmelden. Anders krijgen we in Kezjma problemen. Die schoft van een kok van Zijne Majesteit heeft natuurlijk verklikt dat we hier zijn.'

'Dat is uw zaak,' antwoordde Sasja koeltjes, 'u kunt gaan, ik ga niet. En zeg niet dat ik hier ben. Ik heb een bevel dat ik me in Kezjma moet melden en dan meld ik me ook in Kezjma.'

'Zoals u wilt,' zei Boris zijn schouders ophalend, 'ik ga er toch heen.'

In hem woedde een bezeten dadendrang. Gegrepen door het idee van het huwelijk met Frida, maakte hij daar alles ondergeschikt aan, was bang iets verkeerd te doen.

Boris kwam niet terug, na een half uur niet en na een uur niet. De coöpera-tiemedewerker ging weg om zijn papieren in orde te maken en toen hij terug-kwam was Boris er nog steeds niet.

'Ga je kameraad zoeken,' zei de man van de coöperatie, 'ik heb geen tijd, anders gaan we zonder hem.'

Sasja wist niet wat hij moest doen. Hij kon Boris niet achterlaten, maar wilde niet naar de commendant, het was ook te laat, ze zouden vragen: waarom ben je niet meteen gekomen?

'Laten we nog even wachten.'

Eindelijk kwam Boris, haalde zwijgend zijn koffer van boord.

'Wat is er aan de hand?' vroeg Sasja, die al raadde wat er was gebeurd.

'Ze sturen me naar Rozjkovo,' antwoordde Boris. Hij zag doodsbleek.

Rozjkovo was een nietig gehucht aan de linkeroever, ze waren er gisteren met Nil Lavrentjevitsj langsgekomen.

'Hoe kan dat zonder rayongevolmachtigde?'

'Ze hebben het recht zelf een woonplaats aan te wijzen.'

'Laat ze barsten en ga mee.'

'Ze hebben mijn bevel in beslag genomen.'

Boris' stem trilde.

'Trek het u niet aan,' zei Sasja, 'ga naar Rozjkovo en schrijf naar Kezjma of naar Kansk, eis dat ze u overplaatsen, in Rozjkovo is immers geen werk voor u. Als ik in Kezjma ben, zal ik het ook tegen de gevolmachtigde zeggen.'

Boris gebaarde.

'Alles is verloren! Ach, ik ben een dwaas, een dwaas!'

Sasja had medelijden met Boris, hij vond het naar afscheid van hem te moeten nemen, hij was een goede kameraad geweest, een vrolijk reisgenoot die de moed nooit liet zakken. Ze omhelsden en kusten elkaar. In Boris' ogen glinsterden tranen.

Sasja liep de boot op. De schipper stootte af en stapte over de reling heen zelf aan boord. Een tijdlang roeiden ze, door de boten en netten konden ze hun boot niet voorttrekken. Sasja zag Boris' treurige gestalte. Hij keek hen na, pakte daarna zijn koffer op en begon de helling op te klimmen.

20 Alleen op de uitgestrekte rivier ging Sasja zijn toekomst tegemoet. Zou het goed of slecht gaan? Iedereen was al ingedeeld, alleen hij wist niet wat hem te wachten stond, waarheen ze hem zouden sturen. Hij zou Volodja, Ivasjkin en de ballingen die hij in de dorpen had ontmoet niet meer zien. Ook Boris zou hij waarschijnlijk niet meer zien, ook al kwamen ze in hetzelfde rayon te wonen. Hij voelde zich bitter gestemd. Hij was nu zonder de mensen met wie hij de eerste honderden kilometers van zijn weg had afgelegd.

Op de achtersteven zat de schipper, een zwijgzame man van ongeveer veertig met een streng majoorsgezicht. Sasja en de man van de coöperatie liepen om beurten aan de jaaglijn en bij een stroomversnelling trokken ze de boot met zijn tweeën.

De coöperatiemedewerker heette Fedja, hij had in het Rode Leger gediend, het was een gezellige jongen, hij werkte als verkoper in Mozgova, een dorp bij Kezjma, betitelde zich als hoofd van de dorpswinkel, stond voor een cursus in Krasnojarsk ingeschreven, deze winter zou hij er gaan leren. Fedja sprak komisch gewichtig over de rol van dorpsverkoper als uitvoerder van de politiek van de staat in het dorp. Hij was een nieuw type dorpsactivist, bijdehand, nam alles volkomen te goeder trouw aan, met een vrolijke bereidwilligheid, vrij van enige twijfels en bedenkingen, en bovendien zong hij en speelde accordeon. Het feit dat Sasja balling was speelde voor hem geen enkele rol. Zo zat de wereld nu eenmaal in elkaar, er waren ballingen, die waren er altijd al geweest, sinds onheuglijke tijden, het waren net zulke mensen als ieder ander. En als Fedja nu in een strafpeloton had gediend en het bevel had gekregen om Sasja te executeren, had hij hem geëxecuteerd. En alweer omdat de wereld zo in elkaar zat.

Fedja vroeg Sasja honderduit over Moskou, in welke straat hij woonde, of het een goede straat was, wat voor straten er nog meer waren, wat zijn ouders deden, of hij wel eens in het Kremlin was geweest, of hij kameraad Stalin en de andere leiders had gezien en wat alles in de winkels kostte. Over alles was hij even verbaasd, alles vond hij even geweldig. Moskou was het einddoel van zijn dromen. Ook Sasja vond hij geweldig: een geboren en getogen Moskoviet. Hij tracteerde hem op Luxe-sigaretten die voor de rayonautoriteiten bestemd waren.

Af en toe zong hij 'Vergetenen en verwaarloosden', een lied dat de ballingen hierheen hadden gebracht en in Angara populair was. Hij zong goed! 'Naar mijn grafheuvel komt vast niemand, alleen de nachtegaal zingt er in de vroege lente. Hij zingt en kwinkeleert en vliegt weer weg, en mijn grafheuvel is weer even eenzaam als voorheen.'

Fedja was geen goud gaan zoeken, die traditie bestond niet meer. Hij was daarentegen voordat hij in dienst ging twee maanden met de expeditie van professor Koelik meegeweest, ze hadden naar de Toengoezische meteoriet gezocht, hadden hem alleen niet gevonden, kennelijk was hij onder de grond verdwenen. Op die plaats hadden zich meren gevormd die later moerassen waren geworden, ze werden geplaagd door kriebelmugjes, geen ontkomen aan, iedereen vluchtte. Ook Fedja, temeer daar ze hem echt te pakken kregen. Sinds 1926 werden ze hier voor het leger gerecruteerd en er was in 1926 ook een school geopend, daarvoor was er geen school geweest. Hij was de enige van de jongens die kon lezen en schrijven, dat had zijn vader hem geleerd, zijn vader had op een handelskantoor gewerkt en met de Evenki handel gedreven.

'Een onontwikkeld en wild volk,' vertelde Fedja welwillend over de Evenki, 'maar stelen is er niet bij. Ze noemen de Russen Petroesjka, Ivasjka, Pavloesjka, Kornilka... ... Ze houden van tabak, drinken en roken, mannen én vrouwen, en ze kleden zich gelijk, mannen net als de vrouwen. De kinderen kun je uit elkaar houden: de jongens hebben één, de meisjes twee vlechten. Ze houden van kralen, en hangen ze aan hun bontmantels en hun kamasinen.'

'Kamoes' in hun taal betekende sok van de poot van een rendier of hert. Daarvan maakten ze laarzen: kamasini. Dit woord trof Sasja door zijn overeenkomst met het Indiaanse *mokassin*. En dat bevestigde dat de Evenki van dezelfde stam waren als de Noordamerikaanse Indianen.

Je zou hier met een expeditie moeten komen, de plaatselijke dialecten bestuderen, of met geologen meegaan, in deze grond zaten oneindig veel schatten. Maar hij was verbannen naar een afgelegen gehucht, hij mocht niet reizen, drie jaar moest hij hier zitten koekeloeren, zonder enig nut voor zichzelf of voor anderen.

Waarom was hém dat overkomen? Was het misschien zijn eigen schuld? Als hij van Krivoroetsjko had verteld, dan was hij nu vrij geweest. Maar dat had hij niet gedaan, hij had het moreel niet juist gevonden. Maar wat was moreel wel juist? Lenin had gezegd: moreel juist is wat in het belang van het proletariaat is.

Maar het proletariaat bestond uit mensen en de proletarische moraal was de menselijke moraal. En kinderen in de sneeuw achterlaten was onmenselijk en dientengevolge moreel onjuist. En ten koste van andermans leven je eigen leven redden was moreel ook onjuist.

De laatste overnachting was in het dorpje Zaimka, op een eiland dat heel verrassend Toergenjev heette. Het was tweeëntwintig kilometer lang, stroomafwaarts lag aan het einde het dorpje Alesjkino, stroomopwaarts Zaimka.

Het huis waar Sasja naar toe werd gebracht was groot, ruim, met een met planken geplaveide binnenplaats en met bijgebouwen. De huisvrouw zag er stevig en verzorgd uit, een oude vrouw, die vroeger een schoonheid moest zijn geweest, de huisbaas was een gebogen, rossig oud mannetje. Hun zonen waren temperamentvolle mannen met bruin haar, een haviksneus, dikke wenkbrauwen, echte Kaukasiërs, de oudste tegen de veertig, de jongste een jaar of dertig, en dan waren er hun vrouwen en kinderen.

'Vader Vasili komt zo,' zei de gastvrouw, 'u eet met hem.'

De geestelijke, met een lichtbruin baardje en een goeiig gezicht als van een ikoon, kwam binnen in een regenjas en laarzen, trok zijn soutane aan. De gastvrouw zette gedroogde vis, een eiergerecht en melk op tafel. Vader Vasili vroeg Sasja tijdens het eten van alles, waar hij vandaan kwam, waar hij heen moest, waar hij geboren was en wie zijn ouders waren. Hij zei dat hij zelf ook balling was. Maar hij vroeg niet waarom Sasja verbannen was en hij praatte niet over zichzelf.

Na het eten gingen ze naar het kamertje waar vader Vasili's bed en een klein tafeltje stonden. Er hing een zoetige geur, als in een kerk.

'Doe uw schoenen uit en geef uw voeten een stoombad, dan zult u zich beter voelen,' stelde vader Vasili voor en kwam met een ketel heet water en een kom gaf hem zeep en een handdoek. Sasja stak zijn voeten in het hete water en voelde een plotselinge slapte opkomen, het heerlijke gevoel van zijn moeheid bevrijd te worden.

Vader Vasili stond geleund tegen de deur en keek Sasja aan met zijn vriendelijke ogen. Nu Sasja hem beter bekeek, bleek hij heel jong. Het eerste moment had hij er ouder uitgezien door zijn baardje, door zijn soutane en doordat hij priester was. Naar Sasja's idee moest een priester een oude man zijn. Hij dacht dat alle priesters van voor de revolutie waren.

'We kunnen het badhuisje wel klaar maken,' zei vader Vasili, 'maar dat staat aan de rivierkant, u zou op de terugweg kou kunnen vatten en u moet op reis.'

'Ook zo is het geweldig, dank u,' antwoordde Sasja.

'Hier wassen ze zich in het badhuis,' vervolgde vader Vasili, 'u heeft in Moskou waarschijnlijk een badkuip.'

'Ja, inderdaad.'

'In mijn streek,' zei vader Vasili, 'zijn ook badhuisjes of anders kruipen ze gewoon bij de kachel en wassen zich. Hier zijn de mensen veel zindelijker.'

'Waar komt u vandaan?' vroeg Sasja.

'Uit district Rjazan, rayon Korablino, weet u waar dat is?'

'Rjazan weet ik wel, Korablino niet.'

'Onze streek is in het zuiden,' vertelde vader Vasili glimlachend, 'er zijn appelbomen. Hier ziet u geen appels of peren en zult u ernaar gaan verlangen. Vossebessen, zwarte bessen, rijsbessen, dat zijn alle bessen hier, ja, en dan nog moerasbramen en kleine blauwe bessen, bosbessen. Maar er is helemaal geen hard fruit.

'Dan maar zonder vruchten,' zei Sasja en hij bewoog zijn tenen vol welbehagen in het warme water.

'Zeep uw voeten in, zeep ze in, wacht ik doe het wel,' vader Vasili pakte de zeep en een spons.

'Wat doet u nu, dat hoeft niet, ik doe het zelf wel,' zei Sasja verschrikt.

Maar vader Vasili had de spons al nat gemaakt, door de zeep gehaald, bukte zich en begon Sasja's voeten in te zepen.

'Dat hoeft niet! Wat doet u toch!' riep Sasja uit en probeerde zijn voeten weg te trekken, maar was tegelijkertijd bang dat hij water zou morsen.

''t Geeft niet, geeft niet,' zei vader Vasili op vriendelijke toon en wreef over Sasja's voet, 'voor u is het lastig, voor mij makkelijk.'

'Nee, nee, dank u!' Sasja had hem eindelijk de spons afgenomen.

'Nou, wast u zich maar,' vader Vasili droogde zijn handen aan de handdoek.

'Wat doet u hier?' vroeg Sasja.

'Ik werk, help de baas en zijn vrouw, ze geven me te eten, gelukkig. Het is een goed, hartelijk volk hier. Als je goed voor ze bent, zijn ze het ook voor jou. Waarschijnlijk zullen hier in de toekomst geen ballingen meer komen.'

'Waarom niet?'

'Vanwege de kolchoz. Er zijn geen individuele boeren, je kunt nergens geld verdienen en in de kolchozen nemen ze geen ballingen. Er zijn hier kolchozen van bijzondere kolonisten, vroegere koelakken, en die nemen ook geen ballingen…'

'Vreemde zonen hebben ze hier, het lijken wel Tsjerkessen.'

Vader Vasili glimlachte.

'De gastvrouw heeft in haar jeugd gezondigd. Ze zeggen dat er bij hen in huis een knappe Kaukasische balling heeft gewoond. En toen heeft de zonde zich voltrokken.'

'Blijkbaar meer dan eens,' merkte Sasja op, 'er zijn drie zonen.'

'Hij heeft negen jaar bij hen gewoond,' legde vader Vasili bereidwillig uit, 'toen is hij weggegaan. De kinderen zijn gebleven. De baas beschouwt hen als zijn eigen kinderen en zij hem als hun vader. Sinds onheuglijke tijden zijn hier ballingen, de bevolking is gemengd. Ze wonen hier in harmonie samen, daarom hebben ze mij ook opgenomen. Ze hebben geen bepaald geloof, in deze streken is nooit een echt geloof geweest. Dit is Siberië, maar de mensen hier hebben toch ook een geweten.'

'Verzorgt u diensten?'

'De kerk is gesloten… Dus praat je, troost je.'

Sasja droogde zijn voeten af, trok zijn sokken aan.

'Gaat u toch slapen, rust toch uit,' zei vader Vasili.

'Ik breng de kom weg en ga naar bed,' antwoordde Sasja.

'Dat doe ik wel,' Vader Vasili pakte de kom op. 'U weet niet waar hij naar toe moet.'

Daarna kwam hij terug met een dweil, dweilde de vloer en nam de ketel weg. Hij kwam weer terug en maakte het bed klaar.

'Gaat u liggen!'

'Hoe dan? En u?'

'Ik vind wel een plek om te slapen, ik ben hier thuis, ga liggen!'

'In geen geval! Ik slaap wel op de grond.'

'De grond is koud, u zult kou vatten. En ik slaap graag op de kachel.'

'Ik slaap ook graag op de kachel,' zei Sasja.

'De baas en zijn vrouw zijn al gaan slapen, dan stoort u hen,' antwoordde vader Vasili, 'en ik ga stilletjes liggen, niemand hoort me.'

Hij overreedde Sasja op zachte wijze, maar achter zijn zachtheid school de vastberadenheid van iemand die zich door niets van zijn plicht laat weerhouden. Het was zijn plicht aan een ander af te staan wat hij had en behalve een kom met water en een smal, hard bed had hij niets.

Sasja ging in het bed liggen, voelde de koude lakens, hij had al lange tijd niet tussen lakens geslapen, had zich al lange tijd niet met een warme deken toegedekt, hij strekte zich uit, draaide zich naar de muur en sliep in.

In de gevangenis was hij een lichte slaper geworden, 's ochtends werd hij waker van een licht gedruis. Dat was vader Vasili die van de vloer opstond, waar hij op een pels onder een bontjas had geslapen.

'Dacht ik het niet,' Sasja ging overeind zitten, 'en u zei dat u op de kachel ging liggen.'

'Ik ben bij de kachel geweest,' antwoordde vader Vasili vrolijk, 'maar daar was alles al bezet. Ik heb het me hier comfortabel gemaakt, ik heb geweldig geslapen.'

'U moet uw bed niet aan elke reiziger afstaan, er zijn er veel en u bent alleen.'

'Hoezo veel?' wierp vader Vasili tegen, terwijl hij zich voor het aan de muur hangende zakspiegeltje kamde en zijn vlecht vastmaakte. 'Drie maanden lang is er helemaal niemand geweest. Er zijn elke dag mensen onderweg en ze worden steeds in andere huizen ondergebracht. In één jaar tijd hebben wij er hier misschien een of twee in huis. Ik slaap iedere nacht in dit bed, mij maakt het niet uit en u krijgt tenminste enige rust, ga slapen, er is nog tijd.'

Hij ging de kamer uit. Sasja draaide zich op zijn andere zij en sliep in.

Later werd hij weer door vader Vasili gewekt, deze was teruggekomen, deed zijn vuile laarzen uit en trok zijn soutane aan.

'Sta nu op en was u, we gaan ontbijten.'

Voor het ontbijt was er weer een eiergerecht, warme pannekoeken en goedkope thee. Iedereen was naar het werk, alleen de oude vrouw was met de kachel bezig.

'Hoe oud bent u?' vroeg vader Vasili.

'Tweeëntwintig. En u?'

'Ik?' glimlachte vader Vasili. 'Ik ben zevenentwintig.'

'En hoe lang heeft u?'

Vader Vasili glimlachte opnieuw.

'Niet zoveel. Drie jaar. Ik ben hier al twee jaar, er is nog een jaar over. Ik verlang naar mijn geboorteplaats, maar weggaan is ook jammer, ik ben hier gewend.'

'U moet hier blijven,' zei de vrouw, 'en trouwen. Waar moet u nou heen? In Rusland mag u God niet dienen.'

'Je kunt God overal dienen,' antwoordde vader Vasili.

Hij wendde zich tot Sasja.

'De eerste tijd is naar, dan went het. Verlies de moed niet, laat uw hart niet verharden, na het slechte komt altijd het goede. Ik herinner me wat ik bij Alexandre Dumas heb gelezen: tegenspoed is als een rozenkrans die aan de draad van ons lot is geregen, een wijs man laat deze rustig door zijn vingers glijden. Een wereldlijk schrijver, hij heeft avonturenromans geschreven, maar wat heeft hij dit wijs en treffend uitgedrukt.

Er werd op het raam getikt, Sasja moest vertrekken.

'Hoeveel ben ik u schuldig?' vroeg hij de vrouw.

'U bent niets schuldig,' zei ze met een handgebaar.

Vader Vasili stootte hem aan.

'Beledig haar niet.'

Hij liep met Sasja mee, hielp hem met zijn koffer inladen. De schipper rolde de jaaglijn uit, duwde de boot af en ging bij de roerstok zitten. Fedja sloeg de schouderband om zijn schouder en spande vooruitlopend zachtjes de lijn terwijl hij zich naar de boot omdraaide en toekeek hoe de schipper van de wal af stuurde. Toen hij ervan overtuigd was dat de boot goed lag, zei hij:

'Als we helemaal bij het einde zijn, steken we over naar het vasteland.'

Sasja stak vader Vasili zijn hand toe.

'Tot ziens, dank u wel voor alles.'

Fedja riep vrolijk:

'Vooruit!'

Vooroverbuigend en de jaaglijn aantrekkend liep Sasja vooruit.

'God behoede u!' zei vader Vasili.

3

1 Sasja's verbanningsoord was het dorp Mozgova, twaalf kilometer van Kezjma, stroomopwaarts langs de Angara.

Hij trof een goede woning. Het huis was groot en luxueus, de vrouw des huizes, een weduwe met twee volwassen zoons, woonde met een man die niet uit Angara kwam, een gewezen soldaat. De jongens hadden indertijd niet toegestaan dat hun moeder met hem trouwde, ze wilden hun grondbezit met niemand delen. De boerderij maakte nu deel uit van een kolchoz maar wanneer de soldaat zich bedronk kwam de oude belediging naar boven, hij rende dan door het dorp met een rood hoofd en grijze, verwarde haren, en dreigde zijn stiefzoons te vermoorden waarop zij hem vingen en in de voorraadschuur opsloten, tot hij zijn roes had uitgeslapen.

De jongste zoon, Vasili, was een knap kereltje met een fijn gezicht, die vast met alle meisjes uit het dorp had geslapen; de zeden zijn hier losser. Hij kwam meestal tegen de ochtend thuis, of helemaal niet. Sasja zag hem vrijwel nooit, en als hij hem zag, glimlachte Vasili zwijgend naar hem, hij was weinig spraakzaam maar vriendelijk.

De oudste, Timofej, interesseerde zich niet voor vrouwen, zwierf 's avonds niet over straat en sliep altijd thuis. Zonder vragen liep hij Sasja's kamer binnen en bekeek zijn spullen: waar is dit voor, en dat... Hij keek dan wantrouwig en zweeg. Zijn ongegeneerdheid was stuitend, maar Sasja gaf geduldig antwoord op al zijn vragen. Het volk! Groot en machtig, maar nog onwetend en onontwikkeld, gaf het Sasja, als iedere andere Russische intellectueel, steeds een gevoel van schuld.

Op een keer ging Sasja met Timofej mee naar een eilandje in de rivier om te maaien. Hij kon niet maaien maar hij besloot het te proberen. Sasja zat in het midden, aan de riemen, Timofej achterin, aan de roerstok. Op de bodem van de boot laten twee zeisen, een wetsteen en maskers tegen de kriebelmuggen: een grof paardeharen masker van Timofej, en een zijden van Sasja, dat hij op aanraden van Solovejtsjik in Kansk had gekocht. Sasja's masker bekijkend, zei Timofej:

'Jullie stadslui hebben alles, en wij boeren hebben of zien nooit niks, jullie vreten ons dus uit.'

Op een primitieve manier had Timofej de meerwaardetheorie uitgelegd: Timofej en de boeren produceerden de materiële waarden, terwijl Sasja en anderen als Sasja niets produceerden.

Dit dacht Sasja, terwijl hij uit alle macht aan de riemen sjorde, om niet stroomafwaarts van het eiland af te drijven, in het riviertje stond een sterke stroom.

'Ze sturen jullie op ons dak', ging Timofej verder, 'en jullie leven van ons zweet en bloed.'

Sasja gaf geen antwoord. Wat moest hij zeggen? Als Timofej nou nog iets probeerde te snappen... Maar dat deed hij niet. Voor hem was hij een *balling*, een rechteloze, waar je naar hartelust mee kon spotten.

'Knijp je 'm? Bang soms?' grinnikte Timofej. 'Ik ros je met de zeis zo de rivier in, dan ben je er geweest. En niemand die me wat zal maken, hij is naar het vasteland gevlucht zeg ik gewoon. Jullie contra's, troksisten, wie kan jullie wat schelen? Zo is dat!'

Sasja roeide naar de oever, waadde door het water en trok de boot aan de kant. Timofej stond niet op om te helpen, hij bleef aan het roer zitten grinniken, pas toen Sasja de boot helemaal aan de kant had en de ketting losliet, sprong hij aan land.

'Waarom heb je me niet verdronken?' vroeg Sasja.

'Als je blijft klieren doe ik het meteen,' dreigde Timofej.

'Stom dat je het nog niet hebt gedaan!'

'Waarom?'

'Omdat ik je nu van kant maak,' zei Sasja.

Timofej deed een stap terug.

'Hee, hee, hou op met die geintjes.'

Een verlaten eilandje in een uithoek van het land. Ergens landinwaarts waren maaiers aan het werk. Gekrioel en gezoem van muggen, verder was het doodstil op de rivier. De wereld en de mensheid waren er niet, alleen zij tweeën, eindelijk nam Abel wraak voor alle zonden en misdaden van Kaïn.

Zonder zijn gespannen blik van Sasja af te wenden deed hij langzaam een paar stappen achteruit, daarna draaide hij zich om en zette het op een lopen naar de boot en de zeisen. Sasja haalde hem in en stompte hem in zijn rug, Timofej viel in het water, richtte zich op, draaide zich om, Sasja sloeg hem hard in zijn gezicht, Timofej viel opnieuw, plonsend kroop hij naar de oever.

Nee, hij zou Timofej niet doodmaken, hij wilde niet naar de verdommenis gaan voor zo'n stuk stront. Timofej stond niet op, hij bleef liggen aan de waterkant en keek Sasja angstig aan. De vuile teringlijer!

Wat een ellende...

Sasja liep naar de boot, gooide de zeisen, de wetsteen en Timofej's masker eruit, greep de riemen en roeide terug van het eilandje naar het dorp.

Onder het avondeten verklaarde Sasja dat hij ging verhuizen.

'Heb je het hier dan slecht? vroeg de soldaat, 'Je hebt onze kleine Timofej een lesje geleerd, goed zo. De slijmerd, de etter moet altijd jennen en heeft nooit eens met iemand medelijden. Je bent een kanjer! Ga met Vaska mee, alle meisjes zijn van hem, hij heeft er wel een voor je.'

'De schooljuf heeft een oogje op hem,' lachte Vasili.

Timofej zweeg en keek strak voor zich uit.

Het was een goed huis. Maar het was naar om te moeten leven onder de dreiging van iemands wraakzucht, bovendien was dat riskant in zijn situatie. De volgende morgen bracht hij zijn spullen naar zijn nieuwe logies.

De boerenhut had behalve een keuken nog een klein kamertje, dat ze hem verhuurden. De huisbaas en zijn vrouw, bejaard, waren armer maar de kost was redelijk. In de kolchoz werkten ze weinig, ze waren de hele dag thuis, maakten geen ruzie met elkaar, het vrouwtje noemde haar man 'mijn bocheltje', hij liep een beetje mank en was klein. In huis was het stil: de vrouw was met grijpijzers bij de kachel in de weer en hij tikte buiten met een bijl, repareerde iets. In het kamertje rook het naar pasgeschrobde vloeren, aan de muurbalken die in de loop der jaren zwart waren geworden hingen de portretten van Lenin en Kalinin naast foto's van het tsarengezin in een open rijtuig die uit 'Niva' geknipt waren.

Soms bleef de man de hele dag weg en kwam tegen de avond weer thuis, op de vraag wat hij op de kolchoz gedaan had antwoordde hij:

'Ik heb gedaan wat ik van ze moest doen.'

'Kolchoz' was hier een relatief begrip. De collectivisatie was hier later begonnen dan in andere districten, en na Stalins artikel 'Duizelig van succes' waren de kolchozen compleet uit elkaar gevallen, en pas met een vertraging van anderhalf à twee jaar weer opgezet. En wat viel er hier eigenlijk te collectiviseren? In de korte tijd dat hier iets groeide kon men net genoeg graan verbouwen om de eigen familie te voorzien. Maar als je dit graan ging vorderen dan was het onmogelijk om het zeshonderd kilometer per slede of langs de Angara met zijn stroomversnellingen en watervallen te transporteren. En vee? Ieder had hoogstens tien koeien, tweeduizend stuks in het hele dorp en dan nog ongeveer duizend paarden. Het vee was eigendom van de gemeenschap geworden, naar de boerderijen van de verjaagde koelakken gedreven, meer dan de helft was verhongerd, de winters waren streng hier. Ze gaven het vee terug, niet als privébezit maar als eigendom van de kolchoz, maar waar moest de melk naar toe, voor wie was die? Er waren geen karninstallaties, geen melkfabrieken. Moest de melk naar Kezjma, voor het rayon? Daar wilde men steeds meer, terwijl de veestapel zienderogen slonk. De basis bleef over: de jacht. Hiervandaan, uit Mozgova, liep de belangrijkste bontjagersroute naar de Evenki in Vanarava. Voor de collectivisatie werd het eekhoornbont geleverd aan ZAGOTPOESJNINA, de bontcoöperatie. Nu werd het aan de kolchoz geleverd, die de helft van de waarde inhield. Wat moesten ze nu? De jagers verstopten de vellen en verkochten het op de handelsposten aan de Evenki, die het volle pond betaalden.

Na een jaar of twee kreeg het centrum het opeens door, de leveranties van pelzen waren teruggelopen. En dat waren deviezen! Er werd een commissie gestuurd, en na lang wikken en wegen viel er een besluit: de landbouw leidde de jagers af, dat was de bron van alle kwaad: de landbouw leverde niets op, het bracht de staat geen winst, alleen schade en verlies, daarom moest het rayon geen agrarische bestemming krijgen, maar zich specialiseren in bont, graan moesten ze uit landbouwrayons aanvoeren, net zoals de Evenki het kregen.

Nu verkochten de kolchozboeren hun vellen al aan de Evenki om aan graan te komen: zelf mochten ze het niet zaaien, en het aan te voeren graan kregen ze niet, men was hen gewoon vergeten. Tegenover de autoriteiten rechtvaardigden ze zich met het verhaal dat de eekhoorn naar het noorden was getrokken, dat het daarheen wel drie weken reizen was, je moest een nieuwe hut voor de winter bouwen, die de Evenki zouden vernielen, als het al niet op een schietpartij zou uitdraaien. In werkelijkheid waren ze nog nooit zo goed bevriend geweest met de Evenki, ze ruilden het bont niet alleen tegen graan, maar nog meer tegen alcohol. De Evenki konden alles op de handelsposten krijgen. En ze dronken samen.

Dit afgelegen Siberische dorp, dat de regering tegen de honderdduizend eekhoornhuiden per jaar had geleverd, dat zijn kuddes naar Irkoetsk had gedreven, zichzelf met graan, melk en vis had gevoed, stopte met de jacht, zaaide geen graan meer, bracht de kuddes terug tot een tiende en teerde samen met andere dorpen aan de Angara op de Altaïsche boeren, die zelf niets te eten hadden.

Toch werd Angara niet getroffen door de hongersnood van het begin van de jaren dertig. Dat was te danken aan de afstand, de afgelegenheid, en aan de eeuwenoude structuur van de in wezen natuurlijke economie. De rivier leverde voedsel, ze zat vol vis: de vlagzalm, de zalmforel en de steur kwamen hier kuit schieten, het bos leverde bessen en paddestoelen; het vee dat wel van de kolchoz heette te zijn maar toch op het eigen erf stond leverde voedsel, aan de staatsboerderij werd al drie jaar gebouwd. Verder zorgden pluimvee, varkens en biggen voor voedsel, en schapen voor wol: die waren ook niet gecollectiviseerd. Hoofdzaak was, dat er geen leveringsplan, geen opslag was, behalve van bont en het plan daarvoor voorzag een afname van jaar tot jaar, tot het district niet alleen geen agrarische, maar ook geen bontbestemming meer had. Het rayon kreeg nu een bestemming als melkproducent, het moest dagelijks verse melk aan het rayon leveren dat niet meer genoeg van de kolchoz in Kezjma kreeg. Mozgova leverde de melk stipt, dat was niet moeilijk: van de tweeduizend koeien waren er tweehonderd over, ze laadden tien melkbussen op een wagen en stuurden deze erheen.

Toen Sasja in het dorp aankwam was het nog niet helemaal verarmd. Het geld was iets waard: voor kost en inwoning betaalde hij twintig roebel, af en toe bracht hij een pot room mee, hij had de gemeenschappelijke separator gerepareerd.

Het was een Zweedse separator uit het eind van de vorige eeuw, een zogenaamde Lavalesk 'Alfa S', met schijven, heel moeilijk uit elkaar te halen en schoon te maken. Sasja had drie jaar geleden op een produktiestage met het instituut een separator gezien. Er was een colonne vrachtwagens het land op gestuurd om te helpen met de oogst. Uit de tijd van de koelakken stond er nog een separator, waar niemand mee kon omgaan. De monteur van de colonne demonteerde de separator, maakte hem schoon en zette hem weer in elkaar. Uit nieuwsgierigheid had Sasja toen hetzelfde gedaan, en dat kwam nu van pas. Het was een oude machine, de schroefdraad op de as was versleten, de moer pakte ternauwernood, en er was niets om een nieuwe draad mee te snijden.

'Geef door aan de voorzitter,' zei Sasja, 'dat hij de separator naar Kezjma moet brengen voor een nieuwe schroefdraad, anders valt hij helemaal uit elkaar.'

Maar óf de kolchozvrouwen gaven het niet door aan de voorzitter, óf deze had geen tijd om zich met de separator te bemoeien.

De separator was ook de club van getrouwde vrouwen. *Even naar de separator* betekende dat ze tenminste een uurtje weg waren van huis, om te kletsen tot men aan de beurt was, een kort moment van verlichting van hun trieste lot. Alles kwam hier op de vrouwen neer: het land, de moestuin, de rivier, het vee en het huis. De echte man uit Angara was een jager, een zwerver, werk verachtte hij, vooral geregeld werk. Solovejtsjik had gelijk: met twintig jaar was de vrouw hier een werkpaard, met dertig afgebeeld. Haar beste tijd was van haar dertiende tot haar zestiende, tot ze trouwde. Hoewel een jong meisje zowel in de kolochoz als thuis even hard moet werken als een volwassene, was er voor haar 's avonds de *straat*. Vooraan liepen de meisjes zingend in twee rijen, daarachter, ook in twee rijen, de jongens met een trekharmonicaspeler. Ze liepen tot het eind van het dorp, draaiden om en gingen terug, net zo lang tot het donker was, daarna gingen ze in paren uit elkaar naar de dors- en hooischuren. Als een man een vrouw al iets verweet, was dat juist, dat ze nog *ongerept* was. Niemand zat hier dus te wachten op een maagd.

Tegen zijn verwachtingen in had het incident met Timofej Sasja's prestige in het dorp vergroot: een verbannene was niet bang geweest een dorpeling *af te drogen*. Van een verbannene werd sinds de tsarentijd niets door de vingers gezien, voor diefstal, dronkenschap of een vechtpartij werd door het hele dorp korte metten met hem gemaakt, de schuldige werd niet gevonden. Maar dan ging het wel om criminelen, de *politieken* vochten niet. Maar deze verbannene, zo vertelde Fedja van de coöperatie, kwam uit Moskou zelf, en was voor niemand bang, omdat hij de *methodes* kende: Fedja gebruikte onbekende woorden om zijn eigen ontwikkeling meer gewicht te geven.

Dankzij Fedja was Sasja ook in Mozgova terecht gekomen.

In tegenstelling tot de slaperige, luie gevolmachtigde van de NKVD in Bogoetsjany was die in Kezjma, Alferov, een actief man, broodmager; hij had Sasja onderzoekend aangekeken en kortaf gevraagd:

'Hoe bent u hier gekomen?'

'Met de man van de coöperatie uit Mozgova.'

'Is hij al weg?'

'Nee.'

'Gaat u met hem mee naar Mozgova,' besliste Alferov, kennelijk omdat dat hem het eenvoudigste leek, 'er is al iemand met een boot.'

Sasja was tevreden: hij zou maar twaalf kilometer van Kezjma af wonen en, hoe je het ook bekeek, er was al iemand die hij kende.

Op een avond kwam Fedja bij Sasja langs, hij riep hem naar buiten. Op de balken in een steegje zaten Lariska, een onooglijke gescheiden vrouw met vetpuistjes, die door haar spleetoogjes schuinse blikken op hem wierp, en Maroesja, Fedja's zuster, een goedaardig vierkant meisje met een breed plat gezicht.

Fedja ging op een balk naast Lariska zitten en zei tegen Sasja:

'Ga naast mijn zusje zitten.'

Maroesja sloeg haar ogen op naar Sasja en glimlachte bemoedigend, zo van: kom zitten, sla je armen om mijn schouders, je zult zien hoe breed en zacht ze zijn, en hoe breed mijn borst is, je kunt je bij me warmen.

Toch ging hij wat verder weg zitten. Iets hield hem tegen. Loekesjka uit Bogoetsjany had iets levendigs, iets jongs gehad, zij had met hem *gespeeld* op een naïef-schaamteloze manier die hem ergens aan Katja herinnerde. Bij dit vierkante dikkerdje wist hij niet, waarover hij moest praten, waarschijnlijk hoefde hij niets te zeggen, ze zou zo met hem het hooi in duiken...

Vanaf de straat klonken liedjes en harmonicageluiden. De lerares Zida liep voorbij. Noerzida Gazizovna was een Tataarse van een jaar of vijf-, zesentwintig, ze werd hier Zina of Zinka genoemd en door de schoolkinderen Zinaida Jegorovna. Langzaam liep ze langs de doorgang, waar Sasja met zijn nieuwe kenissen zat, ze keek hen aan. Goedmoedig glimlachend stootte Maroesja Sasja aan:

'Ze zoekt je.'

'Waarom mij?'

'Ze heeft een oogje op je. Moet ik je naar haar toebrengen?

Sasja was gecharmeerd van haar openhartige welwillendheid: als je mij niet wilt, neem je een ander, ik bezorg je haar zelf. Zomaar, zonder beledigd te zijn.

'Laat maar,' antwoordde hij.

'Wat scheelt er aan haar?'

'Te mager,' antwoordde Fedja voor Sasja.

'Maar haar jurken komen uit de stad en ze draagt zijden broekjes,' zei Lariska.

'Maar daaronder heeft ze alleen maar knoken,' was Fedja's commentaar.

Hij stond op en rekte zich uit.

'Kom, Lariska, de pannekoeken worden koud.'

'Ik heb ze goed ingepakt, ze blijven wel warm.'

Op het erf zei Lariska:

'Ga maar vast naar boven, ik haal de pannekoeken.'

Langs de houten ladder klommen ze de hooizolder op. Het rook er naar oud hooi. Het was een lichte maannacht, Maroesja's ronde gezicht stak wit af, Sasja voelde haar verwachtingsvolle blik en hoorde haar ademhaling. Fedja voelde onder de nokbalk, in zijn handen blonk een fles en rinkelden glazen.

Die nacht herinnerde Sasja zich vaag. Lariska en Maroesja dronken weinig, maar hij wilde niet bij Fedja achterblijven, had een half glas spiritus achterovergeslagen, zijn keel verbrand, doorgespoeld met water, wat gedroogde vis gegeten, en daarna herinnerde hij zich zijn overmoed, hij schepte op over hoe ze in Moskou konden drinken. Het was over hem gekomen, had hem overrompeld, het kon hem geen moer schelen, hij kon zijn ellende niet langer de baas, en vroeg om meer spiritus, Fedja hield de fles omhoog om te laten zien dat er geen drank meer was.

Daarna moest hij overgeven, niet op de hooizolder maar op de grond, die naar mest rook, de witte gezichten van Fedja en Maroesja bogen zich over hem heen, met een grote lepel tikten ze tegen zijn tanden, goten water achter zijn kraag, hij stond op, probeerde ergens naar toe te lopen, het kwam weer opzetten, hij braakte in lange, uitputtende vlagen, ver weg straalden de sterren, ergens blaften honden, ze sleepten hem mee, hij gaf zich niet over, maar hij klom thuis door het raam naar binnen, hij wilde de oudjes niet wakker maken, zich niet te schande maken.

's Morgens hoorde hij hoe de oudjes zich klaar maakten om naar hun werk te gaan, hij deed alsof hij sliep en dommelde ook echt in, toen hij wakker werd was er niemand meer thuis. Hij stond op, ging naar de kelder, waar een aangenaam koele lucht van vochtige aarde hing, nam de kan met zure room met het houten deksel van de plank, ging terug naar de keuken, haalde onder een doek een nog warm, zacht broodje tevoorschijn, sopte het in de room en at het op. Hij voelde zich beter, sliep tot de avond en kwam alleen voor het eten uit bed. De oudjes stelden geen vragen, maar Sasja was er zeker van dat ze het wisten.

De volgende ochtend voelde hij zich weer helemaal de oude, maar hij was vreselijk humeurig, hij wilde het huis niet uit, bang om Fedja, Maroesja of Lariska tegen te komen, hij schaamde zich voor hun spottende blik en snapte niet dat hij zich zo had kunnen misdragen. Hij had zich bedronken, dat kon voorkomen, maar die opschepperij, dat gesnoef, dat was nog nooit gebeurd. Toch moest hij naar de coöperatie, zijn sigaretten waren op. Fedja begroette hem vriendelijk glimlachend. Hallo! hallo! Alles in orde met het hoofd? Mooi zo! Hij gaf hem sigaretten en lucifers. Hij stelde hem voor een gitaar te kopen met een cursusboek. Hij had er drie binnengekregen, maar de Evenki en Tsjaldonen speelden geen gitaar. Sasja kocht er geen, waarvan hij later spijt kreeg, hij had kunnen leren spelen.

Op straat kwam hij Maroesja tegen met een juk op haar schouders, ze had water gehaald bij de rivier, ze lachte naar hem alsof er niets was gebeurd.

Het dorp schonk geen aandacht aan het voorval, hij had zich om niets zorgen gemaakt: iemand had zich bedronken, dat was niets nieuws. Bovendien had Fedja de meisjes verboden hun mond open te doen: de drank was van de coöperatie, hij had er niet voor betaald.

De enige die er met Sasja over sprak was Vsevolod Sergejevitsj, een balling uit Moskou, een magere, pezige man van een jaar of vijfendertig, die er ouder uitzag: een kaal hoofd, vlezige neus en dunne spottende lippen. Hij lachte goedig: kan gebeuren...

Waarom hij was verbannen vertelde hij niet, dat was hier niet de gewoonte. Tijdens het transport werd er wel over gesproken, maar hier werd alleen het artikel genoemd. Bijna iedereen had artikel achtenvijftig, paragraaf tien.

Vsevolod Sergejevitsj had in het begin van zijn verbanning in Kezjma gezeten, maar hij moest zijn biezen pakken en naar Mozgova gaan: hij had een affaire gehad met een meisje van het rayonkantoor, en dat was verboden. Ze hadden hem honderd kilometer verder weg kunnen sturen, de afstanden waren hier groot, maar hij mocht in Kezjma blijven werken, alleen was hij gedwongen elke dag vierentwintig kilometer te voet af te leggen. In het voorjaar ontsloegen ze hem alsnog, het district had een andere boekhouder gestuurd. Nu werkte Vsevolod Sergejevitsj her en der in Mozgova: hij timmerde, maaide, hooide, spitte moestuinen om, liep met een sleepnet en baarde in het dorp opzien met zijn korte broek, zoiets hadden ze nog nooit gezien, iedereen liep in een lange onderbroek. Verder hielp hij de boekhouder van de kolchoz, een jongen die een cursus in Kansk had gevolgd.

Maar zijn grootste interesse waren vrouwen, hij sprak openhartig en cynisch over ze. Toen hij zag dat Sasja een zuur gezicht zette, zei hij zonder wrevel:

'Wat heeft het leven ons nog te bieden? Wat bent u van plan hier te ondernemen? Onze enige vreugde zijn vrouwen, iets anders krijgen we niet. Weet de kruimels die onze bazen u toewerpen te waarderen. U bent een man, u bent dus nog een mens.'

Sasja vond zijn redenaties stuitend, maar raakte toch met Vsevolod Sergejevitsj bevriend. Hij had iets in zich van het Moskou van de jaren twintig, het Moskou van Sasja's kinderjaren, met haar gezegden, anekdotes en zigeunerromances. Met een aangename bariton zong hij 'Mijn vreugde woont in een hoge toren, waar niemand mij kan horen…' Dat had iets van de ongedwongenheid, en, zoals Sasja later begreep, van de menselijkheid van die tijd. De Moskoviet van de jaren dertig vond je in hem niet terug. Hij was zo te zien al lang weg uit Moskou.

Hij vertelde niet hoe hij erachter was gekomen dat Sasja zich had bedronken, maar zei met een vies gezicht:

'Dat is geen gezelschap voor u. Let liever eens op de lerares. Charmant, intelligent! Wat heeft háár naar Angara gebracht?'

'Het verbaasde mij ook al,' gaf Sasja toe, 'dat ze naar zo'n uithoek is getrokken.'

'Zeker een liefdescatastrofe,' hervatte Vsevolod Sergejevitsj, 'een vrouw die tegen de dertig loopt, alleen, en bovendien een vrouw uit het oosten, zo'n boeket, zo'n aroma…'

'Ze lijkt helemaal niet op een Tataarse,' merkte Sasja op.

'De Siberische Tataren zijn helemaal Russisch geworden,' legde Vsevolod Sergejevitsj uit, 'Tataren uit Tobolsk, Tomsk en Koeznetsk zijn net als de Russen, als de Siberiërs. Mohammedanen? Waar heb je die nog? Er zijn zelfs geen Russische orthodoxen meer! Maar de volksaard, hun mentaliteit, hun type, dat is natuurlijk hetzelfde gebleven, vooral bij de vrouw: de slaaf van de man, trouw, toegewijd, maar ook hooghartig. Haar blik heeft iets van een Khan… Ik geef eerlijk toe: ik was haar te min… waarom? Geen idee. Maar voor u is dat anders… dit is het moment, Sasja! Alles gaat voorbij, alleen de vrouwen met wie het leven ons heeft samengebracht, blijven. Maak werk van haar, amuseer je. Zulke vrouwen zijn zeldzaam tegenwoordig, geloof me, zo'n dame is zelfs in Moskou een lot uit de loterij.'

'Misschien krijgt ze er moeilijkheden door,' zei Sasja.

'Ik denk het niet, er is geen andere lerares te vinden. En een echte verklikker is er ook niet, niemand heeft om haar hand gevraagd. Je moet het natuurlijk niet aan de grote klok hangen. In het slechtste geval zult u later naar Savino of naar Frolovo gaan, dat is de dame wel waard.'

Vergeleken met de gedrongen plattelandsmeisjes met hun brede jukbeenderen, blote voeten en lange wijde rokken, leek Zida, klein en magertjes, net een jong meisje, en zag er in haar korte en strakke stadsjurkje vreemd en hulpeloos uit: een eenzame lerares van elders, in een verlaten tajgadorp waar men leren tijdverspilling vond en de school een last.

Ze kwam het winkeltje binnen, net toen Sasja daar was. Dat was niet toevallig. Haar grijze ogen keken hem recht aan, een rustige, open, enigszins afwezige blik. Een glimlach, zacht en vriendelijk. Ze praatte gewoon met Sasja, als met een kennis, in het dorp kende iedereen elkaar. Toch was er diep in haar ogen nog iets te lezen...

Fedja beklaagde zich: al twee jaar werd er geen zeep gebracht, theebriketten en kerosine evenmin, katoen wel, maar niet in het dessin dat hier werd gevraagd. Zida luisterde aandachtig, ze begreep Fedja's zorgen, ze antwoordde in weinig woorden, maar precies zoals je moest antwoorden wanneer je behalve met begrip nergens mee kon helpen.

Sasja bladerde in de boekjes over vlas en katoen, die hier te koop lagen. Noch vlas, noch katoen werd hier verbouwd.

'Op school zijn leesboeken, interesse?' vroeg Zida.

'Prachtig!'

'Kom vanavond naar de steiger, dan neem ik ze mee.'

Ze zei het eenvoudig, natuurlijk, maar wel op het moment dat Fedja door de achterdeur naar de voorraadschuur was gegaan.

's Avonds ontmoetten ze elkaar aan de waterkant bij de bootjes, die naar vochtig hout, vis en pek roken. Zida droeg een jas, die helemaal was dichtgeknoopt, maar niets op haar hoofd. In het maanlicht zag haar fijne, regelmatige gezicht er heel jong uit, een meisje nog, als haar blik niet de ervaring van een volwassen vrouw had verraden.

'Ik weet niet wat voor boeken u wilt, laten we naar mij gaan om te kijken.'

Sasja trok haar naar zich toe, kuste haar zachte lippen, ze sloot haar ogen, hij voelde haar hart kloppen... Daarna leunde ze achterover, keek hem even aan en terwijl ze zich met zachte hand uit zijn armen bevrijdde, fluisterde ze: 'Wacht.'

Ze bracht haar halsdoekje in orde en nam Sasja bij de hand, ze liepen langs de rivier, daarna langs het pad, langs de kleine donkere badhuisjes de heuvel op.

'Wacht hier even, kom binnen als ik het licht aandoe.'

Sasja wachtte, leunend tegen de zwart geworden balken van het badhuisje. In het raampje flikkerde licht. Sasja sprong over de heg en stak het erf over. De deur was open...

Voor het licht werd ging hij bij Zida vandaan langs dezelfde weg die ze waren gekomen, langs de badhuisjes, langs de oever en van de andere kant van het dorp naar huis.

Ze spraken niets af, ze hadden de hele dag de tijd om af te spreken. Maar het liep zo dat ze elkaar niet tegenkwamen, Zida was naar Kezjma.

's Avonds laat ging Sasja de straat op. Het dorp sliep, maar bij Zida brandde licht. Sasja sprong net als gisteren over de heg en pakte de klink van de deur die zachtjes piepend openging.

'Waarom sluit je de deur niet af?'
'Jij mocht eens komen…'

Zida sprak zuiver Russisch, zonder accent, maar wat al het andere betreft was ze, zoals Vsevolod Sergejevitsj juist had opgemerkt, een oosterse vrouw: onderdanig, hartstochtelijk, van Sasja's eerste aanraking raakte ze de macht over zichzelf kwijt. 'Wat doe je met mij…' En daarnaast de oosterse terughoudendheid, geslotenheid zelfs. Over zichzelf vertelde ze weinig en met tegenzin, op een gegeven moment bracht ze haar man ter sprake en verbeterde zichzelf meteen: haar ex-man. Haar dochtertje was thuis bij haar ouders in Tomsk gebleven, Roza was al zes jaar… In datzelfde Tomsk had Zida het pedagogisch instituut doorlopen, ze had vijf jaar les gegeven en was daarna hier naartoe vertrokken. 'Alles kwam me daar tot hier.' Maar waarom ze juist naar deze negorij was gekomen vertelde ze niet… 'Zo is het gelopen…' Zwijgend stemde ze met Sasja in dat hun verhouding geheim moest blijven. Sasja wilde haar behoeden voor onaangenaamheden, hoewel ze heel goed snapte, dat je zoiets in een dorp niet geheim kon houden. Maar ze sprak nooit tegen, drong nooit aan, geen traan, geen ruzie, geen blijk van stormachtige vreugde, geen liefdesverklaring. Slechts één keer werd Sasja 's nachts wakker en zag dat Zida niet sliep, maar steunend op een elleboog naar hem keek.
Hij streelde haar wang.
'Waarom slaap je niet?'
'Ik denk.'
'Waaraan?'
Ze lachte.
'Ik vraag me af waar zulke knappe jongens geboren worden.'

2 Op een keer kwamen ze Sasja halen, omdat de separator weer kapot was. Hij had hem kort geleden gemaakt en gezien dat het hopeloos was: de schroefdraad was uitgesleten en de moer bleef niet zitten, hij had al zo vaak gezegd dat ze het apparaat naar het Machine- en Tractor-station moesten brengen, en dat hadden ze nog steeds niet gedaan.
Toch ging hij erheen. Naast de separator stonden de vrouwen te kletsen. De kolchozvoorzitter Ivan Parfenovitsj, een boom van een kerel, was er ook; Sasja kende hem niet, maar hij wist dat hij een belangrijk man was die de kolchozboeren met zijn vuisten onderwees. Zida stond met hem te praten en keek steels naar Sasja.
'Goeiedag,' zei Sasja opgewekt, 'wat is er aan de hand?'
Hij zag het zelf al: de separator was uit elkaar gevallen. Dat was te verwachten.

'Is dat jouw werk?' vroeg Ivan Parfenovitsj.

'Hoezo mijn werk?' antwoordde Sasja. 'Het is Zweeds werk, die separator is in Zweden gemaakt.'

'Zwééden, Zwééden,' bromde Ivan Parfenovitsj somber, 'jij hebt hem kapot gemaakt, jij moet hem repareren.'

'Ik heb hem niet kapot gemaakt, dat heeft niemand gedaan. Die separator is honderd jaar oud, de schroefdraad op de as is uitgesleten, ik heb verschillende keren gezegd dat ze ermee naar het MTS moesten om er een nieuwe schroefdraad in te laten maken.'

'Tegen wie heb je dat gezegd?'

Sasja wees op de vrouwen.

'Tegen hen, ze hebben het allemaal gehoord.'

'Dat moet je niet aan hen, maar aan mij rapporteren, verdomme!'

'Ik ben niet bij u in dienst, dacht ik, ik hoef u niets te rapporteren.'

'O jij adder, saboteur!' viel Ivan Parfenovitsj uit. 'Eerst mol je de separator en dan gooi je het op de vrouwen?!'

'Hoe durft u zo met mij te praten?!'

'Wat?! Ik met jou durven praten?! Vervloekte troksist! Weet je wel wie je voor je hebt?!' Ivan Parfenovitsj balde zijn vuisten.

'Ja, een gek, begrepen?' zei Sasja terwijl hij Ivan Parfenovitsj in zijn gezicht uitlachte. 'Onthou dat goed, een gek.'

Hij draaide zich om en liep weg. Ivan Parfenovitsj riep hem nog iets achterna, maar Sasja kon niet horen wat.

Diezelfde dag, tegen de avond, hield een wagen stil voor Sasja's huis, een Sasja onbekende boer sprong van de bok, kwam binnen en gaf Sasja een briefje: 'Aan admin. balling Pankratov, A.P. Bij ontvangst dezes dient u zich onverwijld te vervoegen bij de gevolmachtigde van de NKVD voor het rayon Kezjma te Kezjma, kameraad Alferov'. En de handtekening van Alferov, tamelijk geschoold, zonder tierlantijnen.

Alferov maakte op Sasja een intelligente indruk, hij vond het vreemd dat hij slechts rayongevolmachtigde was. Zijn rang was niet duidelijk: net als de vorige keer, toen Sasja hem voor het eerst zag, was hij in burger.

Zijn kantoor bevond zich in hetzelfde huis als waar hij woonde, aan de voorkant. Maar hij ontving Sasja bij zich thuis in de ruime nette kamer, waar een deur naar het kantoor leidde, een andere naar de slaapkamer, een derde naar de keuken, vanwaar een koude luchtstroom kwam, daar was de deur naar het erf.

'Gaat u zitten, Pankratov.' Alferov wees op een stoel naast de tafel, en ging zelf aan de andere kant zitten, vriendelijk en druk, volgens Sasja een beetje aangeschoten. 'Bent u al op orde in uw nieuwe plaats?'

'Ja.'

'Fatsoenlijke woning, fatsoenlijke mensen?'

'Absoluut.'

'Mooi, heel mooi...'

Alferov stond op, nam het glas uit de hanglamp boven de tafel, stak de pit aan, stelde hem af en plaatste het glas weer terug. De hoeken van de kamer waren donker, de tafel werd verlicht; Sasja zag op tafel een vel papier liggen, en begreep meteen dat dit een klacht was over hem.

'Zo,' zei Alferov, zich stevig in zijn stoel installerend, 'dus alles is goed, alles is in orde, prachtig, prachtig... Maar dit hier is niet best, Pankratov,' hij wees op het papier dat voor hem lag, 'er wordt over u geklaagd: door boze opzet, sabotage, zo staat het er, 'door *sabotage* heeft hij de enige separator van het dorp onklaar gemaakt'. Wat heeft u daarop te zeggen?'

'Ik heb de separator niet onklaar gemaakt,' antwoordde Sasja, 'ik heb hem drie keer schoongemaakt, daarvoor moest ik hem uit elkaar halen en dat was tamelijk lastig. Toen ik hem de eerste keer demonteerde, zag ik dat de schroefdraad op de as was uitgesleten en dat de moer niet lang zou blijven zitten, ze moesten met de separator naar het MTS om er een nieuwe schroefdraad in te laten maken. Elke monteur, elke bankwerker zal het bevestigen. Dat heb ik hen meteen gezegd en daarna weer, toen ik de machine voor de tweede en derde keer uit elkaar haalde. Mijn schuld is het dus niet. Degenen die dat ding niet op tijd naar het MTS hebben gebracht zijn er schuld aan. Ik kon dat niet doen, ik mag het dorp niet uit.'

Alferov luisterde aandachtig naar hem, ging alleen af en toe verzitten, maakte het zich nog makkelijker, en keek Sasja een beetje vreemd aan. Hij had bij het eten waarschijnlijk een glaasje genomen en was in een praatgrage bui, tijd had hij genoeg.

'Goed,' zei Alferov, 'dus toen u de machine voor het eerst uit elkaar haalde, zag u dat de schroefdraad uitgesleten was. Heb ik u goed begrepen?'

'Ja. En ik heb meteen gezegd...'

'Dat komt later. U beweert dat elke monteur of bankwerker zal bevestigen dat een machine met een dergelijke schroefdraad ondeugdelijk is.'

'Natuurlijk bevestigen ze dat.'

'Dus, Pankratov. Een monteur zal bevestigen dat op dit moment, ik herhaal, op dit moment, de schroefdraad is uitgesleten. Maar geen monteur zal bevestigen dat dit een maand geleden, toen u de machine voor het eerst uit elkaar haalde, ook zo was. En als je hem vraagt: kon burger Pankratov de moer bij het aandraaien ontzetten en de schroefdraad wegslijten? Wat zal de monteur antwoorden? Ja, zal hij zeggen, zo kan het gegaan zijn, hij heeft de moer er verkeerd opgezet, verbogen, en de schroefdraad weggeslepen. Redeneer ik logisch?'

'Nee, onlogisch' antwoordde Sasja.

'Ja?' zei Alferov verbaasd. 'En ik dacht dat ik zo sterk was in logica. Wat is er onlogisch aan, Pankratov?'

'Toen ik de separator voor het eerst demonteerde, heb ik meteen gezegd dat ze hem naar het MTS moesten brengen om er een nieuwe schroefdraad in te laten maken.'

'Tegen wie heeft u dat gezegd?'

'Tegen iedereen die daar was.'

'Wie waren dat?'

'Vrouwen van de kolchoz, een stuk of twintig.'

Alferov keek hem vrolijk aan.

'Pankratov, u bent toch een intelligent, ontwikkeld mens! U heeft het tegen hen gezegd, en wat moesten ze volgens u doen?'

'Het melden aan de voorzitter van de kolchoz.'

'Pankratov! Het zijn ongeletterde vrouwen, zulke woorden hebben ze van hun leven nog niet gehoord: schroefdraad, moer, as. Ze krijgen dat niet uit hun mond. Ze durven de kolchozvoorzitter niets te vertellen, hij zou zeggen: bemoei je met je eigen zaken. Zelf willen ze niet eens dat hun separator wordt werggebracht, dan brengen ze hem weg en krijgen hem niet meer terug, zolang hij werkt is het mooi. Ú had het aan de voorzitter moeten melden, maar u heeft niets tegen hem gezegd, en als gevolg daarvan is de machine kapot gegaan. Nou, logisch zo?'

'Niet helemaal.'

'Nee? Waarom niet?'

'Ik ben niet aan de kolchoz verbonden, ik heb voor het repareren van de separator geen geld aangenomen, ik wilde de mensen gewoon helpen. De vraag is alleen: heb ik de machine kapot gemaakt of niet? Als ik nu bij de eerste reparatie publiekelijk, waar iedereen bij was heb verklaard dat hij niet te repareren was, dan wil dat zeggen dat ik hem niet kapot heb gemaakt. En dat ik het heb gezegd, kan iedereen bevestigen.'

Alferov keek hem glimlachend aan, en vroeg onverwacht zacht, zelfs verdrietig:

'Maar bevestigen ze dat ook?'

'Waarom zouden ze het niet doen?' antwoordde Sasja niet al te zeker; opeens begon hij te begrijpen hoe wankel zijn positie was.

'Ach, Pankratov, Pankratov,' zei Alferov met dezelfde zachte, verdrietige stem, 'wat bent u toch naïef. Waar woonde u in Moskou?'

'Op de Arbat.'

'Dan zijn we buren,' vervolgde Alferov peinzend, maar vertelde niet waar hij in Moskou had gewoond. 'Ja, Pankratov, u bent naïef. Moet u zich voorstellen, ze roepen die vrouwen voor de rechtbank op. Ten eerste, kent u hun

namen en achternamen? Zal wel niet. Ten tweede, ze zijn allemaal doodsbang voor de rechtbank en zullen op alle mogelijke manieren proberen onder
de dagvaarding uit te komen. En als het toch lukt twee, drie vrouwen voor de
rechtbank te slepen, dan zullen ze bij hoog en bij laag beweren: we weten
niks, we hebben niks gehoord, niks gezien. Aan de ene kant van de weegschaal zit u, een verbannen contrarevolutionair, aan de andere—de voorzitter
van de kolchoz, hij heeft de macht en het gezag, hij is heer en meester over
hun lot. Voor wie zullen ze getuigen? Beide benen op de grond, Pankratov,
begrijp goed hoe uw positie is. U heeft niet één getuige. De kolchozvoorzitter
wel, hij kan het hele dorp oproepen. De officier van justitie heeft alle reden
u het moedwillig onklaar maken van landbouwmachines ten laste te leggen,
dat wil zeggen sabotage. U leest de kranten, neem ik aan?'

'Ik krijg nog geen post.'

'Maar in Moskou las u de krant. Heeft u het gezien? Sabotage alom: bij
tractoren, maaidorsers, dorsmachines, oogstmachines, overal wordt gesabo-
teerd. Is het zo? Vernielen ze de boel opzettelijk? Wie zijn het? De kolchozboeren? Waarom? En het antwoord is: we kunnen niet anders. Eeuwenlang
kende de Russische boer maar een techniek: de bijl; maar wij zetten hem op
een tractor, een maaidorser, in een auto, die hij door onkunde, onwetendheid, door technische en weet ik wat voor achterlijkheid kapot maakt. Wat
kunnen we doen? Wachten tot het dorp technisch geschoold is, zijn eeuwenoude achterstand heeft ingehaald, tot het door de eeuwen heen gevormde
boerenkarakter is veranderd? En moeten we ze tot die tijd tractoren, maai-
dorsters en auto's stuk laten maken, ze het zo laten leren? We mogen ons
machinepark niet tot de sloop en vernietiging veroordelen, daarvoor heeft ze
ons te veel bloed gekost. Wachten kunnen we evenmin: de kapitalistische
landen zullen ons wurgen. We hebben slechts één middel, een hard, maar
uniek middel: angst. Het woord 'saboteur' is met angst omkleed. Tractor
kapot gemaakt? Je bent een saboteur en je krijgt tien jaar! En nog eens tien
voor de maaimachine en de dorsmachine. Dan gaat de boer nadenken, hij
krabt zich eens op zijn kop, zit bibberend op zijn tractor en geeft een flesje
aan iemand die er een klein beetje vanaf weet: doe eens voor, help me, haal
me uit de problemen. Laatst liep ik langs de oever, zie ik daar een knul
huilend in een motorbootje: 'Ik trok aan het touw en toen brak er iets, de
motor slaat niet aan, daar krijg ik vijf jaar voor'. Het was een gewoon, simpel
motortje, ik maakte het open en ik zie dat er een hendeltje was afgebroken, ik
maakte het vast en de motor sloeg aan. Die jongen zouden ze veroordeeld
hebben voor het stuk maken van een motor, voor het torpederen van het plan
voor de visproduktie of voor nog iets anders. Zo is het het beleid van de
gerechtshoven. We hebben geen keus: het is de redding van de techniek, van
de industrie, van het land en haar toekomst. Waarom doen ze niet zo in het

Westen? Ik zal het u zeggen. Wij produceerden onze eerste tractor in 1930, het Westen in 1830, honderd jaar geleden; zij hebben een eeuw ervaring, bij hen is een tractor particulier eigendom en de baas onderhoudt zijn eigen spullen. Maar hier hebben we staatseigendom dat ook van staatswege onderhouden moet worden. Als we een ongeschoolde dorpsjongen vijf jaar geven voor zijn onvermogen, of zelfs tien jaar voor sabotage, hoeveel moet u, een verbannen contrarevolutionair, haast een ingenieur, dan wel niet krijgen. Elke rechter zal u zonder aarzelen en met een schoon geweten veroordelen, sterker nog, door u zal hij zijn geweten zuiveren: die onfortuinlijke boertjes heb ik op bevel veroordeeld, maar hem tenminste voor een zaak, zal hij zeggen. U begrijpt uw positie niet, Pankratov! U denkt dat u als balling vrij bent. U vergist zich! Ik zal u nog meer zeggen: in het kamp zijn ze beter af. Ja, ja, ze hebben het daar wel zwaar, ze moeten met vorst bomen kappen, lijden honger en kou, daar zit u achter prikkeldraad, maar om u heen zitten gevangenen als uzelf, u bent geen buitenstaander. Hier heb je geen bewakers of uitkijktorens, rondom zijn bossen, de rivier, heilzame lucht, maar hier bent u een vreemde, hier bent u de vijand, hier heeft u geen enkel recht. Bij de eerste klacht zijn we verplicht u gevangen te nemen. Uw hospita komt en zegt: hij heeft op kameraad Stalin gescholden—dat is dan een terroristische daad in voorbereiding.'

Hij keek Sasja glimlachend aan.

'Dat wat het eerste punt betreft, Pankratov. Daar krijgt u minimaal tien jaar voor. Heeft u me begrepen, Pankratov?'

'Ja, ik heb u begrepen,' antwoordde Sasja.

Hij begreep het allemaal heel goed. Als ze Solovejtsjik hadden verbannen voor een onschuldig grapje, Ivasjkin voor een zetfout in de krant, een kok voor zijn 'luiwammessoep', als ze op grond van de wet van zeven augustus tien jaar gaven voor een paar zolen, als hijzelf voor wat onbenullige epigrammen was verbannen, dan zou de separator, als landbouwmachine, hem duur komen te staan.

'Prima,' zei Alferov, 'dan gaan we over naar punt twee: 'Het in diskrediet brengen van de kolchozleiding.' Ten overstaan van leden van de kolchoz heeft u de voorzitter voor gek uitgemaakt. Klopt dat?'

'Ja. Maar daarvoor had hij mij uitgescholden, me een adder genoemd, een saboteur, trotskist, contrarevolutionair en nog wat.'

'Dat was natuurlijk niet mooi,' stemde Alferov in. 'Maar, Pankratov, stelt u zichzelf en hem bij de rechter voor. Uw schuld inzake het onklaar maken van de separator is aangetoond. En daar heeft de kolchozvoorzitter, die met hart en ziel over het kolchozbezit waakt, u een saboteur genoemd. En terecht, al had hij u de hersens ingeslagen, dan nog zouden de rechters begrip voor hem hebben. Op schelden wordt hier niet gelet, daarvoor wordt je niet veroordeeld. U heeft echter niet alleen de separator onklaar gemaakt, maar ook de kolchozvoorzitter publiekelijk voor gek uitgemaakt. Hij is toch voorzitter van de kolchoz, hij is een autoriteit, en u heeft deze autoriteit ondermijnd. Nu moet hij zijn post verlaten. Ze smeren u tien jaar aan, en dan zullen de kolchozboeren weten wat het betekent om de voorzitter te beledigen, ze zullen hem respecteren, zich aan hem onderwerpen. Zo staan de zaken, Pankratov. Begrijpt u?'

'Ik heb al gezegd dat alles me duidelijk is.'

'Ik had graag gehoord, wat u precies duidelijk is.'

'Het is me duidelijk dat ik rechteloos ben, dat ze met me kunnen doen wat ze willen, ze kunnen me veroordelen voor sabotage, voor het ondermijnen van prestige, ze kunnen me beledigen en me in het gezicht spuwen. Maar weet wel dat ik een belediging met een belediging zal beantwoorden en dat ik terug zal spuwen als men mij in het gezicht spuwt.'

Alferov keek hem geïnteresseerd aan.

'En als ik nog even verder mag gaan,' vervolgde Sasja, 'ik vind uw redenering over sabotage immoreel. Ik veronderstel dat er vergissingen worden gemaakt, veel vergissingen, dat heb ik aan den lijve ondervonden. Maar ik weiger te geloven dat sabotage is bedacht als een methode van de officiële partijpolitiek, als je dat toelaat, geloof je niet meer in de partij, en ondanks alles wat me is overkomen, geloof ik in de partij.'

Alferov keek nog steeds even geïnteresseerd.

'Wel, en verder?'

'Ik ben klaar.'

'Welnu,' zei Alferov gewichtig, 'over de sabotagetheorie hebben we het nog wel, als de mogelijkheid zich voordoet tenminste. U gelooft in de partij, dat is heel mooi. Ik was al voor de revolutie partijlid, ik ben een oude bolsjewiek, Pankratov, en van partijpolitiek heb ik waarschijnlijk evenveel verstand als u. Maar daar gaat het nu niet om, het gaat er nu om dat ik moet beslissen wat ik met u aan moet. U ziet mij als uw bewaker, uw onderdrukker. Natuurlijk houd ik toezicht op u, dat is een van mijn taken. Maar ik ben tevens verantwoordelijk voor u, voor uw gedrag, en voor uw, om het zo maar eens te zeggen, veiligheid. Heeft u in Bogoetsjany de gevolmachtigde, Baranov, ontmoet? Heeft u die bonk van een vent gezien? Als hij op mijn plaats had gezeten, had u allang in de gevangenis van Kansk op uw vonnis zitten wachten. Maar ik ben Baranov niet, zoals u waarschijnlijk gemerkt zult hebben. Ik praat met u. Waarom praat ik met u? Uit verveling? Gedeeltelijk, dat zal ik niet ontkennen. Maar alleen gedeeltelijk. Hoofdzaak is dat ik een beslissing moet nemen. En als ik niet beslis, doen anderen het, met voor u minder gunstige gevolgen. Om te beginnen moet ik u in ieder geval uit Mozgova weghalen; als ik u in Mozgova laat, betekent het dat u in het gelijk gesteld wordt en dat de voorzitter schuldig is, dat u aan het gevaar van een nieuw conflict wordt blootgesteld. De kolchozvoorzitter zou een sterker staaltje met u kunnen uithalen, erger dan die separator. Wat zegt u daarvan?'

Naar een nieuwe plaats, helemaal opnieuw beginnen, Zida achterlaten aan wie hij gehecht was geraakt, Vsevolod Sergejevitsj, met wie hij bevriend was, een nieuw adres... Eerst Kansk, daarna Bogoetsjany, Kezjma, Mozgova, nu weer iets anders. Wat zou moeder wel niet denken... Verschrikkelijk natuurlijk... Aan de andere kant had Alferov gelijk: hij moest niet in Mozgova blijven, van Ivan Parfenovitsj kon hij van alles verwachten. Maar waarom besliste Alferov zelf niet? Waarom vroeg hij het aan hem?

'U heeft zeer overtuigend aangetoond, dat ik minstens tien jaar krijg,' zei Sasja. 'Wat maakt het uit waar ik dat afwacht. Dan liever in Mozgova, het zal wel niet lang duren.'

Alferov schudde zijn hoofd.

'Je weet nooit of het lang of kort duurt... Voordat ik Kansk heb gevraagd en ze daar beslissen, kan veel tijd verstrijken, en in september worden de wegen onbegaanbaar, dat betekent dat het antwoord in de winter komt, over een half jaar.'

Waarom draaide hij eromheen? Wat was hij van plan? Hij hoefde niemand iets te vragen. Hij kon hem morgen op beschuldiging van sabotage naar Kansk sturen, dat lag in zijn macht. Wat wilde hij van hem gedaan krijgen?

'Doet u zoals u belieft, u zult toch dat doen wat u nodig vindt.'

Alferov stond op, liep naar de commode, schonk uit een karaf een glaasje vol met een donkere vloeistof, dronk het leeg, draaide zich naar Sasja om.

'Wilt u een glaasje? Een heerlijk likeurtje.'

'Nee dank u.'

'U drinkt niet?'

'Niet in situaties als deze.'

'Daar doet u goed aan, het stijgt naar het hoofd, u zou iets verkeerds kunnen zeggen, of ondertekenen.'

Alferov dronk nog een glaasje, gooide wat bessen in zijn mond.

'Een heerlijk likeurtje,' herhaalde hij, 'mijn huishoudster maakt het van een soort bosbes, ze beweert dat het gezond is, vooral voor mannen. Voor een jonge kerel als u is dat niet belangrijk, maar op mijn leeftijd moet je daarop letten.'

Hij liep terug naar de tafel.

'Welnu, wat doen we, Pankratov?'

'Stuurt u mij naar Kansk, dan hebben we het gehad. Ballingen hebben een gezegde: hoe eerder je zit des te gauwer ben je weg.'

Alferov ging niet op het grapje in.

'Ik weet, Pankratov, dat u de separator niet kapot heeft gemaakt en ik wil die tien jaar niet op mijn geweten hebben. Ik hoef me ook helemaal niet te haasten. Ja, ja! De klacht ligt hier, die kunnen we altijd nog in behandeling nemen.'

Weer glimlachte hij. Vervolgens stond hij op, liep in de kamer heen en weer, sloot de deur naar de keuken, vanwaar het nu erg tochtte, ging zitten en zei serieus en veelbetekenend:

'Gaat u terug naar Mozgova. Maar houd er rekening mee dat de voorzitter u dat 'gek' niet vergeeft. Overdenk uw gedrag, doe afstand van uw illusies, vermijd conflicten.'

In zijn stem hoorde Sasja iets menselijks, toch moest hij er niet aan toegeven, niet verslappen.

'Mag ik misschien niet meer naar buiten?'

'Blijf binnen als het gevaarlijk is.'

'En waar moet ik van leven?'

'Uw familie stuurt niets?'

'Jawel. Maar mijn moeder verdient een schijntje, ze werkt in een wasserij, en mijn vader woont allang niet meer bij ons.'

'Niet best, maar ik kan u nergens mee helpen. De andere ballingen redden zich op de een of andere manier. Verbanning hier is trouwens een anachronisme, een overblijfsel van voor de collectivisatie, toen de ballingen bij de zelfstandige boeren konden werken. Het ziet ernaar uit dat ze de verbanning hier binnenkort afschaffen en naar de steden verplaatsen. Wat bent u trouwens van beroep?'

'Ze hebben me van het laatste jaar van het instituut voor transport gehaald.'

'U zou naar het MTS moeten,' zei Alferov peinzend.

'Ik weet niets van landbouwmachines.'

Alferov begon opeens weer te lachen.

'U weet niets van landbouwmachines maar u bent wel de separator gaan repareren. En u beweert dat ik zwak ben in logica. Dit zeg ik om mezelf te vleien, als gewezen filosoof. Wat heeft techniek ermee te maken. Als je een tandwiel van een bout kunt onderscheiden, ben je technicus. De directeur van ons MTS is een bankwerker, de hoofdmonteur een tractorbestuurder. U weet wat van auto's, dan heeft u ook verstand van tractors. Toen u aankwam, wist ik niet wat uw beroep was, anders had ik u in Kezjma gelaten; u ziet van wat voor kleinigheid uw lot afhangt, als ik er toen aan had gedacht het te vragen, woonde u nu in het centrum van het rayon en werkte u in het MTS... Maar goed, we komen er nog op terug, we moeten de zaak afronden,' hij wees op de brief van Ivan Parfenovitsj. 'Gaat u terug naar Mozgova, maar ik herhaal, wees voorzichtig, of zoals ze tegenwoordig zeggen, waakzaam.'

Ze liepen de donkere nachtelijke straat op.

'Uw wagen is vertrokken,' zei Alferov. 'Ze hebben waarschijnlijk gedacht dat u niet meer teruggebracht hoefde te worden.'

'Geeft niet, ik kom wel thuis.'

'Midden in de nacht twaalf kilometer door de tajga... Bent u niet bang?'

'Nee, de beren slapen 's nachts.'

'Als u wilt, kunt u blijven slapen,' stelde Alferov voor, 'in het huisje hier-naast woont de zuster van mijn huishoudster, ze heeft wel een plekje voor u.'

'Nee dank u, dat hoeft niet.'

3 Terug van de Krim trokken Varja en Kostja in bij Sofja Aleksandrovna. Haar onderhuurster was inmiddels vertrokken en de kamer was vrij.

Sofja Aleksandrovna droeg Varja's huwelijk stoïcijns: niets aan te doen, alweer een levend wezen dat Sasja verliet. Al zijn vrienden waren hem verge-ten, ze belden niet, toonden geen interesse, Vadim niet, Lena Boedjagina niet, om over Joera Sjarok maar te zwijgen, hij groette haar niet eens. Nina Ivanova kwam in het begin wel eens langs, maar nu niet meer, ze boycotte Sofja Aleksandrovna die Varja en Kostja onderdak bood. Eerlijk gezegd was Sofja Aleksandrovna zelfs blij, dat ze niet meer kwam. Eerst had Nina gezegd dat Sasja's arrestatie absurd en toevallig was, maar later kregen haar uitspra-ken een andere toon: de ingewikkelde nationale en internationale situatie, de verscherping van de klassestrijd, het actief worden van partijvijandige groe-peringen, als nooit tevoren was het nu zaak een duidelijk, scherp omlijnd standpunt in te nemen, terwijl Sasja daarover helaas zijn eigen opvatting had en die soms boven die van het collectief stelde. Al met al suggereerde ze dat Sasja's arrestatie gegrond was.

Alleen Varja liet Sofja Aleksandrovna en dus ook Sasja niet in de steek. Er was niets tussen hen geweest, maar toch had ze met haar in de rijen voor de gevangenis gestaan, maakte pakjes klaar, beschermde haar tegen botte klan-ten in de wasserij, fleurde haar eenzaamheid met haar medeleven op. En ze deed dat niet alleen uit medelijden. Op de achtergrond stond onzichtbaar Sasja, belangstelling voor hem, medelijden met zijn lot.

Maar er was niets aan te doen, zo was het leven. Sofja Aleksandrovna was als een moeder voor Varja, wenste haar alle goeds toe. Ze was natuurlijk wel erg vroeg getrouwd, zou ze gelukkig worden? Kostja was royaal, leefde op grote voet, hij bracht uit het restaurant allerlei lekkere dingen mee, op een keer sleepte hij een reusachtige taart mee en gaf die aan Sofja Alekstandrovna, ze wist niet wat ze er mee aan moest, hij zou bederven, ze sneed hem in stukken en reed er mee naar haar zusters; hij kwam met allerlei attenties: een assorti-ment dameszakdoekjes, kousen, hij deed haar zelfs een parapluutje cadeau.

Hoewel Sofja Aleksandrovna het elke keer probeerde af te slaan was het onmogelijk zijn gulheid te weerstaan.

Maar als Sofja Aleksandrovna aan hem dacht maakte ze zich toch ongerust. Hij werkte nergens, hoe was dat mogelijk in onze tijd? Varja vertelde, dat hij een of ander amalgaam voor elektrische lampen had uitgevonden en er patent op had gekregen, hij betaalde belasting en had het aan de stok met de belastinginspecteur. Het klonk allemaal vreemd, alsof de tijden van de NEP waren teruggekeerd. Het woord 'nepman' was voor Sofja Aleksandrovna synoniem met nouveau-riche, vertoon van luxe, gesjoemel. En nu kwam er uit dat voor altijd vervlogen verleden iemand tevoorschijn die nergens werkte, onbegrijpelijke telefoongesprekken voerde, zich uitdagend sjiek kleedde, net als de jonge 'nepmannen' van toen. Sofja Aleksandrovna betreurde het dat Varja, een meisje uit een arbeidersgezin zich in dit milieu had gestort, dat haar vreemd was. Kostja was elke avond in het restaurant, Varja, zo niet elke avond, dan toch zeker 's zaterdags en 's zondags. Varja zelf had haar bekend, dat Kostja biljartte, dat dat in wezen zijn voornaamste inkomstenbron was, en dat de elektrische lampen en het amalgaam slechts dienden om zijn positie te legaliseren, zodat hij zogenaamd een wettige bron van inkomsten had. In feite was hij speler, een cafébiljarter, vandaar dat hij altijd pas tegen de ochtend thuis kwam. Ze moest hem een sleutel van de voordeur geven en Varja waarschuwen: wanneer iedereen sliep, moest zij de ketting van de deur doen, zodat hij deze kon openen. Dat was een schending van de in de loop der jaren zo gegroeide huisregel dat de deur 's nachts absoluut op de ketting moest, maar er zat niets anders op: als de ketting op de deur bleef moest Kostja aanbellen.

Op een keer had Varja de ketting vergeten, ze was ingeslapen. Kostja kwam om vier uur 's morgens thuis en wekte iedereen met zijn gebel. Michail Joerjevitsj zei er niets van maar Galja zette een keel op: 'Dat loopt 's nachts maar rond, ze laten een mens niet slapen.'

Galja aasde op Sasja's kamer: ze woonde met haar man en haar kind op veertien vierkante meter, terwijl Sofja Aleksandrovna een kamer over had die ze verhuurde, ze speculeerde dus. Galja dreef de betrekkingen op de spits, ze wilde door een schandaal de wetsovertreding vastleggen en de kamer afpikken. Dit verontrustte Sofja Aleksandrovna. Zeker, Pavel Nikolajevitsj had een woonvergunning van de Sovjet van Moskou voor die kamer, en wie had er wat mee te maken, dat Varja daar woonde! Varja stond in dit huis ingeschreven, en ze kon toch niet met haar jonge echtgenoot in één kamer met haar zus slapen! Sofja Aleksandrovna liet hen op de tijdelijk leegstaande kamer wonen, dat ging niemand wat aan! Maar Kostja? Varja zei dat hij in Sokolniki stond ingeschreven, maar was dat wel zo? Ze kon moeilijk Varja's man naar zijn paspoort vragen. Als Galja de politie erbij haalde en bleek dat

Kostja niet in Moskou was ingeschreven, wat dan? Hoewel Sofja Aleksandrovna Varja niet voor het hoofd wilde stoten, besloot ze met haar te praten. Een aanleiding liet niet lang op zich wachten.

Varja voelde zich niet lekker. Kostja had uit het restaurant eten meegenomen, hij verbood haar trouwens helemaal om te koken, wilde niet dat ze naar de keuken rook en haar handen bedierf. Het waren dure maaltijden die hij niet alleen voor Varja, maar ook voor Sofja Aleksandrovna meenam.

Meestal warmde Varja het eten op, maar dit keer bood Sofja Aleksandrovna aan dit te doen.

Ze legde de kalfsfilet in de koekepan, in de keuken verspreidde zich de heerlijke geur van restauranteten.

Galja merkte grinnikend op:

'Tjonge, wat ruikt het hier lekker... Het water loopt me in de mond...'

Sofja Aleksandrovna deed net alsof ze de ironie niet merkte en zei:

'Varja is ziek, Konstantin Fjodorovitsj heeft het uit het restaurant meegebracht.'

'Die bourgeoismaaltijden zijn niet slecht,' ging Galja nog steeds grinnikend verder, 'en wij hebben alleen maar stokvis. Denk je eens in, hun eten kost acht, wat zeg ik, wel tien roebel...'

'Ik weet niet hoeveel het kost,' antwoordde Sofja Aleksandrovna kortaf en draaide zich om maar het fornuis.

'En waar die lui het geld vandaan halen,' Galja hield naar niet op, 'hij werkt 's nachts, is hij soms nachtwaker?! Nachtwakers krijgen nog minder dan straatvegers.'

'Hou op, Galja, alsjeblieft, genoeg', zei Sofja Aleksandrovna, 'je bent toch een aardige, lieve vrouw, wat wil je toch?'

'Tegenwoordig rijden ze op de rug van de goeden', Galja was niet uitgeraasd, 'ze laten de goeden zwoegen en water dragen. De goeden staan voor alles een halve dag in de rij, op de bon is niets te krijgen, in de tram hangen ze aan de treeplanken, voor je het weet komen ze onder de wielen, maar de slechten rijden in taxi's rond en zijn de restaurants niet uit te slaan.'

Sofja Aleksandrovna zweeg, ze bracht het eten de kamer in. Maar Varja zag hoe ze er aan toe was.

'Wat is er, Sofja Aleksandrovna?'

'Galja met haar gezeur, net in de keuken: bourgeoismaaltijden, ze gaan naar restaurants, komen tegen de morgen thuis...'

'Wat heeft zij daar mee te maken?'

'Jaloers waarschijnlijk...'

'Dat stomme mens!' zei Varja.

'Misschien wil ze Sasja's kamer hebben.'

'U heeft toch een vergunning.'

'Ze denkt: als ze aantonen, dat ik er mee speculeer, pakken ze de kamer af.'

'Bent u bang voor Galja?'

'Ik ben niet bang, maar al die scènes...'

'Dat kreng!' schold Varja. 'Ik zal haar leren, ze zal haar kop wel houden.'

'Laat maar, Varja, ze kan lastig worden.'

'Hoe dan? Dat zou ik wel eens willen weten!'

'Misschien niet voor jou, maar wel voor Konstantin Fjodorovitsj.'

'Is hij soms een dief, een oplichter?'

'Klets toch niet! Maar je moet toegeven dat zijn positie onduidelijk is. Hij werkt nergens, is nergens in dienst.'

'Wel waar, bij een arbeidscoöperatie,' wierp Varja tegen. 'En dat biljarten doet hij op een biljart van de staat. Dat is niemand verboden.'

'Varenka, ik heb niets tegen Konstantin Fjodorovitsj. Maar Galja kan er misbruik van maken, dat hij hier niet staat ingeschreven.'

'Ik sta ook niet bij u ingeschreven.'

'Maar wel in dit huis.'

'En hij in een ander huis, wat dan nog?'

'Weet je zeker dat hij in Moskou staat ingeschreven?'

'Ja, natuurlijk.'

Het categorische antwoord klonk voor Sofja Aleksandrovna niet overtuigend. Maar ze aarzelde om Varja te vragen, of ze het registratieformulier met eigen ogen had gezien. Ze zei alleen:

'Jullie verhouding is ook niet officieel.'

Varja grinnikte.

'In ons land is samenwonen gelijkgesteld aan het officiële huwelijk. We zijn één huishouden, we slapen in hetzelfde bed, we zijn dus man en vrouw.'

'Varja, wat zeg je nou?!' zei Sofja Aleksandrovna met een boos gezicht.

'Hoezo? Ik was laatst in de rechtszaal waar een alimentatiezaak werd behandeld, de rechter vroeg ronduit: "Heeft u een gemeenschappelijke huishouding gevoerd? Sliep u in hetzelfde bed?"'

Sofja Aleksandrovna keek opnieuw boos.

'Sofja Aleksandrovna, zegt u eens eerlijk, brengen we u in verlegenheid door bij u in te wonen?' zei Varja ernstig. 'Bent u bang?'

Sofja Aleksandrovna antwoordde even ernstig:

'Zolang jullie nog niet definitief een eigen kamer hebben kunnen jullie bij mij wonen. Maar dan moeten we het zo doen, dat er geen onaangenaamheden van komen. Ben je het met me eens?'

'Ja, ik zal er aan denken.'

'En nog iets, Varenka, ik heb op jullie kamer een geweer gezien, twee zelfs.'

'Dat zijn jachtgeweren, Kostja jaagt.'

'Maakt niet uit. Je moet me goed begrijpen. De Arbat is een militair beveiligde straat en in mijn situatie kan ik in huis geen geweren toestaan,' zei Sofja Aleksandrovna nadrukkelijk, 'ze zijn daar tegenwoordig streng mee. In zijn eigen huis is Konstantin Fjodorovitsj er zelf verantwoordelijk voor, bij mij thuis ben ik verantwoordelijk.

Ze zweeg een moment, daarna vervolgde ze:

'Ik moet deze kamer voor Sasja aanhouden, het is *zijn* kamer, ik moet deze tegen elk gevaar, zelfs het geringste, beschermen.'

'Goed,' zei Varja, 'er komen geen geweren meer in huis.'

Varja had Kostja's bewijs van inschrijving niet met eigen ogen gezien. Op de Krim had hij in het hotel met haar paspoort ook het zijne laten zien, het formulier ingevuld en zijn adres opgeschreven: Moskou, enzovoorts, hetzelfde dus als in zijn paspoort, dat werd immers door de receptioniste gecontroleerd.

Toch had Varja Kostja's paspoort niet in handen gehad. Stel dat ze zich had vergist, als hij nu eens niet Moskou maar een andere stad had opgeschreven? Het was haar om het even, maar ze moest Sofja Aleksandrovna niet beliegen.

Dezelfde avond zei ze tegen Kostja:

'Sofja Aleksandrovna is ongerust over je inschrijving.'

'Ik heb haar toch gezegd waar ik ben ingeschreven, gelooft ze me niet?'

'Ze gelooft je. Maar Galja, de buurvrouw, is aan het stoken, ze wil de kamer inpikken, ze bazuint overal rond, dat Sofja Aleksandrovna speculeert. En als blijkt dat jij niet in Moskou staat ingeschreven, krijgt Sofja Aleksandrovna daar last mee.'

'Moet ik haar mijn paspoort laten zien?'

'Dat zou het allerbeste zijn.'

'Maar wanneer? Als ik thuiskom slaapt ze, als ik wakker word is ze al weg.'

'Laat het hier, dan laat ik het haar zien.'

Hij keek haar scheef aan.

'Ik kan mijn paspoort niet achterlaten, ik heb het altijd nodig. Maak me morgen wat vroeger wakker, dan laat ik het haar zelf zien.'

'En nog iets. Ze wil liever niet dat je geweren mee naar huis neemt.'

'Maar het zijn jachtgeweren, dat is niet verboden.'

'Dat is om het even, Galja kan over die geweren klikken.'

'Zeg dan, dat ik een akte heb, een vergunning.'

'Misschien voor één geweer, maar je hebt er een paar.'

'Jachtgeweren hebben is niet in strijd met de wet. Laat Sofja Aleksandrovna zich verder niet druk maken,' zei Kostja geërgerd.

'Voor ons geldt hier maar één wet: Sofja Aleksandrovna', zei Varja, 'zij is hier de baas. Of we doen wat ze verlangt, of we moeten opkrassen.'

'Jullie je zin,' bromde Kostja ontevreden.

's Ochtends stond hij gapend en zich uitrekkend op, niet gewend vroeg op te staan, hij trok zijn kamerjas aan, haalde zijn paspoort uit zijn jasje, klopte aan bij Sofja Aleksandrovna, ging bij haar binnen en kwam vervolgens terug.

'Alles is in orde.'

En hij ging weer liggen.

Kostja had haar zijn paspoort niet in handen gegeven, dat had Varja wel bij zichzelf opgemerkt, maar ze wilde er niet over nadenken. In de korte tijd dat Varja met Kostja samenleefde was ze gewend geraakt aan het idee dat Kostja's levenslot en zijn positie moeilijk waren uit te leggen; ze moest hem nergens naar vragen, wat hij niet wilde vertellen zou hij nooit vertellen. Zijn ouders, gerussificeerde Grieken, vissers uit Azov, waren onteigend en verbannen uit Mariupole. Kostja voer toen bij de koopvaardij, was op zee en alleen daardoor was hij aan het lot van zijn ouders ontsnapt. Hij had Varja bekend dat hij toen hij na zijn terugkeer hoorde dat zijn familie verbannen was, er spijt van had dat hij niet in Piraeus of in Istanboel was gebleven, dan had hij daar nu een lekker leventje gehad. Hij ging niet meer varen: diegenen die naar het buitenland gingen werden scherp gecontroleerd, als ze zouden ontdekken dat zijn ouders onteigende koelakken waren werd hij ook verbannen. Hij vertrok naar Moskou, in de hoofdstad was het makkelijker te verdwijnen, hij was monteur, wisselde van baan, vond het amalgaam uit en kwam bij een coöperatie, maar het belangrijkste was het biljarten. Kostja was opgemerkt door Bejlis, de beroemdste biljarter van Moskou, deze introduceerde hem in de beste biljartzalen waar 'klanten' uit de provincie, op dienstreis voor geld van de staat, grote sommen werden afgespeeld. Met hen was Kostja meedogenloos, hij misleidde ze door ze eerst gemakkelijk te laten winnen en schudde ze daarna helemaal uit.

Ljovotsjka had een keer gezegd dat Kostja in Amerika miljonair zou zijn. Ika had toen spottend opgemerkt dat in Amerika niet alleen schoenpoetsers millionair werden, maar ook mafiosi. Varja was opgestoven en had Ika aangeraden zijn mond te houden. Maar ze had het gesprek niet aan Kostja doorgegeven, dat van die schoenpoetser zou hij Ika niet vergeven.

Door met Kostja te trouwen, had Varja een heleboel treden overgeslagen, ze was hoger geklommen dan Vika Marasevitsj, Nina Sjeremeteva en Noemi; die waren afhankelijk van hun minnaars, maar zij kwam met haar man het restaurant binnen, iedereen kende hem, iedereen keek hem naar de ogen. Varja was niet jaloers op de buitenlandse kleren die de meisjes aan elkaar doorverkochten. Kostja bracht haar bij de beste Moskouse kleermakers, schoenmakers en bontwerkers. Haar jas kwam van Lavrov, haar jurken kwamen van Nadezjda Petrovna Lamanova, Aleksandra Sergejevna Ljamina, Varvara Stepanovna Danilova en zelfs van Jefimov, haar lijfjes van Loebenets, haar ceintuurs van Kosjke op de Arbat, haar hoedjes van Tamara Tomasovna Amirova en haar schoenen van Barkovski, Goetmanovitsj en Doesj-kin. Goedkope handwerkslieden erkende Kostja niet, zijn pakken werden door Zjoerkevitsj gemaakt, de duurste kleermaker van Moskou.

Van buiten gezien leek alles op die manier schitterend, feestelijk en elegant. Maar Varja voelde, dat haar verhouding met Kostja niet van lange duur zou zijn. Waarom niet? Dat wist ze zelf niet. In haar vroegere leven was er veel dat ze niet had aanvaard, maar alles was helder en duidelijk. Nu was er geen duidelijkheid, ze wist niet waar het heenging, in welke richting ze dreef. Kostja was bijna tien jaar ouder dan zij, maar hij had niets gelezen, zelfs 'De Drie Musketiers' niet. Van Poesjkin kende hij maar vier regels. 'Met stompe queue wijdt hij zich graag, berekenend hoe 't uit zal vallen, aan het biljarten met twee ballen.' Maar hij was verstandig, citeerde die regels niet om te laten zien dat Poesjkin hem niet onbekend was, maar om te laten zien dat Poesjkin, net als hem, het biljarten niet onbekend was.

Hield ze van hem? Dat was moeilijk te zeggen. HET was gebeurd in het hotel in Jalta. Ze had zich niet verzet, misschien omdat ze het onbekende wilde meemaken, waarover de meisjes spraken, misschien omdat ze vrouw wilde worden in de volle zin des woords.

Maar zelfs daarna was er geen intimiteit ontstaan, een kloof scheidde hen, misschien in de eerste plaats vanwege het leeftijdsverschil? Hij kon uitstekend zwemmen, maar toch voelde ze zich op het strand niet op haar gemak: hij was gedrongen en breedgeschouderd, maar had korte benen (een pak camoufleerde dat), hij was behaard, op zijn armen, benen, zijn rug, overal haar, op zijn borst was een adelaar getatoeëerd, op het strand leek Kostja veel ouder... Ze gingen terug naar het hotel, hij deed de deur op slot, omarmde haar, kuste haar hals, haar borsten, maar ze schaamde zich voor het daglicht, bang dat wanneer ze in het restaurant zouden komen, iedereen aan haar gezicht kon aflezen dat HET net was gebeurd. Wanneer ze gingen slapen, deed Varja het licht uit, ze schaamde zich om zich bij Kostja uit te kleden, geneerde zich om hem te liefkozen, te omarmen, te zoenen. Ze had er ook geen zin in.

Het nieuwe leven was niet schokkend of verrukkelijk. Wat vroeger onbereikbaar had geleken was opeens vlakbij, gewoon, alsof ze altijd zo had geleefd. Net als vroeger was ze gecharmeerd van de feestelijkheid van de avondlijke restaurantzaal en hield ze van mooie kleren, maar ze kreeg genoeg van het steeds weer passen, ergerde zich aan de kleermakers die nooit op tijd waren, aan het tergend lange wachten bij kapper Paul, ook al kwam daar de hele Moskouse beau-monde bijeen.

De salon was op de Arbat, naast restaurant PRAGA; Kostja had indertijd haardroogkappen in de salon geïnstalleerd en Varja kwam net als de andere vaste cliëntes binnen vanaf de binnenplaats, via de woning. Kapper Paul,

eigenlijk gewoon Pavel Michajlovitsj Kondratjev, en zijn vrouw Vera Nikola-
jevna, die manicure was, gaven Varja om de een of andere reden altijd een
voorkeursbehandeling. In die tijd kwam het zesmaandelijkse permanent in
de mode, maar Pavel Michajlovitsj weigerde Varja's haar te permanenten.
'Je gaat *zo'n* gezicht toch niet bederven!'
De dames die net op een permanent zaten te wachten hoorden dat en waren
natuurlijk beledigd. Maar daar had Varja lak aan! Ze had haar eigen kennissen, nog altijd Kostja's kring, dezelfde mensen. In het restaurant zaten ze net
als vroeger aan dezelfde tafel en Varja danste alleen met hen. Kostja verliet
zelden en nooit voor lang de biljartzaal, dronk een glaasje wodka, at een hapje
en sloeg zijn armen teder om Varja's schouders, alsof hij iedereen verzocht
zich te realiseren dat die schoonheid zijn vrouw was en dat het hele gezelschap zijn gezelschap was, dat op zijn kosten at en dronk. Varja vermoedde
zelfs dat Ljovotsjka zich ook op zijn kosten kleedde, zulke kleermakers kon
hij nooit uit eigen zak betalen. Maar Ljovotsjka was een onberispelijke jongen, hij biljartte niet, dronk haast geen wijn, was beleefd, zachtaardig en
attent en bovendien een gewoon technisch tekenaar, een harde werker.
Kostja moest zulke mensen om zich heen hebben, intelligente jongens uit
goede Moskouse families, net zoals hij als vrouw een net, fatsoenlijk meisje
nodig had. Dat was zijn handelsmerk, zijn positie in de maatschappij, zijn
reputatie zoals hij die zelf zag. Zonder zelf iets te lezen wist hij wat anderen
lazen, wie er vandaag de dag 'in' was, wie beroemd, hij wilde niet doorgaan
voor profaan, onthield goed namen, was scherpzinnig en vindingrijk.
Op een keer aan tafel vroeg Ika op een manier, alsof hij een quizvraag stelde:
'Veelbelovend regisseur, van wie twee films beginnen met een 'O'. Wie is
dat?'
Kostja wist Ika's blik te vangen, draaide zich naar hem toe en antwoordde
ogenblikkelijk:
'Barnet.'
Kostja hield niet van film, hij kon niet tegen de bedompte lucht in de
bioscoop, hij hield meer van variété, operette en ballet, de films van Barnet
had hij niet gezien, toch wist hij als eerste het antwoord op Ika's vraag. En hij
knikte vriendschappelijk naar Barnet.
'We hebben samen gejaagd,' zei Kostja nonchalant.
'O ja, nu weet ik het weer,' ging Ika spottend hier op in, 'je hebt ons een keer
dat verhaal verteld van die wolf die jullie samen hebben doodgeschoten.' 'Dat
was niet met hem, maar met Katsjalov', zei Kostja die zijn lippen tuitte, 'en
niet één wolf, maar een hele wolvenfamilie. We vonden een wolvenhol, schoten de wolf dood, daarna de wolvin, en daarna pakten we drie welpen. Jij hebt
vast wel eens een wolf gezien? Ga anders maar eens in de dierentuin kijken,
maar denk eraan dat je ze niet aait, dan ben je je hand kwijt.'

Hij dronk nog een glaasje wodka, boog zich naar Varja en zei zachtjes:

'En jij, Pop, vindt het niet goed dat ik thuis geweren heb. Zij (hij gebaarde naar de hele zaal) zouden er alles voor over hebben om met mij op jacht te gaan. Laten we morgen naar de KUNSTENAARSCLUB gaan, zul je zien hoe ze me proberen te lijmen.'

'Maar daar mogen alleen kunstenaars naar binnen.'

Hij was oprecht verbaasd.

'Geloof je me niet? We gaan er morgen heen, Pop!'

De volgende dag kwam Kostja vroeg thuis, om zich met haar toilet te bemoeien. Eerst paste ze een blauw zijden pakje met geplisseerde ruches op de rok en een geplisseerd kraagje, daarna een grijze tuniek van atlas, met gouddraadborduursels, daarbij hoorde een nauwe rok met een split, en tenslotte een open bruine jurk. Varja stond versteld: Kostja, die zo hard was in alles wat zijn zaken aanging kon lang genieten van haar kleren, hij raakte in verrukking als hij naar haar keek en was uitgelaten als een kind.

'Sjiek Pop, sjiek.'

Varja vertrouwde op zijn smaak, maar stel dat de daar aanwezige beroemdheden nu alleen maar neerbuigend deden tegen Kostja? Wat was hij voor hen? Een biljarter. En nu bleek hij ook een jager te zijn. En zij, de vrouw van een jager, zou een belachelijk figuur slaan als ze zich zo opdofte.

Haar angst bleek ongegrond.

In de club waren beroemdheden en niet-beroemdheden, maar iedereen deed alsof men elkaar goed kende, om de gelijkheid in de acteursbent te benadrukken. Er stonden twee biljarts. Kostja speelde weinig. Hij stond naast de beroemde markeur Zachar Ivanovitsj met wie hij ook bevriend was, gaf de spelers raad, en als hij speelde, dan met minieme inzet, om zijn eminente vrienden niet voor het hoofd te stoten. In de club aan de Oude Pimenstraat rustte hij uit van zijn werk, werd vrolijk en gemoedelijk, en Varja ging graag met hem naar de Oude Pimenstraat.

De club lag aan de binnenplaats van een oud herenhuis, in een sousterrain, en was gezellig ingericht met ouderwets meubilair. Aan weerszijden waren loges, kleine open kamertjes voor acht à tien personen. Soms nam Kostja Ljovotsjka en Rina mee naar de club, dan namen ze een apart tafeltje voor vier. In de loges zaten grotere gezelschappen. Kostja wees haar Iljinski en Klimov aan, Varja herkende hen uit de film 'Het proces van de drie miljoen'. Ze herkende ook Smirnov-Sokolski, die vaak in de HERMITAGE op de planken stond. Smirnov-Sokolski zat half naar een kale man met een snor toegedraaid, zei iets tegen hem met zijn hand voor zijn mond: óf hij wilde niet dat er werd meegeluisterd, óf hij verzocht hem om iets. De kale zweeg, met zijn omwalde, halfdichtgeknepen, slimme oogjes leek hij op een verzadigde kater.

'Dat is Demjan Bedny,' zei Kostja.

Varja had het hier naar haar zin. Wodka en wijn werden niet geserveerd, alleen mineraalwater en vruchtesappen, een affiche waarschuwde: 'Spuitwater wordt niet per borrelglas geserveerd.' Maar de keuken was uitmuntend, je kreeg er lekker te eten, het restaurant stond onder leiding van de beste chefkok van Moskou, Jakov Danilovitsj Rozental, die kortweg 'De Baard' werd genoemd.

Ten teken van het nette karakter van dit etablissement stond er op de muur geschilderd:

> *Blijf altijd één waarheid trouw,*
> *Ga naar de club met eigen vrouw.*
> *Doe niet net als de bourgeois:*
> *Andermans vrouw geeft geen pas.*

Rina beweerde dat de eerste twee regels van de schrijver Tretjakov waren en de laatste twee van Majakovski, van vlak voor zijn dood.

Rina kende hier net zoveel mensen als Kostja. Ze praatte graag met iedereen, kon het met iedereen vinden, maar wist ook mensen op een afstand te houden. Varja wist eigenlijk niets van haar, ze woonde aan de Ostozjenka, naast het Zatsjatevskiklooster, in een houten huisje, waar ze niemand ontving: 'Het huis kan ieder moment instorten.' Rina kwam ook zonder hen in de club, maar ze zagen nooit met wie ze kwam en met wie ze wegging. De gasten kwamen tegen elven 's avonds bijeen, na afloop van de theatervoorstellingen en gingen om een uur of twee, drie uiteen. 's Nachts wachtten de koetsiers hen in het steegje op.

'Wil je meerijden?' vroeg Kostja aan Rina.

Ze trok koket haar lichte wenkbrauwen op.

'Ik word al naar huis gebracht…'

Kostja hielp Varja instappen, ze leunde tegen de rug van de bank, maakte het zich gemakkelijk. Van de Oude Pimenstraat reden ze naar de Kleine Dimitrovka en vandaar over de boulevards, de stad kwam haar in het donker, zonder mensen, bijna onbekend voor, in de stilte van de slapende huizen school iets angstaanjagends. Varja zweeg, verwerkte in gedachten de indrukken van de avond.

Vaak ging het publiek uit het restaurant naar de zaal boven, waar komisch theater werd georganiseerd. De acteurs schreven zelf parodieën, scènetjes en sketches, soms ook de schrijvers, dat alles werd schitterend vertolkt, zigeuners zongen, Roeslanova zong, dat kreeg je in geen enkel theater te zien. Op een keer betrad Sergej Obraztsov het podium met in zijn handen een pop met grijze wenkbrauwen en baard. In de zaal werd geklapt, iedereen keek naar Feliks Kon, directeur van het Departement Kunstzaken en voorzitter van het bestuur van de club. De gelijkenis met de pop was treffend. Met de stem van Kon kondigde Obraztsov aan dat hij nu zijn lezing 'Het Sovjet-wiegelied' ging houden. 'Het Sovjetwiegelied – de pop wees met de wijsvinger de zaal in, Kons favoriete gebaar – is geen bourgeois-lied, het moet het kind juist wekken...' En er gebeurde niets, hij kon zijn gang gaan. Varja merkte dat deze mensen zich in het algemeen heel wat konden permitteren.

Maar Kostja zei dat ze niet vaker dan tweemaal per week naar de club konden: 'Mijn geld verdien ik niet in de club, dat snap jij ook wel'. Hij hield zich heel streng aan die regel, een keer maar kwam hij Varja tegemoet, toen ze het 'Proces tegen auteurs die geen vrouwenrollen schrijven' ensceneerden. Natalja Satz was de rechter, de beklaagden waren Katajev, Olesja en Janovski, de aanklager Meierhold.

Varja en Kostja zaten op de zevende rij, in dezelfde rij als Aleksej Tolstoj en de schilders Deni en Moor. In een flits merkte ze Vika Marasevitsj op, Varja zag haar hier voor het eerst. Maar haar broertje Vadim die literatuur- en theatercriticus was geworden, was hier een vaste gast, papte aan met de beroemdheden. Daar liep hij door het gangpad, met zijn bijziende ogen half dichtgeknepen keek hij of er nog plaatsen vrij waren. Achter hem Joera Sjarok en Lena Boedjagina, hij had hen kennelijk uitgenodigd. Lena herkende Varja, ze knikte vriendelijk naar haar, daarna keek ook Joera naar Varja, Varja wendde zich af, ze kon hem niet uitstaan.

Ze moest meteen aan oudejaarsavond denken, aan de ruzie tussen Sasja en Joera. Sasja zat nu als balling in Siberië, terwijl Joera, Vadim, Lena Boedjagina en Vika Marasevitsj zich in deze prachtige club amuseerden.

Omdat ze in gedachten verzonken was hoorde Varja niet wat Natalja Satz zei. Ze schoot wakker toen de 'beklaagden' werden verhoord. Als eerste stond Kataev op. Hij bleek een onaangename, nasale stem te hebben, je kreeg de indruk dat hij verkouden was. Het publiek mocht Kataev maar matig, er werd lauw voor hem geklapt, en al even lauw voor Janovski. Maar elke repliek van Olesja werd met een lachsalvo begroet. De lange Meierhold met zijn grote neus stortte zich als een roofvogel op Olesja. De kleine Olesja met zijn warrige haardos weerde de aanvallen bliksemsnel af. Jaron, die voor Varja zat, draaide zich steeds om naar Aleksej Tolstoj, vrolijk knipogend, 'wat doet onze Olesja het goed', waarbij hij tegelijkertijd naar Varja gluurde. Na het proces stond hij op, draaide zich met zijn gezicht naar Varja, verstarde in een komische houding, belette iedereen de doorgang en verklaarde: 'Ik keek om naar een schoonheid en versteende als de vrouw van Lot.' Het was grappig. Varja lachte.

'Bent u actrice?' vroeg Jaron. 'Waarom ken ik u niet?'

'Ik ben geen actrice, daarom kent u me niet,' antwoordde Varja kortaf. Ze wilde niet dat Jaron haar lach als een aanmoediging opvatte.

Haar houding tegenover al die beroemdheden was gecompliceerd. Ze deelde de vervoering van Kostja en Rina volstrekt niet: komedianten, die mogen vrijpostig zijn. Zij zag de acteurs liever op het toneel, daar klapte ze hen uitbundig toe, talent is talent. Maar met hen kennismaken? Waarom? Kostja beviel haar instelling, was er in stilte heel blij om, maar liet haar niet alleen naar de club of naar andere gelegenheden gaan, hoogstens naar de film, met Zoja of Rina.

4 Nadat ze Joera Sjarok in de Kunstenaarsclub was tegengekomen, besloot Vika Marasevitsj er voortaan niet meer heen te gaan. Hem voor de zoveelste keer onder ogen komen? Waarom? Ze zagen elkaar genoeg op de Marosejka, waar ze regelmatig verslag uitbracht: de zo-en-zoveelste, in dat-en-dat restaurant, zaten die-en-die mensen te eten, spraken daar-en-daarover. Sjarok eiste dat ze de uitspraken van iedereen woord voor woord weergaf, al waren de gesprekken zo nietszeggend, dat ze ze niet kon onthouden. Vika begon met de nieuwtjes.

'...Noemi is nog steeds met haar Japanner. Maar een of andere Italiaan wil met haar trouwen en haar meenemen naar Italië...'

'...Er zijn twee nieuwe Duitsers bijgekomen, ze zijn met meisjes van ME-TROPOL, Susanna en Katja. Wie die Duitsers zijn hebben ze niet gezegd.'

'...Onze schoonheid Nelli Vladimirova is weg bij de zigeuner Poljakov en is getrouwd met Georges, een rijke Franse handelaar; ze hebben een grote woning, tapijten, antieke meubels, porcelein, een auto...'

Vika probeerde haar besprekingen met Joera naar dit soort gebabbel over de hogere kringen te sturen. Dat geklets moest een kleermakerszoon wel imponeren. Maar heel snel raakte ze ervan overtuigd dat het hem allemaal matig interesseerde. Misschien verwachtte hij wel niets bijzonders van haar: ze was buitenlanders tegen het lijf gelopen, daar moest ze maar wat mee doen...

Nee, toch wilde hij iets van haar... Maar wat? Ze lette scherp op alles wat hij zei, zijn reactie op elke naam die ze noemde... En ten slotte wist ze het... Joezik Liberman! Nu wist ze wie hem interesseerde! Iedereen was ervan overtuigd dat deze lange jonge kerel met zijn dikke lippen een verklikker van de eerste orde was; hij vertelde in het openbaar antisovjetmoppen en veroorloofde zich gewaagde grappen en grollen, buitenlanders interesseerden hem niet, maar hij had wel (waarschijnlijk via zijn moeder) talrijke connecties in het milieu van belangrijke hooggeplaatste functionarissen, persoonlijke, intieme connecties. Joera moest Joezik Liberman met name hebben vanwege zijn contacten met belangrijke functionarissen, over hen verzamelde hij materiaal. Het was niet belangrijk wat ze allemaal zeiden. Joezik was de enige die kletste, maar hij deed dit aan hun gemeenschappelijke tafel, ze lachten allemaal, dus reageerden ze en de conclusie was dat ze allemaal kletsten.

Toen Vika dit doorhad, haalde ze meteen de banden met Joezik aan, hij nam haar graag mee, waarna ze gedetailleerd in haar rapporten beschreef wie ze wanneer bij wie had gezien, wat ze had gehoord. Dat interesseerde Sjarok, dat was precies wat hij wilde weten, al voegde Vika waarschijnlijk niets nieuws toe aan de rapporten van Joezik zelf, maar in die hoedanigheid had hij haar blijkbaar nodig.

Ze was niet zo dom om Sjarok te laten merken dat ze Joezik Liberman had doorzien en wist wat Sjarok met hem beoogde. Ze was niet van plan haar waarde binnen deze instantie te verhogen, ze was in Sjaroks ogen liever een dom gansje, ze moesten niets ingewikkelds van haar eisen.

Terwijl ze Sjarok om de tuin leidde, hield ze het belangrijkste voor hem verborgen: het gezelschap van beroemde architecten, bij wie ze door haar oude vriend Igor Vladimirovitsj, ook een architect, was geïntroduceerd.

Haar dromen en plannen om met een beroemde vliegenier, een nieuwe Held van de Sovjetunie, te trouwen had ze allang vaarwel gezegd: waar vind je die vliegeniers, ja en hun vrouwen waren van die tuthola's, voor het minste liepen ze naar het partijcomité, de legerleiding of Stalin zelf, en als het al lukte er een aan de haak te slaan, dan had zo'n 'held' al geen enkele toekomst meer en stuurden ze hem als gewoon piloot naar Tsjoekotka. Het buitenland was een eendagsvlieg geweest. Erik? Een aardige man, maar verder niets bijzonders, een gewone buitenlander. Hij nam elke dag een bad, schoor zich elke dag, elke dag schoon ondergoed, rook lekker. En verder? Met een aanzoek maakte hij geen haast, zonder papa en mama zou hij die stap niet doen. De eer van de firma! In het beste geval zou zijn papaatje, zijn nobele vader, over een jaar verschijnen, maar ondertussen was zij al bijna vierentwintig.

Vika moest iemand hebben met een verzekerde toekomst. Zo iemand was er, een bekende architect, een van de ontwerpers van het Paleis van de Sovjets, het grootste bouwproject van Moskou en Stalins geesteskind. Hij was nog niet oud, drieënveertig, heel jeugdig, goed gebouwd en gedistingeerd, hij had jaren in Italië gewoond: een Europeaan! Dat zou nog eens een verbintenis zijn! Niet een of andere piloot met laarzen, maar een wereldberoemde architect, en zij, Vika, zijn vrouw, de dochter van een beroemde professor, een rasechte Moskouse uit een intellectueel milieu. Zo'n alliance zou geen Sjarok of Djakov durven aan te pakken, ze zouden meteen een tik op hun vingers krijgen.

'Hoe is dat toch mogelijk, Josif Vissarionovitsj,' zou haar man anders tegen Stalin zeggen, 'als men mij niet vertrouwt, dan kan men mij door anderen laten controleren. Maar mijn vrouw dwingen mij te bespioneren is immoreel.'

Dan zouden én Djakov én Sjarok ervandoor gaan, ze zouden eruit vliegen, en van zulke baantjes als zij hadden vloog je erg ver.

De Architect was wel getrouwd. Zijn vrouw kwam net als hij uit Odessa, had met hem in Italië gewoond, daar nette manieren geleerd, ze zag er gedistingeerd uit: een magere brunette met een grote neus, ze rookte lange dunne sigaretten, had bijziende, turende ogen, maar droeg geen bril. Ze had al twee volwassen kinderen uit haar eerste huwelijk, was acht jaar ouder dan de Architect, hij was drieënveertig en zij eenenvijftig, en die snol bedroog hem met wie ze maar kon. Haar geliefde van dit moment was Kolja Krylov, een kind nog, zo'n goudblonde bink uit de buurt van Moskou, hij moest in dienst, en zij probeerde hem als adjudant bij een of andere officier geplaatst te krijgen. Ze was nooit samen met haar man, na twintig jaar waren ze op elkaar uitgekeken. Hij was de hele dag in zijn atelier, sliep er soms ook, ging vaak naar het buitenland en liet zijn vrouw volledig vrij. Als de Architect naar de Architectenclub in Soechanovo, onder Moskou ging, sliepen de minnaars bij haar thuis, hij wist er blijkbaar van en kwam nooit onaangekondigd thuis, vermeed een schandaal dat alleen maar venederend zou zijn. Vika had zich ervan overtuigd dat zijn echtgenote hem als vrouw niet aantrok.

Het zou niet moeilijk zijn het van deze Italiaanse dame uit Odessa te winnen. In ieder geval was het contact gelegd, hij was in de ban van Vika, ze brachten verrukkelijke uren door in haar bed, ze was jong, mooi, ervaren en bedreven en hij was nog een sterke man met temperament. Ze konden geen dag leven zonder elkaar gezien, of tenminste door de telefoon gesproken te hebben.

Maar ze hielden hun verhouding voor iedereen geheim. Men kende alleen Igor Vladimirovitsj als haar oude vriend, een 'afgelegde etappe', en men wist dat ze juist met hem, Igor Vladimirovitsj, naar de Architectenclub ging, in de vroegere villa van advocaat Plevako aan de Novinskiboulevard. Maar vrouwen kwamen daar niet. De Architectenclub was nog niet populair, hoewel er ook een restaurant was, zij het van derderangskwaliteit. Er werden ontwerpen geëxposeerd en wie interesseerde dat?

Des te makkelijker kon Vika hun verhouding verborgen houden. In de Architectenclub kwam ze altijd samen met Igor Vladimirovitsj binnen, waarna de Architect zich bij hen voegde. Hij vond een dergelijk complot overdreven, maar hij waardeerde Vika's kiesheid, haar belangstelling voor zijn werk; ze ging naar de besprekingen van de ontwerpen waaraan de Architect deelnam, luisterde aandachtig naar de woordenwisselingen en discussies.

Op de besprekingen waren ook oudere vrouwlijke architecten aanwezig, over hen maakte Vika zich niet ongerust, maar de aantrekkelijke tekenaressen in de tekenkamer baarden haar wel zorgen. Igor Vladimirovitsj zei echter dat voor een toonaangevend architect, en helemaal voor de Hoofdarchitect, de medewerksters in zijn atelier niet in aanmerking kwamen.

'De eerste wet van de vastheidsleer,' grapte Igor Vladimirovitsj, 'luidt: elke band beperkt de mate van vrijheid. En een architect moet in zijn atelier volledig vrij zijn.'

Vika speelde haar rol voortreffelijk. Zelfs Igor Vladimirovitsj geloofde dat ze verliefd was op zijn vriend. Voor de Architect was het een moeilijke periode van strijd tussen de stromingen, scholen, richtingen en tradities in de architectuur. Opgeleid in Italië, zeer bereisd en op de hoogte van de moderne westerse architectuur, stond de Architect aan het hoofd van een school die teruggreep op de klassieke erfenis, maar ook rekening hield met moderne, veelal hoge constructies. Velen vielen hem hierop aan, maar Vika verklaarde dat hij een genie was, ze vertelde aan iedereen, aan vriend en vijand, dat zijn gebouwen, ontwerpen en ideeën geniaal waren. Hij was een genie! Niet een genie dat over vijfhonderd jaar erkenning krijgt, maar een levend, erkend genie. Alles wat zijn hand beroerde was geniaal!

Ja, de rol was goed gekozen en ze speelde hem meesterlijk. Ze sprak de Architect nooit tegen, maakte nooit ruzie met hem, had geen kuren, was niet kleingeestig: met een groot man moest je gedrag op niveau zijn.

'Ik heb veel gebreken,' zei ze tegen hem, 'maar je weet, aan dat kleinzielige wijvengezeur doe ik voor geen goud, daar ben ik te trots voor, ik wil dat je je bij mij op je gemak voelt, dat niets je tot last is. Het belangrijkste is dat jij je rust hebt.'

Als hij haar niet kon zien, belde hij haar en vroeg meevoelend:

'Wat ga je doen?'

Ze stelde hem gerust:

'Maak je niet bezorgd, schat, ik ga wat liggen lezen, en dan met een vriendin naar de bioscoop. Bel me morgen alsjeblieft.'

Ze ging natuurlijk niet op de bank liggen, ging niet naar een vriendin, liep niet de bioscopen af, ze had dingen te doen: de kleermaker, de schoenmaker, Joezik Liberman en Sjarok, daar hield ze streng de hand in, daar mocht niets misgaan. Met de Architect mocht ook niets misgaan. Hij moest denken dat ze zijn oprechte, toegewijde vriendin was. Hoe dan ook was ze een professorsdochter, hoe dan ook een nazaat van een hetman! Het was niet haar schuld dat ze hier, tussen die proleten was geboren, ze was van adel, verdomme!

Slechts een keer liet Vika zich gaan.

Het gebeurde in het Museum voor Schone Kunsten, waar de wedstrijdontwerpen voor het Paleis van de Sovjets werden geëxposeerd. Het museum was van 's morgens tot 's avonds afgeladen, een lange rij strekte zich uit langs de Volchonkastraat. De architecten, waaronder ook buitenlanders, stonden naast hun ontwerpen, bijna allemaal met hun vrouw, en gaven uitleg, beantwoordden vragen. Vika was er elke dag, zag de Architect, ze had al veel kennissen in deze wereld, misschien was er iemand die raadde wat voor rol ze in het leven van de Architect speelde, maar Vika stelde zich bescheiden op.

Het was lawaaierig en druk, het publiek bleef komen, en slechts een persoon kwam niet een keer naar het museum: de vrouw van de Architect.

'Neem het haar niet kwalijk,' zei de Architect, 'in twintig jaar heeft ze genoeg tentoonstellingen van me gezien, 't hangt haar de keel uit.'

'Maar dit is toch je belangrijkste project, je levenswerk!'

'Als ze mijn ontwerp uitkiezen zal ze wel naar de prijsuitreiking komen,' grapte de Architect.

'Ja, ja! Dan staat ze naast je om in je triomf te delen!'

Hij keek haar aandachtig aan, begreep de toespeling: ze wilde zelf naast hem staan en in zijn triomf delen.

Vika begreep haar vergissing, pakte zijn hand.

'Ik maak nergens aanspraak op. Maar die onverschilligheid voor jou en je werk is onverdragelijk voor me. Om alleen op dagen van succes naast je te staan, dat is, weet je...' ze trok haar lippen vol verwachting op. 'Sorry hoor, maar ik vond het opeens zo naar voor je.'

De volgende dag werd ze gewekt door een telefoontje van de Architect. Vandaag was een gesloten bezichtiging, ze moest maar niet komen en op zijn telefoontje wachten.

Een gesloten bezichtiging, dat betekende dat Stalin en leden van de regering naar de tentoonstelling kwamen.

De hele dag zat Vika thuis, ze week niet van de telefoon. De Architect belde tegen het einde van de middag.

'Ik kom eraan.'

Hij kwam met een fles champagne: dit was de dag van zijn overwinning, hun overwinning, Stalin had zijn ontwerp mooi gevonden.

De volgende ochtend vertrokken ze voor twee weken naar Soechanovo.

5 Stalin zat op de veranda van zijn datsja in Sotsji in een rieten fauteuil met zijn gezicht in de zon. Hij hield van Sotsji, zijn eigen schepping, hij hield van de zomer in het zuiden, hoewel artsen het zuiden alleen voor het najaar aanraadden. Maar wat wisten artsen? Als kind hield hij al van dit jaargetijde, hij hield er van over de ruïnes van Goris-Tsicha te klauteren, de oude vesting op de berg, die door de Byzantijnse keizers was gebouwd. Daar was hij gevallen en had hij zijn arm verminkt. Sotsji herinnerde hem aan Gori, hoewel er in Gori geen zee was en minder planten groeiden. Op een tafeltje voor Stalin lagen boeken van Solovjov, Kljoetsjevski, Pokrovski, en de door referenten samengestelde 'Opmerkingen bij de schets van de geschiedenis van de USSR'. Dat werk werd door Zjdanov geleid.

Dat was ZIJN keuze. Dit jaar had hij Zjdanov uit Gorki gehaald en hem secretaris van het CC gemaakt. Niet omdat Zjdanov bij de bouw van de autofabriek in Gorki met succes de lokale leiding had bespeeld. Andere districtssecretarissen kregen dat ook voor elkaar. Evenmin omdat Zjdanov pas achtendertig was, andere secretarissen waren ook nog jong: Chroesjtsjov, Varejkis en Ejche waren tegen de veertig, Chatajevitsj was eenenveertig en Kabakov was drieënveertig... Maar Zjdanov was intelligent, hij had verstand van literatuur, van kunst. Hij was niet een intellectueel van het betweterige type als Loenatsjarski, hij ging niet prat op zijn eruditie, koketteerde niet met buitenlandse woorden en was niet uit op de rol van theoreticus, zoals Boecharin, maar toch een intellectueel. Er was een intellectueel in de leiding nodig. Zjdanov was daar geschikt voor. Het eerste grote project waarmee hij was belast, de oprichting van de Schrijversbond, leek hij goed voor te bereiden. Het eerstkomende congres zou een keerpunt zijn in de houding van de partij tegenover de intelligentsia: de schrijvers, de belangrijkste afdeling van de intelligentsia, hadden er altijd al aanspraak op gemaakt de geestelijke leiders van het volk te zijn. In de strijd om de macht had Lenin op de intelligentsia gesteund. Dat was juist: de intelligentsia was de eeuwige bron van andersdenkendheid en andersdenkendheid is een goed wapen in de strijd om de macht. Maar wanneer de macht is veroverd, moet je niet langer op de intelligentsia steunen, dan is eensgezindheid het wapen van de macht, niet andersdenkendheid. De Russsiche Associatie van Proletarische Schrijvers en andere groepjes verdeelden de intelligentsia, veroordeelden haar tot onenigheid. Er was een organisatie nodig die de eensgezindheid veilig stelde, dat zou de Schrijversbond worden.

Gorki was een goede figuur om de schrijvers te verenigen. In wezen was hij een linkse sociaaldemocraat met een sterke neiging tot kleinburgerlijk liberalisme. Lenin was voorzichtig met hem omgesprongen. En terecht. Gorki had een naam, had banden met grote schrijvers in het Westen. Veel dingen hier accepteerde hij niet. Maar zijn leven als emigrant had hem laten zien dat hij in het buitenland geen vooruitzichten had. Een echte schrijver moest leven en sterven in zijn vaderland. Victor Hugo kon de val van Napoleon de Derde afwachten want datgene wat hij in het buitenland schreef werd wel in Frankrijk uitgegeven. Russische emigranten werden hier niet uitgegeven, zouden ook niet uitgegeven worden, de kwajongensstreek met Arkadi Avertsjenko zou niet herhaald worden. Boenin. Wat had hij bereikt? De Nobelprijs op zijn drieënzestigste, wie had daar wat aan? Door wie werd Boenin gelezen? Onbekend zou hij in zijn Parijs sterven, daar stierven ze allemaal, niemand zou in de Russische literatuur bewaard blijven. Gorki wilde blijven, wilde standbeelden in zijn vaderland. Dat was te begrijpen. Zijn standbeelden zou hij krijgen. En zijn Verzamelde Werken. En zijn honoraria in buitenlandse valuta ook. Hij was nu zelf buitenlandse valuta, hij werd zowel door Westerse schrijvers gewaardeerd als door de onze, zelfs door de voormalige 'Serapion-broeders': Fedin, Tichonov, dat waren echte, ervaren schrijvers met talent, zij moesten in de eerste plaats de zaak van het socialisme dienen. Maar de Associatie verdrong hen uit de literatuur en schoof 'proletarische' rijmelaars naar de voorgrond. Wat bereikte je met die rijmelaars? Wat voor literair gedenkteken van ZIJN tijdperk zouden ze achterlaten? Demjan Bedny? Demjan zou alleen zijn bibliotheek achterlaten, een goede bibliotheek, naar men zei. Majakovski was begaafd, zijn gedichten moesten worden gebruikt, maar deze poëzie was eerder politiek.

HIJ had zich ook ooit aan gedichten bezondigd. Als seminarist had hij Ilja Tsjavtsjavadze, redacteur van «Iverija» zijn gedicht 'Dila', 'Morgen' gestuurd, ondertekend met Soselo, op het seminarie was het verboden gedichten onder eigen naam te publiceren. Tsjavtsjavadze had toen vijf of zes van zijn gedichten gepubliceerd, herinneringen aan Gori, aan zijn vader, aan de weg naar Ateni, aan de drinkgelagen van zijn vader met zijn vrienden. En meer had HIJ niet geschreven, gedichten waren niet zijn domein. Of het goede gedichten waren? Hij had ze nooit meer gelezen. Toch herinnerde hij zich, dat Ilja Tsjavtsjavadze zijn 'Morgen' had geprezen.

De rozenknop opende zich, omarmde het viooltje.
De leeuwerik zong ergens hoog in de wolken.

Twintig jaar later, in 1916, was 'Morgen' in een Georgisch boek van Jakob Gogebasjvili voor de lagere school verschenen onder hetzelfde pseudoniem Soselo. Als Jakob Gogebasjvili het twintig jaar na de eerste publicatie voor een schoolboek uitkoos, dan moest het toch iets hebben, dan was het iets waard! Toch was hij niet voor de poëzie geboren, een dichter kon geen strijder zijn—poëzie verweekt de ziel. De journalistiek was voor de strijd, zijn pen kwam de revolutie goed van pas. Hij schreef veel, onder verschillende pseudoniemen: David, Nameradze, Tsjizjikov, Ivanovitsj, Besojvili, Kato, Koba... Koba werd zijn partijschuilnaam, die beviel hem. Koba was de nobele held uit Kazbegi's roman 'De vadermoordenaar'. Maar onder die naam werd hij bekend bij de politie, hij kon zijn artikelen er niet langer mee ondertekenen, en kwam terug bij verschillende pseudoniemen: K. Stefin, K. Stalin, K. Solin, tot hij uiteindelijk in januari 1913, waarschijnlijk in «De Sociaaldemocraat», ondertekende met J. Stalin. Dat werd de naam waaronder de hele wereld hem nu kende.

Hij was met dichten gestopt, was geen schrijver geworden, maar hij hield van lezen en hij las veel. De passies uit zijn jeugd was hij al vergeten, ze hadden zich vermengd met nieuwe passies: hij las zowel in de gevangenis als in ballingschap, het beroep van professioneel revolutionair liet voldoende tijd over om te lezen, sterker nog, verplichtte daartoe.

Het priesterseminarie gaf een opleiding op het niveau van het klassieke gymnasium. Er werd Latijn, Grieks, Hebreeuws, Frans, Engels en Duits gegeven. Maar HIJ had altijd moeite gehad met vreemde talen, ook in ballingschap hield hij zich daar niet mee bezig, niets dan tijdverspilling! Russisch beheerste hij echter goed, op het seminaire werd les gegeven in het Russisch, en hij had er vijf jaar gestudeerd. Alleen zijn Georgische accent had hij over van zijn jeugd, hij probeerde er niet eens van af te komen. Het accent was niet belangrijk. Hij kende Russen die geen komma of accent op de juiste plaats konden zetten.

Minderwaardige tweederangsschrijvers las hij niet, wat had je daar aan? Hij las de klassieken, verplichte stof voor een Russisch revolutionair... Gogol, Saltykov-Sjtsjedrin, Tsjechov, Gorki, hén kon je in de strijd om de macht gebruiken, in discussies gebruikten je tegenstanders hen ook: je moest ze kennen! Van boerenschrijvers, al die Zlatotvratski's, Levitovs, Karonins, ja zelfs van Nekrasov met Nikitin en Soerkov erbij hield hij niet, hij las ze niet, ze hadden medelijden met de boeren, maar de boer zelf had met niemand medelijden. HIJ wist dat maar al te goed, uit eigen ervaring.

Tolstoj was een groot kunstenaar, maar hij snapte niets van het wezen van de macht, idealiseerde de mens, beleerde, stichtte en haalde daarmee zijn kunstenaarschap omlaag. 'De spiegel van de Russische revolutie', wat er al niet gezegd werd om de liberale intelligentsia te plezieren! Dostojevski was ook een filosoof van niks, net als Tolstoj begreep hij niets van de sociale en maatschappelijke mechanismen. Maar in tegenstelling tot Tolstoj idealiseerde hij de mens niet, hij begreep zijn nietswaardigheid, zijn laaghartige natuur, hij verkondigde het idee van het lijden, en het idee van het lijden was een machtig wapen om mensen te beïnvloeden, waar de kerk handig gebruik van maakte. Maar Dostojevski was saai, hij schreef slecht, niet literair.

De grootste Russiche schrijver was Poesjkin! Hij begreep en doorzag alles, kon alles. Alleen al het indringende beeld van Peter de Grote! 'Met ijzeren teugel deed hij Rusland steigeren'! Zijn meesterwerk was 'Boris Godoenov': 'Ons domme volk is goed van vertrouwen; verbaast zich graag over wonderen en nieuwigheden; maar de bojaren zien in Godoenov hun gelijke... Wanneer je listig bent en hard...' De spijker op z'n kop! 'Dom, goed van vertrouwen', dat was het wezen van het volk. 'List en hardheid' waren het wezen van ZIJN gezag. 'Hun gelijke zien' was het wezen van ZIJN tegenstanders. In zijn jeugd had 'Boris Godoenov' al indruk op hem gemaakt, vooral de figuur van Otrepjev... 'Een weggelopen, uit zijn ambt gezette monnik, pas twintig jaar... Klein van stuk, met brede borst, een arm korter dan de andere, rossig haar'. Misschien had hij Poesjkin op het seminarie gelezen, het maakte deel uit van het programma, maar pas later had hij 'Boris Godoenov' echt goed gelezen, op het natuurkundig observatorium waar hij na zijn uitsluiting van het seminarie statistieken bijhield. Nu schreven ze dat hij vanwege marxistische propaganda van het seminarie was uitgesloten, zelf had hij indertijd ook op zijn partijformulier geschreven: 'Verwijderd van het seminarie in Tiflis vanwege marxistische propaganda'. Zijn uitsluiting had een andere reden, namelijk het niet betalen van het lesgeld, hoewel zijn moeder iedere maand het geld overmaakte dat ze van Egnatosjvili kreeg. Hij wilde het seminarie niet afmaken, was niet van plan priester te worden, zat toen al in een marxistische groep. Maar de versie van zijn uitsluiting vanwege marxistische propaganda was de juiste versie, deze was goed voor zijn imago als leider en diende derhalve de zaak van de revolutie.

In het natuurkundig observatorium herlas hij 'Boris Godoenov'... 'Een weggelopen, uit zijn ambt gezette monnik... Pas twintig jaar... Klein van stuk, met brede borst, een arm korter dan de andere, rossig haar...' Ook hij was toen twintig, ook hij had een jaar voor het beëindigen van het seminarie zijn priestercarrière opgegeven, ook hij was klein van stuk, had een brede borst, rossig haar, een arm die hij slecht kon bewegen. Hij was geen jongen meer, geen vruchteloze dromer, natuurlijk ging elke vergelijking tussen hem en Otrepjev mank, en hij voelde zich niet tot die mislukkeling aangetrokken. Toch was de uiterlijke gelijkenis frappant. Het was ook treffend dat Poesjkin de oorzaken voor Otrepjevs falen begreep: hij was babbelziek, zijn grote geheim gaf hij prijs aan een lichtzinnige Poolse, hij had geen werkelijkheidszin en zat vol scrupules, de middelen die elke politicus te baat moet nemen kwelden zijn geweten. 'Naar het mooie Moskou wijs ik de vijand een geheime weg'. Hij was een romantisch avonturier, geen politicus! Alles zat er in: wil, eerzucht, dapperheid, risico, overwinningsdrang, en het volstrekte onvermogen de overwinning te bestendigen en er de vruchten van te plukken. De hoogste macht bereiken en haar niet kunnen behouden was het lot van mislukte politici, het was moeilijker de macht te behouden dan haar te grijpen. Otrepjev behield haar niet. Dat was niet gebeurd, als Dmitri na zijn kroning in Moskou ook maar een tiende had gedaan van wat de tsaar, wiens zoon hij beweerde te zijn, had gedaan. Overigens—zo dacht hij nu; wat hij toen dacht was hij vergeten. Hij herinnerde zich alleen duidelijk dat hun uiterlijke overeenkomst hem had getroffen. Het lot van de weggelopen monnik die de top van het wereldlijk gezag had bereikt sprak hem aan. Mettertijd was dat beeld in zijn geheugen vervaagd, verdrongen door de andere historische figuren die zijn verbeelding gingen beheersen. Maar ergens diep in zijn achterhoofd bleef dat beeld bestaan. Was het niet onbewust boven komen drijven, toen hij in Bakoe Sofja Leonardovna Petrovska, een telg uit een Pools aristocratisch geslacht, had ontmoet? Hij viel bij haar in de smaak, een proletarisch ondergronds revolutionair, een *carbonaro* in een gerafelde broek, ongeschoren, zwaarmoedig, gesloten, wilskrachtig en sterk. Op een keer was hij naar haar toe gegaan en had haar niet thuis getroffen; toen hij de keer daarop kwam zei ze lachend:

'Het buurmeisje zei tegen me: "Sofja Leonardovna, er was zo'n enge meneer voor u."'

Hij had gegrinnikt maar was tevreden geweest met die karakterisering, hij wilde dat ze bang voor hem waren.

Sofja was zachtaardig en fijngevoelig, ze bekommerde zich om hem, in wezen was zij de grootste liefde in zijn leven. Ze was bij de socialisten-revolutionairen, maar maakte nooit ruzie met hem, ze had niet die onverzoenlijkheid van partijfunctionaressen, drong hem haar meningen niet op, integendeel, ze ging politieke discussies juist uit de weg, ze wist dat elk meningsverschil hem irriteerde. Maar zij irriteerde hem niet, ze was de enige vrouw die hem niet irriteerde. Er kwam echter een eind aan hun verhouding... Ze stierf aan tuberculose.

Hij was natuurlijk geen Otrepjev, zij geen Marina Mniszek. Maar toch hield hij het nu voor mogelijk dat zijn eerste beweegredenen juist waren opgeroepen door deze beelden die ergens in een uithoek van zijn hersenen sluimerden: de Poolse aristocrate en de onbekende, arme priester, de onderduiker, met nog onduidelijke maar grootse plannen.

In september was Chanlar Safaraliev op de Sjichovo-begraafplaats begraven, een oliearbeider die door kozakken van de Zwarte Sotnia's was vermoord. Het werd een indrukwekkende demonstratie, fabriekssirenes loeiden, HIJ liep mee in de stoet, met Sjaumjan, Jenoekidze, Azizbekov, Ordzjonikidze, Dzjaparidze, Fioletov. HIJ had een toespraak gehouden, Sonja was er ook geweest. Een half jaar later was zij op hetzelfde kerkhof begraven. Dat was geen demonstratie, de fabriekssirenes loeiden niet. Achter de kist liepen haar buurvrouwen, haar Poolse kennissen. Ze lieten haar neer in het graf, gooiden er aarde overheen en gingen weg. Maar hij bleef achter, wilde niet met onbekenden teruglopen, hij had ze niets te vertellen. Hij was gebleven en was naast de verse grafheuvel gaan zitten.

De rotsige kaap Sjichovo stak ver uit in zee en verhief zich boven Bibi-Ejbat, dat vol boortorens stond. Er waren geen arbeiders te zien, maar de jaknikkers gingen op en neer, pompten olie. De lente was net begonnen, maar de zon brandde al fel, HIJ zat alleen op een berg, op de rotsige kaap Sjichovo aan de kust van de Kaspische Zee, en keek naar de baai, naar de talloze boortorens. Hij had Sonja begraven, de enige vrouw die hij had gerespecteerd, maar zijn verdriet was niet allesoverheersend. HIJ had gevangenschap in Batoemi, in Koetais overleefd, verbanning naar Oost-Siberië, was gevlucht, zijn medestrijders van de 'Derde Groep' waren er niet meer, Ketschoveli was in de gevangenis gestorven, ook Tsoeloekidze was dood. Iedereen ging of zou gaan, een mensenleven was slechts een moment in deze kringloop. Alleen VANDAAG bestond, dat was ook een moment, maar voor een revolutionair was het het moment van het ware leven. Slechts de revolutionair en de despoot begrijpen de kleinheid en de nietigheid van het menselijk leven, maar alleen de despoot heeft het recht zich te ontzien. Zo lang je om de macht strijdt was je eigen leven niets waard, maar als je de macht hebt veroverd is het leven de beloning voor de overwinnaar. Nu was HIJ de overwinnaar, hij kon zijn leven behouden, omdat hij de macht kon behouden.

Alle revolutionairen zetten hun leven op het spel. Ook hij, maar hij was voorzichtig. Als hij naar Bakoe reisde stapte hij uit in Baladzjary en liep langs de zee en de boortorens naar de stad. Als hij moe werd ging hij op het pad zitten en liet hij, net als nu, de zon op zijn gezicht schijnen, keek hij naar de weg, de torens, en de zee onder zich.

Wat leidt een revolutionair, wat voert hem over zijn doornig pad? Een idee? Velen waren bezeten van ideeën, maar ze werden echt niet allemaal revolutionairen! Menslievendheid! Menslievendheid was het domein van de zeveraars, de baptisten en de Tolstojanen. Nee! Een idee was voor een revolutionair slechts een aanleiding. Geluk voor iedereen, gelijkheid en broederschap, een nieuwe maatschappij, socialisme en communisme, dat waren leuzen die de massa aanzetten tot de strijd. De revolutionair was een karakter, een protest tegen de eigen vernedering, een bevestiging van de eigen persoonlijkheid. Hij was vijf maal gearresteerd en verbannen, hij was uit de ballingschap gevlucht, was ondergedoken, was eten en slaap tekort gekomen, en waarvoor? Voor de boeren die niet verder keken dan hun eigen mest? Voor het 'proletariaat', dat volk van werkezels? In Bakoe had hij vaak overnacht in de arbeidersbarakken van Rothschild in Bajlov, hij had genoeg van de 'arbeidersklasse' gezien. In zijn tijd in Bakoe was hij al een vooraanstaand partijactivist geweest, hij was er de leider van de bolsjewieken. Alle pogingen om dit te betwisten waren ongepast. Aan die pogingen zou hij wel een eind weten te maken. Stalin stond op uit zijn stoel; ergens boven zijn hoofd vloog een bij die vlak bij zijn oor bromde en zoemde. Stalin sloeg de bij van zich af, ze vloog weg, streek neer op tafel en kroop naar de asbak; hij verpletterde haar met het boek van Kloetsjevski.

'Een rotstreek,' zei hij in het Georgisch, 'een rotstreek!' Hij ging weer zitten en keerde in gedachten terug naar die tijd, naar de laaghartige brochure van Avel Jenoekidze.

In die brochure vond Jenoekidze het opeens nodig over de ondergrondse drukkerij te vertellen, die in Bakoe onder de schuilnaam 'Nina' had bestaan.

De drukkerij stond onder Lenin, de correspondentie liep via Kroepskaja;

Krasin, Jenoekidze en Ketschoveli hadden de leiding. Verder, zo schreef Avel, wist niemand er iets van af, HIJ, Stalin, dientengevolge ook niet, ze hadden HEM, Stalin, er zelfs niets van verteld.

Van Krasin, elektrotechnisch ingenieur in dienst van de Rothschilds en Mantasjevojs, was het wel te begrijpen: Lenin had hem bevolen maximale geheimhouding in acht te nemen. Hem nam HIJ niets kwalijk: Krasin was al lang dood. Ook Ketschoveli was overleden. En het lot van de revolutie hing niet van zo'n klein drukkerijtje af. Zo stond de zaak er toen voor.

Maar nu was het een andere zaak. HIJ had geen behoefte aan lauwerkransen uit Bakoe, Tiflis of Transkaukasië. HIJ had de ware geschiedenis van de partij nodig, maar de echte geschiedenis van de partij was alleen die welke de belangen en de autoriteit van de partijleiding diende.

Als HIJ niet had geweten van het bestaan van een ondergrondse drukkerij in Bakoe, bij hem naast de deur, hoe kon je dan nu beweren dat HIJ de partij in Rusland leidde? Als HIJ de partijleider was *moest* hij van het bestaan van de drukkerij hebben geweten. Dit ontkennen betekende zijn rol als Lenins rechterhand ontkennen. Begreep Avel Jenoekidze dat misschien niet? Natuurlijk wel. Waarom had hij dan een brochure uitgegeven waaruit bleek dat kameraad Stalin niets met 'Nina' te maken had? Waar had kameraad Jenoekidze dat voor nodig? Wat trok hem zo plotseling naar de geschiedenis? En die man had hij het Kremlin, zijn eigen leven toevertrouwd! Waarom zaten er bij de bewaking van het Kremlin zoveel oude partijleden? Was dat soms het selectiecriterium voor de bewaking? Als iemand van de lijfwacht zijn taak politiek opvatte was hij onbetrouwbaar: politieke opvattingen konden veranderen. Zelfs persoonlijke sympathie was onbetrouwbaar: het was maar één stap van sympathie naar antipathie. Een lijfwacht moest zijn baas zo trouw zijn als een herdershond, dat was pas een echte lijfwacht. Hij wist maar één ding: voor het geringste vergrijp, de kleinste onachtzaamheid zou hij het leven laten, met al zijn gunsten en privileges. Zo moest zijn lijfwacht uitgekozen worden. Maar kameraad Jenoekidze had als commandant van het Kremlin Peterson aangesteld, de voormalige commandant van Trotski's trein, een man van Trotski! Beraamden ze een paleisrevolutie?! Jenoekidze stond aan HUN kant, dat bleek uit zijn onbenullige brochure waarin hij zichzelf ontmaskerd had!

Van deze gemene, provocerende brochure mocht geen spoor overblijven. Avel zou er natuurlijk afstand van nemen, hij zou gaan huilen en berouw tonen, en iemand die *berouw* had had politiek afgedaan. Ook al bleef hij fysiek bestaan, niemand zou zich nog voor hem interesseren, behalve zijn familie en vrienden. Familie en vrienden zouden hem overleven.

Wie moest hij opdragen over die brochure te schrijven? Liefst een oude makker uit Bakoe. Maar wie was nog over van hen?

Ordzjonikidze was wel eens in Bakoe geweest, hij had als hulpdokter bij de olieonderneming van Sjamsi Asadoelaev in het Balachnarayon gewerkt, zijn spreekkamer was in een klein huisje aan de rand van Ramani. HIJ kon zich dat huisje nog goed herinneren: twee kamers, in de ene woonde Sergo, in de andere hield hij spreekuur. Het was een geschikt geheim trefpunt, er kwam zelden iemand bij de hulpdokter. Sergo werkte daar ongeveer een jaar, daarna kwam hij af en toe voor een kort bezoek in Bakoe. Een echte getuige, een goede getuige, maar hij zou met het smoesje komen dat hij het te druk had, bovendien was hij bevriend met Avel Jenoekidze, hij zou niet tegen zijn vriend getuigen.

Vysjinski? Een uitgesproken schurk. Zijn hele leven was hij mensjewiek geweest, begrijpelijk, als mensjewiek kon je de zaken laten waaien en alleen maar mooipraten. In 1908 was er in het Volkshuis in Balachna recht gesproken over de aanhangers van Zoebatov in Bakoe, de Sjendrikovs. Wie had hen verdedigd? Vysjinski. In één nacht hield hij vijf pleidooien, hij werd dronken van al zijn redenaarskunst, de demagoog, de chicaneur! In de zomer van '17 was hij in Moskou politiechef van de Arbatwijk, hij liet affiches ophangen met een bevel tot opsporing en arrestatie van Lenin, en daaronder had de sufferd zijn eigen handtekening gezet: A. Vysjinski. Na de Oktoberomwenteling kreeg hij HEM na veel moeite te spreken, toonde berouw en huilde. Maar hij repte er met geen woord van dat hij zijn pakjes met hem deelde in de gevangenis van Bajlov, waar ze samen in één cel hadden gezeten. Hij wist, met WIE hij sprak, begreep dat HIJ het hem niet zou vergeven als hij hem daaraan herinnerde en dat hij in ruil voor die armzalige pakjes mocht blijven leven. In 1920 had HIJ hem geholpen om partijlid te worden, in 1925 om rector van de Universiteit van Moskou te worden, in 1931 procureur van de RSFSR, en nu was Vysjinski vice-procureur generaal van de Sovjetunie, maar als getuige in de zaak Bakoe was hij ongeschikt; in de partij werd hij veracht.

Alleen Kirov bleef over. Voor de revolutie kwam hij niet in Bakoe, maar daarna was hij vijf jaar de baas in Azerbajdzjan geweest, hij had toegang tot alle archieven, had de geschiedenis van de partijorganisatie van Bakoe goed bestudeerd, en was een ontwikkeld en pijnlijk accuraat man. Hij moest maar reageren op dat brochuretje van Jenoekidze, met zijn gezag moest hij de voor de partij ongewenste versie ontzenuwen en de versie steunen, die het gezag van de partijleiding vergrootte. In woorden hemelde hij kameraad Stalin op, hij kwam woorden te kort. Juist daarom had hij Kirov naar Sotsji geroepen, laat hij maar eens naast hem werken en tonen wat hij nu waard was. Met zijn drieën vormden ze een goed team. Ze hielden bijvoorbeeld alle drie van muziek: HIJ hield er gewoon van, Zjdanov speelde zelfs op de vleugel en Kirov was haast een melomaan, hij ging regelmatig naar de opera en zat dan niet in de regeringsloge maar parterre, hij was nog democraat ook! Hij had

altijd al voor intellectueel willen doorgaan, in zijn jeugd was hij bij het stu-
dententoneel, hoewel hij maar aan de Nijverheidsschool studeerde. Ergens
had hij een jeugdfoto van hem gezien, bij Sergo of misschien bij Kirov zelf
thuis; zijn vrouw, Markoes, hoe heette ze ook al weer, Marja Lvovna, had
hem die laten zien: een jongetje in een uniformjasje met knopen en een
uniformpet met een kokarde waarop gekruist de hamer en de Engelse sleutel,
het teken van de Nijverheidsschool. Maar voor niet-ingewijden zag het er uit
als het uniform van een gymnasiast of zelfs van een student.

Maar hij wilde niet komen! Hij voerde als excuus zijn ziekte aan, de artsen
hadden hem een verblijf in een kuuroord aangeraden. Wat scheelt er aan?
Oprispingen... Wie had daar nu geen last van, oprispingen, was dat nou een
ziekte; kom hierheen, wij zullen je beter maken, werk met ons samen. 'Wat
weet ik nou van geschiedenis?...'. 'Wat dacht je van ons? Maar wij zijn al
bezig, kom, doe met ons mee.'

Laat hij maar een tijdje hier blijven, onder zijn toeziend oog, eigenlijk waren
ze nooit samen geweest. Voor de revolutie hadden ze elkaar nooit ontmoet, in
de burgeroorlog hadden ze elkaar een keer of twee, drie gezien. De band
werd hechter toen Kirov aan het hoofd kwam te staan van de partijorganisatie
van Azerbajdzjan en Moskou voor partijcongressen, zittingen van het CC of
andere zaken bezocht. Hij maakte een positieve indruk, Ordzjonikidze liet
zich gunstig over hem uit, hij was nooit in het buitenland geweest, was geen
emigrant, maar een werker uit het partijkader, een onverzoenlijk tegenstander van Trotski, Zinovjev, Kamenev en Boecharin, hoewel hij met de laatste
vriendschappelijke betrekkingen onderhield. HIJ had hem bevorderd. Op
het Tiende Congres tot kandidaat-lid van het CC, op het Twaalfde tot volledig lid, in 1930 had hij hem in het Politbureau gehaald. HIJ had hem naar
Leningrad gestuurd en hem opgedragen om dat eeuwige bolwerk van dwars-
liggerij, arrogantie en oppositie te verpletteren. Hij had niet aan de verwachtingen voldaan. Hij had de stad niet verpletterd, integendeel, hij voerde deze
stad aan, had zich goedkope populariteit verworven en nu streefde hij naar
populariteit in de hele Sovjetunie, als tegenwicht tegen kameraad Stalin wilde hij gematigd, goedaardig en grootmoedig lijken. In het Politbureau had hij
tegen de executie van Rjoetin geprotesteerd en daarna tegen die van Smirnov, Tolmatsjev en Ejsmont. De andere leden van het Politbureau had hij
meegekregen. Zelfs Molotov en Vorosjilov hadden geaarzeld. Alleen Lazar
was onvoorwaardelijk voor executie geweest.

Grootmoedigheid tegenover overwonnenen is gevaarlijk: de vijand zal nooit
in je grootmoedigheid geloven maar het beschouwen als een politieke manoeuvre en bij de eerste de beste mogelijkheid zelf aanvallen. Alleen een
naïeveling kan anders oordelen. Kirov, een gevaarlijke idealist, eist materiële
welstand voor de arbeidersklasse, hij begrijpt niet dat een mens die in mate-

riële welstand verkeert niet langer in staat is tot offers, tot geestdrift; hij wordt een bekrompen burgerman. Alleen lijden kan in het volk die grootse energie vrijmaken, die voor afbreken of opbouwen kan worden gebruikt. Het lijden van de mens leidt tot God, met dit belangrijkste postulaat van het christendom was het volk eeuwenlang opgevoed, daarvan was het doordrongen, daar moeten ook wij gebruik van maken. Het socialisme is het aards paradijs, nog aantrekkelijker dan het mythisch paradijs in de hemel, hoewel men er ook voor moet lijden. Het volk moet er natuurlijk van overtuigd zijn dat zijn lijden tijdelijk is, dat het dient om een groot doel te bereiken, dat het opperste gezag zijn noden kent, zich erom bekommert en het tegen de bureaucraten beschermt, welke positie ze ook bekleden. Het opperste gezag is ALKENNEND, ALWETEND, en ALMACHTIG.

Waaraan moest hij gisteren in verband hiermee denken? De voedselvoorziening? De afschaffing van de distributie? Maar deze kwestie was al beslist, op één januari werden de bonnen afgeschaft. Wat was het toch? O ja! Gisteren dacht hij aan het gesprek met zijn tuinman, de Est Arvo Ivanovitsj. Arvo Ivanovitsj was van het Vorosjilovsanatorium bij de regeringsdatsja in dienst gekomen, hij was iemand uit de buurt en—zoals hem was gerapporteerd— een absoluut betrouwbaar man. Hij was getrouwd met een Russische, woonde zijn hele leven al in Sotsji en stond bekend als de beste tuinman. Stalin was in de Kaukasus geen Esten tegengekomen, hoewel hij wist dat in het begin van de eeuw enkele honderden Esten van de Baltische kust zich in de buurt van Soechoemi hadden gevestigd en er aan de Zwarte Zeekust drie of vier Estische dorpen waren gekomen; de Esten deden net als de plaatselijke bevolking aan tuinbouw en veehouderij, maar hun vee was beter dan dat van de plaatselijke bevolking. Maar hij had niet geweten dat er zich ook Esten in Sotsji hadden gevestigd. Arvo Ivanovitsj zag eruit als een jaar of vijftig, was breed gebouwd, had uitstekende jukbeenderen, met lichtbruin haar en lichte ogen. Hij liep net als alle Esten rond in een vest en een jasje, maar zijn wijde broek had hij op zijn Kaukasisch in zijn muilen gestoken. Hij sprak Russisch met een accent waarbij hij de woorden soms op een grappige manier verhaspelde. Gisteren was hij bloemen aan het afsnijden, Stalin volgde hem bij zijn werk, hij hield van bloemen. Arvo Ivanovitsj bromde boos iets voor zich uit en Stalin vroeg waar hij ontevreden over was. Arvo Ivanovitsj antwoordde dat voor zijn vrouw in de winkel te weinig was afgewogen en dat ze ook nog bij het afrekenen was bedot. Stalin zei 's avonds tegen de commandant van de wacht: de vrouw van Arvo Ivanovitsj is bij het wegen en het afrekenen opgelicht. Geef door aan de secretaris van het stadscomité: de schuldigen moeten streng worden gestraft.

De Russische koopman was altijd een oplichter geweest, een oplichter was ook de verkoper van tegenwoordig. Na de wet van zeven augustus waren ze bang om van de staat te stelen, dus bestalen ze de bevolking. Het volk zag dat, maar kon niets doen. Dus moest HIJ dat voor het volk doen. HIJ kwam niet in winkels, maar HIJ kende de noden en grieven van ZIJN volk precies. Stalin stond op en liep van de veranda de kamer in. Daar zat Tovstoecha achter een grote secretaire. HIJ had hem naar Sotsji gehaald. Hier werkten de heren historici, ze hadden de intellectueel Tovstoecha nodig, de onderdirecteur van het Marx-Engels-Lenininstituut, hij kende de geschiedenis en begreep wat voor geschiedenis de partij nu nodig had. Ook van de lopende zaken was Tovstoecha op de hoogte, hij was jarenlang zijn secretaris geweest. Bovendien leed hij aan tuberculose, laat hij zich maar in de zon koesteren, moest je eens zien hoe mager hij was, hij kuchte, liep krom, keek je vanonder zijn wenkbrauwen aan, volgens de artsen zou hij het niet lang meer maken. Jammer, hij was een getrouwe!

'Bereidt een ontwerpresolutie voor het CC voor,' zei Stalin. 'De strijd tegen het bedriegen van de koper bij het afwegen en afmeten... Nee... bedriegen van de consumenten... En het afrekenen... Of liever zo: tegen het overschrijden van detailprijzen in de handel. We moeten de feiten selecteren, erop wijzen dat dit in strijd is met de zorg van de partij voor de consument in het algemeen. Op grond van die feiten moeten berispt worden: de volkscommissaris van Handel, Mikojan, de voorzitter van de Centrale Vakbond, Zelenski, en de voorzitter van de Landelijke Vakbondsraad, Sjvernik; de vakbonden moeten er ook op toezien dat de arbeiders niet bedrogen worden, niet tekort worden gedaan. De verordening moet streng zijn. Het Centraal Uitvoerend Comité moet een bevel uitvaardigen: tien jaar voor bedrog bij afwegen en afrekenen!'

'Het verzamelen van gegevens vergt enige tijd.'

'Schrijf dan maar gewoon: bij het CC is binnengekomen... Nee!... Het CC beschikt over de feiten. Schrijft u het zo op.'

Stalin ging terug naar de veranda, nam weer plaats in zijn stoel, draaide zijn gezicht naar de zon en dacht weer aan Kirov. Hij werd zijn opvolger genoemd. Maar HIJ was slechts zeven jaar ouder dan Kirov, van wat voor opvolging kon er dan sprake zijn? Het was onbekend wie eerder dood zou gaan, mensen uit de Kaukasus werden oud. Ze bedoelden dus niet een opvolging na zijn dood, maar vóór zijn dood. Daar konden ze lang op wachten. Hij kon geen conventie gebruiken die Robespierre tot de guillotine veroordeelde. Robespierre had de noodlottige fout begaan de Conventie in stand te houden. Napoleon joeg de Conventie uit elkaar, en terecht, daarom was Napoleon een groot man en Robespierre, ondanks al zijn wreedheid, niet meer dan een advocaat met praatjes.

Op een van Kirovs reizen naar Moskou waren ze bij Ordzjonikidze bij elkaar gekomen. HIJ was er, Sergo, Kirov, Vorosjilov, Mikojan waren er, en ook Kaganovitsj, hoewel Sergo hem niet had uitgenodigd. Hij kon hem niet uitstaan. Maar HIJ had gezegd: kom mee, Lazar, Sergo heeft ons voor het eten uitgenodigd. Hij wist niet meer naar aanleiding waarvan Kirov vertelde dat hij van wiskunde, natuurkunde en scheikunde hield, dat hij de Nijverheidsschool met lof had afgemaakt en daarna de voorbereidende cursus aan het Technisch Instituut in Tomsk had gevolgd en ingenieur wilde worden. Was dat trouwens niet de plaats waar hij Ivan Boedjagin had leren kennen? Boedjagin had ook die cursus gevolgd, waarschijnlijk stamde hun vriendschap uit die tijd.

Kirov was weliswaar niet iemand met een hoge maar wel met een technische opleiding, hij had aanleg voor techniek, prachtig, dan moest hij de industrie beheren. Laat hij de industrie maar onderverdelen in machinebouw, chemie, bouwwezen enzovoorts. Voortdurend moesten de ontstane apparaten, die 'beslagringen' van hecht verbonden mensen, kapot worden geslagen, door elkaar worden geschud, steeds weer. Laat kameraad Kirov als lid van het Politbureau en als secretaris van het CC maar leiding geven aan zo'n industrie. Het was helemaal geen schande om tijdens de industrialisatie leiding te geven aan de belangrijkste schakel van de economie, de industrie, nee, dat was geen schande. Maar als kameraad Kirov weigerde om naar Moskou te verhuizen, dan gaf hij daar mee aan dat hij onafhankelijk, autonoom wilde blijven, zijn eigen beleid wilde voortzetten.

6 Zo ellendig had Sasja zich niet in de Boetyrkagevangenis, noch tijdens de treinreis of de voettocht gevoeld. In de gevangenis had hij de hoop dat alles zou worden uitgezocht en ze hem zouden vrijlaten, tijdens het transport was het doel de eindbestemming te bereiken, zich te vestigen, en geduldig zijn tijd uit te zitten. De hoop had een mens van hem gemaakt, het doel had hem helpen leven. Hier had hij hoop noch doel. Hij had de mensen willen helpen zodat ze hun separator konden gebruiken, ze beschuldigden hem van sabotage. Dat had Alferov met zijn ijzeren logica aangetoond. En Alferov kon hem ieder moment vermorzelen door de klacht van Ivan Parfenovitsj in behandeling te nemen. Kon hij dan zo leven? Wat voor zin hadden die Franse studieboeken die hij uit Moskou verwachtte, de boeken over politieke economie en filosofie? Wie zou hij iets gaan uitleggen, met wie moest hij Frans praten? Met de beren in de tajga? Ook al liet Alferov hem met rust, hoe moest hij hier dan leven, en waarvan? Viltlaarzen verzolen, dat kon hij leren. Dat was zijn lot. Vergeten, alles vergeten! De Baulins, de Lozgatsjovs en de Djakovs hadden zich meester gemaakt van het idee waarmee hij was grootgebracht, ze maakten dat idee kapot en vertrapten de mensen die erin geloofden. Vroeger dacht hij dat je in deze wereld sterke handen en een onverzettelijke wil moest hebben om niet ten onder te gaan, nu begreep hij dat je juist met sterke handen en een onverzettelijke wil kapot ging, want jouw wil botst met een wil die nog onverzettelijker is, je handen stoten op handen die nog sterker zijn, want die handen hebben de macht. Om te overleven moest je je aan een vreemde wil, een vreemde kracht onderwerpen, voorzichtig zijn, je aanpassen, leven als een haas die bang is achter zijn struik vandaan te komen, dat was de prijs om zich fysiek te handhaven. Was zo'n leven de moeite waard?

Sasja zat thuis, probeerde te lezen. De oude man was iets aan het repareren op het erf, hakte met een bijl, van het regelmatige, eentonige getik werd hij nog lamlendiger. De oude man verliet het erf, maar Sasja kon al niet meer lezen, legde het boek weg. Zo'n leven zou hij niet uithouden, zou hij niet verdragen. Daarna ging hij op bed liggen, viel in slaap, maar ook in zijn slaap verdween het gevoel van rampspoed niet, hij schrok wakker, zijn hart ging tekeer.

Wat wilde Alferov van hem? Zijn vriendelijkheid was geen toeval, hij had hem niet zomaar hier gelaten. Logischerwijs had hij hem een proces moeten aandoen om zijn eigen bestaan hier te rechtvaardigen. Maar hij had hem terug laten gaan naar Mozgova, gezinspeeld op overplaatsing naar Kezjma, op werk bij het MTS, en er niets voor teruggevraagd. Probeerde hij hem voor zich in te nemen, of wilde hij hem juist demoraliseren? Hij wilde hem tot een bepaald punt brengen, in onwetendheid, in voortdurende spanning en angst houden—we hebben belastend materiaal, wacht tot je weer wordt opgeroepen, een rustig leven zul je niet hebben. Wat een diepe ellende…

De oude vrouw riep door de deur:

'Kom je eten?'

'Nee, ik heb kiespijn,' antwoordde Sasja.

Twee dagen kwam hij het huis niet uit, zat op het erf, hielp de oude man een beetje bij zijn werk. Hij wist dat Zida op hem wachtte en ongerust was, maar hij wilde haar niet zien. Ze was getuige geweest van zijn schande en zou hem gaan troosten, dat zou nog vernederender zijn! Bovendien liet alles en iedereen hem koud! Hij moest er een eind aan maken! Deze cirkel doorbrak hij niet meer… Maar hoe moest het dan met moeder? Die klap zou ze niet te boven komen, dat kon hij haar niet aandoen, hij moest voortploeteren, als moeder maar wist dat hij leefde, als ze de moed maar niet liet zakken.

De derde dag kwam Vsevolod Sergejevitsj bij hem langs.

'Wat heeft u? Waarom komt u niet opdagen? Bent u ziek?'

'Mij mankeert niets.'

'Heeft Alferov u te grazen genomen?'

'Hij heeft aangetoond dat ik een saboteur ben en een ondermijner van het kolchozgezag. Logisch en overtuigend.'

Vsevolod Sergejevitsj begon te lachen.

'Waar verbaast u zich over? Hij is opgeleid tot filosoof.'

'O ja?'

'Stelt u zich voor. Laat u niet misleiden door zijn functie. Hij is een belangrijk persoon die drie, misschien wel vier hele balken meer heeft dan zijn bazen in Kansk, daarom draagt hij ook geen uniform. Hij heeft trouwens in het buitenland gezeten, maar is hier terecht gekomen. Ik ben bang dat hij onze toekomstige, om het zo maar eens te zeggen, collega of lotgenoot is. Maar misschien kan hij terugkomen, dat hangt af van zekere hogere, u en mij onbekende omstandigheden. Hij heeft in ieder geval logisch aangetoond, dat hij u na de brief van de kolchozvoorzitter kan verpulveren. U heeft de separator vernield en de voorzitter een gek genoemd. Heeft hij u daarvan beschuldigd?'

'Ja.'

'Ziet u wel. Ik kan u geruststellen. Dezelfde dag hebben ze de separator naar Kezjma gebracht. Ze hebben alles gedaan zoals u had gezegd, hem mee teruggenomen en hij doet het prima. U kunt zich er buiten van overtuigen.'

'Daar heb ik niet de minste behoefte aan.'

'Dat is goed, Sasja. Mijn advies: raak het ding verder niet aan. Ik denk dat het onderwerp sabotage dan wel verdwijnt. Maakt u zich niet ongerust.'

'Ik maak me niet ongerust. Ik vind het gewoon walgelijk.'

'Begrijpelijk. Als u het goed vindt zou ik u graag iets op de man af willen zeggen. Mag ik?'

'Uiteraard.'

'Sasja, u bent een mens, een waarachtig mens, zonder meer! Een ware sovjetburger! Dat is geen compliment, maar een constatering. Het is prima om een echte, principiële sovjetburger te zijn. Maar u wilt dat ook in uw bijzondere positie blijven en u gedragen zoals een sovjetburger betaamt. Maar dat gaat niet, Sasja: voor uw omgeving bent u geen sovjetburger, maar een sovjetvijand. En alleen vanuit dat oogpunt worden u en uw daden hier bekeken. U loopt over straat en ziet dat de separator het niet doet, de constructie van de separator is u bekend, dus u stapt er onmiddellijk op af en repareert hem. Maar een kolchozvoorzitter en een gevolmachtigde, ik bedoel nu niet Alferov, maar een doorsneepersoon in die functie, denken anders: waarom bemoeit hij zich met de separator? Natuurlijk om hem kapot te maken. De vijand saboteert en haalt vuiligheid uit waar hij maar kan; u weet, hoop ik, wie dat heeft gezegd?'

'Ja.'

'U wilt geen paria zijn, maar u moet rekening houden met uw positie. U heeft de voorzitter een gek genoemd, dat is uw grootste fout geweest. Als u hem had stijfgevloekt was er niets aan de hand geweest. Maar *gek* is beledigend, vernederend, daaruit spreekt uw superioriteit, daaruit volgt dat u verstandig bent en hij gek. Heeft Alferov u niet voorgesteld naar een ander dorp te verhuizen?'

'Jawel.'

'En? Heeft u geweigerd? Vanwege Noerzida Gazizovna?'

'Ik heb niet geweigerd en niet ingestemd. Ik heb hem gezegd dat hij zelf moet beslissen, ik wil hem niets verplicht zijn, niet in het krijt staan.'

Vsevolod Sergejevitsj dacht even na, zei toen:

'Nou, misschien heeft u daar goed aan gedaan. Al zou het in een ander dorp rustiger voor u zijn. Eerst dat incident met de zoon in uw vroegere kosthuis, nu dit met de voorzitter, u heeft niet zo'n beste reputatie hier. Maar hopelijk loopt het allemaal wel los. U heeft nu een zenuwinzinking, Sasja. Uw zenuwen waren gespannen als een veer door uw arrestatie, de gevangenis, het transport, de tocht hierheen, ons Mozgova, het logies en de moeilijkheden. Toen alles in orde was, is de veer bij de eerste de beste belasting geknapt. Daar moesten we allemaal doorheen. Hoofdzaak is dat het niet chronisch wordt. Maar u bent sterk, wilskrachtig, dat moet lukken. De enige conclusie is: raak niet met hen in conflict en wees voorzichtig met die onderwijzeres, ze zullen nu op u letten, ze moeten u niet, ook dat kunnen ze aangrijpen.'

Hij liep naar Sasja's bed, klopte hem op de schouder.

'Genoeg geweest! Sta op! Laten we préférence gaan spelen.'

'Daar ben ik niet goed in.'

'Dat geeft niet. Kaarten is onze troost: de criminelen eenentwintigen, en wij spelen préférence. Ga u scheren, u moest eens weten wat een baard u heeft, kleed u aan, dan gaan we. Het wordt tijd dat u met de plaatselijke intelligentsia kennis maakt.'

Hij had geen zin om te gaan, maar Vsevolod Sergejevitsj drong aan en Sasja begreep dat het zinnig was om te kijken hoe andere mensen zich hier staande hielden.

Michail Michailovitsj Maslov was een man van een jaar of vijfenveertig met een somber, gekweld gezicht, hij was een jaar geleden uit Solovki hier gekomen. Uit zijn houding viel op te maken dat hij officier was geweest.

'We dachten al dat u niet meer zou komen,' zei hij zuur tegen Vsevolod Sergejevitsj toen deze met Sasja bij hem verscheen.

'U krijgt nog genoeg kans om van ons te winnen,' antwoordde Vsevolod Sergejevitsj goedmoedig.

Tijdens het spelen gaf Michail Michailovitsj de anderen weinig tijd om na te denken, hij joeg hen op en mopperde bij ongelukkige beurten. Alleen tegen Sasja mopperde hij niet—hij kwam uit het andere, vijandige kamp, hij stelde zich terughoudend op. Sasja mocht Michail Michailovitsj evenmin, hij hield niet van die prikkelbare, vitterige mensen, bij zijn vader had hij gezien dat het geen kwestie was van het lot, maar van karakter.

De vierde man bij het spel was Pjotr Koezmitsj, een vroegere koopman uit de stad Stary Oskol in district Voronezj. Hij was zijn verbanning begonnen in Narym, en zat hier aan de Angara zijn tijd uit. Hij was in de zestig, gedrongen, had een brede borst, brede schouders en een korte zwartgrijze baard, zijn broekspijpen staken in zijn laarzen; zijn oude jasje was versleten en glom op de ellebogen en revers. Als enige van het gezelschap vertelde hij bereidwillig over zijn tegenslagen.

'Toen het niet was toegestaan dreef ik geen handel,' zei Pjotr Koezmitsj, 'toen het mocht, verkocht ik wat de boer nodig heeft: zeisen, sikkels, vorken, drogerijen, wat ik overigens van jongs af aan had geleerd. In het dorp was een coöperatie, maar de boer kwam bij mij, ik leverde alles op tijd, ik weet wat een boer nodig heeft. Het vervolg is bekend: de ene belastinginspecteur na de andere, nu eens kwamen ze met een aanslag, dan weer met een heffing en dan weer voor een vrijwillige bijdrage. In de gevangenis eisten ze goud, maar waar haalde ik dat vandaan? Mijn goud was van ijzer: bandijzer, walsijzer, velgijzer, dakbedekkingsijzer. Het enige goud dat ik ooit zag, waren de tientjes en vijfroebelstukken van de tsaar.'

Pjotr Koezmitsj sprak zonder rancune: de inspecteur moest ook zijn werk doen.

'Goed, dan ben ik een handelaar, een rechteloze, maar wat hebben kinderen ermee te maken? Hebben zij hun vader en moeder uitgekozen? Ze willen toch ook leven, net als de anderen moeten ze bij de pioniers, bij de Komsomol, maar overal worden ze weggejaagd. De jongste, Aljosjka, kon goed leren, hij ging naar Moskou, vond een baantje op een fabriek, en stuurde ons een krant: "Ik, die en die, heb alle banden met mijn vader verbroken." Dat deed pijn. Ik had hem grootgebracht, te eten en te drinken gegeven, en opeens: ik breek met hem. Maar wat doe je eraan, hij kon niet anders. En hij geloofde ook dat handel slecht was. Je leeft, zegt hij, van andermans werk... Sleep in mijn winkel maar eens met vaten olijfolie, of een ploegschaar, of laden met spijkers, dan weet je wat ons werk voorstelt... Maar goed! Onze Aljosjka werd aangenomen op een instituut, hij had besloten om voor agronoom te leren, hij hield van de grond. Hij woonde in een studententehuis in Moskou, maar moeder de vrouw sliep 's nachts niet: haar jongen leed honger. Ik stuurde hem dertig roebel, maar kreeg ze meteen terug: principes... Goed, ben je principieel, dan moet je maar honger lijden! Maar een moederhart blijft toch trekken, ze gaf aan dorpsgenoten een stuk spek en zelfgemaakte pasteitjes voor hem mee en zei dat ze niet mochten vertellen dat het van haar kwam. De dorpsgenoten gingen het studententehuis binnen, Aljosjka was niet thuis, en ze lieten het pakje achter op zo'n nachtkastje dat ieder-een daar naast zijn bed heeft, ze woonden met zijn vieren. Aljosjka komt thuis, ziet het pakje, en vraagt wie dat heeft gebracht. Je dorpsgenoten, zeg-gen ze. Nee, antwoordt hij, het komt van mijn ouders, ik stuur het terug. Maar zijn vrienden—jong, gezond en hongerig als ze waren—zeiden tegen hem: waarom terugsturen, laten we dat koelakkenspek opeten. Ze peuzelden het spek en de pasteitjes op. Daarna heeft een van degenen die had meegege-ten, naar de partijcel geschreven dat mijn Aleksej pakjes kreeg van zijn ou-ders, en dus had gelogen toen hij zogenaamd de banden met hen verbrak. Aljosjka werd van de Komsomol en het instituut gestuurd en werkt nu weer op de fabriek. Hij had met zijn familie gebroken, en degenen bij wie hij zich had aangesloten braken zelf met hem…'

'Dat hebben we honderd keer gehoord,' onderbrak Michail Michailovitsj hem, 'kijk in uw kaarten.'

'Waarom zou ik het niet aan deze jongeman vertellen,' sprak Pjotr Koez-mitsj hem zachtjes tegen, 'misschien vindt hij het interessant. Leven uw ou-ders nog?'

'Ja,' antwoordde Sasja.

'Hebben zij geen last gehad?'

'Ik zou niet weten waarom.'

'Als ze willen, vinden ze wel iets. Hebben ze het wel zo makkelijk met een verbannen zoon? Ze kunnen beter zelf ook in Siberië komen ploeteren.'

'U heeft op de verkeerde manier medelijden met uw kinderen,' zei Michail Michailovitsj verwijtend, 'u stuurde een pakje en vergooide zijn leven. Zon-der uw pakje was hij niet dood gegaan, andere studenten kunnen ook zonder. En het is goed dat ze met ons breken, wij hebben afgedaan. "De Revolutie is de locomotief van de geschiedenis", als je eronder komt, verzet je niet!'

'Dus een zoon is geen zoon, een vader geen vader.'

'Precies,' vervolgde Michail Michailovitsj met steeds groeiende irritatie. '"Eert uw vader en moeder", dat komt van God, maar niemand heeft God nodig. Hun religie is gelijkheid. En zo zal het overal worden, ze maken een wereldrevolutie en schakelen iedereen gelijk.'

'Schei toch uit met uw wereldrevolutie,' mengde Vsevolod Sergejevitsj zich in het gesprek, 'daar zijn de bolsjewieken zelf van afgestapt. De staat is de religie van de Rus, hij eert God ook in de tsaar. Hij onderwerpt zich en wil geen enkele vrijheid. Vrijheid zou uitlopen op een algehele slachting, het volk wil orde. Ik geef niet de voorkeur aan Stepan Razin noch aan Jemeljan Poe-gatsjov, maar aan Lenin, zelfs Stalin.'

'Daarom zitten u en ik hier.'

'Ja. Maar onder Stepka of Jemeljka waren we opgeknoopt. De bolsjewieken hebben Rusland gered, als grote mogendheid bij elkaar gehouden. Met die zogenaamde vrijheid was Rusland uiteen gevallen. De nieuwe alleenheerser versterkt Rusland, hij zij geloofd en geprezen, en verder zien we het wel!'

'Een staat moet haar burgers beschermen, uw staat bestrijdt hen,' zei Michail Michailovitsj, 'mij, u, Pjotr Koezmitsj, de boer, die de steunpilaar is van de staat, en zelfs haar eigen mensen bestrijdt ze,' hij knikte naar Sasja. 'Ik ben een Rus, ik ben ook voor Rusland, maar niet voor zo'n Rusland.'

'U zult het er toch mee moeten doen,' lachte Vsevolod Sergejevitsj.

Het bezoek aan Michail Michailovitsj had Sasja's sombere gedachten niet verdreven, zijn zwaarmoedigheid en wanhoop niet weggenomen.

Hij kende de argumenten van de voor- en tegenstanders van het Mijlpaalstandpunt en vond ze niet interessant. Menselijk was alleen het verhaal van Pjotr Koezmitsj: was het dan niet mogelijk geweest de NEP zonder excessen te liquideren... En dan het leven van een jongen kapot maken, omdat zijn kameraden hem hadden overgehaald van het spek te eten dat zijn moeder had gestuurd! Wat een ellende...

Bij zijn wanhoop kwam de bezorgdheid om moeder, tot nu toe had hij nog niet één brief van thuis gekregen.

Op woensdag verzamelden de ballingen zich op de oever van de Angara om op de postboot te wachten: de belangrijkste gebeurtenis in hun saaie leven. Vrouwen spoelden de was, kinderen zwommen, kropen bibberend van de kou uit het water, de ballingen liepen langs de oever en tuurden in de wazige verte van de rivier. Eindelijk verscheen onderaan een nietig stipje, de spanning steeg: was er post of niet. De postbode droeg een zeildoekse jas met de capuchon naar achteren, hij gooide een zak met een triplex plankje waarop 'Mozgova' stond op de kant, deelde de post uit en nam te verzenden brieven in ontvangst.

Sasja ging ook naar de oever, wachtte met alle anderen op de post, maar hij kreeg alleen brieven van Solovejtsjik, 'aan Napoleon in ballingschap' stond op de enveloppe, nog altijd dezelfde grappenmaker, die arme Solovejtsjik, weer was hij vol optimisme, hij had een verzoek ingediend om naar Frida overgeplaatst te worden, of Frida naar hem. Van moeder uit Moskou was er niets. In mei had hij haar uit Kansk getelegrafeerd, en tegelijkertijd zijn eerste brief gepost. Als je er vanuit ging dat een antwoord naar Kansk er een week over deed, dat de brief in Kansk was aangekomen toen de post naar Bogoetsjany al weg was, dan bleef hij nog een week in Kansk liggen. Nog een week slingerde hij in Bogoetsjany rond, in afwachting van de nieuwe adressering naar Kezjma. In totaal drie weken, maar hij was hier al langer dan een maand. Vsevolod Sergejevitsj probeerde hem gerust te stellen:

'Op de eerste brief moet je altijd lang wachten. U rekent op uw manier, maar de posterijen rekenen anders. Soms doen brieven uit Moskou er drie weken over, soms drie maanden, niemand weet waarom. Ze gooien ze per ongeluk in de verkeerde zak, de wagen is stuk, ze hebben de post bij de dorpssovjet neergegooid en de helft raakt zoek. De postbode laat de zak in de Angara vallen en je kunt je hele leven wachten. En onze waarde kameraad Alferov verveelt zich dood, daarom leest hij graag onze brieven, en als er een bij zit die hem speciaal interesseert vanwege de, laten we zeggen, literaire kwaliteiten, dan houdt hij hem een maandje, en misschien wel voor altijd. Uw tijdsberekening is onjuist, het telegram uit Kansk kan verscheurd zijn, uw eerste brief heeft uw moedertje om de een of andere reden niet bereikt, dus heeft ze alleen de tweede brief gekregen en het antwoord krijgt u nog eens over een maand of anderhalf. Geduld, mijn vriend.'

Vsevolod Sergejevitsj had gelijk, maar toen hij zag dat de anderen brieven, kranten en pakjes kregen, en hij niet, werd Sasja toch zenuwachtig. Elke keer stuurde hij met de post twee, drie brieven aan moeder, schreef dat hij goed terecht was gekomen, prima logies had, dat iedereen om hem heen geweldig was en dat ze hem niets hoefde te sturen, hij had niets nodig.

Teleurgesteld liep hij van de oever over de dorpsstraat naar huis, ze groetten hem alsof er niets was gebeurd, alsof ze hem niet van sabotage hadden beschuldigd, hij niet in Kezjma had moeten verschijnen. Hij begreep dat er voor het dorp werkelijk niets aan de hand was, ze hadden geen boodschap aan hem, zoals hij hierheen was gedreven, zou hij weer weggestuurd worden, ze hadden hier honderden mensen als hij gezien. Ze waren gewend aan de doden, de vermoorden en vermisten, zelfs de kinderen van de bijzondere kolonisten gaven ze geen onderdak.

Ook voorzitter Ivan Parfenovitsj schonk geen aandacht aan Sasja, keek onverschillig, hij had het aan de juiste instantie gemeld, ze moesten het daar maar uitzoeken, hij had genoeg aan zijn hoofd.

Hij kwam Zida een paar keer tegen, ze keek hem vragend aan, hij groette haar met een knikje, maar bleef niet staan, 's avonds zag hij licht in haar venster, maar ging niet langs. Hij had medelijden met haar, maar hij wist niet wat hij met zichzelf aan moest, zijn hoofd stond nu niet naar haar, naar niets en niemand.

Hij ging alleen met Fedja om, kwam voor het een of ander in de winkel langs. Fedja was nog even vriendelijk tegen hem en op een keer vroeg hij of hij zijn fiets wilde repareren.

'Nee, liever niet,' antwoordde Sasja, 'ik repareer verder niks meer voor jullie, doe het zelf maar!'

'Is dat vanwege de separator?' raadde Fedja.

'Nou, bijvoorbeeld!'

'Misschien loopt het wel los,' zei Fedja aarzelend.

Sasja schrok. Dus in het dorp begrepen ze dat de zaak nog helemaal niet was afgelopen. Misschien loopt het wel los... Maar misschien liep het niet los. Ze wisten dat je niet ontsnapte als je sabotage aan je broek had...

'Ik denk dat het wel losloopt,' vervolgde Fedja iets zekerder, 'de separator werkt, ze hebben hem naar het MTS gebracht, en daar zeiden ze dat de schroefdraad uitgesleten was, je hebt je zin gekregen. Ach, hij doet niemand kwaad.'

'Wie?'

'Ivan Parfenovitsj, onze voorzitter, hij is niet kwaad, hij is de baas, dat moet je ook begrijpen. De eekhoorns weg, de koeien verdwenen, graan wordt niet geleverd, de mannen worden voor de bouwplaatsen geronseld, hou dan de vrouwen er maar eens onder. Ze gillen hun strot kapot voor die separator, eisen en eisen. Hij heeft wat gezegd, je had je moeten beheersen, maar jij staat op je strepen.'

'Goed,' onderbrak Sasja hem, 'geef me sigaretten, lucifers en vul dit met kerosine, ik ga!'

'Toe, Sasja, doe niet zo flauw, de ketting is eraf, ik kan hem niet spannen, daarna drinken we een glaasje, ik heb gerookte charjoez, ik heb je toch niets gedaan? Ik zei nog tegen Ivan Parfenovitsj: dat had u niet moeten doen, Ivan Parfenovitsj, hij is een stadsjongen, uit Moskou, hij bedoelde het goed en hij heeft het tegen de vrouwen gezegd, maar die zijn zo stom! Het komt allemaal goed, Sasja...'

'Okee,' stemde Sasja in, 'laat me je fiets zien.'

Door de winkel bracht Fedja hem naar het erf, haalde zijn fiets uit de hut. Terwijl hij hem uit elkaar haalde, de naaf, kogellagers, de schakels van de ketting en moeren nakeek, moest Sasja denken aan de fiets die hij als kind had gehad, een oude damesfiets die uit onderdelen van verschillende merken in elkaar was gezet. Hij kon toen goed rijden, stond op het zadel, fietste met zijn rug naar het stuur, sprong er achterwaarts af terwijl hij de fiets onder zich door liet rijden. Maksim Kostin liep hem achterna over de binnenplaats, over straat. Sasja liet hem ook rijden, en soms nam hij hem mee: Maks op het zadel en Sasja trapte de pedalen rond, damesfietsen hebben geen stang.

De fiets deed Sasja denken aan de datsja aan de Kljazma. Veel jongens en meisjes hadden fietsen, en geen samengeraapte, zoals die van hem, maar echte Dukes en Enfields. Die waren duur, er woonden dan ook geen arme mensen, maar technische specialisten, artsen, advocaten. De kinderen fietsten naar de Kljazma om te zwemmen, of vaker naar de Oetsja, die breder was. Het paadje kronkelde langs de spoorlijn, nu eens omlaag naar een dal, dan weer helemaal omhoog tot aan de spoordijk. Gruis spatte weg onder de wielen, de wind blies in je gezicht.

Tegen de avond verzamelden de bewoners van de datsja's zich op het perron, wandelden heen en weer in afwachting van de trein uit Moskou; elegante dames in luchtige zomerjurken met laaguitgesneden hals wachtten op hun echtgenoten, degelijke mannen in tussorzijden pakken, met zware aktentassen.

Sasja liep het perron op, zijn fiets aan de hand, met zijn zwarte haar, zijn breedgeschouderde bovenlijf ontbloot, jeugdig en overal even bruin. De vrouwen keken hem glimlachend aan en vroegen: 'Van wie is dat chocoladejongetje?' Sasja vond dat leuk, heerlijk opwindend. Alleen het woord 'jongetje' krenkte hem.

's Avonds speelden ze verstoppertje aan de rand van het bos. Een mager, lang meisje met lange benen, hij was haar naam vergeten, verstopte zich samen met hem, drukte zich zogenaamd toevallig tegen hem aan. Sasja voelde haar droge, hete lichaam, wilde haar dichter tegen zich aandrukken, maar durfde niet en zei grof: 'Zit stil, heb je geen plaats genoeg?'

Al vroeg was de begeerte in hem ontwaakt, maar hij onderdrukte het, omdat hij dat toen, met z'n dertien jaar, een teken van zwakte vond die een man onwaardig was. De jongens van de binnenplaats spraken cynisch over meisjes, ze logen, schepten op, Sasja hield niet van die praatjes, hij speelde geen pandverbeuren met zoentjes, dat was laag en kleinburgerlijk, een mens moest andere, hogere interesses hebben. Hij was een trotse jongen, wilde niet doorgaan voor slappeling of bangerik. Op school en de binnenplaats ging hij door voor sterk en serieus, niemand wist hoeveel het hem kostte, wat hij in zichzelf moest overwinnen.

Hij versmaadde het meisje met de lange benen, en ze bleef aan Jasja Rasjkovski hangen, Sasja wist nog steeds zijn naam, een slanke jongen uit een beroemde Moskouse familie van balletdansers. Hij zat ook op de balletschool van het Bolsjoj Theater, was een of twee jaar ouder dan Sasja en had een Dukes-racefiets, waardoor hij in hun fietsclub een bijzondere plaats innam. Op een keer stelde hij voor niet in de Oetsja te gaan zwemmen, maar in de Kljazma, waar hij een goede plek om van te springen wist.

Ze fietsten naar de Kljazma, stapten af en kleedden zich uit, de jongens hadden een zwembroek aan, de meisjes een zwempak, maar Jasjka was de enige die sprong, de steile rotspunt hing over het water en was inderdaad een prima plaats, maar het was erg hoog, een meter of twaalf, de meisjes waren zelfs bang om er te staan, liggend op de rand van de rots keken ze naar het water. De jongens besloten niet te springen, het was vreselijk hoog. Jasja sprong als een soldaat, ging onder, kwam boven, zwom met grote slagen naar een laag stukje van de kant, en klom over het steile paadje naar de rots. De meisjes keken verrukt naar hem, ook het meisje met de lange benen. Jasjka Rasjkovski was een welopgevoede jongen, hij schepte niet op over zijn sprong, sloofde zich niet uit, dwong niemand om te springen, en ging op het zand liggen, met zijn rug in de zon.

Sasja was wel van een steigertje en een bootje in het water gesprongen, maar nooit van een hoge duikplank of een hoge rotspunt. Maar als Jasjka had gesprongen, waarom kon hij dan niet? Hij moest springen, hij moest zijn angst overwinnen. Hij kon goed zwemmen, goed duiken, het belangrijkste was om je lichaam recht te houden, kaarsrecht, en niet op je buik of rug te vallen, met je tenen in het water te komen. In hem sprak niet de wedijver, maar de wil om zijn vrees te overwinnen. Als hij nu niet sprong, zou hij zich kwellen en vroeg of laat hier terugkomen om te springen. Dan beter nu meteen.

Hij stond op, rekte zich uit…

'Ik moet even onder…'

Hij liep naar de punt en sprong, ging ver onder, maakte enkele snelle, haastige bewegingen om boven te komen, bereikte de oppervlakte en bleef hijgend op zijn rug drijven… Van de rotspunt boven hem keken ze naar hem, ook Jasjka en het meisje met de lange benen…

Die herinneringen uit zijn kindertijd verpestten zijn stemming nog meer: waarom had hij zijn wil geoefend, zijn karakter gehard?

Hij werd geroepen, hij herkende meteen Zida's stem en keek om, ze stond op de stoep.

'Ik ben bij Fedja's moeder geweest, ik heb haar medicijnen gebracht.'

Sasja wist dat Zida medicijnen uit Kezjma haalde, de dorpsbewoners behandelde, ze hielp waar ze kon, hij wist ook dat haar leerlingen lessen verzuimden, of de school helemaal lieten schieten en dat de school niet genoeg leerboeken, schriften en zelfs potloden had. Zida probeerde in Kezjma iets gedaan te krijgen, en als het niet lukte, stelde ze het met dat wat voorhanden was, ging bij ouders langs, probeerde hen over te halen hun kind weer naar school te laten gaan, soms lukte het, soms niet. Ze was natuurlijk flink, volhardend en klaagde nooit, maar wat had ze er allemaal aan, waarom ploeterde ze vrijwillig in deze negorij?

'Waarom kom je niet?' vroeg Zida zacht.

'Ik heb een rothumeur.'

'Kom langs, Sasjenka, ik mis je…'

'Ze zullen het zien en het je niet in dank afnemen. Dacht je dat ze niet wisten voor wie je 's nachts kerosine brandt?'

'Ik zal geen licht maken. Kom als het donker wordt. Ik zal verse vis klaarmaken en pannekoeken bakken.'

Haar nabijheid, haar stem en de bekende geur van goedkope parfum wonden Sasja op.

'Ik ga met Fedja wat drinken, kan ik dan dronken aankomen?'

'Kom gewoon zoals je bent.'

'Denk niet meer aan die stomme geschiedenis, kwel jezelf niet,' zei Zida, 'Alferov is naar het MTS gegaan en heeft gezegd dat ze de separator moesten repareren en dat hebben ze dezelfde dag nog gedaan. Hij wil zelf geen gedoe.'

'Hoe weet jij dat?'

'Dat heeft de directeur van het MTS me verteld, ik ben bevriend met zijn vrouw.'

Dat verzon ze om hem te troosten. Het was mogelijk dat Alferov uit belangstelling voor de separator bij het MTS was langsgegaan, maar ze had eerder zelf aan de directeur gevraagd of ze hem zo snel mogelijk konden repareren. Hij zei tegen Zida:

'Is deze geschiedenis afgelopen, dan verzinnen ze een andere. Ze vinden wel iets.'

'Alles wat jou is overkomen is toeval, zoiets hebben we hier nog nooit meegemaakt.'

'Luister,' zei Sasja opeens, 'kan die directeur van jou me niet in het MTS gebruiken? Hij zal wel mensen nodig hebben.'

Ze kwam overeind op haar elleboog, keek hem aan, haar gezicht was heel dichtbij, in het maanlicht dat door de kleine raampjes drong leek het onnatuurlijk wit.

'Wil je overplaatsing naar Kezjma?'

'Lieve schat,' zei Sasja, 'ik moet toch iets doen, ergens van leven.'

Ze liet zich zwijgend op haar kussen zakken. Ze wilde niet dat hij naar Kezjma ging, bang hem te verliezen. Dom, ze zou hem toch kwijt raken. Zelfs als hij zijn vonnis voorspoedig uitzat, dan nog zou hij als vrij man niet het recht hebben iemand aan zijn toekomst te binden. Zijn veroordeling zou hem blijven volgen, hij zou altijd in het gezichtsveld van de Djakovs blijven, hij mocht toch niet de verantwoording voor nog een lot, voor nog een leven op zich nemen, Zida doemen tot ontberingen en een zwervend bestaan. Hij moest zich verbergen, oplossen, spoorloos verdwijnen, alle banden verbreken, hij was getekend. Hij moest alleen blijven. Hij wist niet eens of het hem zou lukken zijn eigen leven te verdedigen, laat staan twee levens.

'Ik maakte een grapje,' zei Sasja, 'je hoeft niets voor me te vragen. Ze nemen me toch niet aan. Bovendien heb ik in Kezjma meer kans om in een of andere geschiedenis verwikkeld te raken. Daar zullen ze me alles in de schoenen schuiven.'

In de duisternis strekte Zida haar hand uit, zocht naar zijn hoofd, streek erover.

'Kop op, je bent jong, je hebt je hele leven nog voor je. Hoelang moet je nog? Twee jaar.'

'Twee jaar en vier maanden,' verbeterde Sasja.

'Die vliegen voorbij, Sasjenka, je komt vrij en vertrekt.'

'Waarheen?' vroeg Sasja. 'Ze laten me niet naar Moskou gaan. Dat betekent verder zwerven, met artikel achtenvijftig achter mijn kiezen.'

'Misschien moet je ergens heengaan. Naar ons in het district Tomsk, bijvoorbeeld...'

Hij voelde dat haar woorden iets ongezegd lieten.

'Wat heeft dat voor zin?'

'Daar kennen ze je niet...' antwoordde Zida, en weer voelde hij dat ze iets ongezegd liet: ze kon er niet toe komen meteen te zeggen wat ze wilde.

'Weet je, in mijn paspoort komt mijn naam duidelijk te staan, voorzien van een aantekening over mijn veroordeling. Dat gaat zo: in de kolom "Verstrekt op basis van de volgende documenten" zetten ze: "Op basis van punt II van de Verordening van de Sovjet van Volkscommissarissen van de USSR, van die en die datum", en die verordening betreft het paspoortsysteem en haar beperkingen. Op die manier blijf ik een veroordeelde, waar ik ook heenga, naar Omsk of naar Tomsk, snap je dat?'

'Jawel, maar een paspoort kun je verliezen.'

Hij begon te lachen.

'Als het zo simpel was, waren alle veroordeelden allang hun pas en veroordeling kwijt. Tot nu toe is dat volgens mij nog niemand gelukt. Bij het verstrekken van een nieuw paspoort vragen ze de nodige informatie op en komt alles aan het licht.'

'Ik heb daar vrienden die alles kunnen.'

'Ik ben niet van plan met een onwettig, vals paspoort te leven.'

'Alles zal wettig gaan, maar je moet je achternaam veranderen.'

'Hoe dan? Dat klinkt interessant.'

Zida kwam weer overeind op haar elleboog, boog zich naar hem toe.

'Als we na je verbanning hiervandaan gaan, en daar officieel trouwen, dan mag je voor de wet mijn naam aannemen en geven ze je een nieuw paspoort. En in de kolom die jij bedoelt, komt te staan: "Verstrekt op basis van trouwakte." Dan heet je geen Pankratov, maar Ischakov, dat klinkt ook niet slecht.'

'Dan wordt ik dus een islamiet,' lachte Sasja, 'maar moet ik me dan niet laten besnijden?'

'Ik meen het. Ik ken daar betrouwbare mensen.'

'Heb je dat net verzonnen?'

'Ik heb mijn hele leven in Siberië gewoond en ik weet dat het zo gedaan wordt. Ik wil je niet aan me binden, ik bedenk alleen hoe je het best uit die situatie komt. En daarna zullen we scheiden als je wilt, dan blijf je Ischakov heten, maar met een wettig paspoort. Dan doe je me een *talak*.'

'Wat betekent dat?'

'Scheiding in het Tataars. Als een man zijn vrouw het huis uitzet, spreekt hij drie keer het woord *talak* uit.'

Arme Zida, ze dacht dat het geluk haar wachtte, maar geen van beiden zouden ze gelukkig worden. Ze bood hem een soort hazeleven, onder een vreemde naam, met een vreemd paspoort. En als hij ooit ergens een bekende tegenkwam, dan zou hij moeten uitleggen waarom hij geen Pankratov meer heette, maar Ischakov, hij was namelijk *getrouwd*. En als de Djakovs hem toch te pakken kregen, zouden ze vol leedvermaak triomferen: hij probeerde zich achter een vrouwerug te verschuilen; nee vriendje, voor ons ben je achter niemands rug veilig. En je leeft niet voor niets met een vals paspoort, een eerlijk sovjetburger heeft geen vals paspoort nodig, een eerlijk sovjetburger verandert zijn naam niet.

Maar hij wilde dit niet allemaal aan Zida uitleggen. Waarom zou hij haar pijn doen.

'Weet je, Zida,' zei Sasja, 'als je voor een baan wordt aangenomen moet je een vragenlijst invullen, een levensbeschrijving geven, waar je bent geboren, waar je hebt gestudeerd, wie je ouders zijn en wie de ouders van je ouders zijn. Het is onmogelijk Pankratov te verbergen. Ze trekken het na en alles komt uit.'

Ze bleef aandringen.

'Dan gaan we naar een ander rayon, ver weg, je neemt een baantje als chauffeur, of monteur, daar hebben ze geen vragenlijsten, trekken ze niets na.'

'Genoeg,' zei Sasja, 'dit gesprek wordt zinloos. Met deze naam ben ik geboren en ik ga er ook mee dood. Er wordt niets veranderd.'

7 De belastinginspecteur beschuldigde Kostja van het achterhouden van inkomsten en sloeg hem voor een kolossaal bedrag aan, op niet betalen stond gevangenisstraf. Ondertussen werd Kostja's boedel beschreven, op zijn huisadres in Sokolniki, hoewel die boedel, zoals hij beweerde, niet van hem was maar van zijn ex-vrouw, Klavdia Loekjanovna. Zo kwam Varja er achter dat hij niet gescheiden was.

Als Kostja haar meteen in het begin had verteld, dat hij formeel met iemand was getrouwd maar hij er nog niet in geslaagd was zijn scheiding te regelen, dan had Varja daar geen betekenis aan gehecht. Maar hij had het verzwegen, daarom had hij haar zijn paspoort ook niet laten zien, dat was achterbaks en vernederend. Het eerste signaal uit Kostja's andere leven, dat zij niet kende.

'Pop,' probeerde Kostja haar te overtuigen, 'ik kon niet anders. Ik ben alleen maar met Klavdia Loekjanovna getrouwd om in Moskou ingeschreven te staan en voor veel geld. Ik heb je dat niet verteld, ik was bang dat je het niet zou begrijpen. Maar er zijn duizenden van dat soort handeltjes, anders kan niemand zich in Moskou laten inschrijven. Om van Klavdia Loekjanovna te scheiden moet ik me ergens anders laten inschrijven. Waar? Bij wie? Wie wil me hebben? Sofja Aleksandrovna? Wie geeft haar toestemming? Bij jou soms? Dat vindt Nina niet goed, ze erkent me niet.'

'Wat is dan de oplossing?' vroeg Varja. 'Dat Klavdia Loekjanovna je officiële vrouw blijft en ik je feitelijke?'

Hij antwoordde waardig:

'Ik installeer een ingewikkelde elektrische installatie in een onderzoeksinstituut van de Academie van Wetenschappen. Voor de medewerkers bouwen ze een huis, ze hebben me een kamer beloofd.'

Als altijd klonk wat Kostja zei gewichtig: instituut, Academie van Wetenschappen, ingewikkelde techniek... Maar Varja vond het niet geloofwaardig.

'Als ze je een kamer willen geven moet je een vaste aanstelling krijgen.'

Met getuite lippen, de woorden langzaam uitsprekend, antwoordde Kostja:

'Goed... Ik wilde het niet vertellen, maar ik moet wel... Denk je soms dat ze me opdrachten geven om mijn mooie ogen? Nee, Pop! Ik betaal de opdrachtgever de helft terug. Om hun deel te krijgen moet ik bij hen onder contract blijven staan, een contract dat alleen op papier veel geld oplevert, ik betaal ze de helft terug. Maar over het hele bedrag betaal ik belasting, wat blijft er voor mij over? Niets! Geen kopeke! Maar jij en ik moeten toch ergens van leven. Daarom heb ik twee kleine bedragen voor wat ziekenhuizen niet opgegeven. Daar is de belastingdienst over gevallen. Geloof me! Ik zou allang met die onzin gekapt zijn. Ik ben er mee doorgegaan vanwege dat instituut, ik hoopte op een kamer. God zij dank zijn we niet getrouwd, anders waren ze bij jou de boedel komen beschrijven.'

'En Klavdia Loekjanovna dan?'

'Hoezo?'

'Waarom wordt de inboedel bij haar beschreven?'

'Maak je om Klavdia Lockjanovna geen zorgen. Ze laat zich niet op haar huid zitten, ze heeft wel voor hetere vuren gestaan. Maak je om niets en niemand zorgen, alles komt goed, alles gaat voorbij. Als ik iets voor me houd is dat alleen voor je gemoedsrust, jouw gemoedsrust is voor mij het belangrijkste!'

Hij praatte lang; als hij iemand ergens van moest overtuigen wist hij duizenden woorden, honderden argumenten te vinden.

Of Varja hem geloofde? Ze wilde hem geloven, hoe kon ze anders met hem leven? Maar verbitterd bedacht ze dat niemand onafhankelijk was, ook Kostja niet, misschien was hij afhankelijker dan anderen. Ljovotsjka was van zijn werk afhankelijk, onbetekenend maar legaal, van zijn salaris, miezerig maar wettig. Kostja was van honderden omstandigheden afhankelijk, gevaar wachtte hem bij elke stap. Vandaag was hij rijk, morgen aan de bedelstaf, vandaag kon het niet op, morgen werd hij misschien in het verderf gestort.

Hoe Kostja zich eruit redde wist Varja niet. Maar blijkbaar was het hem gelukt. Twee weken kwam hij vrijwel niet thuis, was niet in de restaurants of in de biljartlokalen, twee weken van koortsachtige activiteit waar Varja niets van wist, totdat hij haar zei dat hij de hele aanslag had betaald. Met de arbeidscoöperatie was het echter definitief afgelopen. Wat voor plannen Kostja nu had wist Varja niet, hij maakte haar er geen deelgenoot van en zij vroeg er niet naar. Kostja zei alleen dat hij was aangenomen in een reparatie-werkplaats voor schrijfmachines aan de Herzenstraat, hij had verstand van schrijfmachines. Hij gaf haar het telefoonnummer van de werkplaats maar hij waarschuwde dat het moeilijk was hem daar te pakken te krijgen: om tien uur 's morgens vertrok hij naar verschillende instanties om schrijfmachines te repareren en soms, als hij de opdrachten de avond tevoren al had gekregen, ging hij er rechtstreeks van huis naar toe. Al heel snel vermoedde Varja, daarna wist ze het zeker, dat Kostja bij de werkplaats alleen geregistreerd stond, dat andere monteurs zijn opdrachten uitvoerden en zijn salaris ontvingen. Het gaf Kostja de officiële status van onderhoudsmonteur in een werkplaats van schrijfmachines. Zijn enige bezigheid en zijn enige bron van inkomsten werd biljarten, enkel en alleen biljarten.

Toen nam Varja resoluut een besluit: Genoeg! Basta! Tijd om te gaan werken!

Ljovotsjka en Rina beloofden Varja te helpen. Ze werkten op het kantoor van Project Moskou, waar Zoja ook werkte. Varja had trouwens werk kunnen vinden zonder iemands hulp: tekenaars-calqueurs werden overal gevraagd, op alle borden hingen advertenties. Maar het was beter bij vrienden te werken. Ljovotsjka en Rina zeiden dat hotel MOSKVA het grootste en belangrijkste bouwproject van de stad was, dat direct ressorteerde onder de Moskouse Sovjet, ze verdienden goed en de kantine was uitstekend. Het nieuwe gebouw zou één geheel vormen met het GRAND HOTEL en dan zou het een van de grootste hotels van Europa worden. Op het constructiebureau waren de beste architecten, schilders, ingenieurs en technici verzameld. Ljovotsjka en Rina prezen hun chefs bijzonder, hij luisterde naar de vreemde naam Igóór, een jong, talentvol architect, een innemende, goede en hartelijke man, een van de ontwerpers van het hotel. Als Varja goed haar best deed kon ze onder Igoor net als Ljovotsjka, die nu al technisch tekenaar was, promotie maken. Rina wachtte eenzelfde benoeming. Het kantoor bevond zich op de vierde verdierping van het GRAND HOTEL aan de Ochotnybaan, van hun huis op de Arbat was het maar zeven haltes en er reden twee trams: lijn vier en lijn zeventien. Zoja benadrukte vooral dat laatste. Ze werkte in hetzelfde constructiebureau maar op een andere afdeling.

Op de door Ljovotsjka vastgestelde dag ging Varja naar het GRAND HO-TEL.

De kraampjes langs de Ochotnybaan, het kerkje en de andere gebouwen tussen het GRAND HOTEL en de Manege waren afgebroken, om de bouwplaats stond een schutting. Varja ging het hotel binnen door de ingang aan het Voskresenskajaplein. Een portier in livrei nam haar op maar vroeg niet waar ze naar toe ging. Ook de liftbediende die haar naar de vierde verdieping bracht vroeg niets.

Uit de lift komend ging Varja, zoals Ljovotsjka haar had uitgelegd, linksaf een lange gang door, lettend op de nummers van de deuren die nog over waren uit de tijd dat de verdieping bij het hotel hoorde. Bij nummer vijfhonderdzesentwintig opende ze de deur.

In net zo'n kamer had ze met Kostja in Jalta gelogeerd in hotel ORIANDA: een hoog plafond en smalle, hoge ramen. Maar in plaats van hotelmeubilair stonden hier drie gewone tafels met tekenborden op schuine standaards.

Bij het raam zat Ljovotsjka te werken, hij keek naar Varja, glimlachte vriendelijk, waarbij hij zijn scheve tand ontblootte, en legde zijn tekenpen neer.

'Ben je daar? Prachtig!'

'Waar is Rina?'

'Even weg. Ze komt zo. Heb je je diploma meegenomen?'

Hij keek Varja's getuigschrift van school even door.

'In orde! We gaan!'

Hij opende de deur naar de aangrenzende kamer.

'Mogen we binnenkomen, Igor Vladimirovitsj?'

Zonder op antwoord te wachten ging hij naar binnen met Varja achter zich aan.

Toen Varja die naam hoorde begreep ze plotseling alles. Waarom had ze dat niet eerder gesnapt? Ze hadden zijn naam Igor tot Igoor verbasterd. Ze had geen moment gedacht dat het dezelfde Igor Vladimirovitsj was die Vika in NATIONAL aan haar had voorgesteld. Had ze dat geweten, dan was ze niet gekomen. Nu was het te laat. Igor Vladimirovitsj zag haar, herkende haar meteen, zijn wenkbrauwen gingen verbaasd omhoog, hij stond op, liep weg van de tafel en groette haar vriendelijk met een vragende en zelfs onthutste glimlach.

'Dit is het meisje waarvan ik u vertelde, Igor Vladimirovitsj,' zei Ljovotsjka, 'burgeres Ivanova dus, ze heeft haar diploma bij zich. Varja, laat eens zien.'

Varja haalde opnieuw haar getuigschrift uit haar tasje en legde het op tafel.

'Gaat u zitten,' noodde Igor Vladimirovitsj Varja, en ging zelf zitten.

'Kan ik gaan?' vroeg Ljovotsjka.

'Ja, ja, gaat u maar, dank u…'

Igor Vladimirovitsj las Varja's getuigschrift.

'Heeft u al ergens gewerkt?'

'Nee.'

'Ach, nee natuurlijk, dit diploma is pas drie maanden oud,' hij glimlachte, 'wat een onverwachte ontmoeting. Ljova vertelde me over u, hij heeft u warm aanbevolen, maar u had ik absoluut niet verwacht.'

'Ik had ook niet verwacht u te zien,' zei Varja.

Haar eerste verlegenheid was verdwenen maar om een of andere reden werd ze treurig. Ze had Igor Vladimirovitsj maar een keer gezien, drie of vier maanden geleden, maar het leek alsof er sindsdien een eeuwigheid was verstreken... De wandeling in het Aleksandrpark, hun gesprek over Bovet, de vlucht voor de parkwachter, de ladder in haar kous—hoe ver weg leek dat nu allemaal.

'U bent wat veranderd,' zei Igor Vladimirovitsj, 'wat volwassener geworden, om precies te zijn.'

'Ik ben getrouwd,' legde Varja uit. Ze dacht dat ze met die verklaring volledige duidelijkheid in hun betrekkingen bracht.

'Dat is mij ter ore gekomen,' glimlachte Igor Vladimirovitsj.

'Van Vika,' dacht Varja.

'Welnu,' zei Igor Vladimirovitsj zakelijk, 'laten we beginnen. U heeft geen werkervaring, u zult moeten beginnen als calqueuse.'

'Dat weet ik.'

'Tekent u graag?'

'Heel graag.'

'Mooi. Dan zijn er twee mogelijkheden. Of u gaat op de algemene tekenkamer werken, of u komt in mijn groep met Ljovotsjka en Rina. Wat schikt u beter?'

Varja wilde niet op de algemene tekenkamer werken, waar ze behalve Zoja niemand kende, maar hier, bij Ljova en Rina. Maar dan zou ze vlak bij en onder leiding van Igor Vladimirovitsj werken. Natuurlijk was er niets tussen hen, ze hadden een uurtje in NATIONAL gezeten, een wandelingetje in het Aleksandrpark gemaakt en wat gepraat... Ze was nu getrouwd, maar toch mocht hij haar nog steeds, dat voelde ze, ze zag zijn verlegenheid, het zou pijnlijk zijn naast elkaar te werken.

Daarom antwoordde Varja:

'Ik weet het niet. Het maakt me niet uit.'

'Begint u bij ons,' stelde Igor Aleksandrovitsj voor, 'in het begin is het makkelijker met uw vrienden, met Ljova en Rina. Kijkt u eerst wat rond, om te wennen, en beslist u dan wat u wilt. Afgesproken?'

Ze knikte instemmend.

Hij reikte haar een blad papier en een pen en dicteerde een aanstellingsakte.

Hij las hem door, maakte hem met een paperclip aan Varja's diploma vast, stond op, met dat alles in de hand opende hij de deur naar de aangrenzende kamer en liet Varja voorgaan. Daar was behalve Ljovotsjka nu ook Rina, ze knipoogde bemoedigend naar Varja.

'Ljova,' zei Igor Vladimirovitsj, 'ik ben zo weer terug, maak jij ondertussen Varja wegwijs.'

Hij ging weg. Rina moest lachen.

'Moet je zien wat een eer, hij gaat het zelf in orde brengen.'

'Hij is bang dat ze van de personeelschef schrikt,' merkte Ljovotsjka op.

'Alles komt in orde. Rina wordt technisch tekenares en jij gaat op haar plaats zwoegen onder mijn oppertoezicht.'

Rina had haar met Igor Vladimirovitsj in NATIONAL gezien, zinspeelde ze daar soms op?

'Hij stelde me de algemene tekenkamer voor,' antwoordde Varja, waarbij ze tevens Rina's toespeling afwees.

'Vreemd,' zei Ljova, 'we hadden juist met hem afgesproken dat je bij ons zou komen werken. Ik heb het Kostja ook beloofd.'

'Wat heb je Kostja beloofd? Dat je mij in de gaten houdt?'

'Welnee, Varja, waarom? Ik heb alleen beloofd je de eerste tijd te helpen... Afijn! Dit is je tafel, kijk: tekenbord, tekenhaak; je tekenspullen moet je bij de magazijnmeester halen.'

'Zolang je ze zelf nog niet hebt aangeschaft,' merkte Rina op.

'Dat komt later, als ze veel geld verdient,' zei de nuchtere Ljovotsjka.

'Met de tekenspullen van de staat kun je uitstekend uit de voeten.'

Hij opende de kast, liet haar de ontwerpen zien, wees waar alles lag en waar ze alles moest halen, Rina maakte grappige opmerkingen, kortom, het was leuk, vrolijk en gezellig.

Terwijl ze zo bezig waren kwam Igor Vladimirovitsj binnen.

'Hoe verloopt de kennismaking?'

'Uitstekend.'

'Varja, kom even naar mijn kamer.'

Ze gingen terug naar zijn kamer. Nadat hij was gaan zitten en haar opnieuw een stoel had aangeboden zei Igor Vladimirovitsj:

'De directie heeft zijn goedkeuring aan uw aanstelling gehecht, morgenochtend kunt u beginnen. Hier is uw diploma. En nog iets...'

Samen met haar getuigschrift gaf hij haar een enorme, vier pagina's tellende vragenlijst, hij grinnikte.

'Dit moet u thuis invullen en morgen meebrengen, we geven het aan de personeelsafdeling. U komt voor het eerst ergens in dienst en u heeft zo'n vragenlijst nog nooit gezien, iets stompzinnigers kun je niet bedenken maar zo zijn de formaliteiten, daar moeten we ons aan houden. Leven uw ouders nog?'

'Nee.'

'Ach. Schrijft u dan gewoon wanneer ze overleden zijn en vult u verder geen gegevens van ze in. En dan nog een vraag... Maar begrijpt u me niet verkeerd, deze vraag stel ik uit puur zakelijke overwegingen: is het huwelijk met uw man officieel?'

'Nee.'

'Ik vraag dit hierom: in de lijst gaan veel vragen over uw man, over zijn familie, zijn opa's en oma's. Allemaal heel moeilijk in te vullen, veel zal noch u, noch uw man bekend zijn, dan moet u hen schrijven, navraag doen... Maar als uw huwelijk niet is geregistreerd en u geen kinderen heeft, dan kunt u het ook verzwijgen en die talloze vragen niet beantwoorden.'

Varja zweeg, ze begreep niet meteen wat er achter zijn woorden stak. Naar alle waarschijnlijkheid was hij serieus en zat er helemaal niets achter. Maar het was een beetje vernederend. Vika had een hoop geroddeld: ze was met een biljarter getrouwd, een of andere scharrelaar of een zwartwerker, over het geheel genomen een duister figuur. En nu was Igor Vladimirovitsj bang dat dit haar aanstelling bemoeilijkte. Daar had ze lak aan! Ze bekeken het maar! Ze kon ergens anders een eenvoudiger baantje vinden zonder zulke vragenlijsten.

Alsof Igor Vladimirovitsj haar gedachten raadde zei hij:

'Doe zoals u goeddunkt. Wij nemen u in elk geval aan. Ik wilde u alleen het vervullen van die onaangename, lastige en tijdrovende plicht vergemakkelijken.'

'Ik zal zien,' zei Varja terughoudend.

'Ik raad u aan eerst alle antwoorden op een blaadje te schrijven, alles goed te controleren en dan op het formulier in te vullen, zodat er geen doorhalingen en verbeteringen in komen, want dan moet u het overdoen.'

'Goed, ik zal het zo doen.'

'Mooi zo,' Igor Vladimirovitsj stond op, 'we verwachten u morgen. We werken van negen tot vier. Ik hoop dat u het bij ons naar uw zin zult hebben.'

Varja ging te voet naar huis, langs de Universiteit, daarna over de Vozdvizjenka en de Arbat.

Het vervelende gevoel dat na het gesprek met Igor Vladimirovitsj over de vragenlijst was blijven hangen kon haar opgewekte stemming door het contact met het echte leven niet overschaduwen. Ljovotsjka en Rina waren geweldig! Voor hen kwamen de restaurants en het Hermitagepark op de tweede plaats, het belangrijkste was het werk aan het kolossale bouwproject in het centrum van Moskou. Tekentafels, tekenhaken, lineaals, mallen, pennen, de geur van tekeninkt en scherp geslepen potloden herinnerden haar aan school, aan de tekenlessen, die ze nooit verzuimde. Dit alles beloofde een nieuw, interessant leven.

Wat Igor Vladimirovitsj betreft had ze zich zonder reden zorgen gemaakt, ze had zich tegenover hem nergens schuldig aan gemaakt, integendeel, ze was fatsoenlijk geweest, had niet met hem en Vika naar KANATIK willen gaan, ook toen al had hij haar iemand uit het echte leven geleken, niet uit dat van Vika. Zij kon hem heus het hoofd niet op hol brengen. En bovendien had ze hem toen te oud gevonden. Maar hij was vast niet ouder dan Kostja.

Hij raadde haar aan haar man niet te vermelden, hij wilde niet dat ze de vragenlijst verknoeide. Een beroemd architect en toch was hij bang. Maar zij was voor niemand bang. Wie Kostja ook was, ze was niet van plan hem te verbergen. Wat hadden ze met haar man en zijn familie te maken, die solliciteerden niet, maar zij, laten ze haar maar controleren.

Thuis ging Varja aan tafel zitten, vouwde de vragenlijst open, keek hem door.

De lijst bleek geen vier maar acht pagina's te beslaan, de vragen verbaasden haar eerst, wekten vervolgens verontwaardiging en woede en brachten haar ten slotte helemaal van streek.

Zoals Igor Vladimirovitsj haar had aangeraden legde ze er een vel papier naast waarop ze de antwoorden eerst in klad schreef.

1 Naam, voornaam, vadersnaam. Bij verandering uw vroegere naam aangeven. Dat was duidelijk: Ivanova, Varvara Sergejevna, geen veranderingen.

2 Dag, maand, jaar en plaats van geboorte. Ook duidelijk: 5 april 1917, Moskou.

3 Nationaliteit en staatsburgerschap (aangeven indien u staatsburger van een ander land bent geweest). Opnieuw duidelijk, Russisch, onderdaan van de Sovjetunie.

4 Stand of sociale herkomst voor de revolutie (boer, kleinburger, koopman, uit de adel, gegoede burgerij, geestelijkheid, militair, etc.).
Haar ouders waren onderwijzer geweest, wat was dat voor stand? Dat moest ze aan Nina vragen. Maar hoe moesten die de ongelukkige kinderen uit de geestelijke stand zich voelen: 'dochter van een pope' of kinderen van militairen: 'officierszoontje'?

5 Opleiding. Dat was simpel: middelbare school, specialisatie constructietekenen.

6 Welke vreemde talen beheerst u? Antwoord: Duits, daarin kan ik me min of meer verstaanbaar maken.

7 Partijlidmaatschap en staat van dienst. Partijloos.

8 Wanneer toegetreden tot de VLKSM? Ze was geen lid van de Komsomol.

9 Indien u vroeger lid geweest bent van de VKP(b) of van de VLKSM: in welke periode, reden van vertrek. Bent u lid van andere partijen geweest?
Varja schreef: geen lid geweest van de communistische partij, de Komsomol of andere partijen.

10 Zijn u tijdens uw lidmaatschap van de VKP(b) of VLKSM straffen opgelegd? (waar, wanneer, door wie, welke straffen, indien kwijtgescholden waarom en door wie) Antwoord: omdat ik nergens lid van ben geweest zijn mij
geen straffen opgelegd; omdat mij niets is opgelegd is mij niets kwijtgescholden.

11 Heeft u getwijfeld aan de uitvoering van het beleid van de communistische
partij, heeft u deelgenomen aan opposities en antipartijgroeperingen? (waar,
wanneer, welke). Hier zou ze als volgt antwoorden: omdat ik geen lid van de
VKP(b) ben geweest heb ik haar beleid nooit uitgevoerd, daarom heb ik ook
niet getwijfeld; aan opposities en antipartijgroeperingen heb ik niet deelgenomen.

12 Zijn u of uw familieleden ooit voor het gerecht gedaagd, in hechtenis
genomen en op enigerlei wijze bestraft, strafrechtelijk dan wel administratief,
is u of hun ooit het stemrecht ontnomen, is er een rechtszaak tegen u of een
van uw familieleden gaande en heeft u familieleden die op dit ogenblik aan
straf zijn onderworpen? Ze had niemand die in de gevangenis zat, terecht-
stond of werd vervolgd. Ze had geen familie, behalve haar tante in Kozlov; zat
er van haar iemand in de gevangenis of was van haar iemand het kiesrecht
ontnomen? Ze schreef natuurlijk 'nee', maar ze had het gevoel dat ze iets
achterhield en dat ze haar op die geheimzinnige personeelsafdeling zouden
confronteren met een gearresteerd familielid, van wie ze zelfs nooit had gehoord. Had Sofja Aleksandrovna net zo'n vragenlijst ingevuld toen ze ging
werken? En had ze over Sasja moeten schrijven?

13 Bent u in het buitenland geweest, zo ja, in welk land, wanneer en wat deed
u daar?… Ze was niet in het buitenland geweest.

14 Heeft/had u of uw echtgenoot/echtgenote familieleden in het buitenland
(wie, waar)? Onderhoudt/onderhield u contact met hen? Geeft u aan of iemand van uw familie een ander staatsburgerschap heeft gehad.

Bij haar op school hadden kinderen van de vroegere adel uit de straten van
de Arbat-wijk gezeten, die hadden natuurlijk allemaal familie in het buitenland, veel nakomelingen van Poesjkin en Tolstoj zaten in het buitenland. Ze
was benieuwd hoe die stakkerds zouden antwoorden, want je moet schrijven
'waar', en wie wist dat, wanneer iedereen bang was om met het buitenland te
corresponderen.

15 Zijn u of uw familieleden tijdens de imperialistische oorlog of de burgeroorlog krijgsgevangen of geïnterneerd geweest? Nee maar, ze waren al bij de
imperialistische oorlog gekomen!

16, 17, 18, 19, 20, 21 Dienst in het Rode Leger, bij de partizanen, bij het verzet;
verwondingen, contusies. Allemaal nee!

22 Geeft u aan wie van uw familieleden (aangegeven bij vraag 26) lid van
andere partijen zijn geweest, voor de revolutie deel hebben uitgemaakt van

de politie, de gendarmerie, het rechts- of gevangeniswezen, de grensbewaking of de bewaking van ballingen.

Eens kijken, wie werd er aangegeven bij vraag 26? Echtgenoot/echtgenote, kinderen, moeder, vader, broers, zusters. De man geeft zowel zijn familieleden als de familieleden van zijn vrouw op, de vrouw zowel haar familieleden als de familieleden van haar man... Lieve hemel! Ze moest dus niet alleen van al haar eigen familieleden, maar ook van die van Kostja aangeven, of er iemand voor de revolutie bij de grenstroepen of bewaking van ballingen was geweest. Wist Kostja dat zelf wel? Waarom moest je verantwoordelijk zijn voor de familieleden van je echtgenoot of echtgenote?

23 Burgerlijke staat (gehuwd, vrijgezel, weduwe/weduwnaar), noem uw gezinsleden en hun leeftijd. Indien u weduwe/weduwnaar, gescheiden of voor de tweede maal gehuwd bent, geeft u dan naam, voornaam en vadersnaam van uw vorige echtgenoot/note aan... Nou zeg, wat had het constructiebureau ermee te maken als iemands vrouw twintig jaar geleden was overleden? Wat had dat nou te maken met het hotelproject?

24 'Huidig adres'. Begrijpelijk...

25 Alle voorgaande adressen sinds uw geboorte... Voor haar was dat duidelijk, ze had nergens anders gewoond dan in het huis aan de Arbat. Maar als een ouder iemand deze vragenlijst invulde, hoeveel adressen moest hij zich dan herinneren? Vanaf zijn geboorte nog wel? En als zijn ouders overleden waren, hoe kon hij dan weten waar hij als kind gewoond had?

26 Dit was de neteligste vraag, Igor Vladimirovitsj had er voor gewaarschuwd: gegevens van uw naaste familieleden (de gegevens van uw vrouw, kinderen, moeder, vader, broers, zusters. De vrouw geeft de gegevens van haar man en haar naaste familieleden op). Namen, voornaam, vadersnaam, graad van verwantschap, jaar, maand, geboortedatum, geboorteplaats, nationaliteit, politieke gezindheid, dienstadres en functie, huisadres. Dezelfde gegevens van de familieleden van uw man of vrouw'. Ze moest dus al die gegevens niet alleen van Nina en van haar overleden vader en moeder invullen, maar ook van alle familieleden van Kostja, hij had vijf broers en twee zusters die over de hele Sovjetunie verspreid zaten, terwijl zijn ouders onteigende koelakken waren.

Nu begreep ze dat Igor Vladimirovitsj haar met de beste bedoelingen had gewaarschuwd. Maar met compromissen liet ze zich niet in, ze zou zich niet aanpassen, dan hadden ze de verkeerde voor zich!

Maar goed, wat nog meer?

'Signalement: lengte, haar, ogen, bijzondere kenmerken'.

Nu alleen haar vingerafdrukken nog. Dit ging te ver! Ze konden barsten! Aan zo'n vernederend verhoor deed ze niet mee. Dan maar een baantje waar dit soort vragenlijsten niet verplicht waren, in de gewone, doorsneekantoren hadden ze ook tekenaars-calqueurs nodig. In het uiterste geval ging ze hele-maal niet werken, zou ze zich voorbereiden op het hoger onderwijs en vol-gend jaar naar het Instituut voor Architectuur gaan. Dan maar geen beurs, ze zou tegen Kostja zeggen: 'Koop geen dure dingen voor me, van dat geld ga ik studeren'. De cape van zilvervosbont, die hij haar pas cadeau had gegeven kostte waarschijnlijk twee of drie beurzen van een jaar. Als ze haar lappen-winkel zou verkopen, zou ze voor een paar jaar genoeg hebben. Maar ze zou studente zijn, ze zou studeren, ze zouden haar niet door en door controleren. Als ze eenmaal gediplomeerd architect was, zouden ze het niet wagen haar zulke vragenlijsten onder de neus te duwen.

Varja vouwde de vragenlijst dicht en gooide hem op tafel, ze zou hem morgen aan Kostja laten zien, dan kon hij lachen.

Ze trok haar peignoir aan en hing haar jurk in de kast. Maar toen ze de deur dichtdeed leek het plotseling alsof er in de kast iets ontbrak... Ja, inderdaad! Uitgerekend de cape van zilvervosbont, die ze onlangs van Kostja had gekre-gen ontbrak. De cape was buitengewoon kostbaar, er waren wel zes of acht zilvervoshuiden in verwerkt. Varja had hem maar één keer gedragen, toen ze naar de Oude Pimenstraat waren geweest.

Varja haalde haar jurken, haar jas, zijn jacquet uit de kast, doorzocht alles, de cape was er niet. Alles was onaangeroerd, alleen de cape was weg. Het eerste wat in Varja opkwam was buurvrouw Galja. Of haar zoontje Petka, een straatjongen van vijftien.

Sofja Aleksandrovna was al terug van haar werk, Varja klopte bij haar aan, ging naar binnen, deed de deur stevig achter zich dicht.

'Sofja Aleksandrovna, mijn cape van zilvervos is verdwenen.'

'Hoe kan die verdwenen zijn?' zei Sofja Aleksandrovna ontzet.

'Vanmorgen hing hij nog in de kast en nu is hij weg.'

'Heb je goed gekeken?'

'Ik heb de hele kast overhoop gehaald. Hij is gestolen!'

'Gestolen? Door wie?'

'Geen idee. Misschien Galja, of haar zoontje Petka.'

'Maar die hebben toch geen sleutel van je kamer... Ik woon al zo lang naast ze. Zoiets is nog nooit gebeurd.'

'Vroeger was Petka klein, nu is hij ouder en met stelen begonnen, dat is niet zo vreemd.'

'We moeten de politie bellen,' zei Sofja Aleksandrovna.

Maar Varja wilde de politie niet bellen als Kostja er niet was. Waarom? Ze wist het zelf niet. Maar ze voelde dat ze het eerst Kostja moest vertellen en daarna de politie erbij moest halen.

'We moeten op Kostja wachten.'

'Varenka toch?! Konstantin Fjodorovitsj komt laat thuis. We moeten meteen de politie inschakelen. Anders vragen ze later waarom we ze er niet meteen bij hebben gehaald.'

'Hoe weten zij nou wanneer ik de kast heb opengemaakt. Ik ga er morgen heen en zeg: ik deed net de kast open en zag dat er iets weg was.'

'Morgen is het voor hen moeilijker zoeken,' drong Sofja Aleksandrovna aan, 'ze moeten zonder uitstel gaan zoeken, als het spoor nog vers is. Ik begrijp dat het allemaal erg vervelend is, maar er zit niets anders op. Die cape kost een vermogen. Als Petka hem gestolen heeft moeten we het zeker niet op zijn beloop laten, anders blijft hij ons bestelen. Dan hebben we geen leven meer!'

'Ik ga meteen Kostja zoeken en met hem overleggen,' zei Varja.

Ze kleedde zich om, deed haar regenjas aan en verliet het huis.

Wat weerhield haar ervan de politie te bellen, wat had ze te vrezen, waarom vloog ze naar Kostja? Misschien vanwege de belastinginspecteur? Die had immers Kostja's boedel beschreven. Op het politiebureau konden ze vragen, hoe ze aan zo'n kostbare cape kwam, ze zou moeten zeggen dat het een cadeau van Kostja was, dus... Wat 'dus'? Ze wist het zelf niet precies. Maar ze besefte terdege dat ze niet zonder Kostja naar de politie moest gaan. Ze wist immers niet eens waar de cape vandaan kwam. Kostja had hem meegebracht, hem opengeslagen.

'Pas eens!'

De cape zat uitstekend.

'Voor jou.'

'Dank je wel. Hoe veel kost hij?'

'Wat kan jou 't schelen? Hij kost geld. Niet weinig.'

De cape was nieuw, waarschijnlijk was hij onderhands gekocht of door een clandestien bontwerker gemaakt, mischien kwam hij uit het Handelssyndicaat. In ieder geval was hij niet gestolen, als hij gestolen was had Kostja het niet goed gevonden dat ze zich ermee vertoonde in de acteursclub. Toch vertelde hij niet waar hij hem had gekocht. Bij alles wat Kostja deed, bestond het gevaar dat hij in moeilijkheden raakte.

Ze vond Kostja in de biljartzaal van hotel METROPOL. Varja had een hekel aan biljartzalen, vrouwen hoorden daar niet. Alleen mannen: nuchter, dronken of aangeschoten, ze keken nieuwsgierig naar haar, sommigen spottend, alsof ze een lastige echtgenote was, die haar man hier kwam redden. Rokerig, benauwd, bleke gezichten, hologige tronies.

Kostja merkte Varja niet op, hij had alleen oog voor de ballen, de zakken en zijn keu, hij volgde de stoot van zijn tegenstander, schreef iets op de lei en draaide zich meteen weer om naar de tafel, gespannen, geconcentreerd en fel.

Varja begreep niet wie gewonnen had. Kostja zei iets tegen de markeur, die een nieuwe piramide begon op te stellen, krijtte zijn keu, en pas toen hij zijn vaste en waakzame blik door de biljartzaal liet gaan zag hij Varja bij de deur staan. Maar hij was niet verbaasd, het leek alsof hij haar had verwacht, hij keek alleen nog strakker, stapte met de keu in zijn hand op haar af.

'Kom mee naar buiten.'

Ze gingen naar de kleine vestibule voor de biljartzaal, er stonden twee bankjes en een fauteuil, het leek Varja dat men hierheen ging om te roken. Ze was opeens gerust: ze zag aan Kostja's gezicht dat ze de politie niet hoefden te bellen...

'Wat is er?' vroeg Kostja zonder Varja aan te kijken.

'Mijn cape is verdwenen.'

'Welke cape?'

'De zilvervos, die je me cadeau gedaan hebt.'

Hij zweeg even, keek opzij, alsof hij niet begreep waar ze het over had. En ze bedacht dat ze een man voor zich had die ze absoluut niet kende.

Uiteindelijk zei hij:

'Ik zal een andere, een mooiere voor je kopen. Het zit zo: ik had verloren, kon niet aan geld komen en heb met jouw cape betaald, anders hadden ze me vermoord. Ga maar naar huis, ik kom ook zo.'

Varja ging terug naar huis.

'En?' vroeg Sofja Aleksandrovna.

'Konstantin Fjodorovitsj heeft de cape naar een bontwerker gebracht, er moest iets aan gebeuren. Goed dat we de politie niet hebben gebeld.'

Varja ging naar haar kamer, trok haar regenjas uit, schopte haar schoenen uit, ging op de sofa zitten en verzonk in gepeins.

De cape had hij dus verspeeld. Waar hij hem vandaan had was ook niet bekend. Misschien van net zo'n speler, die de cape van zijn vrouw had verspeeld.

Ze vond het niet erg, ze had lak aan de cape! Maar vandaag was het haar cape, morgen haar jas, overmogen haar schoenen. Een dronkaard verdrinkt de dingen van zijn vrouw, een speler verspeelt ze. Vika, Noemi en Nina Sjeremeteva waren hoertjes, maar ze liepen niet het risico hun spullen om andermans schouders tegen te komen. Vandaag verspeelde hij haar kleren, morgen misschien haar zelf. Wat was ze toch een sukkel! Ze had zich laten verleiden door zijn zogenaamde onafhankelijkheid. Nu kende ze de prijs van die onafhankelijkheid. Nu was ze afhankelijk van hoe de ballen op het biljart rolden. Zo'n toekomst lokte haar niet, ze kon en wilde niet van hem afhankelijk zijn, cadeaus die hij daarna weer verspeelde had ze niet nodig, met zijn hulp zou ze de hogeschool nooit afmaken. Ze kon alleen op zichzelf rekenen.

Wat kon haar dat vragenformulier verdommen! Overal waren zulke formulieren, overal was zo'n procedure, ze kon die beter ergens doorlopen waar ze vrienden had, dan ergens anders, onder vreemde, onbekende mensen. Igor Vladimirovitsj had gelijk: ze zou niets over Kostja invullen, over zichzelf schrijven was voldoende. Waarom zou ze ook over Kostja schrijven? Alles was nu duidelijk, het gevoel dat dit huwelijk toevallig was en niet lang zou duren had haar nooit verlaten.

Over zichzelf schrijven was makkelijk. Op alle lastige vragen had ze hetzelfde antwoord: nee! Wat haar overleden vader en moeder betrof moest ze Ninka raadplegen. Ninka wist alles.

Ninka negeerde haar vanwege Kostja, ze kwam nooit, belde nooit, als ze haar op de binnenplaats tegenkwam liep ze door, ze knikte alleen kortaf. Dat was haar zaak! Maar ze was verplicht haar over vader en moeder in te lichten, dat waren immers niet alleen haar ouders. Zou Nina nu thuis zijn?

Ze pakte de telefoon, Nina was thuis.

'Met Varja, ik kom even langs, ik moet je wat vragen.'

'Oh, goed, kom maar,' antwoordde Nina kortaf.

Ze had beter niet kunnen bellen, nu had ze toestemming gevraagd. Ze had gewoon moeten gaan.

8 Als Varja ongelukkig was getrouwd, dan zou Nina zich het lot van haar zuster aantrekken, haar beschermen en troosten. Maar wat er gebeurde was geen gewoon probleem, het was een verraad aan al het zuivere en onbaatzuchtige waarmee ze waren opgegroeid en waarmee hun ouders hen hadden grootgebracht toen ze nog leefden.

Op een keer zei Joera Sjarok toen hij Nina op de binnenplaats tegenkwam: 'Die zuster van jou geeft zich met een dief af.'

Nina mocht Sjarok niet. Lena Boedjagina ging weer met hem en terwille van haar wilde Nina geen ruzie met Sjarok. Maar Joerka's waarschuwingen had ze niet nodig.

'Waarom loopt een dief vrij rond?'

'Zijn tijd om te zitten komt nog,' beloofde Sjarok.

Of Joera de waarheid sprak of niet, het leed geen twijfel dat die zogenaamde man van Varja een dubieus persoon was, uit een andere wereld, die Nina bijzonder tegenstond, de wereld van restaurants, spelers, speculanten en dieven. Zij en Varja stonden aan verschillende kanten van de barricade. En het was geen toeval dat Sofja Aleksandrovna haar onderdak bood, zij stond ook aan de andere kant van de barricade, ze kon het sovjetregime Sasja's verbanning niet vergeven. Maar zelfs als het een vergissing was, had het sovjetregime daar geen schuld aan, elk regime begaat vergissingen. Vooral nu het land in een meedogenloze klassenstrijd was verwikkeld en de partij gedwongen was de overblijfselen van vijandige partijen, fracties en opposities te liquideren, waren opzichzelfstaande vergissingen onvermijdelijk.

En met Sasja—was dat wel een vergissing? Lena Boedjagina had haar onder diepste geheimhouding verteld wat Joera Sjarok had gezegd: dat op Sasja's instituut een antisovjetorganisatie had bestaan die Sasja had gebruikt, dat hij hen had verdedigd en tegelijk met hen was gearresteerd. Ze hadden hem weliswaar voor slechts drie jaar verbannen, waren erachter gekomen dat hij niet de hoofdschuldige was, maar hij moest wel medeverantwoordelijk zijn, te meer daar hij, zoals Sjarok had gesuggereerd, zich tijdens onderzoek provocerend had opgesteld, zijn fouten niet had willen toegeven en had gehoopt op zijn invloedrijke oom Rjazanov. Maar noch de bemoeienis van Rjazanov noch die van Ivan Grigorjevitsj Boedjagin hadden geholpen.

Sofja Aleksandrovna zou moeten berusten, als volwassen vrouw moest ze het toch begrijpen. Maar ze haatte iedereen, wilde dat het anderen ook slecht ging, door Varja en haar oplichter in huis te halen daagde ze niet alleen Nina, maar alle vrienden van Sasja uit.

Overigens had Varja deze weg eerlijk gezegd al gekozen toen ze nog op school zat: jongens, lippenstift, mooie kleren. Nina had toen al niets met haar kunnen beginnen, en nu ook niet. Het was dus niet anders! Nu moest ze zichzelf maar zien te redden, wat er ook gebeurde. Op een woonvergunning voor manlief hoefde ze niet te rekenen, hier was precies genoeg ruimte voor twee personen. Voor een dief, een oplichter en biljartspeler had ze geen centimeter over. Laten ze maar leven hoe en waar ze wilden. Natuurlijk vereerde Varja haar nu met een bezoek aangaande de woonruimte.

Maar Varja kwam voor iets heel anders. Ze had gegevens nodig voor een vragenlijst en die vragenlijst had ze nodig voor een sollicitatie.

Varja en werken?! Heel onverwacht! Vreemd! Dit paste niet bij haar huidige leven.

'Mag ik weten waar je gaat werken?'

'Ja hoor. Op het constructiebureau voor hotel MOSKVA.'

Het was Nina allemaal duidelijk: ze kwam niet omdat het haar zo goed ging in het leven, manliefs zaken stonden zeker niet zo best. Maar ze zou niets vragen. Als het nodig was zou ze het zelf vertellen.

'Welke gegevens heb je nodig?'

Varja gaf haar de vragenlijst, wees op punt zesentwintig: gegevens betreffende uw naaste familie...

'Schrijf het voor me op een briefje, dan vul ik het later in op het formulier.'

Ze ging zitten, liet haar blik door de kamer dwalen.

Het enige nieuwe was een foto van Maksim Kostin aan de muur. Een militair hemd met onderscheidingstekens, een goed, eenvoudig en vriendelijk gezicht. Dus Nina schreef met Maks, ze moest maar met hem trouwen, ze waren immers geknipt voor elkaar. Dan zou ze zo'n kolonelsmoeke worden, daarvoor was ze ook geknipt.

Al het overige in de kamer was bij het oude gebleven. Op de boekenplank naast de kinderencyclopedie de ingelijste foto van vader en moeder toen ze nog jong waren; de tafel met het versleten zeiltje, de gestopte pantoffels onder Nina's bed, op Varja's bed het kussen met het felgekleurde doekje en daarnaast de bronzen atleet met het lampje in de gespierde uitgestrekte arm. Varja had zelfs geen beddegoed meegenomen naar Sofja Aleksandrovna, haar grammofoon had ze ook laten staan, die had ze daar niet nodig. En hoewel ze al gauw ontdekte dat ze veel miste, kocht ze liever alles nieuw. Ze was pas één keer langsgeweest, voor haar schooldiploma, Ninka was toen niet thuis geweest, goddank.

Maar nu ze hier weer zat en de kamer, de vertrouwde spulletjes zag, de vertrouwde lucht rook, voelde ze zich weer het meisje van vroeger, het werd haar triest te moede en het was haar duidelijk dat ze ondanks Nina's gezeur alleen hier zichzelf kon zijn, hier was haar thuis, een ander had ze niet en zou ze ook niet gauw krijgen.

Nina gaf haar de aantekeningen.

Varja keek ze aan de hand van de vragenlijst na, alles was goed, Nina had alle vragen beantwoord.

'Mooi, bedankt... Nou goed, tot ziens.'

'Het beste.'

Was ze op de juiste manier met haar zuster omgegaan? Wat had ze dan moeten doen? Springen van geluk? Omdat Varja ging werken? Iedereen werkte. Een elementaire zaak. Varja had niemand gelukkig gemaakt. Ze had een hogere opleiding kunnen volgen, maar wilde als calqueuse werken, ieder koos zijn eigen weg. De vrouwelijke waardigheid waarover we praten wordt vergeten zodra er een man op het toneel verschijnt.

Maar goed, Varja was een meisje dat op de binnenplaats, op straat was opgegroeid... Maar Lena Boedjagina, mijn God, Lena was een volwassen vrouw, en nog wel uit zo'n gezin! Nina wist nu dat Lena die winter, zwanger van Joera, een illegale abortus had gepleegd die haar bijna het leven had gekost; en die schoft was niet een keer in het ziekenhuis geweest, na een half jaar was hij komen kijken, en nu ging Lenka weer met hem. Zag ze dan niet wat voor iemand hij was? Bij de NKVD werkten niet alleen echte partijsoldaten, er liepen daar genoeg lui rond die zich hadden weten in te dringen, en Joerka was er een van. Lenka moest dat toch weten. En dan die nieuwe geschiedenis, de nieuwe 'tragedie': Joerka bleek met nog iemand te leven. En in plaats dat Lenka dat stuk onbenul vergat, kwelde ze zichzelf weer, leed. Nina haatte het als vrouwen afhankelijk waren van mannen, ze zag het bij haar eigen zus, en dat ze ging werken veranderde dit niet wezenlijk. Een feest was het dus niet, er viel voorlopig niets te vieren.

Dat Joera haar bedroog, had Lena Nina op een moment van wanhoop toevertrouwd. Ze had echter geen bijzonderheden verteld. 'Hij bedriegt me,' was het enige dat ze had gezegd.

De bijzonderheden, of liever gezegd, de enige bijzonderheid, bestond daaruit, dat Joera haar met Vika Marasevitsj bedroog. Ze waren elkaar tegen het lijf gelopen op de overloop van het trappenhuis bij de Starosadskisteeg in de Marosejka. Lena kwam net uit de lift toen Vika de deur van de woning dichtdeed waar Lena naartoe ging. Een paar seconden keken ze elkaar verbluft aan, toen zei Vika 'hallo' en Lena mompelde hetzelfde terug. Vika ging de nog open lift binnen, sloot de deur.

Haar eerste opwelling was om weg te rennen, Lena holde over de trap, bleef een verdieping lager hijgend staan en luisterde... Beneden sloeg de liftdeur, dat betekende dat Vika weg was. Laat ze eerst wat verder weg zijn... Lena ging nog een verdieping lager... Godallemachtig! Dan was het die keer op oudejaarsavond helemaal geen toeval geweest, het duurde al heel lang, iedereen had het gezien, alleen zij was blind geweest.

Nina had toen ruzie gemaakt met Joera, en Sasja had ronduit in Joera's bijzijn gezegd: 'Kon je geen groter stuk stront vinden?' Joera had haar niet ontzien, nog steeds werd ze misselijk van de lucht van mosterd. In het ziekenhuis hadden ze gezegd: 'Het is een wonder dat u het er levend vanaf heeft gebracht,' maar de lafaard had zich gedrukt, was niet een keer gekomen. En nu lag hij op haar te wachten in het bed, waar Vika net uit was gestapt. Ze was waarschijnlijk niet de enige die in dat bed sliep. Hij was niet eens bang om op dezelfde dag met haar af te spreken als met Vika, haast op hetzelfde tijdstip.

Toen pas realiseerde Lena zich dat ze om vier uur was gekomen, terwijl Joera om vijf uur met haar had afgesproken, maar dat was ze vergeten, en zoals altijd om vier uur gekomen. Hij nam een uur rust! Dat hoerenjong, de smeerlap! Straks wilde hij nog dat ze samen bij hem in bed kropen! Het was uit, voorgoed! En zonder uitleg. Ze had geen zin zijn leugenachtige smoesjes aan te horen.

's Avonds belde Joera haar, verongelijkt vroeg hij waarom ze vandaag niet was gekomen.

'Ik werd opgehouden op mijn werk.'

'Kun je dinsdag?'

'Nee.'

'Wanneer dan?'

'Weet ik niet. Als ik kan, bel ik je. Je moet me voortaan niet meer bellen. Tot ziens Joera.'

Wat had ze? Sjarok begreep het niet. Alles leek zo goed te gaan, ze zagen elkaar niet al te vaak, dat kwam door zijn werk, ze gingen naar het theater, naar de film, de Acteursclub, tentoonstellingen... Waarom had ze kuren? Vreemd!

De onverwachte ontmoeting met Lena had Vika maar even uit haar evenwicht gebracht. Ze begreep dat Lena daar absoluut niet in dezelfde hoedanigheid als zijzelf was verschenen, van Vadim wist ze dat Joera en Lena hun verhouding hadden hernieuwd. Het was zijn schuld dat Lena haar hier, in de geheime woning had gezien! Door hem was ze verraden! Lena zou natuurlijk van Joera een verklaring eisen, en dan zou Sjarok bekennen dat de kamer niet alleen voor intieme ontmoetingen was bestemd. Maar geheime medewerkers mochten niet bekend worden, het was zijn verantwoordelijkheid dat ze elkaar hadden ontmoet.

Deze gedachte stelde haar meteen gerust, het drong tot Vika door wat voor kans dit was: nu moest Joera haar wel laten gaan, nu kwam hij er niet onderuit. Vandaag had hij haar belachelijk gemaakt, nu zou hij voor dat vernederende gesprek boeten.

Het gesprek was als volgt verlopen.

'Joera,' zei Vika, 'ik ga trouwen.'

'O ja?' antwoordde hij vrolijk. 'Met wie als ik vragen mag?'

Ze noemde de naam en achternaam van de Architect. Ze waren Sjarok bekend. Hij bleek echter niet bijzonder verbaasd.

'Gefeliciteerd. Een beroemd man.'

'Stalin vond zijn ontwerp mooi.'

'Ik heb het op de tentoonstelling gezien,' antwoordde Sjarok terughoudend, alsof hij niet zelf durfde te oordelen over een ontwerp dat Stalins goedkeuring wegdroeg.

'We zullen afscheid moeten nemen, Joera.'

Hij deed alsof hij haar niet begreep.

'Hoe bedoel je?'

'Ik ben nu echtgenote, je weet van wie. Mijn levensstijl is veranderd, het is afgelopen met de restaurants, de oude vriendenkring is weggevallen.'

'Je zult anderen ontmoeten.'

'Nee, mijn man leidt een zeer teruggetrokken leven. Van negen uur 's morgens tot elf uur 's avonds in het atelier, en ik wacht thuis op hem. Alleen. Maar daar gaat het niet eens om. Ik kan en mag niets voor hem verborgen houden.

'Dan doe je dat niet,' zei Sjarok rustig.

'Hoe dan… Moet ik hem over onze ontmoetingen vertellen?'

'Vertel het hem als je dat nodig vindt.'

'Maar ik heb geheimhouding ondertekend.'

'In het belang van je huiselijke haard sta ik je toe het te onthullen,' grinnikte Joera.

'Maar dan laat hij me meteen vallen.'

Sjarok haalde zijn schouders op.

'Waarom? Omdat je je plicht doet?'

Ze staarde Sjarok aan. Hij wist immers dondersgoed dat ze dit nooit tegen iemand zou zeggen. Maar hij wilde haar niet uit zijn klauwen laten, wilde dat ze over haar eigen man zou rapporteren, en hij twijfelde er geen moment aan dat hij haar daartoe kon dwingen. Toch zei ze:

'Goed, ik zal hem alles vertellen.'

Hij vertrok zijn lippen.

'Dat moet je vooral doen… Dan doen wij er een schepje bovenop. We lepelen al je buitenlanders op,' hij lachte. 'En jij vertelt hem hoe het er daar, bij je buitenlanders, aan toegaat… Het is zeker lekkerder bij ze in bed?…'

'Joera, waar heb je het over?'

Hij sloeg met zijn vuist op tafel, brulde:

'Ik weet waar ik het over heb!… Jij smerige hoer, je slaapt met ze, sjouwt de hotelkamers af, je bent met handen en voeten aan die buitenlandse spionnen gebonden. Tot je oren zit je in de stront. En je gaat manlief vertellen wat er zo aantrekkelijk aan hen is, dat moet hij maar eens horen.'

'Joera, hoe durf je? Ik heb met die mensen alleen aan tafel gezeten.'

'Je liegt! Je bent met ze naar bed geweest. De laatste keer met die Zweed. We kennen hem en al zijn voorgangers, van de eerste tot de laatste. Heb je niet genoeg aan Russen?! Wat mankeert er aan hen, geef antwoord!'

Hij had beleefder kunnen zijn, ze was ook met hem, een Rus, naar bed geweest. Maar ze zweeg, verbijsterd dat hij zo goed op de hoogte was.

En hij ging verder terwijl hij Vika vol haat aankeek:

'O, dat zijn gewoon de beroemde kennissen van papa… Professor Kramer, Rossolini, Kurt Zanderling,' zijn stem klonk nonchalant. 'Getalenteerde violisten, ach, ach, Frits, Hans, Michel… Eén grote familie. Beertjes! Maar die beertjes zijn actieve nazi's, fascisten, spionnen! En die Japanners met wie je slempt zijn ook allemaal spionnen, en nog belangrijke ook, er zitten kolonels bij. Weet je wel waarom ze hier komen, hoe gek ze op ons zijn? Jij hebt je met hen afgegeven, en nu kom je met: laat me gaan, anders vertel ik het allemaal aan mijn man. Nee liefje, jij vertelt niets, we vertellen het zelf, dan zullen we zien of hij dan nog met je trouwt!'

Ze zweeg, machteloos, verslagen.

Maar nu ze over de Marosejka liep, voelde Vika zich machteloos noch verslagen. Hij had zich misrekend, dat kleermakerszoontje! Door zijn schuld was ze ontmaskerd. Het argument van haar man had hem niet overtuigd, dan kreeg hij met andere argumenten te maken. Je zult wel moeten, Joerotsjka, je zult wel moeten.

Zondag belde Vika hem thuis op.

'Hallo Joera, met Vika, ik moet je zo snel mogelijk spreken.'

'Wat is er gebeurd?'

'Dat kan ik je niet over de telefoon zeggen. Wil je dat ik bij je langs kom of zullen we op straat afspreken, dan lopen we een stukje op.'

Ze was bang om naar de Marosejka te gaan. Ze was bang om met Sjarok alleen te zijn. Maar Sjarok kon haar de Marosejka ook niet voorstellen, het was daar vandaag niet zijn dag. Hij begreep dat Vika weer zou gaan mekkeren over haar man, hij hoefde zich dus niet bijzonder te haasten. Maar in Vika's aandringen klonk iets alarmerends door. Hij mompelde ontevreden:

'Waarom zo'n haast? We zien elkaar op de vaste tijd, dan kunnen we praten.'

'Dit duldt geen uitstel,' drong Vika aan. 'Het is ook niet in je eigen belang om het uit te stellen.'

'Welnee, welnee, oefen maar wat geduld.'

'Goed,' zei Vika koel, 'ik heb je gewaarschuwd, dan heb je het aan je zelf te wijten.'

'Is dat soms een dreigement?'

'Zie het zoals je wilt. Ik vraag je voor de laatste keer: kun je nu buiten komen?'

'Nu meteen?'

'Kan ook over een uur, of over twee uur, zeg maar wanneer het je uitkomt.'

'Goed, over een uur op het Sobatsjaplein, ik moet toch die kant op.'

'Laten we gaan zitten,' stelde Vika voor en wees op een leeg bankje op het plein.

'Nee,' zei Joera, 'laten we hier afslaan, ik moet naar de Vorovskistraat.'

Ze liepen de Troebnikovskistraat in.

'Wat is er nou aan de hand?'

'Wat er aan de hand is?' herhaalde Vika met een spottende lach. 'Je moet onze ontmoetingsplaats niet veranderen in een rendez-vous-huis, Joerotsjka.'

Sjarok begreep het allemaal meteen: ze was er Lena tegengekomen.

Om tijd te winnen, vroeg hij echter:

'Wat, wat?'

'In het trappenhuis ben ik Lena Boedjagina tegengekomen. We hebben elkaar zelfs gedag gezegd, we zijn immers schoolvriendinnen geweest. Ze had natuurlijk door waarom ik bij jou kom, want ze weet waar je werkt. Ik ben dus ontmaskerd, en als medewerkster voor jou niet meer geschikt, Joerotsjka. Laten we als vrienden uit elkaar gaan.'

Hij liep, luisterde zwijgend terwijl hij de situatie overdacht. Alles was duidelijk: Lena was een uur eerder gekomen, had zich vergist, de domme gans! Ze was Vika tegen het lijf gelopen, boos geworden en daarom wilde ze hem niet zien, maar ze kon de pot op! Van haar had hij niets dan ellende. Maar Vika kon haar plannetje wel vergeten, ze was op het idee gekomen hem te chanteren, de idioot!

Vika nam hem opeens bij de arm, keek hem vriendelijk glimlachend in de ogen.

'Wees niet boos Joerotsjka! Het zit je een beetje tegen, maar je bent zo slim, je maakt het allemaal in orde, en niemand zal iets merken van dat tegenvallertje. Voor mij is het erger: ik kan me nu nergens vertonen, iedereen zal me mijden, ik zal thuis moeten blijven.'

Hij trok zijn hand niet terug. Het was toch een slim wijf, hij kon niet anders zeggen, taai en keihard. Dat was eigenlijk precies wat hij nodig had, en niet zo'n kleffe kip! Met haar zou hij het ver schoppen. Ze mocht dan wel de dochter van Boedjagin zijn, maar in de Boetyrka-gevangenis wachtte een cel al verlangend op die Boedjagin, en zij kwam uit een neutraal professorsgezin…

Maar daar was het nu te laat voor.

'Is het niet bij je opgekomen dat Lena je heeft gezien en daarna heeft geconcludeerd dat je mijn minnares bent?'

Vika bleef staan zodat Joera ook gedwongen was te blijven staan. Haar glimlach was verdwenen, grijze, meedogenloze ogen keken hem aan.

'Denk nou niet dat ik gek ben! Ik ben voor Djakov gezwicht omdat ik in de war was en ik het formulier heb ondertekend dat hij me onder de neus duwde. Maar jij bent Djakov niet, we kennen elkaar van kinds af aan, je bent de vriend van mijn broer, je komt bij ons thuis, en je bent op de koop toe met mij naar bed geweest… Je had me kunnen sparen, en dat heb je niet gedaan. Nu heb ik ook geen medelijden met jou, hou dat in de gaten. Ik stuur een brief aan Jagoda, waarin staat dat jij van de Starosadskisteeg een hoerenkot hebt gemaakt, dat ik aan een van je minnaressen bekend ben geworden, en dat zij de dochter is van een ondervolkscommissaris en een oude vriendin van mij. Die brief is klaar, geschreven. Als je me nu arresteert en meeneemt, wordt de brief gepost. Hou dat in de gaten.'

'Jou arresteren, meenemen,' mompelde Sjarok verachtelijk. 'Wie moet jou hebben?'

Hij liep verder. Ze ging naast hem lopen, maar ze nam hem niet meer bij de arm.

'Als niemand me nodig heeft, des te beter, dan gaan we uit elkaar. Ik ga tot het einde, ik laat me door niets tegenhouden, ik geef niet toe.'

'Ach, wat vreselijk!'

Zonder aandacht te schenken aan zijn woorden, vervolgde ze:

'Ik heb alles eerlijk gedaan. Ik heb walgelijke mensen ontmoet, zoals die Liberman, maar jij hebt me door een van je scharrelaffaires verraden. We zullen zien hoe je chefs dat bevalt.'

'Geen dreigementen, geen dreigementen,' zei Sjarok spottend, 'dat zal je niet helpen, alleen maar schaden.'

'Dreig jij mij liever niet, ik ben nergens bang voor. Ik ben getrouwd, ik heb een nieuw leven opgebouwd dat ik zal verdedigen. Al ga ik eraan, met jouw carrière zal het ook afgelopen zijn, zoiets vergeven ze je niet. Als je verstandig bent, blijft alles tussen ons. Je kunt me vertrouwen.'

'Goed dan,' nu bleef Sjarok staan, 'Lena heeft je inderdaad gezien en een scène getrapt, ik heb haar bekend dat wij een relatie hadden, zo was het toch, nietwaar?... Ik heb haar mijn woord gegeven dat ik je verder niet meer zal zien. En je kunt gerust zijn: Lena zal het aan niemand vertellen. Van die kant dreigt er voor jou geen enkel gevaar. Wat je brief aangaat, die komt niet aan. Lena is praktisch mijn vrouw, je bent haar tegen het lijf gelopen, dat kan gebeuren, we vragen mijn vrouw een bewijs van geheimhouding te tekenen en daarmee is het afgelopen. Met die brief bereik je alleen dat je aan een ander wordt overgedragen, ik weet niet of dat gunstiger voor je is.'

Vika luisterde ingespannen, keek hem recht in het gezicht met haar grote, grijze, schaamteloze ogen.

Daarna zei ze vastbesloten, zelfverzekerd en boosaardig:

'Goed, dan gaan we ieder ons weegs. Het beste.'

Maar hij hield haar tegen.

'Wacht, de zaak heeft nog een kant. De vorige keer heb je me gevraagd van verdere medewerking ontslagen te worden. Dat verzoek heb ik aan mijn chef moeten voorleggen, en het dezelfde dag nog gerapporteerd. Ik weet niet wat het antwoord zal zijn. Nog even geduld.'

'Hoe lang moet ik wachten?' vroeg Vika, ze begreep dat Sjarok dit nu net had verzonnen, hij had niets gerapporteerd, maar misschien zou hij het nog doen, dat betekende dat hij bang was voor haar aangifte.

'Op onze volgende ontmoeting krijg je antwoord.'

Tien dagen wachten! Zich weer naar die woning slepen?

'Goed,' zei Vika, 'ik wacht tien dagen.'

9 Vika zou niet opgeven. Als vrouw van de Architect dacht ze de macht aan haar kant te hebben. De andere kant had natuurlijk de macht, maar Vika was brutaal, vastberaden, tot alles in staat, en, dat moest gezegd, hij had haar een troef toegespeeld.

Daarom vond Sjarok het verstandig om tegen Djakov te zeggen:

'Viktorija Andrejevna Marasevitsj is met de Architect getrouwd, ze wil voor haar man de deugd zelve lijken.'

'Zanikt ze?'

'Ze heeft met Libermans gezelschap gebroken, haar oude vrienden ziet ze niet meer, in restaurants komt ze niet meer, ze blijft thuis. Nieuwe kennissen heeft ze nog niet. Misschien moeten we haar een tijdje vrijlaten, laat ze aan haar nieuwe omgeving wennen, ze komt in een nieuw milieu, zal nieuwe kennissen krijgen, de Architect heeft veel volk om zich heen, en interessant volk.'

'Dat klinkt redelijk,' stemde Djakov in, 'laat ze zich maar amuseren. Dan nog iets, Sjarok...'

Djakov rommelde in zijn papieren op tafel, dat betekende dat hij zijn gedachten ordende, de woorden overdacht die hij zou gaan uitspreken.

'Kijk,' vervolgde Djakov, 'dit moet onder ons blijven,' hij keek Sjarok betekenisvol aan, 'kameraad Zaporozjets uit Leningrad is hier en wil drie, vier betrouwbare jongens uit het centrale apparaat meenemen naar Leningrad. Voor hogere functies natuurlijk, met promotie en salarisverhoging. Jij bent een van degenen die in aanmerking komt. Hoe sta je daar tegenover?'

Sjarok haalde zijn schouders op.

'Hoe ik daar tegenover sta? Ik zal werken waar ik geacht word te gaan werken. Maar de woning in Moskou kan ik aanhouden, hoop ik?'

'Natuurlijk, daar wonen je ouders. Je zult een paar jaar in de provincie werken, maar in hoeverre is dat provincie? Het is onze tweede hoofdstad. Je komt terug met een hogere rang, in een hogere functie. Denk je eens in! Dit gebeurt niet op bevel maar vrijwillig. Velen willen met Zaporozjets werken, een goede, opgewekte kerel, hij staat achter zijn jongens. Ik pols je alleen. Hij zal zelf met je praten, misschien neemt hij een andere kandidaat. Denk er over na, volgens mij biedt het perspectief.'

Een onverwacht, maar interessant voorstel. Je kon niet je hele leven in het centrale apparaat blijven zitten, dat was niet de gewoonte, je moest een tijdje in de provincie werken en teruggaan naar Moskou met praktische ervaring uit de provincie. Leningrad was de beste mogelijkheid, dat was niet één of ander provinciegat, en slechts één nacht reizen van Moskou. En Zaporozjets zou de oude Medved waarschijnlijk binnenkort opvolgen, dan zou hij, Sjarok, samen met hem hogerop klimmen. Hij had hier gewoon een steunpunt nodig. Djakov was geen steunpunt, een onbelangrijk mannetje. Berezin? Een belangrijke figuur, inderdaad, maar hij kon het niet met Jagoda vinden, en ze zouden hem waarschijnlijk naar het Verre Oosten sturen. Het Verre Oosten? Nee, dan liever naar Leningrad.

Al met al beviel het voorstel Sjarok. Met Lena werd de knoop dan vanzelf doorgehakt. En met zijn broer ook. Zijn broer had zijn tijd er bijna op zitten, als hij terugkwam moest hij het zelf maar uitzoeken, hij ging hem niet helpen.

Sjarok was goed geluimd toen hij Vika op de Marosejka ontmoette.

'Nou, moeder, blijdschap, blijdschap, ga en sta waar je wilt. Niet vanwege Lena. Ik heb gemeld dat je mijn vrouw tegen het lijf bent gelopen, ook die kwestie is geregeld. Maar we stoppen onze bijeenkomsten omdat de leiding mijn argumenten redelijk vond: je zit thuis, een voorbeeldige echtgenote, wat hebben we aan jou? Vier je wittebroodsweken.'

'Dank je wel,' zei Vika gereserveerd. 'Maar hoe zit het... met mijn verbintenis?'

'Het papier? Dat zit in het archief. Wil je het terug hebben?'

'Ja.'

'Zo, jij durft! Wie zal toestaan dat document uit het dossier te halen? Het is genummerd, zit in het archief, daar lezen de muizen het.'

Vika begreep dat ze haar met dat papier altijd het mes op de keel konden zetten. Maar voorlopig was ze vrij, ze merkte het wel.

'Dank je, Joera,' zei ze, en stond op, 'ik hoop dat ik je in deze omstandigheden—ze wees naar de kamer—en in deze rol nooit meer ontmoet.'

'Nooit meer,' verzekerde Sjarok glimlachend.

Dat was een eerlijk antwoord. Hij zou zich nooit meer met Vika Marasevitsj bezighouden. Wanneer de noodzaak zich voordeed, en dat zou zeker gebeuren, zou een ander dat doen.

Hij bereidde zich al geestelijk voor op zijn vertrek naar Leningrad. Hij was er nog nooit geweest. Veel van zijn schoolkameraden hadden er hun vakanties doorgebracht, je vakantie in Leningrad doorbrengen gold als bijzonder chic, ze hadden daar familie of bekenden, hij had niemand in Leningrad. Dit was een van de vele redenen waarom hij jaloers was geweest op de intelligentsia van de Arbat. Nu ging hij ook naar Leningrad, niet om bij familie te hokken, maar voor verantwoordelijk werk; de eerste tijd zou hij in een hotel verblijven, daarna kreeg hij een woning.

Dezelfde dag was Sjarok op rapport bij Berezin, met een paar stukken ter ondertekening.

Nadat hij ze getekend had zei Berezin:

'De hogeschool van de NKVD neemt binnenkort nieuwe studenten aan. Wilt u niet studeren?'

Sjarok aarzelde. De hoge school was ook aanlokkelijk, die leidde functionarissen voor de hoogste rangen op. Maar Leningrad dan?

'Ik weet niet,' zei Sjarok onzeker, 'kameraad Zaporozjets wil me namelijk in Leningrad hebben.'

Berezin keek hem aandachtig aan, daarna boog hij zijn hoofd, verborg zijn blik.

'Dat verandert de zaak, dan gaat het over.'

Zijn gezicht was ondoorgrondelijk.

Sjarok verliet de werkkamer. Berezin deed de deur achter hem op slot. Aan dezelfde bos zat de sleutel van de kluis die in de hoek van de kamer stond, hij maakte hem open, zette er een stoel naast en stapelde daar de mappen op die hij uit de kluis haalde en een voor een bekeek.

Ten slotte vond hij de map die hij zocht, legde hem apart, stopte de overige mappen in dezelfde volgorde terug in de kluis, op de plaats van de apart gelegde map legde hij een vel papier, om hem later op zijn oude plaats terug te kunnen leggen.

Aandachtig bladerde hij de map door, stopte op de bladzijde die hij moest hebben... Hij stak een sigaret op.

De informatie die Berezin toevallig van Sjarok had gekregen bevestigde zijn verdenkingen: in Leningrad werd een of andere actie voorbereid.

De eerste stoot tot dat vermoeden was Alferovs verbanning naar Oost-Siberië geweest. Kirov had immers om Alferovs komst verzocht. Maar in plaats van naar Leningrad hadden ze hem als rayongevolmachtigde naar Angara gestuurd: men zei dat ze enige aspecten van zijn activiteiten in China moesten preciseren, hij moest zolang in Siberië blijven. Alferov mocht zelfs niet naar Moskou, ze hadden hem bevolen in Kansk te blijven en van daaruit was hij de regio in gestuurd.

In plaats van Alferov was Ivan Zaporozjets naar Leningrad vertrokken. Hij was lang, breedgeschouderd, een 'knappe verschijning', grappenmaker en clown, liefhebber van wijn en vrouwen, kon goed zingen. Hij woonde op de Palicha, had een keer geklaagd dat de woning geen badkamer had, daarom maakte zijn vrouw, de beeldschone Roza Proskoerovskaja, het hem moeilijk.

Berezin boog zich opnieuw over tafel, bekeek het dossier van Zaporozjets. Hij was een voormalige linkse socialist-revolutionair, maar had zich in het centrale apparaat van de Tsjeka weten te handhaven. Jagoda had hem natuurlijk beschermd, ze waren onafscheidelijk. Op de lijst van de door Zaporozjets geleide operaties was zijn infiltratie van de staf van Machno de belangrijkste. Een avonturier die geluk had. Nu bereidde hij weer een roekeloos waagstuk voor. Een van Berezins mensen uit Zaporozjets' omgeving had hem een kopie van een onderschepte brief van ene Nikolajev doorgespeeld. Een vreemde een alarmerende brief... Berezin las hem nog eens.

Leonid Nikolajev. In 1920 lid van de partij geworden, op zestienjarige leeftijd aan het front. Uit een arbeidersgezin, in het verleden zelf ook arbeider. Tot 1934 werkzaam in Leningrad als prijscontroleur bij de Arbeiders- en

Boereninspectie. Nikolajev schreef dat hij door intriges van trotskisten die zich in het districtscomité hadden verschanst uit de inspectie was verwijderd, en naar een fabriek was overgeplaatst. Maar de secretaris van de partijcel van de fabriek, ook een trotskist, stelde hem in het kader van de mobilisatie van de partij te werk bij het transportwezen. Hij was bereid overal te werken waar de partij hem heen stuurde, hij werd echter niet door de partij, maar door de trotskisten gestuurd, die hem wilden weghebben uit Leningrad. Hij weigerde te vertrekken. Daarom was hij uit de partij gezet, sinds maart werkeloos. Hij had twintig brieven naar kameraad Kirov gestuurd met het verzoek zijn zaak uit te zoeken, hij schreef ook over de trotskistische druk op het apparaat van Leningrad. Op geen enkele brief had hij antwoord gekregen. Of kameraad Kirov vond het niet nodig te antwoorden, óf de brieven bereikten kameraad Kirov niet. Dat was de schuld van de trotskisten om Kirov heen, op wie deze blindelings vertrouwde. Van de dertig jaar van zijn leven had hij, Nikolajev, er veertien in de partij doorgebracht, zonder de partij kon hij zich zijn toekomst niet voorstellen, hij was tot het uiterste gebracht en tot alles in staat...

'Tot alles in staat...' Wat betekende dat?

Zelfmoord? De man was al veertien jaar partijlid en moest toch begrijpen, dat hij met zo'n dreigement niemand bang maakte. Een terroristische daad? Daarover schreef men niet, daarvoor waarschuwde men niet, voor zo'n dreigement alleen al werd je geëxecuteerd. Maar hij had het toch geschreven, het was een dreigement. Was hij geestelijk gestoord?

Aan wiens adres waren die dreigementen gericht? En bovenal: Zaporozjets werkte met die kerel. Wat wilde hij met hem?

In welke functies haalde Zaporozjets nieuwe mensen naar Leningrad? Wie moesten ze vervangen? Wat was hun doel? Waarom die geheimzinnigheid? Zelfs hij, Berezin, lid van het college, had het toevallig vernomen.

Stalin was ontevreden over de toestand in Leningrad, dat was algemeen bekend. Hij eiste van Kirov repressiemaatregelen tegen de leden van de zogeheten Zinovjev-oppositie, hij wilde in Leningrad terreur ontketenen. Waarom? Als startsein voor terreur in het hele land? Kirov weigerde en blijkbaar moest Zaporozjets een incident uitlokken dat ertoe zou bijdragen Kirovs verzet te breken. Maar wat Zaporozjets ook organiseerde, het onderzoek van zo'n incident zou in Leningrad plaatsvinden, dat zou Kirov niet uit handen geven, in zo'n geval zou Kirov niet toegeven, hij zou de kwestie voorleggen aan het Politbureau.

Zaporozjets moest dus iets organiseren dat iedereen zou overdonderen, waarvoor Kirov zou moeten wijken.

Maar wat zou dat zijn? Sabotage, een ontploffing, een treinramp? Daarmee hield je Kirov niet voor de gek. Een van zijn medestrijders vermoorden?

Tsjoedov, Kodatski, Pozern... Hielden ze Nikolajev daarvoor achter de hand? Dat zou opzienbarender zijn, maar dan nog kon je Kirov niet van het onderzoek weghouden.

Maar wat dan?

Berezin herinnerde zich nog precies wat Stalin in 1918 tegen hem had gezegd in Tsaritsyn. Stalin eiste toen de executie van enkele militaire specialisten die officier in het tsaristische leger waren geweest. Berezin, toen chef van de Politieke Veiligheidspolitie, probeerde aan te tonen dat de beschuldigingen niet overtuigend waren en dat de executie veel verwikkelingen en problemen zou veroorzaken.

Daarop had Stalin belerend gezegd:

'De dood lost alle problemen op. Geen mensen, geen problemen.'

En Stalin kreeg gelijk. Er kwam een telegram waarin de executies herroepen werden, maar de mensen waren al geëxecuteerd. Er ontstonden geen problemen.

Dat was de filosofie van deze man. Zou hij die nu toepassen? Ja, ongetwijfeld! Hij, Berezin, kon niet openlijk handelen, één onvoorzichtig woord en het was met hem gedaan. Maar hij had wel de mogelijkheid te waarschuwen.

's Avonds ging Berezin bij Boedjagin langs. Ze woonden aan verschillende ingangen van het Vijfde Huis van de Sovjets en hoewel ze elkaar niet goed kenden en elkaar zelden zagen mochten ze elkaar: beiden behoorden tot de ijzeren garde van oude bolsjewieken, ze hadden dezelfde levensweg doorlopen en waren mensen die hun persoonlijke ambities nooit lieten voorgaan.

Berezin uitte tegen Boedjagin geen enkele verdenking. Het was voor Boedjagin genoeg dat Berezin, voor het eerst van zijn leven, bij hem thuis kwam, zogenaamd voor een boek over de economie van het Verre Oosten, dat hij in elke bibliotheek kon aanvragen. De door Berezin in het gesprek aangestipte mededeling dat Ivan Zaporozjets een aantal mensen zocht om in Leningrad te werken en dat dit in het diepste geheim gebeurde wist Boedjagin ook volledig juist te taxeren.

Nadat hij Berezin had uitgelaten liep Boedjagin naar de keuken en zette sterke thee. Jammer dat Asjchen Stepanovna op reis was, hij had Berezins nieuws, verontrustend nieuws, met haar willen bespreken.

's Morgens liep Boedjagin zijn eigen kamer voorbij, ging bij Semoesjkin naar binnen en knikte naar de deur van Ordzjonikidzes kamer:

'Is hij er?'

'Ja,' antwoordde Semoesjkin.

Toen hij Ordzjonikidze vertelde over de aanstelling van nieuwe mensen bij Zaporozjets in Leningrad, noemde Boedjagin Berezin niet. In zulke kwesties werd de bron niet vermeld.

Ordzjonikidze dacht na. Als de nieuwe benoemingen een gewone departementsintrige binnen het apparaat van de NKVD waren, dan had Medved Kirov daarover geïnformeerd. Maar de personen die er belang bij hadden, lieten het hem, een lid van het Politbureau en een persoonlijke vriend van Kirov, bij monde van Boedjagin weten. De informatie sloeg dus niet op een departementsintrige maar droeg een algemeen politiek karakter.

'Wat denk jij ervan?' vroeg Ordzjonikidze.

'In Leningrad wordt iets op touw gezet. Het doel is Sergej Mironovitsj te compromitteren.'

'Hoe dan?'

'Dat is moeilijk te zeggen. Ze willen hem dwingen tot repressiemaatregelen, voor het blok zetten. En als hij weer weigert, hem weghalen uit Leningrad.'

'Ja, daar ziet het naar uit,' stemde Ordzjonikidze in.

Wat Berezin, de ervaren Tsjeka-man, meteen had doorzien, kwam niet eens bij hen op.

10 Hij had tandpijn. De tand zat al een tijd los, maar werd door het haakje van zijn beugelprothese stevig op zijn plaats gehouden. Maar gisteravond, toen Stalin de prothese uitdeed, voelde hij pijn. Hij deed hem weer in, het haakje fixeerde de tand. Maar wanneer hij de tand met zijn tong aanraakte, wiebelde hij en het leek alsof zijn tandvlees ontstoken was.

Stalin ging naar bed zonder de prothese uit te doen en had een rustige nacht. 's Morgens haalde hij de prothese er voorzichtig uit, voelde met zijn tong, daarna met zijn vingers. De tand wiebelde en hij had zin hem eruit te trekken, met zijn tong uit zijn mond te duwen. Stalin gaf opdracht een tandarts uit Moskou te laten komen. Tegen het einde van de middag werd gemeld dat dokter Lipman en een tandtechnicus per vliegtuig waren gearriveerd en gehuisvest in datsja nummer drie.

'Laat hij komen zodra hij zich heeft geïnstalleerd,' beval Stalin.

Na een half uur verscheen de arts, een knappe, vriendelijke jood van tegen de veertig. Hij had Stalin al eerder behandeld, Stalin was tevreden over hem en had ooit zelfs gezegd: 'Uw handen zijn vriendelijker dan die van Sjapiro.'

Sjapiro, Lipmans voorganger, was ook een goede specialist, maar Stalin hield niet van artsen die je uitvragen, bevoelen, uithoren, medicijnen voorschrijven, maar niets uitleggen, niet zeggen wat je hebt of waarvoor de recepten dienen, zich overdreven gewichtig voordoen en van hun beroep een geheim, een raadsel maken. Bij de kleine, zwijgzame Sjapiro vond hij die trekken bijzonder onaangenaam.

Lipman daarentegen legde uit wat hij aan het doen was, vertelde hoe Stalins tanden zich hielden, hoe hij de prothese moest onderhouden, en toen hij voor het eerst bij Stalin een tand trok, gooide hij die niet in de spoelkom, zoals Sjapiro deed, maar liet hem aan Stalin zien, gaf aan wat er mis was met de wortel en waarom hij er echt uit moest. Hij was een rustige, meedeelzame man. Over hem zei Stalin bij wijze van grap: 'Voor je het weet heeft hij je de tanden uit je kop gekletst'.

Hij zag dat Lipman bang voor hem was, dat was niets bijzonders: iedereen was bang voor hem. Maar als bij een tandarts de handen trillen van angst, kan hij een fout maken. Daarom was hij vriendelijk tegen Lipman. Vandaag vroeg hij zoals gewoonlijk:

'Hoe gaat het met u, alles goed thuis?'

Hoewel hij absoluut niets van Lipmans huiselijke omstandigheden wist.

'Alles prima, Josif Vissarionovitsj, dank u.' Lipman opende zijn koffertje, tamelijk groot, bijna een reisvalies, pakte zijn instrumenten en een hoofd- steun die hij op de stoel bevestigde. Stalin vond het ook prettig dat hij de steun van tevoren vastmaakte. Sjapiro deed dit altijd als hij al in de stoel zat en Stalin vond het vervelend als ze achter zijn rug bezig waren.

Nadat hij de steun had bevestigd en had gecontroleerd of hij goed bleef zitten, vroeg Lipman Stalin plaats te nemen. Hij ging zitten. Lipman deed hem een servet voor en drukte zijn hoofd met een zachte handbeweging tegen de hoofdsteun.

'Zit u gemakkelijk?'

'Ja.'

'Wat zijn de klachten?'

'Mijn tand zit los, vooral met de prothese uit.'

'We zullen meteen zien,' Lipman gaf Stalin een glas water, 'even spoelen alstublieft… Mooi zo… Nu uw hoofd iets naar achteren alstublieft… Prima zo…'

Voorzichtig haalde Lipman de prothese eruit, bevoelde de tand. Hij had zachte, aangenaam ruikende vingers, hij was een secuur arts… Vervolgens koos hij uit de instrumenten die op tafel lagen een spiegeltje, bekeek zijn gebit opnieuw en zei:

'De tand moet verwijderd worden, er zit niets anders op, van die tand krijgt u niets dan narigheid, hij houdt de prothese niet. Hij is erg slecht.'

'Hoe lang gaat dat duren?'

'Wel, de wond heelt hoop ik, in twee, drie dagen, de prothese maken we in een dag, ik denk dat het alles bij elkaar vijf dagen gaat duren, niet langer.'

'En ik loop vijf dagen zonder tanden,' zei Stalin somber.

'Waarom zonder tanden?' glimlachte Lipman, 'u mist alleen even uw bo- venkiezen. We kunnen deze natuurlijk ook tijdelijk aanpassen,' Lipman draaide de oude prothese rond in zijn handen, 'dan mist u maar een tand.

Maar bij elke kauwbeweging zou u een goede tand kunnen beschadigen, die wordt dan te sterk belast. Waarom het risico nemen? Houdt u het een paar dagen uit?'

'Goed,' zei Stalin. 'Wanneer moet hij eruit?'

'Als u wilt, kan ik het nu doen.'

'En morgenochtend?'

'Dat kan ook.'

'Ik heb vandaag gasten, het is genant gasten zonder tanden te ontvangen, vindt u niet?'

'Als gasten willen eten,' zei Lipman glimlachend, 'moeten ze allereerst zelf tanden hebben.'

Stalin stond op. Lipman maakte haastig het doekje om zijn nek los.

'Neemt u het ervan,' zei Stalin, 'morgenochtend na het ontbijt wordt u ontboden.'

Kirov was 's middags aangekomen. Stalin gaf Zjdanov opdracht hem in te lichten over hun werk aan de geschiedenisleergang en hem voor het avondeten uit te nodigen.

Ze soupeerden gedrieën: Stalin, Kirov en Zjdanov.

'Goed dat je gekomen bent, Sergej Mironovitsj,' zei Stalin terwijl hij als gastheer aan het hoofd van de tafel plaatsnam, 'want Andrej Aleksandrovitsj,' hij knikte naar Zjdanov, 'drinkt niet, eet niet, zit aan tafel alsof hij Jezus Christus zelf is en wil mij uithongeren. Wat dat betreft ben ik het met Tsjechov eens: al die ziektes zijn door artsen verzonnen. Je moet alles eten, met mate natuurlijk, binnen bepaalde grenzen. Kaukasische kruiden zijn gezond: kinza, tarchoen, dzjon-dzjoli... Fruit is goed, en droge wijn. Georgische wijn. Drink, eet: alles zal je goed bekomen. Jij als Kaukasiër ziet zelf wat er op tafel staat. Of ben je in Leningrad soms vergeten wat chatsjapoeri, wat lobio en wat satsivi is?'

'Nee hoor,' antwoordde Kirov lachend en nam van alles wat, 'ik ken alles nog en ik vind het allemaal lekker.'

'Ik weet niet welke keuken tegenwoordig in zwang is in Leningrad,' zei Stalin peinzend, 'bij de adel was vroeger de Franse keuken in zwang, en bij het volk de Duitse: saucijsjes, worst. En nu?'

'Tegenwoordig is de proletarische keuken in zwang,' zei Kirov, 'koolsoep, borsjtsj, gehaktballen, macaroni. Het volk eet wat op de bon te krijgen is.'

'Ach ja, de bon,' zei Stalin op dezelfde peinzende toon, 'we gaan de distributie afschaffen.'

Hier ging Kirov niet op in: tot de afschaffing van de distributie per een januari was al besloten.

'Er wordt dit jaar een goede oogst verwacht,' vervolgde Stalin, 'er moet voldoende graan zijn. We hebben informatie over Kazachstan gekregen, ze schrijven dat het een ongelooflijke oogst wordt, in jaren hebben ze zoiets niet meegemaakt, ze hopen vijfentwintig centenaar per hectare te halen. Ik ben bang dat je vriend Mirzojan zo'n oogst niet aankan.'

'Mirzojan weet van aanpakken, die stelt niet teleur.'

Alsof hij Kirovs antwoord niet had gehoord, vervolgde Stalin nadenkend: 'Een rijke oogst is natuurlijk mooi, maar het brengt ook een risico met zich mee: het overvalt de mensen, brengt een stemming van zelfgenoegzaamheid, gemakzucht, zorgeloosheid teweeg. Een rijke oogst is pas goed, nadat hij is binnengehaald en afgevoerd, zonder diefstal en verlies.'

Kirov wist dat Stalin niets zomaar vertelde, hij was niet voor niets over Kazachstan begonnen. Aan tafel praatte Stalin gewoonlijk niet over zaken, vandaag wel. Hij begon met een omweg, sprak over onbenullige dingen, dat was zijn manier om de meest onverwachte beslissingen te presenteren. En weer ging het over de landbouw. Een maand geleden, op het juniplenum van het CC, had Kirov een uitbrander gekregen voor het niet uitvoeren van de toch al verlaagde plannen voor de graan- en vleesvoorziening. De plannen waren niet verlaagd. Voor de afzonderlijke gewassen waren de normen zoals gebruikelijk bijgesteld, het ene plan was verlaagd, het andere verhoogd. Stalin had weinig verstand van dit soort zaken, hij wist niets van landbouw. En er was ook geen sprake van vertraging, voor het district Leningrad was de maand juni nog niet doorslaggevend voor de graanleveranties. Kirov was echter niet tegen de verordening ingegaan: de partij maakte zich op om het distributiesysteem af te schaffen, alle krachten moesten worden gebundeld voor de graanvoorziening van het land, iedereen moest worden aangespoord, en als een berisping werd gegeven, dan natuurlijk met een van de leidende partijorganisaties als voorbeeld: dat was voor iedereen een goede waarschuwing. Dat was gewoon, Kirov zag het niet als een actie tegen hem persoonlijk, ook al had het meer zin gehad zich naar de Moskouse, de hoofdstedelijke organisatie te verwijzen. De tekorten waren even groot en het graan werd er eerder binnengehaald. Maar Kaganovitsj stond aan het hoofd van de Moskouse organisatie en Stalin wilde hem niet voor het hoofd stoten, dat was typisch zijn manier van politiek bedrijven: de een grieven, de ander belonen en hen onderling tegen elkaar opzetten. Stepan Sjaumjan had ooit gezegd: 'Koba heeft het verstand en het karakter van een slang.' Maar daar stond Kirov boven: als het om partijzaken ging was er geen plaats voor persoonlijke trots. Bovendien verachtte Kirov Kaganovitsj. In ieder geval begreep Kirov het junibesluit van het CC over de achterstand van Leningrad, de reden van het gesprek over de graanleveranties in Kazachstan was hem daarentegen duister. Zijn medewerking aan het geschiedenisboek was fictie, wat wist hij nu van geschiedenis! Stalin was ook geen historicus, al vond hij zelf van wel.

Waarom moest hij hier komen?

'Goed,' zei Stalin onverwacht, 'hoe zijn we ineens op de oogst in Kazachstan en Mirzojan gekomen? We hebben hier iets te doen, de vragen van de geschiedenis,' hij wendde zich tot Zjdanov. 'Heeft u Sergej Mironovitsj in de materie ingeleid?'

'Ja. In grote lijnen,' antwoordde Zjdanov.

'We moeten de geschiedeniswetenschap in eigen hand nemen,' zei Stalin ernstig, 'anders komt ze in vreemde handen, in die van de bourgeois-historici. Onze historici zijn trouwens niet beter. Dan heb ik het niet eens over Pokrovski, hij is in feite ook een bourgeois historicus.'

'Pokrovski had zonder meer zijn fouten,' wierp Kirov tegen, 'maar Lenin dacht anders over hem...'

Stalin wendde zijn vorsende blik niet af van Kirov.

'En hoe dacht Lenin over hem?'

'U kent waarschijnlijk zijn brief aan Pokrovski naar aanleiding van zijn "Geschiedenis van Rusland in kort bestek".'

'En wat schreef hij aan Pokrovski?'

Hij wist wat Lenin aan Pokrovski had geschreven, hij wist het heel goed, maar hij dacht dat hij hem op onjuistheden kon betrappen...

'Ik kan me de tekst niet letterlijk herinneren... U kunt het nakijken, de brief is vaak gepubliceerd. Lenin feliciteerde hem met zijn succes, hij schreef dat het boek hem bijzonder goed was bevallen, en vertaald moest worden.'

'Ja,' gaf Stalin toe, 'zulke complimentjes verkocht Lenin graag, dat is zo. Maar in diezelfde brief stelde hij voor het boek aan te vullen met een chronologische tabel, om oppervlakkigheid te vermijden... In die opmerking zit de kern van Lenins oordeel...'

'Ik ben geen historicus,' zei Kirov, 'maar ik denk daar anders over. Over het geheel was zijn oordeel duidelijk helder en lovend. Het voorstel om een chronologische tabel te schrijven was niet meer dan een kleine toevoeging, die een algemeen gunstig eindoordeel niet uitsluit. Pokrovski schreef zijn boek in 1920, feitelijk was zijn boek een eerste poging om de Russische geschiedenis vanuit marxistisch-leninistisch standpunt te belichten. Het boek is in opdracht van Lenin voor de brede massa's geschreven. Ondanks al zijn tekortkomingen heeft dit werk grote kwaliteiten, wij hebben ervan geleerd. De wetenschap is natuurlijk vooruitgegaan, en nu is er waarschijnlijk een nieuw geschiedenisboek nodig, maar het is onjuist het werk van Pokrovski af te kraken, zoals sommige historici doen, het is ontoelaatbaar hem te verguizen zoals de laatste jaren is gebeurd. Pokrovski was zonder meer integer...'

'Zie je wel,' lachte Stalin, 'en jij zegt dat je geen verstand hebt van geschiedenis... Je bent de beste historicus van ons allemaal. Je hebt gelijk, er moet een nieuw geschiedenisboek komen. Daarvoor heb ik je ook laten komen, je wilde niet, maar het blijkt dat jij hier juist nodig bent. Maar het gaat nu niet om Pokrovski. Ik heb het over bepaalde partijleden, oude partijleden. Kameraad Nadezjda Konstantinovna heeft zich bijvoorbeeld ook met geschiedenis bezig gehouden. Heb je haar mémoires over Lenin gelezen?'

'Ja.' Kirov knikte.

'En het artikel van Pospelov in de Pravda naar aanleiding van die memoires?'

'Heb ik ook gelezen.'

'Een goed, zakelijk stuk.' Stalin draaide zich om, pakte van het leestafeltje een map, bladerde hem door, haalde er een knipsel uit de Pravda uit, las de met een rood potlood aangestreepte passages door. 'Hier... Pospelov schrijft: "Kroepskaja overdrijft op onkritische wijze de rol van Plechanov in de geschiedenis van onze partij, en Lenin beschrijft ze als een volgzame leerling van Plechanov." Een juiste gedachte. Waarom? Omdat Kroepskaja deze figuren vanuit een ver verleden bekijkt, en Pospelov vanuit de dag van vandaag. En uitgaande van wat we vandaag weten kunnen we nu, met alle respect voor Plechanov, met onze grote waardering voor zijn activiteiten, deze figuren niet eens naast elkaar zetten.'

Kirov luisterde met onverminderde aandacht naar Stalin. Hij herinnerde zich het artikel van Pospelov nog goed. Het ging natuurlijk niet om Plechanov. Waar Stalin aanstoot aan nam was Kroepskaja's uitspraak: 'Na Oktober traden personen op de voorgrond die zich in de oude illegaliteit niet hadden kunnen ontplooien... Bij die groep hoorde ook kameraad Stalin.' Kirov kon zich uitstekend voorstellen in wat voor razernij die regels Stalin zouden ontsteken, en hij wist dat het antwoord niet lang op zich zou laten wachten. Zo was het ook gegaan. Pospelov had in de Pravda gereageerd met een lang artikel, waarin hij verschillende aspecten van de mémoires bekritiseerde, om de volgende hoofdstelling te poneren: 'Ook in de tijd van de illegaliteit was de *leidende* rol van gezaghebbende organisatoren en partijleiders als Stalin en Sverdlov volledig duidelijk voor de bolsjewistische kaders aan de basis, die niet in het buitenland maar direct in Rusland actief waren.' Dat was natuurlijk niet waar. Maar Stalin verdroeg niet de geringste aanvechting van de versie dat hij al voor de revolutie de tweede man in de partij was, dat Lenin de partij van het buitenland leidde en hij, Stalin, in Rusland. Dat was niet in overeenstemming met de waarheid, maar maakte de partij en haar nieuwe leiding sterker, en Kirov accepteerde die versie. Maar een versie accepteren als politieke noodzaak was iets anders dan er oprecht in geloven.

Stalin grinnikte.

'Iedereen gaat opeens mémoires schrijven. Avel Jenoekidze ook.'

Uit dezelfde map pakte Stalin, zich weer omdraaiend naar het leestafeltje, een brochure van Jenoekidze en liet haar aan Kirov zien.

'Gelezen?'

Kirov kende de brochure van Jenoekidze en hij wist wat Stalin daaraan niet beviel. Even had hij de neiging om te zeggen dat hij het niet had gelezen, en zo het gesprek te vermijden. Maar dan zou Stalin het hem laten lezen en onder het gesprek kwam hij toch niet uit.

'Ja... Ik heb het doorgekeken... In handen gehad...'

Stalin merkte dat hij ontwijkend antwoordde.

'In handen gehad, doorgekeken,' herhaalde hij. 'De brochure komt er dus op neer dat maar drie mensen van het bestaan van drukkerij "Nina" wisten: Krasin, Jenoekidze en Ketschoveli. Waar haalt Avel Jenoekidze dat vandaan?'

'Hij was een van de leiders van de drukkerij.'

'Precies, een van hen... Dan had je nog Krasin en Ketschoveli. En Ketschoveli hield hun activiteiten niet voor mij verborgen. Maar Krasin en Ketschoveli leven niet meer. Alleen Avel Jenoekidze leeft nog, maar het feit dat hij nog in leven is geeft hem niet het recht de geschiedenis van de drukkerij naar eigen believen voor te stellen en niet zoals het in werkelijkheid was.'

'Blijkbaar wist Jenoekidze niet dat u op de hoogte was,' zei Kirov, 'waarschijnlijk was hij ervan overtuigd dat Lenins directief stipt was gevolgd.'

'Welk directief?' vroeg Stalin gealarmeerd.

'Dat buiten Krasin, Jenoekidze, Ketschoveli en de zetters niemand van de drukkerij mocht weten.'

'Hoe weet jij van dat directief?'

'Dat is algemeen bekend.'

'Wat bedoel je met "algemeen bekend"? Dat heeft Jenoekidze verzonnen, en iedereen geloofde hem. De drukkerij was inderdaad ondergeschikt aan het buitenlandse centrum. Maar waaruit blijkt dat ik er niets vanaf wist? Lenin had wel persoonlijk de leiding, maar dat wil absoluut niet zeggen dat buiten hen niemand ervan wist, zoals Jenoekidze schrijft. Als kameraad Jenoekidze echt zo denkt, waarom heeft hij die feiten niet gecontroleerd bij de kameraden van die tijd uit Bakoe? Waarom is hij er juist nu mee gekomen? Waarom onderstreept hij juist dat gegeven? Waar is dat allemaal voor nodig? Dat is nodig om de stelling over de continuïteit van het gezag omver te werpen, om aan te tonen dat de huidige leiding van het CC niet de directe opvolgers van Lenin zijn, dat Lenin voor de revolutie niet steunde op de huidige partijleiders, maar op anderen, sterker nog, dat hij hen vertrouwde, en de huidige leiders niet. Voor wiens karretje laat kameraad Jenoekidze zich spannen?'

'Ik denk niet dat kameraad Jenoekidze zoiets voor ogen heeft,' wierp Kirov tegen, 'ik denk dat hij gewoon heeft verteld wat hij wist. Dat Ketschoveli u op de hoogte had gesteld, kon hem ontgaan zijn. Daarvan ben ik overtuigd.'

'Ik zie geen reden voor zo'n overtuiging,' zei Stalin koel, 'ik zie geen reden voor zo'n stelligheid. Kameraad Jenoekidze zit niet sinds vandaag in de partij, kameraad Jenoekidze is lid van het Centraal Comité, kameraad Jenoekidze moeten de politieke consequenties van zijn daden bekend zijn, kameraad Jenoekidze moet begrijpen wiens belangen zijn brochure vandaag de dag dient. Als een gewone historicus die brochure had geschreven, dan konden we eraan voorbijgaan: historici kunnen zich vergissen, historici zijn vaak gevangenen van de naakte historische feiten, historici zijn in de regel slechte dialectici en ondeugdelijke politici. De brochure is echter niet door een gewone historicus geschreven, maar door een van de leiders van partij en staat. Met welk doel heeft hij haar geschreven? Heeft hij zin zijn mémoires te schrijven? Daar is hij vroeg mee. Kameraad Jenoekidze is nog jong, hij is haast van mijn leeftijd, maar ik vind mezelf nog geen oude man en ik ben niet van plan mémoires te gaan schrijven. Dit zijn geen mémorires, dit is politieke actie. Actie die gericht is op de verdraaiing van de partijgeschiedenis, actie die gericht is op het in diskrediet brengen van de huidige partijleiding, dat is het doel dat kameraad Jenoekidze voor ogen heeft.'

'Ik denk dat u een beetje overdrijft,' zei Kirov met een boos gezicht, 'Jenoekidze moet gewoon niet zulke brochures schrijven, hij is geen historicus of schrijver. Ik betwijfel of hij de partijleiding in diskrediet wil brengen. Hij is integer, oprecht en hij houdt van u.'

Stalin keek hem fronsend, strak aan, zijn ogen waren geel, tijgerachtig. Hij raakte meer en meer geïrriteerd, waardoor zijn accent steeds sterker werd, hij zei:

'Integriteit, oprechtheid en liefde zijn geen politieke categorieën. In de politiek bestaat slechts een ding: politieke berekening.'

Het gesprek werd vervelend. Het was de laatste tijd over het geheel genomen moeilijk om met Stalin te praten, vooral als hij geïrriteerd was.

'We kunnen kameraad Jenoekidze corrigeren,' zei Kirov verzoenend, 'hem wijzen op zijn incompetentie inzake historische vraagstukken.'

'Ja,' hernam Stalin, 'als een of andere historicus het had geschreven, kon een andere historicus hem terechtwijzen. Maar de auteur is lid van het CC, een van de meest vooraanstaande leiders van het land. Hij moet op hetzelfde niveau gecorrigeerd worden,' hij keek Kirov weer strak aan, 'jij hebt vijf jaar de partijorganisatie in Bakoe geleid, een verklaring van jou zou het meeste gewicht in de schaal leggen.'

Kirov was verbluft. Zoiets had hij nog nooit meegemaakt. Hij, een lid van het Politbureau, moest publiekelijk getuigen dat Stalin de leider was geweest van drukkerij 'Nina', waarvan hij het bestaan niet eens had gekend, daarin had Jenoekidze gelijk. Waarom werd dat van hem gevraagd? Om zijn loyaliteit te controleren? Deze was al voldoende gecontroleerd, en als dat nog eens moest gebeuren, dan niet met zoiets.

'Ik heb me nooit met geschiedenis bezig gehouden,' zei Kirov, 'en ik ben niet thuis in deze concrete kwestie. Bovendien was ik in de betreffende periode niet in Bakoe.'

'Wel,' antwoordde Stalin rustig, 'zoals ze zeggen: wat men niet kan verhelpen moet men verdragen. Ik hoop dat er in de partij kameraden te vinden zijn die Avel Jenoekidze van repliek kunnen dienen.' Hij wendde zich tot Zjdanov. 'Het Centraal Comité van de partij hoeft zich niet met deze vraag bezig te houden. Het betreft niet de hele partij, maar een van haar organisaties, die van Transkaukasië. De Transkaukasische organisatie moet zich maar met haar eigen geschiedenis bezig houden. Laat u kameraad Berija komen, leg hem het standpunt van het Centraal Comité voor. Hij is de secretaris van het Transkaukasisch districtscomité, dit is zijn competentie.'

11 De volgende morgen na het ontbijt liet Stalin de tandarts komen.

Lipman verscheen met zijn koffertje, haalde zijn instrumenten te voorschijn, zette een spoelbakje klaar, verzocht Stalin plaats te nemen in een fauteuil en bond hem een servet om.

'Hoe heeft u geslapen?' informeerde Stalin.

'Uitstekend,' Lipman maakte zijn spuitje gereed, 'beter kon 't niet, stil, rustig,' met een zachte handbeweging legde hij Stalins hoofd op de hoofdsteun, vroeg hem zijn mond te openen, 'ik weet niet hoe het anderen vergaat, maar op mij heeft het bruisen van de branding altijd een weldadige uitwerking...'

Stalin voelde iets als een zachte prik in zijn tandvlees, of misschien leek het alleen maar zo, aan Lipmans gezicht was niets te merken, hij keek in zijn mond en glimlachte net als daarstraks. Vervolgens leunde hij achterover, liet zijn handen op zijn knieën zakken en zei nog altijd glimlachend:

'Nu blijven we even zitten, de verdoving moet gaan werken, u mag uw mond dichtdoen, u mag praten, even lopen, maar zitten is beter.'

Het tandvlees werd gevoelloos, zwaar, alsof het volliep met iets. Stalin waren eerder tanden uitgetrokken onder plaatselijke verdoving, maar hij wist niet meer hoe lang het duurde voor de narcose werkte.

'Moeten we lang wachten?' vroeg hij.

'Een minuut of tien, denk ik. Doet u uw mond nog eens open, dan kijk ik even.'

Hij bekeek de mond weer, ging met een metalen instrument langs het tandvlees.

'Het bevriest gauw, een ogenblikje geduld.'

Rustig en hartelijk keek hij Stalin aan, de prik was goed geweest, deze had hem geen pijn gedaan, kameraad Stalin kon tevreden over hem zijn.

Stalin had werkelijk waardering voor mensen die ter zake kundig waren en hun vak verstonden. Deze arts zou vast honderd jaar worden, zo tevreden als hij was met zijn werk, zijn leven, zijn positie. Hij werkte in het Kremlin, behandelde leden van het Politbureau, kreeg vast een goed rantsoen: er waren er die jaloers waren, zulke mensen vond je overal. Maar deze tandarts hechtte daar kennelijk geen betekenis aan, hij was een man zonder eerzucht, zoals verreweg de meeste mensen op aarde. Ooit had HIJ, toen hij nog heel jong was, voor hen de strijd aanvaard, nog voor hij de andere, de ware motieven van deze strijd had begrepen. Maar nu regeerde HIJ deze mensen, ze geloofden in hem als in een god en in een god kon je alleen blind en zonder voorbehoud geloven, ze noemden HEM hun vader en alleen voor een zware en strenge, maar sterke en zekere vaderhand hebben de mensen respect. Ook deze dokter was hem toegewijd alleen op grond van zijn gevoel van verbondenheid met HEM, ook zulke mensen moest hij om zich heen hebben. Niet alleen herdershonden als lijfwachten, niet alleen strebers als assisten, maar ook gewone, bescheiden mensen die van HEM hielden en HEM toegewijd waren.

Lipman zat naast hem, keek op zijn horloge, glimlachte Stalin toe, vroeg hem nu en dan zijn mond open te doen, ging met een of ander instrument langs zijn tandvlees en liet na een van deze inspecties Stalin de tand zien die hij had getrokken en nu in zijn tang hield.

'Hoe heeft u dat zo snel gedaan? Ik heb zelfs niets gevoeld!'

'Ik heb hem immers onder verdoving getrokken. En de tand zat al heel los, je kon hem, zoals wij dat zeggen, met je vingers uitwippen.'

'Waarom hebt u dat dan niet gedaan?'

'Omdat u het dan wel had gevoeld.'

In het waskommetje dat hij voor Stalin neerzette, spoog deze een lange bloederige slijmsliert uit, hij spoelde zijn mond, spoog nog een keer.

'Ik verzoek u twee uur lang niets te eten.' Lipman gaf hem een schoon servet. Staling veegde zijn lippen af. 'En vandaag absoluut niets warms.'

Hij pakte Stalins beugelprothese van de tafel, en keerde hem om en om.

'Een goede prothese, goed gemaakt, prima materiaal: een legering van goud, platina en palladium. Nu heeft u hem niet meer nodig, we maken een nieuwe. Alleen, weet u, Josif Vissarionovitsj, misschien kunnen we beter een gewone prothese maken?'

'Wat bedoelt u met gewoon!'

'Kijk, ziet u, de tanden worden nu door een metalen strook bij elkaar gehouden, maar we kunnen ook een plaatprothese van kunststof maken.'

'Waar is dat voor nodig?'

'Ziet u, Josif Vissarionovitsj, de metalen beugel zit met deze twee haakjes, die wij armpjes noemen, vast aan de tanden. Zolang de brug licht is, is dat goed voor de tanden. Maar uw beugel heeft al zeven kunsttanden, dat is zwaar, te zwaar. En op de nieuwe prothese komt er nog een tand bij, de beugel wordt nog zwaarder, zijn belasting nog groter. Terwijl een plaatprothese uit een stuk zich aan het verhemelte vastzuigt en zoveel tanden kan dragen als u maar wilt.'

'U wilt me een oudemannenprothese geven.'

'Een oudemannenprothese? Oude mannen hebben een kunstgebit, zij hebben geen eigen tanden meer, u wel. En God geve dat u ze nog lang mag hebben.'

Toen Stalins kiezen een paar jaar geleden waren getrokken en hem voor het eerst een kunstgebit was voorgesteld, had hij het zich aangetrokken: dit was het einde! Een ouwe vent met een kunstgebit! Hij had gezien hoe ouwe kerels het voor de nacht uit hun mond haalden en in een glas water legden. Dat had hij al bij Solts gezien, toen deze nog lang niet oud was. Ze hadden in Petersburg samen op een clandestien adres gewoond. Ja, Solts was de eerste geweest bij wie hij een kunstgebit had gezien... Als Solts praatte, en hij praatte in zijn opwinding altijd, dan viel zijn kunstgebit er steeds bijna uit, hij onderschepte het met zijn tong, lispelde, sprak de woorden onduidelijk uit, dat was geen prettig gezicht.

Maar de doktoren hadden hem toen uitgelegd dat het niet om een kunstgebit ging, maar om een gouden plaatje waaraan de kunstkiezen zouden zitten, en dat hij iets overhield om zijn eten te kauwen. Het plaatje was gemaakt, hij was eraan gewend geraakt, het hinderde hem niet, hij had niet het gevoel dat hij tandeloos was. Toen hem later nog eens twee tanden werden uitgetrokken, hadden ze hem een plaatprothese voorgesteld, zoals Lipman vandaag voorstelde, en kwamen met dezelfde argumenten, maar hij had geweigerd, ze hadden de gouden beugelprothese gemaakt die Lipman nu in zijn hand hield, en ondanks alle waarschuwingen zat deze goed.

Nu wilde Lipman hem dus opnieuw een oudemannenprothese geven. Lipman, die niet zo snugger was, zag HEM als patiënt en vergat dat miljoenen mensen naar deze patiënt keken en dat hij niet met een uitvallend kunstgebit voor deze mensen kon verschijnen, niet kon staan lispelen en praten alsof hij op hete aardappelen kauwde.

'Maakt u er een van goud,' zei Stalin.

Lipman durfde verder geen tegenwerpingen te maken.

'Goed, zoals u wenst. Als de wond een beetje pijn gaat doen, neemt u dan een tabletje pyramidon, laat u mij komen als het nodig is. En staat u me toe morgen te bekijken hoe de wond heelt.'

'U wordt morgen om deze tijd geroepen.'

Lipman ging weg. Stalin liep naar de spiegel, opende zijn mond, ontblootte zijn tanden... Geen fraaie prent, bij elkaar nog maar vijf boventanden, gele, berookte tanden... Geeft niet, Zjdanov hield hem wel een paar dagen uit met vijf tanden. En Kirov ook.

Bij de gedachte aan Kirov vertrok Stalins gezicht. Kirov wilde niet aansluiten voor de strijd, wilde de partijleiding niet versterken!

Die dag ontving Stalin niemand, eerst moest de verdoving overgaan, de wond moest genezen. Zoals de dokter bevolen had, at hij twee uur lang niets, bij het middageten kreeg hij koude rodebietensoep en lauw gehakt; dat was goed, hij had niets om mee te kauwen. De wond deed geen pijn, het tandvlees evenmin, hij hoefde geen pyramidon in te nemen.

De volgende morgen kwam Lipman, bekeek zijn mond en zei tevreden:

'Alles gaat uitstekend, over twee dagen gaan we aan de slag.'

'Hoe is uw verblijf hier?' vroeg Stalin. 'Verveelt u zich niet?'

'Ach Josif Vissarionovitsj, kan ik me hier vervelen? De zee vlakbij, het strand, bovendien heb ik papier en geslepen poloden op mijn schrijftafel liggen, ik ben gaan schrijven.'

'Wat schrijft u?'

'Een specialistisch artikel over het maken van protheses.'

'Veel succes.'

Het middag—en avondeten gebruikte Stalin alleen, hij had geen zin om zonder tanden aan de gemeenschappelijke tafel te verschijnen. Maar er moest worden gewerkt. 's Avonds kwamen Zjdanov en Kirov bij hem. Ze zaten op de veranda en keken de kranten door.

'Hitler is nu dus Führer voor het leven van het Germaanse volk en Rijkskanselier.'

'Je zult zien dat hij zich tot keizer uitroept,' lachte Kirov.

'Die domheid zal hij niet begaan,' merkte Zjdanov op.

'Nee,' stemde Stalin in, 'dat heeft geen zin: er zijn veel keizers geweest, maar hij is de enige Führer voor het leven. Bovendien heeft hij geen kinderen, hij zal geen dynastie vormen...' Zijn ogen gleden langs de krantekolom. 'Kijk, Zinovjev komt weer met een artikel aandraven, hij schrijft elke dag. Welke krant je ook opent, je valt onvermijdelijk over Zinovjev, Kamenev, Radek. Ze schrijven en schrijven...'

'Ze hebben niets te doen, daarom schrijven ze,' zei Zjdanov.

'Maar wat het interessantste is,' ging Stalin verder, 'dat is dat in elk artikel de loftrompet over kameraad Stalin wordt gestoken, hij is zo, hij is zus, en groot, en geniaal, en wijs, bijna nog beter dan Marx, Engels, Lenin. Waarom looft hij? Kan Zinovjev kameraad Stalin oprecht loven? Nee! Hij haat kameraad Stalin. Hij liegt dus, schrijf niet wat hij denkt. Waarom liegt hij? Hij weet toch best dat niemand, ook Stalin niet, hem gelooft. Is hij bang? Voor wie dan, niemand doet hem immers iets.'

'Hij wil demonstreren dat hij de wapens heeft neergelegd, dat hij nergens aanspraak op maakt,' zei Kirov.

'Laten we dat eens aannemen,' stemde Stalin in, 'het is twijfelachtig, maar laten we het aannemen. Maar hij vernedert zich. En persoonlijke vernedering zal niemand ooit vergeten. Je kunt alles vergeten: gekrenkt worden, beledigd, onrechtvaardig behandeld, maar vernederingen vergeet een mens nooit, zo is de menselijke natuur. Dieren achtervolgen elkaar, vechten, doden, vreten elkaar op, maar vernederen elkaar niet. Dat doen alleen mensen. En geen mens zal zijn vernedering ooit vergeten en degene voor wie hij zich heeft vernederd ooit vergeven. Integendeel, hij zal hem altijd haten. En hoe meer Zinovjev Stalin looft en prijst, hoe meer hij zich voor hem vernedert, des te meer zal hij kameraad Stalin haten. Radek maakt zich ook sterk voor Stalin, hij prijst ook, maar Radek is een kletsmajoor, een oppervlakkig persoon, gisteren prees hij Trotski, vandaag Stalin, en als het nodig is zal hij morgen Hitler prijzen. Geef zo'n vent een boterham met mosterd, hij zal hem opschrokken, zijn mond aflikken en nog dankjewel zeggen ook. Maar Zinovjev en Kamenev, zij hebben andere aspiraties, ze hebben hun hele leven leiders willen worden en willen dat ook nu nog. Te meer daar hun club groter is geworden, Boecharin en Rykov en hun makkers zijn erbij gekomen.'

Kirov haalde zijn schouders op.

'Zinovjev en Boecharin, ik zie het verband niet.'

'Sergej Mironovitsj,' sprak Zjdanov vriendelijk, 'Boecharin is toch stiekempjes naar Kamenev gerend, wilde zijn bondgenoot zijn.'

Kirov mocht Zjdanov graag, toch bleven er kwesties die de leden van het Politbureau alleen onderling konden bespreken. Zjdanov was geen lid van het Politbureau. Stalin was dit gesprek opzettelijk met Zjdanov erbij begonnen, om te laten zien dat er voor hem geen verschil tussen Kirov en Zjdanov was.

'Ziet u, kameraad Zjdanov,' wierp Kirov droog tegen, 'dat was acht jaar geleden, toen de partijleiding nog niet was gestabiliseerd, toen Zinovjev en Kamenev nog aanspraak op de macht maakten. Nu begrijpen ze heel goed dat ze geen kans meer hebben en hebben ze zich met hun positie, hun nederlaag, verzoend, al was het maar omdat ze vele jaren berouw hebben gehad, ze zijn gecompromitteerd en ik denk niet dat ze nog ergens op rekenen.'

Zjdanov wilde antwoorden, maar Stalin weerhield hem met een handbeweging.

'Politici maken altijd aanspraak op macht. En hoe meer ze worden vernederd, des te meer hopen ze op wraak voor hun vernederingen. Hun vernederingen vergeven ze niemand en ons al helemaal niet. Zinovjev beschouwde Leningrad als zijn erfgoed, aan de vooravond van het Veertiende Congres stemde de Leningraadse organisatie voor Zinovjev, tegen de partij. En nu staat kameraad Kirov al acht jaar aan het hoofd van de Leningraadse organisatie en deze organisatie staat achter kameraad Kirov. De Leningraadse organisatie erkent Zinovjev niet meer, ze erkent alleen Kirov nog. Zal Zinovjev je dit vergeven? Nee, hij zal het je niet vergeven. Bij de eerste gelegenheid zal hij wraak nemen.'

'U zegt dingen die ik niet begrijp.' Kirov haalde zijn schouders op. 'Ik zie absoluut niet en kan er zelfs niet naar gissen, hoe, op welke manier en met wiens hulp, zij van plan zouden zijn wraak op mij te nemen.'

'Helpers zijn altijd wel te vinden,' antwoordde Stalin, 'voor zoiets zijn altijd helpers te vinden. En zeker in Leningrad, daar zitten veel van Zinovjevs kornuiten, jij wilt ze niet met wortel en tak uitroeien, jij gelooft al die lui die zogenaamd berouw hebben en zogenaamd de wapens hebben neergelegd.'

Stalin keek Kirov strak aan. De ogen van een vreemde, een gezicht vol pokputjes. Toch bedierven pokputjes het gezicht. En maakten het onaangenaam. Je zou denken: pokputjes, wat doet 't ertoe. Maar het bleef onaangenaam. Kirovs pokken herinnerden Stalin eraan dat hij ook pokken had gehad.

'Kameraad Stalin,' zei Kirov met vaste stem, 'in '25 heeft de Leningradse organisatie voor Zinovjev gestemd. Maar in '26 heeft ze toch al voor ons gestemd, voor het Centraal Comité. Dit is de basis van de partij. In '25 hebben partijleiders van hoog tot laag hen overgehaald, ronduit gezegd: bevolen, voor de Leningradse leiding te stemmen, niet stemmen stond gelijk aan het schenden van de partijdiscipline. Dit is helaas de prijs van het democratisch centralisme: elke partijafdeling kan tijdelijk de dwaalweg van haar leiders volgen. De basis van de partij heeft hier geen schuld aan en we hebben niet het recht deze daarvoor te straffen.'

'"De basis van de partij,"' glimlachte Stalin, 'dat zijn slechte leden als de secretaris van het rayoncomité hen tegen de partij, tegen het Centraal Comité kan opzetten. De Leningradse communisten zijn helemaal niet zo gewoon als jij wilt doen voorkomen. Ze houden hun stad immers nog steeds voor de wieg van de revolutie en zien zichzelf als de avantgarde van de Russische arbeidersklasse. Meer nog: in Leningrad zijn niet alleen die leden gebleven die overeenkomstig de partijdiscipline hebben gestemd, maar ook zij die hen dwongen zo te stemmen. Ook zij horen tot de leden met berouw, maar hun berouw verschilt in niets van het berouw van Zinovjev en Kamenev, ze wachten hun tijd af, begrijpen dat deze tijd kan komen bij de geringste onrust in de partij, in het land. Ze hoeven mij maar op te ruimen, jou, twee, drie leden van het Politbureau, of de onrust begint al en zij zullen niet aarzelen er gebruik van te maken, het zijn ervaren politici. En jij en ik hoeven niet op genade van hun kant te rekenen. Als ze de macht grijpen, dan zullen ze ons allemaal tot de laatste man verdelgen. En jij vertrouwt ze, hangt de liberaal met ze uit. Denk je dat ze je zullen bedanken? Nee, beste vriend! Jij flaneert over straat, in de schouwburg zit je parterre. Onvoorzichtig, heel onvoorzichtig. Begrijp je het zelf niet? Moet het Politbureau echt een speciaal besluit uitvaardigen aangaande jouw bewaking?'

'Ik verzoek geen besluiten uit te vaardigen,' haastte Kirov zich te zeggen, 'mijn bewaking is voldoende en betrouwbaar.'

'Dat denk jij,' sprak Stalin hem tegen, 'maar het Politbureau kan dienaangaande een andere mening toegedaan zijn. Er zijn bepaalde regels tot bescherming van leden van het Politbureau, jij bent de enige die ze overtreedt.'

'Ik ben al acht jaar in Leningrad,' sprak Kirov, 'en in deze acht jaar is er niets gebeurd, zelfs niet iets dat er ook maar enigszins op leek.'

'Gisteren niet, vandaag niet, morgen misschien wel,' merkte Stalin op, 'niets is eeuwig, niets duurt eindelooos. De machtsovername van Hitler verandert de situatie in ons land wezenlijk. De oppositionele krachten in ons land worden door het militaristisch streven van Duitsland gesteund. Dit militaristische streven is ongetwijfeld in de eerste plaats tegen het Westen gericht. Maar het Westen tracht het tegen ons te keren. Een dergelijke wending kan bij ons een kritische situatie veroorzaken. Wie trekken hier het eerste profijt van? De oppositionele krachten... Welke oppositionele krachten hebben wij in ons land? Monarchisten? Constitutionele democraten? Socialisten-revolutionairen? Mensjewieken? Nee, die zijn voor altijd vernietigd, ze kunnen nooit heropstaan, ons volk is voor altijd met het sovjetstelsel verbonden. Dat wil zeggen dat het enige gevaar gevormd wordt door de oppositionele krachten binnen het sovjetstelsel, binnen de partij. Wie zijn dat? De aanhangers van Trotski, Zinovjev, Boecharin. Begrijpen ze dit zelf? Ongetwijfeld. Maar voorlopig werken ze achter de schermen. Hun belangrijkste taak nu is zich te handhaven, hun kaders te bewaren. Zijn ze met weinig? Enige duizenden? Maar met hoeveel waren wij bolsjewieken in 1917? Ook met enige duizenden. We hebben echter goed van de situatie gebruik gemaakt en gewonnen. Wat voor redenen hebben we om te veronderstellen dat mensen als Zinovjev, Kamenev, Boecharin níet van zo'n gunstige situatie gebruik kunnen maken, als er niet enige duizenden, maar tienduizenden heimelijke aanhangers achter hen staan? Zullen alle gewezen mensjewieken Zinovjev dan niet steunen? Zullen de onderdrukte koelakken, socialisten-revolutionairen en constitutioneel-democraten Boecharin dan niet steunen? Zij zullen Zinovjev en Boecharin als hun springplank zien, als overgangsfiguren die in de gegeven crisissituatie evenwel de enige aanvaardbare zullen zijn: het volk kent ze, de partij kent ze, en dat ze spijt hebben gehad en hun fouten toegegeven zal niemand zich herinneren. Je weet toch welke fouten Zinovjev en Kamenev in 1917 hebben begaan, maar het gaf niets, alles is vergeven en vergeten. Trotski streed vijftien jaar lang tegen Lenin, maar toen hij naar de bolsjewieken overging, hebben ze meteen alles vergeven, alles vergeten. Het volk interesseert zich niet voor het verleden van een politicus, maar voor wat hij nu vertegenwoordigt, op dit moment. Dat begrijpen Zinovjev, Kamenev en Boecharin allemaal uitstekend, dat is elementaire strategie. Voor hen is het belangrijkste nu: zich handhaven, hun tijd afwachten. Hierin zijn ze slimmer dan Trotski. Trotski was een slecht politicus, hij ging ongeacht de obstakels recht op zijn doel af, zijn kaders al net zo, we kennen ze allemaal, hebben ze allemaal onder toezicht. Zinovjev en Boecharin zijn slimmer, zij hebben op tijd gecapituleerd, hun kaders niet onthuld, deze zijn geheim gebleven en staan klaar om naar voren te treden zodra het nodig is. Ze zijn met veel, heel veel: iedereen die zich in de partij, in het land te kort voelt gedaan. Een groot en gevaarlijk potentieel. En zie: "wij" beschermen dit potentieel, houden het in ere, komen ervoor op.'

'Bedoelt u Leningrad?' vroeg Kirov.

'Ja,' antwoordde Stalin bars, 'ik bedoel Leningrad, als het onaangetaste bolwerk van de oppositie, en kameraad Kirov, als de man die dit bolwerk niet wenst te vernietigen.'

'Zo is het niet,' wierp Kirov rustig tegen, 'de geschiedenis van de partij leert ons ook iets anders. In de partij hebben in strategische en tactische kwesties altijd meningsverschillen bestaan, er zijn altijd onenigheden en discussies geweest. Maar wanneer de partij een besluit had genomen, hielden de discussies op, was er geen oppositie meer en geen van de gewezen tegenstanders scheidde zich af. Integendeel, Lenin leerde ons een tactvolle, kameraadschappelijke houding tegenover diegenen die in deze of gene kwestie hadden gedwaald. Ik kan er met de volle honderd procent voor instaan dat de Leningraadse organisatie geen aanhangers van Trotski, Zinovjev of Boecharin telt. Zeer zeker, nu en dan komen we in aanraking met antipartij- en antisovjet-tendensen, maar deze gaan in hoofdzaak uit van de burgerlijke klassen en hebben niets met de vroegere oppositie gemeen. En de communistische arbeiders van Leningrad, die in '24 voor Zinovjev stemden, hebben al lang met Zinovjev gebroken, hebben hem al lang vergeten. En na acht jaar repressiemaatregelen nemen omdat ze overeenkomstig de partijdiscipline voor hun leiders hebben gestemd kan ik niet en ik zal het ook niet doen. Als u mijn politiek onjuist vindt, kunt u me terugroepen uit Leningrad, maar zolang ik in Leningrad ben, zal ik deze politiek niet veranderen.'

De spanning die de hele tijd in Stalin voelbaar was, werd opeens minder en hij zei rustig, zelfs onverschillig:

'De partij kan niet in elke stad een eigen politiek voeren, de partij heeft één politiek voor het hele land, en elke districtssecretaris moet zich aan deze politiek onderwerpen. De koers met betrekking tot de gewezen aanhangers van Zinovjev zullen we in het Politbureau bespreken. Maar zolang we deze nog bespreken, wil ik dat je voorzichtig bent, dat je mijn waarschuwingen ter harte neemt: de aanhangers van Zinovjev worden actief. Ik beschik over meer informatie dan jij. Je bent goed van vertrouwen, Sergej Mironovitsj. Pas op dat je door te veel vertrouwen niet in moeilijkheden komt.'

'Hoe bedoelt u dat?'

'Jij hebt Zinovjev en Kamenev alleen op de spreekgestoelten van de congressen gezien, ik heb met beiden een zak zout gegeten, met Kamenev was ik samen in ballingschap. Het zijn leugenaars, bedriegers en huichelaars. En zij die achter hen staan, zijn ook schurken, leugenaars en huichelaars. Geloof ze niet, ze zijn tot alles in staat. En ze haten je. En hoe meer je aan hen toegeeft, des te meer zullen ze je haten. Dit is overigens een van de redenen waarom ik wil dat je naar Moskou verhuist. Als een ander op jouw plaats komt en hij Leningrad net zo goed als jij onder controle krijgt, dan zullen ze snappen dat dat niet door kameraad Kirov komt, maar door de partij, dat de Leningraadse communisten niet gewoon kameraad Kirov volgen, dat ze de partij volgen. En tegen je opvolger zullen ze geen wrok koesteren. Je bent secretaris van het CC, je had al lang naar Moskou moeten komen, een secretaris van het CC moet in Moskou wonen. Je voert de afschaffing van de distributie uit, laten de Leningraders je daarvoor onthouden, laat dat zogezegd je afscheidsdaad zijn, en verhuis naar Moskou.'

Zijn losbrekende woede beheersend sloeg Kirov zijn ogen neer. De zinspeling als zou hij naar populariteit dorsten, was grof. Alles was duidelijk: Stalin wilde hem wegkrijgen uit Leningrad, wilde hem bij de hand hebben, in Moskou, wilde zijn volledige onderwerping.

'Kameraad Stalin,' sprak Kirov, 'ik verzoek u mij niet uit Leningrad terug te roepen vóór de herschepping van de stad een feit is. Ik ben deze begonnen, ik wil deze voltooien.'

Kirov sprak deze woorden uit op een toon die aangaf dat dit zijn definitieve beslissing was.

Stalin begreep alles en vroeg rustig:

'En wanneer moet de herschepping zijn voltooid?'

'Ik hoop tegen het einde van dit vijfjarenplan.'

'Goed dan,' grapte Stalin, 'we zullen ons best doen om het vijfjarenplan in vier jaar af te maken, zodat we jou wat eerder in Moskou krijgen.'

12 Varja kwam om negen uur precies op haar werk, legde het Whatmanpapier met de tekening die ze ging kopiëren op het tekenbord, daaroverheen het dunne blauwige calqueerlinnen, speldde dit vast met punaises, wreef het voorzichtig in met machine-olie, zoals Ljovotsjka haar had geleerd. Van de olie werd het linnen even doorzichtig als glas, alles was duidelijk zichtbaar, de inkt liep niet uit. Ljovotska maakte de tekening; nu hij technicus was geworden, had hij *potloodwerk* gekregen, zo omschreef hij zijn tamelijk hoge post. Een aardige vent, maar zonder technische opleiding en dan ook trots op zijn titel van technisch tekenaar. Igor Vladimirovitsj maakte het ontwerp, daarvan maakte Ljovotska de tekening op Whatmanpapier, en Varja kopiëerde. Het calqueerlinnen werd naar een drukkerij gestuurd waar de calque werd gefotografeerd en de werktekeningen werden gedrukt, die zij dan naar de bouwplaats brachten; het hotel werd vlakbij gebouwd. Het was gemakkelijk werken met Ljovotska's tekeningen, hij beheerste—zoals ze hier zeiden—de 'hoge grafische kunst', maakte scherpe weergaven van goede kwaliteit. Wanneer hij Varja een tekening gaf, legde Ljovotska in algemene bewoordingen zijn bestemming uit: ramen, deuren, een detail van het voorportaal van het hotel, van de foyer boven, de banketzaal van het restaurant. Hij trad niet in bijzonderheden. Dat deed Igor Vladimirovitsj wel, hij kwam uit zijn werkkamer, ging naast Varja staan, boog zich naar de tekening: deze lijn geeft dat en dat aan, die lijn... Beminnelijk zei hij:

'Vraag me als u iets niet begrijpt, geneer u niet...'

Volgens Ljovotska en Rina had Igor Vladimirovitsj hun hetzelfde uitgelegd, toen zij gewone calqueurs waren, hij wilde niet dat ze mechanisch kopiëerden, maar hun werk begrepen. Je had van die formalistische chefs, zo een kwam naar je toe, zou kijken en dan zeggen: 'Ha, vriend, wat een geknoei... Kom, haal eraf, doe maar over.' Dat zei Igor Vladimirovitsj nooit, hij gedroeg zich niet als een chef, maar ook als een pedagoog. Hij leek tegen Varja net zo te doen als tegen alle anderen, leek haar niet voor te trekken. Maar Varja zag dat hij zich tegenover haar anders gedroeg dan tegenover de anderen en ging, om hem niet aan te moedigen, met haar vragen naar Ljovotska of Rina.

Het werk kreeg ze snel onder de knie, ze werd er niet zenuwachtig, bang of onzeker onder. Haar tekenspullen, tekenhaak, linealen, driehoeken, tekenmallen, passer, tekenpen, kende ze van school, ze kon goed tekenen, doopte haar pen naast de tekening in de inktpot, om niet te morsen, en als er en druppeltje op viel, haalde ze het heel handig met een scheermesje weg, zonder een spoor achter te laten, dat verwonderde zelfs Ljovotska en Rina. En bovendien kon ze het, ook tot hun verbazing, zonder mal stellen, de gebogen lijnen trok ze met een fijn pennetje.

Om twaalf uur gingen ze met een grote vrolijke groep samen eten in de gesloten kantine op de hoek van de Tverskaja en Belinskistraat. Een maaltijd bestaand uit een slaatje, koolsoep of andere soep, kasja met een stukje vlees of een balletje gehakt en dunne compote, was bij elkaar maar veertig kopeken en kostte geen bon van de levensmiddelenkaart. Bovendien kon je in de kantine een paar broodjes met worst, kaas, haring kopen en meenemen, ook zonder bon. Op het constructiebureau werkten zo'n veertig mensen van wie de helft meisjes, heel jonge en heel knappe, een paar had Varja in de HERMI-TAGE, NATIONAL en METROPOL ontmoet. Wie het eerst kwam ging in de rij voor de kassa staan, het was één groot gezelschap, er werden grappen gemaakt, en ook de chefs van deze meisjes, architecten, ingenieurs, technici, gedroegen zich gewoon, collegiaal.

Ze gingen met zijn tweeën, drieën terug, wanneer ze klaar waren met eten. Zoja wees op de omheinde bouwplaats van het hotel, daar werden de funda-menten gelegd en andere werkzaamheden onder de grond verricht, de nulcy-clus. Met grote ronde ogen vertelde Zoja:

'Vorig jaar werd de Wildmarkt opgeheven, al die kraampjes en grutterijen, en er zaten hordes ratten, ze verkochten daar toch vlees en vis. En stel je voor, al die ratten stortten zich op het GRAND HOTEL, verspreidden zich over alle verdiepingen, snuffelden in de kamers, vet, kanjers, zo groot als katten. Vre-selijk! We waren als de dood voor ze, de meisjes klauterden op de tafels. Speciale commando's hebben de ratten toen uitgeroeid, het hotel moest zelfs een tijd dicht.'

Zoja was helemaal niet veranderd. Opgewonden, geëxalteerd, opdringerig, praatziek. Niemand van het bureau was met haar bevriend, niemand stelde hier belang in Zoja. Varja ook niet, maar ze kon haar vriendin niet afwijzen en hoorde haar woordenstroom geduldig aan, Zoja liep over van de roddelver halen.

'Het ontwerp van het hotel is van Igor Vladimirovitsj en nog een andere architect,' zei Zoja, 'zij kregen de eerste prijs in de prijsvraag, maar als co-architect kregen ze Sjtsjoesev aangewezen, en meer dan dat, ze hebben hem zelfs supervisor gemaakt. Ze voelen zich natuurlijk gekrenkt. Sjtsjoesev zit niet eens hier, maar in zijn atelier in de Brjoesovstraat, weet je wel, in dat huis waar Katsjalov en andere beroemde acteurs wonen. Ken je dat huis niet?'

'Nee, maar hoe ken jij het: ben je geregeld bij Katsjalov te gast?' vroeg Varja spottend.

'Nee, dat niet, maar ik weet wel waar dat huis is. Ik heb Sjtsjoesev tekenin-gen gebracht.'

Varja had Sjtsjoesev gezien, hij kwam bijna elke dag in het bureau, een prettig oud mannetje van een jaar of zestig. Een keer was hij hun kamer binnengekomen. Ljovotska was toen bezig met een perspectieftekening van het hotel voor een of andere hoge ome. Een spoedopdracht, hij werkte dag en nacht.

Sjtsjoesev bekeek de tekening even, knikte goedkeurend.

'Heel goed, alleen moeten de ramen iets smaller worden.' En hij ging weer weg.

Ljovotska liet zich ontsteld op zijn stoel vallen.

'Wat is er?' vroeg Rina.

'Tussen de ramen is metselwerk. Als ik de ramen smaller moet maken, moet ik alle bakstenen overtekenen. Nog een nacht.'

'Als je wilt, help ik je,' stelde Varja voor.

Ze hoefde Ljovotska niet te helpen. Igor Vladimirovitsj zei:

'Doe er niets aan. Morgen zegt u hem dat u het hebt gedaan.'

De volgende dag kwam Sjtsjoesev opnieuw langs.

'Hebt u het gedaan?'

'Ja.'

'Ziet u nu wel, nu ziet het er heel anders uit.'

Ze moesten lang hierover lachen. Ze maakten zich over het geheel genomen vaak vrolijk over Sjtsjoesev. Hij had de zijgevel van het hotel ontworpen, die op de Manege uitkeek. Deze had zuilen die een constructie droegen waar het restaurant in zou komen. Dit noemden ze op kantoor de 'scheepskist', spottend, maar niet boosaardig. Ze waren allemaal enthousiast over het project, ergerden zich aan wijzigingen, verheugden zich over het succes, een klein, maar eendrachtig en hecht collectief.

Igor Vladimirovitsj uitte nooit kritiek op Sjtsjoesev en stond niet toe dat iemand in zijn aanwezigheid dit deed, hij vocht zijn aanwijzingen nooit aan, al deed hij alles op zijn eigen manier, net als bij de ramen. Dat beviel Varja, het was toch maar Sjtsjoesev! Als Igor Vladimirovitsj zich ironisch over hem zou uitlaten, zou het hem zelf verlagen. En Igor Vladimirovitsj, dat was een persoonlijkheid! Wanneer hij de schetsen en ontwerpen van zijn ondergeschikten doorkeek, trok hij met houtskool (die hier 'saus' werd genoemd) een paar zwarte strepen, dat waren dan zijn aanwijzingen en ze werden zonder tegenspraak opgevolgd. Hij was correct, beheerst, elegant. Veel meisjes waren verliefd op hem, maar in dit opzicht was zijn reputatie hier smetteloos.

Een keer liepen ze met hun vieren terug van de kantine, zij, Igor Vladimirovitsj, Rina en Ljovotska. Ljovotsjka en Rina waren iets vooruitgelopen. Igor Vladimirovitsj en Varja liepen naast elkaar. De blik gericht op de ramen van NATIONAL zei Igor Vladimirovitsj:

'Doet dit u nergens aan denken?'

Varja liep twee keer per dag voorbij NATIONAL, wanneer ze ging eten en wanneer ze terugkwam, en het deed haar meestal nergens aan denken. Lang geleden was ze hier een keer met Vika geweest, van het voorjaar, en de herinneringen aan dat bezoek waren verdrongen door de andere restaurants, de plaatsen waar ze met Kostja kwam.

'Ik herinner me,' antwoordde Varja rustig, 'dat we elkaar hier hebben leren kennen, ik was toen samen met Vika Marasevitsj.'

'En herinnert u zich het Aleksandrpark nog? De ingang die door een bankje werd versperd, het fluitje van de bewaker… Onze vlucht… Uw kapotte kous…'

Deze herinneringen waren hem kennelijk dierbaar. Ze grepen ook Varja aan, dat was een andere tijd geweest, een ander leven, een andere hoop... Maar in Igor Vladimirovitsj' toon bespeurde ze verwachting... Waarom? Ze was getrouwd! Zou dat lang duren? Nee, vast niet lang meer. Maar toch...

'Ja,' antwoordde Varja onverschillig, 'dat was wat...'

Ze mocht Igor Vladimirovitsj graag, dat zeker, Maar alleen als mens. Ook die keer in NATIONAL had ze meteen begrepen dat hij niet als Vika en haar vrienden was. En nu zag ze hem op zijn werk, omringd door vooraanstaande mensen. Sjstjoesev kwam er, de bekende schilder Lansere die de zalen van het Kazanstation had beschilderd en nu het plafond van het grote restaurant in het nieuwe hotel zou beschilderen, er kwam een Amerikaans adviseur in koelapparatuur en het modernste op het gebied van keukeninrichting, er kwamen architecten en ingenieurs die de details van het ontwerp op elkaar moest afstemmen. Ljovotska noemden dan de namen van deze mensen, stuk voor stuk beroemdheden.

Varja had 's avonds geen zin van kantoor te gaan, wilde niet naar huis. Kostja's leven kon ze niet leven, ze hield niet van hem, vond hem gewoon zielig. Toen had hij tegen haar gezegd: 'Misschien word ik naast jou wel een mens.' Een holle frase, hij was geen mens geworden en zou nooit een mens worden.

Na de geschiedenis met de cape deed hij alsof er niets was gebeurd. Zo was het leven van de speler nu eenmaal, vandaag winst, morgen verlies, zo had je een volle beurs, zo liep je op je tandvlees, wat zou 't, je moest tijdelijke tegenslag kunnen verduren, te boven komen. Varja zweeg, hij begreep dat ze zijn argumenten niet aanvaardde, hij zag hoe ze van hem was vervreemd, hoe gesloten ze was. Toch bleef hij haar hardnekkig zijn manier van leven opdringen. Een keer kwam hij thuis met een gouden armband, schoof deze om haar pols en liet zich achteloos ontvallen:

'Draag hem!'

Ze deed de armband af, legde hem op tafel.

'Ik ga hem niet dragen.'

'Waarom niet?'

'Ik heb nooit goud gedragen en ben het ook niet van plan.'

Hij wierp haar een woedende blik toe, maar beheerste zich.

'Je hoeft hem niet te dragen, het is jouw armband.'

Hij legde hem in het doosje, wikkelde het papier er netjes omheen, stopte het in de tafella die hij op slot deed, en zei schertsend:

'Een dame hoort een kistje voor haar sieraden te hebben. Maar zolang je nog geen kistje hebt, kan dit wel hier liggen.'

Ze gaf geen antwoord, ze wist dat deze armband even plotseling zou verdwijnen als hij verschenen was.

Diezelfde dag had hij ook geld in de tafella achtergelaten. Varja raakte het niet aan, ze wist niet eens hoeveel hij erin had gestopt.

'Waarom pak je nooit geld?' vroeg hij een keer.

'Waarom zou ik? Jij eet niet thuis en ik eet op mijn werk.'

'Voor een maaltijd moet je ook betalen.'

'Daar verdien ik genoeg voor.'

Al gauw was het geld verdwenen, en ook de gouden armband. Het geld had ze niet nodig, de armband ook niet, maar ze moest hem van de verdwijning vertellen, om misverstanden te voorkomen.

'Pop,' antwoordde Kostja liefjes, 'vergeef me ook deze keer, ik zal het terug-winnen, alles komt weer op zijn plaats, trek het je niet aan.'

'Ik trek het me niet aan en je hoeft niets terug te geven. Ik heb noch het geld noch de armband nodig. Het is verdwenen en ik achtte het nodig je hiervan in kennis te stellen. Hoewel ik begreep dat jij het gepakt had.'

Hij verhief zijn stem:

'En als je begreep dat ik het was, waarom moet je het mij dan mededelen?'

'Vind je het onaangenaam zulke mededelingen te ontvangen? Neem dan geen dure dingen en geld meer mee, bewaar het ergens anders.'

'Wat wil je hiermee zeggen?'

'Het is hier geen uitdragerij en geen bank van lening. Daar is het veiliger en hier zijn Sofja Aleksandrovna en ik ervoor verantwoordelijk.'

'Jij wilt mijn levensomstandigheden niet begrijpen.'

'Nee, dat is zo. Zo'n leven kan ik niet en wil ik niet begrijpen.'

'Je praat met me alsof ik een vreemde ben.'

Ze draaide zich naar hem om en keek hem recht aan.

'Ja, we zijn vreemden en het enig juiste zou zijn als we uit elkaar gingen.'

'Ah, dus dat wil je!' Hij grijnsde terwijl hij langzaam zijn woorden uitsprak: 'Wanneer ik geluk heb kun je me begrijpen, maar zodra de pech komt, heb je me niet meer nodig.'

'Je weet best dat het niet zo is. Ik moest niet met alle geweld met jou naar de Krim, ik heb niet om zilvervosbont en gouden armbanden gevraagd. Ik ben er gewoon van overtuigd geraakt dat wij geen gemeenschappelijk leven hebben en niet kunnen hebben.'

Door zijn tanden sissend zei hij net zo verachtelijk.

'Begin je een affaire met de architect?'

'Idioot die je bent!' antwoordde Varja vol walging. Maar merkte bij zichzelf op: iemand heeft zitten roddelen. Wie? Ljovotska of Rina?

'Natuurlijk ben ik een idioot,' zei hij, zijn woorden rekkend met ingehouden razernij, 'restaurants, bevallen je zeker niet meer, maar waar heb ik je leren kennen, was dat geen restaurant?'

'Je wilt zeggen dat je me in een restaurant hebt versierd, dat ik een snol ben?'

Hij moest zich beheersen.

'Ik wil maar één ding zeggen: we hebben elkaar in een restaurant leren kennen, je hoeft de feiten niet te verdraaien.'

'Ik heb niets te verdraaien en we hebben niets te bespreken. We moeten uit elkaar gaan. Ogenblikkelijk! Vandaag deze kamer vrijmaken.'

Verwonderd, zelfs spottend trok hij zijn wenkbrauwen op.

'Vandaag? Waar gaan we heen, als ik vragen mag?'

'Ik ga naar huis. En jij hebt een woning waar je staat ingeschreven.'

Hij trok weer een scheve mond, ditmaal tot een lachje.

'Ik heb je toch gezegd dat het een formele inschrijving is, ik kan daar niet wonen. En ik ga hier niet vandaan, nergens heen. Ik woon hier prettig.'

Hij glimlachte breed, triomfantelijk, begreep hoe hard deze slag bij Varja aankwam, hij zegevierde toen hij haar ontzetting zag. Varja was werkelijk ontzet. Kostja bij Sofja Aleksandrovna laten wonen, dat kon ze niet doen. Sofja Aleksandrovna speelde het niet klaar met hem, hem door de politie eruit laten zetten durfde ze niet, ze was bang voor een schandaal, bang dat ze de kamer zouden afnemen. Allemachtig, wat ben ik lichtzinnig geweest, waar heb ik Sofja Aleksandrovna toch bij betrokken.

'Sofja Aleksandrovna heeft deze kamer aan mij verhuurd.'

Hij viel haar in de rede.

'Aan ons! Niet aan "mij", maar aan ons. Ik betaal de kamer trouwens.'

'Ik zal je het geld teruggeven.'

'Luister nou eens goed naar me,' sprak Kostja met nadruk, 'toen we elkaar leerden kennen, in SAVOY nog, toen vertelde jij me van die kamer, je beloofde met de hospita te praten, je hebt hem dus voor mij gehuurd. En nu zou ík hier moeten ophoepelen? Waarheen? De straat op? Nee, op straat kan ik niet wonen, ik zal hier wonen en jij kunt wonen waar je zin hebt.'

Varja liet het hoofd hangen... Hij was onbarmhartig, een man die geen enkel middel schuwde, hij wilde niemand ook maar iets toegeven. En hem noemde zij haar man. En het ergste was: ze moest alles dulden, ze had het recht niet hem alleen bij Sofja Aleksandrovna achter te laten.

Kostja genoot volop van haar vernedering, haar machteloosheid.

'Als je niet met mij wilt leven is dat jouw zaak, we staan niet geregistreerd, we gaan ieder ons weegs. Ik dring me niet aan je op.' In zijn stem klonk weer een noot van trots. 'Ik dring me aan niemand op, ook niet aan Sofja Aleksandrovna. Ik zal vertrekken, de kamer vrijmaken. Maar niet voor ik een andere heb gevonden, in het centrum, met telefoon, met alle gemakken. Daar heb ik twee, drie maanden voor nodig. Ik blijf hier alleen of we blijven er met ons tweeën, mij maakt het niet uit, we zullen elkaar niet hinderen. Dat zijn mijn voorwaarden: twee, drie maanden. Overigens, als ik eerder een kamer vind, vertrek ik eerder,' hij grinnikte weer, 'als je er zo heel veel belang bij hebt, help me dan een kamer te vinden.'

Hij wilde tijd winnen, hoopte het weer goed te maken, hoopte dat zij zich uiteindelijk met zijn leven zou verzoenen. IJdele hoop. Maar hij had haar in een dodelijke greep, ze zat in de val en ze kon nergens heen. Sofja Aleksandrovna zou ze nooit laten stikken.

'Met een kamer kan ik je niet helpen,' zei Varja, 'maar ik ga ermee akkoord twee maanden te wachten.'

Hij viel haar in de rede:

'Ik zei: twee, drie maanden.'

'Goed, zeggen we twee of drie. Maar je belooft me dat we de kamer over twee of drie maanden vrijmaken.'

Hij glimlachte op zijn oude manier, breed en charmant.

'Dan zijn we het dus eens. Waarom toch ruzie maken, elkaar op de zenuwen werken?! Het is dus vrede! Hoera! Zullen we het gaan begieten, ergens heengaan?'

'Wij gaan nooit meer ergens samen heen. Ik blijf hier alleen om Sofja Aleksandrovna, voor haar rust. Vergeet de rest. Ik ga op dit bankje slapen.'

'Op dit bankje?' lachte hij. 'Pas je er wel op?'

'Ja hoor, maak je geen zorgen.'

'Je moet het zelf weten.'

Hoe had ze zich zo laten inpalmen? Ze had niet goed uitgekeken, niet doorgehad wat er achter zijn blufferige gulheid en onafhankelijkheid stak. Hoe had ze kunnen zwichten voor de goedkope woorden 'misschien word ik naast jou wel een mens', hij beschouwde immers juist zichzelf als een echt mens. In haar klas was ze de mooiste geweest, de knapste, de beste, geen van de andere meisjes kon aan haar tippen, maar geen van hen was in zo'n affaire beland, niet een van hen, van die meisjes van intellectuele huize uit de buurt van de Arbat, zou zich door een biljartspeler hebben laten verleiden.

Ze moest nu absoluut eindelijk eens wijs worden uit zichzelf, begrijpen wat ze zélf was.

Varja las het grafologische onderzoek van Zoejev-Insarov nog eens, ze bewaarde het in dezelfde enveloppe als waarin ze het had gekregen; op de enveloppe zat een postzegel met drie profielen: een arbeider met een pet, een soldaat van het Rode Leger met een Boedjonny-helm en een baardige boer met een puntmuts.

'Uitzonderlijk, zeer begaafd persoon. Kritisch verstand. Er is wilskracht, maar de wilshandelingen zijn van impulsieve aard. Zelfstandigheid in het gedrag, alles wordt beslist zonder de raad en hulp van anderen. Hoge ontwikkeling, kan wetenschappelijke problemen zelfstandig analyseren. Aanleg voor creativiteit op wetenschappelijk gebied, mogelijk verborgen gebleven als gevolg van te weinig doelgericht leven. Hartelijk, in staat tot grote offers, maar verandert sterk van houding na een geschil met iemand. Veel eigenliefde, gauw gekwetst, iemand die zich niet meer laat afbrengen van wat ze eenmaal heeft besloten. Opvliegendheid, vaardig in het uitspreken van hatelijkheden. Moedig en niet altijd even voorzichtig. Gesloten bij intense ervaringen. Tegenover haar naasten enigszins despotisch. Zwierige levensstijl, kan zich geen genoegens ontzeggen. Houdt van mensen die zeker van zichzelf zijn, kan slappe karakters niet uitstaan. In geldzaken volstrekte eerlijkheid, vaak ten nadele van zichzelf. Vergeet niets, is echter niet wraakzuchtig, verplettert vijanden door verachting. Op de spits gedreven ontvankelijkheid. Schokkende ervaringen verbergt ze en verwerkt ze alleen. Gespleten en wispelturig karakter, levensvreugde en neerslachtigheid wisselen elkaar af. In intieme betrekkingen duldt ze geen platheid en sleur. Uit trots kan ze zelfs om een onbeduidende reden volledig met iemand breken. Grafoloog Zoejev-Insarov.'

Van haar begaafdheid en aanleg was ze niet zeker, hij verkocht vast iedereen zulke complimenten. Hoewel, aan Zoja had hij dit niet geschreven. Maar deze karakteristiek verklaarde veel van haar huwelijk… Ze hield van mensen die zeker van zichzelf waren, besloot alles zelf, kon het niet uitstaan als ze werd tegengesproken, was onvoorzichtig, kon zich geen genoegens ontzeggen: door al die dingen was ze juist in de val gelopen. Een positieve karakteristiek. Ze liet deze alleen al daarom aan niemand zien omdat er buitengewoon veel goeds over haar in stond. Het treffendste was dat ze schokkende ervaringen verborg en alleen verwerkte. Ook wat nu met haar was gebeurd, verwerkte ze alleen.

Ze zag Kostja bijna niet meer. Hij kwam zoals gewoonlijk na middernacht thuis, Varja lag dan op het bankje te slapen, 's morgens ging ze naar haar werk wanneer hij nog sliep. Hij viel haar niet meer lastig, gedroeg zich vriendelijk, alsof hij aan haar vrouwekuren toegaf, in de tafella verscheen weer geld, een keer een paar met bontgevoerde schoenen van haar maat in de kast. Kostja wachtte geduldig. De vrije dagen konden drukkend worden, maar Varja nam geen vrije dagen, als bij andere instellingen werd er op kantoor alle zondagen gewerkt, er waren glijdende werktijden, veel werk, en de directie was blij als de medewerkers geen vrije dag namen. Deze dag werd later aan de vakantie toegevoegd. Vaak nam ze 'schnabbelwerk' mee naar huis, ze probeerde zo wat meer te verdienen om niet van Kostja afhankelijk te zijn. Ze ging zelfs bijna nooit meer met Zoja naar de bioscoop.

Op haar vrije avonden ging Varja bij Michail Joerjevitsj langs, zat in zijn kamer die was volgestouwd met kasten, planken en etagères met boeken, albums en mappen. In een door boekenkasten gevormde nis stond een smal bed, in een andere nis zijn schrijftafel met overal erop potjes, tubes lijm en verf, glazen met penseeltjes, pennehouders, potloden, en ook scharen, scheermesjes en ander gerei waarmee Michail werkte. In deze leunstoel zat Varja, met opgetrokken benen.

Het rook gezellig naar verf en lijm, Michail Joerjevitsj zag er gezellig uit, een ouderwetse vrijgezel met een pince-nez. Hij werkte ergens, ging 's morgens vroeg van huis, kwam precies om zes uur weer thuis, en als hij later kwam, dan verscheen hij met een pas gekocht boek, een gravure of een reproduktie—dat was zijn leven. Hij bond zelf boeken in, plakte de bladzijden vast, hield een ingewikkelde catalogus bij, waarmee hij op de talloze planken snel alles kon vinden wat hij nodig had. Varja pakte een boek, hij zag met afgunstige blik toe, hoe ze het in haar hand hield, hoe ze de bladzijden omsloeg, of ze het wel weer op dezelfde plaats terugzette.

Deze boeken schafte Michail Joerjevitsj aan van zijn hongerloontje, hij ontzegde zich verder alles, liep 's winters en 's zomers in hetzelfde pak dat glom op de ellebogen en revers.

'Van alle uitvindingen van de mens,' zei Michail Joerjevitsj, terwijl hij een halfvergane bladzijde op een dun vel doorzichtig papier plakte, 'is het boek de bewonderenswaardigste, van alle mensen op aarde is de schrijver de bewonderenswaardigste verschijning. Nikolaj de Eerste en Benckendorff kennen we alleen omdat ze de eer hadden in dezelfde tijd als Aleksandr Sergejevitsj Poesjkin te leven. Wat zouden we zonder de bijbel van de geschiedenis van de mensheid weten? Van Frankrijk zonder Balzac, Stendhal, De Maupassant? Het woord is het enige dat eeuwig leeft.'

'En de piramides, de tempels dan,' wierp Varja tegen, 'en de monumenten van de bouwkunst, de grote schilders van de Renaissance?'

'Om van de werken van Michelangelo en Rafael te kunnen genieten moet je naar Rome, Florence, Dresden gaan, het Louvre of onze Hermitage bezoeken. Maar voor Goethe of Dante hoef ik niet te reizen, ze zijn altijd bij me.' Michail Joerjevitsj liet zijn ogen langs de planken en kasten gaan.

'Deze bibliotheek is uw vesting, u houdt zich hier schuil,' glimlachte Varja en zei dat ze Pilnjak had gekocht.

'Men zegt dat dat een goede schrijver is,' antwoordde Michail Joerjevitsj terughoudend, 'er zijn tegenwoordig veel interessante schrijvers! Zosjtsjenko, Babel, Tynjanov... Maar op mijn leeftijd, beste Varenka, onderhoudt men liever oude vriendschappen. Bij een auteur die ik ken voel ik me als bij een beproefde vriend, wanneer ik hem herlees keer ik terug naar mijn jeugd, mijn kinderjaren, reis ik door mijn leven.'

Soms haalde Michail Joerjevitsj manden onder het bed vandaan, of trok er een van achter de tafel te voorschijn; deze waren toegedekt met jute dat hij losmaakte, waarop hij er pakjes tijdschriften uit haalde, 'De wereld van de kunst', 'De weegschaal,' 'Apollo', Het gulden vlies,' gedrukt op luxepapier, verfraaid met vignetten en verlucht door de beste kunstenaars.

'Dit komt nooit meer terug,' zei hij triest, 'de bloei van het symbolisme, de bloei van de Russische kunst... Benois, Somov, Doboezjinski, Bakst...'

'Maar ik houd van de realisten,' zei Varja, 'dat waren grote kunstenaars, hun werk leeft al zoveel jaar, terwijl bijna niemand hén nog kent.'

Michail Joerjevitsj wierp een schuinse blik op haar over de glazen van zijn pince-nez.

'Nu worden ze niet erkend, niet gepropageerd, maar ze hebben zeer zeker grote verdiensten gehad: grafische kunst op hoog niveau, sierlijke ornamentiek, raffinement.'

Ze had onnodig gezegd dat niemand tegenwoordig de 'miriskoesniki' nog kende. Michail Joerjevitsj was gegriefd.

'Michail Joerjevitsj, ik kan wel uren bij u zitten, maar krijgt u niet genoeg van mij?'

'Welnee, Varja, geenszins! Ik ben blij dat je komt.'

Hij kwam vaak over Sasja te spreken.

'Sasja is een kunstzinnige natuur. Hij is open, beschouwend, heel opmerkzaam, zijn oordelen over wat hij heeft gelezen getuigen van een verfijnde smaak. De tijd heeft echter de actieve kanten in zijn natuur gestimuleerd en hij heeft niet de weg gevolgd die hem was voorbestemd. Maar hij maakte veelvuldig gebruik van mijn bibliotheek, hij las veel.'

'Van wat voor boeken hield hij?'

'De Russische klassieken kende hij uitstekend, vooral Poesjkin. Van Poesjkin kende hij hele bladzijden uit zijn hoofd, Tolstoj kende hij goed, Gogol, Tsjechov, Saltykov-Sjtsjedrin. Hij hield niet van Dostojevski.'

'Ik houd ook niet van Dolstojevski,' zei Varja, 'ik word er ziek van.'

'Dat kan met de jaren nog komen... Ja, Sasja dus. Hij hield van de Fransen, vooral van Balzac, Stendhal, hij kan immers Frans lezen.'

'Ja?' vroeg Varja verwonderd. 'Wij hadden Duits op school.'

'Sasja is zeker vijf jaar eerder dan jij van school gekomen en toen werd er én Frans én Duits gegeven. Later bleef alleen Duits over. Ik heb geen onaardige Franse bibliotheek, en Sasja las ze in het origineel. Jammer genoeg is hij geen talen gaan studeren, hij vond dat het land ingenieurs nodig had. De situatie waarin Sasja terecht is gekomen, kan zijn levensweg trouwens veranderen, het lijden verscherpt het innerlijk waarnemingsvermogen, ontwikkelt de artistieke aanleg, en ik geloof niet dat hij na zijn ballingschap nog tot zijn sociale activiteiten zal kunnen terugkeren.'

'Misschien wordt zijn vonnis herzien, misschien wordt hij vrijgelaten, hij heeft toch niets gedaan.'

Michail Joerjevitsj schudde twijfelend zijn hoofd.

'Vrijgelaten? Zoiets heb ik nog nooit gehoord. Het is al mooi als hij na het uitzitten van zijn vonnis wordt vrijgelaten.'

'Hoe bedoeldt u?' vroeg Varja verbaasd.

'Ik beweer dat niet, maar acht het mogelijk: ze kunnen hem ook niet vrijlaten, ik ken zulke gevallen, politieke gevangenen krijgen er een vonnis bij. In onze opgang woont Travkina, kent u die?'

'Ik heb haar gezien. Ik ken haar dochter.'

'U kent haar jongste dochter, maar de oudste is verbannen, ik geloof sinds '22 ongeveer, hetzij in Solovki, hetzij in Narym. Ze is trouwens socialist-revolutionair, wil haar standpunten niet opgeven, misschien daarom. Het is mogelijk dat dat Sasja niet zal overkomen.'

Met een schuinse blik vanachter zijn pince-nez keek hij Varja aan.

'Je moet dit niet aan Sofja Aleksandrovna vertellen. Laten we hopen dat met Sasja alles in orde komt.'

'Natuurlijk, ik zal haar niets zeggen, dat zou haar dood zijn, ze leeft maar voor één ding: Sasja terugzien, dat is haar leven.'

'Goed dan. Ook wij zullen wachten. Sasja komt terug en zal met de jaren het talent ontwikkelen dat hem door de natuur is gegeven. Voor de politiek is Sasja te eerlijk en naïef, te goed van vertrouwen, daar heb je andere kwaliteiten nodig. Toen hij van het instituut werd verwijderd, heb ik hem aangeraden naar zijn vader, of naar zijn oom te gaan, dat zou hem gered hebben, dan hadden ze hem vergeten. Hij wilde niet naar mij luisteren, geloofde heilig in gerechtigheid, nog een bewijs van zijn naïveteit.'

Ze konden Sasja ook níet vrijlaten?! Dat onthutste Varja. Het was nooit bij haar opgekomen dat ze hem nooit meer zou zien. Ze woonde in zijn kamer, tussen zijn dingen, met zijn moeder, dat hij er niet was voelde ze als iets tijdelijks, toevalligs. Zou hij nooit terugkomen? Wat absurd! Oneerlijk, onrechtvaardig, onwettig!

Hoe zou Sofja Aleksandrovna dat overleven? Ze telde de dagen tot zijn terugkeer af, de grootste gebeurtenissen in haar leven waren Sasja's brieven. Ze las ze Varja voor, weinig woorden, vol tedere gevoelens voor zijn moeder, pogingen haar op te monteren, te troosten. Hij klaagde nergens over, vroeg nergens om, schreef vaak, maar de brieven kwamen onregelmatig binnen. Sasja nummerde de brieven, hogere nummers kwamen soms eerder dan lagere. Sofja Aleksandrovna maakte zich al druk: in de brieven die ze nog niet had zou iets belangrijks staan, daarom kwamen ze niet. Varja probeerde haar gerust te stellen en wees op de ingewikkelde weg van post uit Siberië. En ze kreeg gelijk, de brieven kwamen.

Varja hielp Sofja Aleksandrovna het pakje met spullen voor de winter te maken, hij moest het hebben voor de wegen in de herfst onbegaanbaar werden. Een jas en een pet met oorlappen had hij, daarin was hij in ballingschap gegaan. Sofja Aleksandrovna stuurde hem nu viltlaarzen, twee stellen wollen ondergoed, wollen sokken, een sjaal, een trui. Varja legde het allemaal in een doos van triplex die ze met jute benaaide en schreef met inktpotlood het adres erop, om op de post niet te hoeven treuzelen. Terwijl ze het pakje klaarmaakte en van het postkantoor verstuurde, moest ze weer terugdenken aan de tijd dat zij en Sofja Aleksandrovna overal heen gingen om Sasja te zoeken en ze het leed en de ellende van de mensen in de rijen van de gevangenissen zagen.

Ze herinnerde zich hoe hij in de ARBAT-kelder het hoertje had veroordeeld, maar toch voor haar als vrouw was opgekomen. Dat was Sasja ten voeten uit. En met Oud en Nieuw had hij het die hufter van een Joera Sjarok betaald gezet, hij stond niet toe dat hij Nina beledigde, iedereen had gezwegen, alleen hij niet. Juist omdat hij geen schoft wilde zijn was hij in Siberië terecht gekomen. Een paar hadden samen een krant gemaakt, maar hij had alles voor zijn rekening genomen. Liep hij onderdanig tussen zijn bewakers? Maar wat kon hij anders doen? Alleen, ongewapend, terwijl zij met hun drieën waren en geweren hadden? Toen had ze hem zielig gevonden. Wat dom! Het kruis dat Sasja werd opgelegd, verlaagde hem niet, maar verhoogde hem. Nu begreep ze dit, nu ze andere mensen had gezien.

In de tafella lagen Sasja's schriften van het instituut, potloden, pennen, wat schroeven en moeren, vast van zijn fiets, onder de tafel halters, in de kast stonden zijn boeken, misschien niet alleen zijn, maar ook die van zijn vader en moeder, de bibliotheek die zich gedurende tientallen jaren in een familie ophoopt. Maar toch vond Varja dat het juist zijn boeken waren, Sasja's boeken... Jules Verne, Fennimore Cooper, de boeken van zijn kindertijd, de zesdelige Poesjkin-uitgave van Dervien uit 1912, Gogol, in één deel, Lermontov, 'Oorlog en vrede' van Tolstoj, 'Tijl Uilenspiegel', 'Kalevala', 'Het lied van Hyawatha', 'Bloed en zand' van Blasco Ibáñez, 'Kira Kiraline' van Panaït Istrati, boeken van Ilf en Petrov, Zosjtsjenko, Babel, Sjolochov, de tien delen van de Kleine Sovjetencyclopedie.

Ze dacht terug aan hoe hij haar in de ARBAT-kelder onder het dansen tegen zich aan had gedrukt en ook bij het vieren van Nieuwjaar, en terwijl ze zich dit herinnerde, voelde ze zelfs nog haar opwinding. Ze mocht hem natuurlijk, misschien was ze verliefd op hem geweest, maar begreep het niet, ze was er aan gewend hem als volwassene te beschouwen. Nee, ze had het wel begrepen, daarom had ze hem gevraagd mee te gaan schaatsen, ze wilde met hem schaatsen, zijn hand vasthouden...

In elke brief deed Sasja haar de groeten. Drie woorden aan het eind van de brief: 'Groeten aan Varja.' Misschien schreef hij het uit beleefdheid, vanwege haar goede verstandhouding met Sofja Aleksandrovna. Maar wanneer hij zijn groeten overbracht, noemde hij alleen Varja's naam, de andere noemde hij niet: 'Groeten aan de familie en alle kennissen.' Het leek Varja dat dat iets betekende, iets onuitgesprokens dat zij beiden echter begrepen. Ze vroeg Sofja Aleksandrovna ook haar groeten te doen.

'Schrijf zelf ook een paar woorden,' stelde Sofja Aleksandrovna een keer voor.

Maar Varja was daar nog niet klaar voor, ze schaamde zich iets oppervlakkigs te schrijven, 'kom gauw terug' was stom, dat hing niet van hem af. Iets schrijven dat echt iets betekende, hem laten merken dat ze aan hem dacht, dat ze naar hem verlangde, daartoe kon ze niet komen.

En ze zei:

'Wat moet ik dan schrijven? Over ons kantoor? Dat is toch niet interessant?'

13 De vrouw van Michail Michajlovitsj Maslov, Olga Stepanovna, was aangekomen. Van Kalinin naar Krasnojarsk per trein, per stoomboot over de Jenissej, vervolgens met verschillende boten stroomopwaarts over de Angara, langs ondiepten en stroomversnellingen. En dit alles ter wille van drie dagen samen met haar man.

Een aardige vrouw met ongehaaste bewegingen, een innemend gezicht. Ze hadden elkaar zeven jaar niet gezien. Ze hadden twee kinderen. Waar, wanneer, onder welke omstandigheden waren ze getrouwd? Hij was officier geweest, zij was boekhoudster.

Toen hij naar haar keek, zag Sasja opeens duidelijk en scherp de jonge, knappe Michail Michajlovitsj voor zich, naast hem Olga Stepanovna, ook jong, vol hoop en vreugde, hun goede figuur, gezichten die straalden van geluk. En even duidelijk en scherp tot in de geringste details zag hij hun ware leven, samengeperst in zeven verschrikkelijke jaren.

Olga Stepanovna was 's morgens met de postboot aangekomen en 's avonds nodigde Michail Michajlovitsj iedereen uit om préférence te komen spelen. Dit verwonderde Sasja, je zou denken dat Michail Michajlovitsj en Olga Stepanovna deze drie dagen getweeën wilden doorbrengen. Natuurlijk, een nieuwe persoon hier, in het bijzonder iemand die als vrij persoon kwam, dat was een gebeurtenis, maar toch... Zoveel jaren hadden ze elkaar niet gezien en nog eens zoveel zouden ze elkaar misschien weer niet zien, en nu nodigde hij iedereen uit voor een spelletje préférence.

Maar nog meer werd Sasja getroffen door de geïrriteerde toon waarop Michail met zijn vrouw sprak. Het was zelfs erger dan zijn gebruikelijke chagrijnigheid, het was opzettelijke, nadrukkelijke grofheid; zijn koude ogen stonden razend.

Ze speelde niet mee, zat naast haar man, keek in zijn kaarten, zweeg hoewel je kon zien dat ze het spel kende. En maar één keer zei ze, nadat Michail

Michajlovitsj slecht had gespeeld:

'Je had beter geen troef kunnen spelen.'

Michail Michajlovitsj vloog op.

'Zeg me als-je-blieft niet voor! Ik weet zelf wel hoe ik moet spelen.'

'Ik zeg niet voor, de partij is afgelopen,' antwoordde ze met een korte glimlach waarmee ze haar man vergaf en de anderen aanspoorde dit door het leven verminkte karakter te vergeven.

Allen voelden zich in verlegenheid gebracht. Pjotr Koezjmitsj bromde, Vsevolod Sergejevitsj bracht het gesprek op iets anders, en alleen Sasja, die ziedde van woede maar zich beheerste, stond op en verzocht voor de partij af te rekenen.

Vsevolod Sergejevitsj ging samen met Sasja weg. Onderweg zei Sasja tegen hem:

'Maslov is een onmens! Heeft zijn vrouw voor hem zo'n lange reis gemaakt, is hem trouw, en nu praat hij zo met haar.'

'Ja, ze is een opofferende vrouw,' stemde Vsevolod Sergejevitsj in. En voegde er met zijn dubbelzinnige glimlach aan toe: 'Maar of ze hem trouw is, weten we niet.'

'Zoals de waard is...'

'Bedoelt u mij?' grinnikte Vsevolod Sergejevitsj.

'Ja.'

'U kent me slecht,' wierp Vsevolod Sergejevitsj tegen. 'Olga Stepanovna's daad schat ik hoog. Maar denk eens aan haar leven daar, in Kalinin. Jong, knap, eenzaam...'

'Dat is vuile laster.'

'U bent een romanticus, Sasja,' protesteerde Vsevolod Sergejevitsj goedaardig, 'juist daarom mag ik u overigens. In uw naïveteit zit iets van de belangeloosheid van hén, de eerste... Olga Stepanovna is zonder twijfel een vrouw van de opofferende soort en dat is een hoger staande soort. Maar vergeet niet dat ze moeder van twee kinderen is, dat ze moet werken, en onze werkgever spaart de contra's en hun vrouwen en kinderen niet. Dat is iets om over na te denken, beste Sasja! Vooral wanneer die kinderen willen eten, en dat, let wel, niet een keer per dag, maar drie. Je kent het echte leven nog niet, beste vriend, je verkeert nog helemaal in hogere sferen.'

'Er zijn dingen,' sprak Sasja, 'die je onder geen omstandigheden mag goedkeuren. En u heeft geen reden te beweren dat Olga Stepanovna hem heeft verloochend.'

'Dat beweer ik niet, maar ik laat de mogelijkheid toe.'

'Ook daar heeft u geen reden voor. We weten één ding: Maslov heeft ze niet verlaten, ze heeft hem niet verstoten, is niet met een ander getrouwd, heeft zo'n reis doorstaan om hem te zien en wordt door hem onbeschoft behandeld.'

'Ja,' stemde Vsevolod Sergejevitsj in, 'hij heeft zich onopgevoed gedragen. Ik probeer juist te begrijpen waarom.'

'Wat valt hier te begrijpen,' grinnikte Sasja, 'hij is een schoft en daarmee uit. U praat alsof de omstandigheden de vrouw dwingen immoreel te zijn. Goed, zeg me dan welke omstandigheden Maslov dwingen een schoft te zijn? Geef het sovjetregiem niet van alles de schuld, dat heeft er niets mee te maken. Maslov maakt gebruik van de zwakheid van zijn vrouw, ze is zwakker dan hij, als ieder ander fijngevoelig mens naast een onbehouwen schoft.'

'Ik verbaas me over u, Sasja,' zei Vsevolod Sergejevitsj, 'u huldigt nog principes die bij uw generatie ongewoon zijn. Bent u soms daarom hier terechtgekomen? Bent u altijd zo geweest of hier zo geworden?'

'Ik onderscheid me in niets van mijn kameraden,' protesteerde Sasja, 'u kent ons gewoon niet. Ook Lenin ontkende de eeuwige waarheden niet, hij was er zelf mee opgegroeid. Zijn woorden over de speciale klassemoraal vloeiden voort uit de eisen van het ogenblik, revolutie betekent oorlog en een oorlog is wreed. Maar in de kern zijn onze ideeën menselijk en humaan. Wat voor Lenin tijdelijk was, het gevolg van een harde noodzaak, heeft Stalin tot iets blijvends, eeuwigs verheven, tot dogma verheven.'

'Over Stalin heb ik u nog niet horen spreken,' lachte Vsevolod Sergejevitsj weer, 'en wat Maskov betreft: ik ben bang dat u zich veel dingen te eenvoudig voorstelt. Het leven is ingewikkeld en past in geen enkel schema, en in het bijzonder het leven van zulke mensen als Maslov niet. Bij al uw edelmoedigheid hebt u één kleine zwakheid, Sasja: van de scherven van uw geloof probeert u een nieuw vat te lijmen. Maar het zal nooit lukken: de scherven passen alleen in hun vroegere vorm aan elkaar. Of u keert terug tot uw geloof of u zult het voor altijd afzweren.'

Bij het huis waar Vsevolod Sergejevitsj woonde namen ze afscheid van elkaar.

Sasja zag het lichtje in het raam, Zida verwachtte hem. Hij liep omlaag naar de rivier, vandaar ging hij meestal naar haar huis. Maar hij had geen zin. Liefde brengt vreugde, maakt het leven mooier... Maar als er geen leven is, maakt geen enkele liefde het mooier.

Goed, hij zou even aan het water zitten, misschien ging hij daarna naar haar toe. Hij zat tegenwoordig vaak in het bootje naar de rivier te kijken, naar het zilveren pad van het maanlicht over het water.

Wat Zida hem voorstelde was geen oplossing. Zij nam met het kleine genoegen, dat was het goede aan haar, maar waarom woonde ze in dit gat? Wat was ze voor iemand? Ze was weggekropen in een verre uithoek, verborg zich voor iemand of iets, en wilde dat hij ook als een kakkerlak in die hoek wegkroop. Nee, hij was niet van plan zo'n leven te leiden. Een kakkerlak werd hij in geen geval.

Hij hoorde stappen. Zou dat Zida zijn?

De maan drong maar af en toe door de laaghangende wolken. Sasja kon de gestalten van de mensen die langs de oever liepen nauwelijks onderscheiden, en pas toen ze vlakbij waren, herkende hij Maslov en Olga Stepanovna. Ze zagen Sasja niet en bleven achter de op de palen uitgehangen netten.

'Olga, ik smeek je, luister naar me...'

Sasja wist niet wat hij moest doen. Hij was niet meteen overeind gekomen omdat hij dacht dat ze zouden doorlopen, maar ze bleven niet ver van hem staan en het was nu gênant te laten merken dat hij hun gesprek hoorde.

'Begrijp me toch, ik smeek je,' vervolgde Michail Michajlovitsj, 'ik kan niet anders. Laat me alleen, streep me weg uit je leven, verstoot me ter wille van de kinderen, van jezelf. Trouw, verander je achternaam, die van de kinderen, verlos je van mijn naam. Waarom moeten jullie met mij ondergaan? Ik kan 's nachts niet slapen, denk aan jou, de kinderen, ze gooien je uit je baan, sturen je weg. Verlos me van deze kwellingen. Ik maak het niet lang meer, maar ik wil rustig sterven, ik moet zeker zijn dat jij en de kinderen veilig zijn.'

'Mijn God, hoe kun je zoiets zeggen?'

'Ik kan alles zeggen, ik sta buiten het leven. Waarom ben je gekomen? Hoe verklaar je dat dáár? Ik verklaar schriftelijk mijn instemming met de scheiding, dan zeg je dat je alleen daarom bent gegaan. Voor een scheiding van een veroordeelde hoeft dat niet, maar dat wist je niet, je dacht dat het moest en daarom ben je gegaan.'

'Ik kwel jou niet, maar jij mij,' zei Olga Stepanovna, 'kom, we gaan, ik heb het koud.'

Eindelijk kwamen de brieven van thuis. En, precies zoals Vsevolod Sergejevitsj had voorspeld, meteen een heel pak, acht stuks, moeder had elke dag geschreven en ze allemaal naar Bogoetsjany gestuurd. Sasja legde de brieven op volgorde naar de data van de poststempels op de enveloppes en las ze zo.

Over zichzelf schreef moeder bijna niets: 'Alles in orde, ik werk, op het werk gaat alles ook goed,' over vader schreef ze helemaal niet, hij had moeder nu dus helemaal in de steek gelaten, niets over Mark, hij kwam vast nooit in Moskou, ze schreef niet over Nina en Sasja's andere vrienden, ze kwamen dus nooit langs, ze noemde haar zusters, met hen was alles ook goed. Het belangrijkste in de brieven waren de vragen: 'Hoe voel je je, hoe heb je je leven ingericht, hoe eet je, wat heb je nodig, schrijf beslist, geneer ge niet, we kunnen alles voor je krijgen, alles sturen.' En het was duidelijk dat moeder alleen aan hem dacht, dat verlangen naar hem en verdriet om hem haar leven vulden. Maar moeder hield vol, was niet gebroken, leefde voor hem en hij moest voor haar leven, zolang hij leefde zou zij ook leven. En moeder was niet alleen, in elke brief noemde ze Varja. 'Varja en ik zochten je samen,'—dat betekende dat ze samen de gevangenissen waren afgegaan. 'Toen Varja en ik in de rijen stonden,'—Sasja begreep in welke rijen ze hadden gestaan.

Al zijn kameraden hadden hem verlaten. En alleen Varja, de kleine Varja, liet zijn moeder niet alleen. Sasja dacht terug aan haar fijne, doorschijnende gezicht, haar Maleise ogen, het haar dat in precies afgeknipte pony over haar hoge voorhoofd viel, die blik waarmee mooie meisjes van vijftien de jongens verlegen maken, haar blote benen waarop ze op school spiekbriefjes schreef. Een klein vrouwtje, gracieus, bekoorlijk... Hij herinnerde zich dat ze met andere tieners in de portieken rondhing, in haar donkere jas met nonchalant opgeslagen kraag. Dat ze zo blij was geweest, toen ze in de ARBAT-kelder zat, dat hij met haar had gedanst op 'Waar ik ook zwierf in de bloeiende mei, ik droomde zo mooi: jij was bij mij...' En dat ze zich tegen hem aan had gedrukt, haar onschuldige verleidelijkheden te baat nemend...

Als enige had Varja moeder niet in de steek gelaten, op de moeilijkste dagen was ze bij haar gebleven. Zo iemand, standvastig en onverschrokken, had moeder nu net nodig. Wie had haar deze steun en toeverlaat gestuurd? Een innige genegenheid voor dit dappere meisje doorstroomde Sasja. En hij had haar de les gelezen, haar met Nina's ogen gezien. Wat was hij toen bekrompen geweest!

In hun opgang woonden de oude Travkina en haar jongste dochter. De oudste was in Solovki, ze was socialist-revolutionair, mensjewiek of zoiets. Niemand ging met de Travkins om. De oude vrouw stak zwijgend de binnenplaats over, mager, rechtop, in een zwarte jas en ouderwetse zwarte hoed. Ook de jongste dochter liep zwijgend over de binnenplaats. In haar levendige ogen was iets dat om medelijden vroeg, maar in de blikken die ze ontmoette zag ze alleen onverschilligheid of leedvermaak.

Ook Sasja had haar zonder vriendschap aangekeken: een familie van vijanden.

Onder zulke blikken liep zijn moeder nu over de binnenplaats, als moeder van een vijand. Maar ze was niet alleen, ze had Varja, zij deelde haar tegenspoed, verlichtte haar leed.

De post kwam elke week. Sasja nam de brieven, soms een pakje, met wit linnen benaaid en met bruine pannekoekjes van zegellak gemerkt, mee naar huis, het drukwerk, strak getrokken door het pakpapier met gele stroken opgedroogde lijm. Op de adresbanden stond in keurig getekende letters, dat schreef Varja natuurlijk: 'District Kansk, rayon Kezjma, dorp Mozgovaja'. Datzelfde adres stond ook op de brieven. Sasja verbeterde moeder steeds: 'Niet Mozgovaja maar Mozgova,' maar zij bleef het schrijven zoals zij juist achtte.

Het plezier rekkend keek Sasja de brieven door, bladerde in de kranten, las eerst het interessantste, legde het weg, opende het pakje. Biscuit, snoep, cacao gedroogd of geconserveerd fruit, dat was allemaal heel duur. Sasja had moeder verboden levensmiddelen te sturen, maar ze deed het toch.

Wanneer alles was doorgekeken en Sasja zich al kon voorstellen hoeveel plezier hem wachtte, begon het echte plezier, de feestdag waarnaar hij de hele week uitkeek. Opnieuw las hij de brieven, maar nu langzaam en aandachtig. Moeder schreef elke dag, in afleveringen, dateerde en nummerde elke brief, ze bereikten hem niet allemaal. In elke brief was een groet van Varja, alleen een groet, zelf schreef ze niet. Waarom niet? Hij deed haar ook de groeten en een keer schreef hij er in een brief aan moeder bij: 'Lieve Varja, dank je voor alles.' Misschien dat ze hierna zou schrijven.

Na het lezen van de brieven begon Sasja aan de kranten, welk plezier hij twee dagen lang rekte, en als er ook tijdschriften bij waren, de hele week. De kranten waren gelezen, roken niet naar verse drukinkt als 's morgens vroeg in Moskou, in de kiosk op de hoek van de Arbat en de Plotnikovstraat. Soms ontbrak de krant van een of andere dag, Sasja onderdrukte zijn ergernis, op moeder kon hij niet boos zijn, zij deed alles voor hem, zijn ergernis kwam door de onverdraagzame sfeer waarin hij was opgevoed. Moeders verstrooidheid deed hem aan huis denken, aan zijn kinderjaren, en dat was hem dierbaarder dan een ontbrekende krant.

Op de Arbat reden geen trams meer, de straat was geasfalteerd, Sasja kon zich de Arbat moeilijk zonder tram voorstellen. Op het Arbat-plein was een metrostation opgetrokken, dat wilde hij graag met eigen ogen zien... Het was nu het tweede jaar van het vijfjarenplan, er werden auto's en tractors aan de lopende band geproduceerd, hoogovens leverden gietijzer, martinovens staal, de mensen waren het toonbeeld van enthousiasme voor de arbeid, en daarnaast talloze processen, uitbreiding van de repressieve organen, er werd een straf vastgesteld voor vluchten naar het buitenland: executie, terwijl de familie van de vluchteling tien jaar gevangenisstraf kreeg, deze was verantwoordelijk voor een misdaad die niet door hen was begaan. En dit alles ter versterking van de heerschappij van één man. En deze man was het symbool van het nieuwe leven, van alles waarin het volk geloofde, waarvoor het streed, waarvoor het leed. Dus alles wat in zijn naam werd gedaan was rechtvaardig?

Er kwam een brief van vader. 't Spijt me dat ik zolang niet heb geschreven, ik kon je adres niet krijgen.' Dat was als gewoonlijk een toespeling op moeders warhoofdigheid, ze kon zelfs het precieze adres van haar zoon niet meedelen. De gedachte dat moeder niet wist waar Sasja was, liet hij niet toe, hij vatte dat op als een poging hem van zijn zoon weg te houden, een van de talrijke verwijten die Sasja had gehoord zolang hij zich kon herinneren.

Vader schreef dat hij de ernst van het ongeluk dat over Sasja was gekomen, begreep, maar Sasja was jong, hij had zijn hele leven nog voor zich, alles zou goed komen, hij moest de moed niet laten zakken. Hoe de betrekkingen in hun familie zich ook ontwikkelden, en het was niet zijn schuld dat ze zich zo ontwikkelden. Hij was niet alleen zijn vader, maar ook zijn ware en trouwe vriend, dat hoorde Sasja te weten.

Sasja legde de brief terzijde. Het nare gevoel dat hij bij elk contact met zijn vader onderging, had zich weer van hem meester gemaakt. Hij toonde nooit belangstelling voor Sasja's leven, er was maar één leven dat hem zorgen baarde: zijn eigen. En als hij meeleefde in het ongeluk dat over Sasja was gekomen, dan alleen omdat het iets ongemakkelijks in zijn leven bracht, de gewone orde verstoorde, en *orde* was de kern en filosofie van zijn leven.

Toen Sasja klein was, kwam hij vaak zijn kamer binnen, stak het licht aan, wekte Sasja en draaide hem op zijn rechterzij; slapen op je linkerzij was schadelijk, je moest je als kind aanleren op de juiste manier te slapen. Hij pakte alle boeken en schriften op Sasja's tafel, legde ze op een keurige stapel, alles moest zijn plaats hebben. En alles moest je 's avonds klaarmaken, 's morgens haastte een mens zich naar zijn werk, en bovendien moest je je dat allemaal van jongs af aanleren. Sasja wilde slapen, om vaders aanwezigheid in zijn kamer niet te rekken sprak hij niet tegen, en dat zou ook nutteloos zijn, vader hoorde slecht, vroeg hem te herhalen, raakte geërgerd en was er zeker van dat Sasja met opzet zacht praatte.

Orde, orde, orde! Hij nam deze zelf in acht en eiste hetzelfde van anderen, thuis, op straat, op zijn werk was hij een altijd ontevreden, chagrijnige en agressieve pedant. 'De strijd tegen de verspilling in de produktie' was het hoofdthema van zijn rationaliserings- en uitvindingswerkzaamheid. De garantie voor een voorspoedig produktieproces was volgens hem (hij was levensmiddelendeskundige) reinheid. Reinheid alleen, reinheid garandeert een goede gezondheid, zowel lichamelijk als zedelijk, alleen reinheid garandeert fatsoen en een lang leven! Een sloddervos kan nooit fatsoenlijk zijn! Orde, reinheid, hygiëne! Fruit moest je net als groente enige malen in water wassen, vervolgens van de schil ontdoen, al zaten er ook daar waardevolle voedingsstoffen. Zijn appel schilde hij langzaam, een flinterdun laagje, hij at ook langzaam, geconcentreerd, herkauwde zijn eten zorgvuldig, at alles op, tot en met de laatste kruimel en dwong ook de kleine Sasja alles tot en met de laatste kruimel op te eten. Niets mag verloren gaan, er mag niets op je bord blijven liggen!

Kleren en schoenen droeg hij tientallen jaren. Elke avond zette hij zijn schoenen in de vensterbank om ze te laten luchten, en daarvoor poetste hij ze in de gang. De gang was smal, met zijn schoenen, borstels, doosjes met schoensmeer, met zijn krant op de vloer uitgespreid, zat vader iedereen in de weg, hij begreep dat en bereidde de tegenaanval al voor. Niemand kon hem iets doen, niemand wilde dan ook met hem aanbinden. Zelf liet hij daarentegen zelfs niet de geringste wanordelijkheid passeren. Luid schalde zijn verontwaardiging door het hele huis, omdat het licht in het toilet niet uit was of de kraan in de badkamer niet goed dichtgedraaid, iedereen zat muisstil in zijn eigen kamer, tenslotte verloor iemand zijn geduld, sprong de gang op en eiste dat hij eindelijk zei wie hij eigenlijk bedoelde. Dan onstond er een scheldpartij met wederzijdse verwijten en beschuldigingen.

Die militante pedanterie, ongerijmd en onuitstaanbaar in de huiselijk omgang, was de keerzijde van zijn eerbied voor de arbeid. Hij was een goed werker, een specialist met grote kwaliteiten die van zijn werk hield, over een bewonderenswaardig werkvermogen beschikte, maar nooit met zijn bazen overweg kon en altijd conflicten had met zijn collega's: allemaal leeglopers, luilakken en schurken! Niets buiten zijn werk, uitvindingen en voorstellen tot rationalisering, interesseerde hem, over niets anders praatte hij. Sasja had met hem te doen, hij zocht contact en vond het niet, de omgang met zijn vader was niet om uit te houden. Wanneer hij van de narigheid op zijn werk vertelde, eiste hij dat Sasja de haat tot zijn vijanden met hem deelde. Sasja's hoofd stond op springen van al die onbekende namen. Vroeg hij: 'Wie is dat?' —dan werd vader nijdig: 'Ik heb je toch vorig jaar nog van hem verteld, maar vaders werk interesseert je zeker niet.'

Hij gaf Sasja zijn artikelen om hem deze literair te laten bewerken, hoewel hij de technische terminologie van de levensmiddelenindustrie niet kende. In plaats van iets uit te leggen bromde vader: 'Is het echt zo moeilijk zulke elementaire dingen te onthouden?' Sasja onttrok zich aan het lezen van zijn werk, dit verwijderde hen nog meer van elkaar.

Elke bewoner had zijn eigen manier om het huis binnen te komen. Galja sloeg met de deur, rende snel door de gang. Michail Joerjevitsj kwam zachtjes binnen, heel omzichtig, bijna onhoorbaar. Maar vader wrong geïrriteerd de sleutel in het slot, er moest absoluut iets zijn dat zijn ongenoegen opriep: de tweede deur die niet helemaal dicht was en de warmte naar de trap liet verdwijnen, de deurmat die niet lag waar hij moest liggen. Ligt dat matje werkelijk iemand in de weg! Wat zijn dat voor mensen!

Met een donker gezicht verscheen hij in de kamer, hij groette niet, ze hadden elkaar godzijdank 's morgens al gezien, somber keek hij rond, zocht naar wanordelijkheid maar vond niets, moeder had voor zijn komst zorgvuldig opgeruimd. Zwijgend trok hij zijn jas uit, hing hem op een hangertje in de kast, trok zijn colbertje uit, stak zich in zijn huisjasje, ging zijn handen wassen, uit de badkamer drong zijn ontevreden gebrom door en dan kwam hij eindelijk aan tafel, volgde met gefronste wenkbrauwen elke beweging van moeder, onderzocht met een vies gezicht zijn bord, vork, lepel, mes, wreef ze zorgvuldig schoon met zijn servet en at vervolgens zwijgend en geconcentreerd, het enige moment waarop hij niet met aanmerkingen kwam: wanneer een mens voedsel tot zich neemt, mag niets hem afleiden. Als hij zijn bord eerder leeg had dan moeder, vroeg hij nors: 'Komt er ook een hoofdgerecht? Ach ja, dank je!' Dat was zijn conversatie.

Toch bleef het zijn vader! Goed of slecht, vader was een deel van zijn leven, zijn kindertijd, van alles wat Sasja zich nu mistroostig en ontroerd herinnerde. Hij hield vader niet voor hardvochtig, hardvochtig was alleen zijn egoïsme. Alleen zíjn werk, zíjn gezondheid, zíjn gemak telden. Daarvoor werd hij met eenzaamheid gestraft, maar de eigenlijk oorzaak daarvan snapte hij niet, hij schreef deze toe aan de menselijke boosaardigheid. En daardoor werd hij nog eenzamer. Sasja had met hem te doen, vooral nu hij zelf de eenzaamheid had leren kennen.

Augustus liep ten einde, de korte herfst brak aan, de tajga begon geel te worden. Overdag was het warm, geen wind, 's nachts was het koel, vroor het zelfs. De grond droogde uit, werd hard en werd tot Sasja's verbazing op sommige plaatsen om de een of andere reden rood, een dunne ijskorst strekte zich uit langs de ondiepe Mozgova, knerpte onder de voeten in de wagensporen en kuilen van de weg. 's Avonds renden er hazen over de oever van de Angara, uit de tajga was geschal als van trompetten te horen: de bronsttijd van de elanden was begonnen. Nog een week lang verloor de tajga naalden en bladeren, toen was ze naakt en doods. Op de meren krijsten de ganzen, in enorme groepen gerekt tot een driehoek vlogen ze naar het zuiden. De zon liet zich maar kort zien, de avonden werden winters lang.

De Angara raakte bedekt met brokkelig ijs, nu zou de post niet meer komen voor in de winter de slederoute begaanbaar was. Zijn enige contact met de wereld, met thuis, met moeder, met Varja werd verbroken. Varja had hem wel nooit geschreven, maar Sasja voelde haar aanwezigheid in elke brief. Zonder brieven, zonder kranten, zonder Varja's lieve handschrift op de adreswikkels werd alles nog treuriger. Zida haalde wel eens iets voor hem in de bibliotheek van Kezjma, oude, veel gelezen boeken, maar er kwamen daar zelden nieuwe boeken: 'Pedagogisch gedicht' van Makarenko, 'De mens verandert van huid' van Bruno Jasieński, 'Energie' van Gladkov. Zida nam ze mee, als er een paard-en-wagen haar kant opging, maar vaker droeg ze ze zelf. Sasja werd boos: waarom sleept ze dit zelf allemaal? Ze lachte: iemand had haar geholpen, het was trouwens niet zwaar, twee of drie boeken.

Hij ging ze 's middags halen, niet omdat hij niet meer voorzichtig was, ze hielden hun verhouding nog altijd geheim, alleen verborg hij niet meer dat hij haar kende. Hij gedroeg zich ook als een kennis, kwam overdag langs, soms met Vsevolod Sergejevitsj, zat 's avonds bij haar. Maar als hij bleef slapen, dan ging hij net als vroeger weg wanneer het licht werd, liep achter de huizen langs en ging van het andere eind van het dorp terug naar huis.

Zida voelde zijn verwijdering, zijn killere houding en zei een keer:

'Denk niet dat ik absoluut met je wil trouwen. Jij hebt vast iemand in Moskou, terwijl ik... van verveling, van verlangen. Maar toch voel ik me gelukkig.'

Hij streelde haar liefdevol over haar wang, maar protesteerde niet. In wezen was dat ook zo, het was goed dat ze het begreep. En dat hij iemand in Moskou had, daarin had ze ook gelijk, Varja was in Moskou, zijn hart kon dit meisje maar niet vergeten.

Sasja kon zich niet voorstellen hoe hij zonder post tot de winter zou leven. Maar de anderen leefden toch, of het nu zomer of winter was, ze hadden zich aan de situatie aangepast, waarom kon hij zich niet aanpassen? Dit lot trof allen op dezelfde manier, waarom kon hij niet, waarom had hij willen zijn lot niet net zo dragen als de anderen? Waarom kon hij het niet uithouden zoals zij?

Hij wilde zich niet verzoenen, kon niet lijdzaam wachten, omdat die begrippen—verzoening, lijdzaamheid—hem altijd vreemd waren geweest, voor hem een teken van zwakte. En zij die—volgens zijn oude begrippen—over kracht beschikten, waren heel andere mensen, hun gelijke had hij willen zijn, hij rekende zichzelf ook tot hen. Hier was alles juist omgekeerd. De mensen op wie hij had neergekeken, bleken sterker te zijn, juist omdat ze in staat waren tot lijden en geduldig wachten. Onder de sterken was hij sterk geweest, hij was uit zijn gewone omgeving gerukt, uit het milieu waarin hij leefde, en ineens was het duidelijk dat hij nergens op kon steunen, dat hij alleen niets was, terwijl zij uitsluitend op zichzelf steunden, op hun eigen krachten, die wel onbeduidend mochten zijn, maar voor hen voldoende om alle tegenspoed zonder morren te dragen, om te hopen en leven.

Dit waren de harde conclusies waartoe Sasja met betrekking tot zichzelf kwam. En toch kon hij zijn vertwijfeling niet te boven komen, alweer een bewijs van zijn geringe wilskracht. Hij kon aan niets anders dan zijn vertwijfeling denken. De dorpsnieuwtjes, de keet die in het rayon heerste, de nalatige leerlingen, wat had hij ermee te maken? Dat was oninteressant, vreemd, saai...

's Morgens vroeg ging hij met de oude dubbelloops en de eskimohond van de huisbaas het bos in om op hazelhoenders te jagen. Hij keerde om twaalf uur terug en twee, drie uur voor zonsondergang ging hij weer, en niet omdat dit als een beter tijdstip voor de jacht gold. Hij wilde zich afmatten door veel te lopen, om zijn vervloekte gedachten ten minste een keer te kunnen loslaten. De dubbelloops was oud maar goed, kaliber zes, het geschiktste. En Zjoetsjok was ook een goede hond, met een wolfsvacht, een spitse snuit, scheef staande ogen die in het donker een roodachtige weerschijn gaven, scherpe opstaande oren, een sterke gespierde hals en een pluimstaart die een ring vormde en naar de rug toe krulde. Een schrandere hond, hij joeg het hazelhoen snel op, het vloog een boom in, drukte zich tegen de stam, werd bijna onzichtbaar, vooral als het een met mos begroeide spar was. Zjoetsjok blafte, leidde de vogel af. Sasja schoot van zo'n twaalf stappen afstand, het hazelhoen viel neer. Zjoetsjok stortte zich erop en kwam met de vogel tussen zijn tanden terug. Van elke jacht bracht Sasja vijf of zes stuks mee. Zida braadde ze in zure room, ze smaakten heerlijk zo en Sasja at met veel genoegen, vooral als hij bij Fedja wat spiritus had kunnen krijgen. En dat lukte meestal wel, Sasja bracht hem ook hazelhoenders.

'Je schiet veel hazelhoenders, je gaat alleen diep het bos in, pas op dat een beer je niet verscheurt.'

Sasja haalde zijn schouders op.

'Door het een of ander ben ik nog geen beer tegengekomen, ze zijn jullie plaatsen vast vergeten.'

'Er komt er een, eentje zal ze zich herinneren,' antwoordde Fedja raadselachtig. Maar Sasja hechtte er geen betekenis aan: de plaatselijke bevolking mocht graag gekheid maken met de ballingen, die ze niet als jagers erkenden.

De volgende dag wilde Sasja weer het bos in gaan. Maar Zjoetsjok was noch op het erf noch op straat, en de hond was er toch aan gewend geraakt elke morgen met hem op jacht te gaan, hij wachtte en sprong altijd van ongeduld, Sasja floot, maar hoorde geen geblaf ten antwoord. Misschien had de bazin hem mee naar het land genomen of de baas naar Kezjma. Sasja besloot zonder hond te gaan, de jacht zou niet zoveel opleveren, maar hij had een geoefende blik, zou snel genoeg kunnen zien waar het opgeschrikte hoen heen zou vliegen.

Hij kwam over het bekende paadje op de open plek die hij ook kende, hier zaten hazelhoenders... Het gebladerde ritselde onder zijn voeten, geel, droog, de dunne takjes knapten. Er fladderde een hoen op, het ging in een boom zitten. Sasja dacht te horen dat er vlakbij nog een opfladderde, maar hij keek niet om zich heen omdat hij bang was de eerste uit het oog te verliezen. Sasja zag hem heel duidelijk, de vogel leek zelfs nieuwsgierig naar hem te kijken, zag toe hoe hij het geweer in de aanslag bracht en hoe hij mikte... Sasja schoot en in dezelfde seconde weerklonk er nog een schot, een kogel floot vlak langs zijn hoofd... Sasja sprong achter een boom... Er werd op hem geschoten, dit was een kogel, geen hagel, en wat hij voor het opvliegen van het tweede hazelhoen had gehouden, waren voetstappen van een mens geweest.

Deze gedachten schoten bliksemsnel door zijn hoofd, hij drukte zich tegen de boom, hield zijn adem in, luisterde aandachtig naar het bos... Alles was stil. Sasja wilde een schot lossen in de richting vanwaar op hem was geschoten, maar één loop was nog maar geladen en na het schot zou hij ongewapend zijn. Hij liet zijn geweer zakken en begon voorzichtig de andere loop te laden, hij had de patronen in zijn zak. Maar hij had zich nog niet verroerd, of er klonk weer een schot, de kogel sloeg in de boom...

Sasja stopte snel het tweede patroon erin, spande de haan en verstarde in afwachting. Toen hoorde hij geritsel, geknap van takjes en ten slotte het geluid van voeten. De schutter rende weg... Alles werd stil.

Sasja wachtte nog enige tijd, terwijl hij naar het bos luisterde; hij kon er niet toe komen zijn schuilplaats te verlaten. Eindelijk ging hij, voorovergebogen, de andere kant op, weg van de vluchteling, niet over het paadje maar door het bos. Hij drong door de wirwar van laag hangende boomtakken en kwam bij de Angara, maar daalde niet af naar de oever, hij bereikte het dorp via de zoom van het bos.

Wie zou hebben geschoten? Een toevallige landloper die zich van zijn geweer meester wilde maken? Vast niet. De dader had zelf een geweer. Iemand uit het dorp had geschoten. Natuurlijk, Timofej, hij was het geweest! Fedja had hem niet voor niets tot voorzichtigheid gemaand, dat was de beer die hij bedoelde. Timofej had er kennelijk over opgeschept dat hij wraak zou nemen op Sasja, en wraak betekende hier de kogel uit een hinderlaag, een blauwe boon, een bolletje lood als waarmee ze op beren joegen. Maar Fedja had hem toch kunnen waarschuwen, kunnen zeggen: Timofej dreigt dat hij je zal doden. Dat had hij niet gedaan, hij wilde er niet bij betrokken raken, was bang dat Sasja, als hij van Timofej's dreigementen hoorde, naar de politie zou gaan en hem als getuige zou oproepen. Als Timofej Sasja zou doden zou iedereen zijn mond houden. Wat kon Sasja hun schelen? Vandaag was hij hier, morgen niet meer, maar met Timofej en de zijnen moesten ze leven. Ook Fedja zou dan zwijgen. En niemand zou zich er druk om maken, ze zouden hem als overleden uit de registers schrappen, wie had er nu hier, aan de rand van de wereld, zin een onderzoek in te stellen.

Pas toen hij thuis was gekomen en zich op zijn brits had laten vallen, besefte Sasja, hoe dicht hij daarstraks bij de afgrond was geweest. Het leven dat eindeloos leek, kon in een fractie van een seconde ophouden, beëindigd door een kogel, een omslaande boot, een uitputtend transport, een toevallige ziekte, en niemand zou hem te hulp komen, zijn dood zou niemand beroeren, niemand had hem nodig, niemand zou hem verdedigen, bij niemand kon hij zich beklagen! Bij Alferov? Alferov zou vragen: waarom verdenkt u juist Timofej? Aha, u heeft hem een keer afgeranseld? U moet geen ruzie zoeken met de plaatselijke bevolking, dat zijn ook mensen, ze hebben hun eigenwaardigheid, hier heersen hun zeden, daarmee moet u rekening houden. En bovendien: heeft u het recht u zo ver van uw woonplaats te verwijderen? Heeft u het recht een vuurwapen te gebruiken? En omdat zijn klacht tot niets zou leiden, zou hij zich nog machtelozer voelen en zouden zijn vijanden zich volstrekt onaantastbaar wanen.

Er ruchtbaarheid aan geven zou niets helpen. Hij moest zichzelf verdedigen. Maar hoe? Door niet meer het bos in te gaan? Timofej kon hem op de oever van de Angara opwachten of hem eenvoudig thuis doden met een schot door het raam. En hoe moest hij met de eeuwige angst voor een kogel in de rug leven? Bij alles nu ook dit nog! Wat was dat dwaas van hem! Het was zijn eigen schuld! Waarom had hij toenadering tot Timofej gezocht? Waarom was hij met hem gaan hooien? Hij had uit hun buurt moeten blijven, maar hij had zich laten opfokken, wilde hun gelijke zijn, en Timofej had daaruit opgemaakt dat hij bescherming bij hem zocht, bang voor hem was, en daarom had hij bedacht dat hij Sasja moest treiteren. Maar hij kon niet tegen verzet en had besloten wraak te nemen. Je moest niet hoogmoedig zijn, maar iedereen naar de mond praten was ook niet goed, de mensen waren verschillend.

Tegen de avond zocht Sasja Fedja op in zijn winkeltje, wachtte tot iedereen weg was, en zei toen:

'Je had gelijk, er zitten beren in jullie bos.'

Fedja keek de andere kant op.

'Zie je wel...'

Hij vroeg niet verder, begreep welke beer hij bedoelde.

Sasja verliet het winkeltje; toen hij langs Timofej's huis kwam, vertraagde hij zijn pas. Zou hij even langsgaan? Een kijkje nemen bij de hufter? Nee, hij moest zich beheersen, geen onbezonnen daden.

Alleen Vsevolod Sergejevitsj vertelde hij van het voorval en waarschuwde hem: Zida weet van niets.

Vsevolod Sergejevitsj keek somber.

'Dit is ernstiger dan u denkt.'

'Ik snap het allemaal best. En ik snap ook dat hij, als hij me doodt, ongestraft zal blijven.'

Weest u voorzichtig,' raadde Vsevolod Sergejevitsj hem aan, 'ga niet alleen het bos in, als u wilt, kan ik u gezelschap houden.'

'Goed, we zullen zien,' antwoordde Sasja ontwijkend.

Thuis vroeg hij waar Zjoetsjok 's ochtends was geweest. De baas en zijn vrouw bleken hem niet meegenomen te hebben.

'Ik dacht dat hij met u naar het bos was gegaan,' antwoordde de huisvrouw.

Duidelijk, dit was Timofej's werk, hij had Zjoetsjok ergens opgesloten, de schoft.

Nu lag Zjoetsjok op het trapje voor de deur, liet zijn blik van zijn bazin naar Sasja gaan, voelde dat ze het over hem hadden. Sasja aaide hem over zijn snuit.

'Morgen gaan we op berejacht, Zjoetsjok, bereid je voor.'

In het rommelhok vond Sasja een staafje lood waar hij een aantal stukjes afhakte. Eén loop van zijn geweer laadde hij nu met hagel, een met lood, nu kon Timofej gerust dichterbij komen.

Maar Sasja ging de volgende dag niet naar het bos. 's Morgens vroeg kwam er, toen hij nog in bed lag, een boer van de dorpssovjet die hem een briefje overhandigde:

'Aan admin. balling Pankratov A.P. Bij het ontvangen dezes dient u zich te vervoegen bij de gevolmachtigde van de NKVD van rayon Kezjma te Kezjma Alferov V.G.' met daaronder Alferovs handtekening die hij al goed kende, zonder tierlantijnen.

14 Ljovotsjka zei tegen Varja dat het tijd voor haar werd lid van de vakbond te worden. Niet meer dan een formaliteit, maar het moest; Varja diende een aanvraag in.

Het bleek meer dan een formaliteit te zijn. De toelating geschiedde op een algemene vergadering, er werden dezelfde vragen als in het aanvraagformulier gesteld. Varja maakte zich kwaad over de vraag of ze 'gehuwd' was, ze wilde deze bevestigend beantwoorden, maar in de aanvraag had ze anders geantwoord, dan zouden er vragen komen, dat zou haar nog meer vernederen, en daarom zei ze 'nee, ongehuwd'. Ze las de verwondering op Zoja's gezicht en bij een paar van de andere meisjes, maar niemand vroeg verder. Er werden politieke vragen gesteld: wie is de voorzitter van het Centraal Uitvoerend Comité van de vakbond, van de Sovjet van Volkscommissarissen van de USSR en van de RSFSR, wat is het verschil tussen de opbouw van de socialistische maatschappij en de opbouw van de fundamenten van de socialistische maatschappij, en wat is er precies bij ons gedaan? Varja was verbijsterd: mensen die ze goed kende, die ze elke dag zag, met wie ze de meest vriendschappelijke betrekkingen onderhield, waren opeens achterdochtig geworden, stonden klaar haar op een leugen te betrappen, alsof ze God mocht weten wat voor belangrijke staatsaangelegenheid bespraken. Zelfs Rina en Ljovotsjka, zelfs Igor Vladimirovitsj zette een strak gezicht. Stom, want ze werd toch aangenomen, aan de hand van het formulier hadden ze alles gecontroleerd, het was in orde. Er werd een soort ritueel vervuld, dit was een schijndiscussie, een schijnbehandeling waaraan iedereen gewend was.

Ze waren klaar met vragen. Igor Vladimirovitsj stond op en vertelde dat Ivanova in zijn atelier werkte, haar arbeidsverplichtingen gewetensvol nakwam, en in alle opzichten verdiende tot de vakbond te worden toegelaten. Varja was verbijsterd te horen hoe officieel Igor Vladimirovitsj zich uitdrukte.

Ze werd met algemene stemmen aangenomen. En dat was alles.

En zodra iedereen van zijn plaats was opgestaan veranderden de gezichten totaal: de formele uitdrukking maakte plaats voor tevredenheid. Ze hadden hun sociale plicht vervuld, feliciteerden Varja en haastten zich huiswaarts.

Igor Vladimirovitsj stelde voor dat ze naar het restaurant één hoog gingen om Varja's toelating tot de vakbond te vieren. Rina verklaarde dat ze niet was gekleed voor HOTEL GRAND en stelde KANATIK voor, dat was wat gewoner en er werd sneller bediend. Ljovotsjka steunde haar: Igor Vladimirovitsj zou betalen, ze konden hem niet met goed fatsoen op kosten jagen. Varja wilde nergens heen. Rina, Ljovotsjka, okee, zij waren kleine ambtenaartjes, ze waren bang voor hun baan. Maar Igor Vladimirovitsj?! Kon hij zich echt niet op de een of andere manier van de anderen onderscheiden? Wat had hij te vrezen, hij die zo'n beroemd architect was? Maar ook hij gebruikte die woorden, hoewel hij begreep dat ze niets betekenden, dat de procedure dwaas was. En ze bedacht opeens dat Sasja Pankratov, die misschien wel betekenis aan zulke vergaderingen hechtte, toch zichzelf was gebleven. Hij zou vast zijn opgestaan om te zeggen: waarom al die vragen, als alles al in de levensschets staat, waarom zoveel tijd verspillen. Zo zou hij absoluut hebben gesproken, híj was een persoonlijkheid, niet Igor Vladimirovitsj! En daarom wilde Varja nergens heen, maar het feestje was ter ere van haar, ze kon moeilijk weigeren.

KANATIK was de naam van een tweederangs restaurant op de hoek van de Rozjdestvenko en de Theaterpassage, tegenover het monument van de pionier van boekdrukkunst Ivan Fjodorov. Het bevond zich in het sousterrain, de muren waren omwonden met niet erg dikke kabels. Varja was nog nooit in KANATIK geweest. Er was geen biljart, Kostja kwam hier niet. Ze herinnerde zich dat Vika haar een keer had uitgenodigd hierheen te gaan, samen met Igor Vladimirovitsj trouwens, maar ze was toen niet gegaan, ze had de voorkeur gegeven aan Ljovotsjka en de zijnen, en nu zat ze hier toch met Igor Vladimirovitsj.

Er bleken geen bekenden te zijn. Rina zei dat iedereen hier alleen op vrijdag kwam, om 'gebraden kapoen' te eten. Met 'iedereen' bedoelde Rina de mensen die alle restaurants afliepen.

'Toch is het hier behoorlijk druk,' merkte Igor Vladimirovitsj op, terwijl hij zijn blik door de lage gewelfde ruimte liet gaan.

'Ja, dit is een centraal punt, na het werk zit het hier vol,' legde Ljovotsjka uit.

'Ja, na onze werkdag—gaan de sletjes aan de slag,' zei Rina gevat, zonder zich voor Igor Vladimirovitsj te generen. Hier was hij haar chef niet, alleen haar tefelgenoot.

Bezoekers liepen in en uit, er kwamen drie meisjes binnen die niet ver van hun tafeltje gingen zitten. Ze trokken Varja's aandacht alleen omdat de snelle en ook—leek haar toe— bezorgde blikken die Rina en Ljovotsjka elkaar toewierpen, haar niet waren ontgaan.

De meisjes waren vaste gasten van de soort waarvan Rina had opgemerkt dat ze nu pas aan de slag gingen. Voor hen was het grootste feest *voor het werk* gewoon even zonder mannen in het restaurant te zitten, voor hun *eigen* geld een hapje te eten, over hun eigen vrouwezaakjes te kletsen en de kelner zelf een fooitje toe te stoppen, zich een gewone vrouw te voelen.

Een van de meisjes zat met de rug naar hen toe. Haar buurvrouw boog zich naar haar toe en zei iets tegen haar, waarop deze zich naar Varja's tafeltje omdraaide en Rina en Ljovotsjka achteloos toeknikte. Ze knikten terug, op hun gezichten verscheen een gedwongen verheugd glimlachje. Maar ze keek niet naar hen, maar naar Varja, grinnikte, draaide zich weer om, zei iets tegen haar jonge vriendinnen waar ze hard om lachten. Het was een nogal magere blondine met dicht op elkaar staande ogen, zo'n vijfentwintig jaar oud, met een gezicht dat waarschijnlijk ooit aantrekkelijk was geweest. Ze was net gekleed, zij 't sjiek noch uitdagend.

Varja ving weer een verontruste blik op die Ljovotsjka en Rina uitwisselden, en voelde zich ook zelf niet op haar gemak: het mens keek te hardnekkig naar haar, spottend en zelfs smalend.

'Wat is dat voor een juffer?' vroeg Varja.

'Ach, we hebben haar ergens gezien, ik weet niet meer waar,' antwoordde Rina luchtig, maar haar toon was geforceerd. En bovendien kende het meisje Ljovotsjka ook, ze hadden elkaar niet zo toevallig gezien.

Igor Vladimirovitsj vond het blijkbaar ook pijnlijk, hij keek op zijn horloge, liet merken dat hij geen tijd had om lang te blijven. Hij hief het glas.

'Gelukgewenst, Varja, nu bent u een volwaardig lid van de werkende klasse. Veel succes.'

Allen dronken.

De meiden moesten aan hun tafeltje weer hard lachten om iets dat de blondine had gezegd.

Igor Vladimirovitsj keek nog eens op zijn horloge.

'Heeft u haast?' vroeg Rina die ook klaar zat om weg te gaan.

'Ja, ik geloof dat het tijd wordt...'

'Beslist,' bevestigde Ljovotsjka.

De blondine draaide zich om.

'Zeg, lieve Ljova!'

Ljovotsjka liep naar hun tafeltje, boog zich naar de blondine toe, ze praatten even. Hij glimlachte vriendelijk, klopte de blondine beminnelijk op de schouder en kwam terug. En weer klonk er van het buurtafeltje een lachuitbarsting, de blondine had iets leuks gezegd.

Terug aan hun tafeltje begon Ljovotsjka nog altijd even beminnelijk over de jazz van Skomorovski te praten, die zijn optreden in Moskou begon. Rina luisterde naar zijn woordenvloed maar Varja zag hoe ongerust ze was.

De blondine stond op, kwam naar hun tafeltje toe, liet haar blik vluchtig langs Varja en Igor Vladimirovitsj glijden. Ze had een sigaret tussen haar vingers.

'Hebben jullie misschien lucifers?'

Uit elk van haar bewegingen sprak een opzettelijk ingehouden vrijpostigheid, een verhulde maar voelbare uitdaging. Igor Vladimirovitsj reikte haar een doosje. Ze streek een lucifer aan, trok aan haar sigaret en richtte zich opeens tot Varja:

'Hoe gaat het met jou en Kostja?'

'Klava, Klava,' zei Ljovotsjka terwijl hij aan haar elleboog trok.

'Wat nou weer? Dat wil ik weten. Zij is zijn nieuwe vrouw, ik ben zijn oude, ik was nummer tweehonderd, zij is nummer tweehonderdeen. Nou, gaat het en beetje? Heeft hij je al ergens mee beloond?'

Varja begreep de vraag eerst niet, ze dacht dat ze op zwangerschap zinspeelde.

'Klava, hou meteen op!' zei Rina streng.

'Lelijkerd,' antwoordde de blondine ruw. 'Hou jij je bek.'

Eindelijk drong de bedoeling van het gezegde tot Varja door en ze zei rustig en duidelijk:

'Mevrouw de prostituée, hoepel op en gauw!'

Iedereen verstijfde en verwachtte een scène.

Met een onverwacht hoge en piepende stem riep Igor Vladimirovitsj:

'Gaat u ogenblikkelijk weg van onze tafel. Val ons niet lastig! Heeft u lang niet meer bij de politie overnacht? Dat kan ik vlug voor u regelen!'

'Ha ha, hij wil ons bang maken...' proestte de blondine hysterisch.

Haar vriendinnen waren opgesprongen en sleurden haar al terug naar hun tafeltje. Ze probeerde zich los te rukken en gilde:

'Ik doe netjes tegen haar en waar scheldt zij mij voor uit, het klerewijf! Ze is amper van school of ze tippelt al, en beledigt mij!'

Igor Vladimirovitsj riep de kelner en rekende af.

'Ze denkt dat zij zijn vrouw is en hij haar man,' tierde de blondine, 'maar hij heeft een wagon vol van zulke vrouwen en nog een paar stuks, en allemaal met een druiper... Laat ze Rina maar vragen, die heeft haar portie gehad, en nu heeft ze hem een groentje toegestopt, de sloeries!'

Eindelijk stonden ze buiten.

'Ik moet linksaf,' zei Ljovotsjka die in de Stretenko woonde. 'Lap het aan je laars, dat wijf is gek, nou, tot kijk!'

Varja, Rita en Igor Vladimirovitsj liepen omlaag naar het Teatralnaja-plein.

'Wat ploerterig! Wat een laster! Waar haalt ze het vandaan!' zei Rina verontwaardigd.

'Je moet zulke gelegenheden ook niet bezoeken,' merkte Igor Vladimirovitsj op.

'Dat geschifte mens hadden we overal tegen het lijf kunnen lopen.'

'Trek het je niet aan,' zei Igor Vladimirovitsj tegen Varja. 'Hecht er geen betekenis aan, dat zijn de kleinigheden des levens.'

'Ik trek het me ook niet aan,' zei Varja terneergeslagen.

Ze kwam thuis. Tien uur, te laat om te werken, tijd om naar bed te gaan, maar al was er nog tijd geweest, dat had ze nog niet kunnen werken, ze was geschokt, onthutst door wat in KANATIK was voorgevallen. Het lag niet aan Rina en Ljovotsjka, zij waren vrienden van Kostja, en Rina was kennelijk meer dan een vriend, zij stond op zijn 'lijst', zo waren de zeden in Kostja's wereld. Voor Igor Vladimirovitsj kwam díe waarheid over haar huwelijk natuurlijk wel onverwacht. Maar even onverwacht waren voor haar zijn woorden op de vergadering en zijn angstige piepstemmetje in het restaurant geweest. Als ze op straat door jongens waren lastiggevallen, dan was hij vast en zeker met die piepstem om hulp gaan roepen. Een schaapskop en nog laf ook. Sasja had haar wel anders verdedigd. Zij en Igor Vladimirovitsj stonden dus quitte. Ze schaamde zich voor zichzelf, zo'n sloerie uit een restaurant had als een gelijke tegen haar gesproken omdat ze Kostja's liefje was geweest en zij dat nu was. Ze was nog nooit zo vernederd. Hoe kon ze morgen op haar werk komen, hoe kon ze de mensen onder ogen komen?

Wat moest ze beginnen, lieve God, waar kon ze zich bergen?! Overal lak aan hebben en naar Nina teruggaan? Maar ze kon en mocht noch de arme Sofja Aleksandrovna laten stikken. Zo lomp als hij was zou Kostja haar het leven grondig verpesten. Zo'n linke vent in huis brengen en dan zelf weglopen, nee, zoiets zou ze zich nooit vergeven. Een scène maken? Ze zou er niets anders mee bereiken dan opschudding in het hele huis en nog meer narigheid voor Sofja Aleksandrovna.

Er werd op de deur geklopt.

'Binnen.'

Het was Sofja Aleksandrovna.

'Goedenavond, Varja.'

'Goedenavond, Sofja Aleksandrovna, gaat u zitten, hoe gaat het met u?'

Sofja Aleksandrovna ging zitten, keek Varja aandachtig aan.

'Ben je verdrietig over iets?'

'Ik ben gewoon moe, er was een vergadering, ik ben tot de vakbond toegelaten.'

'Een formaliteit, maar je moet er een keer door.'

Sofja Aleksandrovna keek Varja weer aan.

'Varenka, ik kom over… Vandaag kwam Konstantin Fjodorovitsj met een of andere man, hij deed niet eens de deur achter zich dicht, ze haalden geweren uit elkaar, ze lieten de sloten klikken. Maar we hebben toch afgesproken, Varenka… dat is toch geen manier!'

Varja deed de kast open. Achter de kleren stonden twee jachtgeweren.

Ze ging op het bed zitten en legde krachteloos de handen in de schoot.

'Ik heb u iets heel ergs aangedaan, Sofja Aleksandrovna. Ik had het recht niet hem uw huis binnen te brengen.'

'Maar je bent toch zijn vrouw.'

'Vrouw... wat ben ik voor een vrouw voor hem, wat is hij voor man voor mij?! Ik snap niet wat me bezielde. We hebben geen leven samen, ik zie hem bijna nooit, we zijn al lang geen man en vrouw meer.'

Sofja Aleksandrovna zweeg.

'Maar ik kan niets doen, ik zit in de val,' zei Varja vertwijfeld.

'In de val?' verwonderde Sofja Aleksandrovna zich. 'Ik begrijp je niet, hoe zo in de val? Jullie staan niet geregistreerd, je bent vrij, verdient je eigen brood.'

'Ja, dat is zo, maar ik kan hier niet weggaan.'

'Waarom niet?'

'Omdat hij dan nooit bij u weg gaat. Hij heeft het zó gezegd: je kunt weggaan, ik voel me hier thuis. Hij heeft wel beloofd een andere kamer te vinden, maar hij liegt, hij zal er geen zoeken. Ik kan hem niet hier alleen laten, u speelt het niet met hem klaar. Ziet u, ook waar ik bij ben komt hij met die geweren, maar zonder mij zal hij helemaal geen plichtplegingen meer maken, hij zal u de kamer niet eens meer binnenlaten.'

Sofja Aleksandrovna streelde haar over het hoofd en glimlachte. En opeens zag Varja dat haar glimlach precies als Sasja's glimlach was, hij glimlachte ook zo. En ze hadden ook eendere ogen.

'Varenka, Varenka,' begon Sofja Aleksandrovna met liefdevolle stem, 'maak je over mij geen zorgen, je bent een goede ziel. Over mij hoef je je geen zorgen te maken. Als jij echt hebt besloten van hem weg te gaan...'

'Maar we zijn al uit elkaar, al heel lang!'

'Meisje, soms kibbel je ergens over, jonge mensen nemen het dan al te zwaar op, ze gaan uit elkaar en later komen ze weer bij elkaar.'

'Kibbelen...' Varja's stem beefde. 'Hij verspeelt mijn spullen. Weet u mijn cape nog? Ik heb u toen niet de waarbeid verteld, hij heeft hem met biljarten verloren. Als de nood aan de man komt zal hij mij ook verspelen. Al zijn zaakjes zijn duister, lampjes, elektrische apparatuur, dat is allemaal oplichterij. Er is beslag gelegd op zijn eigendommen, ik was bang dat ze hier zouden komen, maar dat is goddank niet gebeurd, zijn vriendinnetjes beledigen me. Ik kan hem niet meer luchten of zien en u zegt: kibbelen...' Ze barstte in tranen uit.

Sofja Aleksandrovna streelde haar weer over het hoofd.

'Lieve meid, stil maar, hoe kun je zo vertwijfeld zijn, dit is geen ramp, geloof me. Waarom heb je me dit allemaal niet eerder verteld?'

'Ik schaamde me,' antwoordde Varja terwijl ze haar tranen wegslikte.

'Ten onrechte, gekke meid, ik ben toch een oude ervaren vrouw, jij en ik hadden heel vlug een oplossing gevonden, al heel lang. Zeg me, wil je naar huis teruggaan of bij mij blijven?'

'Ik zou natuurlijk het liefst bij u blijven. Maar dat kan niet, Sofja Aleksandrovna, dat kan niet. Als ik hier blijf, gaat hij niet weg, en als hij wel weggaat dan zal hij bellen, scènes maken, u het leven zuur maken. Ik moet u van hem verlossen.'

'Maak je geen zorgen,' antwoordde Sofja Aleksandrovna koelbloedig, 'dat doe ik zelf wel. Als je besluit vaststaat…'

'Sofja Aleksandrovna!'

'Goed, goed… Pak dan meteen je spullen bij elkaar en ga terug naar Nina. De rest neem ik op me.'

Haar vastberadenheid en koelbloedigheid troffen Varja. Sasja was net zo. Lieve God, ze kende haar helemaal niet, tot nog toe had ze een door verdriet verpletterde moeder gezien en dat beeld had Sofja Aleksandrovna's ware natuur onzichtbaar gemaakt.

'Ik neem niet mee van wat hij voor me heeft gekocht.'

'Dat is jouw zaak, maak je alleen zo gauw mogelijk klaar, anders komt hij nog.'

Zo vroeg kwam Kostja nooit thuis. Maar Varja realiseerde zich dat Ljovotsjka of Rina vast van de scène in KANATIK zouden vertellen en dat hij elk ogenblik in huis kon opduiken. Haar spullen in haar koffer pakkend, zei Varja:

'Ik kan niet alles in een keer dragen, ik moet ook mijn tekenbord en tekenhaak meenemen. Kan ik iets in uw kamer achterlaten en het later ophalen?'

'Dat hoef je toch niet te vragen!'

Varja trok haar jas aan, in een hand hield ze haar koffer, in de andere haar tekenbord en tekenhaak.

'Ga door de achterdeur naar buiten, straks kom je hem nog tegen.'

'Daar heb ik lak aan! Ik ben alleen bang om u.'

'Ik heb je al gezegd dat je je over mij geen zorgen hoeft te maken,' zei Sofja Aleksandrovna met nadruk, 'maar ga toch door de achterdeur, we hoeven geen scène op de trap.'

'Goed.'

Varja kuste Sofja Aleksandrovna.

'Dank u voor alles en vergeeft u me.'

'Kind, wat moet ik jou vergeven, ik dank jou omdat je me niet in de steek laat. Als alles voor elkaar is, zie ik je graag terug.'

Varja duwde de deur van haar woning open, de kamer was niet op slot, Nina zat aan tafel schriften na te kijken.

Ze zag Varja in haar jas, met haar koffer en tekenbord.

'Is het uit met het familiegeluk?'

Varja zette de koffer op de grond, legde het bord op haar bed.

'Ja, 't is uit.'

15   Varja zat in de zenuwen, verwachtte dat Kostja vroeg thuis zou komen en haar ging opbellen. Maar hij belde niet. Hij was dus als altijd laat verschenen.

Zo'n twee uur voor het eind van de daaropvolgende werkdag riep Igor Vladimirovitsj Ljovotsjka bij de telefoon in zijn werkkamer. Dat was ongebruikelijk.

Na een paar minuten kwam Ljovotsjka terug en zei tegen Varja dat ze bij de telefoon moest komen.

'Kostja?'

'Ja.'

'Hoe komt hij aan dat nummer?'

In plaats van te antwoorden haalde Ljovotsjka zijn schouders op.

'We worden geacht de telefoon van Igor Vladimirovitsj niet te gebruiken. Er is een gemeenschappelijke telefoon, hij heeft het nummer.'

Ljovotsjka haalde weer zijn schouders op.

'Hij zegt: dringend, ogenblikkelijk. Ik heb Igor Vladimirovitsj gevraagd of ik je mocht roepen, hij zei dat het goed was.'

'Zeg maar tegen hem dat hij het gemeenschappelijke nummer moet bellen.'

'Ga dat zelf maar zeggen, ik ben geen boodschappenjongen.'

'O nee? Wie heeft hem dan verslag uitgebracht van KANATIK? Jij niet soms?' Dit was maar een gok, maar ze sloeg de spijker op zijn kop.

Ljovotsjka ging de werkkamer weer in, kwam weer naar buiten en zei nors:

'Hij verwacht je vanmiddag om vijf uur bij de ingang van het Park voor Cultuur en Ontspanning.'

'Wil hij een potje schommelen?' vroeg Varja spottend.

'Ik geef door wat hij heeft gezegd.'

'Hebben jullie ruzie gekregen?' Rina keek niet op van haar tekening.

'Wat gaat jou dat aan?'

'Ik vraag gewo...'

'Hoe liever je waffel!'

Thuisgekomen belde Varja allereerst Sofja Aleksandrovna, ze maakte zich ongerust.

'Hoe gaat het, Sofja Aleksandrovna?'

'Alles in orde.'

'Is hij vertrokken?'
'Ja.'
'En heeft hij zijn spullen meegenomen?'
'Ja.'
'Hoe is het u gelukt?'
'Gewoon… Als je komt, zal ik het je vertellen.'

Ze wilde het niet over de telefoon zeggen, terecht. Varja kon niet snel genoeg aan de weet komen, hoe het Sofja Aleksandrovna was gelukt Kostja eruit te zetten, maar ze moest wachten tot Nina kwam, ze moesten afspreken hoe ze zouden leven, het was niet goed als ieder zijn eigen huishouden had, dat was pijnlijk tegenover de buren.

Varja pakte haar koffer uit, hing haar jurken op hun oude vertrouwde plaats in de kast, keek in haar laden, alles net als vroeger, niets was aangeraakt, niets van plaats veranderd, alsof Nina wist dat ze terug zou komen. Het was toch haar zuster en haar huis, haar thuis. Ze plaatste haar tekenbord op de tafel en begon te werken.

Toen Nina thuiskwam was ze nog bezig. Varja glimlachte, vroeg of ze niets wilde eten, wees op de broodjes die ze van haar werk had meegenomen. Nina was al even verzoenlijk gestemd, liep naar haar tekenbord en vroeg wat ze tekende, luisterde aandachtig naar Varja's uitleg. Wat het huishouden betrof, zei Nina dat ze allebei warm aten op hun werk, dat was geen probleem. Varja maakte bezwaar: de huur, telefoon, gas en elektriciteit, ontbijt en avondeten waren er ook nog, van al die uitgaven wilde ze de helft betalen. Ze spraken af dat ze hun gemeenschappelijke uitgaven zouden opschrijven en het bedrag aan het eind van elke maand in tweeën zouden delen.

Daarop dronken ze thee en aten de broodjes die Varja had meegebracht, praatten. Varja vertelde van de bouw van het hotel, van haar collega's, haar enthousiasme beviel Nina. Maar geen woord over Kostja. En Nina vroeg niets, die tijd zou komen, dan zou ze er zelf over beginnen.

Het liep al tegen tienen toen de telefoon op de gang ging. Nina nam op.
'Varja, voor jou.'

Nina keek haar ongerust vragend aan. En Varja voelde dat het Kostja was. Dat was inderdaad zo.
'Heeft Ljova je mijn verzoek overgebracht?'
'Jawel.'
'Waarom ben je niet gekomen?'
'Ik schommel niet meer, daar ben ik te groot voor.'
'We moeten met elkaar praten.'
'Ik luister.'
'Dit is geen gesprek voor de telefoon. We moeten elkaar zien.'
'We hoeven niets te bespreken en hoeven elkaar niet te zien.'

'Het is heel belangrijk. Voor mij, voor jou, voor Sofja Aleksandrovna.'

Hij liegt natuurlijk, wil me chanteren. Maar toch sloeg de angst haar om het hart.

'Goed, kom morgen om vier uur naar GRAND. Dan kunnen we praten.'

'Nee, we moeten nu praten, ogenblikkelijk, je hebt er geen idee van hoe belangrijk dit is, morgen is het te laat. Kom even naar buiten, op de Arbat.'

'Goed,' zei Varja, 'ik kom dadelijk.'

Ze ging terug naar de kamer, schoot haar jas aan.

'Ik ben zo terug.'

'Naar hem?' vroeg Nina kort.

'Ja.'

'Wil je dat ik met je meega?'

'Waarom?'

'Wie weet wat…'

Varja lachte.

'Maak je geen zorgen.'

Kostja liep voor hun huis heen en weer, in zijn jas met opgeslagen kraag, de pet diep over het voorhoofd getrokken, hij leek wel een privédetective of een gangster uit een Amerikaanse film. Varja had hem nog nooit zo gezien. Een dwaze maskerade.

Ze liepen over de Arbat.

'Wie nam de telefoon op?'

'Mijn zus.'

'Weet ze dat je naar mij toe bent gegaan?'

'Natuurlijk.'

Ze sloegen de Plotnikovstraat in, daarna de Krivoarbatski en kwamen bij het onbebouwde terrein tegenover de school waar ze op een bankje gingen zitten. Het was al donker, de mat schijnende straatlantaars waren al aan, in de ramen van de huizen brandde licht, nu en dan passeerde een voorbijganger.

'Je moet niet zonder je man de restaurants aflopen,' begon Kostja, 'dan kan je allerlei naars overkomen. Als je met mij bent, valt niemand je lastig, nu ben je zonder mij gegaan, en meteen heb je geduvel.'

'Voor jouw tijd,' antwoordde Varja, 'toen ik om zo te zeggen nog geen man had, viel niemand me lastig, deed niemand kwetsend tegen me. Deze persoon wilde me juist daarom kwetsen omdat ik je vrouw *was* en zij mij ook als een hoertje beschouwde.'

'Ze is krankzinnig,' protesteerde Kostja, 'ze is ziek…'

'Wat heeft ze?'

'Dat zeg ik toch: krank-zinnig. Krankzinnigen kunnen alle mogelijke onzin uitslaan.'

'Ik heb geen tijd, Kostja,' onderbrak Varja hem, 'mijn zuster wacht op me.

Die krankzinnige van je interesseert me niet en wat in KANATIK is gebeurd evenmin. Wij zijn gescheiden.'

Hij zweeg, toen glimlachte hij opeens, hij probeerde Varja's hand te pakken.

'Wacht even, pop, niet zo opgewonden. Ik begrijp dat je boos bent, maar zo slecht hadden we het nu ook weer niet met ons tweeën. Je kon doen wat je wilde. Je ging werken toen je wilde werken, en als je wilt studeren, dan help ik je, bij mij zit je hoog en droog.'

Ze haalde zijn hand weg.

'Maak je geen illusies, Kostja, het is uit.'

Zijn lippen trilden van woede.

'Nee! Je hebt beloofd te wachten tot ik een kamer zou vinden. En nu sta ik op straat, ik kan nergens slapen.'

'Niet waar. Je hebt zelf gezegd dat het je niet uitmaakte waar ik woonde, bij mijn zuster of bij Sofja Aleksandrovna. De dingen die je voor me hebt gekocht, heb ik niet meegenomen, haal ze op, je kunt ze met biljarten verspelen of aan je vriendinnetjes cadeau doen. Wij staan quitte.'

'Nee,' grijnsde hij, 'we staan helemaal niet quitte. Wat heb je Sofja Aleksandrovna van mij verteld?'

'Ik? Niets.'

'Je liegt.'

'Ik lieg niet. Ik heb haar alleen van de cape verteld, dat moest ik wel vertellen, want anders was ze naar de politie gegaan en had je er last mee gekregen. Je hoeft haar trouwens niets te vertellen, ze heeft haar ogen niet in haar zak. Je hebt beloofd geen geweren mee naar huis te nemen, maar gisteren deed je dat toch. Ik had er genoeg van en ben weggegaan. En jij moet verder maar doen wat je nodig vindt.'

'Ik weet heus wel wat ik moet doen, maak je over mij geen zorgen,' zei Kostja duister, 'en met die *madame* reken ik nog af, ze zal haar verdiende loon krijgen, ze zal ervoor bloeden...'

'Over wie heb je het?' zei Varja niet begrijpend.

'Over jouw Sofja Aleksandrovna, dat ouwe kreng, ik zal haar aan het een en ander herinneren, ze zal ervan lusten. "Er zijn geen wetten, er is alleen wetteloosheid..." En wat kameraad Stalin betreft... Ze hebben, weet je, haar zoontje gepakt, dus daarom belastert ze onze regering...'

Varja had alles verwacht, alleen dit niet.

'Kostja, wat zeg je allemaal? Bezin je!'

'Oog om oog, tand om tand. Jij hebt je mooie kleertjes teruggegeven, daarmee denk je je af te kopen. Dat gaat niet door!'

'Ach, jij schoft!' schreeuwde Varja bijna stikkend. 'Een verklikker, dat ben je dus. Heb het lef niet! Je laat Sofja Aleksandrovna met rust, knoop dat in je oren! Al zeg je ook maar iets van haar, dan zal ik zeggen dat zij dat niet heeft gezegd, maar jij, begrepen, jij! Ik ben de enige getuige, en mij zullen ze geloven, jou niet. Ik zal zeggen dat je haar uit wraak belastert, omdat je van haar geen wapens in huis mocht hebben en jij wel wapens meenam, in een militair beveiligde straat. Als je ook maar een vinger naar haar uitsteekt, haar ook maar aanraakt, maak ik gehakt van je. En jou zal niemand helpen, al die Rina's en Ljovotsjka's, ze zullen je allemaal verkopen.'

Ze kon niet meer spreken, ze stikte van woede, ontsteltenis, verontwaardiging.

'Ga verder, ga verder, dit is de laatste keer dat je praat, de laatste.' Kostja's stem ging over in fluisteren. 'De laatste omdat ik je dadelijk doodschiet!'

Toen hij dit had gezegd, was Varja in een oogwenk kalm. Hij hield zijn hand in zijn zak, hij had een revolver, een Smith and Wesson; hij had hem haar een keer laten zien en gezegd dat deze van een beroemde vriend was, hij zou hem repareren, gelogen natuurlijk, hij loog altijd. Maar Varja voelde geen greintje angst voor hem, hij zou niet schieten, hij zou het niet durven. En Sofja Aleksandrovna verklikken, daarvoor was hij ook te bang. Roekeloosheid, overmoedigheid maakten zich van haar meester, laat hij het maar proberen, toe maar!

'O ja?' grinnikte ze. 'Schiet je me dood? Logisch, daarom vroeg je of mijn zuster wist waar ik naar toe ging. Dat weet ze, naar jou, dus schiet maar, voor mij krijg je de kogel, daar zullen ze wel voor zorgen. Lafaard!' Haar stem sloeg over in schreeuwen. 'Schiet dan, lafaard, lafaard, schiet dan!'

In de ramen werden gordijnen opzijgeschoven, de mensen tuurden het duister in.

Varja bleef schreeuwen:

'Kom, schiet dan, waarom schiet je niet, lafaard, klerelijer!'

'Hé, wat gebeurt daar?' klonk een harde mannestem uit een raam.

In het straatje begonnen de voorbijgangers langzamer te lopen.

'Brul niet, je bent krankzinnig. Wat je ook doet, aan mij ontsnap je toch niet.'

Hij draaide zich om en liep snel het straatje af.

'Ik wilde je net gaan zoeken,' zei Nina, toen ze weer thuis was. 'Wat is er gebeurd, als ik vragen mag?'

'Niets bijzonders, hij dreigde me dood te schieten.'

Varja begon te lachen.

'Wel heb ik nou van mijn leven!' zei Nina verontwaardigd. 'Weet hij niet meer in wat voor land hij woont?'

''t Is gewoon een idioot, een nul.'

De volgende dag ging Varja na haar werk meteen bij Sofja Aleksandrovna langs.

Ze zat aan tafel een brief te schrijven, aan Sasja zeker.

'Kom, Sofja Aleksandrovna, vertel hoe het is gegaan.'

Sofja Aleksandrovna legde haar pen neer en zette haar bril af.

'Ik heb hem bevolen weg te gaan. Hij sputterde tegen, daarna ging hij weg.'

'Nee, vertelt u wat uitgebreider, alstublieft.'

'Ik zei hem dat ik hem verboden had geweren mee naar huis te nemen en hij het toch deed, dat ik jou een standje had gegeven en dat je naar je zuster was gegaan, en verzocht hem te vertrekken, temeer daar de buren er bezwaar tegen maakten dat de deur vanwege hem niet op de ketting kon. Hij werd grof, begon te dreigen, allerlei onzin uit te slaan, ik zou een woekerprijs voor deze kamer vragen.'

'De schoft!'

'Ik legde hem uit dat ik de deur vandaag met de ketting zou sluiten en dat niemand hem open zou doen, en als hij met geweld binnen probeerde te komen, zou ik de politie erbij halen, dan zouden we verklaren dat hij wapens verhandelde, een man met een duister beroep was, alle buren tegen hem waren en dat het huisbestuur al een paar keer naar hem had gevraagd en ook de wijkagent in hem was geïnteresseerd. Toen begon hij me weer bang te maken en ik zei: "Mijn zoon is gearresteerd en verbannen, ik ken de weg naar de officier van justitie, naar de onderzoeksrechter, naar de advocaat, u krijgt me nergens bang mee, denkt u liever aan u zelf, en als u morgen niet weggaat, moet u het zelf maar weten, ik deins nergens voor terug." Toen ben ik de kamer uitgegaan. Vanmorgen is hij met zijn spullen vertrokken.'

'Hoezo met zijn spullen? Niet die van mij?'

'Die van jou heeft hij hier gelaten.'

'Om een aanleiding te hebben om ze te komen halen.'

'Misschien hoopt hij op een verzoening.'

'Dan kan hij lang wachten.'

'Wat ik nooit had verwacht,' zei Sofja Aleksandrovna, 'hij heeft de sleutels hier gelaten, ik dacht al dat we nieuwe sloten moesten laten inzetten.'

'Vooruitziend,' grinnikte Varja, 'als er wordt ingebroken, dan is iedereen die een sleutel heeft verdacht, daarom heeft hij ze teruggegeven.'

'Mogelijk,' stemde Sofja Aleksandrovna in.

'En wat mijn spullen betreft, maak u niet druk daarover, ik neem ze mee naar huis, en als hij ze komt halen of opbelt, zeg dan: Varja heeft alles meege- nomen, ga maar naar haar.'

'Dat is het beste, het zijn jouw dingen, neem jij ze mee.'

'Ik zie wel,' antwoordde Varja vaag, met het vaste voornemen de spullen morgen door Ljovotsjka aan Kostja te laten geven.

Liefdevol omhelsde ze Sofja Aleksandrovna.

'Ik heb u zo iets ergs aangedaan, u heeft door mijn schuld zoveel moeten verduren.'

'Ach wat, kindje, zet hem uit je hoofd, wees niet bang voor hem, zulke kerels zijn alleen sterk in gezelschap van zwakkeren en durven alleen in gezelschap van verlegenen.'

'Dat weet ik,' zei Varja met een glimlach, 'gisteravond riep hij me naar buiten en dreigde dat hij me zou vermoorden.'

'Is het heus?'

'Jazeker, ik heb hem uitgelachen en ben weggegaan.'

'Goed gedaan, zo moet je ze aanpakken.'

Varja vond het zelf ook goed gedaan, ze voelde haar kracht, voelde haar zelfstandigheid. Jazeker, eindelijk was ze zelfstandig! Ze had zich niet aan andermans wil onderworpen, had al die vuiligheid achter zich gelaten, ze mocht dan gestruikeld zijn, zich hebben vergist, maar uiteindelijk leerde je toch van je fouten. Overal vochten de mensen voor hun brood, voor een plaatsje onder de zon, overal schikten ze zich naar de omstandigheden, het was belangrijk een mens te blijven, niemand je waardigheid te laten vertrappen. Dit had ze nu eindelijk bereikt en daar kon ze trots op zijn.

'Schrijft u aan Sasja?'

'Ja kindje, ik moet de brief morgen versturen, ik ben bang dat hij niet op tijd komt. In oktober en november, voor de Angara dichtvriest, zijn er geen verbindingen. Ik wil beslist dat hij mijn brief met de laatste bestelling krijgt.'

Varja stelde zich Sasja voor, eenzaam staand aan de oever van een verre Siberische rivier, en ze kreeg ook zin aan hem te schrijven, al was het maar een paar woorden, ze wilde hem dat pleziertje nu doen. Na alle beproevingen die ze had meegemaakt en doorstaan was ze weer welgemoed, daarom kon ze ook aan Sasja schrijven, een beter mens kende ze niet.

'Kan ik hem ook een paar woorden schrijven?'

'Maar natuurlijk, Varenka,' zei Sofja Aleksandrovna verheugd, 'hij zal gelukkig zijn, ik ben immers de enige die hem schrijft.'

Varja pakte een velletje briefpapier, dacht na, doopte haar pen in de inktpot en schreef:

'Hallo, Sasja! Ik ben nu bij je moeder, we schrijven aan je. Met ons gaat alles goed, je moeder is gezond, ik werk bij Project Moskva...'

Ze dacht even na en schreef er nog bij:

'Wat zou ik graag willen weten wat jij op dit ogenblik doet...'

16   Kirov viel het verblijf in Sotsji zwaar. Dat hij meewerkte aan het geschiedenisboek, was een formaliteit: hij las wat de referenten hadden geschreven, keurde goed wat Stalin had goedgekeurd. Hij begreep dat Stalin de geschiedenis niet alleen omwerkte om zijn eigen persoon te verheerlijken, maar ook om zijn wreedheid, die van vroeger, nu en in de toekomst, te rechtvaardigen. Kirov kon echter geen bezwaar maken, strijd leveren in theoretische kwesties was zinloos, hij was theoreticus noch historicus, Stalin had een heel legioen historici en theoretici tot zijn beschikking die alles konden bewijzen wat hij maar wilde. Daar moest hij z'n vingers niet aan branden. Maar hij hoorde ook geen artikel over Stalins rol in de Kaukasus te schrijven.

Kirov had vijf jaar aan het hoofd van de partijorganisatie van Azerbajdzjan gestaan, haar geschiedenis had hij uitstekend leren kennen, Stalins rol in Bakoe was hem ook goed bekend, dat was de rol van de gemiddelde beroepsrevolutionair. Zijn bijzondere rol in Bakoe werd nu pas verzonnen, achteraf, net als zoveel andere dingen trouwens. Hij, Kirov, deed daar ook aan mee. Maar dat waren algemene globale kwesties in de geschiedenis; de bevestiging dat Stalin de opvolger van Lenin was, was noodzaak voor de partij, en hij, Kirov, had dit geaccepteerd, met bepaalde afwijkingen van de waarheid moest men nu eenmaal akkoord gaan. Maar alles was volbracht, de strijd was afgelopen, wat moest Stalin met de lauweren van de leider van drukkeij 'Nina'? Wilde hij via Kirov met Jenoekidze afrekenen! Daar deed hij níet aan mee!

Hij kende elke straat in Bakoe, elk huis, elk bedrijf, elke boortoren; naar zijn idee was de naam van Stalin toen nergens aan verbonden. Nu werd heel Bakoe één groot gedenkteken voor Stalin, de levende Stalin. Straten, rayons, de oliewinning, instituten, scholen droegen zijn naam. In de Bailovgevangenis was zelfs een museum geopend, hoewel niemand wist in welke cel Stalin had gezeten. Ze durfden het hem niet te vragen, in zo'n vraag kon hij een zinspeling op de onbeduidendheid van het feit zelf zien, hij kon denken dat men er in Bakoe helemaal niet van overtuigd was of zo'n gedenkteken wel nodig was. Ze deden alles zelf, zochten een cel uit waarin ze makkelijk een deur naar buiten konden uithakken, zodat de bezoekers die de cel kwamen bekijken, de gevangenis zelf niet in hoefden. Het museum was er gekomen, er werden groepen rondgeleid, al wist Stalin dat dit fictie was. Kirov had het meermaals opgemerkt, hij had er zelfs met Ordzjonokidze over gesproken: bij Stalin vervaagden de grenzen tussen realiteit en legende wanneer zijn verleden in het geding was.

Maar voor Kirov waren deze grenzen niet vaag en hij was niet van plan nieuwe legenden te scheppen. Stalin verlangde dat hij in Sotsji bleef, vervelend en zonde van de tijd. Zijn plaats was in Leningrad, de afschaffing van de distributie voor levensmiddelen stond voor de deur. Over vier maanden zouden de sovjetburgers vrij brood kunnen kopen. Deze gebeurtenis bewees de levensvatbaarheid van het kolchozensysteem dat met ontelbare verliezen, ontberingen en offers was geschapen. Zo'n maatregel mocht je niet in het honderd laten lopen, maar moest je nauwgezet voorbereiden, vooral in de rayons die niet hun eigen graanvoorziening hadden, en daartoe hoorde ook Leningrad. In plaats daarvan zat hij in Sotsji te niksen.

De commentaren op de schets van de geschiedenis las Kirov op het strand, of hij las ze eigenlijk niet, keek ze alleen door, legde de velletjes steeds weg met een steen erop, omdat de wind ze anders zou wegblazen.

Het strand, afgesloten door een dichte dubbele afrastering, leek verlaten. Links en rechts van de omheining was een verboden zone. Bij de toegang tot het strand zat in een hokje met een telefoon een schildwacht, een tweede schildwacht liep heen en weer over het geasfalteerde weggetje langs de buitenste omheining. Alleen de gasten maakten gebruik van het strand. Stalin zwom niet in zee en kwam nooit op het strand. Het personeel van de datsja's, de bediening, de veiligheidsmensen zwommen ergens anders.

Kirov kwam hier maar één persoon tegen, de tandarts die uit Moskou was gearriveerd. Uit zijn gedrag sprak eerbied voor Kirov, maar zonder vleierigheid, rustig en welgezind. Deze man met zachte stem en terughoudende manieren zwom uitstekend en je zag dat hij van alles hier—zon, zee en zand —genoot. Kirov deed het altijd plezier, wanneer hij zag dat de mensen zich over iets verheugden. Vanzelfsprekend, duizend jaar geleden konden de mensen ook al blij zijn, ze zouden het kunnen zolang er leven op aarde was. Niettemin moest Kirov de vreugde die hij bij sovjetmensen ontmoette, wel in verband brengen met de staat die hij, Kirov, vertegenwoordigde, met het stelsel dat hij sterk had gemaakt en nog sterker maakte, met de nieuwe maatschappij die hij opbouwde. Elke glimlach die hij zag, elke lach die hij hoorde was voor hem en zijn partij een beloning, die de harde en soms ook strenge maatregelen die moesten worden genomen, rechtvaardigde. Als marxist dacht hij grootschalig, maar toch zag hij achter de duizenden en miljoenen altijd ook het individu. Zijn gehoor was voor hem nooit onpersoonlijk. Wanneer hij het podium betrad, streefde hij naar wederzijds begrip, tussen hem en elke toehoorder, misschien was dat wel het geheim van zijn redenaarskunst.

De persoonlijke omgang met anderen was hem nooit te min, hij ging graag met iedereen een gesprek aan. Ook met de tandarts op het strand. Ze spraken over heel alledaagse dingen, de temperatuur van het water, de zwavelwaterbronnen die op de zeebodem opwelden, de werking van Matsesta-bronwater op het menselijk organisme. Het beviel Kirov dat Lipman over alles niet als arts sprak, maar gewoon als leek, zelfs over tanden, toch zijn specialiteit, zei hij meer gewone dingen: wat voor tandenborstel het best was, een grote of een kleine, waarmee je je mond bij voorkeur moest spoelen. Maar Lipman zei niet één keer wíe hij behandelde; de naam Stalin noemde hij niet één keer.

'Matsesta doet wonderen,' zei Lipman, 'onze buurman was volledig invalide, kon niet lopen, en na zijn Matsesta-kuur loopt hij als een achttienjarige.'

'Woont u goed?'

'Wat zal ik zeggen... Een mooie kamer in een communaal pand, negentien vierkante meter, in de Tweede Mesjtsjanskajastraat, niet ver van het centrum, met eigen telefoon in de kamer. De buren mopperen weliswaar en willen dat de telefoon in de gang komt te hangen, ik heb er niets op tegen, laat de mensen hem maar gebruiken—maar de Medische Dienst van het Kremlin maakt bezwaar. De Medische Dienst heeft de telefoon geïnstalleerd, daarmee word ik bij mijn patiënten geroepen.'

Kirov wist dat de artsen van het Kremlin niet werden ontboden, maar naar hun hoge patiënten werden gebracht. En naar wie ze precies werden gebracht, werd niet gezegd. Ordzjonikidze lachte erom: 'Snap je, mijn dokter wordt bij me gebracht, maar mijn naam vertellen ze hem niet. Maar de dokter weet het wel: als Ivanov hem komt halen, dan ben ik het. Als Petrov komt, dan is het Koejbysjev. Zulke spelletjes spelen we...'

De wind stak op, op zee verschenen schuimkoppen.

'Er zitten veel kwallen bij de kust, er komt dus storm,' zei Kirov.

Zo wisselden ze zinnetjes uit, terwijl ze op het strand lagen, in zee zwommen, of zich na het zwemmen afdrogen. De dokter zag de velletjes die naast Kirov lagen, wilde niet storen, gedroeg zich kies.

Maar Kirov las de 'Opmerkingen' bijna zonder hun betekenis te vatten. In welke richting de geschiedenis werd herzien, was toch wel duidelijk, de bijzonderheden deden er niets meer toe. Hij dacht aan Stalin. De laatste jaren dacht hij over het geheel genomen veel aan hem. In Leningrad werden deze gedachten echter door het werk naar de achtergrond gedrongen, terwijl hij hier niets te doen had, hier was Stalin. Kirov zag hem dagelijks en dacht ononderbroken aan hem.

Al die jaren had hij Stalin en zijn beleid gesteund, zijn vijanden bestreden, zijn gezag vergroot. Hij had dit oprecht gedaan, met overtuiging, hoewel vele trekken in Stalins persoonlijkheid hem onsympathiek waren. Maar je moest persoonlijke en politieke eigenschappen uit elkaar kunnen houden. Hij had niet zo erg in Stalins belofte geloofd rekening te houden met Lenins kritiek en zich te beteren. Kirov had in iets anders geloofd: de kwalijke kanten van Stalins karakter waren door de interne partijstrijd verscherpt. Nu deze was beëindigd, zou de noodzaak tot extreme maatregelen verdwijnen. Dan zouden zijn negatieve karaktertrekken plaats maken voor de goedheid die de leider van een groot land moet bezitten, als hij de dankbare nagedachtenis van het nageslacht wil verdienen. En Stalin wilde dat.

Maar Kirovs hoop was niet gerechtvaardigd. Integendeel, naarmate zijn positie sterker werd, werd Stalin steeds onverdraagzamer, eigenzinniger, boosaardiger, zette slinkse intriges op touw, speelde de partijleiders tegen elkaar uit, de organen van de veiligheidsdienst maakte hij tot het belangrijkste instrument van zijn leiderschap. Bij Kirov in Leningrad stond de chef van de NKVD, Filipp Medved, onder het districtscomité, maar andere secretarissen van districtscomités vertelden dat de organen ter plaatse steeds zelfstandiger werden ten opzichte van de lokale partijleiding en alleen aan het centrum gehoorzaamden, zich in alle geledingen van het staatsapparaat nestelden, en dat het inlichtingenwezen hun belangrijkste wapen was: zelfs communisten werden gedwongen elkaar in het oog te houden. Maria had het er enige malen verontrust over gehad dat hij ook werd gevolgd. Goed, Maria was zijn vrouw, zij mocht zich ongerust maken, maar Sofja, Maria's zuster, iemand met een koele en beheerste instelling, sinds 1911 lid van de partij, zei het ook. Kirov deelde hun verontrusting niet, in Leningrad lieten ze dat niet gebeuren, Borisov, de chef van zijn lijfwacht, wijzigde de opstelling van zijn mensen blijkbaar te vaak, waardoor de indruk werd gewekt dat ze gevolgd werden. In Moskou lag het anders, daar werd elk van zijn stappen gecontroleerd, daar werden alle leden van het Politbureau gevolgd, werd gekeken wie wie ontmoette, wie naar wie ging. Dat was afschuwelijk, zo was het nog nooit in de partij geweest, nu gebeurde het en je kon er niets tegen doen. Stalins achterdochtigheid groeide, hij vertrouwde niemand, je kon onmogelijk openhartig tegen hem zijn, je oprechtheid kon hij ieder ogenblik tegen je gebruiken. Door dit alles ontstond een gevoel van onzekerheid, ongerustheid, zelfs hulpeloosheid. En tegelijkertijd was optreden tegen Stalin onmogelijk. Dat was de hele tragedie. Zijn methodes waren onaanvaardbaar, maar zijn beleid was juist. Hij had een geïndustrialiseerde grote mogendheid van Rusland gemaakt. Tegen Stalin optreden stond gelijk aan optreden tegen land en partij. Niemand zou zo iemand steunen. En mocht dat wel het geval zijn, wie moest Stalin dan vervangen? Velen wilden hem, Kirov, op de post van Secretaris-Generaal zien, voor hem hoefde dat niet, dat ging zijn krachten te boven, hij was geen theoreticus, hij was praktisch revolutionair. Misschien was de duidelijkste herinnering uit zijn revolutionaire jeugd de eigenhandig vervaardigde hectograaf waarmee de studenten hun pamfletten drukten. Hij was toen heel trots op die hectograaf geweest: zijn eerste concrete, materiële bijdrage aan het werk van die partij. Zulke tastbare, zichtbare resultaten van zijn inspanning en van de inspanning van de mensen die hij aanvoerde, hadden hem altijd aangetrokken en verheugd. Voor hem was het genoeg dat hij partijlid en communist was, en dat de partij hem haar haar grote vertrouwen schonk. Maar Stalin hield geen rekening met de partijleiding zoals deze na de dood van Lenin historisch was ontstaan, de leiding die Lenins erfenis voor de aanslagen van Trotski en Zinovjev had behoed. Deze leiding werd niet meer collectief genoemd en terecht niet meer: de leider van de partij was Stalin. Maar de kern was er toch nog. Lenin was ook de leider van partij en staat geweest, maar hij had rekening gehouden met de kern die hem omringde, had er rekening mee gehouden ondanks de meningsverschillen die er waren. Stalin passeerde het Politbureau, mensen als Zjdanov, Malenkov, Berija, Jezjov, Mechlis, Poskrebysjev, Sjkirjatov en Vysjinski betekenden nu meer dan de leden van het Politbureau. Hij begreep uitstekend welk doel Stalin nastreefde, wanneer hij van hem maatregelen tegen de vroegere aanhangers van Zinovjev eiste: hij wilde de grond voorbereiden voor terreur, maar voor terreur was geen enkele reden. Stalin wilde echter regeren door middel van de angst, alleen de angst, die hij nodig had om zijn alleenheerschappij te consolideren. Waartoe dit zou leiden wist niemand. Met bitterheid besefte Kirov, hoezeer de partij zich had vergist door Lenins raad niet op te volgen en Stalin niet uit zijn functie als Secretaris-Generaal te ontheffen. Dat hadden ze wel moeten doen. Trotski zou desondanks ook dan niet hebben gewonnen, hij was een vreemde in de partij. Zinovjev en Kamenev zouden ook niet tot de leiding zijn toegereden, de partij stelde geen vertrouwen in hen. De partij zou worden geleid door haar ware bolsjewistische kern, het Politbureau van nu, waar plaats was geweest én voor Boecharin, én voor Rykov, en zelfs voor Stalin, maar dan op gelijke voet met de anderen. Ja, dat was een onherstelbare vergissing. Niemand kon Stalin verwijderen. Hem op enig punt tot andere gedachten brengen was al even onmogelijk. Alleen voor de schijn, tactisch, was hij het met je eens; in zijn politieke manoeuvres dacht hij op de lange termijn. Achter zijn op het eerste gezicht onschuldige voorstel aan hem om een artikel tegen Jenoekidze te schrijven en naar Moskou te verhuizen gingen onduidelijke maar vergaande politieke overwegingen schuil. Terecht had Lenin geschreven: Stalin is eigenzinnig. Maar tegelijkertijd was hij geduldig, volhardend en volbracht *altijd* wat hij zich had voorgenomen. Hij kende het geheim van de machtsuitoefening. Zijn versimpelde seminarielogica, zijn seminariedogmatisme konden de mensen begrijpen, dat maakte indruk. Hij kon het volk de zekerheid inprenten dat hij alwetend en almachtig was. Zijn grootsheid sprak het volk aan, het sprak het volk aan dat er na zoveel jaren onrust, burgeroorlog, interne partijstrijd weer orde heerste en deze orde vereenzelvigde het met Stalin. Hieraan viel niets meer te veranderen. Het besef van zijn eigen machteloosheid stemde Kirov wanhopig.

Toen Kirov in 1926 in Leningrad was gekomen, had hij begrepen hoe moeilijk zijn taak zou zijn. De Leningraadse communisten hadden voor Zinovjev gestemd. Alle organisatorische en propagandistische middelen te baat nemend had het Centraal Comité hen in korte tijd zo ver gekregen dat ze tegen de oppositie van Zinovjev stemden en voor de besluiten van het Veertiende Congres, voor de lijn van het cc. In de geschiedenis van de partij was dit de eerste actie geweest, waarin tienduizenden communisten hun standpunten van gisteren verloochenden en voor standpunten stemden, die ze gisteren nog hadden veroordeeld. En hij, Kirov, had deze actie geleid. Het was een wrange triomf geworden. En al zijn inspanningen gedurende deze jaren konden niet meer zijn dan een poging om het gevoel van eigenwaarde van de Leningraadse communisten te herstellen, om het innerlijk trauma dat hun was aangedaan weg te nemen. Ja, hij was voor ijzeren partijdiscipline, maar de partij had geen bedeesde, onderdanig ja-stemmende massa nodig, zo'n partijorganisatie wenste hij niet te leiden. Het revolutionaire Petersburg moest de wieg van de Oktoberrevolutie blijven, de Petersburgse arbeiders de avantgarde van de Russische arbeidersklasse en Leningrad dé stad van de progressieve Europese wetenschap, van de progressieve kunst en cultuur. Juist daarom had hij bezwaar gemaakt tegen het overbrengen van de Academie van Wetenschappen naar Moskou. In het Politbureau werd hij daarin niet gesteund, daar liet men zich door de simpele overweging leiden dat de wetenschap de opbouw van het socialisme diende en dientengevolge dicht bij het centrum moest zijn dat deze opbouw leidde, dicht bij de volkscommissariaten en beleidsbepalende organen. Kirov was het er niet mee eens, maar ze steunden hem niet, lachten hem uit: zelfs overjarige Leningraadse academici wilde Kirov niet laten gaan. Ook Stalin had gelachen. Maar Stalin begreep goed dat Kirov zich tegen alles verzette dat de eigenliefde van de Leningraders kwetste.

In ieder geval had zijn, Kirovs, politiek vrucht gedragen. Een aantal jaren aaneen had hij tactvol en hardnekkig de Leningraadse communisten er van verzekerd dat hij hun stemgedrag aan de vooravond van het Veertiende Congres als een episode zou beschouwen die geen gevolgen voor hen had, dat hun wantrouwen ten aanzien van Stalin ongegrond was en dat Stalins politiek de enig juiste was. En dat was niet makkelijk geweest. Het politieke niveau van de Leningraadse communisten was hoog. In deze jaren had de collectivisatie plaatsgevonden met alle verschrikkingen van de liquidatie van de koelakken, met de zwakke manoeuvres van Stalin naar aanleiding van 'Duizelig van succes'. In deze jaren had het land honger meegemaakt, strenge rantsoenering van levensmiddelen en verbruiksartikelen. Kirov had er alles aan gedaan om de Leningraders genoeg te eten te geven, waardoor hij regelmatig met de Moskouse volkscommissariaten in conflict was gekomen. Maar Leningrad was ook zijn verplichtingen tegenover de partij nagekomen. In die jaren had Leningrad tienduizenden communisten naar de dorpen gestuurd, voor de formaties van de vijfentwintigduizend, naar de politieke afdelingen van de MTS-sen van de sovchozen, voor het transport en de belangrijkste bouwprojecten van het vijfjarenplan. Dit had de krachten van de Leningraadse arbeidersgarde uitgeput. Deze offers eisend en aannemend had de partij het rode Petersburg als het ware zijn rol teruggegeven. Het stemincident voor het Veertiende Congres en hierdoor ontstane wantrouwen ten aanzien van de Leningraadse communisten waren dus voor eens en altijd vergeten.

En net nu de wond was geheeld en geen pijn meer deed, had Stalin besloten deze weer open te rijten, na acht jaar wilde hij de Leningraders aan deze episode herinneren, hen straffen, wraak nemen, want Stalins eis hen 'die zich hadden verscholen en de wapens niet hadden neergelegd' te liquideren, betekende dat hij ernaar streefde de Leningraadse partijorganisatie de rug te breken. Dit zou Kirov niet laten gebeuren. Het Politbureau zou hem steunen. En bovendien, ook Stalin zelf zou geen openlijk conflict in zo'n kwestie wensen, maar begrijpen dat het Politbureau hem niet kon steunen. Stalin zou er niet in slagen het Centraal Comité en het Politbureau van de partij tot volgzame uitvoerders van zijn wil te degraderen. En dit garandeerde dat het Stalin nooit zou lukken zich boven de partij te stellen.

Stalin had veel voor de herschepping van het land gedaan en als elke grote historische politicus drukte hij het stempel van zijn persoonlijkheid op het tijdperk. Lenin zou deze vernieuwing met makkelijker te aanvaarden middelen hebben doorgevoerd. Maar Lenin was er niet meer, nu was Stalin er. Lenin droeg schoenen, Stalin laarzen. Het stond echter buiten kijf dat Rusland een van de machtigste geïndustrialiseerde landen van de wereld werd, een land met een progressieve wetenschap, een machtige technologie en hoogstaande cultuur. Je kon het niet met terreur regeren. Wetenschap, techniek en cultuur hebben een vrije uitwisseling van gedachten nodig. Dwang zou een hinderpaal op de ontwikkelingsweg van het land worden. Het marxisme leerde dat de objectieve wetten van de geschiedenis hoger stonden en machtiger waren dan de enkeling. De logica van de historische processen was onverbiddelijk. Stalin moest zich aan deze logica onderwerpen. Men moest de geschiedenis haar gang laten gaan, men moest werken, nijverheid, wetenschap en cultuur ontwikkelen, terwijl men tegelijkertijd natuurlijk alle excessen moest tegengaan.

Het belangrijkste… Kirov stond op, het liggen vervelde hem, het belangrijkste was de partijkaders te bewaren en te beschermen. Zolang de primaire bolsjewistische kaders levend en sterk waren, was de partij onoverwinnelijk.

'U bent enigszins verbrand,' zei Lipman tegen Kirov, 'doet u uw hemd aan, en straks moet u…'

Hij kon zijn zin niet afmaken, in het hokje van de schildwacht ging de telefoon. Bij het horen van de bel draaiden Kirov en Lipman zich om. De dienstdoende soldaat kwam op Lipman af en zei dat de dokter verzocht werd zich naar de datsja nummer één te begeven.

'En straks moet u het met spiritus inwrijven, dan gaat het geen pijn doen,' zie Lipman tegen Kirov, terwijl hij zich haastig aankleedde.

17 Lipman bekeek het tandvlees, deelde Stalin mee dat de wond goed heelde en dat hij over twee dagen met de prothese zou beginnen.

'Misschien morgen al?' vroeg Stalin.

'Morgen kan ook,' glimlachte Lipman, 'maar overmorgen is beter.'

'Doe zoals u goeddunkt,' zei Stalin nors. 'Hoe vordert uw werk?'

'We gaan aan het werk zodra we een afdruk hebben.'

'Ik bedoel uw boek,' legde Stalin geprikkeld uit.

'Pardon, ik wist niet wat u bedoelde... Dank u wel, ik ben bezig.'

Stalin stond op.

''t Beste.'

Niet de dokter, maar Kirovs gedrag ergerde Stalin. Er waren geen botsingen meer, Kirov verscheen stipt bij het bespreken van de opmerkingen bij de schets van de geschiedenis, stemde zwijgend met alles in, maar gedroeg zich als iemand die gedwongen werd zich bezig te houden met iets dat hem niet interesseerde en dat hij onnodig vond. Deze bijeenkomsten vielen hem zwaar. Stalin zou Kirov kunnen wegsturen, maar hij wilde geen openlijke breuk. Hij moest geduld hebben en Stalin had geduld. Maar zijn zenuwen waren gespannen. Alleen hij wist hoeveel zijn uiterlijke kalmte, koelbloedigheid en onverstoorbaarheid hem kostten. Hij kon zich beheersen wanneer hij alleen was, anders zou hij zich niet met mensen erbij kunnen beheersen. En als hij niettemin tegen iemand uitviel, dan nooit tegen degene die zijn ergernis veroorzaakte. Ditmaal viel hij uit tegen de arts.

Lipman kwam op het vastgestelde tijdstip en begon met de gipsafdruk. Stalin hield niet van deze procedure, hield er niet van dat de tandarts het gips uit zijn mond brak en hij het gevoel kreeg dat hij met het gips ook zijn laatste tanden afbrak, en hield ook niet van de gipskruimeltjes in zijn mond...

'Alles lijkt er goed uit te zien,' zei Lipman ten slotte, 'het lijkt niet slecht geworden. Alleen, Josif Vissarionovitsj, misschien dat ik toch een gewone plaatprothese voor u moet maken?'

Stalin sloeg met zijn vuist op de armleuning.

'Ik heb u toch in goed Russisch gezegd: ik wil een gouden!'

'Goed, goed,' haastte Lipman zich te zeggen, 'we doen zoals u gezegd hebt, morgen zal hij klaar zijn.'

Stalin keek zwijgend toe, terwijl Lipman met bevende handen zijn instrumenten bijeenzocht. Hij was bang geworden, de stomkop! Wat was dat voor een volk?

Opeens hield Lipman op met inpakken, vroeg bedeesd:

'Josif Vissarionovitsj, ik moet de kleur van uw tanden nog hebben, gaat u alstublieft nog even zitten.'

Stalin legde zijn hoofd weer op het steunkussentje en deed zijn mond open. Lipman paste één tand, een tweede, een derde, zijn gezicht stond bekommerd, zelfs bangelijk, hij was lang in de weer, Stalin kreeg er genoeg van met open mond te zitten.

'Bent u nou nog niet klaar?'

'Dadelijk, dadelijk,' zei Lipman en aarzelde, terwijl hij weer verschillende tanden paste. Vervolgens nam hij kennelijk een besluit. 'U kunt opstaan, Josif Vissarionovitsj. Ik doe mijn best morgen alles klaar te hebben,' zei Lipman bezorgd, terwijl hij zijn koffertje sloot.

De volgende morgen liet Stalin de arts komen.

'Kameraad Stalin,' zie Tovstoecha, 'hij is nog niet klaar, hij heeft gezegd dat het morgen wordt.'

Stalins gezicht betrok.

'Laat hem komen.'

Een paar minuten later verscheen een puffende Lipman.

'U hebt me beloofd vandaag mijn prothese te maken. Waarom bent u uw belofte niet nagekomen?'

'Het is niet gelukt, Josif Vissarionovitsj.'

'Wat houdt de zaak op?' Stalin keek de arts aan met zijn speciale, zware blik die iedereen vreesde.

Lipman breidde zijn armen uit.

'Zegt u de waarheid.'

'Ziet u,' begon Lipman verlegen, 'van alle kunsttanden die ik mee heb genomen is er niet een die in kleur bij de uwe past.'

'Waarom hebt u geen tanden bij u die wel passen?'

'Ik heb alles meegenomen wat we hebben, ook de kleur die ik eerder voor u heb gebruikt.'

'Wat is er dan?'

'De kleur van de tanden verandert, vooral als iemand rookt. De tanden die ik heb meegenomen passen bij de uwe, passen bijna precies, maar er blijft toch een zeker verschil in de nuance.'

'Is dat erg opvallend?'

'Niet erg. Maar een specialist zal het opmerken.'

'Wat kunnen specialisten mij schelen?'

'Ik zou niet graag iemand horen zeggen dat ik slecht werk heb geleverd.' Stalin grinnikte.

'Door uw eerzucht moet ik zonder tanden rondlopen. En hoe lang zit ik nog zonder tanden?'

'Ik heb verzocht naar Moskou te bellen en nog deze tanden te sturen...' Hij liet de nummers in de catalogus zien.

Stalin keek Lipman strak aan.

'Maar u had toch alles meegenomen wat we in Moskou hebben?'

'Ze moeten nog geleverd…'

'Waarvandaan?'

Zonder op te kijken zei Lipman:

'Uit Berlijn.'

'Berlijn?!'

'Ik heb ze uit een Duitse catalogus besteld.'

'Waarom heeft u me dat niet meteen gezegd?'

Lipman zweeg.

'Wie heeft u dat verboden?' grinnikte Stalin.

Lipman zweeg.

'Tovstoecha?'

Nauwelijks merkbaar knikte Lipman bevestigend.

'Vergeet vooral nooit,' zei Stalin met grote nadruk, 'tegen kameraad Stalin KUNT u alles zeggen, kameraad Stalin MOET u alles zeggen, voor kameraad Stalin MAG u niets verbergen. Meer nog: voor kameraad Stalin KUNT u NIETS VERBORGEN HOUDEN. Vroeg of laat komt kameraad Stalin toch achter de waardheid.'

Het oponthoud met de prothese was natuurlijk vervelend, maar het zou uiteindelijk toch in orde komen. Maar het feit dat de dokter was gedwongen te liegen, wekte zijn verontwaardiging. In zijn omgeving had niemand het recht ook maar één onwaar woord uit te spreken. Van een kleine leugen kwam een grote leugen. Als zijn omgeving in kleine dingen loog, dan waren deze mensen onbetrouwbaar. Allen, te beginnen bij de leden van het Politbureau en te eindigen bij de kok in de keuken, moesten weten dat ze kameraad Stalin de waarheid moesten vertellen, alleen de waarheid, niets dan de waarheid.

Nadat hij de dokter had laten gaan, liet hij Tovstoecha komen.

'Waarom heeft u de dokter gedwongen tegen mij te liegen?'

'De zaak zit zo,' zei Tovstoecha, 'de dokter stelde me er gisteren van in kennis dat hij geen tanden met de nodige kleur had, dat men zulke tanden alleen in Berlijn kon krijgen. Ik heb meteen Litvinov opgebeld, hem alle gegevens uit de catalogus opgegeven. Litvinov heeft Chintsjoek gebeld…'

'Is Chintsjoek dan nog in Berlijn?'

'Ja, Soerits vertrekt vandaag pas.'

'Goed… Verder?'

'Litvinov deelde me mee dat alles al is gekocht en dat het vandaag in Moskou wordt bezorgd. Ik hoop dat het vanavond hier aankomt, de dokter heeft gezegd dat het in de loop van de nacht wordt gemaakt.'

'Laat de mensen 's nachts slapen, 's nachts kan niemand behoorlijk werken. Maar de vraag is deze: waarom heeft u de dokter gedwongen oneerlijk tegen mij te zijn?'

Het antwoord was onverwacht:

'Ik was bang dat u zou verbieden tanden uit Berlijn te bestellen.'

Tovstoecha vreesde zijn zuinigheid. Subtiele vleierij! Of dacht hij dat wellicht werkelijk, had hij besloten alles op zich te nemen, op eigen risico en verantwoording? Een beproefd en toegewijd man. Maar een leugentje om bestwil bleef verkeerd!

'U heeft gisteren alles buiten mijn medeweten gedaan,' zei Stalin, 'en mij dientengevolge voor een voldongen feit gesteld. Zelfs al zou ik ontevreden met uw handelwijze zijn, vandaag is het te laat dit te herstellen. Maar waarom heeft u de dokter gedwongen iets te zeggen dat niet waar is?'

'Ik vreesde dat hij u alles zou vertellen en u het zou verbieden.'

Stalin liep over de veranda, bleef staan en bedacht plotseling dat hij misschien weer broom moest innemen. Na dat smerige artikel van Jenoekidze was hij slechter gaan slapen, Kirov had hem teleurgesteld, hij onttrok zich aan het schrijven van een harde repliek aan Jenoekidze, Kirovs verblijf in Sotsji sterkte zijn zenuwgestel niet. Maar hij moest serieuze zaken van kleinigheden scheiden. Hij moest niet om zulke bagatellen van zijn stuk raken. De in Berlijn bestelde tanden, dat was een bagatel, een kleinigheid! Tovstoecha was oprecht, sprak zelfs overtuigend. Maar de leugen moest in de kiem worden afgesneden, voor eens en voor altijd!

Stalins gezicht betrok weer, hij liep naar Tovstoecha toe, kwam vlakbij staan, doorboorde hem met zijn blik. Tovstoecha kleurde rood, deed een stap achteruit.

'Ik wens niet door leugenaars en bedriegers te worden omringd, ik moet de mensen om mij heen *volstrekt* kunnen vertrouwen. De mensen om mij heen mogen ook in kleine dingen niet liegen, de gedachte mag zelfs niet in hen opkomen.'

Tovstoecha kreeg de indruk dat Stalin deze laatste zin al op een wat vreedzamer toon uitsprak.

'Neemt u mij niet kwalijk, ik heb ondoordacht opgetreden.'

Maar Tovstoecha vergiste zich. Stalin nam hem weer met zijn dreigende blik op.

'Voor de geringste leugen zal ik streng straffen. Vooral diegenen die het bedienend personeel tot liegen dwingt. U heeft dat, hoop ik, begrepen?'

'Ja, kameraad Stalin, het zal niet meer voorkomen.'

Na het warme eten de volgende dag deelde Tovstoecha mee dat de dokter alles klaar had.

'Laat hem komen.'

Lipman verscheen met een schuldbewuste glimlach, begroette hem en opende zijn koffertje.

Door zijn kamer heen en weer lopend en de bezigheden van de arts gadeslaand zei Stalin:

'Heeft u ons gesprek van gisteren overdacht?'

'Natuurlijk, Josif Vissarionovitsj.'

'Ik heb me hierover met kameraad Tovstoecha onderhouden, hij blijkt u te hebben gedwongen niet de waarheid te zeggen.'

Lipma legde de hand op zijn hart.

'Kameraad Stalin, we wilden u niets *onwaars* zeggen. Kameraad Tovstoecha verzocht me u niet ongerust te maken, hij wilde u niet met zo'n kleine complicatie lastigvallen. God verhoede ons iets onwaars te zeggen.'

'Ongerust maken, lastigvallen, wat een kinderachtig gesprek, we zijn toch volwassen.'

Stalin ging in de leunstoel zitten, leunde achterover op de hoofdsteun, Lipman spoelde de nieuwe beugelprothese in een glas, schudde de druppels eraf, en zette hem voorzichtig met een zachte beweging op zijn plaats. De beugel zat op een gouden boog.

Toen begon de gewone procedure van het bijstellen van de beugel met potlood en blauw papier... Tanden van elkaar alstublieft, tanden op elkaar... Maar het duurde niet lang, de beugel zat goed.

'Alles lijkt in orde te zijn,' zei Stalin.

Toen hij wegging verzocht Lipman hem de prothese niet voor morgenochtend uit te doen, en hem te laten komen als iets hem hinderde.

Dat hoefde niet, de prothese zat goed, Stalin was tevreden en toen Lipman twee dagen later weer kwam, zei hij tegen hem:

'De prothese zit erg prettig, knelt nergens, is niet lastig. Ik heb het gevoel alsof ik hem al lang draag.'

Toch verzocht Lipman hem te gaan zitten; hij nam de prothese uit zijn mond, bekeek het tandvlees en zette de prothese er weer in.

'Ja,' bevestigde hij, 'alles lijkt goed geworden.'

'Ziet u wel,' sprak Stalin, 'en u maakte bezwaar tegen een gouden.'

Lipman zweeg, zei toen na enige aarzeling:

'Kameraad Stalin, nu u tevreden bent met mijn werk, wil ik graag een klein verzoek tot u richten.'

'Gaat u gang,' zei Stalin nors; hij hield er niet van wanneer iemand zich rechtstreeks met een verzoek tot hem wendde. Daarvoor bestond een vaste procedure, er waren mensen die de kwestie voorbereidden, die wisten welke verzoeken ze hem moesten voorleggen, welke niet. Hem persoonlijk om iets verzoeken was onbescheiden.

Het verzoek bleek een verrassing.

Lipman haalde een pakje uit zijn koffer, maakte het open, er zat een plaatprothese van kunststof in.

'Ik verzoek u, kameraad Stalin, deze prothese slechts één dag te gebruiken. Kijkt u welke prettiger zit, dan beslist u zelf.'

Verwonderd trok Stalin zijn wenkbrauwen op. Hij had hem immers duidelijk gezegd dat hij liever een gouden wilde hebben, had zelfs met zijn vuist op de stoel geslagen en de dokter had staan bibberen van angst. Toch hield hij koppig voet bij stuk. Joost mocht weten waarom, misschien moest het zo zijn.

'Goed,' stemde Stalin met tegenzin toe.

Lipman verwisselde de prothesen. De procedure van het bijpassen was net als de vorige keer snel voorbij. Alles leek goed te gaan.

'Laat u me morgen komen, alstublieft,' zei Lipman, 'en zeg me dan welke prettiger zit. De beste laten we zitten.'

De volgende dag ontbood Stalin Lipman voor het middageten.

'Bij wijze van zelfkritiek moet ik toegeven dat u gelijk hebt. Deze prothese is lichter en prettiger. Alleen, hij kan kapot gaan. Maakt u een reserveprothese voor me.'

Lipman glimlachte verheugd.

'Alstublieft, al wilde u er tien hebben.'

'Hebt u ontbeten?'

'Natuurlijk.'

'Ach, dat geeft niet, dan eet u nog een hapje met mij.'

Hij bracht hem naar de aangrenzende kamer. Op tafel stonden wijn en hapjes.

'Wodka en cognac heb ik niet en drink ik niet en ik adviseer ook anderen dit niet te doen. Ik heb wijn, dat is iets heel anders. Welke drinkt u het liefst?'

'Ik heb weinig verstand van wijn,' zei Lipman verlegen.

'Ten onrechte,' zei Stalin, 'van wijn moet een mens verstand hebben. Koffie drink ik nooit, thee wel, zij 't zelden. Ik drink het liefst wijn. Van twee, drie glaasjes wijn knap je op en raak je niet beneveld.'

Hij schonk twee glaasjes vol, bijna zo klein als likeurglaasjes.

'Dat de prothese die u gemaakt hebt lang mag leven! Tast toe.'

Lipman nam een broodje met pastei.

'Wilt u nog een tijdje vakantie houden in Sotsji?' vroeg Stalin.

'Het is hier prachtig, maar ik moet terug naar Moskou, weer aan het werk, als u mij tenminste niet meer nodig hebt.'

'Ik zal uw baas zeggen dat ik u heb opgehouden. Blijft u hier, u kunt zwemmen en aan uw boek werken.'

'Mijn patiënten in Moskou wachten op me. Verscheidene staan al onder behandeling, ik heb hun prothese uitgenomen, tanden getrokken, ze zitten met open mond op me te wachten. Wat kan ik anders doen?'

'Dat is redelijk,' stemde Stalin in. 'Wanneer wilt u vertrekken?'

'Zo gauw mogelijk. Als het kan morgen.'

Stalin deed de deur naar zijn werkkamer open en riep Tovstoecha.

'Laat de dokter morgen per vliegtuig naar Moskou vertrekken, voorzie hem van al het nodige,' hij wees op de flessen, 'van deze wijn bijvoorbeeld...'

Hij ging even weg en kwam terug met een grote fruitkist, gevuld met drui-ven, die hij aan Lipman gaf.

'Kunt u het dragen? Als u het niet kunt dragen wordt u geholpen.' Hij draaide zich om naar Tovstoecha. 'Zorg dat hij in Moskou wordt opgehaald en naar huis gebracht. Tot ziens, dokter! Het ga u goed!'

Nadat hij de dokter uitgeleide had gedaan gebood Stalin Kirov en Zjdanov bij hem te laten komen.

Zjdanov bracht verslag uit van de commentaren die de referenten voor het desbetreffende hoofdstuk van de geschiedenisleergang hadden uitgewerkt. Door de kamer ijsberend luisterde Stalin naar hem. Kirov zat aan de leestafel iets op een vel papier te tekenen. Dit irriteerde Stalin, ook al had hij zelf ook de gewoonte al luisterend lijnen te trekken of te tekenen. Maar bij hem was het een manier om zich te concentreren, terwijl Kirov het juist voor de aflei-ding deed, om te laten zien dat dit hem allemaal weinig interesseerde, dat het hem weinig zei.

Stalin liet zijn irritatie niet merken, integendeel, toen Zjdanov klaar was, zei hij:

'De commentaren lijken me zinvol, ik denk dat we ze kunnen overnemen. Wat vind jij ervan, Sergej Mironovitsj?'

'Ik heb geen bezwaren,' antwoordde Kirov zonder van zijn tekening op te kijken.

Stalin pakte het overzicht van de graanleveranties van tafel en reikte het Kirov aan.

'Kijk eens!'

In het overzicht was Kazachstan met rood potlood onderstreept. Het plan was voor zeventig procent uitgevoerd, hetgeen over het geheel genomen het landelijk gemiddelde was.

'Mirzojan blijft achter,' zei Stalin, 'onze vrees blijkt gerechtvaardigd.'

'Zijn positie is niet de slechtste,' antwoordde Kirov, 'zeventig procent, maar we moeten er natuurlijk achterheen zitten.'

'Achter die *gemiddelde* percentages gaat een diepe kloof tussen de afzonder-lijke districten schuil,' wierp Stalin tegen en pakte nog een overzicht van tafel en keek het door, 'zo heeft het district Oost-Kazachstan het plan bijvoor-beeld maar voor achtendertig procent uitgevoerd. En dat terwijl het een heel goed oogstjaar is. Maar deze geweldige oogst heeft de leiders van het land overrompeld, heeft—zoals we al veronderstelden—een stemming van zelf-genoegzaamheid en zorgeloosheid teweeggebracht. In het verslag uit Kazak-stan worden de slechte benutting van de machines, antimechanisatietenden-sen, verkwanseling en plundering van staatseigendommen genoemd;

vreemde, criminele elementen en oplichters met een partijlegitimatie op zak infiltreren de landbouworganen. De situatie moet beslist dringend worden verbeterd, anders zal het te laat zijn. Kazachstan laat de leveranties in het honderd lopen, dit kan de graanbalans van het land ernstig verstoren, vooral nu we de brooddistributie afschaffen. Ik denk dat we kameraad Mirzojan iemand moeten sturen om hem bij te staan.'

'Zal hij dat niet kwetsend vinden?' twijfelde Kirov. 'Dan lijkt het wel alsof we niet in zijn krachten geloven. Misschien moeten we hem schrijven dat hij de kaders streng moet aanpakken, hem hulp in mankracht en transportmiddelen aanbieden?'

'Waarom zou hij dat kwetsend vinden?' grinnikte Stalin. 'De partij kan niemand kwetsen. Wat zou er van de partij overblijven, als ieder van ons zo op de partij reageerde? Natuurlijk, we moeten de nodige tact in acht nemen, we sturen geen instructeur, we sturen een secretaris van het CC... Luister, Sergej Mironovitsj, misschien dat jij persoonlijk naar hem toe moest gaan. Jullie zijn toch vrienden, bovendien is het een eer als er een lid van het Politbureau arriveert.'

Zo'n wending had Kirov geenszins verwacht. Naar Kazachstan vertrekken, voor minstens een maand de verbinding met Leningrad verliezen... Hoewel, Stalin kon hem ook de hele maand september in Sotsji laten blijven. Maar hier wilde Stalin hem niet hebben, hun betrekkingen waren gespannen en het was natuurlijk beter als ze uit elkaar gingen. Maar gebruikte Stalin Kazachstan alleen om hem weg te krijgen? Gewoon teruggaan naar Leningrad zou betekenen dat hun gemeenschappelijke werk hier niet was gelukt, zonder resultaat was gebleven. En dit was een welkom excuus: Kazachstan moest dringend uit de nood worden geholpen en om vele redenen, waaronder zijn persoonlijke vriendschap met Mirzojan, was Kirov de aangewezen man om daarheen te sturen. In dit geval kon zijn plotselinge vertrek uit Sotsji niet verkeerd worden uitgelegd. Eén ding vond hij echter alarmerend: Stalin was al op de eerste dag van zijn, Kirovs, komst over Kazachstan begonnen. Waarom? Had hij al voorzien dat hun gemeenschappelijke arbeid niet goed zou gaan? Had hij zijn vertrek van tevoren geregeld? Ook dat was mogelijk, Stalin zag altijd vooruit. In elk geval bood het voorstel hem wel de gelegenheid zo snel mogelijk vanhier te vertrekken. Natuurlijk kon hij ook een ander excuus vinden, het was nog eenvoudiger hem naar een kuuroord te sturen, dat was niet eens een excuus, zijn artsen eisten het. Maar hij had al geweigerd over Jenoekidze te schrijven, geweigerd naar Moskou te verhuizen, een derde weigering zou hun betrekkingen definitief op de spits drijven.

'Goed dan,' zei Kirov, 'als het onontbeerlijk is, ga ik erheen.'

'Het is onontbeerlijk, dat begrijp je zelf heel goed, en bovendien,' Stalin wees op de papieren van het overzicht over de geschiedenis, 'zie ik dat dit werk je niet al te zeer aantrekt, is het niet?'

'Ja, zo is het,' bevestigde Kirov, 'wat weet ik nu van geschiedenis...'

'Zie je wel! En die zaak is van levensbelang. Meer dan een maand zal het je niet kosten, maar Kazachstan zal uit de nood zijn, we zullen brood hebben. Wat is de moeilijkheid in Kazachstan? Ten eerste ligt het ver van het centrum, het is een grensland. Ten tweede is de landbouwende bevolking bont en in feite nieuw. Er zijn daar veel gewezen koelakken gaan wonen. Onder hen zijn ook goede en vlijtige werkers,' hij wendde zich tot Zjdanov, 'als het u niet te veel moeite kost, Andrej Aleksandrovitsj, controleert u het, ik heb al gevraagd om een decreet voor te bereiden betreffende het herstel in rechten van gewezen koelakken, met name de jeugd die gedurende de afgelopen drie of vijf jaar bewezen heeft wat ze waard is... Ja, er zijn onder hen niet alleen harde werkers, maar ook veel verbitterden die ons schade toebrengen. Aan de andere kant hebben we onze mensen, onze gewone werkers, onze noeste werkers nog geen elementaire arbeidsmoraal bijgebracht, de ambitie hun werk zo goed mogelijk te doen, we hebben bij hen nog geen gevoel van trots ten aanzien van de kwaliteit van hun werk, ten aanzien van hun vak, hun persoonlijke reputatie als werker ontwikkeld. Mijn tandarts uit Moskou was hier om mijn prothese te maken. Hij stelde me zijn variant voor, ik weigerde. Hij begon aan te dringen, ik moest mijn stem zelfs enigszins verheffen, beheerste me niet... Het gaat echter om iets anders: hij vervaardigde én mijn én zijn variant en stelde me voor beide te proberen, eerst mijn eigen, toen die van hem. Ik probeerde beide en zijn variant bleek de beste, wat ik bij wijze van zelfkritiek ook heb toegegeven. Op die manier bewees hij zijn gelijk, hij bleef bij zijn variant. Waarom? Hij had rustig zo kunnen doen als ik wenste, en vervolgens rustig kunnen vertrekken. Maar nee, hij hield voet bij stuk, was daar niet bang voor, was niet bang mijn directe verbod te trotseren. Waarom was hij niet bang? Zijn beroepstrots was sterker. Zo'n man is dus een echte werker, hij bezit een hoogontwikkelde beroepstrots, precies zo'n gevoel moeten we aankweken bij onze mensen. En wanneer we dit gevoel hebben aangekweekt, zal de noodzaak tot dwangmaatregelen verdwijnen. Maar voorlopig is het nog niet zo, voorlopig kletsen we heel wat af over toewijding aan de zaak, zweren we, nemen we verplichtingen aan, terwijl er maar één verplichting moet zijn, die tegenover ons arbeidsgeweten, onze arbeidstrots, zoals bij de Georgische wijnboeren bijvoorbeeld of ook deze tandarts.'

'Een aardige man, die arts,' glimlachte Kirov.

Stalin bleef staan.

'Heeft hij jou dan ook behandeld?'

'Nee, we hebben elkaar op het strand gezien. Hij kan goed zwemmen!'

Stalin liep zwijgend door de kamer en zei toen:

'Je blijkt je hier dus helemaal niet te hebben verveeld, en ik dacht nog wel:

onze Sergej Mironovitsj verveelt zich met die leerboeken!'

In Stalins stem ving Kirov de bekende afgunstige, achterdochtige nuances op.

'Het strand was leeg, niemand anders dan de dokter en ik waren aan het zwemmen. Ik heb hem trouwens maar twee keer gezien, hij maakte een goede indruk op me.'

'Ja, een spraakzame man,' bevestigde Stalin onverschillig.

Ook deze onverschilligheid kende Kirov goed.

Opnieuw liep Stalin zwijgend door de werkkamer, bleef toen tegenover Kirov staan en vroeg:

'Kun je morgen naar Alma Ata vliegen?'

'Jazeker.'

'Mooi zo.'

Bij het tekenen van de stukken 's avonds zei Stalin tegen Tovstoecha:

'Tandarts Lipman door een ander vervangen.'

En even nadenkend zei hij nog:

'Hem bij de Kremlinkliniek ontslaan, maar ongemoeid laten.'

18 Net als de vorige keer was Alferov in burger, net als de vorige keer ontving hij Sasja in de opkamer, schoof een stoel naar de eettafel. Het was een eenvoudige, van planken getimmerde tafel; de stoelen waren stadsstoelen met zachte zittingen.

'Gaat u zitten, Pankratov, wilt u thee?'

Een dergelijke gastvrijheid voorspelde niets goeds.

'Nee dank u, ik heb al ontbeten.'

'Een glas thee kan geen kwaad, u bent onderweg geweest. Hoe bent u gekomen?'

'Te voet.'

'Zoveel te meer...'

Alferov opende de deur naar de keuken.

'Anfisa Stepanovna, maakt u de samovar voor ons klaar.'

Hij kwam terug aan tafel, keek Sasja vriendelijk aan.

'En, Pankratov, de separator doet het?'

'Ik weet het niet, interesseert me niet.'

'Ten onrechte. Want hij werkt. En bedankt u mij daarvoor... Ik heb het MTS dringend gevraagd hem te maken. En ze hebben het dezelfde dag nog gedaan.'

Zida had dus de waarheid verteld.

Alferov wierp een schuinse blik op Sasja.

'Zoals u begrijpt heb ik dit beslist niet uit altruïsme gedaan. Maar als ónze pupil een machine kapot heeft gemaakt, dan is het ónze plicht deze te repareren.'

'Uw zogenaamde pupil heeft geen machine kapot gemaakt.'

'In het dorp denkt men er anders over. In ieder geval is de separator gerepareerd, het incident gesloten. Of laten we ons nauwkeuriger uitdrukken: in de doofpot gestopt. De verklaring tegen u ligt hier,' hij wees op de tafella, 'ik ben niet van plan u hiermee te chanteren, maar de kolchozvoorzitter kan eraan herinneren. We komen hier overigens nog op terug. Maar daar is de thee!'

Een vrouw van middelbare leeftijd, stevig, met een knap postuur, in een lange rok en een kort jakje, bracht de samovar binnen, zette een bordje met blauwe bosbessen op tafel, met in eieren gebakken vis en pasteitjes, eveneens met vis, blauwe bosbessen en vossebessen gevuld.

'Thee zet ik zelf,' zei Alferov terwijl hij theeblaadjes in de theepot strooide, 'dat is, weet u, een hele kunst, ik heb het in China geleerd.'

Hij zette de theepot op de bovenste ring van de samovar en dekte hem toe met een opgevouwen handdoek.

'Eet u tot de thee voldoende is getrokken.' Alferov gebaarde naar de tafel.

'Nee dank u, ik drink graag een glas thee, maar eten wil ik niet, ik heb ontbeten.'

'Goed, goed, u ziet maar, als u trek krijgt eet u, de eetlust komt naarmate men eet. Hoe bevalt het u in Mozgova, verveelt u zich?'

'Weinig te beleven.'

'Nee, het is natuurlijk geen dolce vita,' gaf Alferov hem gelijk, 'hoewel, er zijn bij u wel tamelijk interessante mensen. Zjilinski Vsevolod Sergejevitsj, filosoof, leerling van Berdjaev. Hij mocht destijds naar het buitenland, maar weigerde, zoals hij zegt, uit liefde voor Rusland. Nu zou hij natuurlijk graag vertrekken, maar is het te laat. Als je dan zo van Rusland houdt, werk dan voor haar, nietwaar?'

Sasja haalde zijn schouders op.

'In principe heeft u gelijk, maar ik weet niet wat hij tegen Rusland heeft gedaan.'

'Zowel Zjilinski als alle anderen zullen u bezweren dat ze hier nergens voor zijn beland, maar geloof me, niemand belandt hier zo maar.'

Sasja grinnikte.

Zijn lachje ontging Alferov niet.

'U denkt aan u zelf, maar u bent een heel ander geval. Uw verbanning hoort tot onze eigen partijzaken, zoals Poesjkin zei: "Een oude broedertwist…" U bent in een bepaalde situatie terechtgekomen en bent in die situatie niet erg voorzichtig geweest. Denkt u dat ik op eigen verzoek naar dit gat ben gegaan?

Heeft u de gevolmachtigde van Bogoetsjany gezien? Hier heeft u niet met zo een te maken. Zoals u hopelijk begrijpt ben ik een beetje anders. Maar in mijn situatie bleek ik ook tekort te schieten en daarom zit ik nu hier. Wat geeft het? Ik ben communist en doe mijn plicht. O ja, Zjilinski... Een wijs man, erudiet, maar weest u op uw hoede met hem.'

'Ik ga nagenoeg niet met hem om, we groeten elkaar alleen.'

'Of u wilt of niet, u zult met mensen moeten omgaan,' wierp Alferov tegen, 'drie jaar stommetje spelen zal u niet lukken, omgang met anderen is onvermijdelijk. En dan is daar ook nog Maslov Michail Michajlovitsj, gewezen kolonel van de Generale Staf.'

'Die man interesseert me nu helemaal niet,' sprak Sasja die de indruk had dat hij begon te voelen waar Alferov heen wilde.

'Hij hoort ongetwijfeld tot een andere generatie, een andere formatie,' ging Alferov hierop in. 'De mensen met wie u samen op transport was hadden meer met u gemeen, al was het maar in leeftijd. Die Kvatsjadze... Schrijft u met hem?'

'Nee, ik weet niet eens waar hij zit.'

'Waarom heeft u uw reisgenoten zo verwaarloosd?' informeerde Alferov nieuwsgierig. 'Ik begrijp u trouwens wel: Kvatsjadze is een trotskist, en een fanatieke. Maar Solovejtsjik dan?'

'Solovejtsjik schrijf ik nu en dan.'

Hij hoefde hem dit natuurlijk niet te zeggen. Hij kon vragen: waarom hebt u me laten komen? Voor een verhoor? Maakt u er dan ook een officieel verhoor van, dit soort conversaties staan me niet aan. Maar dat zei Sasja niet. Alferov had hem niets kwaads gedaan, wilde een fatsoenlijk gesprek met hem voeren, goed, hij aanvaardde zo'n gesprek.

'Is het lang geleden dat u voor het laatst een brief van hem heeft gekregen?'

'Weet u dat dan niet?' antwoordde Sasja. 'Ik dacht dat u op de hoogte was van al mijn correspondentie.'

'Ja, soms moet ik de post van de administratieve ballingen doorkijken, dat hoort tot onze plichten,' bevestigde Alferov, 'maar ik doe dit onregelmatig, selectief.'

'Mijn enveloppen zijn altijd opengemaakt.'

'Wat heeft het voor zin ze weer dicht te plakken?' lachte Alferov. 'U kunt toch zien dat ze open zijn geweest. Maar nogmaals, ik doe dit selectief, de laatste brief van Solovejtsjik heb ik misschien laten passeren.'

'Is er iets met hem gebeurd?' vroeg Sasja.

'Niets bijzonders. Hij verzoekt om overplaatsing naar Goltjavino, hij beweert dat zijn verloofde daar woont. Is dat zo?'

'Ja,' bevestigde Sasja, 'dat klopt. Ik heb haar zelf gezien, toen we door Goltjavino kwamen.'

'Ik acht het mogelijk dat hij in Goltjavino een verloofde heeft. Maar dat geeft hem nog niet het recht om eigenmachtig zijn officiële woonplaats te verlaten. En hij is zonder toestemming in Goltjavino geweest. Ik had dat misschien nog oogluikend toegelaten, een jong stel, liefde enzovoorts. Maar Goltjavino valt onder de bevoegdheid van rayon Dvorets, en daar wensen ze dit niet door de vingers te zien.'

'Daar wist ik niets van,' zei Sasja. 'Maar ik kan hem begrijpen. Als íemand hier toevallig is beland, dan Solovejtsjik wie de politiek verre ligt. Bovendien is hij iemand die graag met mensen omgaat, al die beperkingen drukken zwaar op hem. Het is natuurlijk vreemd dat hij dat heeft aangedurfd, maar liefde kent nu eenmaal geen grenzen.'

'Lyriek, Pankratov, sentimenten, in officiële taal heet dit *vlucht*. En voor zo'n vlucht worden niet alleen de vluchteling maar ook al diegenen die de vluchteling hebben bijgestaan gestraft. In Rozjkovo zijn nog meer ballingen, hij heeft ze allemaal laten stikken.

'Ben ik er verantwoordelijk voor, als er iemand uit Mozgova vlucht?'

'Ja, stel u voor: eentje loopt weg en allen zijn verantwoordelijk. En men moet onschuldige mensen beschermen tegen egoïsten die alleen aan zichzelf denken. Ongeacht wie zijn vlucht voorbereidt, men moet de autoriteiten ervan in kennis stellen, zo is de regel. En men moet ons daarmee helpen. U beweert dat u een oprecht sovjetburger bent. Help ons dan!'

'Dáár wilt u me dus toe brengen!?'

'Aleksandr Pavlovitsj, waarom meteen zo? Voor provocatie wordt bij ons een zeer strenge straf opgelegd. We verzoeken u niet ons verslag uit te brengen over de stemming, over gesprekken. Wij willen ontsnappingen voorkomen, lichtzinnige mensen redden die vluchten, en argeloze mensen die hieraan meewerken. We kunnen u naar Kezjma overplaatsen als monteur van het MTS, u zult zich vrijelijk in het rayon kunnen bewegen, andere ballingen ontmoeten, onder wie diegenen die willen vluchten. En u praat het ze uit het hoofd. In geval van nood stelt u ons ervan op de hoogte, zodat wij de vlucht kunnen voorkomen. U zult een vast inkomen hebben, in het rayoncentrum wonen, niet in het dorp, en mensen voor onoverwogen daden behoeden.'

'U verspilt uw tijd,' zei Sasja, 'ik zal niet doen wat u van me wilt. Dat beschouw ik als immoreel.'

'Beschouwt u mijn werk ook als immoreel?'

'U bent in dienst en komt uw dienstverplichtingen na. Maar ik ben balling en zal mijn verplichtingen ook nakomen.'

'Welke dan?'

'Mijn vonnis uitzitten.'

Alferov zweeg even, glimlachte toen en zei:

'Aleksandr Pavlovitsj, u brengt me in een zeer moeilijke positie.'

'Ik begrijp u niet.'

'U hebt gezegd dat liefde geen grenzen kent, laten we zeggen dat u gelijk hebt. Maar uw vrouw is onderwijzeres. Kunnen we de opvoeding van het opgroeiende geslacht toevertrouwen aan de vrouw van een politiek onbetrouwbare man?'

'Ik heb geen vrouw, waar hebt u dat vandaan? De onderwijzeres? Ik haal soms boeken bij haar, maar dat is dan ook alles.'

'Aleksandr Pavlovitsj, wij zijn allebei mannen en begrijpen elkaar goed. Ik had niet op een ander antwoord gerekend. Maar de onderwijzeres is uw vrouw. En als u verstandig bent, dan plaatsen we niet alleen u, maar ook haar over naar Kezjma. Hier zijn ook leerkrachten nodig.'

'Ik heb helemaal geen vrouw,' zei Sasja nors, 'u kunt met evenveel succes de eerste de beste andere vrouw in Mozgova tot mijn vrouw verklaren. Als u de onderwijzeres aanpakt, dan begaat u een hoogst onrechtvaardige daad.'

'Niemand is van plan haar aan te pakken. Maar wij zijn verplicht haar voor vreemde invloeden af te schermen. Bijvoorbeeld door u over te plaatsen.'

'U bent hier de baas!' Sasja zuchtte opgelucht. Hij kon naar de maan lopen. Hij zou naar een ander dorp verhuizen, als ze Zida maar ongemoeid lieten.

Alferov stond op, liep door de kamer...

'Zeg me, Pankratov, hoe ziet u uw levensweg?'

'Na mijn ballingschap ga ik terug naar huis, dan zal ik me inzetten voor een revisie van mijn zaak.'

'Naar Moskou keert u niet terug, u krijgt een slechte aantekening.'

'Niet alleen in Moskou is werk.'

'Een revisie van de zaak?' ging Alferov verder. 'Zo ver komt u vast niet. Uw veroordeling zal u overal volgen.'

'Soms wordt iemands veroordeling geschrapt.'

'Soms wel,' stemde Alferov in, 'maar dat is voor verdiensten voor de staat. En ik zie bij u geen speciale ambitie iets bijzonders te verrichten. U voelt zich immers gekwetst.'

'Nee, dat niet. Maar zoals mijn moeder in de gang vocht, toen ze me meenamen, zal ik niet vergeten. En zoals de onderzoeksrechter mijn zaak heeft gefabriceerd, zal ik ook niet vergeten.'

'Goed dan,' zei Alferov en ging weer tegenover Sasja zitten. 'Laten we terzake komen. Solovejtsjik is gevlucht!'

Hij keek Sasja vorsend aan, Sasja hem verbijsterd.

'Dat is onmogelijk. Zo dom is Solovejtsjik niet. Hij weet best dat hij nergens heen kan.'

'Toch is hij ervandoor, heeft hij u niets geschreven?'

Sasja grinnikte.

'Weglopen is dom, erover schrijven nog dommer.'

'Zonder twijfel,' gaf Alferov hem gelijk, 'niettemin bent u zijn enige vriend hier, zijn enige kameraad.'

'Wilt u mij van medeplichtigheid aan zijn vlucht beschuldigen?'

'Pankratov,' zei Alferov met nadruk, 'ik sta veel positiever tegenover u dan u denkt. Niemand beschuldigt u hiervan. Maar Solovejtsjik heeft zijn vlucht-route goed overdacht. Er zijn twee mogelijke routes: de een langs de Angara naar de Jenissej, de andere door de tajga naar Kansk. Én over de ene én over de andere weg komt hij niet ver, in het eerste dorp wordt hij aangehouden. Wil hij om de dorpen heen lopen, dan heeft hij zeer veel proviand nodig en dat heeft hij niet. Maar er is nog een derde weg: stroomopwaarts langs de Angara richting Irkoetsk. Dit is een langere weg, maar op deze weg ligt Moz-gova, waar u woont, en verder stroomopwaarts nog twee dorpen waar geest-verwanten van zijn verloofde wonen. Het is niet uitgesloten dat hij juist die weg heeft gekozen, en dat hij daarom bij u opduikt.'

'Hoe zou hij bij mij kunnen opduiken? Voor de ogen van het hele dorp?'

'Dat weet ik niet. Misschien duikt hij niet op. Maar het blijft mogelijk. In dat geval moet u uw gedrag overdenken.'

'Moet ik hem aanhouden?' lachte Sasja. 'En als ik hem niet aankan?'

'U hoeft hem niet aan te houden, dat doen we zelf wel. 't Zou goed zijn als u hem kon overhalen terug te gaan. Dan zal de beschuldiging van vlucht verval-len, is het eenvoudig eigenmachtige absentie, dan kunnen we ons beperken tot maatregelen van administratieve aard. Ik spreek oprecht, Pankratov, ik wil geen vlucht, ik heb geen buitengewone gebeurtenissen nodig.'

Sasja voelde dat Alferov oprecht sprak. Maar in Solovejtsjiks vlucht geloof-de hij niet, misschien was hij in de tajga gaan jagen en verdwaald.

'Dus, Pankratov,' besloot Alferov, 'haal hem over terug te gaan, dat is het makkelijkst. Als hij niet teruggaat, stel dan de dorpssovjet op de hoogte, of het bestuur van de kolchoz, zij weten wat ze moeten doen.'

Hij zweeg, waarop hij eraan toevoegde:

'Neemt u dit serieus, Pankratov, onderdak geven aan een vluchteling, hulp aan hem kan ernstige gevolgen voor u hebben. Wees een gewaarschuwd man!'

Solovejtsjik gevlucht? Sasja kon het niet geloven. Dat Solovejtsjik zich had verhangen, verdronken, dat wel; zijn leven was vertrapt. Was hij ook zelf niet de zelfmoord nabij geweest? Maar vluchten?! De praktische, verstandige So-lovejtsjik begreep uitstekend hoe absurd zo'n daad was. Met veel meer kans van slagen had hij uit Kansk kunnen vluchten: op de trein stappen en wegrij-den. Hier kon hij hopen op vereniging met Frida, liep hij weg, dan was deze hoop voor altijd verloren. En ze zouden Frida erbij slepen. Hij zou haar beslist niet zo in de steek laten.

Wat voor net spande Alferov voor hem? Je kameraad is uit zijn ballingsoord gevlucht, daar moet je wel verantwoordelijk voor zijn, verstop je liever achter onze brede rug! Je leeft met de onderwijzeres, daar kan ze narigheid mee krijgen, weer: verstop je achter onze brede rug! Je hebt geen werk in Mozgova, wie zal je drie jaar lang te eten geven? Ik zal je werk geven, je hoeft je familie niet te belasten. En vergeet niet dat de separator je nog boven het hoofd hangt, een papiertje, kijk hier, op tafel. Primitief.

Maar tegelijkertijd bespeurde Sasja iets ongewoons aan Alferov, iets onconventioneels, dit was geen Djakov, dit was een kerel van een heel ander slag, hij was in China geweest, niemand zou Djakov naar China sturen. Djakov zat echter in Moskou, in het centrale apparaat, en Alferov hier, in de wildernis. Hij had zeker een misslag begaan. Zijn ogen stonden waakzaam, een teken van zijn eigen wankele positie. En hij drong ook niet zo'n grof aan als Djakov. Misschien deed hij niet speciaal zijn best?

Tegen Vsevolod Sergejevitsj zei Sasja dat hij vanwege Zida had moeten komen. Over de vlucht vertelde hij niets, hij geloofde er niet in.

Vsevolod Sergejevitsj nam het gesprek rustig op.

'In het ergste geval gaat u naar Savino of Frolovo, dat is geen hoge prijs voor twee maanden geluk. En Noerzida Gazizovna overkomt niets, zij is hier kostbaarder dan Alferov. Ze vinden wel een andere gevolmachtigde voor hier, maar geen andere onderwijzeres.'

Zida vertelde hij wel van Solovejtsjik, hij verwachtte dat zij er net als hij geen geloof aan zou hechten. Maar Zida geloofde het wel.

'Ze vluchten van heimwee,' zei ze, 'zelfs heel verstandige mensen. Ze verliezen hun verstand en vluchten. Heel gewoon.'

Hoe vreemd het ook leek, het gesprek met Alferov had Sasja gekalmeerd, het maakte een eind aan zijn kwellingen. Alferov bevestigde wat hij zelf dacht: Moskou was buiten zijn bereik, op een revisie van zijn zaak hoefde hij niet meer te hopen. Hij was afgeschreven. Tsja, nu moest hij ook omschakelen. Eindelijk aanvaardde hij zijn lot, voelde hij dat hij zichzelf onder controle had. Geen illusies. Zijn geval was geen speciaal geval, er waren talloze gevallen als het zijne. En hij moest de innerlijke kracht vinden om het vol te houden.

Hij kwam Timofej op straat tegen. Deze wierp hem een vreesachtige blik toe, wilde doorlopen, maar Sasja versperde hem de weg.

'Je schiet slecht, Timofej, of is je geweer soms klote?'

'Wat wil je, wat wil je?' bromde Timofej terwijl hij terugweek, net als toen, op de weide; hij was vast bang dat Sasja hem zou slaan.

'Wees niet bang,' glimlachte Sasja, 'hier raak ik je niet aan, maar als ik je nog een keer in het bos tegen het lijf loop, knal ik je neer als een hond. Jij hebt lood, ik heb een kogel en een getrokken loop. Ik krijg je wel! En krijg ik je niet, dan krijgen anderen je wel. Wij hebben onze eigen rechters. Onthoud dat, lammeling!'

Dat had hij gezegd en hij was verder gegaan. Zulke lui moest je wel zo aanpakken. Zoals met die kerels was afgerekend die de ballingen op de weg van Kansk hadden gedood, wist heel Angara, ook Timofej. Hij zou nu wel uit de buurt blijven, de lafaard! Als Sasja het bos inging, laadde hij beide lopen met hagel, maar deed lood in zijn zak. En hij ging niet alleen. Hij nam Zjoetsjok altijd mee. En bleef nooit op een open plek staan. En koos steeds een ander pad.

Twee of drie dagen na het gesprek met Timofej ging Sasja weer het bos in. Opeens bleef Zjoetsjok staan, omdat hij iets rook, en rende toen het struikgewas in. Zijn uitzinnige geblaf kwam van heel dichtbij, het was geen roepen, maar een boos en hijgend geblaf, kennelijk tegen een mens, misschien wel een beer. Sasja kroop achter een boom, laadde zijn geweer opnieuw, met lood in beide lopen.

Het geblaf nam toe, werd waanzinnige hard, nu eens verder weg, dan weer dichterbij. Zjoetsjok rende blijkbaar steeds weg en stortte zich dan weer op zijn slachtoffer. Timofej was het beslist niet, de hond kende iedereen in het dorp, alleen tegen een onbekende of een beer kon het dier zo te keer gaan.

Sasja meende een mens achter de bomen te bespeuren, geritsel, misschien was het alleen de lucht of gekraak van takjes... Zjoetsjok sprong een open plek op en vloog een onbekende man aan die hem met een lange stok van zich af probeerde te houden. Sasja herkende hem meteen. Het was Solovejtsjik, in zijn gewatteerde broek en gewatteerde jas, met zijn pet met oorlappen, moeraslaarzen, mager en met een baardje. Het was moeilijk te zien dat hij het was, maar Sasja herkende hem aan zijn gestalte, aan de manier waarop hij zich tegen de hond verweerde, en misschien had hij het in zijn binnenste toch voor mogelijk gehouden dat Boris inderdaad was gevlucht en dat Alferovs veronderstelling juist was: dat hij deze kant op was gevlucht.

Hij riep de hond terug en liep op Solovejtsjik af.

Ze omhelsden elkaar.

'Laten we weer het bos ingaan,' zei Sasja.

Ze doken het struikgewas in en gingen onder een boom zitten waar het betrekkelijk droog was. Solovejtsjik nam een kleine rugzak van zijn schouders, legde hem neer, leunde met zijn hoofd tegen de boom, sloot zijn ogen.

'Een kwaaie hond heb je daar.'

'Hij zag een onbekende... Heb je honger?'

'Voorlopig niet, ik heb gegeten.' Boris knikte naar zijn bundel. 'Zeg, wist jij er al van?'

'Ik moest bij Alferov komen, hij vroeg naar jou.'

Boris lag half, met dichte ogen.

'Waarom heb je dit gedaan?' vroeg Sasja.

Solovejtsjik begon te hoesten, schraapte lang en pijnlijk zijn keel.

'Ik heb om overplaatsing naar Frida verzocht, of haar overplaatsing naar mij. Ze weigerden. Ik ging naar haar toe. Onderweg ben ik aangehouden. Ik ben weggelopen. Teruggaan naar Rozjkovo? Dan zetten ze me vast, wordt het een vluchtzaak. Daarom ben ik juist deze kant opgegaan. Ze zullen me stroomafwaarts of op de weg naar Kansk zoeken, maar misschien haal ik in de tussentijd Bratsk.'

'Alferov veronderstelde juist dat je deze kant op zou gaan.'

'Heeft hij dat tegen je gezegd?'

'Ja.'

Boris zweeg.

'Het is een maand lopen naar Bratsk. Vandaag of morgen begint de winter. Je zult in het bos bevriezen,' zei Sasja.

'Ik heb geen andere uitweg, antwoordde Boris vermoeid, 'als ik het haal, haal ik het, als ik het niet haal, dan niet.'

'Maar wat dan met Frida?'

'Haar zal niets gebeuren. Zij weet van niets. Ik heb haar na het transport niet gezien. Heb ik haar geschreven? Ja, maar ik heb zo veel mensen geschreven.'

'Dat klopt niet helemaal,' protesteerde Sasja, 'je hebt verklaard dat zij je verloofde is, ze is met je bevriend, ze zullen haar verhoren.'

'Jou hebben ze ook verhoord, maar wat kon je vertellen? Zij kan ze ook niets vertellen.'

'Luister, misschien kun je je beter in Kezjma bij Alferov melden. Je verklaart dat je op weg was naar hem, om te vragen of hij jou naar Frida of Frida naar jou wil overplaatsen. Dan wordt de situatie heel anders: dan ben je niet uit het rayon gevlucht, heb je je vrijwillig in Kezjma gemeld.'

'Dat is te doorzichtig,' zei Boris somber. '"Ik ging naar Kezjma,"—ze hebben me juist niet op de weg naar Kezjma aangehouden, maar omgekeerd, op de weg stroomafwaarts. Nee, naar Alferov ga ik niet, hij zal me naar Kansk sturen.'

'De weg is onbegaanbaar,' zei Sasja, 'over een maand kan dat pas, eerder niet. In Kezjma is ook geen gevangenis, waar zou hij je moeten vasthouden? Alferov komt jouw versie beter uit: je bent gekomen om iets voor jezelf en Frida voor elkaar te krijgen. Hij heeft zelf tegen me gezegd: ik wil geen buitengewone gebeurtenissen. En dat ze je stroomafwaarts hebben gepakt, betekent niets. Je kunt zeggen dat er in Rozjkovo geen boot was, en dat je ergens in Koda of Pasjina een boot hoopte te huren.'

'Alferov heeft mijn vlucht vast en zeker al bekend gemaakt,' wierp Boris tegen. 'En als hij jou al bij zich heeft laten komen, wil dat zeggen dat hij maatregelen heeft getroffen.'

'Toch,' drong Sasja aan, 'is dit je enige kans. Bratsk haal je nooit, in het eerste dorp word je gegrepen en dan krijg je zeker een straf voor vluchten aan je broek.'

'Ik ga niet door de dorpen.'

'Wat wil je dan eten?'

'Geef me wat te bikken mee, spek, beschuit, suiker, als je hebt…'

'Natuurlijk geef ik je dat! Maar voor hoe lang is dat genoeg, hoeveel kun je dragen? In het bos vind je nu geen eten, het wordt winter. Je hebt geen geweer. In het eerste dorp zul je je van de honger overgeven. Begrijp toch dat je leven op het spel staat. Als je je bij Alferov meldt, blijft je leven gespaard. En maak je kans dat je je eruit draait. Als je verder gaat, kom je om in het bos of grijpen ze je en dan heb je geen enkele kans meer.'

Boris zweeg, lag half met gesloten ogen, alsof hij Sasja niet hoorde. Misschien was hij ingedommeld.

'Overnacht je bij mij?'

Zonder zijn ogen open te doen schudde Solovejtsjik van nee.

'Ze komen erachter. En dan ben jij erbij.'

'Maak je niet ongerust over mij.'

Boris deed zijn ogen open en zei met onverwacht veel energie:

'Als ze mij hier zien, zal Alferov dit spoor volgen. En ik moet zo'n zeventig kilometer afleggen, daar zullen ze me helpen. En ik kan jou er ook niet bij lappen. Je kunt zelfs niet zeggen dat je zogenaamd niet wist dat ik gevlucht was, Alferov heeft je gewaarschuwd. Laten we afspreken dat jij mij niet hebt gezien en ik jou niet. Wat er ook mag gebeuren, en wanneer, al is het over een, twee of tien jaar: ik heb jou niet gezien, jij hebt mij niet gezien.'

'Goed dan,' zei Sasja, 'maar toch denk ik dat je een vergissing begaat. Over een paar uur zou je in Kezjma kunnen zijn. Alferov zou je een beetje de les lezen en daarmee is alles afgelopen. Ik kan niets garanderen, maar ik denk dat het zo zou gaan. Nogmaals: dit is je enige kans.'

'Alles is beslist,' zei Solovejtsjik met vaste stem. 'Kun je spek, beschuit, suiker voor me krijgen?'

'Spek zeker, suiker zal ik proberen, beschuiten moeten gedroogd worden, als je een tijdje wacht heb ik ook beschuit.'

'Ik kan niet wachten, breng dan brood in plaats van beschuit.'

'Boris!' zei Sasja. 'Denk goed na, ik vraag het je. Ik snap niet waar je op rekent. Laten we aannemen dat het je lukt Bratsk te bereiken… Dat is uitgesloten, maar laten we het aannemen. Wat dan?'

'Daar zetten ze me over naar Irkoetsk, dan stap ik op de trein en ga naar Moskou.'

'Waarom?'

'Om gerechtigheid te zoeken.'

Sasja dacht dat hij gek was geworden. Wat voor gerechtigheid was hij van plan te zoeken? Of verzweeg hij misschien iets? Misschien woonden er mensen op zijn weg die hij kon vertrouwen. Frida's vrienden? Hij moest nog zeventig kilometer afleggen, dat wilde zeggen: Frolovo of Savino, of Oesoltsevo. Maar die dorpen lagen allemaal op eilanden, hoe zou hij de Angara oversteken? De Angara was nog niet dichtgevroren en zou voorlopig niet dichtvriezen, de rivier stroomde snel. En toch rekende hij ergens op. Ook hier, in ballingschap, hadden de mensen kennelijk hun eigen contacten, eigen mogelijkheden, waarvan Sasja geen vermoeden had. De staat had hem altijd almachtig, alwetend en alomtegenwoordig toegeschenen. In feite was dat niet zo, je kon de staat omzeilen. Zida had hem *andere* wegen voorgesteld. Solovejtsjik had mogelijk ook zijn eigen wegen, alleen kende Sasja ze niet.

'Hoeveel tijd heb je nodig om naar het dorp te lopen en weer terug?'

Dit was een verzoek om haast te maken. Sasja stond op.

'Over een uur of drie zal ik terug zijn.'

'Ik zal hier op je wachten.'

Boris leunde weer achterover tegen de boom en deed zijn ogen dicht.

Wat eerder was gebeurd, zijn arrestatie, de gevangenis, zijn verbanning, was allemaal volstrekt niet te vergelijken met wat zich nu afspeelde. Toen was hij nergens schuldig aan, nu overtrad hij voor het eerst de wet. Hoewel gewaarschuwd hielp hij toch. Boris zou hem natuurlijk niet verraden, maar die 'medeplichtigheid aan vlucht' zou aan hem blijven kleven. Als hij er later voor moest boeten zou het dubbel zo erg zijn: Boris' vlucht was dwaas, hij zou onderweg omkomen of worden opgepakt.

Niettemin was het zijn plicht Boris te helpen. Het ging er alleen om dat niemand in het dorp argwaan kreeg. Bij de huisbaas om brood en spek vragen? Voor wie? Dat was al een duidelijk bewijs. Zida was de enige die hem kon helpen. Als ze het zelf niet had, zou ze naar de buren gaan. Zij kocht altijd levensmiddelen, dat zou geen verdenking wekken. Een zijdetje spek, brood of koeken, een paar dozijn hardgekookte eieren, suiker, dat had ze, er was ook nog snoep dat moeder uit Moskou had gestuurd, zout...

Hij zou tegen Zida zeggen: zorg dat je het krijgt, ik heb het nodig, vraag niet waarom, vergeet het.

Zida vroeg niets. Ze ging naar de buren, kwam terug met spek, gedroogd vlees, koek, ze kookte eieren, vond suiker, snoep, pakte alles goed in, en stopte het in een linnen tas als waarmee jagers uit de stad het bos in trokken.

En omdat ze alles in zo'n tas stopte, was het duidelijk dat ze het begreep.

In de deuropening draaide Sasja zich om.

'Ik heb niets bij je gehaald.'

Wat er ook mocht gebeuren, hoe het ook verder zou gaan, Zida moest er-buiten blijven.

Zida knikte.

'Goed.'

Toen hij Sasja's stappen hoorde, opende Boris zijn ogen, kwam overeind, schudde met zijn hoofd alsof hij de slaap wilde afschudden, stopte het eten in zijn rugzak, alleen het zout nam hij niet.

'Dat heb ik zelf.'

Toen stond hij op. Sasja hielp hem met de schouderbanden van de rugzak.

'Goed, beste vriend, vaarwel!'

Onhandig—de rugzak zat in de weg—omhelsde Boris Sasja. Ze zoenden elkaar.

'Morgenochtend zal ik hier komen,' zei Sasja, 'als je je bedenkt en terug-komt, komen we elkaar hier tegen.'

'Ik bedenk me niet,' antwoordde Boris, 'ben je voorzichtig geweest?'

'Maak je daarover geen zorgen.'

19   Ordzjonikidze was ontstemd over het inci-dent met de commissie van Pjatakov, ontstemd omdat Mark Aleksandrovitsj de commissie in feite uit de fabriek had gegooid, ontstemd over de veeg uit de pan die hij door Mark Aleksandrovitsj' schuld van Stalin had gekregen. Sta-lin had Mark Aleksandrovitsj gesteund, er was echter geen enkel document dat de door Mark Aleksandrovitsj ondernomen bouwactiviteiten, woningen en voorzieningen, wettigde. Er waren alleen woorden en woorden worden vergeten. Zolang er geen officiële goedkeuring was, bleef Rjazanov kwets-baar.

Dat was ook de reden dat Mark Aleksandrovitsj graag inging op het voorstel van de redactie van het tijdschrift «De Bolsjewiek» om een artikel te schrijven over de stand van zaken op de fabriek en de problemen waarmee de vader-landse metaalproduktie te kampen had. «De Bolsjewiek» was het toonaange-vende partijblad, het artikel zou de fabriek van nut zijn: leveranciers en toele-veranciers zouden het als een directief opvatten. En belangrijkst van al: het gaf hem de gelegenheid de door hem ondernomen bouwactiviteiten offi-cieel in de openbaarheid te brengen en daarmee tevens legaal te maken.

Mark Aleksandrovitsj schreef het artikel in twee avonden. De fundamentele strekking van het artikel kwam op het volgende neer:

De Amerikanen hadden het project van de fabriek in grote haast uitgewerkt, het moest worden verbeterd. Mark Aleksandrovitsj somde de belangrijkste verbeteringen op. Maar hij riep onze metallurgen tegelijkertijd op zich grondig in de beste arbeidsmethodes van de Amerikanen te verdiepen en gaf nauwkeurig aan in welke opzichten we bij hen achterbleven.

De hoofdtaak van de ertsbewerking in het Oosten was het binden van hoog geschoolde, stabiele kaders van arbeiders, technici en ingenieurs. Vandaar de noodzaak een uitgebreid bouwprogramma van woningen, gemeentelijke, culturele en sociale voorzieningen te realiseren. Mark Aleksandrovitsj somde de reeds uitgevoerde werkzaamheden op (vanwege welke de commissie was gekomen), merkte ze aan als verworvenheden die het Centraal Comité van de partij had goedgekeurd (waarmee hij de woorden van Stalin bedoelde), en liet weten dat de fabriek deze werkzaamheden zou voortzetten.

Tot besluit uitte Mark Aleksandrovitsj een scherpe kritiek op nalatige leveranciers. Het artikel werd midden november in het tijdschrift afgedrukt en eind november kwam Mark Aleksandrovitsj in Moskou aan voor het Plenum van het CC van de partij.

Het Plenum had slechts één agendapunt: de afschaffing per 1 januari 1935 van het distributiesysteem voor brood en andere levensmiddelen.

In alle toespraken klonk bezorgdheid door. Sinds 1928 was er distributie geweest en deze had een weliswaar onvoldoende maar toch vaste levensmiddelenvoorziening gegarandeerd. Nu werd de vrije verkoop ingevoerd, maar hoe de markt moest worden bestuurd had men verleerd.

Stalin hield geen toespraak, hij zat zwijgend in het presidium.

Op de laatste dag van de vergadering kwamen Ordzjonikidze en Kirov in de pauze in de gang naar Mark Aleksandrovitsj toe.

'Hier is,' zei Ordzjonikidze met een glimlach, 'Sergej Mironovitsj die graag met je wil kennismaken, je artikel viel bij hem in de smaak.'

Kirov drukte Mark Aleksandrovitsj de hand.

'Ja, dat was een zinnig en knap artikel. Wat u schrijft betreft niet alleen de nieuwe, maar ook de oude rayons. Het probleem van de stabiele kaders wordt overal hoogst urgent. Ook uw oproep van de Amerikanen te leren bevalt me, zelfs van de kapitalisten leren is geen schande. Wat uw kritiek op enige Leningraadse ondernemingen betreft, ik beloof u de situatie te verbeteren.'

'Dank u, dat zal onze hoogste beloning zijn,' antwoordde Mark Aleksandrovitsj.

Ordzjonikidze zei gemoedelijk:

'Hij is hier de grote diplomaat. In zijn artikel heeft hij onwettige uitgaven gelegaliseerd.'

'Maar Grigori Konstantinovitsj,' protesteerde Mark Aleksandrovitsj, 'ik heb eenvoudig op schrift gesteld wat al was gedaan en goedgekeurd...'

Ordzjonikidze had geen tijd om te antwoorden. Stalin bleef bij hen staan.

Ze hadden niet eens opgemerkt van welke kant hij naar hen toe was gekomen.

'Waar gaat de discussie over?'

'We spraken over kameraad Rjazanovs artikel,' antwoordde Ordzjonikidze.

'Wat voor artikel?' vroeg Stalin, terwijl hij Ordzjonikidze en Mark Aleksandrovitsj even koel aankeek maar Kirov geen blik gunde.

'In het laatste nummer van «De Bolsjewiek»,' antwoordde Kirov.

'Heb ik niet gelezen,' sprak Stalin, nog steeds Kirov niet aankijkend.

En hij liep verder.

Mark Aleksandrovitsj keek hem na, zag zijn smalle, heel licht gebogen rug, gehuld in de kakikleurige, bijna bruine uniformjas, en zijn hart stroomde over van trots. Net, een minuut geleden, had hij met Kirov en Ordzjonikidze naast HEM gestaan, ze hadden voor ogen van het hele plenum staan praten. Zijn artikel in «De Bolsjewiek» had Stalin niet gelezen, natuurlijk niet, bij het voorbereiden van de vergadering, het voorbereiden van de afschaffing van de distributie had hij niet eens tijd gehad om het tijdschrift door te bladeren. Het was genoeg dat Kirov het had gelezen en geprezen. En Ordzjonikidze's amicale omgang met hem liet zien dat hij niet meer boos was, Mark Aleksandrovitsj' initiatieven op de fabriek waren gelegaliseerd, het artikel had gewerkt. Alles was in orde, zijn ongerustheid was voor niets geweest. In dit tijdperk van grote verrichtingen moest alles wat waarachtig en nuttig was, onvermijdelijk zegevieren, immers, ZIJN wijsheid, ZIJN machtige hand stuurde alles. Daar liep HIJ door de drukke foyer, niemand leek plaats voor hem te maken, niemand deed een stap opzij, maar toch was de weg vrij, was de weg vrij voor HEM. HIJ liep rustig, ongehaast, met lichte stappen van zijn zachte laarzen, niemand leek ook maar naar hem te kijken, niemand keek om, maar allen wisten dat Stalin eraan kwam. Stalin verdween achter de deur die naar de kamer van het presidium leidde, en nu zag Mark Aleksandrovitsj pas dat Ordzjonikidze tegen de muur stond geleund en met bevende handen een nitroglycerinetabletje uit een buisje pakte en onder zijn tong legde.

'Wat is er met je?' vroeg Kirov verontrust.

Ordzjonikidze haalde diep adem.

'Niets.'

Mark Aleksandrovitsj nam hem bij de arm.

Ordzjonikidze nam zijn hand zachtjes van zijn arm.

'Laten we naar de eerste-hulppost gaan, het is vlakbij…'

'Dat hoeft niet, het is al over.'

'Nee,' zei Kirov beslist, 'ga naar huis. Kom, ik zal je wegbrengen.'

Stalins afwijzende houding kwam niet onverwacht voor Kirov. In Sotsji waren hun betrekkingen al slecht geworden, hij had hem eigenlijk naar Kazachstan gestuurd. Van zes tot negentwintig september was Kirov in Kazachstan geweest, en toen hij terugkwam, rapporteerde de chef van de NKVD, Medved, hem dat zijn tweede man, Ivan Zaporozjets, zonder ook maar enig overleg met hem, zijn eigen mensen uit Moskou, uit het centrale apparaat, had laten komen en eigenmachtig op sleutelposities in de geheime politieke afdeling had gezet en over het geheel genomen zijn autonomie demonstreerde en onderstreepte dat hij alleen onder Moskou stond. Zo'n situatie was onhoudbaar, de NKVD kon niet twee chefs hebben van wie de ene het districtscomité gehoorzaamde en de andere Moskou. En daarom verzocht Medved hem te eisen dat Zaporozjets onmiddellijk werd teruggeroepen, en met hem de mensen die zonder overleg met de lokale organen waren benoemd.

Het was een netelige zaak. Deze benoemingen waren ongetwijfeld officieel. Het was waarschijnlijk zelfs direct op aanwijzing van Stalin geschied, 'om de laatste oppositie uit te roeien', om hem, Kirov, te dwarsbomen. Als je het niet zelf wilt doen, dan doen wij het wel zonder jou. Daarom demonsteerde Zaporozjets ook op alle mogelijke manier zijn onafhankelijkheid. Eisen dat Zaporozjets werd teruggeroepen, zou betekenen dat hij een openlijk conflict met Stalin aanging, en dat nog wel in de gevoelig liggende zaak van de kaders, waarin Stalin nooit inmenging duldde.

Toch, als hij zo'n autonoom, niet onder het districtscomité ressorterend orgaan in Leningrad moest tolereren, dan zou hij geleidelijk al zijn macht verliezen.

Kirov riep de leden van het bureau van het districtscomité in zijn kamer bijeen, alleen hen, geen secretarissen, geen technische staf, zonder notuleren, en stelde Medved voor zijn informatie te herhalen en verzocht de leden van het bureau hun mening hierover te geven. Allen waren het met elkaar eens: men moest eisen dat Zaporozjets en zijn mensen onmiddellijk werden teruggeroepen.

Kirov nam de hoorn op en stelde zich in verbinding met Moskou.

'Ik verbind u dadelijk door,' antwoordde Poskrebysjev.

Ze moesten lang wachten. In Kirovs kamer was het stil, ieder zweeg, ze begrepen dat Stalin niet voor niets de hoorn niet opnam.

Eindelijk nam hij op.

'Hallo.'

'Kameraad Stalin,' sprak Kirov, 'Zaporozjets treedt eigenmachtig op, gehoorzaamt niet aan de chef van de NKVD Medved. Het bureau van het districtscomité verzoekt Zaporozjets terug te roepen uit Leningrad.'

Stalin zweeg, vroeg vervolgens:

'Waarin bestaat zijn eigenmachtigheid concreet?'

'Neem het laatste geval,' sprak Kirov, 'uit Moskou heeft hij, van Jagoda, vijf man laten komen en ze buiten Medveds medeweten op verantwoordelijke posten in de geheime politieke afdeling geplaatst...'

'Je moet weten,' antwoordde Stalin, 'dat dit interne overplaatsingen binnen het apparaat van de NKVD zijn.'

'Maar ik ben secretaris van het districtscomité! Of niet?' zei Kirov met woede in zijn stem, terwijl hij met zijn knokkels op de tafel sloeg.

'Waar zijn zulke kinderachtige vragen goed voor?' wierp Stalin tegen. 'De NKVD is een nieuw volkscommissariaat en als in elk nieuw volkscomissariaat is ook daar een herschikking van de kaders onvermijdelijk. Over ieders kandidatuur met de lokale organisaties overleggen is praktisch onmogelijk.'

'Het districtsbureau en ik persoonlijk staan er absoluut op dat Zaporozjets wordt teruggeroepen,' verklaarde Kirov.

'Ik heb alles uitgelegd zo goed ik kon, beter kan ik niet,' sprak Stalin koel. En legde de hoorn neer.

Enige tijd heerste er stilzwijgen. Toen wendde Kirov zich tot Medved.

'Goed dan, Filipp. Jij bent de baas in het bestuur, het districtsbureau erkent alleen jou. Snijd alles wat Zaporojets buiten ons om onderneemt bij de wortel af, wij staan achter je.'

Nadat hij Sergo naar huis had gebracht, keerde Kirov terug naar het plenum. De bel luidde, de pauze was voorbij, de deelnemers gingen naar binnen. Maar Mark Aleksandrovitsj wachtte tot Kirov kwam.

'Pardon, Sergej Mironovitsj, hoe is het met Grigori Konstantinovitsj?'

'Voorlopig lijkt hij weer in orde, hij is naar bed gegaan, Zinaida Gavrilovna laat een dokter komen.'

Maar Ordzjonikidze verbood haar de dokter te laten komen. Hij voelde zich beter, stond op, maar ging niet meer naar de vergadering, de ontwerp-resolutie was hem bekend, ook zonder hem zouden ze ervoor stemmen.

Hij ging in een leunstoel zitten, raakte in gepeins verzonken...

Bij hun twee minuten durende gesprekje met Stalin, vandaag in de foyer, had hij Stalins werkelijke houding tegenover Kirov volkomen begrepen. Ordzjonikidze kende Stalin goed, wist wat het betekende wanneer Stalin met iemand praatte zonder hem aan te kijken...

Het begon te schemeren, in huis werd het licht aangestoken, Zinaida Gavrilovna kwam even kijken.

'Hoe voel je je?'

'Goed, maar doe het licht niet aan,' vroeg Ordzjonikidze, 'ik wil alleen zijn.'

Hij zat te denken. Na Boedjagins mededeling over de vreemde wijzigingen in de Leningraadse NKVD had hij een paar keer met Stalin over Kirov proberen te praten, hij wilde de situatie peilen, maar Stalin ontweek het gesprek, en sneed het onderwerp vervolgens onverwachts zelf aan.

Op het Politbureau werd het rapport van Kirov uit Kazachstan over het verloop van de graanleveranties besproken en toen zei Stalin min of meer terloops, zonder enig verband met de besproken kwestie:

'Ik heb kameraad Kirov als secretaris van het CC voorgesteld naar Moskou te verhuizen, maar hij weigert. Hoe lang mag iemand in één stad zitten? Acht jaar! Dat is genoeg! Kirov in Leningrad laten zitten, zo'n luxe kunnen we ons niet veroorloven. Kirov is een functionaris van landelijk formaat, de hele partij heeft hem nodig.'

En verder had hij niets gezegd en was tot de volgende zaak overgegaan.

Maar na de zitting, toen iedereen al weg was en alleen Stalin, Kaganovitsj, Molotov en waarschijnlijk ook Koejbysjev nog in zijn werkkamer waren, had Stalin tegen Ordzjonikidze gezegd:

'Praat eens met Kirov, jullie zijn vrienden, laat hij naar Moskou komen. De centrale leiding heeft een Rus nodig. Jij en ik zijn Georgiërs, Kaganovitsj is een Jood, Roedzoetak een Let, Mikojan een Armeniër. Hoeveel Russen hebben we? Molotov, Koejbysjev, Vorosjilov en Kalinin, dat is te weinig.'

Na Kirovs terugkeer uit Kazachstan was Ordzjonikidze naar Leningrad gereisd om hem Stalins voorstel over te brengen. Kirov had weer geweigerd. Toen hij over zijn strubbelingen met Stalin in Sotsji en over hun latere conflict naar aanleiding van Zaporozjets vertelde, had hij rustig en overtuigd gezegd:

'Wij staan Zaporozjets niet toe hier in Leningrad huis te houden.'

Wat waren ze allemaal toch naïef, én hij, én Boedjagin, én Kirov, allemaal. Begreep Stalin echt niet dat Kirov niet voor Zaporozjets het veld zou ruimen? 'Uitroeien met wortel en tak.' Dat was allemaal maar een dekmantel, camouflage, Zaporozjets zou daar niets gaan uitroeien, ze zouden hem daar niet zijn gang laten gaan.

Wat moesten ze ondernemen? Er restte maar één ding: proberen tijd te winnen. Hij moest Kirov in ieder geval een paar dagen in Moskou laten blijven, een week. Alles goed overdenken, beraadslagen met de kameraden, misschien lukte het dan Kirov over te halen naar Moskou te komen. En wat het belangrijkste was: als Kirov onverwacht in Moskou bleef, zou Stalin voorzichtiger worden, misschien zou hij bakzeil halen en Zaporozjets terugroepen.

Kirov kwam tegen elven terug van de vergadering. Ordzjonikidze deed zelf de deur open.

'Al weer de oude?' vroeg Kirov vrolijk toen hij binnenkwam. 'Hoe voel je je?'

Ordzjonikidze ging in zijn stoel zitten, ademde zwaar.

'Slecht, Sergej, blijf een paar dagen bij me.'

Kirov, die zijn tas pakte, keek om.

'Hoe kom je erbij? Op één december, overmorgen, moet ik de partij verslag uitbrengen... van het plenum...'

'Wat stelt dat voor… verslag uitbrengen,' zei Ordzjonikidze, terwijl hij zwaar ademhaalde. 'Kunnen Tsjoedov, Koelatskij dat niet doen? Blijf een tijdje bij me, Serjozja, misschien zien we elkaar niet meer…'

Kirov liep naar hem toe, pakte zijn arm en keek hem recht aan.

'Zet dat uit je hoofd. En ga naar bed, laat de dokter komen. Een aanval van hartkramp gaat altijd vergezeld van zo'n angst. Beheers je. Welk nummer moet ik bellen voor een auto?'

'Ik zal zelf bellen.'

Ordzjonikidze stond op uit zijn stoel, ging naar de aangrenzende kamer, belde via de huistelefoon de garage en riep zijn chauffeur Barabasjkin bij het toestel, 'Vasili Dmitrievitsj, kom voorrijden, je moet Kirov naar het station brengen,' en heel zacht, met zijn hand voor de hoorn, voegde hij eraan toe: 'En doe het zo dat hij de trein mist. Begrepen?'

Ordzjonikidze ging weer naar de eetkamer, Kirov had zijn tas al gepakt en zijn jas aangetrokken, hij stond met Zinaida Gavrilovna te praten.

'Blijf liever drie dagen bij me,' sprak Ordzjonikidze somber, 'toe, Serjozja, blijf!'

'Ik kan niet, dat heb ik het uitgelegd, op één december heb ik een partijver-gadering.'

Beneden bij de oprit klonk een kort signaal van de auto.

Kirov omhelsde en zoende Ordzjonikidze, omhelsde en zoende Zinaida Gavrilovna en zei op vriendschappelijk strenge toon tegen haar:

'Laat je niet door hem op je kop zitten, stel hem onder doktersbehandeling.'

Hij pakte zijn tas en ging haastig naar buiten. De klok wees half twaalf.

Nog voor ze bij het postkantoor waren gekomen, stopte Barabasjkin, sprong uit de auto en deed de kap omhoog.

'Wat is er gebeurd?'

'De versnelling heeft kuren, Sergej Mironovitsj, ik maak het zo in orde.'

'Daar ga ik niet op wachten.'

Barabasjkin had de fout gemaakt vlak bij een tramhalte te stoppen. Lijn vier, die langs alle stations rijdt, kwam er net aanrijden. Kirov kon nog juist op het balkon springen. Een minuut voor het vertrek van de trein liet de conducteur hem in DE PIJL instappen.

20 Sasja ging nog met donker van huis en was in alle vroegte op de plek waar hij gisteren afscheid van Boris had genomen. Daar was de boom waaronder hij had gelegen. Sasja floot, schreeuwde een paar keer tegen Zjoetsjok om Boris te laten weten dat hij er was, maar niemand gaf antwoord. Tot het weer donker werd hing Sasja rond in het bos, maar Boris was nergens, hij had dus besloten niet terug te komen. De volgende dagen koos Sasja andere wegen, maakte steeds grotere tochten door het bos. Aan de sparren hing al sneeuw in dikke kussens, ze bedekte de grond, de omgewaaide bomen en de ingevroren moerassen met een rulle laag. Sasja kwam moeilijk vooruit, bleef vaak staan, luisterde, maar het bos was zwijgzaam. Alleen zuchtten nu en dan de bevriezende bomen en klonk het gekletter van de kruisbekjes die van spar op spar overvlogen, de rijp van de takken schudden en schillen en gepelde denneappels in de sneeuw lieten vallen.

Een keer joeg Sasja een sneeuwhaas uit zijn leger die met zijn lange oren op zijn rug tussen de bomen wegsnelde. Hij kwam ook eekhoorns tegen, kennelijk de jongen van dit jaar, nog weinig ervaren: één zat openlijk op een tak met de pluimstaart achter de rug een denneappel te pellen die ze razendsnel tussen haar pootjes heen en weer liet gaan, terwijl ze Sasja van bovenaf strak aankeek. Hij kwam ook een rondsnuffelende vos tegen die ongehaast door de sneeuw draafde, bij tijd en wijle bleef staan luisteren of er onder de sneeuw geen muis piepte, en als ze gepiep hoorde, dan sprong ze erheen en groef de sneeuw snel weg, net als een hond. Eén keer zag Sasja hoe een auerhaan at: voorzichtig door de verse sneeuw stappend plukte hij blaadjes van een jeneverbes, scheuten van de bosbes die nog niet helemaal door de sneeuw waren bedolven, en soms ook kruintjes van jonge dennetjes.

Een week lang zwierf Sasja door het bos, maar Solovejtsjik dook niet op, hij was dus ver weg gekomen, of misschien was hij wel in het bos omgekomen, bevroren, ziek geworden, onder het ijs geraakt of verdwaald en van honger gestorven.

Maar hij was niet gegrepen. Als hij in de val was gelopen dan had iedereen het geweten. Een vlucht is een grote gebeurtenis, het vangen van een vluchteling een nog grotere, een dergelijk nieuwtje zou de ronde doen door heel Angara, het onderzoek zou beginnen, verhoren: wie had hem geholpen, wie had hem verstopt, wie had hem eten gegeven.

Ook de ballingen in Mozgova bespraken Solovejtsjiks vlucht. Maar aangezien niemand anders dan Sasja hem kende en Sasja aan deze omstandigheid geen ruchtbaarheid gaf, konden ze alleen over vluchten in het algemeen spreken, over het hopeloze en uitzichtsloze van vluchten. Zelfs als hij uit Siberië ontsnapte, dan zou hij nog te gronde gaan: zoals het bij ons is, kan men nergens illegaal verblijven. Op dit punt waren allen het eens.

Maar allen begrepen eveneens dat Solovejtsjiks vlucht niet zonder gevolgen zou blijven; hieraan geen consequenties verbinden zou betekenen dat men het vluchten aanmoedigde… Als men de vluchteling dan niet kon straffen, moest men de overblijvenden straffen, wegrukken uit de plaats waar ze zich thuis voelden, hen beroven van het beetje dat ze verdienden, de ballingen moesten weten dat ze voor elke voortvluchtige verantwoordelijk zouden zijn, ze moesten het vluchten zelf voorkomen. En inderdaad werden alle ballingen uit Rozjkovo al gauw naar andere dorpen gestuurd.

Twee van hen kwamen in Mozgova: een zekere Kajoerov en een vrouw die naar men zei ongeveer sinds 1905 lid van de partij was geweest, met de vreemde achternaam Zvjagoero. Ze heette Lidija Grigorjevna. Een ouwelijke, lelijke vrouw met naar voren stekende tanden die niet alleen, maar met een zesjarig jongetje genaamd Tarasik aankwam.

Zij werd al per slee gebracht. Ze liet de voerman bij het huisje stoppen waar Sasja woonde, ging bij hem naar binnen en zei:

'Solovejtsjik heeft me van u verteld. Heeft u een idee waar ik logies kan vinden?'

'Daar moet ik eens over denken,' antwoordde Sasja, 'komt u binnen, gaat u zitten.'

'Ik moet de voerman terugsturen.'

Ze liepen naar buiten. In een grote sjaal gewikkeld zat Tarasik in de slee. Lidija Grigorjevna tilde hem uit de slee, Sasja pakte haar spullen, twee kaalgesleten koffers die met een touw waren dichtgebonden, en allen gingen het huis binnen. Op straat knarsten de lopers, de voerman reed weg.

Lidija Grigorjevna wikkelde Tarasik uit de sjaal, trok hem iets dat een winterjas leek uit, nam zijn muts van het hoofd en gebood hem op de bank te gaan zitten. Steeds naar Sasja kijkend ging Tarasik zitten.

Sasja deed de deur naar de keuken open en vroeg de vrouw des huizes even te komen. Ook de huisbaas kwam de nette kamer in.

Sasja wees op Lidija Grigorjevna.

'Dit is een kennis, bij wie zou ze onderdak kunnen krijgen?'

De oude vrouw keek naar het jongetje.

'Is dat soms uw kleinzoon?'

'Ja,' zei Lidija Grigorjevna nors.

'Met zo'n joch is het wel moeilijk iets te krijgen. Die halen altijd streken uit, zo zijn kinderen...'

'Hij haalt nooit streken uit,' zei Lidija Grigorjevna.

'Wie weet,' mompelde de oude vrouw.

'Zijn er hier bij jullie dan nooit ballingen met kinderen geweest?' vroeg Sasja.

De vrouw antwoordde niet, bleef het jongetje bekijken.

'Hoe heet hij?'

'Taras.'

'De Brjoechanovs zullen haar wel logies geven,' zei de oude man.

'Bij de Brjoechanovs is een achterlijk meisje.'

'Een stil meisje, het zal hem niets doen.'

Lidija Grigorjevna's gezicht betrok weer.

'En bij wie behalve de Brjoechanovs zou het kunnen?'

De oude vrouw dacht diep na.

'Sizych?' vroeg ze de oude.

'Die houdt ervan de keel te spoelen,' merkte de oude man goedkeurend op.

'Nee, nee, dat mag niet, Tarasik is bang voor dronkaards.'

'Kieskeurig ben je wel,' merkte de oude vrouw afkeurend op en wendde zich tot Sasja. 'Ga naar de Verchotoerovs, dat is naast de onderwijzeres.'

Op weg naar de Verchotoerovs zie Lidija Grigorjevna:

'Met het jongetje is het moeilijk logies te krijgen, ook al loopt hij niemand in de weg. De mensen zijn bang voor iets anders: als ik word weggehaald, dan blijft het jongetje bij hen. En voor de autoriteiten hem naar een kindertehuis sturen, kunnen er een of twee jaar voorbijgaan, daar moet je moeite voor doen, brieven schrijven, en ze kunnen hier niet schrijven.'

De Verchotoerovs vroegen niet minder dan dertig roebel per maand.

Uit Lidija Grigorjevna's gezichtsuitdrukking maakte Sasja op dat ze meteen zou weigeren. Hij nam haar bij haar elleboog.

'Goed, vandaag komen ze bij u.'

Lidija Grigorjevna was ontstemd.

'U had niet namens mij moeten instemmen, ik kan noch wil zoveel geld betalen.'

'Mijn instemming verplicht u tot niets, we kunnen altijd weigeren. U blijft een paar uur bij mij, rust wat uit, eet een hapje, dan kijk ik wat rond om te zoeken. Als ik iets goedkopers vindt, gaat u kijken en beslist u. Als we niet meteen iets vinden, gaat u voorlopig bij de Verchotoerovs wonen, dan zullen we verder zoeken.'

'Bij Verchotoerov is uitgesloten,' verklaarde Lidija Grigorjevna. 'Ik heb bij elkaar niet meer dan vijfentwintig roebel. Wat zijn dat voor prijzen? In Rozjkovo betaalde ik vijftien roebel.'

'Hier is het duurder,' stemde Sasja in, 'Rozjkovo ligt in de wildernis, terwijl Mozgova vlak bij Kezjma ligt, het rayoncentrum, daarom zijn de huren hoog. Ik betaal twintig roebel, voor u hebben ze er tien voor het jongetje bovenop gedaan. Wat dat geld betreft, ik zal u wat lenen, u geeft het me later terug.'

'Ik leen niets van u,' protesteerde Lidija Grigorjevna, 'mijn neef uit Jaroslavl stuurt me geld, maar dadelijk krijgen we dat geharrewar met de post, ik weet wel wat een verandering van adres betekent, ik mag blij zijn als ik over een half jaar weer wat krijg. In Rozjkovo verdiende ik door voor de mensen te naaien. De huisvrouw had een naaimachine. Denkt u dat ik er hier één vindt?'

'Het zit hier vol modeliefhebsters,' grapte Sasja, 'ze concurreren met de rayonintelligentsia. U zult een brede clientèle hebben. En een naaimachientje vinden we ook wel.'

'Het maakt me uit niet als ze net als in Rozjkovo met eieren, room of vis willen betalen. Mijn neef stuurt me vijfentwintig roebel per maand, dat is het hoogste wat ik kan betalen.'

Sasja bracht Lidija Grigorjevna naar huis, vroeg de huisvrouw haar en Tarasik thee te drinken te geven en ging zelf naar Zida. Zij kende het hele dorp en zou hem goede raad kunnen geven.

Zida's deur was open, maar ze was niet thuis. In de kachel smeulde het houtvuur, op de tafel lagen boeken en schriften, ze was dus al terug van school. Zida verbood de leerlingen boeken en schriften mee naar huis te nemen; ze dwong hen hun lessen op school te leren, eerder mochten ze niet naar huis. 'Ze doen thuis geen huiswerk, hun boeken worden als deksel voor de melkkannen gebruikt, ze rollen sigaretten van het papier van hun schriften.'

Zonder na te denken begon hij de hanepoten van de kinderen te bekijken, toen werd zijn aandacht getrokken door een dik schrift in een calicoband, een echt dictaatschrift, in Moskou had hij op het instituut net zulke gebruikt. Zonder na te denken deed Sasja het open.

Uit de in de tekst aangegeven data—augustus, september, oktober, november—uit de initialen—S., dat was hij, Sasja, V.S., dat was Vsevolod Sergejevitsj—uit de aan zijn ogen voorbijschietende zinnetjes als 'Gisteren zei hij', 'Hij is erg dapper en edel' begreep Sasja nog zonder te lezen dat dit Zida's dagboek was. Zijn eerste opwelling was het schrift dicht te doen, andermans dagboeken te lezen, tot zoiets mocht hij zich niet verlagen. En toch… In Moskou, in zijn vorige leven, zou hij nooit een vreemd dagboek hebben durven openen. Maar hier, in zijn situatie… Ze schreef toch over hem! Wat schreef ze? Waarom vertrouwde ze dat toe aan papier? Hij moest weten wat er stond, elk van zijn stappen, elk van zijn woorden kon verkeerd worden uitgelegd. Het ongeluk kon van elke kant komen, zelfs van de vrouw die van hem hield. Wat wist hij eigenlijk van haar? Waarom woonde ze hier? In deze woestenij?

Hij liep de kamer door.

Wat betekenden de woorden 'edel en dapper'? Was dat een zinspeling daarop dat hij Solovejtsjik van voedsel had voorzien, dat hij de vluchteling niet had aangegeven? Deze twee woorden waren genoeg om alle ballingen weg te halen uit Mozgova. Doordat hij haar in vertrouwen had genomen, zouden anderen misschien moeten lijden. Ze wilde natuurlijk niemand benadelen, maar waarom moest ze schrijven? Ze was toch geen kind meer, ze liep al tegen de dertig! Begreep ze zijn positie echt niet? Waarom had ze haar dagboek op tafel laten liggen? Toevallig? Had ze het vergeten op te bergen? Uit nonchalance?

Hij liep weer door de kamer, scheurde een stukje berkeschors van een houtblok af, gooide het in de kachel: door het vuur aangestoken krulde de schors in een wip om en zag meteen zwart verbrand.

Zou hij in het dagboek kijken? Lezen wat ze over hem schreef, zich voor eens en altijd zekerheid verschaffen over wie ze werkelijk was? Maar als hij dat eenmaal had gedaan, had hij de grens overschreden die een fatsoenlijk mens van een onfatsoenlijk mens scheidde. Hij had trouwens al te lang geweifeld... Hij hoorde haar stappen buiten, hoorde vervolgens dat ze haar voeten in het voorhuis veegde. Ze kwam binnen, glimlachte hem toe.

'Wacht je al lang?'

In plaats van te antwoorden wees hij naar het dagboek.

'Wat is dat?'

Ze hoorde de woede in zijn stem, begreep dat hij haar dagboek had geopend en raakte in de war. Vervolgens keek ze Sasja met een heldere en open blik aan.

'Dat is mijn dagboek.'

'Waarom houd je een dagboek bij?'

Ze treuzelde met het antwoord.

'Stond er iets kwetsend over jou?'

'Ik lees andermans dagboeken niet. Maar... Je schrijft kennelijk ook over mij?'

'Ja, dat komt voor.'

Hij keek haar aan, vroeg toen:

'Waarom ben je hier, Zida?'

Ze liet het hoofd zakken, zweeg, gaf geen antwoord.

'Ik vraag je: wat heeft je hierheen gebracht?'

Ze fluisterde:

'Dat zal ik je nooit zeggen.'

'Dat is jouw zaak, maar ik moet absoluut weten wat je over mij schrijft.'

Ze reikte hem het schrift.

'Lees maar.'

'Ik ga je dagboek niet lezen. Maar ik vraag je alle bladzijden over mij uit te scheuren en hier in de kachel te verbranden. En in het vervolg nooit meer iets over mij te schrijven. Ik heb je mijn positie verklaard, jammer dat je er niets van begrepen hebt.'

Ze bladerde peinzend in het dagboek, vouwde de hoeken van enige bladzijden om, reikte Sasja het schrift.

'Dit gaat over jou, lees het maar.'

'Ik heb je duidelijk gezegd: ik zal het niet lezen. Scheur ze eruit en verbrand ze.'

Hij begreep hoe hard zijn eis was. Maar hij kon niet anders! Solovejtsjiks daad was de mensen duur komen te staan, en ze waren toch al ongelukkig genoeg. Hij wenste niet dat iemand door haar lichtzinnigheid narigheid kreeg.

Zida liep naar de kachel, hurkte ervoor, deed het ijzeren deurtje open, scheurde een bladzijde uit het dagboek, bekeek deze, verfrommelde hem en gooide hem in het vuur. Ze las een tweede door die ze verfrommelde en in het vuur gooide, een derde, vierde... Ze zat daar op haar knieën voor de kachel, met haar rug naar Sasja toe, scheurde bladzijden uit het schrift, verfrommelde en gooide in het vuur, al niet meer lezend, het einde van het dagboek ging blijkbaar over Sasja, of misschien kon het haar niets meer schelen en scheurde ze ze er allemaal achter elkaar uit.

'Heet,' zei ze opeens.

Nu merkte hij pas op dat hij haar niet eens haar jas had laten uittrekken, ze had ook haar laarzen nog aan, haar doek nog om, zó als ze uit de vrieskou was binnengekomen.

Nu had hij met haar te doen, was boos op zichzelf. Het was allemaal walgelijk, afschuwelijk! Wanneer was deze marteling die hij had verzonnen nu eindelijk afgelopen!?

Zida stond op, legde de restjes van het schrift op tafel, glimlachte door haar tranen.

'Dat was alles!'

Sasja verliet Zida. Afschuwelijk, alles was afschuwelijk! Weerzinwekkend! Maar hij kon niet anders optreden. Hij leefde nu onder andere wetten. Misschien zou Zida het begrijpen en bleven ze vrienden.

Hij ging naar Fedja's winkeltje en vroeg naar een logiesmogelijkheid. Hij zei erbij dat de huurster een jongetje van zes bij zich had, goed kon naaien en een huis met een naaimachine zocht.

'Kunnen we haar niet bij Lariska onderbrengen?' stelde Fedja voor. 'Ze woont alleen. En heeft een naaimachine. Ze houdt van het kleine goedje, kan niet naaien, als ze bij haar komt, heeft ze meteen een naaister in huis!'

'Meer dan twintig roebel kan ze niet betalen.'

'Voor Lariska is vijftien ook genoeg,' gebaarde Fedja, 'vooral als ze ook voor haar iets naait. Misschien zal ze ook iets voor Maroesjka maken?'

'Maar vindt Lariska het goed?'

'Als ik het zeg, vindt ze het goed.'

De zaak was voor elkaar. Sasja bracht Lidija Grigorjevna's koffers naar Lariska, bekeek de naaimachine, smeerde hem. Het was een oude machine, maar van een goed merk, Singer.

'Ik wens u veel succes,' zei Sasja, 'als u iets nodig hebt...'

Hij was nieuwsgierig naar de bijzonderheden van de vlucht van Solovejtsjik. Maar Lidija Grigorjevna vertelde niets en Sasja vond het ongepast haar uit te horen.

Toen Vsevolod Sergejevitsj hoorde dat Sasja Lidija Grigorjevna bij Lariska had ondergebracht, zei hij met zijn gebruikelijke glimlachje:

'Een alliance van een lichtekooi met een oude vrijster. Maar zij is met een jongetje en kan nergens heen. Weet u overigens wie die kleine Taras is?'

'Ze zegt dat het haar kleinzoon is, maar hij lijkt niet erg op haar.'

'Hij is de zoon van hier overleden bijzondere migranten, ofwel, officieel gezegd, koelakken.'

Sasja was verbaasd.

'Hier de opvoeding van een kind op zich nemen? Een manhaftige daad.'

Vsevolod schudde het hoofd.

'Of een poging een doel in het leven te scheppen, zich in ieder geval aan iets vast te klampen.'

'Wat haar deze daad ook heeft ingegeven,' zei Sasja, 'het is een edele en humane daad. Voor mij persoonlijk belichaamt deze de hoop: zelfs onder zulke primitieve omstandigheden worden de hoogste menselijke waarden bevestigd. Barmhartigheid is er een van.'

'Ik denk na over de metamorfozen van onze werkelijkheid,' zei Vsevolod Sergejevitsj op zijn beurt. 'Het is niet uitgesloten dat Lidija Grigorjevna indertijd de ouders van Tarasik als koelakken zelf naar Siberië heeft laten deporteren. En nu zit zij ook in Siberië en voedt hun zoon op, wat haar ellende en gebrek brengt. Is dit geen bevestiging van de stelling van het zoenoffer?'

'Ik ken de christelijke geloofsleer slecht,' antwoordde Sasja, 'maar ik denk dat Lidija Grigorjevna bewogen wordt door iets dat hoger staat dan alle religies en ideeën: het vermogen zich op te offeren voor anderen. En dat het zich ook hier openbaart, belichaamt voor mij—ik herhaal het—de hoop. Het menselijke in de mens is niet gedood en zal nooit worden gedood.'

Hoewel Sasja Lidija Grigorjevna geld had aangeboden, beschikte hij zelf maar over dertig roebel. Een paar roebel hield hij voor sigaretten en kerosine, hij sloeg zich er wel doorheen. Lidija Grigorevna zou in ieder geval geholpen zijn. En met zijn huisbaas kon hij eind november afrekenen, in geval van nood in december, wanneer de post per slee zou gaan komen.

Zoals hij al vermoedde, kwam de post begin december. En er was, zoals hij al verwachtte, veel post: geld, een pakket met winterkleren, met Varja's fijne getekende handschrift van adres voorzien, veel brieven van moeder, veel kranten. Op de stempels stonden data in augustus, september, een paar keer november, wat voor de onbegaanbaarheid van de wegen was verstuurd en wat daarna, zat door elkaar, veel post zou dus nog komen, was onderweg.

Nu stond hem een week vol genoegens te wachten, of misschien wel twee, een fantastische decembermaand lag voor hem.

Als altijd keek hij eerst de brieven door, nadat hij ze naar data had gerangschikt. Moeder schreef niets nieuws, wat voor nieuws zou zij ook kunnen hebben? Er waren groeten van zijn tantes, van Varja, niets over vader, Mark, zijn kameraden. Elke enveloppe maakte Sasja open met de stille hoop dat er een paar woorden maar van Varja bij zouden zijn, hij had haar toch al geschreven. Maar de ene brief na de andere: 'Groeten van Varja', 'Groeten van Varja'. En op de adresbanden Varja's getekende handschrift.

Maar toen Sasja de moed al had verloren, opende hij de laatste brief en onderaan op de tweede bladzijde zag hij wat Varja erbij had geschreven:

'Hallo Sasja! Ik ben nu bij je moeder, we schrijven aan je. Met ons gaat alles goed, je moeder is gezond, ik werk bij Project Moskva. Wat zou ik graag willen weten wat jij op dit ogenblik doet. Varja.'

Hij las de regels nog eens: 'Wat zou ik graag willen weten wat jij op dit ogenblik doet.' Mijn God, wat zou híj graag willen weten wat zij nu deed, haar zien, horen, haar zachtjes aanraken, met zijn hand haar gezicht voelen... Wat zou ik graag... wat zou ik graag... Hij onderging een hevig en aangrijpend gevoel van liefde, van hartstochtelijkheid, stelde zich opeens voor dat ze hier was, bij hem...

Zijn hart begon sneller te kloppen, hij stond op, liep door de kamer, overwon zichzelf en keek de kranten van augustus, september door, maar pakte elk ogenblik de brief weer en las deze regels: 'Wat zou ik graag willen weten wat jij op dit ogenblik doet.'

Zijn hele leven had hij nog voor zich, verdomme, zijn hele leven! Hij had Varja, nu wist hij het zeker. 'Wat zou ik graag willen weten wat jij op dit ogenblik doet...' Hij had Varja, had moeder, de mensen om hem heen, zijn dromen, zijn gedachten, alles wat de mens tot mens maakte.

Door de kleine vierkante ruitjes drongen zonnestralen de kamer binnen. De kachel brandde goed, het was warm en gezellig in huis. Wat gaf het allemaal, hij kon leven! Wie geen dak boven zijn hoofd had, was er slechter aan toe.

Iemand kwam het voorhuis binnen, stampte, veegde met de bezem de sneeuw van zijn laarzen, deed de deur open. Het was Vsevolod Sergejevitsj.

'Kom binnen,' zei Sasja verheugd, 'doe uw jas uit.'

Vsevolod Sergejevitsj ontdeed zich van zijn mantel en muts, wikkelde zijn sjaal van zijn nek, legde zijn handschoenen op de kachel... Zijn kleumende handen wrijvend liep hij door de kamer en wierp een blik op de tafel.

'Zoekt u de post uit?'

'Ja, ik heb veel gekregen. U ook zeker?'

'En wat heeft u voor nieuws?' beantwoordde Vsevolod Sergejevitsj de vraag met een wedervraag.

'Niets bijzonders... Brieven van moeder, van vrienden. Ik ben er blij mee.'

'Natuurlijk, natuurlijk,' Vsevolod Sergejevitsj antwoordde alsof hij hem niet hoorde.

'Wat is er?' vroeg Sasja, 'Maakt u zich ergens zorgen over?'

'Het ziet er slecht uit, Sasja, slecht.' Vsevolod Sergejevitsj bleef maar door de kamer heen en weer lopen, terwijl hij zich steeds in zijn handen wreef.

Sasja's eerste gedachte was: Solovejtsjik... Zou hij zijn gegrepen?

'Ja? Wat is er dan gebeurd?'

Vsevolod Sergejevitsj bleef tegenover Sasja staan.

'Op één december is Kirov in Leningrad vermoord.'

'Kirov?' herhaalde Sasja verward. 'Wie heeft hem vermoord?'

'De bijzonderheden ken ik niet. Er is een regeringscommuniqué uitgegeven: "Op één december is om zestien uur dertig te Leningrad in het Smolny-instituut, neergeschoten door een door de vijanden van de arbeidersklasse gestuurde sluipmoordenaar, Kirov om het leven gekomen. De dader is aangehouden. Zijn identiteit wordt nog onderzocht."'

'Heeft u een krant?'

'Nee, ik heb geen krant, maar dit klopt. Er is nog een communiqué: de moordenaar is een zekere Nikolajev. En een derde: terreurzaken worden binnen tien dagen behandeld zonder deelneming van de partijen, dat wil zeggen zonder verdediging, zonder mogelijkheid tot hoger beroep, zonder gratie, na de uitspraak van het vonnis onverwijld terechtstellen. Punt uit, Sasja! "Door een door de vijanden van de arbeidersklasse gestuurde sluipmoordenaar." Niet slecht...'

'Wat is er volgens u zo bijzonder aan die woorden? Die zijn niet de hoofdzaak.'

'Denkt u niet?' antwoordde Vsevolod Sergejevitsj. '"Neergeschoten door een door de vijanden van de arbeidersklasse gestuurde sluipmoordernaar" en meteen daarna dat de identiteit van de dader "wordt nog onderzocht". Hoe kan dat, waar blijft hier de logica? Zijn identiteit is nog niet bekend, maar ze weten wel al wie hem heeft gestuurd. Onbegrijpelijk, onbegrijpelijk... Hoewel... het is heel begrijpelijk...'

'Men zegt dat Kirov een goed mens was, een goed redenaar, de favoriet van de partij. Wie heeft de hand tegen hem durven opheffen?'

Vsevolod Sergejevitsj ging op de bank zitten, leunde met het hoofd tegen de wand.

'Wie dit ook gedaan mag hebben, Sasja, ik kan u met volle overtuiging zeggen: er breken zwarte tijden aan.'

MOSKOU, 1966—1983

Lijst van historische personen

Jagoda, Genrich (1891-1938), chef van de NKVD 1934-1936

Jenoekidze, Avel (1877-1937), Georgische bolsjewiek, medewerker van Stalin

Jezjov, Nikolaj (1895-?), chef van de NKVD 1936-1938

Kamenev, Lev (1883-1936), lid van het Politbureau 1919-1926

Kirov, Sergej (1886-1934), partijsecretaris van Leningrad, lid van het Politbureau 1930-1934, op 1 december 1934 vermoord in het Smolny-instituut, het hoofdkwartier van de Leningraadse communisten

Machno, Nestor (1889-1934), anarchist en partizanenleider in de Oekraïne 1918-1921

Nikolajev, Leonid (1905-1934), communist, moordenaar van Kirov

Ordzjonikidze, Sergo (1886-1937), landgenoot en naaste medewerker van Stalin, volkscommissaris van zware industrie 1932-1937, lid van het Politbureau 1930-1937; pleegde zelfmoord

Pjatakov, Georgi (1890-1937), ondervolkscommissaris van zware industrie 1930-1936

Pokrovski, Michail (1868-1932), marxistisch historicus, ondervolkscommissaris van onderwijs 1918-1932

Stalin, Josif (1879-1953), lid van het Politbureau 1919-1953, secretaris-generaal van de communistische partij 1922-1953

Trotski, Lev (1879-1940), volkscommissaris van buitenlandse zaken 1917-1918, volkscommissaris van defensie 1918-1925; politiek emigrant vanaf 1929

Zinovjev, Grigori (1883-1936), partijsecretaris van Leningrad (1919-1926), lid van het Politbureau 1921-1926

Zjdanov, Andrej (1896-1948), secretaris van de communistische partij 1934-1948, opvolger van Kirov in Leningrad

Lijst van afkortingen

cc – Centraal Comité, het bestuur van de communistische partij

Gosplan – Staatsplancommissie

NEP – Nieuwe Economische Politiek (1921-1928)

NKVD – Ministerie van binnenlandse zaken, waaronder ook de geheime politie viel (vanaf 1934)

(O)GPOe – (Verenigde)Politieke Rijksdienst (de geheime politie), 1921-1934)

Tsjeka – voluit: Buitengewone Commissie ter bestrijding van de contrarevolutie, sabotage en speculatie; de geheime politie (1917-1921)

VKP (b) – de Communistische Partij ('b' staat voor bolsjewieken)

VLKSM – Leninistische Communistische Jeugdbond, de Komsomol

Inhoud